le Guide du routard

Directeur d

Philippe

Co

Philippe GLOAGU

Rédac

Pierre JOSSE

Rédacteur en chef adjoint

Benoît LUCCHINI

Directrice de la coordination

Florence CHARMETANT

Directeur de routard.com

Yves COUPRIE

Rédaction

Olivier PAGE, Véronique de CHARDON,
Amanda KERAVEL, Isabelle AL SUBAIHI,
Anne-Caroline DUMAS, Carole BORDES,
Bénédicte BAZAILLE, André PONCELET,
Marie BURIN des ROZIERS, Thierry BROUARD,
Géraldine LEMAUF-BEAUVOIS, Anne POINSOT,
Mathilde de BOISGROLLIER, Gavin's CLEMENTE-RUÏZ,
Fabrice de LESTANG et Alain PALLIER

CÔTE D'AZUR

2002

2003

Hachette

Avis aux hôteliers et aux restaurateurs

Les enquêteurs du *Routard* travaillent dans le plus strict anonymat, afin de préserver leur indépendance et l'objectivité des guides. Aucune réduction, aucun avantage quelconque, aucune rétribution ne sont jamais demandés en contrepartie. La loi autorise les hôteliers et restaurateurs à porter plainte.

Hors-d'œuvre

Le *GDR*, ce n'est pas comme le bon vin, il vieillit mal. On ne veut pas pousser à la consommation, mais évitez de partir avec une édition ancienne. D'une année sur l'autre, les modifications atteignent et dépassent souvent les 40 %.

Spécial copinage

www.routard.com

NOUVEAU : les temps changent, après 4 ans de bons et loyaux services, le web du Routard laisse la place à ***routard.com,*** notre portail voyage. Tout pour préparer votre voyage en ligne, de A comme argent à Z comme Zanzibar : des fiches pratiques sur 130 destinations (y compris les régions françaises), nos tuyaux perso pour voyager, des cartes et des photos sur chaque pays, des infos météo et santé, la possibilité de réserver en ligne son visa, son vol sec, son séjour, son hébergement ou sa voiture. En prime, *routard mag* véritable magazine en ligne, propose interviews de voyageurs, reportages, carnets de routes, événements culturels, programmes télé, produits nomades, fêtes et infos du monde. Et bien sûr : des concours, des chats, des petites annonces, une boutique de produits voyages...

TABLE DES MATIÈRES

COMMENT Y ALLER ?

GÉNÉRALITÉS

LA CÔTE VAROISE

LA CÔTE PROVENÇALE

LA « PROVENCE D'AZUR »

LE GOLFE DE SAINT-TROPEZ ET LE PAYS DES MAURES

L'ESTÉREL

L'ARRIÈRE-PAYS VAROIS

LE PAYS DRACÉNOIS ET LE CENTRE-VAR

LA « PROVENCE VERTE »

LE HAUT-VAR ET LE VERDON

LE PAYS DE FAYENCE

LA BAIE DE CANNES ET L'ARRIÈRE-PAYS

LES ALPES D'AZUR

LA CÔTE DE NICE À MENTON

LES GUIDES DU ROUTARD 2002-2003

(dates de parution sur **www.routard.com**)

France

- Alpes
- Alsace, Vosges
- Aquitaine
- **Ardèche, Drôme**
- Auvergne, Limousin
- Banlieues de Paris
- Bourgogne, Franche-Comté
- Bretagne Nord
- Bretagne Sud
- Châteaux de la Loire
- Corse
- Côte d'Azur
- Hôtels et restos de France
- Junior à Paris et ses environs
- **Junior en France (printemps 2002)**
- Languedoc-Roussillon
- Lyon et ses environs
- Midi-Pyrénées
- Nord, Pas-de-Calais
- Normandie
- Paris
- Paris à vélo
- Paris balades
- Paris casse-croûte
- Paris exotique
- **Paris la nuit (nouveauté)**
- Pays basque (France, Espagne)
- Pays de la Loire
- Poitou-Charentes
- Provence
- Restos et bistrots de Paris
- Le Routard des amoureux à Paris
- Tables et chambres à la campagne
- Week-ends autour de Paris

Amériques

- **Argentine (nouveauté)**
- Brésil
- Californie et Seattle
- Canada Ouest et Ontario
- Cuba
- **Chili** et **Île de Pâques (nouveauté)**
- Équateur
- États-Unis, côte Est
- Floride, Louisiane
- Guadeloupe, Saint-Martin, Saint-Barth
- Martinique, Dominique, Sainte-Lucie
- Mexique, Belize, Guatemala
- New York
- Parcs nationaux de l'Ouest américain et Las Vegas
- Pérou, Bolivie
- Québec et Provinces maritimes
- Rép. dominicaine (Saint-Domingue)

Asie

- Birmanie
- **Chine**
- Inde du Nord
- Inde du Sud
- Indonésie
- Israël
- Istanbul
- Jordanie, Syrie, Yémen
- Laos, Cambodge
- Malaisie, Singapour
- Népal, Tibet
- Sri Lanka (Ceylan)
- Thaïlande
- Turquie
- Vietnam

Europe

- Allemagne
- Amsterdam
- Andalousie
- **Andorre, Catalogne**
- Angleterre, pays de Galles
- Athènes et les îles grecques
- Autriche
- Baléares
- Belgique
- **Croatie (mars 2002)**
- Écosse
- Espagne du Centre
- **Espagne du Nord-Ouest (Galice, Asturies, Cantabrie - mars 2002)**
- Finlande, Islande
- Grèce continentale
- Hongrie, Roumanie, Bulgarie
- Irlande
- Italie du Nord
- Italie du Sud, Rome
- Londres
- Norvège, Suède, Danemark
- Pologne, République tchèque, Slovaquie
- Portugal
- Prague
- Sicile
- Suisse
- Toscane, Ombrie
- Venise

Afrique

- Afrique noire
- Égypte
- Île Maurice, Rodrigues
- Kenya, Tanzanie et Zanzibar
- Madagascar
- Maroc
- Marrakech et ses environs
- Réunion
- Sénégal, Gambie
- Tunisie

et bien sûr...

- Le Guide de l'expatrié
- **Le Guide du chineur autour de Paris (printemps 2002)**
- **Le Guide du citoyen (printemps 2002)**
- Humanitaire
- Internet

NOS NOUVEAUTÉS

CHINE (paru)

Depuis Tintin et *Le Lotus Bleu,* on rêve de la Chine. Eh oui, de superbes images exotiques, une capacité d'évocation exceptionnelle. Mais attention, cette Chine-là a tout de même quelque peu évolué : ouverture économique, développement incroyable, montée en puissance du tourisme... Tout cela fait que le pays a plus changé en dix ans qu'en un siècle ! Aujourd'hui, avec la baisse des prix du transport et l'ouverture quasi totale du pays, y voyager librement et à la *routarde,* est carrément à la portée de tous. À nous donc, la Cité interdite de Pékin, le magique parc impérial de Chengde, la Grande Muraille, l'armée impériale en terre cuite de Xi'an, les paysages d'estampes de Guilin, Shanghai, la trépidante vitrine de cette Chine nouvelle, en pleine explosion capitaliste, et aussi Hong Kong, le grand port du Sud, Canton et la Rivière des Perles, sans oublier Macao, la ville des casinos et du jeu. Avec notre coup de cœur : le Yunnan, la grande province du Sud-Ouest... « Au sud des Nuages », une région montagneuse et sauvage, habitée par de nombreuses minorités ethniques, au mode de vie encore préservé.
Certes, toute la Chine ne tiendra pas dans un seul *Guide du routard,* mais un seul routard peut tenir à la Chine plus qu'à nul autre pays. En avant vers cet empire du Milieu, désormais accessible de tous bords et qui n'est pas, loin s'en faut, totalement entré dans la modernité.
La Chine se révélera encore capable de livrer nombre de scènes et atmosphères du temps des Seigneurs de guerre (ou peut-être même avant !). Cependant, elles se mériteront, il faudra seulement les chercher un peu plus. En tout cas, elles n'échapperont pas à ceux, celles qui sauront sortir des *Hutongs* battus ! Allez, un peu de yin dans la valoche, beaucoup de yang dans le sac à dos, et en route !

ANDORRE, CATALOGNE (paru)

Si la belle Andorre est surtout réputée pour son commerce détaxé et la multitude de ses boutiques, cela ne représente que 10 % de son territoire. Et le reste ? De beaux vestiges romans, des montagnes et des vallées, avec un climat idéal, doux en été et aux neiges abondantes en hiver. Un vrai paradis de la balade et du ski. Avant tout, l'Andorre, c'est l'ivresse des sommets. Un dépaysement qui mérite bien quelques jours, déjà en pays catalan, et pourtant différent.
La Catalogne, bourrée de charme, renferme un époustouflant éventail de trésors artistiques, alliant les délicieuses églises romanes aux plus grands noms de l'art moderne : Dalí, Picasso, Miró et Tápies, pour ne citer qu'eux. Et on les retrouve, bien sûr, dans la plus branchée des villes espagnoles, Barcelone, bouillonnante de sensations, d'odeurs et d'émotions. Aussi célèbre pour sa vie nocturne que pour ses palais extraordinaires cachés derrière les façades décrépies des immeubles, marqués par l'architecture incroyable de Gaudí, cette merveilleuse cité se parcourt à pied pour qui veut découvrir son charme propre. Et de la côte aux villages reculés, c'est avant tout cette culture, d'une richesse étonnante, qui a façonné l'identité catalane. Et les Catalans sont ravis de la partager avec ceux qui savent l'apprécier.

SPÉCIAL DÉFENSE DU CONSOMMATEUR

Un routard informé en vaut dix ! Pour éviter les arnaques en tout genre, il est bon de les connaître. Voici, par ordre alphabétique, un petit vade-mecum destiné à parer aux coûts et aux coups les plus redoutables (coup de bambou, coup de fusil et même... coup du sous-marin !).

Accueil : aucune loi n'oblige un hôtelier ou un restaurateur à recevoir aimablement ses clients. On imagine d'ailleurs assez mal une amende pour accueil désagréable. Là encore, chacun fait ce qu'il peut et reçoit comme il veut. Selon la conscience professionnelle, l'aptitude à rendre service et le caractère de chacun, l'accueil peut varier du meilleur au pire... Une simple obligation incombe aux hôteliers et aux restaurateurs : ils doivent renseigner correctement leurs clients, même par téléphone, sur les prix des chambres et des menus, sur le niveau de confort et le genre de cuisine proposé.

Affichage des prix : les hôtels et les restos sont tenus d'informer les clients de leurs prix, à l'aide d'une affichette, d'un panneau extérieur, ou de tout autre moyen. Ça, c'est l'article 28 de l'ordonnance du 1er décembre 1986 qui l'impose à la profession. Donc, vous ne pouvez contester des prix exorbitants que s'ils ne sont pas clairement affichés.

Arrhes ou acompte ? Au moment de réserver votre chambre (par téléphone ou par écrit), il n'est pas rare que l'hôtelier vous demande de verser à l'avance une certaine somme, celle-ci faisant office de garantie. Il est préférable de parler d'arrhes et non d'acompte. Légalement, aucune règle n'en précise le montant. Toutefois, ne versez que des arrhes raisonnables : 25 à 30 % du prix total, sachant qu'il s'agit d'un engagement définitif sur la réservation de la chambre. Cette somme ne pourra donc être remboursée en cas d'annulation de la réservation, sauf cas de force majeure (maladie ou accident) ou en accord avec l'hôtelier si l'annulation est faite dans des délais raisonnables. Si, au contraire, l'annulation est le fait de l'hôtelier, il doit vous rembourser le double des arrhes versées : l'article 1590 du Code civil le dit très nettement, et ce depuis 1804 !

Commande insuffisante : il arrive que certains restos refusent de servir une commande jugée insuffisante. Le garçon ou le patron fait la moue. Il affirme même qu'il perd de l'argent. Cependant, le restaurateur ne peut pas vous pousser à la consommation. C'est illégal.

Eau : une banale carafe d'eau du robinet est gratuite, à condition qu'elle accompagne un repas.

Hôtels : comme les restaurants, ils ont interdiction de pratiquer la subordination de vente. C'est-à-dire qu'ils ne peuvent pas vous obliger à réserver plusieurs nuits d'hôtel si vous n'en souhaitez qu'une. Dans le même ordre d'idée, on ne peut vous obliger à prendre votre petit déjeuner ou vos repas dans l'hôtel où vous dormez ; ce principe est illégal et constitue une subordination de prestation de service condamnable par une amende. L'hôtelier reste cependant libre de proposer la demi-pension ou la pension complète. Bien se renseigner avant de prendre la chambre dans les hôtels-restaurants. À savoir aussi, si vous dormez en compagnie de votre « moutard », il peut vous être demandé un supplément.

Menus : très souvent, les premiers menus (les moins chers) ne sont servis qu'en semaine et avant certaines heures (12 h 30 et 20 h 30 généralement). Cela doit être clairement indiqué sur le panneau extérieur : à vous de vérifier.

Sous-marin : après le coup de bambou et le coup de fusil, celui du sous-marin. Le procédé consiste à rendre la monnaie en plaçant dans la soucoupe (de bas en haut) : les pièces, l'addition puis les billets. Si l'on est pressé, on récupère les billets en oubliant les pièces cachées sous l'addition.

Vins : les cartes des vins ne sont pas toujours très claires. Exemple : vous commandez un bourgogne à 7,62 € (50 F) la bouteille. On vous la facture 15,24 € (100 F). En vérifiant sur la carte, vous découvrez qu'il s'agit d'une demi-bouteille. Mais c'était écrit en petits caractères illisibles.
La bouteille doit être obligatoirement débouchée devant le client, sinon il n'est pas sûr qu'il y ait adéquation entre le vin annoncé et le contenu de la bouteille.

Nous tenons à remercier tout particulièrement Gérard Bouchu, François Chauvin, Grégory Dalex, Carole Fouque, Michelle Georget, Patrick de Panthou, Jean Omnes, Jean-Sébastien Petitdemange et Alexandra Sémon pour leur collaboration régulière.

Et pour cette chouette collection, plein d'amis nous ont aidés :

Caroline Achard
Didier Angelo
Barbara Batard
José-Marie Bel
Thierry Bessou
Cécile Bigeon
Philippe Bordet et Edwige Bellemain
Nathalie Boyer
Benoît Cacheux et Laure Beaufils
Guillaume de Calan
Danièle Canard
Florence Cavé
Raymond Chabaud
Jean-Paul Chantraine
Bénédicte Charmetant
Franck Chouteau
Geneviève Clastres
Maud Combier
Sandrine Copitch
Sandrine Couprie
Franck David
Laurent Debéthune
Agnès Debiage
Fiona Debrabander
Charlotte Degroote
Vianney Delourme
Tovi et Ahmet Diler
Evy Diot
Sophie Duval
Flora Etter
Hervé Eveillard
Didier Farsy
Flamine Favret
Pierre Fayet
Alain Fisch
Cédric Fisher
Dominique Gacoin
Cécile Gauneau
Adélie Genestar
David Giason
Adrien Gloaguen
Olivier Gomez et Sylvain Mazet
Isabelle Grégoire
Jean-Marc Guermont
Xavier Haudiquet
Claude Hervé-Bazin
Catherine Hidé
Bernard Houliat
Christian Inchauste
Catherine Jarrige
Lucien Jedwab
François Jouffa
Emmanuel Juste
Florent Lamontagne
Jacques Lanzmann
Vincent Launstorfer
Grégoire Lechat
Raymond et Carine Lehideux
Alexis Le Manissier
Jean-Claude et Florence Lemoine
Mickaela Lerch
Valérie Loth
Pierre Mendiharat
Anne-Marie Minvielle
Thomas Mirante
Xavier de Moulins
Jacques Muller
Yves Negro
Alain Nierga et Cécile Fischer
Michel Ogrinz et Emmanuel Goulin
Franck Olivier
Martine Partrat
Nathalie Pasquier
Jean-Valéry Patin
Odile Paugam et Didier Jehanno
Côme Perpère
Jean-Alexis Pougatch
Michel Puysségur
Jean-Luc Rigolet
Guillaume de Rocquemaurel
Ludovic Sabot
Jean-Luc et Antigone Schilling
Emmanuel Sheffer
Michèle Solle
Guillaume Soubrié
Régis Tettamanzi
Thu-Hoa-Bui
Christophe Trognon
Anne de la Varende
Isabelle Verfaillie
Charlotte Viart
Stéphanie Villard
Isabelle Vivarès
Solange Vivier

Direction : Cécile Boyer-Runge
Contrôle de gestion : Joséphine Veyres
Direction éditoriale : Catherine Marquet
Édition : Catherine Julhe, Peggy Dion, Matthieu Devaux, Stéphane Renard, Sophie Berger et Carine Girac
Préparation-lecture : Solange Vivier
Cartographie : Cyrille Suss
Fabrication : Gérard Piassale et Laurence Ledru
Direction des ventes : Francis Lang
Direction commerciale : Michel Goujon, Dominique Nouvel, Dana Lichiardopol et Lydie Firmin
Informatique éditoriale : Lionel Barth
Relations presse : Danielle Magne, Martine Levens et Maureen Browne
Régie publicitaire : Florence Brunel et Monique Marceau
Service publicitaire : Frédérique Larvor et Marguerite Musso

LA CHARTE DU ROUTARD

À l'étranger, l'étranger c'est nous ! Avec ce dicton en tête, les bonnes attitudes coulent de source.

– ***Les us et coutumes du pays***

Respecter les coutumes ou croyances qui semblent parfois surprenantes. Certains comportements très simples, comme la discrétion et l'humilité, permettent souvent d'éviter les impairs. Observer les attitudes des autres pour s'y conformer est souvent suffisant. S'informer des traditions religieuses est toujours passionnant. Une tenue vestimentaire sans provocation, un sourire, quelques mots dans la langue locale sont autant de gestes simples qui permettent d'échanger et de créer une relation vraie. Tous ces petits gestes constituent déjà un pas vers l'autre. Et ce pas, c'est à nous visiteurs de le faire. Mots de passe : la tolérance et le droit à la différence.

– ***Visiteur/visité : un rapport de force déséquilibré***

Le passé colonial ou le simple fossé économique peuvent entraîner parfois inconsciemment des tensions dues à l'argent. La différence de pouvoir d'achat est énorme entre gens du Nord et du Sud. Ne pas exhiber ostensiblement son argent. Éviter les grosses coupures, que beaucoup n'ont jamais eues entre les mains.

– ***Le tourisme sexuel***

Il est inadmissible que des Occidentaux utilisent leurs moyens financiers pour profiter sexuellement de la pauvreté. De nouvelles lois permettent désormais de poursuivre et juger dans leur pays d'origine ceux qui se rendent coupables d'abus sexuels, notamment sur les mineurs des deux sexes. C'est à la conscience personnelle et au simple respect humain que nous faisons appel. Combattre de tels comportements est une démarche fondamentale. Boycottez les établissements favorisant ce genre de relations.

– ***Photo ou pas photo ?***

Renseignez-vous sur le type de rapport que les habitants entretiennent avec la photo. Certains peuples considèrent que la photo vole l'âme. Alors, contentez-vous des paysages, ou bien créez un dialogue avant de demander l'autorisation. Ne tentez pas de passer outre. Dans les pays où la photo est la bienvenue, n'hésitez pas à prendre l'adresse de votre sujet et à lui envoyer vraiment la photo. Un objet magique : laissez-lui une photo Polaroïd.

– ***À chacun son costume***

Vouloir comprendre un pays pour mieux l'apprécier est une démarche louable. En revanche, il est parfois bon de conserver une certaine distanciation (on n'a pas dit distance), en sachant rester à sa place. Il n'est pas nécessaire de porter un costume berbère pour montrer qu'on aime le pays. L'idée même de « singer » les locaux est mal perçue. De même, les tenues dénudées sont souvent gênantes.

– ***À chacun son rythme***

Les voyageurs sont toujours trop pressés. Or, on ne peut ni tout voir, ni tout faire. Savoir accepter les imprévus, souvent plus riches en souvenirs que les périples trop bien huilés. Les meilleurs rapports humains naissent avec du temps et non de l'argent. Prendre le temps. Le temps de sourire, de parler, de communiquer, tout simplement. Voilà le secret d'un voyage réussi.

– ***Éviter les attitudes moralisatrices***

Le routard « donneur de leçons » agace vite. Évitez de donner votre avis sur tout, à n'importe qui et n'importe quand. Observer, comparer, prendre le temps de s'informer avant de proférer des opinions à l'emporte-pièce. Et en profiter pour écouter, c'est une règle d'or.

– ***Le pittoresque frelaté***

Dénoncer les entreprises touristiques qui traitent les peuples autochtones de manière dégradante ou humiliante et refuser les excursions qui jettent en pâture les populations locales à la curiosité malsaine. De même, ne pas encourager les spectacles touristiques préfabriqués qui dénaturent les cultures traditionnelles et pervertissent les habitants.

Remerciements

Pour ce guide, nous remercions tout particulièrement :

– Valérie Pelligrini, du CRT Riviera Côte-d'Azur
– Sandra Jurinie, de l'OT de Nice
– Sylviane Mathieu, de l'OT d'Èze
– L'équipe de l'OT de Menton
– Élisabeth Lara, de l'OT de Cannes
– Ludovic Soler, de Cagnes-sur-Mer
– L'OT de Mougins
– L'OT de Saint-Paul-de-Vence
– L'OT de Golfe-Juan
– Jérôme Anglada, efficace stagiaire de l'OT de Hyères
– « Manu » Bertrand (mille fois merci), de la maison du tourisme du golfe de Saint-Tropez
– Élisabeth Choisy, Véronique Cicé, Géraldine Galabrun et toute l'équipe du CDT du Var pour leur aide (précieuse !)
– Tania Gianiti, de l'OT de la Garde-Freinet
– François-Marcquart-Moulin, des jardins du Rayol
– Florence Pages, de l'OT de Ramatuelle

Le *Guide du routard* remercie l'Association des Paralysés de France de l'aider à signaler les lieux accessibles aux personnes à mobilité réduite. Cette attention est déjà une victoire sur le handicap.

COMMENT Y ALLER ?

PAR LA ROUTE

➢ Par la classique *nationale 7,* chère à Charles Trenet. Bouchons en prime lors des grandes migrations estivales.
➢ Par *l'autoroute* : de Lille à Menton, le long ruban de l'autoroute du Soleil vous y conduit directement, avec cependant une inévitable petite saignée au portefeuille.
➢ Si vous n'êtes pas trop pressé, nous vous engageons vivement à quitter l'autoroute pour rejoindre la destination de votre choix par l'un des adorables itinéraires qui constellent le centre de la Provence :
– pour gagner le Var et les Alpes-Maritimes, par la basse vallée de la Durance, Barjols, Cotignac, Lorgues, Draguignan en zigzaguant par les villages haut perchés.
– Superbe itinéraire depuis Grenoble en traversant les Alpes par la *route Napoléon* (la N 85) : Digne, Castellane, Grasse, etc.
Pour les inconditionnels de l'auto-stop, sachez qu'il vaut mieux éviter les grandes villes. À Toulon, où l'autoroute traverse la ville, les voitures prennent rapidement de la vitesse et ne vous voient pas. Un conseil, donc, faites du stop sur les gares de péages autoroutières ou dans les petits villages le long de la N 7 (nombreux feux et croisements).

EN CAR

▲ FRANCELIGNES
Un nouveau réseau régional qui assure des liaisons régulières de ville à ville, dans un très grand confort. À ce jour, seulement deux lignes express : *Aix-Toulon* (4 allers-retours par jour, du lundi au dimanche ; 1 h 15 de trajet) et *La Seyne-Aix* (3 allers-retours par jour, du lundi au dimanche ; 1 h 30 de trajet). Le tarif de base est celui d'une 2e classe en train. Il existe des tarifs réduits.
– *Renseignements à la gare routière de Marseille :* ☎ 04-91-08-16-40.
– *Points de vente à Toulon : Sodetrav,* ☎ 04-94-12-55-12. Office du tourisme : ☎ 04-94-18-53-00.
– *À Aix :* gare routière, ☎ 04-42-91-26-80.

EN TRAIN

Au départ de Paris

🚗 Les autos/trains (permettant de transporter votre voiture ou votre moto jusqu'à l'arrivée) sont au départ de la ***gare de Bercy*** et à destination de Toulon, Fréjus-Saint-Raphaël et Nice.
➢ ***Paris-Toulon :*** 14 TGV par jour en moyenne, directs ou avec un changement à Marseille. Meilleur temps de parcours : 3 h 51. 1 train de nuit.
➢ ***Paris-Saint-Raphaël :*** 9 TGV par jour en moyenne, directs ou avec un changement à Marseille ou à Avignon. Meilleur temps de parcours : 4 h 40. 1 train de nuit.
➢ ***Paris-Nice :*** environ 9 TGV par jour, directs ou avec un changement à Marseille ou à Toulon. Meilleur temps de parcours : 5 h 33. 1 train de nuit.
➢ ***Paris-Monaco :*** 2 TGV par jour en moyenne, directs ou avec un changement à Nice. Durée moyenne du trajet : 6 h 02. 1 train de nuit.

Au départ de la province

Des autos/trains relient aussi la Côte d'Azur depuis Bordeaux, Lille (Seclin), Nantes, Strasbourg.
➢ Au départ de ***Lille,*** TGV directs pour *Toulon* (5 h 20 de voyage), *Saint-Raphaël* (6 h 20 de voyage) et *Nice* (7 h 15 de voyage). Un train de nuit dessert aussi ces 3 destinations.
➢ Au départ de ***Lyon,*** TGV ou trains Corail directs pour *Nice* (5 h 30 de voyage).
➢ Trains de nuit à destination de *Nice* au départ de ***Bordeaux*** et ***Strasbourg.***

Pour préparer votre voyage

– ***Billet à domicile :*** commandez votre billet par téléphone, par Minitel ou sur Internet, la SNCF vous l'envoie gratuitement à votre domicile. Vous réglez par carte bancaire (pour un montant supérieur à 1,52 €, soit 10 F, sous réserve de modifications ultérieures) au moins 4 jours avant le départ (7 jours si vous résidez à l'étranger).
– ***Service Bagages :*** appelez le ☎ 0825-845-845 (0,15 €/mn, soit 0,98 F). La SNCF prend en charge vos bagages où vous le souhaitez et vous les livre là où vous allez. Délai de 24 h porte à porte à compter du jour de l'enlèvement à 17 h, hors samedi, dimanche et fêtes. Soumis à conditions.

Pour voyager au meilleur prix

La SNCF propose de nombreuses offres vous permettant d'obtenir jusqu'à 50 % de réduction.
– ***Pour tous :*** Découverte J8 et J30 (de 25 à 50 % de réduction si vous réservez votre billet jusqu'à 8 ou 30 jours avant le départ), pour un séjour comportant la nuit du samedi au dimanche. Découverte Séjour (25 % de réduction), pour un voyage à 2 et jusqu'à 9 personnes. Découverte à deux (25 % de réduction).
– ***Pour les familles :*** Découverte Enfant (25 % de réduction), Carte Enfant + (de 25 garantis à 50 % de réduction).
– ***Pour les jeunes :*** Découverte 12-25 (25 % de réduction), Carte 12-25 (de 25 garantis à 50 % de réduction).
– ***Pour les seniors :*** Découverte Senior (25 % de réduction), Carte Senior (de 25 garantis à 50 % de réduction).
Toutes ces offres sont soumises à conditions.

Pour vous informer sur ces offres et acheter vos billets

– ***Ligne directe :*** ☎ 08-92-35-35-35 (0,34 €/mn, soit 2,21 F), tous les jours de 7 h à 22 h.
– ***Internet :*** • www.voyages-sncf.com •
– ***Minitel :*** 36-15, 36-16 ou 36-23, code SNCF (0,20 €/mn, soit 1,28 F).
– Dans les gares, les boutiques SNCF et les agences de voyages agréées.

COMMENT CIRCULER SUR LA CÔTE D'AZUR

Le TER

La SNCF et le Conseil régional Provence – Alpes-Côte – d'Azur vous proposent des trains et des autocars TER desservant un grand nombre de points d'arrêts qui vous permettront de découvrir les principaux sites touristiques.

BDDP @ TBWA R.C.S. B 682 005 079
TOUS LES
HORAIRES
TOUS LES
ITINÉRAIRES
DU TER

Les horaires des lignes du réseau TER

– Pratique pour sillonner toute la région, le Guide des Transports Express Régionaux (gratuit et disponible dans toutes les gares de la région) présente les horaires des TER et les informations utiles pour bien voyager.
– Moins encombrantes et réservées à ceux qui se déplacent sur un axe précis, 15 fiches horaires TER gratuites, format pocket, sont également disponibles dans toutes les gares SNCF.
– Pour les malins qui préparent leur voyage à l'avance, ces fiches horaires sont proposées sur le site internet • www.ter.sncf.fr/paca •

Des réductions TER pour tous : les bons plans de l'été avec la carte Isabelle !

En plus des tarifs normaux (voir plus haut), cette formule de PASS à la journée vous est proposée en juillet, août et septembre. Entre ***Saint Raphaël, Vintimille*** et ***Nice-Tende***, profitez de la carte Isabelle (forfait 1 jour, voyages illimités sur les TER, prix unique de 9,91 €, soit 65 F – prix au 01/07/2001).

Pour tous renseignements

– *Internet :* • www.ter.sncf.fr •
– *Ligne directe :* ☎ 08-36-35-35-35 (0,34 €/mn, soit 2,21 F).
– *Minitel :* 36-15, code TER (0,15 €/mn, soit 1 F).

EN AVION

▲ AIR FRANCE

– *Paris :* 119, av. des Champs-Élysées, 75008. Renseignements et réservations : ☎ 0820-820-820 (de 8 h à 21 h). • www.airfrance.fr • Minitel : 36-15, code AF (tarifs, vols en cours, vaccinations, visas). Et dans toutes les agences de voyages. M. : George-V.
Nice est relié à Orly-Sud avec « la Navette » et avec Roissy par 8 vols par jour. Également des liaisons quotidiennes avec Toulouse, Nantes, Rennes, Clermont-Ferrand, Lille, Strasbourg, Bordeaux, Bastia et Ajaccio.
– Air France propose une gamme de tarifs très attractifs, accessibles à tous sous la marque *Tempo* : *Tempo 1* (le plus souple), *Tempo 2, Tempo 3, Tempo 4* (le moins cher). La compagnie propose également le tarif *Tempo Jeunes* (pour les moins de 25 ans). Ces tarifs sont accessibles jusqu'au jour de départ en aller simple ou aller-retour, avec date de retour libre. Il est possible de modifier la réservation ou d'annuler jusqu'au jour de départ sans frais.
– Pour les moins de 25 ans, la carte de fidélité *Fréquence Jeunes* est nominative, gratuite et valable sur l'ensemble des lignes nationales et internationales d'Air France. Cette carte permet d'accumuler des *miles* et de bénéficier ainsi de nombreux avantages ou réductions chez les partenaires d'Air France.
– Tous les mercredis dès 0 h 00, sur Minitel : 36-15, code AF (0,20 €/mn, soit 1,29 F) ou sur Internet • www.airfrance.fr •, Air France propose des tarifs coup de cœur, une sélection de destinations en France Métropolitaine et en Europe à des tarifs très bas pour les 7 jours à venir.
Pour les enchères sur Internet, Air France propose pour les clients disposant d'une adresse en France Métropolitaine, tous les 15 jours, le jeudi de 12 h à 22 h plus de 100 billets mis aux enchères. Il s'agit de billets aller-retour, sur le réseau Métropole, moyen-courrier et long-courrier, au départ de France métropolitaine. Air France propose au gagnant un second billet sur un même vol au même tarif.

▲ AIRLIB (ex-compagnies AOM et Air Liberté)
– Renseignements et réservations au ☎ 0825-805-805 (0,15 €/mn, soit 2,12 F) ou par internet • www.airlib.fr •
Airlib relie Paris à Toulon au départ d'Orly Sud avec 4 vols par jour. La compagnie relie également Paris à Nice avec une quizaine de vols quotidiens. Également une liaison Nice/Metz-Nancy avec 4 vols par semaine.

▲ AIR LITTORAL
– *Réservations :* ☎ 0803-834-834.
La compagnie dessert au départ de Nice : Bordeaux, Calvi, Figari, Lille, Lyon, Montpellier, Nantes, Strasbourg, Toulouse. Plusieurs vols quotidiens.

GÉNÉRALITÉS

CARTE D'IDENTITÉ (RÉGION PACA)

- ***Superficie :*** 31 400 km^2
- ***Préfecture régionale :*** Marseille
- ***Sous-préfectures :*** Digne (Alpes-de-Haute-Provence), Gap (Hautes-Alpes), Nice (Alpes-Maritimes), Toulon (Var), Avignon (Vaucluse)
- ***Population :*** 4 506 151 habitants
- ***Densité :*** 143,5 hab/km^2
- ***Population active*** : 1 892 000 habitants
- ***Taux de chômage :*** 14,5 %
- ***Principales industries :*** chimie, construction navale, armement
- ***Agriculture :*** vins, fruits, légumes, fleurs et plantes

Cela devient presque une banalité de dire que la Côte d'Azur est dégradée par le tourisme, défigurée par les promoteurs et transformée en un immense parking pour voitures et foules luisantes et rôtissantes... Il faut bien reconnaître que ce n'est pas faux.

Pourtant, la Côte d'Azur a toujours ses inconditionnels : ceux qui n'iront que là, contre vents et marées bretonnes.

Et puis il y a ceux qui ne supportent pas la Côte : trop chaud, trop de monde, prix exorbitants et accueil limite.

Comment alors réconcilier l'inconciliable ?... Avec le mode d'emploi, en partant hors des périodes de vacances d'été lorsque c'est possible, et en quittant un peu le littoral surpeuplé ou en découvrant Saint-Tropez le matin à 8 h, la « Côte » – qui du coup ne se limite plus à la côte – peut être (presque) paradisiaque. Il subsiste des zones miraculeusement préservées, des villages adorables où, lorsqu'un autochtone vous dit bonjour avec un gracieux sourire, des dollars n'apparaissent pas au fond de ses yeux, des p'tits restos servant les mêmes gentille hospitalité et généreuse nourriture depuis des siècles, des hôtels ne provoquant pas d'hémorragie au porte-monnaie... De plus, ce ciel insolemment bleu et cette luminosité qui fascinèrent Renoir, Van Gogh, Bonnard, Cézanne et les autres subsistent toujours, aussi limpides et poétiques...

Terre de contrastes géographiques, la Côte d'Azur offre une quantité invraisemblable de paysages différents et la possibilité d'itinéraires géniaux. Il existe encore des coins qui appartiennent aux curieux, à tous ceux qui savent sortir des sentiers battus. Vagabondage presque obligatoire, aux moments les mieux choisis. Forêts inconnues aux riches senteurs aromatiques, routes ne connaissant guère que la camionnette de la poste locale, et pittoresques villages haut perchés vous attendent, tout étonnés que vous ne soyez pas encore là !

AVANT LE DÉPART

Adresses utiles

Comité régional du tourisme Provence-Alpes-Côte d'Azur : Les Docks Atrium 10.5, 10, pl. de la Joliette, BP 46214, 13567 Marseille Cedex 02. ☎ 04-91-56-47-00. Fax : 04-91-56-47-01.

Comité régional du tourisme Riviera-Côte d'Azur : 55, promenade des Anglais, 06000 Nice. ☎ 04-93-37-78-78. Fax : 04-93-86-01-06.

Comité départemental du tourisme du Var : 1, bd Foch, BP 99, 83300 Draguignan Cedex. ☎ 04-94-50-55-50. Fax : 04-94-50-55-51.

■ **_Gîtes de France :_** pour commander des brochures, s'adresser au 59, rue Saint-Lazare, 75009 Paris. ☎ 01-49-70-75-75. • www.gites-de-france.fr • Minitel : 36-15, code GÎTES DE FRANCE. Les réservations sont à faire auprès des relais départementaux des *Gîtes de France* :

– *Alpes-Maritimes* : CRT, 55-57, promenade des Anglais, BP 1602, 06011 Nice Cedex 01. ☎ 04-92-15-21-30. Fax : 04-93-37-48-00.

– *Var* : rond-point du 4-Décembre-74, BP 215, 83006 Draguignan Cedex. ☎ 04-94-50-93-93. Fax : 04-94-50-93-90.

Auberges de jeunesse

– Il n'y a pas de limite d'âge pour séjourner en AJ. Il faut simplement être adhérent.

– La FUAJ (association à but non lucratif, eh oui, ça existe encore !) propose un guide gratuit répertoriant les adresses des AJ en France. Il existe deux autres guides pour l'Europe et le reste du monde, qui sont payants.

– La FUAJ offre à ses adhérents la possibilité de réserver depuis la France, grâce à son système *IBN (International Booking Network)* 6 nuits maximum et jusqu'à 6 mois à l'avance, dans certaines auberges de jeunesse situées en France mais aussi à l'étranger (la FUAJ couvre près de 50 pays). Gros avantage, les AJ étant souvent complètes, votre lit (en dortoir, pas de réservation en chambre individuelle) est réservé à la date souhaitée. Vous réglez le montant, plus des frais de réservation (environ 2,59 € ou 17 F). L'intérêt, c'est que tout cela se passe avant le départ, en euros ! Vous recevrez en échange un reçu de réservation que vous présenterez à l'AJ une fois sur place. Ce service permet aussi d'annuler et d'être remboursé. Le délai d'annulation varie d'une AJ à l'autre (compter 5,03 €, soit 33 F, pour les frais).

■ **_FUAJ centre national :_** 27, rue Pajol, 75018 Paris. ☎ 01-44-89-87-27. Fax : 01-44-89-87-10. • www.fuaj.org • M. : Marx-Dormoy, Gare-du-Nord (RER B et D) ou La Chapelle.

■ **_AJ d'Artagnan :_** 80, rue Vitruve, 75020 Paris. ☎ 01-40-32-34-56. Fax : 01-40-32-34-55. • paris.le-dartagnan@fuaj.org • M. : Porte-de-Bagnolet.

Pour adhérer à la FUAJ

■ **_Fédération unie des auberges de jeunesse (FUAJ) :_** 27, rue Pajol, 75018 Paris. ☎ 01-44-89-87-27. Fax : 01-44-89-87-10. • www.fuaj.org • M. : La Chapelle, Marx-Dormoy ou Gare-du-Nord (RER B et D).

– Et dans toutes les auberges de jeunesse et points d'information et de réservation FUAJ en France.

– *Sur place :* présenter une pièce d'identité et 10,67 € (70 F) pour la carte moins de 26 ans et 15,24 € (100 F) pour la carte plus de 26 ans.
– *Par correspondance :* envoyer une photocopie recto verso d'une pièce d'identité et un chèque (ajouter 0,76 €, soit 5 F, pour les frais de port de la FUAJ).
On conseille de l'acheter en France car elle est moins chère qu'à l'étranger.
La FUAJ propose aussi une ***carte d'adhésion « Famille »,*** valable pour les familles de 2 adultes ayant un ou plusieurs enfants âgés de moins de 14 ans. Elle coûte 22,87 € (150 F). Fournir une copie du livret de famille. La carte donne également droit à des réductions sur les transports, les musées et les attractions touristiques de plus de 60 pays, mais ces avantages varient d'un pays à l'autre, ce qui n'empêche pas de la présenter à chaque occasion, cela peut toujours marcher.

En Belgique

Son prix varie selon l'âge : entre 3 et 15 ans, 2,48 € (100 Fb) ; entre 16 et 25 ans, 8,68 € (350 Fb) ; après 25 ans, 11,77 € (475 Fb).
Renseignements et inscriptions :

■ ***LAJ :*** rue de la Sablonnière, 28, 1000 Bruxelles. ☎ 02-219-56-76. Fax : 02-219-14-51. • info@laj.be • www.laj.be •
■ ***Vlaamse Jeugdherbergcentrale (VJH) :*** Van Stralenstraat, 40, B 2060 Antwerpen. ☎ 03-232-72-18. Fax : 03-231-81-26. • info@vjh.be • www.vjh.be •
– On peut également se la procurer *via* le réseau des ***bornes Servitel*** de la CGER.

Les résidents flamands qui achètent une carte en Flandre obtiennent 7,44 € (300 Fb) de réduction dans les auberges flamandes et 3,72 € (150 Fb) en Wallonie. Le même principe existe pour les habitants wallons.

En Suisse

Le prix de la carte dépend de l'âge : 14,31 € (22 Fs) pour les moins de 18 ans, 21,46 € (33 Fs) pour les adultes, et 28,62 € (44 Fs) pour une famille avec des enfants de moins de 18 ans.
Renseignements et inscriptions :

■ ***Schweizer Jugendherbergen** (SH), service des membres des auberges de jeunesse suisses :* Schaffhauserstr., 14, Postfach 161, 8042 Zurich. ☎ 01-360-14-14. Fax : 01-360-14-60. • www.youthhostel.ch •

Au Canada

La carte des AJ coûte 24,76 € (35 $Ca) pour 1 an et 141,50 € (200 $Ca) à vie. Gratuit pour les moins de 18 ans qui accompagnent leurs parents. Pour les juniors voyageant seuls, compter 8,49 € (12 $Ca). Ajouter systématiquement les taxes.

■ ***Tourisme Jeunesse :*** 4008 Saint-Denis, Montréal, CP 1000, H2W-2M2. ☎ (514) 844-02-87. Fax : (514) 844-52-46.

■ ***Canadian Hostelling Association :*** 205 Catherine Street, Bureau 400, Ottawa, Ontario K2P-1C3. ☎ (613) 237-78-84. Fax : (613) 237-78-68.

Cartes de paiement

– La carte ***Eurocard MasterCard*** permet à son détenteur et à sa famille (si elle l'accompagne) de bénéficier de l'assistance médicale rapatriement. En cas de problème, contacter immédiatement le : ☎ 01-45-16-65-65. En cas de perte ou de vol (24 h/24) : ☎ 01-45-67-84-84 en France (PCV accepté) pour faire opposition. • www.mastercardfrance.com • Minitel : 36-15 ou 36-16, code EM (0,20 €/mn, soit 1,29 F), pour obtenir toutes les adresses de distributeurs par pays et ville dans le monde entier.
– Pour la carte ***Visa,*** en cas de perte ou vol, si vous habitez Paris, la région parisienne ou la province, n° d'appel général ci-dessous ; ou le numéro communiqué par votre banque.
– Pour la carte ***American Express,*** en cas de pépin : ☎ 01-47-77-72-00 (24 h/24, PCV accepté).
– Également un numéro d'appel valable quelle que soit votre carte de paiement : ☎ 0892-705-705 (0,34 €/mn, soit 2,23 F) serveur vocal.

Carte internationale d'étudiant (carte ISIC)

Elle permet de bénéficier des avantages qu'offre le statut étudiant dans le pays où l'on se trouve. Cette carte ISIC donne droit à des réductions (transports, musées, logements, change...). En France, elle peut être très utile à des étudiants étrangers, d'autant que tous les organismes dépendant du CROUS la reconnaissent (restaurants universitaires, etc.). Et vous trouverez la liste complète des points de vente et des avantages ISIC régulièrement mis à jour sur leur site Internet (voir adresse plus loin).

Pour l'obtenir en France

– Se présenter dans l'une des agences des organismes mentionnées ci-dessous.
– Fournir un certificat prouvant son inscription régulière dans un centre d'études donnant droit au statut d'étudiant ou d'élève, ou sa carte du CROUS.
– Prévoir 9,15 € (60 F) et une photo.
On peut aussi l'obtenir par correspondance (sauf au CTS). Dans ce cas, il faut envoyer une photo, une photocopie de son justificatif étudiant, une enveloppe timbrée et un chèque de 9,15 € (60 F).

■ ***OTU :*** central de réservation, 119, rue Saint-Martin, 75004 Paris. ☎ 01-40-29-12-22. • www.otu.fr • M. : Rambuteau.
■ ***USIT :*** 6, rue de Vaugirard, 75006 Paris. ☎ 01-42-34-56-90. M. : Odéon ou RER : Luxembourg. Ouvert de 9 h 30 à 18 h 30.
■ ***CTS :*** 20, rue des Carmes, 75005 Paris. ☎ 01-43-25-00-76. M. : Maubert-Mutualité. Ouvert du lundi au vendredi de 10 h à 19 h et le samedi de 10 h à 13 h.

En Belgique

Elle coûte environ 8,68 € (350 Fb) et s'obtient sur présentation de la carte d'identité, de la carte d'étudiant et d'une photo auprès de :

■ ***CJB... l'Autre Voyage :*** chaussée d'Ixelles, 216, Bruxelles 1050. ☎ 02-640-97-85.
■ ***Connections :*** renseignements, ☎ 02-550-01-00.
■ ***Université libre de Bruxelles*** (service « Voyages ») **:** av. Paul-Héger, 22, CP 166, Bruxelles 1000. ☎ 02-650-37-72.

En Suisse

Dans toutes les agences SSR, sur présentation de la carte d'étudiant, d'une photo et de 9,83 € (15 Fs).

■ ***SSR :*** 3, rue Vignier, 1205 Genève. ☎ 022-329-97-35.
■ ***SSR :*** 20, bd de Grancy, 1006 Lausanne. ☎ 021-617-56-27.

Pour en savoir plus

Les sites Internet vous fourniront un complément d'informations sur les avantages de la carte ISIC. Site français : • www.isic.tm.fr • Site international : • www.istc.org •

Chèques-vacances

Simples et ingénieux, vous pouvez les utiliser dans un réseau de 130 000 professionnels du tourisme et des loisirs agréés pour régler hébergement, restos, transports, loisirs sportifs et culturels sur votre lieu de villégiature ou dans votre ville.
Nominatifs, ils vous permettent d'optimiser votre budget vacances et loisirs grâce à la participation financière de votre employeur, CE, amicale du personnel, etc.
Désormais, les *Chèques-Vacances* sont accessibles aux PME-PMI de moins de 50 salariés et sont édités sous forme de deux coupures de 10 et 20 € (avec leur contre-valeur en francs jusqu'en 2002).
Avantage : ils donnent accès à de nombreuses réductions, promotions et vous assurent un accueil privilégié.
Renseignez-vous auprès des différents établissements recommandés par le *Guide du routard* pour savoir s'ils acceptent ce titre de paiement.
Renseignements : ☎ 0825-844-344 (0,15 €/mn, soit 0,98 F) ; sur internet • www.ancv.com • Minitel : 36-15, code ANCV ou dans le *Guide Chèques-Vacances.*

Monuments à la carte

Le Centre des monuments nationaux propose un laissez-passer nominatif, valable un an, pour plus de 100 monuments ouverts au public répartis dans toute la France. Sur la Côte d'Azur, cela concerne le Trophée d'Auguste à La Turbie, le monastère de Saorge, le cloître de la cathédrale de Fréjus, l'abbaye du Thoronet et le site archéologique d'Olbia près de Hyères. Avantages : pas de file d'attente et gratuité des expos dans les monuments répertoriés. Coût : 42,69 € (280 F).
L'achat s'effectue dans les lieux culturels concernés :

■ ***Centre des monuments nationaux :*** centre d'informations, 62, rue Saint-Antoine, 75186 Paris Cedex 04. ☎ 01-44-61-21-50. M. : Saint-Paul.

– Vous pouvez vous procurer l'excellent guide d'art contemporain en Provence-Alpes-Côte d'Azur, *Guid'Arts,* en vente à la librairie du Centre des monuments nationaux ou dans toutes les librairies spécialisées. Tous les musées, galeries et espaces d'art ainsi que de nombreuses adresses utiles (écoles d'art, institutions culturelles, services divers). Un outil précieux.

Musées

Il existe une carte *Musées Côte d'Azur* qui offre un accès libre, direct et illimité aux collections permanentes et aux expositions temporaires de 65 musées, monuments et jardins des Alpes-Maritimes pendant 1, 3 ou 7 jours. Vous pouvez vous la procurer dans les offices du tourisme et les musées de la région. Renseignements : ☎ 04-97-03-82-20. Tarifs : 8 € (52 F) pour 1 jour, 15 € (98 F) pour 3 jours et 25 € (164 F) pour 7 jours.

Téléphone

Pour vous simplifier la vie dans tous vos déplacements, les ***Cartes France Télécom*** vous permettent de téléphoner depuis la France et plus de 100 pays de la plupart des téléphones (d'une cabine, chez des amis, d'un restaurant, d'un hôtel...) sans souci de paiement immédiat. Les appels sont directement prélevés et détaillés sur votre facture France Télécom. Il existe plusieurs formules. Par exemple, pour les routards qui voyagent souvent à l'étranger, on recommande la ***Carte France Télécom Voyage*** qui propose une tarification dégressive pour les appels internationaux (sauf depuis les DOM).
Pour en savoir plus, composez le n° Vert : ☎ 0800-202-202 ou • www.cartefrancetelecom.com •

Travail bénévole

■ ***Concordia :*** 1, rue de Metz, 75010 Paris. ☎ 01-45-23-00-23. Fax : 01-47-70-68-27. • www.concordia-association.org • M. : Strasbourg-Saint-Denis. Travail bénévole. Logés, nourris. Chantiers très variés : restauration du patrimoine, valorisation de l'environnement, travail d'animation... Places limitées. *Attention :* voyage à la charge du participant et droit d'inscription obligatoire.

ÉCONOMIE

Les Alpes-Maritimes et le Var bénéficient d'une position idéale au cœur de l'Europe du Sud, proche des grands centres comme Marseille, Lyon, Turin ou Milan. Par ailleurs, grâce à un réseau de liaisons internationales, la région se trouve à moins de 2 h de nombreuses villes d'Europe, d'Afrique du Nord ou du Proche-Orient.

Une agriculture « florissante »

Alpes-Maritimes et Var sont les premiers producteurs français de fleurs coupées. 80 % des œillets cultivés en France proviennent des Alpes-Maritimes, le Var étant, lui, le premier département horticole français. En raison du prix de la terre proche du littoral, les cultures peu rentables ont été délaissées au profit des cultures fruitières, maraîchères et des fleurs. L'horticulture se

NOUVEAUTÉ

CROATIE (avril 2002)

Les longues années de purgatoire d'après-guerre font désormais partie du passé. Les touristes commencent à revenir nombreux pour redécouvrir ce petit pays malheureusement méconnu. La Croatie possède le privilège d'offrir un patrimoine architectural d'une richesse époustouflante. Bien sûr, il y a ceux qui le savaient déjà, ceux qui venaient « avant » et reviennent aujourd'hui pour le savourer à nouveau. Et puis ceux qui y viennent pour la première fois et qui découvrent un pays à la situation unique, à cheval entre Orient et Occident, fascinante transition entre Europe du Nord et Méditerranée, carrefour de cultures et d'influences assez exceptionnel ! Illyriens, Celtes, Grecs, Romains, Croates (bien sûr !), Vénitiens, Italiens, Ottomans, Hongrois, Autrichiens, tous y laissèrent leur marque.

Et puis, on découvre une merveilleuse côte, protégée, tenez-vous bien, par près de... 2000 îles et îlots. On a déniché les plages les plus secrètes, ainsi que les chambres chez l'habitant les plus accueillantes ! Côte qui échappa d'ailleurs par miracle au béton et égrène de petits ports oubliés par les bétonneurs. Sans oublier la perle de l'Adriatique, *Dubrovnik*, classée par l'UNESCO au patrimoine mondial de l'Humanité. À l'intérieur, Zagreb ravira aussi par son éclectisme architectural, la richesse de ses musées et de sa vie culturelle. Quant aux amoureux de la nature, ils seront comblés : parcs naturels intacts regorgeant d'une faune surprenante : plus de 400 ours dans les forêts montagneuses, chamois, mouflons, chats sauvages, loups et lynx à profusion, jusqu'aux mangoustes africaines qui se dorent la pilule sur les côtes de l'île de Mljet (et on ne vous parle pas des oiseaux !). Ah, les lacs de Plitvice et leurs 92 chutes !

développe également dans la vallée du Var, sur les terrasses de l'arrière-pays niçois, etc.
À l'intérieur des terres, l'élevage est prédominant en haute et moyenne montagne ; les autres ressources sont les céréales et la vigne. Le Var est aussi le deuxième département forestier de France et le premier producteur français de miel et de... rosé !

Le tourisme roi

Le Var est encore le premier département touristique français pour les nuitées. D'ailleurs la population fait plus que doubler l'été. Ce secteur est à l'origine de 28 000 emplois directs et 42 000 indirects. Les Alpes-Maritimes ne sont pas en reste, loin de là, et reçoivent chaque année près de 10 millions de visiteurs ; 12 % de résidents sont étrangers.
Parallèlement, le tourisme d'affaires se développe. On compte dans les Alpes-Maritimes 1,8 million de voyageurs d'affaires annuels et 360 000 congressistes. Le seul marché de la plaisance y représente plus de 16 000 emplois (directs et indirects). L'aéroport Nice Côte-d'Azur, le deuxième de France, accompagne la croissance économique et touristique de la région. Devant la saturation importante de certains lieux touristiques, et les problèmes qu'elle engendre (comme l'évacuation des déchets), les pouvoirs publics s'efforcent de diversifier leur offre, vers un tourisme de qualité, plus étalé sur le pays et sur l'année. La mise en place des 35 heures qui semble favoriser la fragmentation des vacances en de plus courts séjours et tout au long de l'année devrait accompagner ce mouvement.

Une industrie peu présente

La part de l'industrie dans l'économie régionale se réduit comme partout, au profit des services et des activités de pointe. L'industrie varoise exploite les mines de bauxite et les marbre et porphyre de l'Estérel. Mais l'activité industrielle de Toulon liée aux arsenaux nationaux est en pleine restructuration. L'industrie azuréenne (Alpes-Maritimes) occupe près de 8 % des entreprises implantées, loin derrière le commerce (40 %) et les services (53 % du chiffre d'affaires annuel du département).

Hautes technologies

Les entreprises de haute technicité (techniques de l'information, télécommunication, santé, sciences de la terre, etc.) ont relancé le développement de la Côte d'Azur, engendrant plus de 18 000 emplois. La recherche y est développée ; dans les Alpes-Maritimes, 27 000 chercheurs travaillent dans 137 laboratoires. *Sophia-Antipolis* est la première technopole d'Europe.

GÉOGRAPHIE

Les départements des Alpes-Maritimes et du Var, départements de la douceur de vivre, s'étendent paradoxalement dans un contexte naturel assez rude : enchevêtrement complexe des massifs, vallées intérieures étroites et profondes, violence des vents et des pluies...

Les Alpes du Sud

Le massif alpin au nord s'étend sur toute la partie est de la Côte d'Azur, interdisant jusqu'aux abords du littoral toute communication avec l'Italie voisine. Ses ramifications s'étirent vers l'ouest, avec une altitude moins élevée, mais restent encore compactes et escarpées. Ils forment les magnifiques massifs de l'Estérel et des Maures.

Les Maures sont formés de schistes cristallins dont le mont le plus élevé culmine à 780 m. La côte est ponctuée de caps et de larges baies. La vallée de l'Argens les sépare de l'Estérel, magnifique citadelle de porphyre sculptée par l'érosion. Son point culminant est le mont Vinaigre (618 m).
De profondes vallées s'encastrent dans les massifs : vallées de la Tinée, de la Vésubie, du Paillon, de la Roya. Mais l'érosion n'a pu entamer le Mercantour.

Les « plans » de Provence

Les Préalpes, à l'ouest des Alpes-Maritimes, sont bordées de plateaux calcaires, les *plans,* spectaculaires, creusés de gorges impressionnantes comme celles du Loup ou de la Siagne. En contrebas s'étend une zone de dépression qui se prolonge à l'ouest par les plaines littorales d'Hyères et de Fréjus.

La côte

Dans côte d'Azur triomphent non seulement l'azur des cieux et des flots, mais aussi la « côte », si différente de Toulon à Menton. Un dénominateur commun toutefois : une urbanisation « intensive »... bien regrettable. À l'est des Alpes-Maritimes, les Alpes tombent de façon très abrupte dans la mer, d'où ces corniches spectulaires de Nice à Menton. À l'ouest du Var (le fleuve, qui ne coule jamais dans le département homonyme), les plateaux calcaires sont coupés de dépressions où se sont lovées les stations balnéaires, comme Cannes. Après cette ville, l'Estérel tombe à pic dans la mer et la côte, rocheuse et escarpée, est néanmoins bordée de petites plages de sable favorisant la construction de stations plus ou moins réussies. Le littoral varois de Fréjus à Toulon est resté plus longtemps protégé, en raison d'un environnement assez hostile (falaises tombant dans la mer), mais a vite rattrapé son retard.

Un climat idéal

L'ensoleillement moyen de la région est deux fois supérieur à celui du nord de la France. Évidemment, contrairement au reste du pays, le climat n'est pas soumis aux influences atlantiques et aux rigueurs continentales. Mais, la rançon d'un tel ensoleillement est une forte sécheresse, à l'origine de nombreux incendies.
Les précipitations annuelles sont équivalentes, approximativement, à celles de la région parisienne, mais le régime des pluies y est très irrégulier : les fortes averses au printemps et à l'automne provoquent souvent des crues violentes (coupures des routes des vallées).

Le mistral

C'est le vent du nord, froid et sec. Engendré par les hautes pressions situées sur le Massif central ou l'Est de la France, il suit le couloir rhodanien pour aller combler les dépressions en Méditerranée. Rafraîchissant l'été, il donne l'impression de pénétrer partout en hiver. Il souffle couramment à 80-100 km/h et 80 jours jusqu'à Saint-Raphaël.

HABITAT : LES VILLAGES PERCHÉS

On en rencontre beaucoup (et des plus jolis) dans l'arrière-pays varois, mais ils sont les stars du pays niçois, là où les montagnes dégringolent dans la mer. Quelques tournants plus haut, ces vaisseaux de pierre, juchés sur des

crêtes improbables, forment une flottille qui fait partout lever la tête : Èze-Village, La Colle-sur-Loup, L'Escarène, Peille et Peillon... Le plus beau et le moins connu joue les funambules dans la vallée de la Roya : Saorge s'incruste dans la falaise, jetant par-dessus l'abîme ses ruelles pavées de galets qui, faute d'espace, traversent parfois les cours des maisons. Ce sont les contraintes liées tant à l'histoire qu'à la géographie qui ont poussé les gens à se percher ainsi. La menace d'une voie d'invasion, la Côte d'Azur en constitue une belle, empruntée par Ligures, Celtes, Romains, Vandales et autres barbares ! Le pouvoir central ou local n'ayant pas doté la région de fortifications, les habitants se sont regroupés en hauteur, moins exposés. Les sites sont si accidentés qu'il faut conserver le moindre méplat pour les cultures vivrières. Conséquence de cette situation géographique et de ce manque d'espace, les maisons sont en hauteur (les murs, prolongeant la roche, deviennent murailles défensives), les ruelles étroites et les locaux exigus. Ce qui explique que le climat doit permettre de se satisfaire de moyens de culture modestes et ne doit pas exiger de bâtiments volumineux pour le stockage (récoltes échelonnées toute l'année). Il faut aussi une communauté très structurée, réglant les problèmes de voisinage, la gestion de l'espace et de l'eau. Toutes les conditions ont été réunies en Provence. Dès que les invasions ne menaçaient plus, les habitants ont migré vers les plaines.
Aujourd'hui, la qualité des routes, les moyens de télécommunication aisés faisant mieux accepter l'éloignement, les villages perchés où l'on trouve silence et cadre naturel sont devenus synonymes de qualité de vie.

HISTOIRE

Préhistoire et Antiquité

1 million d'années av. J.-C., on retrouve la trace d'êtres humains vivant dans la région : des galets découverts à Roquebrune Cap-Martin attestent la présence d'homo erectus ou d'homo habilis à cette époque. Le site de Terra Amata (400 000 av. J.-C.), à Nice, nous a laissé des témoignages d'habitat permanent. L'homme maîtrise alors le feu et taille la pierre. Des outils bifaces découverts dans la grotte de Lazaret permettent de retracer la vie des chasseurs vivant quelques 200 000 ans av. J.-C. Les plus anciennes gravures rupestres de la vallée des Merveilles remontent, elles, quelques jours plus tard... 2000 ans av. J.-C.
Les Ligures s'installent sur la côte de 900 à 600 av. J.-C. Ils construisent les premiers villages perchés pour se défendre. Les Celtes, venus du nord, s'intègrent progressivement aux populations locales, donnant naissance à la civilisation celto-ligure.
600 ans av. J.-C., les Phocéens débarquent à Massilia (Marseille) et développent rapidement un commerce intense le long de la côte méditerranéenne, créant des comptoirs comme à Olbia (Hyères), Antipolis (Antibes) et Nikaia (Nice). Ils importent aussi sur la côte les cultures de l'olivier, de la figue, de la vigne, etc.
Aux environs de 100 av. J.-C., des peuplades attaquent les villes du littoral. Rome intervient pour défendre les Phocéens et en profite pour les annexer au passage... La construction du trophée de La Turbie en l'an 8 av. J.-C. symbolise la domination des Romains. Ils créent les cités de Fréjus, Antibes et Cimiez, alors capitale des Alpes-Maritimes, et construisent des routes (via Julia Augusta, via Domitia). C'est à cette période que d'anciens légionnaires fondent de petites fermes.
Les premiers chrétiens s'installent dès le IIIe siècle apr. J.-C. Leur religion se développe parallèlement aux cultes anciens. Ceux-ci resteront tenaces au grand dam du clergé qui liste ces résurgences païennes. Au IVe siècle se multiplient les églises et en 412, saint Honorat fonde l'abbaye de Lérins dont

le rayonnement sera très important. Honorat devient évêque d'Arles de 426 à 429.
Après la chute de l'Empire romain suit une longue période d'invasions barbares : Vandales, Wisigoths, Burgondes, Ostrogoths et Francs. Ces derniers occupent pacifiquement la Provence, marquant le début de la Provence franque.

La Provence franque

En 843, conséquence du partage de l'empire de Charlemagne instauré lors du traité de Verdun, la Provence revient à Lothaire. Quarante ans plus tard, les Sarrasins s'installent dans la région des Maures, créant une redoutable forteresse à Fraxinet (ou Freinet), d'où ils sèment la terreur dans la région. Le comte d'Arles, dit le libérateur, chasse les Sarrasins en 974 et devient le premier maître du comté de Provence.

Le comté de Provence

Malgré le rattachement au XIe siècle de la Provence au Saint-Empire Romain germanique, les comtes de Provence disposent d'une certaine indépendance. On assiste à la mise en place du système féodal. De grandes familles se partagent alors la région enfin libérée. La plupart proviennent de la Provence occidentale, plus civilisée, et mieux organisée. Se forme un réseau de fiefs, de villages, auxquels l'Eglise, dont la puissante abbaye de Lérins, ajoute son propre réseau de chapelles, églises, etc. À cette même époque se multiplient les villages perchés, composante essentielle du paysage de l'arrière-pays niçois.
En 1125, les territoires du nord-ouest de la Durance sont attribués au comte de Toulouse, le comte de Barcelone héritant du reste de la Provence. Les comtes catalans dirigent donc la région, ce qui est mal vécu par les seigneurs locaux. Le XIe siècle est malgré tout marqué par un renouveau économique. Des villes comme Grasse créent des consulats.
En 1215, Nice se place sous l'autorité de Gênes. Cette expansion apparaît comme une menace pour le comte Raymond Bérenger V qui contraint la ville à se soumettre à son autorité.

La première maison d'Anjou

Raymond Bérenger V ne laissant pas d'héritiers masculins, la lignée catalane s'éteint. Béatrix, sa fille, épouse Charles d'Anjou, frère de saint-Louis, qui devient comte de Provence. Charles d'Anjou occupe une partie du comté de Vintimille et tente de conquérir l'Italie du Sud. Il prend le titre de roi de Naples. Ainsi, pendant deux siècles, la maison d'Anjou va ambitionner de donner naissance à un grand royaume italien.
En 1343, rebelote : Robert d'Anjou, successeur de Charles II, meurt sans héritier. Le comté revient donc à Jeanne Ire d'Anjou.

La deuxième maison d'Anjou

Plusieurs épidémies de peste déciment la population au cours du XIVe siècle; certaines régions perdent jusqu'au tiers de leurs habitants. De nombreux villages sont désertés, des terroirs se vident. Enfin, des bandes armées dévastent la région. Pour fournir la population nécessaire à la remise en valeur du comté, les seigneurs font appel aux paysans et artisans de l'Italie, qui viendront des villages de Ligurie. Cette immigration italienne marquera régulièrement les siècles à venir. Mais des villages comme Biot ou Vallauris sont ainsi reconstruits.

Entre-temps, suite à de nombreuses intrigues, le comté de Savoie annexe Nice et une partie de la Provence orientale. Nice est désormais sous la tutelle de la Savoie et, en 1419, la ville est cédée officiellement au duc de Savoie, malgré l'opposition du roi René. En 1489, Monaco accède à l'indépendance.
Le règne du roi René, dit le bon roi René, est caractérisé par un retour à une certaine renaissance économique. En 1482, après sa mort, le comté de Provence est rattaché au royaume de France et devient une province française.

La Provence française

Dès le début du XVe siècle, la Provence va subir les conséquences de l'annexion au royaume de France : les rivalités entre Charles Quint et François Ier vont trouver, entre autres, terre d'élection en Provence et en Italie voisine. Les armées impériales envahissent la Provence en 1524. En 1536, c'est de nouveau l'invasion des troupes de Charles Quint qui est obligé, devant la résistance des paysans, de s'enfuir après avoir laissé quelque 20 000 victimes. En 1542, Nice, alors aux mains de Charles Quint, est assiégée par les Français et les Turcs, ses alliés...
Les guerres de Religion vont prendre le relais des guerres de conquête : de 1559 à 1610, la Provence se retrouve en pleine anarchie.
Parallèlement, la région est victime du dirigisme royal : taxes exorbitantes, décisions intempestives de l'État contre lesquelles les intendants de Provence essaient en vain de protester. Ainsi en 1630, avec l'émission de l'édit des Élus, la perception des impôts revient aux délégués royaux; le parlement d'Aix s'y oppose et est exilé à Brignoles. Les troubles se poursuivent à Draguignan et à Lorgues.
Au cours du XVIIe siècle, Toulon devient, avec un arsenal agrandi, le premier port de la Méditerranée.
Pendant les guerres qui rythment la fin du siècle de Louis XIV, Nice est occupée à plusieurs reprises. Lors de la guerre de Succession d'Espagne, le duc de Savoie et son allié, le prince Eugène, assiègent Toulon. Par le traité d'Utrecht (1713), la France restitue le comté de Nice, annexé en 1705, à la Savoie. Le royaume de Sardaigne – qui englobe le comté de Nice – est créé en 1718.
1720 est une année terrible pour la Provence : une nouvelle fois, la peste qui s'est déclarée à Marseille s'étend sur tout l'est de la région, décimant les populations.
Au cours de la guerre de Succession d'Autriche (1740-1749), l'armée austro-piémontaise occupera les villes de Vence, Grasse et Hyères mais sera repoussée par les troupes françaises.

Révolution et Empire

Les États de Provence sont convoqués sans qu'aucune demande du tiers état soit accordée. Par ailleurs le froid glacial de l'hiver augmente la crainte d'une mauvaise récolte. Ces éléments conjugués excitent l'opinion et des émeutes violentes se déroulent à Brignoles, Hyères, etc. Parmi les envoyés aux États généraux figure l'abbé Sieyès, originaire de Fréjus.
En 1790, les départements des Bouches-du-Rhône, du Var et des Basses-Alpes sont fondés. L'agitation ne cesse pas, en particulier à Toulon. Les nobles émigrés affluent dans le comté de Nice. Trois ans plus tard, la Convention décide l'annexion du comté de Nice et de la principauté de Monaco à la France.
Des *barbets*, ultra-royalistes, refusent la conscription et organisent la résistance dans la montagne, semant la terreur. Bonaparte, lui, s'illustre au siège de Toulon (durant 4 mois) qui s'est livré face aux Anglais. Toulon perd à cette occasion la préfecture au profit de Draguignan.

L'Empire ne sera pas populaire en Provence, le blocus continental entraînant la ruine du commerce en Méditerranée.
Avec l'abdication de Napoléon, le comté de Nice, qui n'aura cessé d'être occupé et balloté d'un pouvoir à un autre, est restitué à Victor-Emmanuel, roi de Sardaigne.

Les Anglais et la Riviera

Quand Tobias Smollett traversa la rivière du Var à « dos d'homme » en 1763, le Niçois qui le portait ne se doutait sûrement pas que son « cavalier » allait être à l'origine du tourisme sur la Côte d'Azur ! Smollett, un écrivain anglais qui publiait des récits de voyage, fut séduit par Nice, et toute l'Angleterre fut émerveillée d'apprendre que les amandiers y étaient en fleur au mois de janvier. Il en fallut peu pour les convaincre que la Côte d'Azur était un endroit formidable pour hiverner.
Et bien que ces hordes de Britanniques aient, durant deux siècles, quasiment annexé la Côte d'Azur en créant une vraie société parallèle, ils furent plutôt bien accueillis par la population locale car ils apportaient à la région richesse et renommée.
Dès 1820, la ville de Nice comptait plus de 100 familles britanniques, et même une église anglicane. La reine Victoria tomba elle aussi sous le charme de la Côte d'Azur et y passa les sept hivers précédant sa mort. Alexandre Dumas déclarait en 1851 que Nice était une ville anglaise où l'on pouvait même rencontrer des Niçois ! Loin de prendre ombrage de cette véritable colonisation, ces derniers – outre la fameuse « promenade des Anglais » – baptisèrent beaucoup de rues en hommage à leurs étranges « invités », comme la « rue Smollett »...
Menton était si célèbre pour son climat que les médecins anglais y prescrivaient des séjours à la moindre petite toux ! Augustus Hare, un autre écrivain justement établi à Menton, fit à son tour beaucoup pour la renommée de la Côte d'Azur.
La rive française du Var fut délaissée par les Anglais jusqu'en 1834, date à laquelle lord Henry Brougham – un homme politique à l'origine de l'abolition de l'esclavage – découvrit Cannes. Il acheta immédiatement un terrain et fit construire la villa Éléonore. Sous son impulsion, beaucoup d'autres Anglais y firent construire des palais baroques et obtinrent du roi des Français Louis-Philippe l'aménagement d'un port dont l'unique raison d'être consistait en l'importation de... gazon.
En 1868, Menton était reliée par voie ferrée à Paris et, par voie de conséquence, à Londres. En février de l'année suivante, le prince de Monaco annonça à ses concitoyens ravis que taxes et impôts étaient abolis : grâce au chemin de fer, le casino et la Société des Bains de Mer rapportaient désormais largement de quoi financer l'entretien et le développement de la principauté.
Une fois son accès facilité, la Côte d'Azur attira une clientèle nettement moins sportive mais beaucoup plus fêtarde. À l'image du fils aîné de la reine Victoria – le futur roi Édouard VII qui a sa statue à Cannes – bon vivant, joueur et coureur de jupons. Durant les Années Folles, la Côte d'Azur fut l'endroit où l'on s'amusait le plus : une faune internationale envahit la « French Riviera », et la France découvrit elle aussi les charmes de son Sud-Est.
Avec l'avènement des congés payés et les années 1950 qui sonnèrent le glas des rentes coloniales, la colonie anglaise finit par se dissoudre, noyée dans la foule des nouveaux arrivants. En 1975, le consulat britannique de Nice fermait ses portes, mettant un point final à cette page d'histoire anglo-provençale où la définition du bonheur terrestre pouvait se résumer ainsi : naître à Cannes, vivre à Monte-Carlo et mourir à Menton...

Quand Nice devient française

Le début du XIXe siècle voit se développer le tourisme hivernal (voir dans les généralités le paragraphe « Les Anglais et la Riviera »). Mais les conflits politiques n'en sont pas moins apaisés. La révolution de 1848 est suivie de nombreuses manifestations en Provence ; et après le coup d'État de 1851, des foyers de résistance éclatent, notamment dans le Var. L'armée est envoyée pour mettre fin à la rébellion, causant de nombreuses victimes.
1860 marque une date déterminante pour l'histoire de la Côte d'Azur : le comté de Nice est rattaché à la France par référendum. S'ensuit la création du département des Alpes-Maritimes. L'arrondissement de Grasse est transféré du département du Var à celui des Alpes-Maritimes. L'année suivante, les droits des villes de Roquebrune et de Menton sont rachetés à la principauté de Monaco.
La fin du XIXe siècle est une période d'expansion : on voit l'arrivée du chemin de fer et le développement du tourisme. C'est aussi à cette période que de nombreux peintres et artistes tombent sous le charme et s'installent dans la région, comme à Saint-Paul-de-Vence ou Nice. Ah, comme la Côte d'Azur devait être chouette à cette époque et même jusque dans les années cinquante...
Dans les années trente, les Américains lancent la station balnéaire de Juan-les-Pins et contribuent à l'essor touristique de la Côte d'Azur. On y voit de grands noms de la littérature, Hemingway et Fitzgerald, entre autres, qui lancent le jazz en Europe avec la venue d'Armstrong, Errol Garner ou Count Basie.
Au cours de la Seconde Guerre mondiale, les Italiens occupent Menton jusqu'au 11 novembre 1942, puis Nice, alors que les Allemands envahissent le Sud (lire sur ce sujet le beau roman de Le Clézio, *Étoile Errante*, qui retrace la fuite des juifs de la région, coll. Folio, Gallimard). Pour ne pas tomber aux mains de l'ennemi, la flotte se saborde à Toulon.
En août 1944, les forces alliées débarquent sur la côte et libèrent Toulon et Nice. Il faudra attendre 1947 pour que les communes de Tende et La Brigue jusqu'alors italiennes soient rattachées à la France.

Quand tourisme rime avec béton

À partir des années cinquante, le tourisme de masse entraîne la construction à tout va de nouvelles stations (Port-Grimaud, Marina Baie des Anges, Isola 2000) auquelles les moyens dérisoires du Conservatoire du Littoral ne permettent guère de s'opposer, d'autant que les intérêts des promoteurs et des banquiers qui les financent, ceux des propriétaires locaux de terrains, ceux des entreprises de bâtiment et donc des élus locaux s'y retrouvent... Quand le béton va, tout va ! Seuls quelques rares coins sont vraiment protégés (Cap d'Antibes, Cap Ferrat...) mais habités par des gens fortunés.
En 1974 est instaurée la région Provence-Côte d'Azur (PACA), englobant les deux départements traités dans ce guide.
Le Festival de Cannes et toutes les festivités estivales de la côte, mais aussi l'art moderne avec l'École de Nice *(Ben)* et le Nouveau Réalisme *(Arman, César, Klein)* contribuent à la renommée de la Riviera.
Le complexe technologique de *Sophia-Antipolis* se développe dans les années 1970, et la mise en service de l'autoroute « la Provençale » rend la région beaucoup plus accessible, « faisant de Paris un p'tit faubourg de Saint-Paul de Vence », pour le meilleur et pour le pire...

Principales dates historiques

594 av. J.-C. : les Phocéens établissent un comptoir à Massalia (Marseille).
181 av. J.-C. : Marseille fait appel aux Romains pour lutter contre des envahisseurs.
154 et 121 av. J.-C. : les Romains interviennent à deux reprises pour défendre les Phocéens menacés d'invasion.

118 av. J.-C. : création de la *Provincia*, la nouvelle province, par les Romains.
Ier siècle av. J.-C. : les Romains deviennent les maîtres des lieux.
27 av. J.-C. : Octave-Auguste réorganise la *Provincia*, sous la dénomination de Gaule narbonnaise ; au cours des années suivantes, création de la *via Julia Augusta*, qui relie Gênes à Fréjus.
8 av. J.-C. : construction du Trophée d'Auguste à La Turbie.
IIIe siècle apr. J.-C. : arrivée des premiers chrétiens.
412 : Saint-Honorat fonde l'abbaye de Lérins.
536 : les Francs occupent pacifiquement la Provence.
883 : les Sarrasins envahissent le golfe de Saint-Tropez.
972 : Guillaume, comte de Provence, chasse les Sarrasins. L'économie redémarre, la féodalité se met en place.
1112 : conséquence du mariage de Douce, fille de Guillaume, avec Raymond Bérenger III, comte de Barcelone, une partie des droits sur le comté de Provence lui revient. Début de la lignée catalane des comtes de Provence.
1166-1245 : règnes successifs d'Alphonse 1er d'Aragon, Alphonse II d'Aragon et de Raimond Béranger V.
1245 : à la mort de ce dernier, Charles d'Anjou devient comte de Provence en épousant sa belle-sœur, Béatrix.
1258 : Charles d'Anjou part à la conquête de la Sicile ; il devient roi de Naples en 1263.
1343 : le comté échoit à Jeanne 1re d'Anjou, dont le règne sera marqué par une suite d'intrigues.
1382-1480 : règne de la deuxième maison d'Anjou ; le plus célèbre des rois successifs est René ; dit le *bon roi René*, poète, artiste et mécène, qui, après avoir renoncé à s'établir en Italie, fixe sa cour à Aix et contribue activement au renouveau économique de la Provence.
1482 : rattachement du comté de Provence au royaume de France.
1524 : invasion de la Provence par les troupes impériales.
1536 : les troupes de Charles Quint envahissent à nouveau la région.
1559 : début de la guerre civile entre catholiques et protestants.
1580-1582 : épidémie de peste.
XVIIe siècle : Richelieu, puis Louis XIV renforcent le pouvoir royal.
1630 : révolte du parlement d'Aix contre une décision royale. Le parlement est exilé à Brignoles, les rebelles ont pour insigne un grelot *(cascavèu)*.
1642 : Toulon devient un grand centre naval.
1660 : Toulon est le premier port de guerre de la Méditerranée.
1713 : traité d'Utrecht ; la France rétrocède au duc de Savoie le comté de Nice annexé en 1705.
1720 : terrible épidémie de peste qui part de Marseille et se propage dans toute la région.
1789 : nombreuses émeutes ; les émigrés s'exilent dans le comté de Nice.
1790 : création des départements des Bouches-du-Rhône, des Basses-Alpes et du Var.
1793 : annexion du comté de Nice et de la principauté de Monaco.
1814 : Napoléon part de Fréjus pour l'île d'Elbe.
1815 : Napoléon débarque à Golfe-Juan et emprunte par Grasse, Digne et Gap la route dite Napoléon. Après l'abdication de l'empereur, le comté de Nice est restitué au roi de Sardaigne.
1848-1851 : de nombreuses villes manifestent de profonds sentiments républicains à l'occasion de la révolution d'abord, du coup d'État de Napoléon III ensuite.
1860 : le comté de Nice et la Savoie sont rattachés à la France, en partie en échange de l'intervention de Napoléon III en faveur de l'unité italienne contre les Autrichiens.

PLANS ET CARTES EN COULEURS

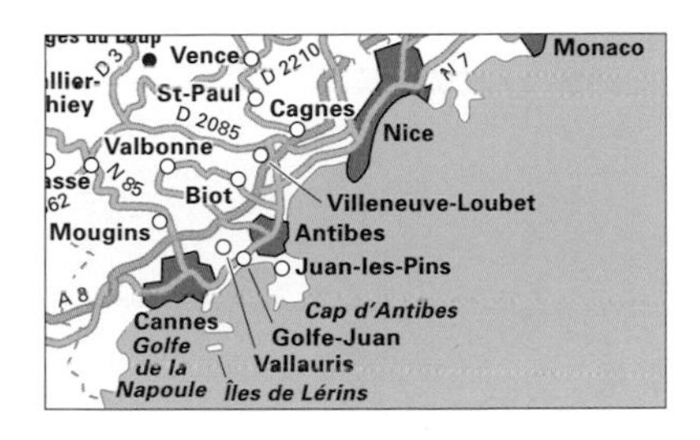

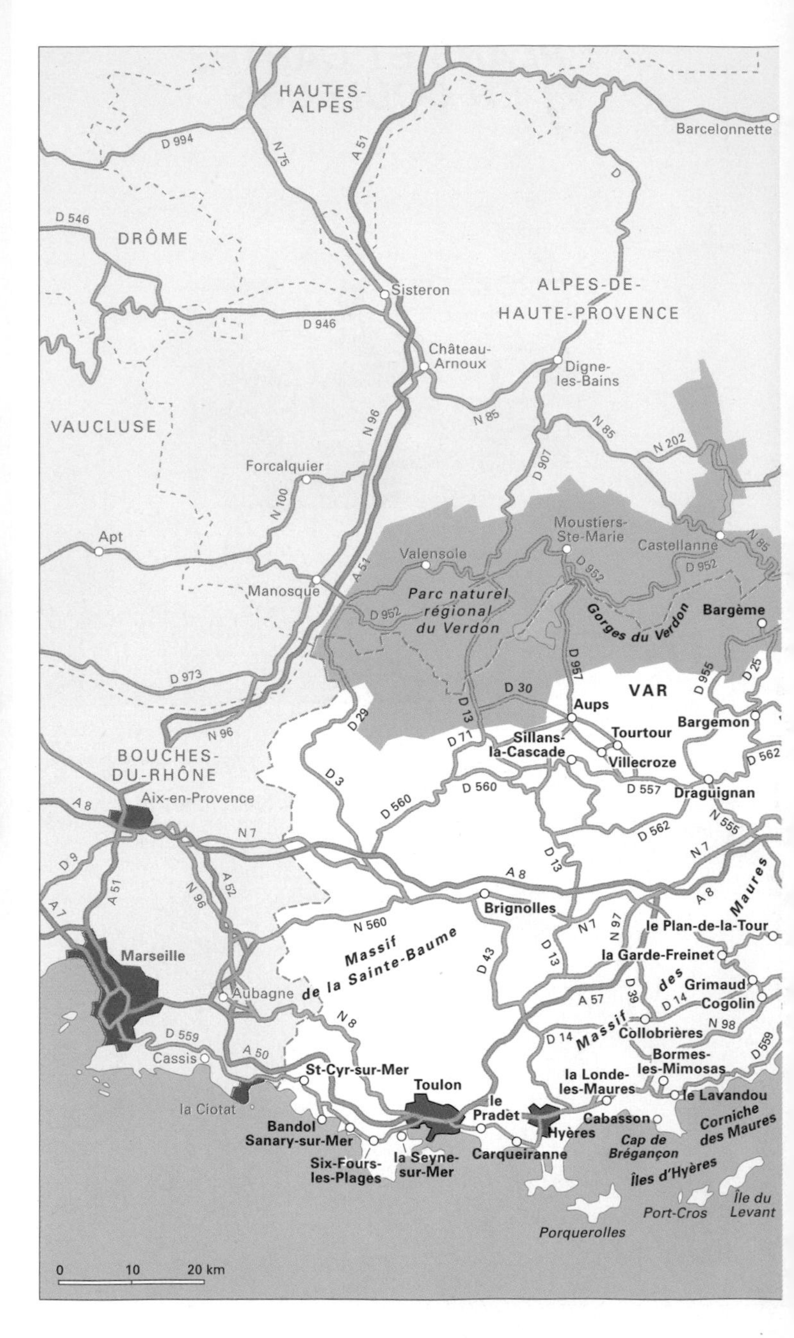
HAUTES-
ALPES
Barcelonnette
D 994
N 75
A 51
D
D 546
DRÔME
Sisteron
ALPES-DE-
HAUTE-PROVENCE
D 946
Château-
Arnoux
Digne-
les-Bains
N 85
N 85
N 202
VAUCLUSE
N 96
Forcalquier
D 907
N 100
Moustiers-
Ste-Marie
Castellanne
N 85
Apt
Valensole
D 952
D 952
Manosque
A 51
Parc naturel
régional
du Verdon
D 952
Gorges du Verdon
Bargème
D 957
D 955
D 25
D 973
D 30
VAR
D 29
D 13
Aups
Bargemon
N 96
D 71
Sillans-
la-Cascade
Tourtour
Villecroze
D 562
BOUCHES-
DU-RHÔNE
D 3
D 560
D 557
Draguignan
Aix-en-Provence
D 560
A 8
N 7
D 562
N 555
D 9
N 7
D 13
A 51
N 96
A 52
A 8
Maures
A 8
Brignolles
A 7
N 560
N 7
N 97
le Plan-de-la-Tour
Massif
de la Sainte-Baume
D 13
la Garde-Freinet
Marseille
D 43
des
Grimaud
D 39
A 57
D 14
Cogolin
Aubagne
N 8
Massif
Collobrières
N 98
D 559
D 14
D 559
Cassis
A 50
Bormes-
les-Mimosas
St-Cyr-sur-Mer
Toulon
la Londe-
les-Maures
le Lavandou
la Ciotat
le
Pradet
Cabasson
Corniche
des Maures
Bandol
Sanary-sur-Mer
Hyères
Cap de
Brégançon
Six-Fours-
les-Plages
la Seyne-
sur-Mer
Carqueiranne
Îles d'Hyères
Île du
Levant
Port-Cros
Porquerolles
0
10
20 km

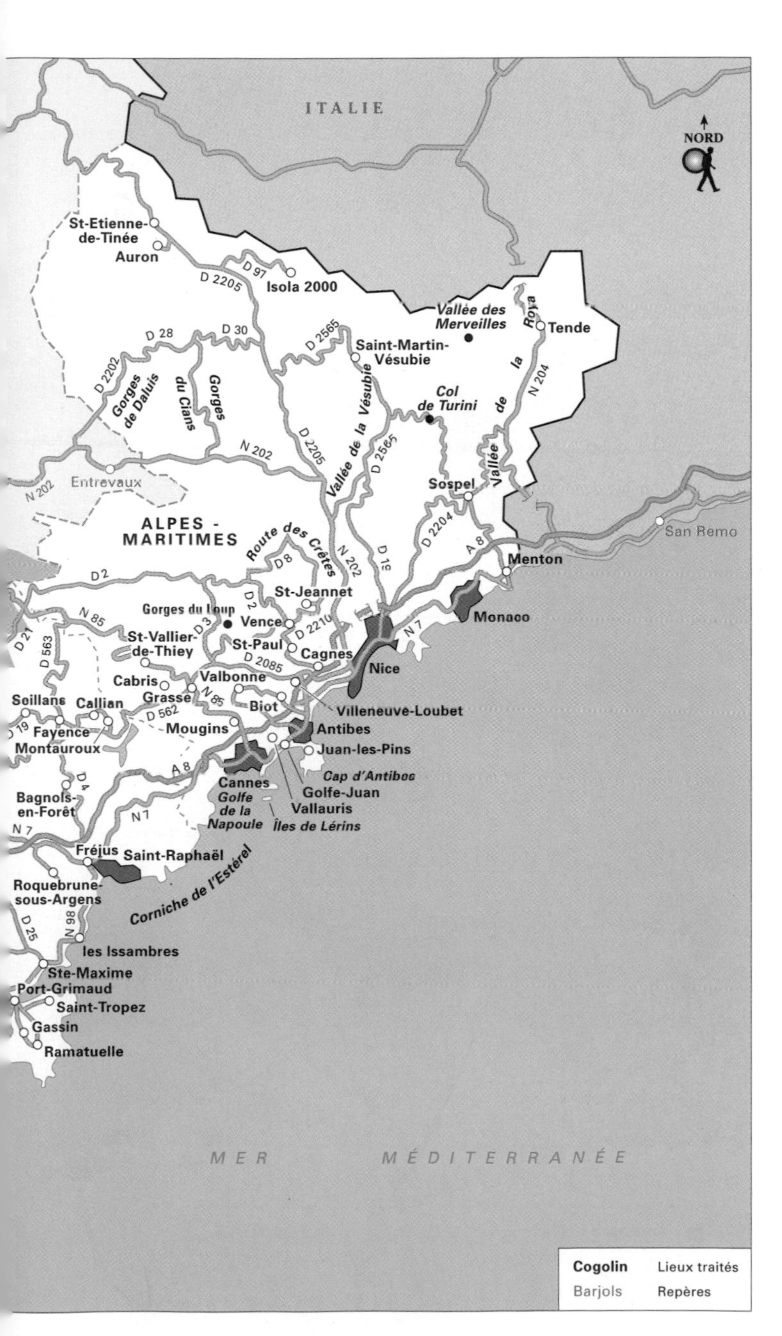

LA CÔTE D'AZUR

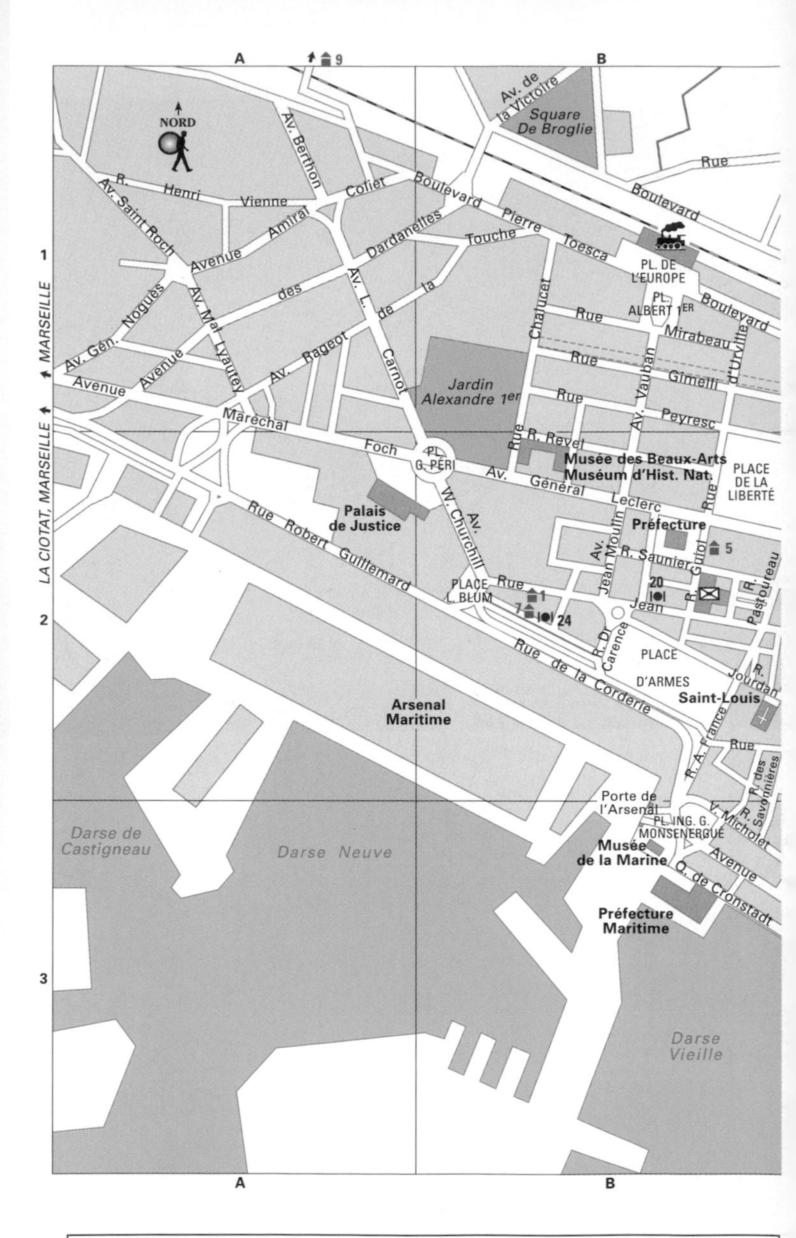
NORD
Av. Saint Roch
R. Henri Vienne
Av. Berthon
Amiral Collet
Boulevard Pierre Toesca
Av. de la Victoire
Square De Broglie
Rue
Boulevard
PL. DE L'EUROPE
PL. ALBERT 1ER
Boulevard Mirabeau
Rue Gimelli
Rue Peyresc
Rue Chalucet
Av. Vauban
d'Urville
Avenue des Dardanelles
Touche
Av. L. Carnot
Av. Rageot de la Touche
Av. Gén. Noguès
Av. Mal Lyautey
Avenue
Avenue Maréchal Foch
Jardin Alexandre 1er
R. Revel
Musée des Beaux-Arts
Muséum d'Hist. Nat.
PL. G. PÉRI
Av. Général Leclerc
PLACE DE LA LIBERTÉ
Palais de Justice
Av. W. Churchill
Préfecture
Av. Jean Moulin
R. Saunier
R. Guiol
R. Pastoureau
Rue Robert Guillemard
PLACE L. BLUM
Rue Jean Jaurès
R. Dr Carence
PLACE D'ARMES
Rue de la Corderie
Saint-Louis
Jourdan
R. A. France
R. des Savonnières
V. Micholet
Arsenal Maritime
Porte de l'Arsenal
PL. ING. G. MONSENERGUE
Musée de la Marine
Avenue
Q. de Cronstadt
Préfecture Maritime
Darse de Castigneau
Darse Neuve
Darse Vieille
LA CIOTAT, MARSEILLE
MARSEILLE
A
B
1
2
3
Adresses utiles
Office du tourisme
Poste
Gare SNCF
Où dormir ?
1 Hôtel Le Jaurès
2 Hôtel Molière
5 New Hotel Amirauté
6 Grand Hôtel Dauphiné
7 Hôtel des Allées
8 Hôtel Lamalgue
9 New Hotel Tour Blanche
10 Les Bastidières

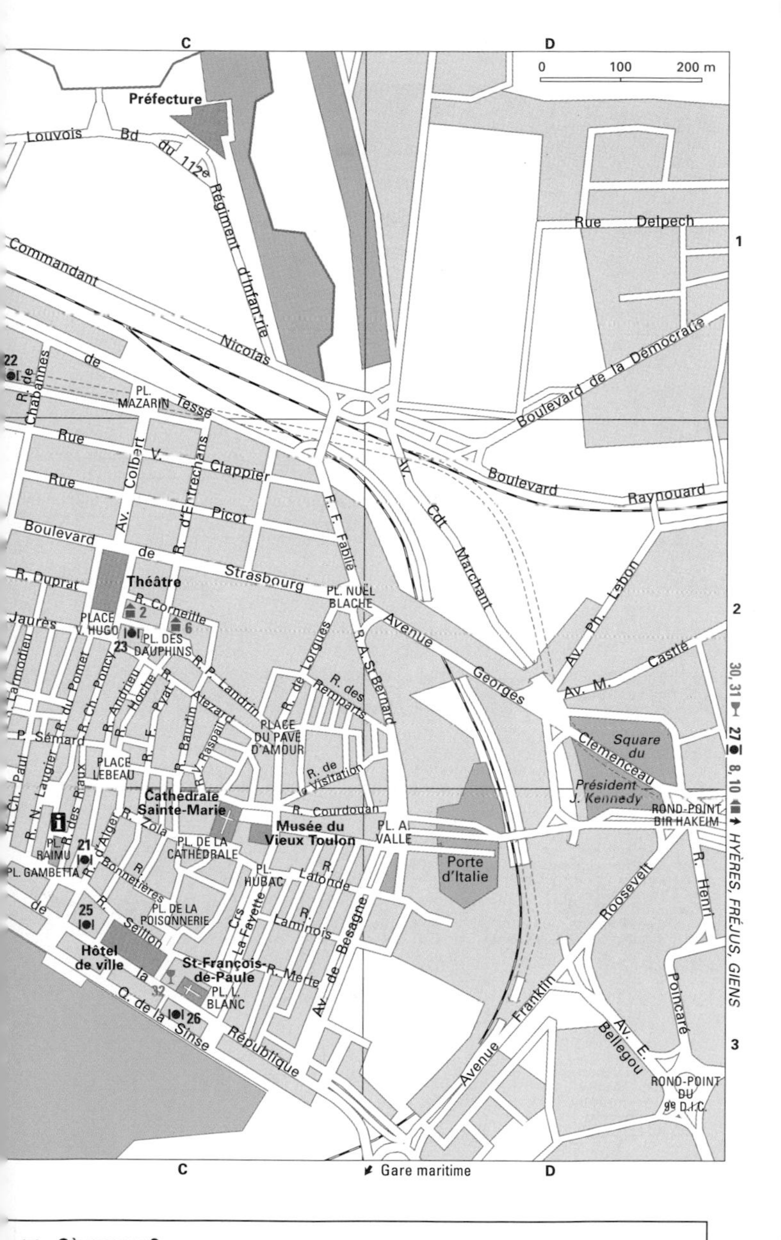

Où manger ?

- **20** Le Cellier
- **21** La Feuille de Chou
- **22** Les Bartavelles
- **23** Le Petit Prince
- **24** Le Jardin du Sommelier
- **25** Le Carré du Port
- **26** Restaurant Herrero

Où boire un verre ?

- **30** Le Bar à Thym
- **31** Le 113
- **32** Le B des Cochons

GRASSE, LE CANNET, A 8
NORD
GRASSE, N 85
ST-RAPHAEL, N 98 ← 20 (4 km) ← FRÉJUS, N 7
Palais de Justice
Marché Forville
Hôtel de ville
Hôtel de ville (annexe)
Notre-Dame-de-Bon-Voyage
ESPLANADE G. POMPIDOU
Palais des Festivals
Théâtre de la Mer
VIEUX PORT
Square F.-Mistral
PLACE GAMBETTA
PL. DU 18 JUIN
PL. DE GAULLE
PL. STANISLAS
Square Mérimée
Rade de
MER MÉDITERRANÉE
■ Adresses utiles
1 Direction du tourisme du palais des Festivals
2 Direction du tourisme de la gare SNCF
Poste
Gare SNCF
Gare routière
3 Gare maritime (service des îles de Lérins)
Où dormir ?
8 Appia Hôtel
9 Hôtel de France
11 Le Chanteclair
12 Hôtel National
13 Touring Hôtel
14 Hôtel Albert Ier
15 Hôtel Molière
16 Hôtel Le Florian
18 Le Splendid
19 AJ Le Chalit
Où manger ?
20 L'Entracte
21 Aux Bons Enfants
22 Le Lion d'Or
23 Le Bouchon d'Objectif
24 Au Bec Fin
26 Le Bistrot de la Galerie
27 Lou Souléou
28 La Brouette de Grand-Mère
29 Côté Jardin
31 Le Jardin
33 Le Restaurant Arménien
35 Le Comptoir des Vins
Où boire un verre ?
40 Le Zanzibar
★ À voir
50 Musée de la Castre
51 Église Notre-Dame-d'Espérance

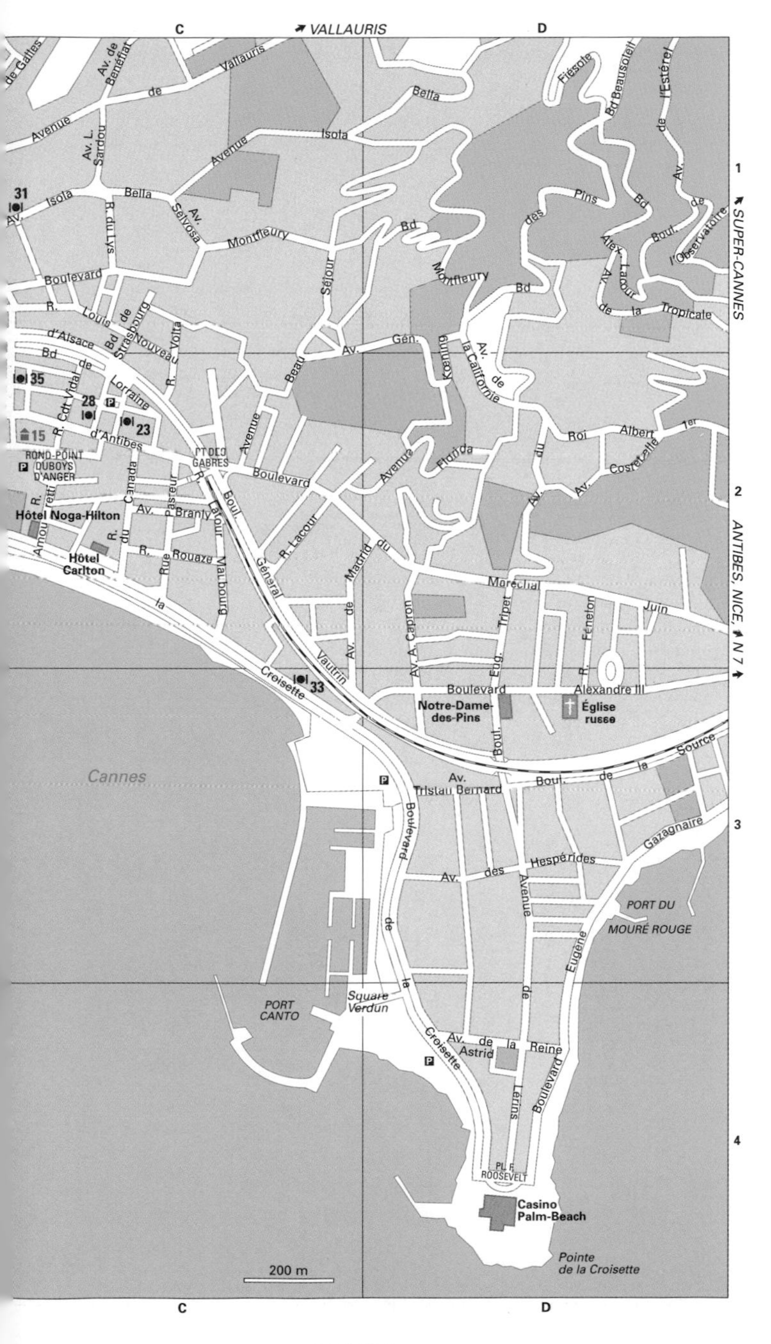

VALLAURIS
SUPER-CANNES
ANTIBES, NICE, N 7
Hôtel Noga-Hilton
Hôtel Carlton
Notre-Dame-des-Pins
Église russe
PORT DU MOURÉ ROUGE
PORT CANTO
Square Verdun
Casino Palm-Beach
Pointe de la Croisette
Cannes
200 m

CANNES

NICE – PLAN I

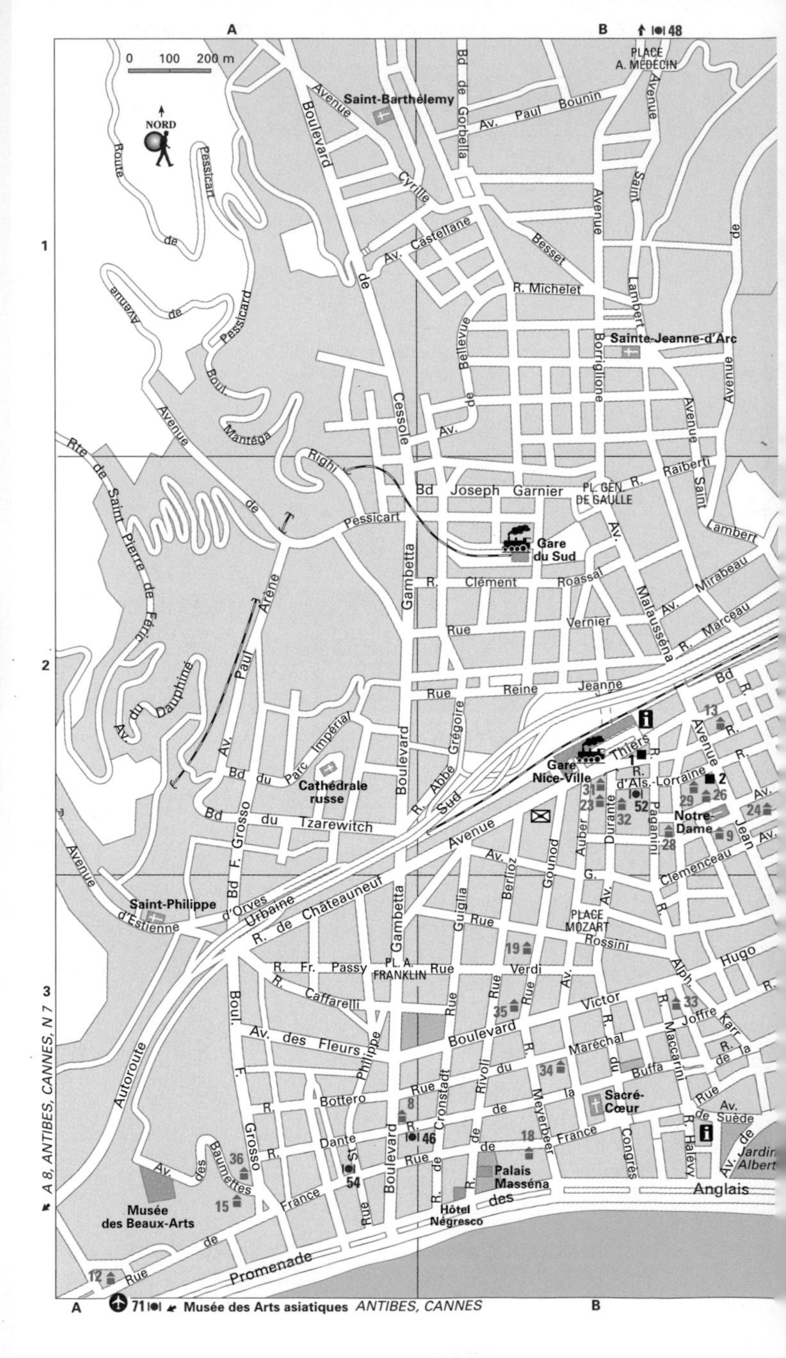

A
B
0 100 200 m
NORD
Saint-Barthélemy
PLACE A. MÉDECIN
Sainte-Jeanne-d'Arc
PL. GÉN. DE GAULLE
Gare du Sud
Gare Nice-Ville
Cathédrale russe
Notre-Dame
Saint-Philippe
PLACE MOZART
PL. A. FRANKLIN
Sacré-Cœur
Palais Masséna
Hôtel Négresco
Musée des Beaux-Arts
Jardin Albert
Promenade des Anglais
Av. Paul Bounin
Bd de Gorbella
Boulevard Cyrille Besset
Av. Castellane
R. Michelet
Avenue Saint Lambert
Avenue de Pessicart
Bd Joseph Garnier
Av. Raiberti
Av. Malausséna
Av. Mirabeau
R. Marceau
R. Vernier
R. Clément Roassal
Rue Reine Jeanne
Boulevard Gambetta
Av. Paul Arène
Bd du Parc Impérial
Bd du Tzarewitch
Bd F. Grosso
Avenue Thiers
R. d'Als.-Lorraine
Av. Jean Médecin
Av. G. Clemenceau
Rue Rossini
Rue Verdi
Boulevard Victor Hugo
R. Maréchal Joffre
R. du Congrès
Rue de France
R. Dante
R. Bottero
Av. des Fleurs
R. Fr. Passy
R. Caffarelli
Avenue de Châteauneuf
Urbaine Sud
Autoroute
Av. des Baumettes
Route de Pessicart
Rte de Saint Pierre de Féric
Av. du Dauphiné
Avenue d'Estienne d'Orves
R. Abbé Grégoire
Av. Berlioz
Rue Gounod
Rue Rivoli
R. Meyerbeer
R. de la Buffa
R. Maccarini
R. Halévy
Av. de Suède
Avenue Bellevue
Avenue Borriglione
Rue Guiglia
Rue Cronstadt
Rue St Philippe
A 8, ANTIBES, CANNES, N 7
71 Musée des Arts asiatiques ANTIBES, CANNES
48
1 2 8 9 12 13 15 18 19 23 24 26 28 29 31 32 33 34 35 36 46 52 54

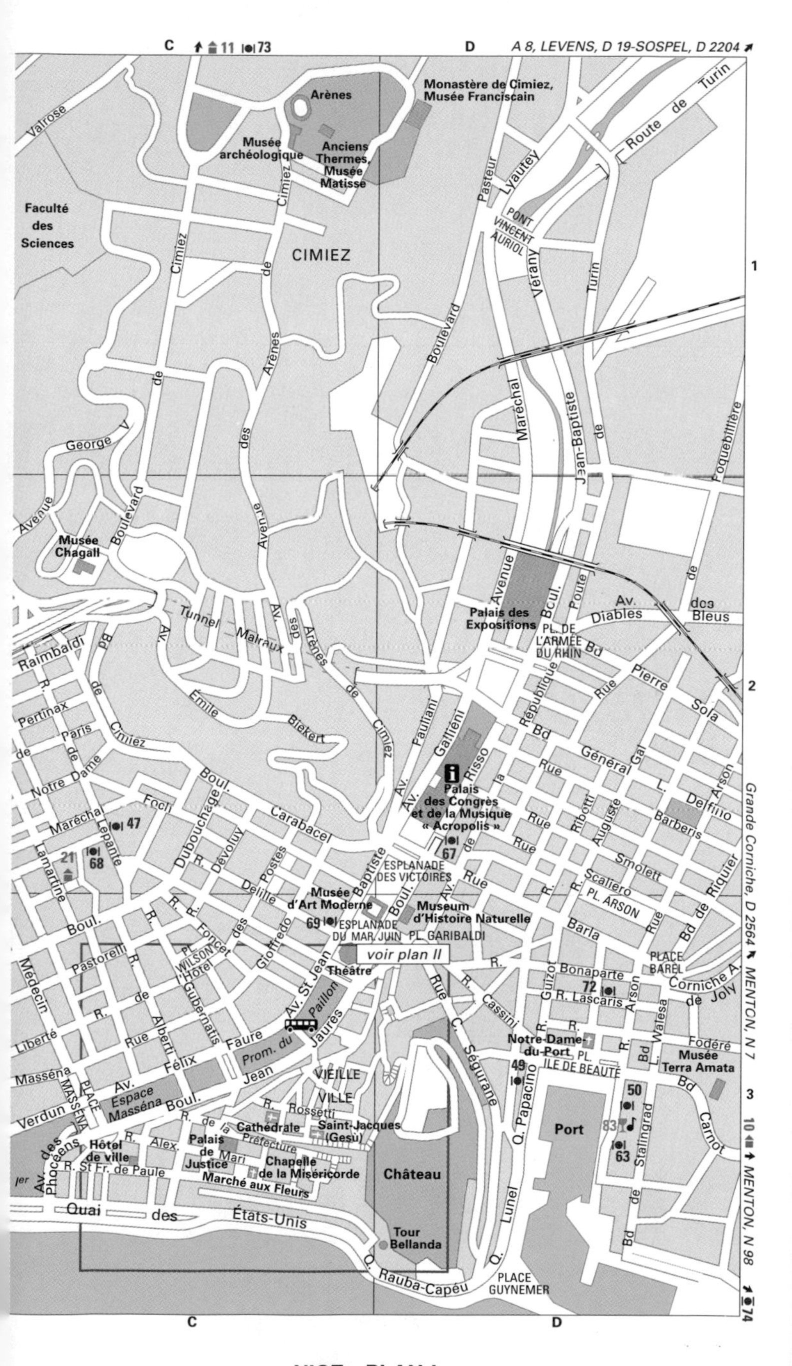

C
D
A 8, LEVENS, D 19-SOSPEL, D 2204
Arènes
Monastère de Cimiez, Musée Franciscain
Musée archéologique
Anciens Thermes, Musée Matisse
Faculté des Sciences
CIMIEZ
Route de Turin
PONT VINCENT AURIOL
Musée Chagall
Palais des Expositions
PL. DE L'ARMÉE DU RHIN
Palais des Congrès et de la Musique « Acropolis »
ESPLANADE DES VICTOIRES
Musée d'Art Moderne
Museum d'Histoire Naturelle
ESPLANADE DU MAR. JUIN
PL. GARIBALDI
voir plan II
Théâtre
PL. ARSON
PLACE BAREL
Notre-Dame-du-Port
PL. ILE DE BEAUTÉ
Musée Terra Amata
VIEILLE VILLE
Cathédrale
Saint-Jacques (Gesù)
Hôtel de ville
Palais de Justice
Chapelle de la Miséricorde
Marché aux Fleurs
Château
Tour Bellanda
Port
PLACE GUYNEMER
Espace Masséna
PLACE MASSÉNA
Quai des États-Unis
Q. Rauba-Capéu
Grande Corniche, D 2564 MENTON, N 7
MENTON, N 98

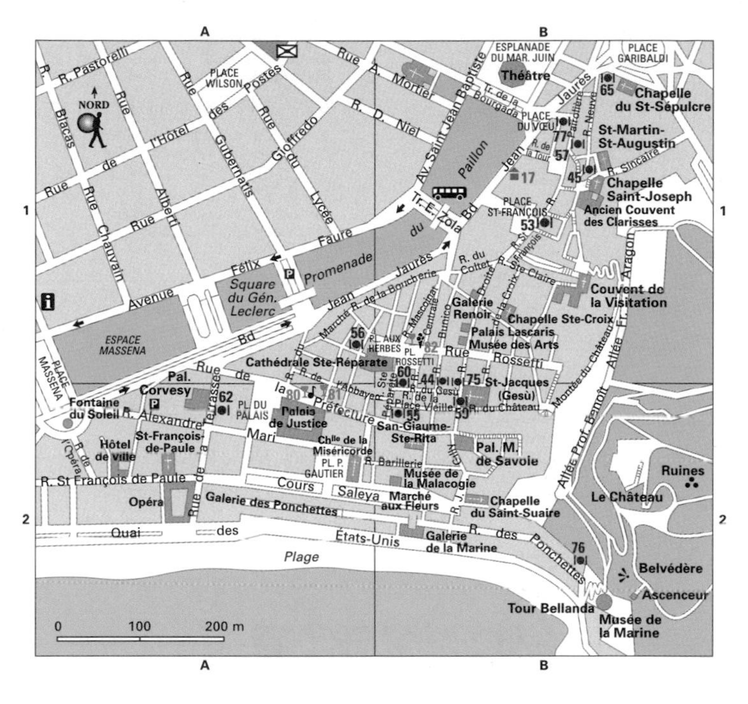

NICE - LE VIEUX NICE (PLAN II)

Adresses utiles

- Office du tourisme et des congrès *(plan I)*
- Gare SNCF *(plan I)*
- Gare routière *(plan I)*
- Poste *(plan I)*
- 1 Nicea Location Rent *(plan I)*
- 2 Grande Pharmacie Élysée *(plan I)*

Où dormir ?

- 8 Hôtel de la Buffa *(plan I)*
- 9 Hôtel Notre-Dame *(plan I)*
- 10 Auberge de Jeunesse *(plan I)*
- 11 Relais international de la jeunesse Clairvallon *(plan I)*
- 12 Espace Magnan *(plan I)*
- 13 Backpackers Chez Patrick *(plan I)*
- 15 Hôtel Danemark *(plan I)*
- 17 Hôtel Au Picardy *(plan II)*
- 18 Hôtel de la Fontaine *(plan I)*
- 19 Hôtel L'Oasis *(plan I)*
- 21 Hôtel Les Camélias *(plan I)*
- 23 La Belle Meunière *(plan I)*
- 24 Hôtel du Petit Louvre *(plan I)*
- 26 Hôtel des Alizés *(plan I)*
- 28 Hôtel Clair Meublé *(plan I)*
- 29 Hôtel Amaryllis *(plan I)*
- 31 Hôtel Excelsior *(plan I)*
- 32 Hôtel Durante *(plan I)*
- 33 Hôtel Le Grimaldi *(plan I)*
- 34 Hôtel Windsor *(plan I)*
- 35 Hôtel Gounod *(plan I)*
- 36 Hôtel Locarno *(plan I)*

Où manger ?

- 44 L'Adresse *(plan II)*
- 45 La Table Alziari *(plan II)*
- 46 La Petite Marmite *(plan I)*
- 47 The Jungle Arts *(plan I)*
- 48 L'Olympic *(plan I)*
- 49 La Zucca Magica *(plan I)*
- 50 L'Âne Rouge *(plan I)*
- 52 Restaurant Voyageur Nissart *(plan I)*
- 53 Café-restaurant de la Bourse *(plan II)*
- 54 La Patouille *(plan I)*
- 55 Nissa La Bella *(plan II)*
- 56 La Cave *(plan II)*
- 57 L'Escalinada *(plan II)*
- 59 Acchiardo *(plan II)*
- 60 Le 22 Septembre *(plan II)*
- 62 La Merenda *(plan II)*
- 63 Les Pêcheurs *(plan I)*
- 65 Le Grand Café de Turin *(plan II)*
- 67 Le Lydo *(plan I)*
- 68 Lou Mourelec *(plan I)*
- 69 Le Rive Droite *(plan I)*
- 71 Restaurant de l'École hôtelière *(plan I)*
- 72 Chez Pipo *(plan I)*
- 73 L'Auberge de Théo *(plan I)*
- 74 Le Sextant *(plan I)*
- 75 Restaurant du Gesù *(plan II)*
- 76 Don Camillo *(plan II)*
- 77 L'Auberge des Arts *(plan II)*

Où déguster une glace ? Où boire un verre ? Où sortir ?

- 80 Wayne's *(plan II)*
- 81 Le Bar des Oiseaux *(plan II)*
- 82 Fenocchio *(plan II)*
- 83 Iguane Café *(plan I)*

Adresses Utiles

- Office de tourisme de Monaco

Où dormir ?

- 10 Centre de la Jeunesse Princesse-Stéphanie
- 11 Hôtel Cosmopolite
- 12 Hôtel de France
- 13 Hôtel Helvetia
- 14 Hôtel Villa Boeri
- 15 Hôtel Diana

Où manger ?

- 20 Monte Carlo Bar
- 21 La Cigale
- 22 Tony
- 23 Le Huit et Demi
- 24 Le Périgordin
- 25 Café de Paris
- 26 Polpetta

Où sortir ? Où boire un verre ?

- 30 Stars'n'bars-Sports Bar & Club
- 31 Bar du Zebra Square

À voir

- 40 Exposition Voitures anciennes
- 41 Musée des Timbres et des Monnaies
- 42 Musée Naval

À faire

- 50 Promenade en mer avec vision sous-marine

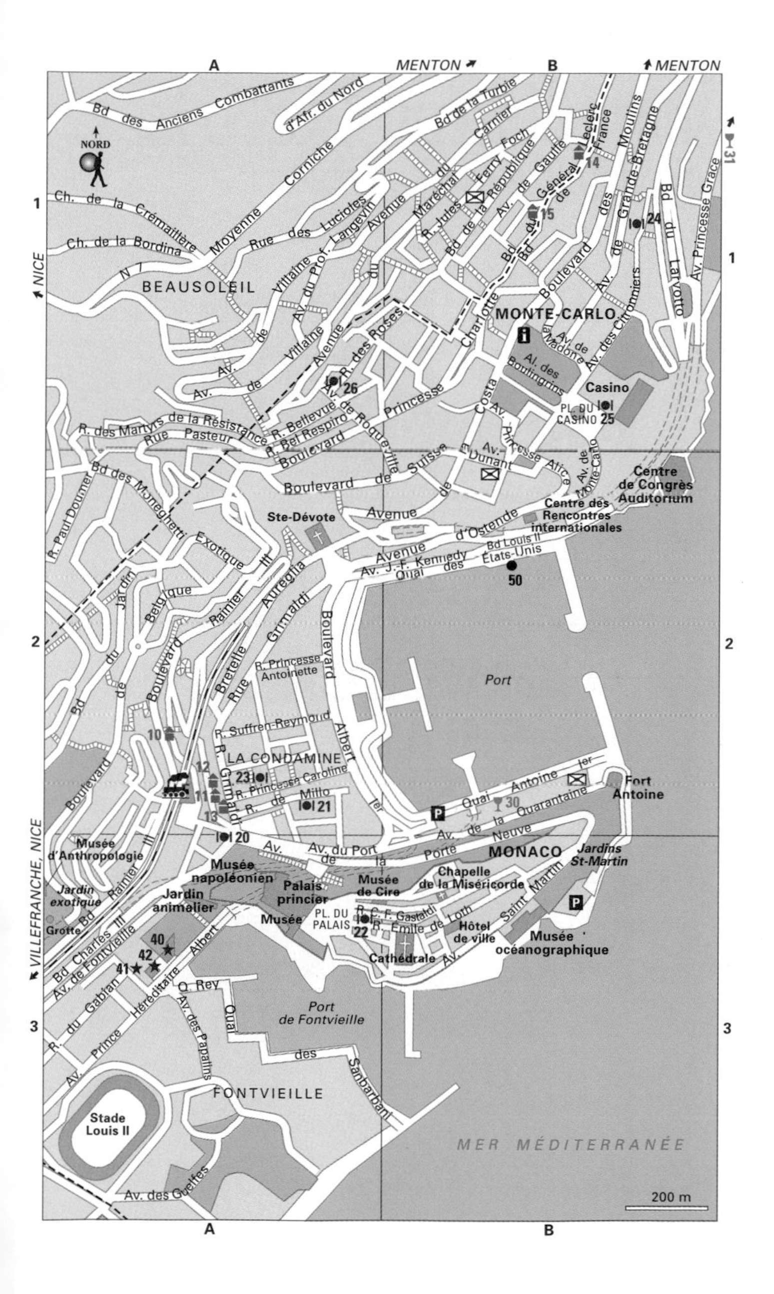
MENTON
MENTON
NICE
VILLEFRANCHE, NICE
NORD
BEAUSOLEIL
MONTE-CARLO
Casino
PL. DU CASINO
Centre de Congrès Auditorium
Centre des Rencontres internationales
Ste-Dévote
Port
LA CONDAMINE
Fort Antoine
MONACO
Jardins St-Martin
Musée d'Anthropologie
Musée napoléonien
Palais princier
Musée de Cire
Chapelle de la Miséricorde
Jardin exotique
Jardin animalier
Grotte
Musée
PL. DU PALAIS
Hôtel de ville
Musée océanographique
Cathédrale
Port de Fontvieille
FONTVIEILLE
Stade Louis II
MER MÉDITERRANÉE
200 m

MONACO

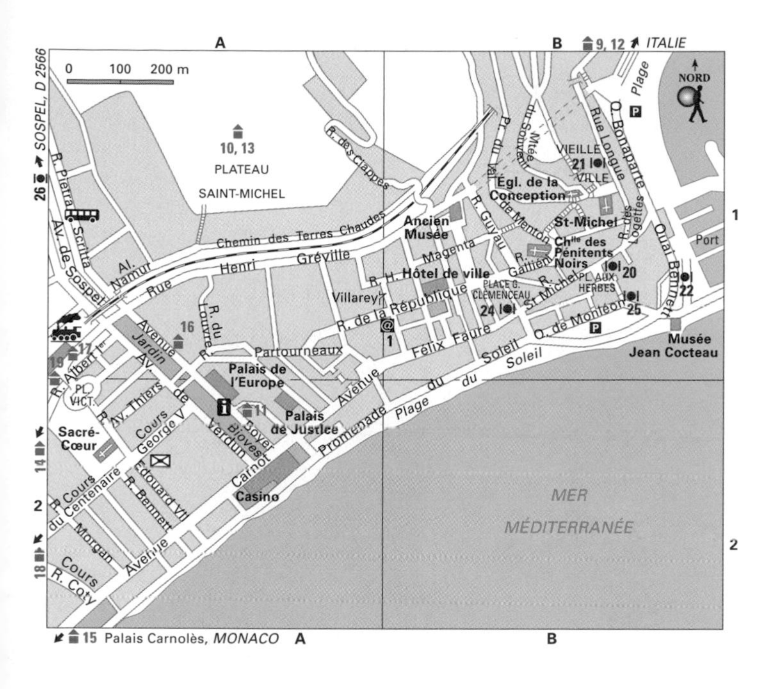

MENTON

Adresses utiles

- Office du tourisme
- Poste
- Gare SNCF
- Gare routière
- 1 Cyber Café

Où dormir ?

- 9 Hôtel Paris-Rome
- 10 Auberge de jeunesse
- 11 Hôtel Chambord
- 12 Hôtel Napoléon
- 13 Camping municipal Saint-Michel
- 14 Hôtel Beauregard
- 15 Hôtel Prince de Galles
- 16 Chambres d'hôtes Anna Bret
- 17 Hôtel de Belgique
- 18 Hôtel Parisien
- 19 Hôtel de la Gare « Le Chouchou »

Où manger ?

- 20 Le Chaudron
- 21 A Braïjade Meridiounale
- 22 Le Pistou
- 24 Ou Pastré
- 25 Fontana di Trevi
- 26 Le Midi

1855-1880 : création de nombreuses stations balnéaires : Menton, Monaco, Saint-Raphaël, Golfe-Juan, etc.
1936 : les lois sociales orientent la côte d'Azur vers un tourisme de masse.
1940 : Menton est occupée par les Italiens.
1942 : la flotte française se saborde à Toulon; la zone libre du sud de la France est occupée par les troupes allemandes.
1944 : débarquement des forces alliées sur la côte varoise; Nice et Toulon sont libérées.
1947 : rattachement des communes de Tende et de La Brigue encore italiennes à la France.
Fin XXe siècle : développement du tourisme; création de nouvelles stations : Isola 2000, Marina Baie-des-Anges, Port-Grimaud.
1974 : création de la région Paca; développement du complexe technologique *Sophia-Antipolis*; transfert de la préfecture de Draguignan à Toulon.

INCENDIES : PRÉCAUTIONS À PRENDRE

Les incendies : chaque été dans les Alpes-Maritimes, le Var et dans les départements voisins, plusieurs milliers d'hectares, parfois même plusieurs dizaines de milliers, partent en fumée. Si les pyromanes défraient souvent la chronique, ils ne sont pourtant responsables que de 10 à 20 % des feux. La grande majorité des incendies sont provoqués par des imprudences. Alors attention : ne faites ni feu ni barbecue, n'utilisez pas de camping-gaz, ne jetez pas de mégots de cigarettes. Des conseils élémentaires, mais toujours utiles!

LANGUES RÉGIONALES

– *Peuchère! :* le pauvre!
– *Un pitchoun, un miston :* un enfant.
– *Le cagnard :* le soleil.
– *Boudiou! :* exclamation exprimant la surprise.
– *Une coucourde :* une courge. Par extension, quelqu'un de bête.
– *Degun :* personne. « Je crains degun », « Y'a degun ce soir »...
– *Être ensuqué :* être un peu fatigué, avoir la gueule de bois.
– *La castagne :* la bagarre.
– *Lou capeou :* le chapeau.
– *S'escagasser :* s'écraser au sol. Par extension, faire quelque chose avec difficulté.
– *Fada :* fou, idiot.
– *Un cacou :* un play-boy du Sud.
– *Une cagole :* une « pouf ».

LIVRE DE ROUTE

– ***La Côte d'Azur et la modernité (1918-1958),*** Réunion des Musées nationaux, 290 p., 1997 : un remarquable ouvrage qui rend hommage aux plus grands peintres « méditerranéens », de Monet à Picasso en passant par Matisse, Chagall, ou encore d'autres moins connus, mais qui ne laisse pas de côté l'architecture et le design. De belles reproductions, des textes qui mettent en valeur le fait que « la Côte d'Azur a été une invention de la modernité », selon Pierre Daix. Surtout, on saisit mieux l'alchimie qui a opéré entre la géographie et les activités humaines. Pour comprendre l'avènement d'une région devenue très touristique et son enracinement, finalement assez récent, dans notre histoire.

MERVEILLES DE GUEULE

Une cuisine riche et délicieuse à base d'huile d'olive, d'herbes odorantes, d'ail et divers aromates. À signaler : à part ceux de la bouillabaisse et quelques variétés locales, les poissons que vous mangerez ne proviennent pas de la Méditerranée (ce qui ne les empêche pas d'être fort bien accommodés).

Voici les spécialités les plus savoureuses dont les effluves viendront sans cesse titiller vos narines :

– *l'ail rouge :* un miracle d'arôme que ce petit ail du Pays niçois, qui relève la purée d'anchois et la pissaladière.

– *L'aïoli :* plat complet à base de poisson, pommes de terre et légumes, accompagnés de mayonnaise à l'ail (et sans moutarde), plutôt épaisse et parfumée. Se fait exclusivement à l'huile d'olive, mais était-il besoin de le préciser ? On est en Provence.

– *L'anchoïade :* purée d'anchois, mélangée à de l'huile d'olive et à des câpres, très onctueuse au goût.

– *Le bœuf en daube :* morceaux de bœuf cuits à l'huile d'olive avec du lard et des oignons, de l'ail et des aromates, servis avec une sauce au vin rouge.

– *La bouillabaisse :* à tout seigneur, tout honneur. Au moins 12 poissons dans une soupe parfumée. D'abord plat des pauvres, il est devenu celui des très riches. Compter au minimum 22,87 € (150 F) ; au-dessous de ce prix, la bouillabaisse sera éventuellement bonne au goût mais ne méritera pas son nom, car il y aura fort peu de poissons de roche et beaucoup de congelé. La rareté des poissons (rascasse, loup, rouget de roche, etc.) entrant dans la composition de la bouillabaisse et la quantité limitée que l'on peut en pêcher expliquent d'ailleurs le prix élevé de ce mets. Le poisson doit évidemment être très frais et le safran mis dans un bouillon de bonne qualité. Pour accompagner la bouillabaisse, une sauce onctueuse et épicée, la rouille, et des croûtons grillés, généreusement frottés d'ail.

– *La bourride :* genre de bouillabaisse, un peu moins chère, avec des poissons blancs (mulet, baudroie, merlan) et servie surtout avec l'aïoli.

– *La brousse de la Vésubie :* fromage frais crémeux conservé dans l'huile d'olive, à déguster tel quel ou en vinaigrette garnie d'ail et d'aromates.

– *La cade :* galette à base de farine de pois chiches, sœur toulonnaise de la *socca* niçoise. Son nom vient de *tourta tota cada* (« tourte toute chaude » en provençal). On en trouve toujours sur les marchés toulonnais, même si elle a perdu de sa popularité.

– *Le citron de Menton :* est-il vraiment exceptionnel ? En tout cas, il y fleurit et fructifie à longueur d'année, au point d'avoir hissé Menton au premier rang des producteurs européens. Pas ingrate, la ville en a fait son principal agent touristique et le héros de son carnaval.

– *Les farcis niçois :* aubergines, poivrons, tomates, tout y passe ! Mais les meilleurs sont sans doute les fleurs de courgette...

– *Les gnocchi :* ces délicieux chaussons de pommes de terre avec de la béchamel, couverts de fromage râpé et gratinés au four, sont d'origine niçoise, *via* l'Italie.

– *Le loup au fenouil :* un des rois de la table provençale. Appelé « bar » dans d'autres régions. Se prépare principalement grillé avec du fenouil ou farci.

– *Les olives et l'huile :* Nice est la patrie de la *cailletier,* une délicieuse olive noire qui donne tout son parfum aux recettes du pays. Quant à l'huile locale, elle est réputée dans tout le Sud pour sa finesse, son arôme et sa suavité.

– *Les marrons glacés :* inventés par un petit confiseur au XVIIe siècle. Ceux de Collobrières, au cœur d'un massif des Maures planté de nombreuses châtaigneraies, sont renommés.

– *Le pan-bagnat :* typiquement niçois. Gros sandwich bourré d'anchois, de tomates et de câpres. Le tout arrosé d'huile d'olive.

– *La pissaladière :* spécialité niçoise, genre de tarte couverte d'un mélange d'oignons et de pissalat (purée de petits anchois au sel), garnie également d'anchois et d'olives.
– *La porchetta niçoise :* cochon de lait farci avec plein de bonnes choses (ail, oignons, herbes).
– *La poutine :* alevins que l'on mange en omelette (spécialité niçoise), et uniquement au printemps, car la pêche est réglementée.
– *La ratatouille niçoise :* un plat sain, léger, parfumé et économique. Courgettes, aubergines, tomates, parfois poivrons, et ail ou oignons, herbes de Provence, le tout cuit à l'eau et revenu à l'huile... d'olive, évidemment. Les légumes doivent avoir cuit séparément. Note : les courgettes poussant dans la région niçoise sont plus petites et renflées que les autres, plus parfumées aussi. Elles rendent, dit-on, inimitable la ratatouille locale. Délicieux froid également.
– *Les raviolis :* niçois aussi, mais d'origine italienne. Genre de gros carrés de pâte farcis à la viande ou aux légumes et qu'on fait cuire à l'eau. Encore meilleurs fabriqués maison et vendus frais dans certaines boutiques spécialisées.
– *La rouille :* le complice indispensable de la bouillabaisse. Piments rouges, frais, écrasés avec de l'ail, auxquels on ajoute de l'huile d'olive, un peu de mie de pain et du bouillon de la bouillabaisse.
– *La salade niçoise :* à savourer quand il fait trop chaud et qu'on veut manger bon et léger. Salade de poivrons verts effilés, quartiers de tomates, filets d'anchois, radis, œufs, feuilles de salade, etc. Le tout arrosé d'huile d'olive.
– *La socca :* galette à base de farine de pois chiches, d'eau et d'huile d'olive, cuite au charbon de bois.
– *La soupe au pistou :* un des temps forts de la cuisine provençale. Soupe aux légumes parfumée avec une pâte composée de basilic et d'ail pilés dans de l'huile d'olive.
– *Le stockfisch* ou *estocaficada :* morue séchée détrempée assez longtemps, puis cuisinée au vin blanc avec tomates, oignons et (bien sûr) de l'ail.
– *Les supions :* petites seiches roulées dans la farine, puis frites à l'huile.
– *La tapenade :* purée d'olives noires, d'anchois et de câpres mélangée à l'huile d'olive. Délicieuse sur des tartines grillées.
– *La tarte tropézienne :* inventée à... Cogolin. Gâteau fourré à la crème.

LE PASTIS

Apéritif à base d'anis. Le « pastaga » est un véritable rite à midi et après le boulot. Les conversations s'échauffent vite à partir du quatrième. Le rituel consiste à dire quand votre tour arrive : « C'est la mienne ». Au fait, en voici les ingrédients : environ 50 g d'anis vert, une demi-gousse de vanille, de la cannelle et un litre d'alcool à 90°. Une « momie » est un tout petit verre de pastis (presque un dé à coudre) qui permet de tenir plus longtemps. Goûter à certains mélanges harmonieux : avec du sirop de menthe (un « perroquet »), avec de la grenadine (une « tomate ») et avec du sirop d'orgeat (une « mauresque »).

PERSONNAGES

– ***Barras (Paul de) :*** on a oublié le prénom de ce natif de Fox-Amphoux, mais pas son rôle pendant la Révolution : jacobin, il dirigera la répression de Toulon en 1793 et fut membre du Directoire.
– ***Gilbert Bécaud :*** il a chanté le marché provençal de Toulon, sa ville natale et visité Moscou avec Nathalie (elle s'appelait comme ça, son guide).
– ***Gaspard de Besse :*** le Robin-des-Bois de l'arrière-pays varois. Bandit de grand chemin à la fin du XVIIe siècle, réputé pour ne s'attaquer qu'aux riches. Capturé, il fut roué à Aix à l'âge de 24 ans et pleuré par les femmes. Gaspard de Besse a inspiré le roman éponyme à l'écrivain Jean Aicard.

– ***Georges Clemenceau :*** vendéen d'origine, le Tigre a vécu avec le Var une histoire d'amour politique mouvementée. Élu député après avoir aidé la ville de Toulon à sortir d'une épidémie de choléra en 1884, puis battu, il retrouvera, quelques années plus tard, un fauteuil de sénateur. La commune de Cotignac répudiera publiquement le Clemenceau président du Conseil, pour ses prises de position anti-travailleurs.

– ***Mireille Darc :*** née à Toulon, longtemps « madame Delon », son inimitable sourire à la fois malicieux et nostalgique a traversé le cinéma français des années 1970. Du *Grand Blond avec une chaussure noire,* les hommes ont surtout retenu la fente de sa robe... noire.

– ***Daniel Herrero :*** ancien entraîneur du club de rugby de Toulon. Avec son bandana vissé pour l'éternité autour de sa crinière blanche, il est de ces humanistes qu'on invite volontiers sur les plateaux télé pour qu'il y fasse parler son cœur et ses tripes.

– ***Joseph-Louis Lambot :*** toutes les inventions ont un inventeur. Le sieur Lambot, né en 1814 à Montfort-sur-Argens, a inventé lui, par hasard, le béton armé (pour, à l'origine, fabriquer des bateaux). Quand on voit ce que certains en ont fait sur la côte, faut-il lui dire merci ?

– ***Félix Mayol :*** quelques générations ont fredonné les refrains des chansonnettes (*Viens Poupoule*, la *Cabane Bambou...*) de ce dandy toulonnais (toujours un petit brin de muguet glissé dans la boutonnière).

– ***Hyppolite Mège-Mouriès :*** ce pharmacien de Draguignan qui avait déjà proposé – sans succès – une baguette sans farine (!) invente en 1869 la margarine (connue à l'époque sous le nom de copahine). Il n'aura pas l'argent du beurre : ayant abandonné à d'autres la commercialisation de son produit, le génial Hyppolite est mort dans la misère...

– ***Michel Petruciani :*** incroyable pianiste de jazz, né à Toulon. Le drôle de petit bonhomme aux doigts magiques doit faire un sacré bœuf, là-haut, avec Miles, Monk ou Coltrane...

– ***Lily Pons :*** star du music-hall et d'Hollywood dans les années 1930, Mademoiselle Lily (alias « la Française à la bouche d'or ») était née à Draguigan (et non à Cannes comme elle le prétendit toute sa vie, par coquetterie).

– ***Raimu :*** né à Toulon. Monstre sacré du cinéma français, immortalisé par la trilogie *Marius, Fanny* et *César* de Pagnol. « Meilleur acteur du monde » d'après Orson Welles, autre monstre sacré.

– ***Django Reinhart :*** le mythique guitariste manouche a vécu avec sa famille dans le quartier toulonnais des Ferrailleurs, aujourd'hui disparu.

– ***Saint-Exupéry :*** la vie de l'écrivain-aviateur est liée à cette côte. Enfant, il passait ses vacances au château de la Mole dans le massif des Maures (il l'évoque dans *Le Petit Prince*). Adulte, il séjournera souvent au château d'Agay où il épousera Consuelo Suncin. Il s'installera quelque temps à Cabris et disparaîtra en vol au large de Marseille.

– ***Emmanuel Joseph Sieyès :*** né à Fréjus en 1748. Un des pivots de la Révolution française. Auteur de *Qu'est-ce que le tiers état ?,* rédacteur du serment du Jeu de Paume.

PERSONNES HANDICAPÉES

Chers lecteurs, nous indiquons désormais par le logo ♿ les établissements qui possèdent un accès ou des chambres pouvant accueillir des personnes handicapées. Certaines adresses sont parfaitement équipées selon les critères les plus modernes. D'autres, plus simples, plus anciennes aussi, sans répondre aux normes les plus récentes, favorisent leur accueil, facilitent l'accès aux chambres ou au resto. Évidemment, les handicaps étant très divers, des lieux accessibles à certaines personnes ne le seront pas pour d'autres. Appelez toujours auparavant pour savoir si l'équipement de l'hôtel ou du resto est compatible avec votre niveau de mobilité.

Malgré les combats menés par les nombreuses associations, l'intégration des handicapés à la vie de tous les jours est encore balbutiante en France. Il tient à chacun de nous de faire changer les choses. Nous sommes tous concernés par cette prise de conscience nécessaire.

PLONGÉE

À l'eau, les p'tits canards!

Pourquoi ne pas profiter de votre escapade dans ces régions maritimes pour vous initier à la plongée sous-marine? Quel bonheur de virevolter librement en compagnie des poissons, animaux les plus chatoyants de notre planète; de s'extasier devant les couleurs vives de cette vie insoupçonnée... Pour faire vos premières bulles, pas besoin d'être sportif, ni bon nageur. Il suffit d'avoir plus de 8 ans et d'être en bonne santé. Sachez que l'usage des médicaments est incompatible avec la plongée. De même, nos routardes enceintes s'abstiendront formellement de toute incursion sous-marine. Enfin, vérifiez l'état de vos dents, il est toujours désagréable de se retrouver avec un plombage qui saute pendant les vacances. Sauf pour le baptême, un certificat médical vous sera demandé, et c'est dans votre intérêt. L'initiation des enfants requiert un encadrement qualifié dans un environnement adapté (eau tempérée, sans courant, matériel adapté).
Non, la plongée ne fait pas mal aux oreilles; il suffit de souffler en se bouchant le nez. Il ne faut pas forcer dans cet étrange « détendeur » que l'on met dans votre bouche, au contraire. Et le fait d'avoir une expiration active est décontractant puisque c'est la base de toute relaxation.
Sachez aussi qu'être dans l'eau modifie l'état de conscience car les paramètres du temps et de l'espace sont changés : on se sent (à juste titre) ailleurs. En contrepartie de cet émerveillement, respectez impérativement les règles de sécurité, expliquées au fur et à mesure. En vacances, c'est le moment ou jamais de vous jeter à l'eau... de jour comme de nuit!
Attention : pensez à respecter un intervalle de 12 à 24 h avant de prendre l'avion, afin de ne pas modifier le déroulement de la désaturation.

Les centres de plongée

En France, une partie des écoles sont affiliées à la Fédération française d'études et de sports sous-marins (FFESSM) et à la Fédération sportive gymnique du travail (FSGT). Les autres sont rattachées à l'Association nationale des moniteurs de plongée (ANMP) ou encore au Syndicat national des moniteurs de plongée (SNMP). L'encadrement – équivalent quelle que soit la structure – est assuré par des moniteurs brevetés d'État – véritables professionnels de la mer – qui maîtrisent le cadre des plongées et connaissent tous leurs spots « sur le bout des palmes ». Aussi, les routard (e)s s'adresseront à eux en priorité.
Un bon centre de plongée est un centre qui respecte toutes les règles de sécurité, sans négliger le plaisir. Méfiez-vous d'un club qui vous embarque sans aucune question préalable sur votre niveau; il n'est pas « sympa », il est dangereux. Regardez si le centre est bien entretenu (rouille, propreté...), si le matériel de sécurité – obligatoire – (oxygène, trousse de secours, radio...) est à bord. Les diplômes des moniteurs doivent être affichés. N'hésitez pas à vous renseigner car vous payez pour plonger. En échange, vous devez obtenir les meilleures prestations... Après, à vous de voir si vous préférez un club genre « usine bien huilée » ou une petite structure souple.
Prix de la plongée : environ 22,87 à 38,11 € (150 à 250 F) en moyenne. Ajoutez à cela le coût de la licence annuelle : autour de 38,11 € (250 F).

C'est la première fois?

Alors, l'histoire commence par un baptême ; une petite demi-heure pendant laquelle le moniteur s'occupe de tout et vous tient la main. Laissez-vous aller au plaisir ! Même si vous vous sentez harnaché comme un sapin de Noël déraciné hors saison, tout cet équipement s'oublie complètement une fois dans l'eau. Théoriquement, vous ne descendrez pas au-delà de 5 m. Pour votre confort, sachez que la combinaison doit être la plus ajustée possible afin d'éviter les poches d'eau qui vous refroidissent. Compter de 22,87 à 33,54 € (150 à 220 F) pour un baptême. Puis l'histoire se poursuit par un apprentissage progressif...

Formation et niveaux

Les clubs délivrent des formations graduées par niveaux. Avec le niveau I (à partir de 228,67 €, soit 1 500 F), vous descendez à 20 m accompagné d'un moniteur. Avec le niveau II (à partir de 274,41 €, soit 1 800 F), vous êtes autonome dans la zone des 20 m, mais encadré jusqu'à la profondeur maxi de 40 m. Avec le niveau III (à partir de 228,67 €, soit 1 500 F), vous serez totalement autonome, dans la limite des tables de plongée. Le niveau IV prépare les futurs moniteurs à l'encadrement.
Le passage de tous ces brevets doit être étalé dans le temps, afin de pouvoir acquérir l'expérience indispensable. Demandez conseil à votre moniteur (il y est passé avant vous !). Enfin, les écoles délivrent un « carnet de plongée », indiquant l'expérience du plongeur, ainsi qu'un « passeport » mentionnant ses brevets.

Reconnaissance internationale

Indispensable si vous envisagez de plonger à l'étranger. Demandez absolument l'équivalence CMAS (Confédération mondiale des activités subaquatiques) ou CEDIP (European Committee of Professional Diving Instructor) de votre diplôme. Le meilleur plan consiste à faire évaluer votre niveau par un instructeur diplômé d'État qui est aussi PADI (Professional Association of Diving Instructors, d'origine américaine), pour obtenir le brevet le mieux reconnu du monde ! En France, certains moniteurs ont la double casquette, profitez-en. Sachez aussi que les brevets NAUI (National Association of Underwater Instructors) et SDI (Scuba Diving International) jouissent d'une bonne reconnaissance internationale...
À l'inverse, si vous avez fait vos premières bulles à l'étranger, vos aptitudes à la plongée seront jugées – en France – par un moniteur qui, souvent, après quelques exercices supplémentaires, vous délivrera un niveau correspondant...

La Côte d'Azur

Bercée par son climat velouté, la Méditerranée représente une véritable « mer de prédilection » pour la plongée. Ce n'est donc pas un hasard si ses eaux chaudes et limpides furent « l'atelier-laboratoire » privilégié des grands pionniers de l'aventure sous-marine... La *Mare Nostrum* livre des épaves mythiques aux plongeurs, et concentre, en certains points, les fabuleuses richesses de sa vie sous-marine.
Mais aujourd'hui, cette mer fermée – à l'équilibre si fragile – est continuellement blessée par des activités humaines intenses et souvent irréfléchies... Parmi ces problèmes, on trouve la *Caulerpa taxifolia*, algue d'origine tropicale, introduite accidentellement en Méditerranée voici plus de 15 ans. Partout où elle se développe, l'algue – très vigoureuse – étouffe de nombreuses espèces en les recouvrant, et devient dominante. Son expansion est alar-

mante (1 m² en 1984 ; plusieurs milliers d'hectares en 2000), et certains sites de plongée magnifiques sont d'ores et déjà transformés en luxuriants tapis vert fluo (style terrain de foot !)...
Malheureusement, il est trop tard aujourd'hui pour enrayer ce fléau, les surfaces envahies étant trop importantes. Aussi les scientifiques tentent-ils de contrôler et limiter le développement de la *Caulerpa taxifolia*, en pratiquant l'éradication systématique de petites colonies, et en s'impliquant dans des campagnes de prévention et d'information auprès des usagers de la mer : plaisanciers, pêcheurs et, bien sûr, plongeurs. Attention, l'algue peut être transportée involontairement d'un site colonisé vers des zones encore saines, simplement par les ancres des bateaux, et même par les sacs et équipements de plongée qu'il convient de vérifier avant toute nouvelle immersion. Enfin, ne jamais rejeter en mer même un simple fragment de cette algue qui aurait été remonté.
Pour suivre la progression de cette algue aux allures de fougère, toute information est précieuse. Si vous la rencontrez, contactez le *Laboratoire Environnement Marin Littoral* de l'université de Nice-Sophia-Antipolis en appelant le : ☎ 04-92-07-68-46, ou par e-mail : • caulerpa@unice.fr • www.unice.fr/LEML •

Infos pratiques

– ***La météo :*** le beau temps s'impose pour plonger (lapalissade !). Période idéale : entre juin et septembre, avec des températures très confortables de 18 à 25 °C en surface (au fond, l'eau est plus froide). Attention, les rafales cinglantes de mistral ou vent d'est peuvent remettre en question la plongée ; mais certains coins ont des spots abrités en fonction de chaque régime météo.
■ *Répondeur Météo France :* ☎ 08-36-68-08 suivi du numéro du département.
– ***La profondeur :*** un handicap, car très rapidement importante. Si plonger sur une roche permet, en général, de se maintenir à des petites profondeurs (ce n'est pas une raison pour faire n'importe quoi !), l'exploration des épaves – entre 40 et 60 m de profondeur – est réservée exclusivement aux plongeurs aguerris aux conditions de la plongée profonde.
– ***La visibilité :*** excellente. 20 m en moyenne ! Sachez que l'eau est cristalline autour des îles, et souvent trouble sur les épaves.
– ***Les courants :*** ils sont bien localisés, mais peuvent être violents et conduire à l'annulation de la plongée. Donc méfiance !
– ***Matériel recommandé :*** une *combinaison* de 5 mm d'épaisseur, avec cagoule, s'impose. Des *gants* pour protéger vos « patounes » sur les épaves (tôles coupantes). La *lampe torche* est indispensable pour voir les couleurs, fouiller dans les trous, et être remarqué de vos équipiers. Les plongeurs confirmés prévoient également un *parachute de palier*, si le bateau de plongée ne peut s'ancrer (dans les réserves ou certains sites réglementés).
– ***Vie sous-marine :*** concentrée à certains endroits où elle est très riche. Votre moniteur vous familiarisera avec les beautés et pièges des fonds méditerranéens, tout en dégotant les choses intéressantes à voir. Certaines espèces affichent une présence systématique sur les spots : posidonies, gorgones, anémones, éponges, girelles, congres, murènes, sars, castagnoles, saupes, loups, rascasses... Actuellement, le mérou, poisson débonnaire et curieux, revient en force sur tous les spots de Méditerranée. Espérons que « Messieurs les pêcheurs » auront pitié de cette espèce protégée...
Règle d'or : respectez cet environnement fragile. Ne nourrissez pas les poissons, même si vous trouvez cela spectaculaire. Outre les raisons écologiques évidentes, certains « bestiaux » – trop habitués – risqueraient de se retourner contre vous (imaginez donc un bisou de murène !). Enfin, ne prélevez rien, et attention où vous mettez vos palmes !

– ***Derniers conseils :*** en plongée, restez absolument en contact visuel, avec vos équipiers. Attention aux filets abandonnés sur les roches ou les épaves. Sachez enfin qu'en cas de pépin (il faut bien en parler !), votre bateau de plongée dispose d'oxygène (c'est obligatoire !) et de produits de traitement (brûlure, coupure, etc.), et qu'il existe des caissons de recompression à Toulon et Nice.

Quelques lectures

– *300 Belles Plongées en Méditerranée,* par Patrick Mouton. Éditions Océans.
– *Épaves en Méditerranée,* par Amsler, Ghisotti, Rinaldi et Trainito. Éditions Gründ.
– *Découvrir la Méditerranée,* par Steven Weinberg. Éditions Nathan.
– *Plongée subaquatique,* par Philippe Molle et Pierre Rey. Éditions Amphora.
– En presse, les magazines : *Plongeurs International* et *Océans.*

RANDONNÉES

La Côte d'Azur, avec ses plaines littorales, ses plateaux et ses massifs montagneux, se prête bien aux randonnées, que ce soit sur la côte ou en altitude. Mais pas si vite : la marche est aussi une activité sportive. Donc, il y a quelques règles à respecter ! Avant de partir, renseignez-vous toujours sur la durée du parcours et sa difficulté.
Les balades que nous proposons sont dépourvues de danger ou de réelles difficultés ; cependant, pour les apprécier pleinement, n'oubliez pas ces quelques recommandations :
– Être plutôt en bonne condition physique et adapter son rythme de marche au terrain.
– Éviter de partir avec des talons-aiguilles ou de belles espadrilles de plage. Il faut s'équiper de bonnes chaussures de marche (au moins type basket) et de chaussettes. L'été, le couvre-chef reste indispensable, ainsi que des vêtements légers en coton clair et une petite laine (pas superflue en montagne). De novembre à mars, prévoir un gros pull, un vêtement imperméable et un pantalon tout-terrain. Certains parcours croisent des rivières ou des calanques, alors une petite serviette peut être utile (non, pas le drap de bain !).
– L'alimentation : éviter le copieux repas avec petits plats en sauce, bien arrosés, avant de partir sous un soleil de plomb. Il est préférable que la marche débute après la digestion d'un repas équilibré ou 1 h après une (bonne !) collation. Au cours des balades, préférer les céréales (pain), les fruits, le sucre (utile contre les hypoglycémies) à tout ce qui peut s'avarier à la chaleur (jambon, yaourts). L'eau est INDISPENSABLE : compter, en été, au minimum 1 litre par personne pour la demi-journée.
– La météo est également à prendre en considération avant de partir. Répondeur météo départemental : ☎ 08-36-68-02-06. Cela vous permettra de bien choisir vos itinéraires. Les sentiers du littoral, tels le tour des caps, sont déconseillés et dangereux en cas de forte mer. Le long des rivières, la descente ne s'effectue pas après les grosses pluies (parcours partiellement inondé !). Les orages méditerranéens sont parfois violents et imprévisibles en novembre : seule une consultation de la météo locale pourra vous renseigner. En automne ou au printemps, les sommets « accrochent » le brouillard, ce qui obstrue parfois de belles vues panoramiques. Donc, il est préférable de partir assez tôt pour être sur place vers 10 h et profiter des meilleurs moments de la journée.
– Autre précision, la chasse est une tradition du « pays » de septembre à décembre. Pendant cette période, n'hésitez pas à porter des tenues

voyantes (vert fluo ?) et évitez le hors-piste ; il est préférable de rester sur des chemins bien larges, balisés et connus de tous.
– Pour marcher malin, il est possible de se procurer les cartes au 1/25 000 de l'Institut national géographique (136 *bis,* rue de Grenelle, 75007 Paris), pour obtenir plein de tuyaux sur le coin.
– Possibilité de visite guidée dans les parcs naturels départementaux en s'adressant à l'ASSEM, ☎ 04-93-36-00-79.

SITES INTERNET

• ***www.cr-paca.fr*** • Toutes les infos sur la région, les manifestations culturelles, l'agenda des événements, une rubrique économique et sociale et plein d'autres choses.
• ***www.festivals.orc-paca.net*** • Les lieux culturels, une sélection de spectacles, un guide d'art contemporain et, pour faciliter la tâche, une recherche par mots-clés ou multicritères.
• ***www.rivieraworld.com*** • Tout ce que l'on désire savoir sur la « French Riviera » (loisirs, art et culture, tourisme, événements, villes, actualité...) avec, pour agrémenter le tout, des vues panoramiques de la région.
• ***www.businessriviera.com*** • Un aspect plus « business » de la Côte : économie, congrès, séminaires, sans pour autant négliger l'aspect culturel et touristique.
• ***www.cote.azur.fr*** • Des actualités de toutes sortes (régionales, ciné, financières), des services, de bonnes affaires et une rubrique humour.
• ***www.nice-coteazur.org/francais*** • De nombreuses infos : éco, expos, touristiques et culturelles des photos et des liens sur Nice...
• ***www.index-paca.net*** • Index des sites Internet PACA : Provence-Alpes et Côte d'Azur.
• ***www.enprovence.com/santons*** • Quand on parle de la Côte, on ne peut pas faire l'impasse sur les santons. Pour connaître leur histoire, leur fabrication, les personnages et ceux qui les font.
• ***www.lou-nissart.com*** • Le magazine de Nice et de la Côte d'Azur.
• ***www.lepetitnicois.fr*** • L'hebdo en ligne totalement local sur le petit niçois et le cannois. Toutes les actualités : artistique, culturelle, cinématographique, économique, politique et d'autres rubriques.
• ***http : //acin.edi.fr/cyberart*** • Site sur les artistes de la Côte d'Azur dans les domaines de la peinture, de la sculpture, du design et des expos.
• ***www.provenceweb.fr/f/var.htm*** • Site assez complet sur cette région.
• ***www.centre-var.com*** • Site sur le Centre-Var, avec découverte de la faune et de la flore, des suggestions d'itinéraires (route médiévale, route de la plaine et des maures...), des traditions (pierres sèches, menhirs, etc.).
• ***www.france-random.com/roquebruneargens/pagefr/index.shtml*** • La France pas à pas avec des photos : proposition d'itinéraire de Roquebrune-sur-Argens à Draguignan...
• ***www.varmatin.com*** • Toute l'actualité sur la région du Var : les annonces, la météo, les sorties et même l'horoscope !

TÉ, TU TIRES OU TU POINTES !

La pétanque (de l'occitan *pé,* pied, et *tanco,* fixé au sol) est le jeu le plus populaire du Midi. Jusque dans les années 1910, on jouait au jeu provençal, en faisant trois pas avant de lancer la boule. En raison de ses rhumatismes, un joueur dénommé Jules Le Noir proposa de jouer pieds « tanqués », c'est-à-dire fixés dans le rond.
La pétanque se joue par équipe de deux (doublette) ou de trois (triplette). On utilise des boules métalliques mesurant de 7,5 à 8 cm de diamètre et pesant

entre 0,620 et 0,800 kg. Le jeu consiste à « pointer », c'est-à-dire à expédier sa boule le plus près possible d'une grosse bille en bois appelée « cochonnet ». En principe, on joue les pieds immobiles sur une distance d'environ 10 m. En Provence, cette distance peut être supérieure à 10 m et les joueurs sont autorisés à bouger : c'est la « longue ». Si l'on a trop bien « pointé », l'adversaire doit alors « tirer », c'est-à-dire chasser, en la frappant, la boule trop bien placée. Parfois, les grands tireurs réussissent même à enlever la boule adverse et à prendre sa place. Ça s'appelle « faire un carreau ».

Avertissement

Depuis le 17 février 2002, nous n'avons plus en poche que de la monnaie et des billets en euros pour payer des marchandises et des services libellés en euros.

Pour permettre aux nombreux hésitants (et on les comprend !) de se familiariser avec des valeurs inhabituelles qui exigent une certaine gymnastique mentale, nous avons décidé pour la présente édition d'indiquer tous les prix dans la nouvelle devise et, pour une période transitoire, son équivalent en francs (FF).

Au moment de mettre ce guide sous presse, un grand nombre de nos adresses n'avaient pas encore converti leurs prix à la nouvelle donne. La tendance étant à arrondir les chiffres, nous faisons appel par avance à votre légendaire indulgence si les prix annoncés varient de quelques pour cent par rapport à la conversion arithmétique.

LA CÔTE VAROISE

CARTE D'IDENTITÉ : LE VAR

- ***Superficie :*** 6 925 km²
- ***Population :*** 921 600 habitants
- ***Densité :*** 147,9 hab/km²
- ***Préfecture :*** Toulon
- ***Sous-préfecture :*** Draguignan

Une fois n'est pas coutume : nous commençons ce guide non pas par le chef-lieu du département mais par la côte, que nous suivrons, dans un premier temps, de Saint-Cyr-sur-Mer à Toulon, dans sa partie la plus « provençale », avant de filer vers Hyères, Le Lavandou, Saint-Tropez et Saint-Raphaël, direction la Côte d'Azur, en passant par le Massif des Maures et celui de l'Estérel. Un peu compliqué ? Prenez une carte et suivez le tracé de l'autoroute qui a coupé le Var en deux : tout ce qui est au nord appartient à l'Arrière-Pays, qu'on s'en ira visiter quand vous en aurez assez du soleil !
Et si la côte azuréenne n'était pas ce qu'on imagine, cette vaste suite d'immeubles en béton avec boutiques et restos de luxe, immense serpent (de mer) dans l'imagination de ceux qui, surtout, n'ont jamais eu la chance de la découvrir en dehors des mois d'été ? De Saint-Cyr à Saint-Raphaël, en comptant les îles d'Or, elle offre déjà aux promeneurs, ici rarement solitaires, un sentier littoral sur plus de 200 km. Pas mal, pour un département qui compte 432 km de côtes...

LA CÔTE PROVENÇALE

De villages de pêcheurs devenus stations balnéaires en villages perchés ayant conservé leur pittoresque (on est donc bien à la fois sur la côte et en Provence, d'où l'appellation touristique de Côte provençale que vous retrouverez sur tous les documents !), une jolie approche du Var par l'ouest.

SAINT-CYR-SUR-MER (83270) 9010 hab.

Petit bourg typiquement provençal (gros marché le dimanche matin) mais où, sur la place centrale, trône une des quatre répliques françaises de la statue de la Liberté. Modèle réduit (elle mesure 2,50 m, soit la longueur de l'index de celle de New York) mais est, elle aussi, signée Bartholdi. Installée en 1913, elle commémore l'arrivée de l'eau courante à Saint-Cyr (on ne voit pas bien le rapport...).
Village de l'intérieur des terres, Saint-Cyr est vraiment sur mer, à 2 km au sud-ouest, avec Les Lecques, station balnéaire familiale et petit port au fond d'un golfe. Belle plage entre Les Lecques et La Madrague.

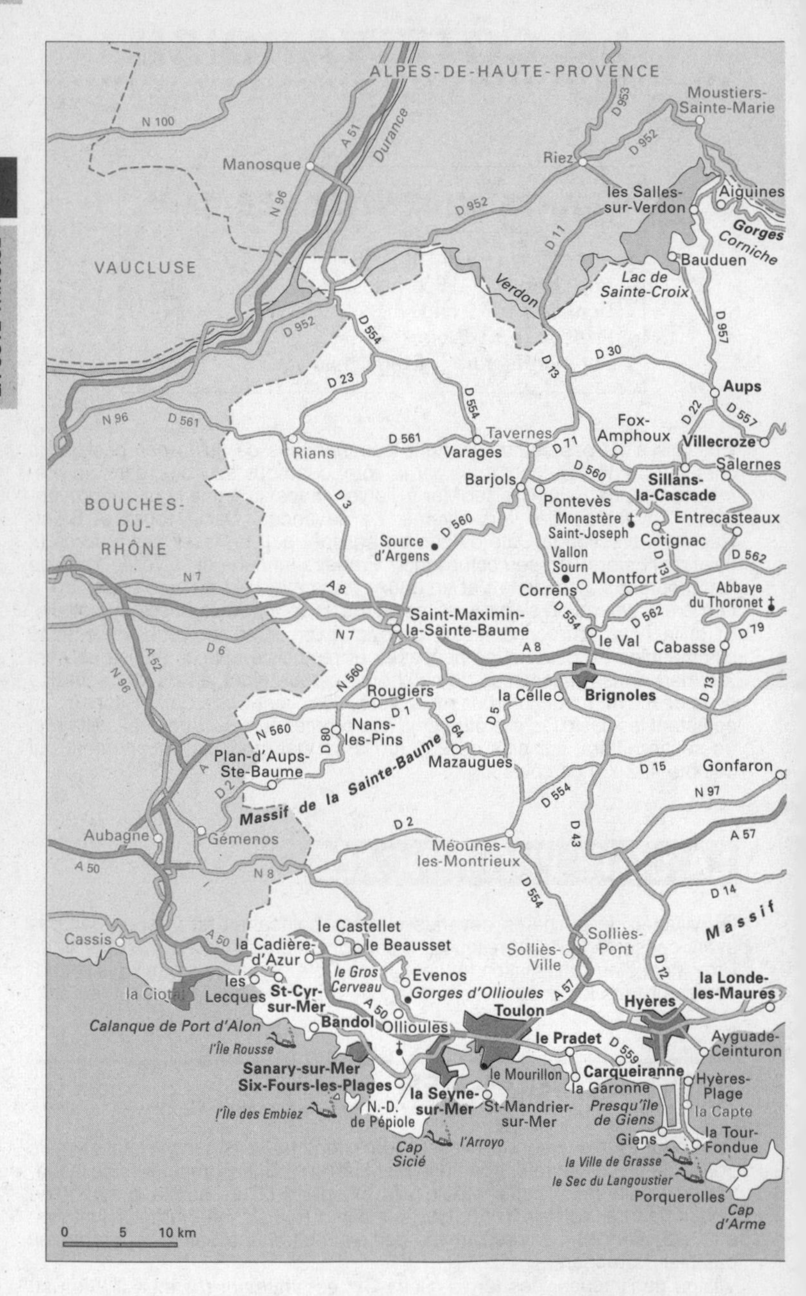
ALPES-DE-HAUTE-PROVENCE
VAUCLUSE
BOUCHES-DU-RHÔNE
Moustiers-Sainte-Marie
Riez
Manosque
Durance
les Salles-sur-Verdon
Aiguines
Gorges
Corniche
Bauduen
Lac de Sainte-Croix
Verdon
Aups
Fox-Amphoux
Villecroze
Salernes
Tavernes
Varages
Rians
Barjols
Pontevès
Sillans-la-Cascade
Monastère Saint-Joseph
Entrecasteaux
Cotignac
Source d'Argens
Vallon Sourn
Correns
Montfort
Abbaye du Thoronet
Saint-Maximin-la-Sainte-Baume
le Val
Cabasse
Brignoles
la Celle
Rougiers
Nans-les-Pins
Mazaugues
Plan-d'Aups-Ste-Baume
Massif de la Sainte-Baume
Gonfaron
Aubagne
Gémenos
Méounes-les-Montrieux
Massif
Cassis
le Castellet
la Cadière-d'Azur
le Beausset
Solliès-Pont
Solliès-Ville
les Lecques
St-Cyr-sur-Mer
le Gros Cerveau
Evenos
Gorges d'Ollioules
la Ciotat
Calanque de Port d'Alon
Bandol
Ollioules
Toulon
Hyères
la Londe-les-Maures
l'Île Rousse
le Pradet
Ayguade-Ceinturon
Sanary-sur-Mer
Six-Fours-les-Plages
le Mourillon
Carqueiranne
la Garonne
Hyères-Plage
l'Île des Embiez
N.-D. de Pépiole
la Seyne-sur-Mer
St-Mandrier-sur-Mer
Presqu'île de Giens
la Capte
Cap Sicié
l'Arroyo
Giens
la Tour-Fondue
la Ville de Grasse
le Sec du Langoustier
Porquerolles
Cap d'Arme
N 100
A 51
D 953
D 952
N 96
D 11
D 957
D 554
D 23
D 30
D 13
D 561
D 22
D 557
D 71
D 560
D 3
N 7
A 8
D 562
D 6
A 52
N 560
D 1
D 64
D 5
D 79
D 80
D 2
D 15
N 97
D 43
A 57
A 50
N 8
D 14
D 12
D 559
0
5
10 km

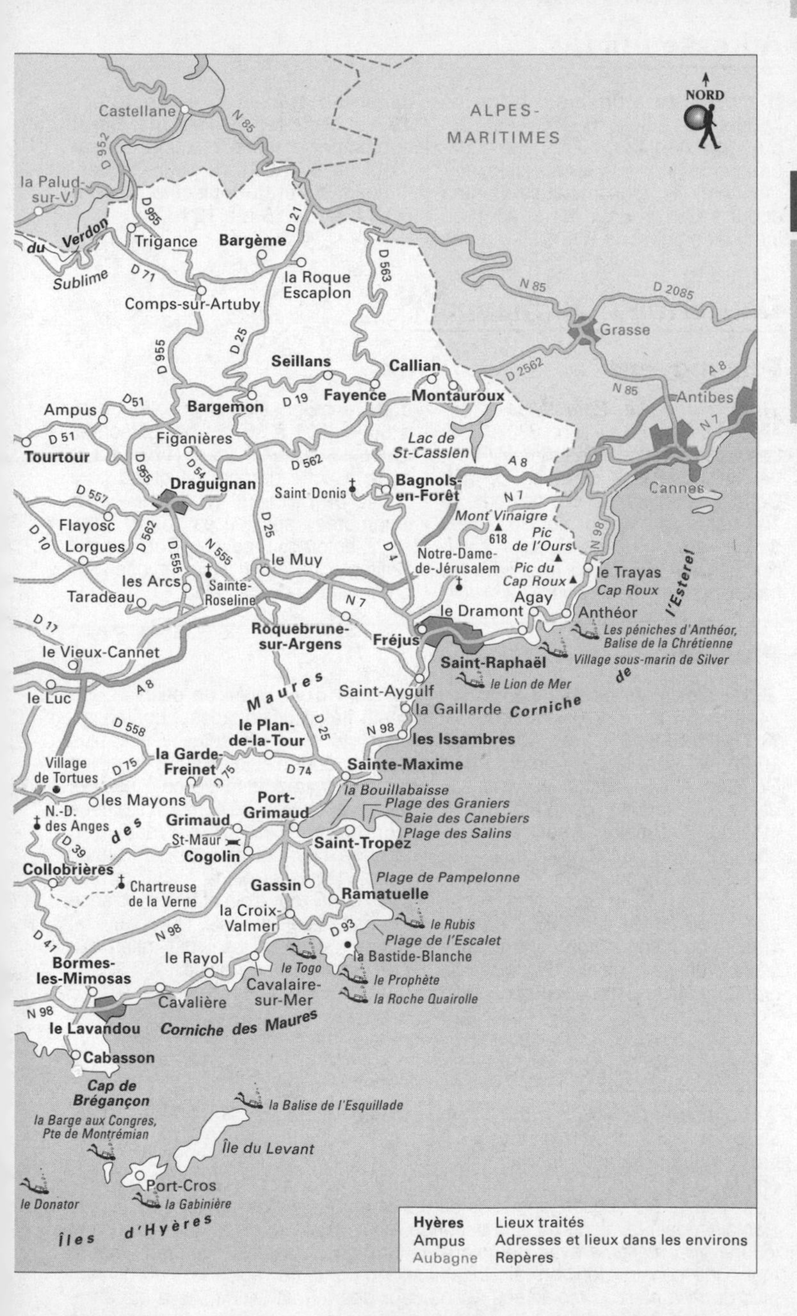

NORD
ALPES-MARITIMES
Castellane
la Palud-sur-V.
Verdon
du
Sublime
Trigance
Bargème
la Roque Escaplon
Comps-sur-Artuby
Seillans
Callian
Fayence
Montauroux
Bargemon
Ampus
Tourtour
Figanières
Draguignan
Lac de St-Cassien
Grasse
Antibes
Cannes
Saint Donis
Bagnols-en-Forêt
Mont Vinaigre
618
Pic de l'Ours
Flayosc
Lorgues
le Muy
Notre-Dame-de-Jérusalem
Pic du Cap Roux
les Arcs
Sainte-Roseline
Taradeau
le Trayas
Cap Roux
Agay
le Dramont
Anthéor
l'Esterel
Les péniches d'Anthéor, Balise de la Chrétienne
Village sous-marin de Silver
Roquebrune-sur-Argens
Fréjus
Saint-Raphaël
le Lion de Mer
le Vieux-Cannet
le Luc
Maures
Saint-Aygulf
la Gaillarde
Corniche de
le Plan-de-la-Tour
les Issambres
la Garde-Freinet
Sainte-Maxime
Village de Tortues
les Mayons
Port-Grimaud
la Bouillabaisse
Plage des Graniers
Baie des Canebiers
Plage des Salins
N.-D. des Anges
des
Grimaud
St-Maur
Cogolin
Saint-Tropez
Collobrières
Chartreuse de la Verne
Gassin
Ramatuelle
Plage de Pampelonne
la Croix-Valmer
le Rubis
Plage de l'Escalet
la Bastide-Blanche
le Togo
le Prophète
la Roche Quairolle
Bormes-les-Mimosas
le Rayol
Cavalaire-sur-Mer
Cavalière
le Lavandou
Corniche des Maures
Cabasson
Cap de Brégançon
la Balise de l'Esquillade
la Barge aux Congres, Pte de Montrémian
Île du Levant
Port-Cros
le Donator
la Gabinière
Îles d'Hyères
N 85
D 952
D 955
D 21
D 71
D 563
D 2085
D 25
D 2562
A 8
D 51
D 19
N 7
D 562
D 54
D 557
D 10
N 555
D 555
D 4
D 17
D 558
N 98
D 75
D 74
D 39
D 93
D 41
Hyères Lieux traités
Ampus Adresses et lieux dans les environs
Aubagne Repères

LE VAR

Adresse utile

🛈 ***Office du tourisme :*** place de l'Appel-du-18-Juin, 83270 Les Lecques. ☎ 04-94-26-73-73. Fax : 04-94-26-73-74. • www.saintcyrsurmer.com • tourisme.st.cyr@wanadoo.fr • Ouvert en juillet et août, du lundi au samedi de 9 h à 19 h et les dimanche et jours fériés de 10 h à 13 h et de 16 h à 19 h ; en mai-juin et septembre-octobre, du lundi au samedi de 9 h à 18 h ; pour Pâques, l'Ascension et la Pentecôte de 10 h à 12 h et de 16 h à 18 h.

Où dormir ? Où manger ?

Prix moyens

🏠 🍽 ***Hôtel Le Petit Nice :*** 11, allée du Docteur-Seillon, 83270 Les Lecques. ☎ 04-94-32-00-64. Fax : 04-94-88-00-99. ♿ Parking payant. Congés annuels du 30 octobre au 15 mars. Chambres doubles avec douche et w.-c. ou bains et TV satellite de 45 à 56 € (295 à 367 F). En haute saison et pour les grands week-ends, demi-pension obligatoire, de 46 à 56 € (301 à 367 F) par personne. Au resto, compter 26 € (172 F) à la carte. Caché derrière un grand parc planté de palmiers, en bord de mer. Chambres spacieuses dans l'ensemble, toutes rénovées. Bon accueil. Belle piscine. Apéritif maison offert sur présentation de ce guide.

Plus chic

🏠 🍽 ***Grand Hôtel des Lecques :*** 24, av. du Port, 83270 Les Lecques. ☎ 04-94-26-23-01. Fax : 04-94-26-10-22. • www.lecques-hotel.com • Doubles avec douche et w.-c. ou bains, TV satellite, de 63 à 151 € (413 à 990 F) selon la saison et l'exposition. Demi-pension obligatoire du 1er juillet au 25 août : de 72 à 120 € (470 à 787 F) par personne. Menus de 24 à 55 € (157 à 360 F). L'hôtel de la Côte droit sorti d'une carte postale sépia : un parc planté de pins, une grande maison Belle Époque dressée au bout d'une allée de palmiers, un vaste hall à colonnades... Les chambres, toutes différentes, sont plus dans le goût d'aujourd'hui. Les moins chères en rez-de-jardin côté pinède, les plus chères côté mer et dotées d'un balcon. Belle piscine (autour de laquelle on peut manger aux beaux jours), tennis et plage à 200 m. Accueil gentil tout plein et une ambiance qui sait rester familiale. Un apéritif au restaurant et un petit déj' offert sur présentation de ce guide.

À voir. À faire

★ ***Le musée de Tauroentum :*** 7, route de La Madrague. ☎ 04-94-26-30-46. De juin à septembre, ouvert tous les jours sauf le mardi, de 15 h à 19 h ; d'octobre à mai, les samedi et dimanche de 14 h à 17 h. Entrée : 2,20 € (15 F) ; enfants à partir de 10 ans : 1,50 € (10 F). La « vue imprenable sur la mer » n'est pas une invention des promoteurs immobiliers des années 1970. Les Romains, déjà, avaient, dans la seconde moitié du Ier siècle av. J.-C., construit ici une *villa maritima* avec pergola et jardins en terrasse descendant vers la mer. Une construction, en fait, inhabituelle dans cette région où l'on connaît plus de *villa rustica,* implantées à l'intérieur des terres. Le musée a été aménagé autour des fondations de l'édifice, trois pièces recouvertes de mosaïques datées du Ier siècle, des colonnes torsadées en marbre blanc des Ier et IIe siècles... Des vitrines présentent une foule d'objets grecs et romains : collection de monnaies, poteries, verrerie, bijoux, statuettes, etc. À l'extérieur, un monument unique en son genre, qui tient de la tombe et de la maison. Deux chambres, une pour le corps (l'enfant du propriétaire de la villa y était inhumé) recouverte de plaques de marbre rose, l'autre, au-dessus, pour les offrandes, coiffée d'un toit qui, à l'origine, était le seul à dépasser du sol.

★ ***Le centre d'Art Sébastien :*** espace Cauvin, bd Jean-Jaurès. ☎ 04-94-26-19-20. Ouvert tous les jours sauf le mardi de 10 h à 12 h et de 15 h à 19 h. Entrée : 2,20 € (15 F). Ancienne usine à câpres joliment transformée en centre d'art. On peut y voir une collection permanente des œuvres (peintures, aquarelles, dessins, bronzes, terres cuites, céramiques) de Sébastien (1909-1990), ami de Picasso, Cocteau et Gide, et l'un des promoteurs du style de Vallauris. Expos temporaires autour de grands noms de l'art moderne : Miró, César...

★ ***La calanque de Port-d'Alon :*** à 4,5 km au sud de Saint-Cyr par la D 559 puis une petite route fléchée à droite. Une calanque comme celles qui entaillent la côte de Marseille à La Ciotat : falaises piquetées de pins, jolie petite plage. Autretois repaire de contrebandiers, aujourd'hui pas mal fréquentée par les baigneurs. Un souci : le parking, payant (et cher !). Les courageux pourront gagner la calanque par le sentier du littoral et découvrir, comme dit la brochure de l'office « les paysages d'un littoral méditerranéen aux mille facettes surplombant de superbes fonds marins » (voir le chapitre « Bandol »).

Fête et manifestation

– ***Marché :*** le dimanche matin.
– ***Fête des Vendanges :*** début septembre. Au centre-ville. Défilé d'attelages, danses provençales et cavalcades.

➤ *LES VILLAGES PERCHÉS DES ENVIRONS DE SAINT-CYR*

Entre la Méditerranée et le massif de la Sainte-Baume, de rondes collines calcaires dessinent un robuste arrière-plan au littoral. Ici ou là, de vieux villages se sont perchés. Avant les foules juillettistes et aoûtiennes, c'est ce proche arrière-pays qui faisait vivre la côte, point d'embarquement des fruits et légumes qui poussent ici, comme le célèbre vignoble de Bandol planté sur ces vastes terrasses appelées restanques.

★ *LA CADIÈRE-D'AZUR* *(83740)*

Vieux village médiéval, avec son treillis de ruelles autour de la place principale (ne manquez pas le *Cercle des Travailleurs*) et quelques vestiges de ses remparts (mais attention, village labyrinthique !). De La Cadière, belle balade sur la D 266, à travers les vignobles, vers Bandol.

Adresse utile

🛈 ***Syndicat d'initiative :*** av. H.-Jansoulin. ☎ 04-94-90-12-56. Fax : 04-94-90-01-94.

Où dormir ? Où manger ?

Chambres d'hôte

■ ***La Cypriado :*** 605, chemin de Fontanieu. ☎ et fax : 04-94-98-64-32. • la.cypriado@infonie.fr • Ouvert toute l'année. Chambres doubles à 58 € (380 F), petit déj' compris. À 3 km de la sortie d'autoroute, suivre la direction La Cadière et, à 500 m, la première route à gauche (chemin de l'Argile). À 1,4 km, prendre en face le chemin de Fontanieu. 600 m, plus loin à gauche, au milieu des vignes, des pins, des oliviers et des amandiers, dans ce décor préservé, vous découvrez cette ancienne ferme du XIXe joliment aménagée par un couple qui a trouvé ici équilibre et repos. Leurs hôtes aussi.

Camping

▲ ⅠⓞⅠ ***Domaine de la Malissonne :*** sur la D 66 entre La Cadière et Saint-Cyr-sur-Mer • info@domainemalissonne.com • ♿ Fermé du 15 novembre au 1er mars. Au milieu des vignes de Bandol. À 4 km de la mer. Compter 20 € (130 F) pour un emplacement. Très confortable. Épicerie, resto, possibilité de laver son linge, piscine, tennis. Location également de mobile homes, de chalets et de confortables bungalows (compter 54 €, soit autour de 350 F par nuitée). Très bon accueil. Réduction sur le forfait camping hors saison sur présentation du *GDR*.

Plus chic

■ ⅠⓞⅠ ***Hostellerie Bérard :*** rue Gabriel-Péri. ☎ 04-94-90-11-43. Fax : 04-94-90-01-94. • berard@hotel-berard.com • Dans le cœur médiéval du bourg. Fermé le lundi midi et du 7 janvier au 10 février. Doubles de 75 à 132 € (490 à 870 F). Menus à 24,40 € (160 F) en semaine puis à 40 et 49 € (260 et 320 F). À l'intérieur d'un ancien couvent, une auberge pleine de charme proposant de belles chambres climatisées. Excellente cuisine provençale préparée avec soin. Piscine, jardin, terrasse ombragée, etc. Apéritif maison offert sur présentation de ce guide.

★ *LE CASTELLET (83330)*

Très joli village possédant encore ses remparts, une église du XIIe siècle, un château, des ruelles médiévales. C'est dans ce décor que Pagnol tourna l'inoubliable *Femme du boulanger* avec Raimu. Nombreux artisans. Le Castellet s'est surtout fait un nom grâce au circuit automobile Paul Ricard autour duquel, chaque année, pour l'épreuve culte du Bol d'Or, se rassemblaient des motards de toute l'Europe. Aujourd'hui, le village a retrouvé un aspect plus paisible.

Pour les gourmands, une bonne adresse, au Plan du Castellet (très mal située, juste après un virage) : ***La Boîte à Biscuits***, une fabrique artisanale qui sent bon l'anis, l'amande, la noisette ou la noix de coco, selon l'heure. ☎ 04-94-98-53-31.

Pour les assoiffés, un vigneron aimable (on précise !) producteur d'un bon Bandol : le ***Domaine du Galantin.***

★ LE BEAUSSET (83330)

Gros bourg provençal au pied du massif de la Sainte-Baume. Les amateurs de style roman provençal pousseront (par la N 8 ou, pour les plus courageux, par le chemin de croix) jusqu'à la charmante *chapelle Notre-Dame du Beausset-Vieux* (1164), d'un subtil dépouillement. À l'intérieur, *Vierge à l'Enfant* de l'atelier de Pierre Puget, la fuite en Égypte évoquée par un groupe de santons (vieux de 4 siècles!) et une émouvante collections d'ex-voto. En prime, un intéressant panorama sur les environs.

Adresse utile

🅸 ***Office du tourisme intercommunal :*** place Charles-de-Gaulle. ☎ 04-94-90-55-10. Fax : 04-94-98-51-83. Ouvert en saison du lundi au samedi, de 8 h 30 à 12 h et de 15 h à 19 h 30. Pour tous renseignements sur Le Castellet, Le Beausset et Evenos.

Où manger ?

|●| ***Restaurant La Fontaine des Saveurs :*** 17, bd Chanzy. ☎ 04-94-98-50-01. ♿ Au centre du village. Fermé le mercredi et le jeudi matin. Menu à 15 € (99 F) le midi; autres menus à 22 et 30 € (145 et 195 F). Changement de propriétaires, et donc de style. Du sérieux, côté cuisine, car le chef, Paul Palliès, a composé une carte mêlant des plats de son Sud-Ouest natal à des spécialités du coin, comme la rouille de seiches à la sétoise. Une cuisine goûteuse, qui évolue au gré des saisons.

Fête et manifestation

– ***La Saint-Elol :*** le 1er week-end de juillet. Fête votive dans la tradition : procession au son des fifres et tambourins, chevaux en habits de fête et cavaliers en costumes traditionnels.
– ***Marché :*** le samedi matin, sur la place Charles-de-Gaulle et dans les rues environnantes. Très animé.

★ EVENOS (83330)

On oublie le quartier Sainte-Anne sur la N 8 pour grimper par la D 462 jusqu'au vieil Evenos doucement réanimé, construit sur une gigantesque coulée de lave. Un des plus beaux villages perchés du coin, moins connu pourtant que ses voisins plus proches de l'autoroute. Tranquilles ruelles caladées (pavées de galets), maisons de basalte serrées autour d'une église romane, et sombres et massives ruines d'un donjon féodal. De l'ancien chemin de ronde, superbe panorama sur toute la région.

★ LES GORGES D'OLLIOULES

Traversées par la N8 et franchement spectaculaires. L'eau s'est ici faite artiste, transformant les falaises abruptes en gigantesques sculptures contemporaines. Une multitude de cavernes habitées depuis la préhistoire et qui ont, dans une histoire plus récente, servi de planque à quelques bandits de grand chemin, dont le fameux Gaspard de Besse (qui ne manque pas de descendants par ici, notamment dans le milieu de la restauration!).

LA CÔTE VAROISE

★ *OLLIOULES* *(83190)*

À 5 km de la mer, Ollioules, au débouché des célèbres gorges, s'étend sur la plaine de La Reppe. Le centre ancien n'est pas mal. Un peu médiéval retapé années 1950. Il a conservé de très jolis portiques ainsi qu'une église romane du XIe siècle. Pour les amateurs de vieilles pierres, les ruines du château féodal des seigneurs de Vintimille, qui servait surtout à la défense de la cité, datent de la même époque.
Nombreuses festivités estivales traditionnelles. C'est à Ollioules qu'était installé le célèbre (pour diverses raisons... voir le chapitre « Toulon ») Théâtre national de la Danse et de l'Image de Châteauvallon, qui revit désormais sous un autre nom.

Adresse utile

🛈 ***Office du tourisme :*** 116, rue Philippe-de-Hautecloque. ☎ 04-94-63-11-74. Fax : 04-94-63-33-72. Peut conseiller de jolies promenades et vous guider auprès des artisans d'art qui font désormais la réputation de ce gros bourg, sur la N 8.

Marché

– ***Marché traditionnel :*** le jeudi matin.

★ *LE GROS CERVEAU*

Grosse colline qui, avec ses 430 m d'altitude, mérite l'appellation de mont. Accès depuis Ollioules par la D20, route en corniche assez impressionnante dans son genre. Panorama exceptionnel sur toute la côte, d'Hyères à Marseille. C'est sur cette colline au nom prédestiné même s'il est, paraît-il, une déformation de « gros cerf ») qu'en 1793 un petit capitaine d'artillerie corse du nom de Bonaparte venait échafauder ses plans pour s'emparer du fort tenu par les Anglais. Déjà il rongeait son frein devant l'inaction de l'état-major...

BANDOL

(83150) 7 970 hab.

La plus célèbre station balnéaire de cette partie de la côte. Lové dans ses collines, bien protégé du mistral, le port, hier de commerce (au XIXe siècle, on y embarquait huile d'olive et vin), est désormais dévolu à la plaisance. Agréable promenade du front de mer. Les anciennes villas nichées au-dessus de petites criques donnent un certain charme à Bandol.

Adresses utiles

🛈 ***Service du tourisme :*** allées Vivien (sur le port), BP 45. ☎ 04-94-29-41-35. Fax : 04-94-32-50-39. • www.bandol.org • otbandol@bandol.org • En juillet-août, ouvert tous les jours de 9 h à 19 h ; du 1er septembre au 30 juin, ouvert de 9 h à 12 h et de 14 h à 18 h, fermé le samedi après-midi et le dimanche.

🚆 ***Gare SNCF :*** sur la ligne Marseille-Toulon. ☎ 08-92-35-35-35 (0,34 €/mn, soit 2,21 F).

🚌 ***Renseignements pour les cars :*** ☎ 04-94-74-01-35, pour la ligne

Bandol/Toulon. ☎ 04-42-08-41-05, pour la ligne Bandol/Marseille.
■ ***Location de vélos et VTT :** Holiday Bikes,* 127, route de Marseille. ☎ et fax : 04-94-32-21-89. Offre des tarifs compétitifs (malgré des cautions parfois un peu élevées !) sur toute la côte d'Antibes à Bandol. Matériel fiable. Bonnes idées de balades dans l'arrière-pays.

Où dormir ? Où manger ?

Camping

⛺ ***Camping Vallongue :*** 936, av. des Reganeou. ☎ 04-94-29-49-55. Fax : 04-94-29-49-55. À 2 km de la mer, sur la route de Marseille. Ouvert de Pâques à fin septembre. « Forfait piéton », tente et 2 personnes : 12,20 € (80 F) en juillet et août ; en dehors de cette période, prix dégressifs à partir de la 3e journée. Confortable, assez ombragé, et c'est le seul de la ville. Location de bungalows. Piscine. Dommage que l'entretien laisse à désirer.

Prix moyens

🏠 🍽 ***L'Oasis :*** 15, rue des Écoles. ☎ 04-94-29-41-69. Fax : 04-94-29-44-80. • www.oasisbandol.com • ♿ Prendre la rue Gabriel-Péri qui monte face au port de plaisance, c'est la 3e rue à gauche. Fermé le dimanche soir et en décembre. Parking payant. Doubles avec douche et w.-c. ou bains de 52 à 67 € (340 à 400 F). Demi-pension obligatoire du 15 juin au 15 septembre : 50,31 € (330 F) par personne. À mi-chemin du port et de la plage, un petit hôtel-restaurant agréable avec jardin ombragé et terrasse. Éviter les chambres qui donnent sur la rue. Bar, TV, téléphone dans toutes les chambres. 10 % de réduction sur le prix de la chambre du 15 septembre au 30 mars sur présentation du *Guide du routard* de l'année.

🏠 ***Hôtel Les Roses Mousses :*** 22, rue des Écoles. ☎ et fax : 04-94-29-45-14. Quasiment en face de *L'Oasis,* à 200 m de la plage de Renecros et du port. Fermé du 1er octobre au 1er avril. Doubles avec douche, w.-c. et TV de 43 à 58 € (280 à 380 F). Petite maison, genre « sam' suffit », derrière un jardin empli de lauriers-roses. Tranquille ! Chambres toute simples mais plutôt plaisantes, constamment rénovées. Accueil vraiment très sympathique. 10 % de réduction sur le prix de la chambre en avril, mai et juin aux porteurs du *GDR.*

🏠 🍽 ***Hôtel Bel Ombra :*** rue de la Fontaine. ☎ 04-94-29-40-90. Fax : 04-94-25-01-11. • belombra@wanadoo.fr • Entre le port et la plage de Renecros (accès fléché). Fermé du 15 octobre au 1er avril. Doubles de 38,10 à 57,93 € (250 à 380 F). Demi-pension obligatoire du 13 juillet au 10 septembre : de 48,75 à 52,60 € (320 à 345 F) par personne. Menu pensionnaire à 17,50 € (115 F) le soir uniquement. Petite maison tranquille dans un quartier de villas. Chambres propres et nettes. Accueil chaleureux et ambiance familiale. Tonnelle ombragée pour expédier la corvée de cartes postales (comme les habitués) ou préparer son programme des jours à venir. Un petit déj' offert à nos lecteurs sur présentation du *Guide du routard.*

🏠 ***L'Ermitage :*** résidence du Château. ☎ 04-94-29-31-60. Fax : 04-94-29-31-99. • www.ermitagehotel.com • ♿ Parking payant de début juin à fin septembre. Ouvert toute l'année. Doubles avec bains et TV satellite de 40,25 à 85,50 € (264 à 561 F) suivant la saison. Studios climatisés de 237,40 à 704,30 € (1 557 à 4 620 F) la semaine. Un 2 étoiles bien situé, au calme et à deux pas de la mer. Un bâtiment abrite l'hôtel, juste en face, c'est la résidence hôtelière. Ne vous attendez pas vraiment à du charme, dans les chambres, le béton ayant ici tendance à accuser son âge. Du 8 septembre au 29 juin, 10 % de réduction sur le prix de la chambre à partir de 3 nuits et 15 % de réduction à partir de 7 nuits pour nos lecteurs.

L'Oulivo : 19, rue des Tonneliers. ☎ 04-94-29-81-79. À 100 m du port, à gauche de l'église. Fermé le mercredi ; en hiver, fermé également le soir du dimanche au mardi. Menu à 11,43 € (75 F) le midi en semaine, café compris ; autres menus à 15 et 19 € (100 et 125 F). Un petit resto comme on aimerait en trouver souvent sur la côte. Tout simple, tout bon, avec des menus privilégiant les produits frais. Une cuisine provençale authentique, servie par une patronne d'une gentillesse et d'une efficacité remarquables. En été, craquez pour la *Farandole*, magnifique assiette comportant une douzaine de tapas à la mode provençale. Terrasse en été et en hiver (chauffée). Café offert à nos lecteurs sur présentation de leur *Guide du routard*.

Golf Hôtel : plage de Renecros. ☎ 04-94-29-45-83. Fax : 04-94-32-42-47. • golf-hotel@nomade.fr • Parking gratuit. Congés annuels de novembre à Pâques. Doubles de 54 à 84 € (350 à 550 F) selon la saison. Menu à 15 € (98 F) le midi, 17 € (112 F) le soir. Hôtel sympathiquement posé juste au-dessus de la plage de Renecros. Charmant jardin et chambres qui ne le sont pas moins dans cet ancien casino municipal des années 1920 à l'architecture néo-mauresque sérieusement relookée depuis, il faut l'admettre. Les chambres numérotées de 10 à 15 et de 20 à 24 ont un balcon ou une loggia avec vue sur la plage. Boisson offerte à l'arrivée à nos lecteurs sur présentation du *GDR*.

Plus chic

Auberge du Port : 9, allée Jean-Moulin. ☎ 04-94-29-42-63. ♿ Ouvert tous les jours. Menus à 19,50 € (128 F) le midi et de 20,20 à 39,64 € (185 à 260 F). Compter facilement 45,70 € (300 F) à la carte. L'adresse chicos du port : salle élégante, terrasse itou. À la carte, tous les classiques : plateaux de fruits de mer, bouillabaisse et bourride, pêche du jour cuite en croûte de sel... Cuisine toujours d'humeur marine mais un poil plus créative dans les menus. De quoi dépenser une bonne partie de son budget vacances, d'autant que le premier menu n'a rien de vraiment extravagant. Service vite débordé (tout stylé qu'il est)... Apéritif maison offert sur présentation du *Guide du routard.*

Où boire un verre ?

Tchin-Tchin Bar : 11, allée Jean-Moulin. ☎ 04-94-29-41-04. Si les bars du front de mer sont interchangeables, celui-ci a de la personnalité : déco exotique inchangée depuis les années 1950 et lumières tamisées. Joli (les prix aussi...).

À voir. À faire

★ **L'île de Bendor :** à 200 m du port de Bandol. Traversée (7 mn) toutes les 30 mn. 5 € (33 F) l'aller-retour ; enfants : 3 € (20 F). Renseignements : ☎ 04-94-29-44-34. Raimu faillit acheter cet îlot désertique et caillouteux mais, comme il détestait prendre le bateau, c'est Paul Ricard qui en fit l'acquisition dans les années 1950. L'industriel oublia vite la vie à la Robinson qu'il voulait y mener. Et aujourd'hui, cette île minuscule ressemble vaguement à Port Meiron, le village qui apparaît dans la série culte *Le Prisonnier*. Village néo-provençal, très kitsch statues gréco-romaines, sentier bétonné pour faire le tour de l'île (5 grosses minutes). Une toute petite plage et, pour les amateurs de belles bouteilles, 8 000 pièces présentées dans le bâtiment de l'exposition universelle des vins et spiritueux. Ouvert de juin à septembre, tous les jours sauf le mercredi, de 10 h 30 à 12 h 30 et de 14 h à 18 h. Entrée gratuite. Cela dit, s'il fallait choisir entre les multiples « îles Paul Ricard », visitez plutôt celle des Embiez (voir le chapitre « Six-Fours-les-Plages »), plus nature.

★ ***Le jardin exotique de Bandol-Sanary :*** à 3 km de la ville. ☎ 04-94-29-40-38. Ouvert de 8 h à 12 h et de 14 h à 19 h ; le dimanche, de 10 h à 12 h et de 14 h à 19 h. Entrée : 6 € (40 F). Enfants de plus de 3 ans : 3,80 € (25 F). Des milliers de plantes et de fleurs tropicales réparties sur 2 ha, ainsi que de nombreux oiseaux (aras, cacatoès, toucans, paons, etc.).

Les plages : celle de Renecros, notre préférée, est bien abritée dans une anse autour de laquelle se pressent de vieilles villas (dont la *Ker Mocotte* qui appartenait autrefois à Raimu, transformée aujourd'hui en hôtel chic aux prix chocs). Pour ceux qui ne rechignent pas devant quelques kilomètres à pied, quelques petites plages tranquilles le long du sentier du littoral.

Idées randos

➢ De Bandol à Saint-Cyr – Les Lecques, en empruntant le sentier du littoral balisé en jaune, au départ de la plage de Renecros (3 h 30 aller). Si le début de la balade est urbanisé, le sentier (pas toujours facile à trouver) gagne ensuite des pointes encore sauvages et suit une côte percée de calanques comme celles de Port-d'Alon. Retour par le même chemin ou en bus (descriptif du sentier et horaires des bus à l'office du tourisme).
➢ Le sommet du *Gros Cerveau* (voir plus haut le chapitre « Les villages perchés des environs ») : depuis le jardin exotique. 12 km. Balade facile.
➢ La ***balade à vélo*** (location : voir plus haut « Adresses utiles ») est un must, l'arrière-pays étant superbe.

Où acheter du vin ?

Maison des vins de Bandol : allées Vivien. ☎ 04-94-29-45-03. Elle regroupe la production d'une vingtaine de viticulteurs. Si vous cherchez les vingt autres, ils ne sont pas loin : allez faire un tour au ***Caveau des Vins***, sur les mêmes allées. ☎ 04-94-29-60-45.

Fête et manifestation

– ***Le printemps des Potiers :*** le week-end de Pâques. Exposition-vente de poteries et de céramiques. Artistes et artisans au travail dans les rues.
– ***La fête du Millésime :*** sur le port, le 1er dimanche de décembre. Les producteurs de vin de Bandol font goûter le vin nouveau. Très populaire.

SANARY-SUR-MER (83110) 17 200 hab.

Très fréquenté en été, Sanary retire hors saison son masque de station balnéaire familiale pour retrouver son vrai visage de petit port de pêche traditionnel. On peut y attendre le retour des bateaux. Comme en Bretagne ! Sanary tient d'ailleurs son nom de saint Nazaire (*san Nary* en provençal, histoire de ne pas être confondu avec les dix autres Saint-Nazaire de France !), saint très atlantique dont on se demande un peu comment il a échoué sur la côte méditerranéenne. En tout cas, on a trouvé du charme à ses quais plantés de palmiers et aux vieilles ruelles du centre. Curieusement, entre 1933 et 1942, ce petit port fut la capitale de la littérature allemande en exil ! Plus de 500 opposants, dont de nombreux écrivains germanophones (Thomas Mann, Lion Feuchtwanger, Franz Werfel, etc.) s'y établirent, fuyant les autodafés nazis. Parmi eux, beaucoup s'embarquèrent pour les États-Unis en 1942. D'autres, moins chanceux, furent internés au camp des Milles de sinistre mémoire... Un parcours de mémoire, pour honorer ***les lieux de vie des intellectuels exilés à Sanary-sur-mer*** (pour reprendre le titre d'une brochure remarquable éditée par le service du patrimoine) a été mis en place par la ville, renseignez-vous auprès de l'office du tourisme, si le sujet vous passionne.

Adresse utile

🛈 ***Maison du tourisme :*** sur le port. ☎ 04-94-74-01-04. Fax : 04-94-74-58-04. • www.sanarysurmer.com • Ouvert en saison du lundi au samedi de 9 h à 12 h 30 et de 14 h à 19 h, et le dimanche de 9 h 30 à 12 h 30.

Où dormir ?

Campings

⛺ ***Les Girelles :*** 1003, chemin Beaucours. ☎ 04-94-74-13-18 (aux heures de bureau). Fax : 04-94-74-60-04. À 2,5 km du centre, en bord de mer. Ouvert de Pâques à fin septembre. 19 € (126 F) l'emplacement pour deux. Pas mal d'ombre.

⛺ ***Le Mogador :*** 166, chemin Beaucours. ☎ 04-94-74-53-16. Fax : 04-94-74-10-58. • www.camping-mogador.com • À 2 km du centre et à 400 m de la mer. Ouvert du 1er avril au 5 octobre. Autour de 18 € (118 F) l'emplacement pour deux avec un véhicule. Ombragé mais bruyant. Piscine.

⛺ ***Le Mas de Pierredon :*** 652, rue Coletta (quartier de Pierredon). ☎ 04-94-74-25-02. Fax : 04-94-74-61-42. Ouvert du 1er avril au 15 octobre. Le plus beau, le plus cher aussi, pour qui aime bien avoir ses aises.

Prix moyens

🏠 ***Hôtel-restaurant Bon Abri :*** 94, av. des Poilus. ☎ 04-94-74-02-81. Fax : 04-94-74-30-01. Fermé le dimanche soir hors saison et le lundi, et de fin novembre à fin janvier (sauf fêtes de fin d'année). Doubles de 39 à 50 € (255 à 330 F). Demi-pension obligatoire du 1er juillet au 15 septembre et pendant les vacances scolaires : de 35 à 42 € (230 à 275 F) par personne. Menu à 11 € (72 F) le midi en semaine ; autres menus à 17 et 22 € (113 et 144 F). Un endroit charmant. Mignonne petite maison tranquillement posée derrière un jardin touffu. Toute la déco côté resto est désormais plutôt mode. La cuisine a gagné en personnalité (très bon émincé de canard au caramel). Et les chambres, si elles restent modestes, ont elles aussi subi une cure de rajeunissement. On en aime que plus cette sympathique petite adresse. Apéritif maison offert à nos lecteurs et parking gratuit hors saison sur présentation du *Guide du routard* de l'année.

🏠 ***Hôtel-restaurant Le Marina :*** 4219, ancien chemin de Toulon. ☎ 04-94-29-56-48. Fax : 04-94-29-40-14. À 2 km du centre, dans la pinède. Parking gratuit. Fermé les dimanche soir et lundi hors saison ainsi que du 15 février au 1er mars. Doubles de 45,75 à 71,65 € (300 à 470 F) selon la saison. Demi-pension obligatoire en juillet et août. Menus à 21,30 et 29 € (140 et 190 F). Derrière quelques pins, un bâtiment de prime abord pas très engageant. Mais les chambres, au calme, ne sont pas mal du tout, sinon très bien pour les plus chères. Les nos 11 à 19 par exemple, plus spacieuses et côté piscine. Au resto, salle élégante pour une cuisine qui mérite qu'on quitte le port. Apéritif offert à nos lecteurs sur présentation du *Guide du routard*.

Plus chic

🏠 ***Chambres d'hôte Villa Lou Gardian :*** 646, route de Bandol. ☎ 04-94-88-05-73. Fax : 04-94-88-24-13. À 400 m des plages et à 2 km du port. Doubles avec douche et w.-c. à 68,60 € (450 F), petit déj' compris. Possibilité de table d'hôte sur réservation, à partir de 23 € (160 F). Une maison et des hôtes de caractère. Belle adresse paisible, entourée de vieux arbres et meublée avec goût. Piscine et tennis. Bon accueil. Apéritif maison offert à nos lecteurs à l'accueil.

🏠 ***Hôtel de la Tour :*** 24, quai du Général-de-Gaulle. ☎ 04-94-74-10-10. Fax : 04-94-74-69-49. • latour@wanadoo.fr • Resto fermé le mardi soir et le mercredi hors saison et du 1er décembre au 10 janvier. Doubles climatisées de 61 à 76 € (400 à 500 F). Menus de 19 à 43 € (125 à 280 F). Haute maison face au port, bizarrement accolée à une tour (de guet et médiévale). Accueil fort aimable. Ample cage d'escalier qui conduit vers des chambres confortables, à la déco d'un bon goût un brin bourgeois. Prévoir un peu de bruit pour les chambres côté port en saison. Bonne table tournée vers les produits de la mer. Apéritif maison offert sur présentation de ce guide.

Où manger ?

🍽 ***L'Océan Jazz :*** 74, route de la Gare. ☎ 04-94-07-36-11. À l'écart du centre, vers l'ancienne gare. Fermé le samedi midi et le dimanche (sauf jours fériés et juillet-août) et pour les fêtes de fin d'année. Formule autour de 12 € (80 F) le midi en semaine ; autres menus de 17 à 27 € (112 à 177 F). Un excellent petit resto qu'on était tout contents de dégoter (merci au lecteur qui nous a indiqué le chemin !) déjà pour son menu du jour. L'assiette de tapenade d'emblée posée sur la table, les plats de marché et de région joliment tournés, la présentation des assiettes dignes d'une grande maison : on croit rêver ! Et on se promet illico de revenir goûter aux autres menus. Service sans chichis mais efficace, accueil franchement agréable. La salle est mignonne, la terrasse adorable. Et le jazz de l'enseigne dans tout ça ? En fond sonore (plus *swing* que *free*) et en *live* les vendredi et samedi soir avec des duos ou des trios. Digestif offert aux porteurs de ce guide.

🍽 ***El Dogo :*** 13, rue Barthélemy-de-Don. ☎ 04-94-88-18-36. Ouvert toute l'année, le soir seulement. Fermé le dimanche et le mercredi hors saison. Compter 22,87 € (150 F) par personne. Du chili maison avec un bœuf en provenance directe d'Argentine (bon, on fait confiance à Oscar pour surveiller sa cuisine !), des desserts réalisés, comme les toiles accrochées au mur, par dame Martine. Un restaurant argentin recommandé par les habitués pour la chaleur du décor, l'ambiance tamisée, la musique discrète. Une bonne façon de fuir l'animation estivale.

🍽 ***L'En K :*** 13, rue Louis-Blanc. ☎ 04-94-74-66-57. Dans le centre, derrière la mairie. Fermé le dimanche midi et le lundi sauf en juillet et août. Congés annuels en novembre. Menu à 21,35 € (140 F). Compter 25 € (170 F) à la carte. Ce resto n'a rien de l'attrape-touristes mais tout du rendez-vous d'habitués en quête de bons petits plats dans une déco colorée et une ambiance amicale. Cuisine réservant plein de petites surprises (sandre à la vodka et persil frit, émincé de blanc de volaille au citron confit et bâtons de réglisse) préparées et servies par une bande de jeunes qui s'amusent autant qu'ils travaillent. Expos d'artistes régionaux.

Plus chic

IOI ***Le Relais de la Poste :*** place de la Poste. ☎ 04-94-74-22-20. Fermé les dimanche soir et lundi. Kyrielle de menus allant de 22 à 40 € (145 à 265 F). Compter 38 € (250 F) à la carte. On sent en approchant la bonne adresse pour les gourmets qui apprécient l'ordre établi. Service plutôt conventionnel mais cuisine qui plaira autant aux amateurs de viande qu'à ceux qui attendent le « retour de pêche ». Parmi les spécialités, tartelette de rouget et artichaut, andouillettes de volaille aux gambas, etc. Café et mignardises offerts sur présentation du *GDR*.

À voir

★ ***Le musée de l'Histoire de la plongée :*** ouvert l'été et pendant les vacances scolaires, les week-ends et jours fériés de 10 h à 12 h et de 14 h à 18 h. Entrée gratuite. Installé dans l'immanquable tour de guet médiévale (belle vue depuis la terrasse), petit musée initié par Frédéric Dumas, pionnier de la plongée sous-marine, l'un des trois « mousquemers » avec Cousteau et Taillez. Collection d'équipements et de matériel des années 1930 aux années 1950 : palmes, masques, bouteilles, fusils sous-marins dont le Jaguar utilisé par Sean Connery dans *Opération Tonnerre*, première caméra vidéo sous-marine, quelques amphores et objets archéologiques, etc.

Fêtes et manifestations

– ***Marchés :*** le mercredi matin, un des plus gros du coin. Typiquement provençal. Marché aux fleurs (et marché aux poissons) tous les jours sur le port et les quais.
– ***Les Floralies :*** tous les deux ans (années impaires), en mai.
– ***Procession à la Saint-Pierre (fête des pêcheurs) :*** une année sur deux, le dernier week-end de juin. Bouillabaisse géante.
– ***Joutes :*** de juin à septembre.
– ***Festival brésilien :*** en juillet, une année sur deux. Pour les amateurs de nuits chaudes.
– ***La fête du Nom :*** le 1er week-end d'octobre. Fête costumée avec de nombreuses animations de rues et repas provençal.

SIX-FOURS-LES-PLAGES (83140) 33 200 hab.

Si les plages ne sont pas difficiles à trouver (notamment celle de Brutal Beach, connue de tous les véliplanchistes), on s'égare assez vite dans Six-Fours, commune pour le moins étendue (elle englobe une bonne centaine de hameaux). Le centre de Six-Fours n'étant pas d'un intérêt primordial, on vous conseille de filer vers Le Brusc, chouette petit port de pêche. Les Grecs, dès la fin du IIIe siècle av. J.-C., aimaient y faire relâche après le passage du cap Sicié.

Juste après Le Brusc, la minuscule et étonnante (ses côtes rocheuses évoquent presque la Bretagne) île du Gaou, accessible par une passerelle, ouverte de 8 h à 20 h (21 h en été). Un lieu idéal pour retrouver le calme et la sérénité en fin de journée.

Adresse utile

i ***Office du tourisme :*** promenade Charles-de-Gaulle. ☎ 04-94-07-02-21. Fax : 04-94-25-13-36. • www.six-fours-les-plages.com • En juillet et août, du lundi au samedi de 9 h à 19 h et le dimanche de 9 h à 12 h; en juin et septembre, ouvert du lundi au samedi de 9 h à 12 h et de 14 h à 18 h 30; d'octobre à mai, du lundi au vendredi de 8 h 30 à 12 h et de 14 h à 18 h 30 et le samedi de 9 h à 12 h et de 14 h à 18 h.

Où dormir ? Où manger ?

🏠 |●| ***Hôtel du Parc :*** 112, rue Marius-Bondi, Le Brusc. ☎ 04-94-34-00-15. Fax : 04-94-34-16-94. À 50 m du port. Ouvert d'avril à septembre. Fermé le dimanche soir hors saison. Doubles de 35 à 55 € (230 à 360 F). Menus de 12 à 20,50 € (78 à 135 F). Tranquille petit hôtel familial. Chambres pas compliquées mais confortables et bien tenues. Bonne ambiance.

|●| ***Lou Figuier :*** 43, rue Marius-Bondi. ☎ 04-94-34-00-29. Fermé le lundi, hors saison. Menu du marché à partir de 18 € (118 F). Autres menus de 23 à 38 € (150 à 250 F). Tout petit resto, qu'il faut aller dénicher, à deux pas du port. Heureusement d'ailleurs, car il ne peut accueillir qu'une trentaine de couverts en terrasse. La salle, à la déco sympathique, offre un cadre intimiste pour qui voudrait se détendre, en se régalant d'une salade de poivrons grillés à l'ail, d'une terrine de tomates confites mozzarella et basilic, d'un tajine de poulet aux amandes et raisins ainsi que d'autres plats tout simples, tout bons, à base de produits frais à commencer par ceux de la mer... Digestif offert sur présentation de ce guide.

|●| ***Le Saint-Pierre :*** 47, rue de la Citadelle, Le Brusc. ☎ 04-94-34-02-52. Entre la plage et le port. Fermé le mardi soir et le mercredi hors saison. Congés annuels en janvier. Menu à 17,50 € (115 F) en semaine; autres menus à 23 et 30,50 € (150 et 200 F). Bouillabaisse et bourride provençale parmi les grands classiques de ce vénérable resto de poisson et autres fruits de mer : bons produits, cuisine soignée (comme on dit), service diligent et habitués ravis. Rien de révolutionnaire certes, mais un fort honorable rapport qualité-prix.

À voir. À faire

★ ***La chapelle Notre-Dame-de-Pépiole :*** ouvert tous les jours de 15 h à 18 h. Messe tous les dimanches à 9 h 30. Sortir de Six-Fours, direction Sanary; à l'entrée de Sanary, au rond-point, prendre à droite vers La Seyne-sur-Mer – Toulon; à droite avant le passage à niveau, une petite route fléchée conduit à cette intéressante étape architecturale. C'est une croquignolette chapelle pré-romane du VIe siècle. Absidioles lui donnant un air fortifié, meurtrières, porche massif, campaniles asymétriques, toits de guingois, belle pierre mise à nu depuis peu. Elle fut construite sur le modèle des premières églises syriennes. Quelques retouches au cours des siècles ont fait de cette chapelle un exemple unique d'architecture orientalo-provençale. À l'intérieur, une pénombre délicieuse et intimiste.

★ ***La collégiale Saint-Pierre :*** sortir de Six-Fours par l'avenue du Maréchal-Juin (direction La Seyne-sur-Mer) ; une petite route fléchée sur la gauche conduit à la collégiale. Attention, l'accès n'est autorisé qu'aux heures d'ouverture de la collégiale : de juin à septembre, du lundi au samedi de 15 h à 19 h et le dimanche de 9 h à 12 h et de 15 h à 19 h ; d'octobre à mai, du lundi au samedi (sauf le mardi) de 14 h à 18 h et le dimanche de 10 h à 12 h et de 14 h à 18 h. Perchée sur une grosse colline (jolie vue sur la rade de Toulon), un peu écrasée par les massives murailles du fort militaire voisin, belle église, romane à l'origine (XIe siècle), seul vestige de l'ancien village de Six-Fours. Une bizarrerie : elle possède deux nefs qui se coupent à angle droit, l'une romane, l'autre de style gothique construite au XVIIe. Dans la partie romane, fouilles d'un sanctuaire souterrain aménagé par les premiers chrétiens. Intéressant mobilier : descente de croix de l'école flamande (XVII[e]siècle), statue de la Vierge attribuée à Pierre Puget et beau polyptyque du XVIe siècle qui représente en dix niches les saints vénérés en Provence, entourant une Vierge à l'Enfant et un christ en croix.

Randonnées

➢ ***Le cap Sicié :*** en suivant le sentier du littoral, de la plage de Bonnegrâce à celle des Sablettes (Mar Vivo). Durée : 7 h, mais on peut fractionner l'itinéraire. On le conseille uniquement aux fous de la marche car il est devenu, faute d'entretien, quasiment impraticable. Balade sportive mais une nature encore intacte et quelques points de vue inoubliables.

➢ Cinq circuits VTT parcourent aussi le cap Sicié. Renseignements à l'office du tourisme. Plusieurs locations à Six-Fours.

Fêtes et manifestations

– ***Les nuits de la collégiale :*** d'avril à octobre, concerts classiques de haute tenue dans la collégiale. Renseignements : ☎ 04-94-93-55-45.

– ***Les Voix du Gaou :*** la 2e quinzaine de juillet. En plein air sur l'île du Gaou. Funk, musique africaine, gospel, chanson française... Renseignements : ☎ 04-94-74-77-79.

➢ *DANS LES ENVIRONS DE SIX-FOURS-LES-PLAGES*

★ *LES ÎLES DES EMBIEZ*

Une poignée d'îles à quelques encablures du port du Brusc. Traversée toutes les 40 mn de 7 h à 0 h 45 en saison. Renseignements : ☎ 04-94-10-65-20 ou 04-94-10-65-21. Aller-retour adultes : 6 € (40 F) ; enfants de 3 à 12 ans : 5 € (30 F). Seule l'île des Embiez, la plus grande avec 95 ha, se visite. Comme Bendor, l'île a été rachetée par la société Paul Ricard en 1958. On débarque dans le port de plaisance (le premier à avoir été créé en Méditerranée, en 1963). Autour s'étend le village, pas vilain mais, comme à Bendor, ici ou là d'un kitsch absolu (et on ne vous dit rien du musée Paul-Ricard qui rassemble les « œuvres » picturales de l'industriel...). Allez plutôt user vos chaussures sur les sentiers de la côte ouest, le long d'abruptes falaises rocheuses battues par les flots. Paul Ricard repose là, sous quelques pierres, face au large. Petite balade tranquille hors saison mais, en été, comme nous l'a dit un randonneur marseillais, « c'est la Canebière » ! Grimpez jusqu'à la tour de la Marine et ses chèvres imperturbables. Beau panorama et l'occasion de découvrir quelle étonnante diversité de paysages cache cette petite île : marais salants, forêt de pins et même quelques plants de vignes (qui produisent un gentil petit rosé).

À voir

★ ***L'aquarium-musée méditerranéen :*** ☎ 04-94-34-02-49. Ouvert tous les jours de 10 h à 12 h 30 et de 13 h 30 à 17 h 45. Fermé le mercredi matin de novembre à mars et le samedi jusqu'à 14 h de septembre à juin. Entrée : 4 € (26 F) ; enfants de moins de 12 ans : 2 € (13 F). Petit musée installé dans une ancienne batterie de marine. On est loin du gigantisme et du spectaculaire de *Nausicaa* à Boulogne ou d'*Océanopolis* à Brest, mais l'endroit est intéressant. Notamment pour la mission qu'il s'est fixée : sensibiliser le public à la protection des mers et océans (en été, conférences le mercredi, rencontres avec les chercheurs le jeudi). Au rez-de-chaussée, poissons naturalisés et céphalopodes dans le formol (on y a, au passage, appris que le mot « pieuvre », d'origine normande, a été popularisé par Victor Hugo), amphores et poteries trouvées au large des Embiez, historique de l'île. À l'étage, dans une trentaine d'aquariums, une centaine d'espèces représentatives de la faune aquatique méditerranéenne. Le bâtiment abrite aussi l'Institut océanographique Paul-Ricard (ne se visite pas), créé en 1966 après la pollution des environs de Cassis par les « boues rouges » (pour mémoire, le premier ministère de l'Environnement ne date que de 1971...). Dans ses laboratoires, des chercheurs étudient les moyens de lutter contre la pollution des mers et océans (un procédé inventé ici, a, par exemple, servi à contrer les dégâts de la marée noire de l'*Exxon Valdez*), l'aquaculture, etc.

★ *LE CAP SICIÉ*

Au sud de Six-Fours par la D16. Au hameau de Roche-Blanche, suivre le fléchage « Notre-Dame-du-Mai ». Attention, la route est inaccessible du 15 juin au 15 septembre en raison des risques d'incendie. Un petit bol d'oxygène avant l'urbanisation de la rade de Toulon. La route traverse quelques-uns des mille hectares de forêt méditerranéenne qui s'étendent entre Le Brusc et Fabregas.
À l'aplomb du cap Sicié, roches schisteuses pointées comme un doigt dans la mer, se perche joliment la chapelle Notre-Dame-du-Mai (ouvert uniquement pendant les pèlerinages soit tout le mois de mai, le lundi de Pâques, le 15 août et le 14 septembre ; messe tous les premiers samedis de chaque mois à 10 h ; collection d'ex-voto).
De la chapelle, un panorama dont on ne se lasse pas, des calanques de Marseille aux îles d'Hyères. Au-delà, la route (surnommée la Corniche merveilleuse et vous allez comprendre pourquoi) redescend doucement vers Fabregas et La Seyne-sur-Mer. Plusieurs plages : celle de Fabregas, au sable gris d'origine volcanique qui, paraît-il, guérit des rhumatismes, ou celle du Jonquet, naturiste (la seule de cette portion de côte).

Plongée sous-marine

C'est autour de Toulon, berceau de la plongée moderne, que le scaphandre autonome fut mis au point définitivement dans les années 1940, par une palanquée de pionniers farfelus. Ainsi Jacques-Yves Cousteau, Frédéric Dumas et Philippe Taillez – *les Mousquemers* – firent-ils de l'exploration sous-marine un véritable loisir, et semèrent la révolution à l'École de plongée de la Marine nationale établie à Saint-Mandrier... Les routards accros visiteront le petit musée de Sanary-sur-Mer (voir ce chapitre), dédié à cette grande aventure sous-marine. Et puis réjouissez-vous ! Voici quelques spots d'une exceptionnelle beauté par petits fonds... Attention, mistral et vent d'est peuvent compromettre la plongée.

Clubs de plongée

■ ***Cap Plongée :*** port de la Coudoulière, 83140 Six-Fours-les-Plages. ☎ 04-94-07-64-36 ou 06-12-51-85-46. • pro.wanadoo.fr/cap.plongée • Ouvert toute l'année. Rendez-vous au port de la Coudoulière pour embarquement immédiat sur la petite barge rapide (16 plongeurs maxi) de cette école (FFESSM, ANMP, PADI). Avec Olivier Ingargiola, le sympa proprio-moniteur d'État, vous ferez baptêmes, formations jusqu'au niveau III et brevet PADI, mais aussi des explorations à la carte. Stages enfants à partir de 8 ans. Prêt d'appareils photo et de masques professionnels. Réservation obligatoire. 10 % de réduction sur les tarifs pour nos lecteurs, sur présentation du *Guide du routard.*

■ ***CIP Bendor :*** île de Bendor, 83150 Bandol. ☎ 04-94-29-55-12 ou 06-03-31-03-33. • sotraclub@free.fr • Ouvert toute l'année. Sur les deux navires de plongée de cette école (FFESSM, ANMP), les moniteurs brevetés d'État assurent les baptêmes, les formations jusqu'au monitorat fédéral, sans oublier des explorations dont vous garderez le plus vif souvenir. Stages enfants à partir de 8 ans. Équipements complets fournis. Réservation obligatoire. Hébergement sur l'île possible en pension complète et dans un cadre exceptionnel.

■ ***Lecques Aquanaut Center :*** dans le nouveau port des Lecques, 83270 Saint-Cyr-sur-Mer. ☎ 04-94-26-42-18 ou 06-09-55-24-26. • www.lecques-aquanaut.fr • Ouvert tous les jours de Pâques à octobre. Un centre (FFESSM, ANMP, PADI) réputé pour la qualité de ses équipements et l'excellence de son encadrement. Une palanquée de moniteurs d'État assurent baptêmes, enseignement jusqu'au niveau IV et brevets PADI. Ils guident aussi les explorations des spots situés à l'ouest de Bandol et en baie de La Ciotat où le proprio du club – Marcel Camilleri – a trouvé un avion de guerre semblable à celui que pilotait Saint-Exupéry... Matériel fourni. Plongée enfants à partir de 8 ans et stage de biologie possible.

Nos meilleurs spots

Les îles des Embiez : un site exceptionnel et peu profond au large de Sanary-sur-Mer ; siège de l'Institut océanographique Paul-Ricard. Surtout, restez immobile sur le fond de la ***pierre aux Mérous,*** spot phare du coin (35 m), et laissez ces beaux bestiaux débonnaires s'habituer à votre présence. Vous pourrez alors les observer de près ; mais pour combien de temps encore ? Car les pêcheurs du coin ne semblent avoir aucune pitié pour cette espèce protégée. Espérons que cela change ! Niveau II. En explorant fiévreusement les ***failles de la Sèche Guéneaux,*** les néophytes apprécieront la vie sous-marine intense (spirographes, gorgones, rascasses, corbs, sars...), dans à peine 20 m d'eau ! Sur les ***plateaux des Basses-Moulinières*** (22 m maxi), rendez-vous réussi avec un banc de petits barracudas effilés (pas de panique !), à l'affût dans un dédale rocheux tapissé d'anémones jaunes et de gorgones. Niveau I. Enfin, vous débusquerez les langoustes de la ***Merveilleuse*** (de 24 à 33 m), une roche qui reçoit parfois la visite inopinée d'un poisson-lune très gracieux. Niveau II.

L'île Rousse : pour les plongeurs de tous niveaux. À l'ouest de Bandol. De blocs rocheux en mini-tombants où se cache, çà et là, du corail rouge flamboyant (c'est exceptionnel !), vous dévalerez les pentes en inspectant les nombreuses failles, où murènes et rascasses joueront les stars sous les feux de votre lampe torche (ne pas l'oublier !). Au sable (18 m maxi), le tombant se transforme en grotte s'enfonçant sous l'île. Spot très exposé.

L'Arroyo : à partir du niveau II. À l'est du cap Sicié, ce bateau-citerne militaire fut coulé par la Marine en 1953 pour servir à l'entraînement de ses plongeurs (de 18 à 36 m). L'épave, brisée en deux, est recouverte de gorgones rouges, et son nouvel équipage – mérous, congres, rascasses, poulpes, chapons – inspire la même sympathie que nos pompons rouges ! Très fréquentée en été.

La pointe Fauconnière : à quelques encablures du port des Lecques. Pour plongeurs de tous niveaux. Amusant et curieux ensemble de grottes, tunnels et tombants (de 10 à 25 m) où rascasses, castagnoles, labres et girelles folâtrent dans le faisceau de votre lampe torche. Également quelques nacres. Une plongée exceptionnelle.

LA PRESQU'ÎLE DE SAINT-MANDRIER (83430)

Elle ferme la rade de Toulon au sud. Ce fut une île ; le sable, accumulé par les courants marins, l'a définitivement rattachée au continent au XVIIe siècle. Sur l'isthme, entre les Sablettes et le port de Saint-Elme, s'étend donc logiquement une plage de sable fin. Pittoresque petit port de Saint-Mandrier, autour d'une minuscule baie, le creux de Saint-Georges, où les galères romaines faisaient déjà relâche. Comme un peu partout autour de la rade de Toulon, présence immanquable de la Marine nationale...

Adresse utile

Office du tourisme : place des Résistants, 83430 Saint-Mandrier. ☎ 04-94-63-61-69.

Où manger ?

Le Goût Thé : 3, quai Jean-Jaurès. ☎ 04-94-63-51-57. Fermé le dimanche et tous les soirs. Compter 18 € (118 F). Une petite adresse toute simple, avec un menu unique autour d'un poisson, avec un quart de vin compris, et quelques douceurs au dessert. Accueil gentil comme tout.

LA SEYNE-SUR-MER (83500) 61 000 hab.

Le boum économique de La Seyne, village créé au XVIe siècle par des habitants de Six-Fours, est dû à la création, en 1855, des Forges et Chantiers de la Méditerranée. Jusqu'au dépôt de bilan de la *Normed* en 1988, ces chantiers navals ont fabriqué cargos, paquebots, vaisseaux de guerre et autres plates-formes pétrolières. Ce qui explique la physionomie de la ville : des cités HLM, des friches industrielles... La Seyne, indéniablement, peine à trouver un second souffle. Changement de décor si l'on aborde la ville par la presqu'île de Saint-Mandrier : un quartier balnéaire (Les Sablettes), popu et d'un style néo-provençal tel qu'on le concevait dans les *Fifties,* puis les cossues villas XIXe siècle des Tamaris face à une baie piquetée de parcs à moules et de fermes aquacoles (loups et daurades).

Nombreux ***campings*** à La Seyne-sur-Mer. Pensez à réserver votre place, il n'y en a plus ensuite, jusqu'à La Garde.

Adresse utile

🛈 ***Office du tourisme :*** corniche George-Pompidou, BP 289. ☎ 04-98-00-25-70. Fax : 04-98-00-25-71. En été, ouvert du lundi au samedi de 9 h à 12 h 30 et de 14 h à 19 h, et le dimanche de 10 h à 13 h ; hors saison, ouvert du lundi au samedi de 9 h à 12 h 30 et de 14 h à 18 h. Également un bureau au centre-ville, place Ledru-Rollin. Mêmes coordonnées.

À voir

★ ***Les villas de Tamaris :*** vous ne connaissez pas Michel Pacha, natif de Sanary ? Impossible pourtant, dans le coin, de rater le bonhomme : chaque lieu-dit a sa rue Michel-Pacha ! Il faut dire que Blaise Jean Marius Michel (1819-1907) s'est taillé un joli destin. Directeur général des phares de l'Empire ottoman, puis ingénieur des entrepôts et quais d'Istanbul, il fut anobli par le sultan et devint Michel Pacha. Rentré au pays, il fut élu maire de Sanary et arrosa la région avec prodigalité. À La Seyne-sur-Mer, il est à l'origine de la création, à la fin du XIXe siècle, d'une des premières stations balnéaires de la côte, qui se posait en concurrente de Nice et de Cannes. Sur le littoral, au lieu-dit Tamaris, Michel Pacha fit assécher 100 ha de marais et édifier villas, hôtels et édifices publics. Tombées dans l'oubli (la station ne devint jamais à la mode), aujourd'hui réhabilitées, ces constructions offrent un réjouissant mélange de styles (un minaret ici, des colonnes néo-classiques là), symbolique de l'architecture balnéaire de l'époque.
Sur la route du bord de mer se dresse la *villa Sylvacane,* maison-bateau de béton construite à la fin des années 1930, immédiatement repérable grâce à sa tour éolienne (jetez un œil, même si ce n'est pas une villa de Pacha). Planquée sous les frondaisons, l'imposante *villa Tamaris-Pacha*, construite à partir de 1890 et d'inspiration toscane, accueille désormais des expos d'art contemporain. Ouvert de 14 h à 18 h. Fermé le lundi. Entrée gratuite.

★ ***Le fort Balaguier (musée de la Marine) :*** 924, corniche Bonaparte. ☎ 04-94-94-84-72. En juillet et août, ouvert de 10 h à 12 h et de 15 h à 19 h ; hors saison, de 10 h à 12 h et de 14 h à 18 h. Fermé le lundi. Entrée : 1,50 € (10 F) pour les adultes ; demi-tarif pour les enfants de 5 à 12 ans. Une tour fut d'abord érigée en 1636 sur l'ordre de Richelieu pour parfaire le système de défense de la rade. Le petit fort date, lui, des XVIIIe et XIXe siècles. Sur les remparts, un chemin offre une gentille vue sur la rade de Toulon. Petit musée installé dans les salles rondes du fort (remarquez les murs, d'au moins 4 m d'épaisseur). Dans l'ancienne chapelle, intéressante évocation du bagne de Toulon (dessins et objets d'art réalisés par les bagnards). Une expo annuelle sur l'histoire locale.

Fêtes et manifestations

– ***Festival de Jazz :*** fin juillet-début août. Dans le cadre du fort Napoléon (évidemment construit par l'empereur en 1821). Le plus ancien festival de jazz du département (créé en 1985) avec une programmation qui privilégie les figures emblématiques de cette musique.
– ***Festival cubain :*** en juillet.
– ***Les fêtes calendales :*** à Noël, toujours dans le fort.

TOULON (83000) 166 400 hab.

Pour le plan de Toulon, se reporter au cahier couleur.

Le deuxième port militaire français pourra surprendre agréablement ceux qui prendront la peine de s'y arrêter. Bien sûr, Toulon est encore, hélas, une ville que l'on se contente trop souvent de traverser en pestant contre l'infernale circulation automobile. La nouvelle municipalité, qui a déjà la rude tâche de faire oublier la dérive extrémiste des dernières années du XXe siècle, va devoir prouver qu'elle peut accélérer la traversée souterraine de la ville, seule solution capable d'éviter le pire pour les décennies à venir. Dans ce département célèbre pour les promesses non tenues par les politiciens locaux, on a du mal à imaginer que seule une unique voie souterraine pourrait enfin être réalisée, la deuxième, dans l'autre sens, étant repoussée aux calendes grecques, ce qui est aussi une façon polie d'aller se faire voir...
Mais voilà qu'on se livre au passe-temps favori de pas mal de Toulonnais que l'on a rencontrés sur place : dire du mal de la ville. Pourtant, comme eux, on aime bien Toulon. Parce que s'y retrouve le plaisir simple de flâner. Point de grands monuments, d'architecture extravagante, mais une atmosphère unique qui s'étend de ruelles en placettes. À Toulon, il faut s'asseoir à la terrasse d'un café place Puget, plongée dans un calme surprenant. Puis, lentement, en suivant la pente naturelle de la ville, en s'attardant autour des étals du marché qui respirent la Provence de toujours, descendre vers le port.
Les quais demeurent, une fois passés les immeubles d'après-guerre qui masquent la mer à la vue (alors qu'il suffirait de revenir au schéma original, en supprimant certaines horreurs au rez-de-chaussée, pour leur redonner sens !) un endroit privilégié pour le promeneur. Comme à Marseille, les gens y prennent le temps de vivre ; plaisanciers, pêcheurs et vacanciers profitent du soleil et du bleu de la mer. À la tombée de la nuit, pour peu qu'un bateau fasse relâche, les bars font le plein de marins. Savourez bien ces instants, car la nuit tombée, Toulon est plutôt morte. En dehors de ces quelques bars des quais ou du Mourillon, il est difficile de retrouver l'ambiance que venaient chercher Carco, Cendrars ou Mac Orlan. Et si votre grand-père vous a raconté ses exploits d'autrefois dans le quartier « chaud » du Petit Chicago, ne croyez pas nécessaire de les renouveler. Là aussi, tout a bien changé !
Le port, comme le quartier du Mourillon, vieux village resté authentique, ou le mont Faron, sont autant d'endroits qui font de Toulon une ville agréable et pleine de contrastes. De plus, les gens y sont généralement accueillants. Soyez gentils, ne leur parlez plus du Front National, eux aussi préfèrent oublier ce cauchemar. Comme nous l'a dit un vieux Toulonnais : « on a fait tout ce qu'il ne fallait pas faire, ces cinquante dernière années, ici, maintenant, on a peut-être droit à un bonus »...

UN PEU D'HISTOIRE

Au XVe siècle, la petite ville de *Tolon* (la *Télo* des Romains) fait ses premiers pas dans l'Histoire quand, avec tout le Royaume de Provence, elle tomba dans le domaine royal français. Grâce à sa grande rade enserrée dans de hautes collines, elle trouva tout de suite sa vocation maritime et militaire. Louis XII, puis Henri IV la fortifièrent. Mais c'est sous le règne du Roi Soleil que la ville a pris sa réelle expansion, grâce à Colbert. Un arsenal y fut installé, d'où sortaient les galères royales. Vauban en améliora bien sûr les systèmes de défense par la construction de tours et forts (Saint-Louis, Lamalgue, Beaumont). Le grand corsaire Duquesne venait y relâcher entre deux courses.

En 1748, les galères furent supprimées et remplacées par le célèbre bagne d'où Victor Hugo fit échapper Jean Valjean dans *Les Misérables* (Vidocq aussi y purgea sa peine, avant de devenir chef de la sûreté à Paris !). Ce bagne, où les condamnés s'affairaient à la construction de la rade autant que des navires, fut définitivement désaffecté en 1873 et remplacé par celui de Cayenne...

En 1793, à la mort de Louis XVI, la ville était restée royaliste et pactisa avec les Anglais. Elle fut prise par Bonaparte (qui y gagna ses galons de général). Toulon ayant gagné – quant à elle – le titre de « ville infâme », 12000 ouvriers furent réquisitionnés pour la raser. Au dernier moment, la Convention reporta l'ordre de destruction et Toulon n'y perdit finalement que son nom (elle fut temporairement rebaptisée Port-la-Montagne, ce qui lui allait plutôt bien !) et son titre de préfecture (ce qui explique que, jusqu'à une date très récente, ce fut Draguignan, ville moins importante, qui détint ce titre).

Plus tard, Napoléon fit de Toulon son premier port de guerre, et de la Marine sa principale industrie. C'est de là qu'il partit pour la campagne d'Italie et l'expédition d'Égypte. C'est là aussi que Dumont d'Urville s'embarqua en direction d'une terre lointaine à qui il donna le nom de sa femme, toulonnaise de souche : Adélie. C'est ici que débarquèrent, vous diront les érudits locaux, les premiers mimosas d'Australie, une certaine Vénus (de Milo) et une Obélisque en transit pour la place de la Concorde, à Paris.

Un certain préfet du Var, persuadé que la ligne droite était le meilleur moyen d'aller d'un point de la ville à un autre, fit déjà parler de lui, au milieu du XIXe siècle : le baron Haussmann, à qui Napoléon III demanda d'aérer la ville. Ainsi naquit la *haute ville*, avec ses beaux immeubles bourgeois, l'Opéra, la gare, le boulevard de Strasbourg, le lycée Impérial, la place de la Liberté, le Grand Hôtel et, pour l'aspect sanitaire des choses, le jardin Alexandre Ier.

La Seconde Guerre mondiale allait mettre fin aux rêves d'une grande capitale méditerranéenne. En 1942, lorsque les Allemands envahirent la zone libre, la flotte française se saborda plutôt que de tomber entre leurs mains. Rasée de moitié, reconstruite à la hâte, Toulon aura du mal à retrouver une identité architecturale.

Aujourd'hui, Toulon possède autant une vocation de port de plaisance que de port militaire. Depuis que les mousses de la Royale sont autorisés à sortir en civil lors des permissions, la ville y a même perdu une grande partie de son folklore coloré. C'est la rançon du progrès...

Adresses utiles

i ***Office du tourisme*** *(plan couleur C3) :* place Raimu. ☎ 04-94-18-53-00. Fax : 04-94-18-53-09. • www.toulontourisme.com • En saison, ouvert du lundi au samedi de 9 h à 18 h et les dimanche et jours fériés de 10 h à 12 h. Sérieux et compétent. Brochures d'informations sur Toulon et sa région.

✉ ***Poste et téléphone*** *(plan couleur B2) :* angle rues Ferrero et Bertholet.

🚆 ***Gare SNCF*** *(plan couleur B1) :* place Albert-Ier. Renseignements : ☎ 08-92-35-35-35 (0,34 €/mn, soit 2,21 F).

■ ***Allô Bus, transports urbains :*** ☎ 04-94-03-87-03.

Où dormir ?

Campings

Pas de camping à Toulon même. Mais nombreux campings à La Seyne-sur-Mer, au Pradet et à La Valette.

⅄ ***Camping Beauregard :*** quartier Sainte-Marguerite, 83130 La Garde. ☎ 04-94-20-56-35. Entre Toulon et Le Pradet, sur la D559. Ouvert toute l'année. À 300 m de la mer, il accueille uniquement les tentes. Donc très sympa et pas cher.

Bon marché à prix moyens

☗ ***Hôtel Le Jaurès*** *(plan couleur B2,* ***1****)* ***:*** 11, rue Jean-Jaurès. ☎ 04-94-92-83-04. Fax : 04-94-62-16-74. Ouvert toute l'année. Doubles de 29 à 33,50 € (190 à 220 F). Une adresse pérenne du *GDR* et qui sait l'afficher. Central, sympathique, propre et assez bon marché. Au calme côté cour. Garage à vélos gratuit. 10 % de réduction sur le prix de la chambre hors juillet et août pour un minimum de 2 nuits sur présentation du *Guide du routard.*

☗ ***Hôtel Molière*** *(plan couleur C2,* ***2****)* ***:*** 12, rue Molière. ☎ 04-94-92-78-35. Fax : 04-94-62-85-82. Au cœur de la zone piétonne, à côté du théâtre. Congés annuels en janvier. Chambres doubles de 19 à 30 € (125 à 197 F), les plus chères ayant douche, w.-c. et TV. Un petit hôtel familial tout simple, pratiquant des prix défiant toute concurrence. Les patrons savent conjuguer le mot accueillir à tous les temps et feront bien des efforts pour rendre votre séjour agréable. Chambres confortables, propres et insonorisées. Des chambres n°s 18, 19 et 20, vue imprenable sur la rade de Toulon. Une excellente adresse dans sa catégorie. 10 % de remise à partir de la 2e nuit hors juillet et août sur présentation du *GDR* de l'année.

☗ ***Grand Hôtel Dauphiné*** *(plan couleur C2,* ***6****)* ***:*** 10, rue Berthelot. ☎ 04-94-92-20-28. Fax : 04-94-62-16-69. • grandhoteldauphine@wanadoo.fr • ♿ Doubles avec bains, TV (satellite et Canal +), mini-bar et sèche-cheveux de 35 à 45 € (230 à 295 F). Une adresse chérie par les habitués, notamment par tous les chanteurs et amoureux du lyrique venant au *Théâtre Municipal* tout proche. Accueil véritable (la patronne connaît sa ville sur le bout des doigts) et chambres confortables d'un joli rapport qualité-prix. Climatisation et insonorisation. Encore une bonne adresse dans sa catégorie. 10 % sur le prix de la chambre, sauf en août, sur présentation de ce guide.

☗ ***Hôtel des Allées*** *(plan couleur B2,* ***7****)* ***:*** 18, allée Amiral-Courbet. ☎ 04-94-91-10-02. Fax : 04-94-24-15-45. Près de la place d'Armes et du centre. Doubles de 24,40 à 29 € (160 à 190 F). TV dans certaines chambres. Petit hôtel pour petits budgets, pas luxueux mais avec une patronne accueillante, qui vous donnera tout plein de renseignements sur la ville. Chambres bruyantes côté allées.

Hôtel Lamalgue *(hors plan couleur par D3,* ***8****) :* 124, rue Gubler, Le Mourillon. ☎ 04-94-41-36-23. Fax : 04-94-03-56-66. À 2,5 km du centre-ville, au-dessus des plages du Mourillon. Doubles de 29 à 33,50 € (190 à 220 F). Ah, la belle adresse ! Un petit jardin bien entretenu, une atmosphère d'autrefois, des chambres toutes simples, avec un coup de cœur pour celles du dessus, à côté de la terrasse, avec vue superbe sur la mer (les n°s 9, 14, 16, 19 et 20). Et la plage est à deux pas. Pour nos lecteurs, 10 % de réduction sur le prix de la chambre la 1re nuit sur présentation de leur *GDR*.

Plus chic

New Hotel Amirauté *(plan couleur B2,* ***5****) :* 4, rue A.-Guiol. ☎ 04-94-22-19-67. Fax : 04-94-09-34-72. Doubles avec bains, TV, mini-bar, clim' et sèche-cheveux à 67 € (440 F). Un beau gros vaisseau juste en face de la place de la Liberté. Neuf, moderne, manquant un peu d'âme mais offrant un confort tout à fait honorable. Une cinquantaine de chambres joliment décorées et pleines de couleurs. Service et accueil en rapport avec les 3 étoiles affichées, un excellent rapport qualité-prix dans sa catégorie.

Les Bastidières *(hors plan couleur par D3,* ***10****) :* 2371, av. de la Résistance, cap Brun. ☎ 04-94-36-14-73. Fax : 03-94-42-49-75. Sur la route de la Corniche. Ouvert pendant les fêtes de fin d'année et du 1er avril au 30 septembre. Doubles avec bains, clim' et TV de 76 à 114 € (500 à 748 F) selon la saison. N'accepte pas les cartes de paiement. Plus proche de la maison d'hôte que de l'hôtel traditionnel. Derrière un grand portail XVIIIe siècle, une allée de pierre blanche conduit à cette maison de style provençal au cœur d'un grand jardin touffu et presque exotique. Cinq chambres dans une annexe, charmantes dans le genre rustique-régional (meubles anciens, tomettes et poutres de chêne). Spacieuses (les salles de bains aussi !), elles disposent toutes d'une terrasse particulière. Piscine. Accueil aimable.

New Hotel Tour Blanche *(hors plan couleur par A1,* ***9****) :* bd Amiral-Vence. ☎ 04-94-24-41-57. Fax : 04-94-22-42-25. • toulontourblanche@new-hotel.com • Au pied du mont Faron. Doubles avec douche et w.-c. ou bains de 70 € (côté pinède) à 78 € (côté rade), soit 460 à 510 F. Menus de 15 € (en semaine) à 29 € (98 à 190 F). Un lieu en hauteur, faute d'être toujours à la hauteur. Ne vous laissez pas impressionner par ce grand bâtiment dit « moderne » qui connut ses heures de gloire avant la crise. Aujourd'hui quelque peu fatigué, il survit gentiment, avec un service sympa mais débordé. De certaines chambres, vue superbe sur la rade. Piscine. Restaurant en progrès. Belle terrasse panoramique.

Où manger ?

Sur le pouce

Pour un casse-croûte en plein air, essayez les spécialités toulonnaises. La *cade* (galette de pois chiches servie chaude) devrait vous caler : on peut acheter des parts un peu partout en ville, notamment sur le marché du cours Lafayette, à côté des marchandes de poissons. Au moment du dessert, goûtez le *chichi frégi,* beignet croustillant de sucre, qu'on ne trouve qu'à une seule adresse (et depuis 1914 !) : chez *G. Toine,* dans un joli petit kiosque de la place Paul-Conte, en haut du cours La Fayette.

Bon marché

La Feuille de Chou *(plan couleur C3,* ***21****) :* 15, rue de la Glacière. ☎ 04-94-62-09-26. Fermé le dimanche et tous les soirs sauf le samedi. Plat du jour à 9 €, soit 59 F. Compter 15 € (100 F) à la carte. Menu à 19 € (125 F) le samedi soir. Une table tendance bistrot avec une terrasse ombragée (la plus sympa de la ville à notre avis) sur une petite place tranquille. Petits plats provençaux à l'ardoise, tout simples tout bons, vins en pichets et l'ambiance d'un resto tenu par des copains.

Les Bartavelles *(plan couleur C1,* ***22****) :* 28, rue Gimelli. ☎ 04-94-92-85-00. ♿ Dans la haute ville, derrière la place de la Liberté en allant vers la gare. Fermé les dimanche et jours fériés. Congés annuels la 1re semaine de février et la 1re semaine d'août. Menus à 12 € (79 F) le midi, et 19 € (125 F) le soir et le samedi. Compter 23 € (150 F) à la carte. Deux salles tout en longueur dans une vieille maison qui garde sa fraîcheur même au cœur de l'été. Un petit resto tout simple, avec une ambiance d'auberge de village et une cuisine provençale d'un gentil rapport qualité-prix. La patronne accueille avec le sourire. Le patron discute le bout de gras de table en table.

Prix moyens

Le Cellier *(plan couleur B2,* ***20****) :* 52, rue Jean-Jaurès. ☎ 04-94-92-64-35. Fermé le samedi, le dimanche et les jours fériés. Congés annuels pendant les vacances de Pâques et 15 jours en août. Menus de 13,70 à 24,40 € (90 à 160 F). Si tu recherches plats régionaux et chaleur humaine, ami routard, arrête-toi ici ! Monsieur Aujaleu, filleul de l'ancienne propriétaire et maître-artisan, propose d'excellents menus. Cuisine bourgeoise à tendance provençale. Quant à la déco, elle fait tout le charme de cette maison tranquille.

Le Petit Prince *(plan couleur C2,* ***23****) :* 10, rue de l'Humilité. ☎ 04-94-93-03-45. Fermé les samedi midi et dimanche, ainsi que les jours fériés. Congés annuels : 2 semaines en février et 3 semaines en août. Plats copieux aux alentours de 8 € (55 F). Compter 23 € (150 F) à la carte. Mignonne et toute petite salle ; des avions et autres objets volants pendus au plafond. Ambiance détendue, accueil charmant, service diligent et plats dans un registre très, très traditionnel (escalope de veau cordon bleu, foie gras maison...) mais bien amenés. Café offert à nos lecteurs.

Le Carré du Port *(plan couleur C3,* ***25****) :* 219, av. de la République. ☎ 04-94-09-31-21. Fermé le mercredi soir et le dimanche ainsi que de juin à septembre (ouverture d'une annexe à Saint-Tropez). Formule plat du jour + dessert à 9 € (59 F) le midi. Menu carte à 22,60 € (148 F). « Découvrez le Toulon branché ! », promettait leur pub. Une petite salle d'une élégante sobriété et créative cuisine d'inspiration provençale, au gré du marché (le menu-carte change tous les mois). Accueil sympa, service très mode et une radio FM en fond sonore pas si branchée que ça... Apéritif maison offert sur présentation de ce guide.

Restaurant Herrero *(plan couleur C3,* ***26****) :* 45, quai de la Sinse. ☎ 04-94-41-00-16. Fermé les dimanche soir et lundi sauf jours fériés et en saison. Menus de 19 à 33,50 € (125 à 220 F). Le nom vous dit sûrement quelque chose, normal : l'adresse a bien été fondée par la famille du célèbre, fort en gueule et très médiatique entraîneur de rugby. Une institution locale : le décor marin est patiné par les années, la terrasse semble avoir toujours été là, face aux bateaux, les serveurs ont du métier. Le chef aussi : bonne cuisine, au goût du jour sans tomber dans l'expérimentation hasardeuse. Menus d'un rapport qualité-prix fort honorable. Apéritif maison offert sur présentation du *GDR*.

L'Eau à la bouche *(hors plan couleur par D3,* ***27****) :* 54, rue Muiron, Le Mourillon. ☎ 04-94-46-33-09.

Fermé les dimanche et lundi (et à midi en août). Ouvert jusqu'à minuit. Menu à 20 € (131 F). Vous allez craquer pour ce petit resto sans prétention, avec sa terrasse extérieure ouvrant sur une placette du Mourillon, véritable village dans la ville. Tout ici rappelle la mer qu'on voit danser un peu plus loin, des plats à la carte (un pavé de thon excellent, pour changer) au décor de la salle, tout en bois peint, avec des tableaux et bibelots éminemment marins. Si vous voulez changer d'air, et revenir sur terre, bon râble de lapin au pistou ou vrai tartare coupé au couteau. Un couple charmant, lui en cuisine, elle à l'accueil, officie pour s'occuper de votre bien-être. Laissez-vous faire...

Plus chic

|●| ***Le Jardin du Sommelier*** *(plan couleur B2,* ***24****)* **:** 20, allée Courbet. ☎ 04-94-62-03-27. ♿ À côté de la place d'Armes, derrière l'arsenal. Fermé les samedi midi et dimanche. Formule à 14,50 € (95 F), le midi en semaine ; autres menus à 27,50 et 33,50 € (180 et 220 F). Compter 33,50 € (220 F) à la carte. Qu'est-ce qui est le plus important pour l'amateur de bonne chère ? L'assiette et son contenu ou le verre et son nectar ? Ici, un sommelier et un chef ont compris que l'un n'allait pas sans l'autre. Car voilà une adresse pleine de belles saveurs, de bonnes odeurs et de jolies couleurs. La décoration dans les tons jaune et bleu donne un côté joyeux et ensoleillé. Les fragrances qui s'échappent des assiettes mettent l'eau à la bouche et lorsque vous aurez goûté le tartare d'écrevisses moutarde à l'ancienne et basilic, le suprême de pintade et semoule à la cannelle ou le chaud moelleux au chocolat, vous aurez compris que la passion fait faire de belles choses... Accueil amical, il va sans dire !

Où boire un verre ?

🍷 ***Le Bar à Thym*** *(hors plan couleur par D3,* ***30****)* **:** 32, bd Cunéo, Le Mourillon. ☎ 04-94-41-90-10. Ouvert de 18 h à 3 h en début de semaine et jusqu'à 5 h le week-end. Fermé le dimanche. Un bar de jeunes qui organise régulièrement des soirées rock, blues, jazz, samba. Bière pas forcément donnée, mais *happy hours* de 18 h 30 à 20 h 30. 12 bières pression. Enfin un endroit où la fête est possible !

🍷 ***Le 113 Café*** *(hors plan couleur par D3,* ***31****)* **:** 113, av. de l'Infanterie-de-Marine. ☎ 04-94-03-42-41. Ouvert tous les jours de 16 h à 0 h. Installé dans un ancien hangar. Plein de billards, *tapas* et petits plats mexicains si vous avez un creux. Concerts de groupes régionaux en semaine, *DJs* le week-end.

🍷 ***Le B des Cochons*** *(plan couleur C3,* ***32****)* **:** 503, av. de la République. ☎ 04-94-03-04-75. De 7 à 11 € (45 à 72 F) les plats ou les salades à la carte. Bar coloré qui, avec quelques tables, se transforme en petit restaurant pour manger cubain. Un endroit sympa pour prendre un verre, le soir, dans un cadre agréable.

🍷 Autour de la place Puget, quelques terrasses bien accueillantes : on a un faible pour celle du ***Puget*** avec ses fauteuils moelleux et ses inamovibles joueurs d'échecs.

🍷 Testez l'ambiance des bars des quais (***Le Soleil, Le Navigateur***...), l'été ou les soirs où un bateau étranger fait relâche dans le port. Sur les quais toujours, mais dans un autre registre, l'élégant ***Grand Café de la Rade,*** haut lieu de rendez-vous du Tout-Toulon. Ouvert toute l'année jusqu'à minuit (fermé le lundi soir hors saison). Ici sont organisées des rencontres « philo » un mardi sur deux, de 19 h 30 à 21 h 30. De la philo à Toulon ? Preuve que la ville change à toute vitesse...

À voir

La vieille ville

★ ***La fontaine des Trois-Dauphins*** *(plan couleur C2)* **:** place Puget. Une des multiples fontaines de la ville (qui doit d'ailleurs son nom à *Télo*, déesse celto-ligure des sources jaillissantes). Ces trois dauphins sculptés en 1782 ont disparu, engloutis par la végétation et le calcaire déposé par l'eau. Curieuse fontaine donc, qui ressemble presque à une source naturelle. Terrasses de bistrot tout autour.

★ ***La rue d'Alger*** *(plan couleur C3)* **:** piétonne, c'est la principale artère commerçante de la vieille ville. À son débouché sur les quais, dans le square Germain-Nouveau, vous ne verrez plus la statue en bronze du *Génie de la Navigation,* symbole que les facétieux Toulonnais avaient surnommée « Cuverville » (vous comprendrez en voyant la partie postérieure de son anatomie tournant le « dos » à la mer...) : celle-ci a été réinstallée sur son lieu d'origine sur le carré du port, devant la mairie d'honneur.
De part et d'autre de la rue d'Alger, s'étend la partie la plus ancienne de la vieille ville. Enchevêtrement de ruelles, de placettes. Un quartier à atmosphère. Glissez-vous dans l'étroite ***rue Saint-Vincent,*** baladez-vous le nez en l'air dans les rues ***du Noyer, des Tombades, de la Fraternité.*** Ici, une franche rénovation, là des taudis qui sont d'authentiques maisons médiévales. En glissant vers la place d'Armes, on traverse un quartier populaire, à la population d'origine maghrébine. Impression subite d'avoir déjà traversé la Méditerranée : couscous à prix d'amis dans de petites échoppes, chaises sorties dans la rue, gosses souriants qui jouent au foot, effluves de raï qui s'échappent des fenêtres...

★ Bordant la ***place d'Armes*** *(plan couleur B2),* création de Colbert, comme une carte postale Yvon défraîchie, quelques ruelles aux façades délavées et lézardées rappellent le Toulon colonial des années d'après-guerre. Bars interlopes, néons agressifs ou agonisants, sirènes trop fardées, filles à matelots, « Miss France 1954 »..., une atmosphère avant tout. Probablement le dernier « quartier réservé » de la Côte encore un peu structuré.

★ ***L'église Saint-Louis*** *(plan couleur B2)* **:** de la fin du XVIIIe et néo-classique, elle ressemble plus à un temple grec qu'à une église. Impression confirmée dans le chœur avec ses colonnes corinthiennes.

★ ***La cathédrale Sainte-Marie-de-la-Seds*** *(plan couleur C3)* **:** construite au XIe siècle, elle a été restaurée au XIIe siècle et agrandie au XVIIe siècle puis au XIXe siècle. De ces derniers travaux datent la façade classique et le massif clocher. Pour visiter l'intérieur, apporter sa lampe de poche... Dommage pour l'autel baroque réalisé par un neveu et élève de Puget, les nombreux tableaux des XVIIe et XVIIIe siècles dont une belle *Annonciation*...

★ ***Le cours Lafayette*** *(plan couleur C3)* **:** cours provençal typique où se tient tous les matins sauf le lundi un marché... provençal typique. Le fameux marché de Provence chanté naguère par Gilbert Bécaud, natif de Toulon (eh oui, ça ne nous rajeunit pas tout ça).

★ ***Le musée du Vieux Toulon*** *(plan couleur C3)* **:** 69, cours Lafayette. ☎ 04-94-62-11-07. Ouvert tous les jours sauf les dimanche et jours fériés, de 14 h à 18 h. Entrée gratuite. Maquettes, toiles et photos anciennes pour cerner ce qu'était le Toulon d'avant les bombardements de la Seconde Guerre mondiale. Étonnants objets fabriqués par des bagnards : noix de coco délicatement sculptées, messe (eh oui, avec 12 personnages et 3 autels !) glissée dans une bouteille. Une salle d'art religieux avec quelques belles pièces, comme ces livres liturgiques du XVIe siècle provenant de l'abbaye de Leyre, en Espagne.

★ ***L'église Saint-François-de-Paule*** *(plan couleur C3)* **:** construite au XVIIIe siècle pour servir de chapelle au couvent attenant. Durement touchée lors des bombardements de 1944 puis restaurée, elle dresse à l'angle de l'avenue de la République et du cours La Fayette sa façade en courbes et contre-courbes, si typique des églises baroques de cette époque et son clocher génois. Trois nefs séparées par des colonnes doubles et un bel autel en marbre polychrome.

Le port

★ ***Les quais :*** masqués par les immeubles d'après-guerre de l'avenue de la République qui ont singulièrement mal vieillis (à quand une réflexion approfondie sur leur devenir architectural ?). Seuls vestiges du passé : les *Atlantes* de Pierre Puget (XVIIe siècle), gigantesques sculptures qui soutiennent le balcon d'honneur de l'ancien hôtel de ville. Ils représentent deux allégories (la force et la fatigue) parfaitement à leur place ici. Et saluez pour nous la statue du bon « Génie » de Toulon, l'index toujours tendu vers la mer et le derrière vers la ville...
Le vieux bassin (ou darse vieille) du port n'est désormais consacré qu'à la plaisance mais la balade reste agréable, surtout en fin de journée.

★ ***Le musée national de la Marine*** *(plan couleur B3)* **:** place Monsenergue. ☎ 04-94-02-02-01. En juillet et août, ouvert tous les jours de 10 h à 18 h 30 ; de septembre à juin, de 10 h à 12 h et de 14 h à 18 h, sauf les mardi et jours fériés. Visite guidée sur demande. Entrée (couplée avec la visite de la Tour Royale) : 5 € (33 F) ; demi-tarif pour les 6 à 18 ans. Superbe porte monumentale du XVIIIe siècle, décorée de statues de Puget. À l'intérieur, au rez-de-chaussée, maquettes géantes de voiliers du XVIIIe siècle, d'une impressionnante minutie (elles servaient à l'instruction des élèves officiers de marine) ; quelques superbes pièces sorties des ateliers de sculpture de l'arsenal, dont une magnifique figure de proue représentant Neptune, des estampes, photos, plans, peintures se rapportant à la mer, et une foule d'étonnants objets : la marmotte ou mèche où les fumeurs venaient prendre du feu parce que les allumettes étaient interdites à bord, d'impressionnants clous de bardage en cuivre. À l'étage, quelques souvenirs des guerres coloniales (cloche de pagode, maquettes de jonque) et, moins passionnantes, des maquettes de bâtiments récents.

★ ***L'arsenal*** *(plan couleur A-B2)* **:** il s'étend au sud de la place d'Armes, création de Colbert. Une ville dans la ville avec 268 ha ! L'arsenal et le port militaire (le plus grand de France) font vivre près de 15000 personnes, civiles et militaires, sur l'agglomération toulonnaise. Près de l'entrée, splendide porte du XVIIIe siècle à quatre colonnes doriques. Pas de visite (pour l'instant). Rattrapez-vous avec les visites commentées de la rade (voir « À faire »).

La haute ville

Au nord de la « basse ville », prenez le temps de découvrir ce quartier haussmannien aéré (le baron Haussmann fut préfet du Var au milieu du XIXe siècle), riche en monuments, dont la construction fut décidée après la visite de l'empereur Napoléon III qui trouvait la ville un peu trop à l'étroit dans ses murailles.

★ ***Le théâtre*** *(plan couleur C2)* **:** les Toulonnais persistent à appeler opéra ce bâtiment (le plus grand de province avec 1800 places) à la façade surchargée de statues. Reconnaissons-lui le mérite de proposer chaque année une des rares saisons d'opéras et d'opérettes dignes de ce nom en France.

★ ***La place de la Liberté*** *(plan couleur B-C2)* **:** c'est le cœur de la haute ville, idéal pour se donner rendez-vous et boire un verre en terrasse, à l'ombre des platanes ou palmiers qui la bordent. Admirez au passage la façade du *Grand Hôtel* et la *Fontaine de la Fédération*, réalisée par les frères Allar...

★ ***Le musée des Beaux-Arts*** *(plan couleur B2)* **:** 113, bd du Maréchal-Leclerc. ☎ 04-94-36-81-00. Ouvert tous les jours sauf les jours fériés de 13 h à 19 h. Entrée gratuite. Expos temporaires là encore à partir des très riches fonds du musée. Mais, depuis quelques années, on n'y voit plus que des toiles bien académiques d'artistes régionaux d'art contemporain... Autre musée municipal dans le même bâtiment de style Renaissance mais construit au XIXe siècle, le *muséum d'Histoire naturelle.*

Le mont Faron

Rio a son Pain-de-Sucre, Toulon (toutes proportions gardées) le Faron. Aride montagne qui dresse ses pentes de calcaire blanc en arrière-plan de la ville. Du sommet, à plus de 584 m d'altitude, vue franchement époustouflante sur la rade, la ville et les environs. Possibilité d'y monter par la route ou en téléphérique. ☎ 04-94-92-68-25. Attention : le téléphérique ne fonctionne pas les jours de grand vent. Départ de la gare inférieure, bd Amiral-Vence. Ouvert tous les jours en juillet et août, sinon fermé le lundi ; en juillet-août, de 9 h 30 à 19 h ; de septembre à juin, de 9 h 30 à 12 h et de 14 h à 18 h. Trajet en 6 mn. Tarif : 6 € (40 F) ; enfants de 4 à 10 ans : 4 € (26 F). Possibilité de billet groupé téléphérique-visite du zoo.

★ ***Le zoo :*** au sommet. ☎ 04-94-88-07-89. Ouvert en saison tous les jours de 14 h à 18 h 30. Fermé les jours de pluie. Entrée : 6 € (40 F) ; de 4 à 10 ans : 4,60 € (30 F). Plus qu'un zoo, l'endroit se présente comme un centre de reproduction des fauves. Les naissances, relativement nombreuses, alimentent des parcs ou réserves en France ou à l'étranger. On y verra donc principalement des félins, pour beaucoup représentants d'espèces en voie de disparition : lion, tigre, jaguar, puma, serval et autre panthère des neiges. Quelques singes également.

★ ***Le mémorial du Débarquement en Provence :*** au sommet. ☎ 04-94-88-08-09. Ouvert tous les jours de début juillet à fin août, de 9 h 45 à 17 h 30 ; hors saison, de 9 h 45 à 11 h 45 et de 14 h à 16 h 30. Entrée : 4 € (26 F) ; demi-tarif pour les enfants de 5 à 16 ans et les étudiants. Un monument pour commémorer la libération du Sud-Est de la France par les armées alliées en août 1944. Et un musée qui retrace le détail des opérations : diorama animé de 15 mn, films d'époque sur le débarquement, etc.

Le Mourillon et la Corniche varoise

Au sud-est du centre-ville, sur une pointe fermant la petite rade, un des plus attachants quartiers de Toulon. Oh, rien d'extravagant : quelques rues qui sillonnent une grosse colline, un petit port et la plage populaire du Lido, la première anse des quatre composant les plages du Mourillon. Mais une ambiance, une vraie vie de village.
Au-delà de la plage du Lido débute la corniche varoise. Comme celle de Marseille, c'est un quartier plutôt chic avec son jardin d'acclimatation, ses villas cossues noyées dans la verdure, un petit morceau de Côte d'Azur aux portes de la ville.

★ ***La Tour Royale :*** av. de la Tour-Royale. ☎ 04-94-02-17-99. Du 1er avril au 30 septembre, ouvert tous les jours de 10 h à 18 h 30 ; du 1er octobre au 31 mars, pendant les vacances scolaires de 13 h 30 à 18 h. Entrée couplée avec celle du *Musée de la Marine.* Construite au XVIe siècle pour protéger le port : des canons étaient installés sur la plate-forme. Mais elle a surtout servi de prison. Dans l'immense salle des gardes, divisée en cachots, on peut encore voir des graffiti laissés par les prisonniers.

★ ***Musée des Arts Asiatiques :*** 106, bd. Eugène-Pelletan (entrée : 169, littoral Frédéric-Mistral). ☎ 04-98-00-41-00. Ouvert tous les jours sauf lundi et jours fériés de 13 h à 19 h (18 h d'octobre à avril). Installé en fait dans les locaux de la villa Jules Verne, sur le périmètre classé du *Fort Saint-Louis*, il domine le petit port et l'entrée de la rade. Une suite de legs bienvenus ont permis la création de ces 400 m² d'exposition permanente de collections acquises en Extrême-Orient, au Tibet et dans le Sud-Est asiatique, souvent par des marins toulonnais... Boutique proposant des objets fabriqués par la *Réunion des Musées Nationaux*.

À faire

Visites commentées de la rade : pendant 1 h, en bateau, découverte de l'arsenal, du cimetière de bateaux, du port de La Seyne... 8 € (55 F) par personne. Renseignements sur les quais ou à l'office du tourisme.
Balades en vedette : vers la *plage des Sablettes* et la *presqu'île de Saint-Mandrier*. Départ des bateaux en été pour les *îles de Porquerolles, Port-Cros* et *du Levant*. Renseignements sur les quais.
➢ ***Le sentier des douaniers :*** la balade familiale classique des Toulonnais. De l'école municipale de voile du Mourillon jusqu'à l'anse Méjean. 1 h aller-retour. Superbe panorama tout au long de la balade. On croise en chemin quelques villas luxueuses cachées au fond de parcs luxuriants, le massif fort du cap Brun (XIXe siècle). Puis, vers l'anse de Méjean, ce sont criques secrètes, calanques aux eaux turquoise et petits rendez-vous de pêcheurs...

Une bonne adresse pour manger un poisson grillé, les pieds dans l'eau et le nez au vent, si la faim vous tenaille : ***L'Escale***, chemin de la Batterie-Basse. ☎ 04-94-36-06-64.

Fêtes et manifestations

– ***Marché provençal :*** tous les matins sauf le lundi, le long du cours La Fayette.
– ***Marché bio :*** le vendredi matin, place Dupuy-de-Lôme (Le Mourillon).
– ***Marchés aux puces :*** tous les dimanches de 5 h à 13 h à Sainte-Musse sur la commune de La Garde; et un peu à l'écart de la ville, les samedi, dimanche et jours fériés, av. Sainte-Claire; les lundi et vendredi, les mercredi et dimanche (différents terrains), La Farlède, ZI de Toulon Est.
– ***Foire aux vieux papiers de collection :*** chaque 1er samedi du mois, place Victor-Hugo (devant le théâtre).

Culture et vie nocturne

– Une belle saison d'opéras et opérettes, au ***Théâtre Municipal.*** ☎ 04-94-92-70-78.
– ***Le Centre national de la Création et de la Diffusion culturelle :*** BP 118, Ollioules. ☎ 04-94-22-74-00. Ce fut un lieu culturel sans équivalent en France. Rappelez-vous, vous le connaissiez sous un autre nom, moins minable, plus romantique : *Théâtre national de la Danse et de l'Image de Châteauvallon*. Sa disparition restera attachée aux heures noires du Front National à Toulon... Mais plantons le décor, pour ceux qui auraient manqué quelques épisodes. Le site d'abord est magnifique : un amphithéâtre de plein air de 1 200 places et un ensemble de bâtiments (studios de répétitions,

théâtre couvert) construits autour d'une ancienne bastide du XVIIe siècle, à flanc de colline. Fondé en 1965, le TNDI s'est ensuite fait une réputation nationale en œuvrant pour la diffusion de la culture contemporaine. De 1972 à 1976, son festival de jazz a, par exemple, permis de faire découvrir le free-jazz au public français. Son travail de promotion de la danse contemporaine (Carolyn Carlson, Maurice Béjart, Cunningham, Preljocaj...) restera. Ce n'est malheureusement pas uniquement pour ces raisons que Châteauvallon est aujourd'hui célèbre ; pendant toutes les années 1990, le TNDI s'est heurté à la droite dure toulonnaise : interdiction d'un concert de NTM par le préfet du Var, retrait financier de la ville de Toulon... Un bras de fer qui a abouti à l'exclusion du co-fondateur du lieu, Gérard Paquet. Fin d'une belle aventure ? Oui et non. Le TNDI existe toujours, sous un autre nom. Le lieu reste magique et la programmation ambitieuse et ouverte aux expérimentations. Mais pour les inconditionnels de l'époque Paquet, Châteauvallon est devenu un centre culturel comme il en existe beaucoup en France...

– ***Concerts*** rock ou variétés au *Zénith-Oméga.* ☎ 04-94-22-66-66.
– ***Festival de Musique de Toulon et sa région :*** de début juin à mi-août. Concerts classiques et groupes folkloriques dans le cadre des plus beaux lieux historiques du département (tour royale, abbaye du Thoronet, collégiale de Six-Fours...).
– ***Jazz à Toulon :*** en juillet. Festival gratuit avec concerts de rue et ateliers musicaux.
– ***Rythm'Estival :*** en août. Un grand festival gratuit. Concerts de musiques du monde sur la plupart des places de la ville.

LA « PROVENCE D'AZUR »

Provence ou Côte d'Azur, cette portion de côte entre Toulon et le Lavandou ? Le débat n'en finirait pas, entre ceux qui revendiquent le côté provençal des vignes et villages que vous trouverez sur votre chemin, et les tenants d'un tourisme balnéaire azuréen en diable (auxquels on serait tenté de donner raison puisque c'est à Hyères qu'est née officiellement l'appellation « Côte d'Azur »). Pour les réconcilier, le tourisme a inventé cette formule plus consensuelle que conceptuelle : la Provence d'Azur. Il suffisait d'y penser !

Adresse utile

ℹ ***Maison du tourisme de la Provence d'Azur :*** Forum du Casino, 3, av. Ambroise-Thomas, BP 721, 83412 Hyères Cedex. ☎ 04-94-01-84-30. Fax : 04-94-01-84-31. • www.provence-azur.com •

LE PRADET

(83220) 11 160 hab.

Une petite station balnéaire azuréenne typique, plus calme et plus reposante que la grande ville voisine. Ce qui explique que Churchill, mais aussi Claudel, Valéry et Bernanos, ou encore Fernandel et Raimu, y aient en leur temps séjourné. La station, comme l'affirme le slogan local, est « à déguster nature » ! Poumon vert de l'agglomération toulonnaise, Le Pradet offre, intra-muros, un sentier de botanique autour du musée de la Mine et de nombreuses balades dans le bois de Courbebaisse et sur le sentier du littoral. « Pradet » vient de *Pra* (qui signifie « pré » en provençal), et la ville a toujours exploité son espace agricole et forestier. Le massif de la Colle Noire qui domine la rade de Toulon est riche d'une flore qui ravira les amateurs de randonnées. Dès le Moyen Âge on y planta de la vigne, et quelques châteaux évoquent ce passé historique. Évidemment, avec l'avènement du tourisme de masse et l'aménagement de la côte, la ville a bien changé.

Adresse utile

i ***Office du tourisme :*** place du Général-de-Gaulle. ☎ 04-94-21-71-69. Fax : 04-94-08-56-96. • off tourismelepradet@yahoo.fr • Ouvert en saison tous les jours, sauf le dimanche après-midi, de 10 h à 13 h et de 15 h à 19 h. Ouvert sinon du lundi au vendredi de 10 h à 12 h et de 15 h à 18 h. Toutes les listes d'hébergement possible disponibles à l'office. Suffit de demander.

Où manger ?

I●I ***Le Médaillon :*** 96, chemin San Peyre. ☎ 04-94-21-05-68. Fermé dimanche soir et lundi (hors saison). Menu à 17 € (110 F). Compter 40 € (262 F) à la carte. Une adresse maligne qui a su évoluer avec le temps et les saisons. En été, on vous sert poissons grillés et saveurs provençales, en hiver, c'est une bonne et copieuse cuisine du sud... ouest ! Du gascon pur et dur, qui va bien avec la cheminée et la rusticité de la salle. Terrasse et jardin sinon pour ceux qui viennent ici se refaire une santé, aux beaux jours.

Plus chic

I●I ***La Chanterelle :*** port des Oursinières. ☎ 04-94-08-52-60. Fermé le mercredi (hors saison) et en janvier-février. Menu à 30 € (195 F). Compter sinon 38 € (250 F) à la carte. Une belle adresse pour les gastronomes autant que pour les amateurs de jardin. L'intérieur est un havre de paix (ce qui peut sembler normal sur un port !), où le bois rassure, mais la jolie terrasse fleurie, avec sa fontaine, est là-aussi pour ravir les amateurs de verdure. Des beaux produits, cuisinés à la perfection, comme la salade de gambas ou le loup grillé. Parfait glacé au miel de lavande ou à la chartreuse pour finir en beauté.

À voir

★ ***Le musée de la Mine du Cap Garonne :*** chemin du Bau-Rouge. ☎ 04-94-08-32-46. Fax : 04-94-21-95-85. ♿ Hors vacances scolaires, ouvert les mercredi, samedi, dimanche et jours fériés (sauf à Noël et le Jour de l'An) de 14 h à 17 h ; pendant les vacances scolaires (toutes zones), tous les jours de 14 h à 17 h (17 h 30 en juillet et août). Entrée : 5,30 € (35 F) ; enfants de moins de 12 ans : 3 € (20 F) ; étudiants : 3,80 € (25 F). Visite guidée (1 h 15). Ouverte à l'exploitation en 1863 par décision de Napoléon III, devenue champignonnière après la Seconde Guerre mondiale, l'ancienne mine de cuivre du Cap Garonne a été transformée en musée en 1994. Surplombant les panoramas les plus grandioses de la Méditerranée, elle compte parmi les plus beaux sites minéralogiques du monde. On y découvre, au travers de reconstitutions scéniques, la vie des mineurs il y a un siècle ; puis, à l'aide de microscopes, une infinie variété de microcristaux aux formes mystérieuses et aux couleurs éblouissantes. Enfin, la dernière partie du circuit conduit le visiteur dans un musée du cuivre, unique en son genre. Intéressant voyage au cœur de la terre, qui passionnera petits et grands.

★ ***Le parc Cravero :*** au centre-ville. On y trouve différentes sortes de palmiers et des espèces rares. Superbe bassin en pierre du XVIe siècle. Voir aussi les jardins du ***Bois de Courbebaisse***, en face, nouvellement créés par les *mains vertes* de la cité, avec notamment un jardin des sauges des 5 continents et un rucher pédagogique pour mettre le monde des abeilles à la portée des petits mais aussi des grands... Rassurez-vous, les visiteurs sont protégés, lorsque l'apiculteur ouvre sa ruche pour faire sa démonstration. Rucher ouvert tous les jours sur rendez-vous au ☎ 04-94-21-23-38, de 9 h à 12 h et de 13 h 30 à 18 h. Tarif : 5,30 € (35 F). Enfant : 2,30 € (15 F).

CARQUEIRANNE (83320) 8562 hab.

Gros bourg typique qui vit tranquillement toute l'année. L'idéal (mais vous n'êtes pas obligé !) serait d'y passer au printemps, quand éclosent les champs de tulipes (80 % des tulipes françaises poussent par ici). Sur le littoral, petit port de pêche des Salettes et quelques plages sympas comme la crique du Canebas.

Adresse utile

🅸 ***Point-infos tourisme :*** au rez-de-chaussée de la mairie, place de la République. ☎ 04-94-01-40-40. Fax : 04-94-01-40-41.

Où dormir ? Où manger ?

🏠 ***Chambres d'hôte L'Aumônerie :*** 620, av. de Font-Brun. ☎ 04-94-58-53-56. À la sortie de Carqueyranne, direction Hyères, prendre la 1re route à droite après celle qui conduit au camping. Doubles de 64 à 76 € (420 à 500 F) selon la saison, petit déj' compris. Petite maison pour deux de 76 à 92 € (500 à 600 F). Cadre plutôt idyllique : la mer comme seul vis-à-vis, à peine le jardin à traverser pour descendre sur une petite plage privée. 3 chambres charmantes dans une grande maison, ancienne propriété d'un aumônier de marine ; la plus petite est d'ailleurs installée dans l'ancienne chapelle. Les deux autres chambres, à l'étage, disposent d'une douche ou d'une baignoire mais se partagent les toilettes. Également une petite maison individuelle avec cuisine équipée. Petit déj' servi sur la terrasse, face à la mer. Très bon accueil.

🏠 🍽 ***Hôtel Richiardi :*** port des Salettes. ☎ 04-94-58-50-13. Fax : 04-94-12-94-64. Resto fermé le lundi et le dimanche soir hors saison. En juillet-août, ouvert seulement le soir. Congés annuels la seconde quinzaine de novembre et en janvier. Doubles de 33,50 à 49 € (220 à 320 F) en basse saison, et de 49 à 58 € (320 à 380 F) en haute saison. Menus de 15 à 22 € (100 à 145 F). Petit hôtel familial face au port. Chambres toutes simples mais plaisantes (les plus agréables ont une terrasse côté port) et bien tenues. Accueil sympathique. Cuisine évidemment d'humeur marine, avec une vraie personnalité.

Manifestation

– ***Corso :*** en général, mi-avril. Joli défilé de chars décorés de fleurs (pour la capitale de la tulipe française, c'est un minimum...).

HYÈRES-LES-PALMIERS (83400) 53300 hab.

C'est la grande ancêtre des stations balnéaires de la Côte d'Azur, terme consacré créé par celui qui inspira à Daudet le personnage du sous-préfet aux champs, Stephen Liégeard. Député sous le Second Empire, bien marié et donc libre de son temps et de son argent, il publia un roman sur la Riviera qui ne passa guère à la postérité, en 1888, en dehors de cette formule célèbre que lui avait inspirée une autre côte, plantée de vignes, entre Dijon et Beaune : la Côte d'Or.
C'est ici que le goût oriental – si à la mode en France aux XVIIIe et XIXe siècles – avait commencé à prendre forme, dans l'art de la pierre comme dans celui des jardins, plantés de palmiers et de plantes exotiques. On comprend ceux qui sont tombés sous son charme, au XIXe siècle...
Mais Hyères-les-Palmiers a durement payé ces dernières décennies pour une image de marque écornée par un milieu politique qui la faisait plus ressembler à un décor pour un remake des *Tontons Flingueurs* qu'à un rêve d'Orient. Ce n'est peut-être pas un hasard si, au milieu de la longue liste de films tournés par ici, on compte pas mal de polars, depuis *Le Cave se rebiffe*, au début des années 1960, jusqu'au superbe *Vivement dimanche*, de Truffaut, au début des années 1980.
Heureusement, Hyères a pas mal d'atouts dans son jeu pour redevenir une ville où il fait bon vivre, à commencer par ses espaces verts... et bleus. C'est en effet l'une des communes les plus étendues de France : son territoire s'allonge sur 30 km de la pointe de la presqu'île de Giens à la vallée de Sauvebonne. Sans compter les îles...

UN PEU D'HISTOIRE

Les Grecs, fondateurs de Marseille, avaient déjà installé sur le littoral, là où aujourd'hui s'éclatent les véliplanchistes, un comptoir appelé Olbia. Lui succéda une ville romaine nommée Pomponiana. Au début du Moyen Âge, le bord de mer, peu sûr, est abandonné au profit d'une colline voisine sur laquelle les seigneurs de Fos ont édifié leur château. Le sel extrait des marais place Hyères en concurrent direct de Toulon sur cette portion de côte. Toulon retrouve sa prédominance après le démantèlement du château en 1620 sur ordre de Louis XIII.
Hyères devra attendre les prémices du tourisme pour se refaire une santé économique. Au XIXe siècle, le développement du chemin de fer permet l'extension du tourisme d'hiver. Tolstoï, Michelet (qui se paie le luxe d'y mourir), la reine d'Espagne et, avant eux, Mme de Staël, Lamartine, Talleyrand apprécièrent la cité des palmiers.
Les Anglais furent les plus enthousiastes pour ce littoral au climat doux même en plein cœur de l'hiver. Ça change de la perfide Albion à la même époque ! L'écrivain Stevenson, la reine Victoria, le grand bourlingueur Albert Young et quelques autres séjournèrent à Hyères, la station concurrente de Nice. Les médecins londoniens recommandaient chaudement le climat de l'endroit pour leurs patients atteints de tuberculose, la maladie du XIXe. Du coup, de splendides villas s'édifièrent ; il en reste encore quelques-unes, un peu moins fastueuses. N'ayant pas su se doter de l'infrastructure touristique nécessaire, la cité perdait ses habitués. Ainsi Cannes et Nice devinrent vite les destinations privilégiées. À partir de 1936, le visage de toute la Côte se trouve quelque peu changé par les premières vagues de congés payés. Les tentes font leur apparition dans la région. Encore aujourd'hui, avec ses environs et la presqu'île de Giens, Hyères affirme sa vocation de station populaire avec une foule de campings et d'hôtels. Autant dire que vous ne serez pas vraiment seul l'été...

Adresses utiles

- ***Office du tourisme :*** 3, av. Ambroise-Thomas, 83412 Hyères Cedex. ☎ 04-94-01-84-50. Fax : 04-94-01-84-51. Hors saison, ouvert du lundi au vendredi de 9 h à 18 h et le samedi de 10 h à 16 h; en saison, toute la semaine de 8 h à 20 h. Organise des visites (à partir de 8 personnes) du 15 juin au 15 septembre sur des thèmes divers : Hyères médiéval, la villa Noailles...
- ***Gare SNCF :*** renseignements, ☎ 08-92-35-35-35 (0,34 €/mn, soit 2,21 F).
- ***Bateaux :*** *pour Port-Cros, le Levant, et Porquerolles,* ☎ 04-94-58-21-81.
- ***Location de vélos, motos et voitures :*** contacter l'office du tourisme. ☎ 04-94-01-84-50.

Où dormir ? Où manger à Hyères-ville ?

Hôtel du Soleil : rue du Rempart. ☎ 04-94-65-16-26. Fax : 04-94-35-46-00. • www.hotel-du-soleil.fr • Doubles avec douche et w.-c. de 35 à 65 € (230 à 430 F) suivant la saison, avec bains de 40 à 73 € (260 à 480 F). Petit déj' inclus en haute saison. TV satellite. Parking payant. Une vieille mais belle maison de pierre mangée par le lierre, à deux pas de la ville médiévale, du parc Saint-Bernard et de la villa Noailles. Chambres toutes différentes (vieux murs obligent), gentiment rénovées. On avoue un petit faible pour les « chambres de bonne » nichées sous les toits pour leur vue, au loin, sur la mer. 10 % de réduction sur le prix de la chambre pour un minimum de deux nuits, sur présentation de ce guide.

Hôtel Les Orangers : 64, av. des Îles-d'Or. ☎ 04-94-00-55-11. Fax : 04-94-35-25-90. Doubles de 35 à 46 € (230 à 302 F) selon la saison. Parking pour motos. Hôtel familial simple, qui doit son nom aux quelques orangers plantés dans le patio. La confiture du petit déj'. vient de là : un régal ! Préférez les jolies chambres qui donnent sur cette cour bien agréable. Sinon, c'est (hélas) très bruyant. 10 % de réduction sur le prix de la chambre hors vacances scolaires et longs week-ends à nos lecteurs.

Hôtel du Portalet : 4, rue de Limans. ☎ 04-94-65-39-40. Fax : 04-94-35-86-33. Ouvert toute l'année. Doubles avec douche et w.-c., TV de 32 à 38 € (210 à 250 F). Un petit hôtel où le savoir-recevoir n'est pas encore passé de mode. Tenue avec soin, la maison possède quelques chambres simples et propres. Un très bon rapport qualité-prix. Sur place, location de vélos et de voitures. 10 % de réduction pour nos lecteurs sur le prix de la chambre d'octobre à mars.

La Fringale : 12, rue de Limans. ☎ 04-94-35-42-52. Fermé le dimanche. Compter autour de 16 € (105 F). Un lieu pour ceux qui ont faim de fête encore plus que de pizzas, de grillades ou de pâtes maison, faites à la bonne franquette par un patron d'origine normande. Celui-ci fait tout, tout seul, hors saison, se repliant dans une salle aux murs peints au chiffon et présentant des artistes contemporains. Il attend l'été avec impatience pour mettre le « feu » à cette adorable rue piétonne, en invitant des musiciens du soleil.

Restaurant Vanille-Chez Jo : 22, rue de Limans. ☎ 04-94-65-31-13. Fermé le dimanche midi et le lundi midi en été, le dimanche et le lundi toute la journée en hiver. Fermeture annuelle en novembre. Plat du jour à 11 € (72 F). Salades de 6 à 9 € (40 à 60 F). La salle est minuscule, dissimulée derrière une vitrine remplie de plantes vertes. À l'intérieur, une déco baroque, un peu kitsch, où les tables de jardin côtoient la commode Louis-Philippe, le tout rehaussé de décorations de

Noël. Du délire! Question cuisine, des grandes salades, beaucoup de pâtes (celles à l'ail sont extra). Et, tous les jours, un plat copieux (daube, bien souvent). Accueil souriant et discret. Ambiance nonchalante. Ici, on prend son temps.

I●I ***Le Bistrot de Marius :*** 1, pl. Massillon. ☎ 04-94-35-88-38. Fermé le mardi et le mercredi matin. Congés annuels du 15 novembre au 10 décembre et du 10 janvier au 5 février. Menus de 15 à 31 € (98 à 205 F). Dans la vieille ville, au pied de la tour dite des Templiers. Grande terrasse sur cette belle place. Resto un brin touristique, mais qui entend se battre pour défendre la qualité des produits... Saine initiative. Vous devriez donc vous régaler autant avec les quenelles lyonnaises qu'avec les poissons grillés. Café offert à nos lecteurs sur présentation du *Guide du routard.*

Où dormir? Où manger dans les environs?

À Costebelle et à l'Almanarre

⌂ ***Hôtel Port-Hélène :*** D 559, à l'Almanarre. ☎ 04-94-57-72-01. Fax : 04-94-57-96-10. • contact@hotel-port-helene.fr • Ouvert toute l'année. Doubles avec douche et w.-c. ou bains de 38 à 70 € (250 à 460 F). Également des studios avec cuisinette de 43 à 77 € (280 à 500 F). La route à traverser pour être sur la plage de l'Almanarre et des chambres certes conventionnelles mais propres et nettes (certaines avec balcon) dans une petite maison un peu années 1950. Bon accueil.

Au port de l'Ayguade

Camping

⛺ ***Camping du Domaine du Ceinturon :*** rue des Saraniers. ☎ 04-94-66-32-65. ♿ À 80 m de la grande plage de l'Ayguade. Ouvert de fin mars au 30 septembre. Un camping 3 étoiles, tout confort. Juste à côté, même profil pour un deuxième terrain, ouvert uniquement de début juin à fin août (☎ 04-94-66-39-66).

Bon marché à prix moyens

⌂ I●I ***La Reine Jane :*** port de l'Ayguade. ☎ 04-94-66-32-64. Fax : 04-94-66-34-66. • reine.jane@wanadoo.fr • Fermé le mercredi; congés annuels en janvier. Doubles de 38 à 53 € (250 à 350 F) selon le confort. Demi-pension obligatoire en été et pendant les vacances scolaires. Au resto, menus de 9 à 28 € (59 à 185 F). Dans une petite maison bleue et blanche, une quinzaine de chambres toutes simples mais agréables avec leurs fenêtres qui s'ouvrent sur le port. Au resto, poissons grillés, fruits de mer, daube à la provençale. Accueil très sympa. Réduction de 10 % sur le prix de la chambre hors vacances scolaires, sur présentation du *Guide du routard.*

I●I ***L'Abri Côtier :*** 31, pl. Jean-Pierre-Daviddi. ☎ 04-94-66-42-58. Sur la promenade qui longe la plage de l'Ayguade. Ouvert seulement d'avril à septembre. Plat du jour autour de 8 € (52 F). Compter dans les 15 € (100 F) à la carte. Quelques tables seulement pour ce minuscule resto de bord de plage. Baraque de bois multicolore qu'on imaginerait facilement sur une plage des Caraïbes. Petits plats sympas (salade de moules, sardines grillées, daube de poulpe au vin des Borels, omelette au *brocciu* corse). Accueil et service nonchalants. Digestif maison offert en fin de repas, pour préparer la sieste.

À Hyères-plage et au port Saint-Pierre

■ ***Hôtel Le Calypso :*** 36, av. de la Méditerranée. ☎ et fax : 04-94-58-02-09. • olivier.tillie@wanadoo.fr • Congés annuels du 1er décembre au 10 janvier. Doubles de 32 à 45 € (210 à 290 F) hors saison, de 38 à 49 € (245 à 323 F) en saison, petit déj' compris. Une maison de poupée agréable et pleine de charme. La mer est pratiquement à côté et le coin s'avère plutôt tranquille. Certaines chambres disposent d'une terrasse, les nos 9 et 10 d'un petit jardin privé. Excellent accueil. 10 % de réduction sur le prix de la chambre d'octobre à mars à partir de 2 nuits consécutives sur présentation du *GDR*.

■ ***La Rose des Mers :*** 3, allée Émile-Gérard. ☎ 04-94-58-02-73. Fax : 04-94-58-06-16. • rosemer@club-internet • Fermé de décembre à mars. Doubles avec douche et w.-c. de 52 à 75 € (340 à 490 F) selon l'exposition et la saison. Quasiment posée sur la plage, une maison genre années 1950, fréquentée par de nombreux habitués. Accueil d'un couple qui se donne beaucoup de mal pour vous être agréable. Les prix varient selon la vue (face à la mer, ça se paie) et la saison.

I●I ***La Brasserie des Îles :*** port Saint-Pierre. ☎ 04-94-57-49-75. Fermé du 1er novembre à mi-décembre. Menus à 22,50 et 32,30 € (148 et 212 F). Beaucoup plus cher à la carte. Resto à l'élégante déco contemporaine et marine : charpente de bois élancée, parquet et fauteuils d'osier, beau nappage. Ambiance sympa et bonne cuisine marine, d'une grande régularité. Ici, on peut craquer sans crainte pour la soupe de poissons et les filets de rougets en tapenade.

Sur la presqu'île de Giens

Campings

▲ ***L'International :*** La Réserve, 1737, route de La Madrague. ☎ 04-94-58-90-16. Fax : 04-94-58-90-50. À environ 1 km de Giens. Ouvert du 1er avril au 30 octobre. Accueil de 9 h à 12 h et de 15 h à 19 h. Correct et proche de la mer. Location de mobilehomes.

▲ ***Le Clair de Lune :*** 27, av. du Clair-de-Lune, La Madrague. ☎ 04-94-58-20-19. Fax : 04-94-58-15-90. • clair.de.lune@freesbee.fr • Ouvert du 1er février au 15 novembre. Ici, les minibus aménagés ou « Kangoo » ne sont pas admis. Verre de rosé de bienvenue offert à nos lecteurs.

Plus chic

■ I●I ***Hôtel Le Bon Accueil :*** route du Niel, à Giens. ☎ 04-98-04-55-10. Fax : 04-98-04-55-12. À Giens, une fois passé l'hôpital, prendre la direction du port du Niel ; à gauche, à la sortie du village. Congés annuels pour le restaurant de début novembre à mars, sauf pendant les fêtes de fin d'année. Doubles de 59 à 61 € (350 à 400 F). Demi-pension obligatoire en juillet et août : de 64 à 69 € (420 à 450 F) par personne. Au restaurant, menus de 19 à 35 € (125 à 230 F). Petit menu à 14 € (90 F) en été à midi. Autrefois, de la terrasse, on voyait la mer, les collines et l'adorable port du Niel. Aujourd'hui, la végétation a tout envahi, mais personne ne s'en plaint : on déjeune ou dîne à l'ombre d'arbres magnifiques, dans des senteurs quasi tropicales, au calme qui plus est ! Les chambres, restées elles aussi dans leur jus, sont donc d'une belle tranquillité, mais les lits, ici ou là, ont vécu. Ce qui fait qu'on tique un peu sur les prix...

À voir. À faire

La ville médiévale

Elle mérite vraiment une visite pour ses vieux quartiers et ses ruelles pittoresques. Pour les fans de Truffaut, ce sera une balade nostalgique sur les lieux du tournage de son dernier film : *Vivement dimanche...* On entre dans la vieille ville par la porte Massillon, vestige des fortifications. Quelques mètres plus loin, sur la gauche, débute la pittoresque rue couverte des Porches.

★ ***La place Massillon :*** au débouché de la rue Massillon, ancienne grande-rue toujours très commerçante, encore riche en portails Renaissance. La place est dominée par la *tour Saint-Blaise,* abside massive d'une ancienne commanderie des Templiers.

★ ***La collégiale Saint-Paul :*** ouvert de 10 h à 12 h (12 h 30 le dimanche) et de 15 h à 18 h (18 h 30 d'avril à octobre). Fermé le lundi matin et le mardi. Escalier monumental menant à une porte Renaissance. Clocher roman. Juste à côté, une superbe maison Renaissance percée d'une porte de ville et surmontée d'une tourelle d'angle ronde. La collégiale abrite une surprenante collection d'ex-voto, dont le plus ancien date de 1613. Au niveau du chevet, une pierre gravée indique que Robertus, enfant sans sépulture, a été enseveli dans le roc par son père.

★ Quelques rues à arpenter autour de la collégiale : la ***rue Sainte-Claire*** menant à la porte des Princes et au castel Sainte-Claire, la ***rue Paradis*** et son élégante maison romane (au n° 6) à fenêtre à colonnettes.

★ Après avoir passé le joli ***parc Saint-Bernard*** (ouvert tous les jours de 8 h à 17 h, et même 19 h en été, entrée gratuite), la route, puis un sentier montent aux ***ruines du château.*** De là-haut, magnifique panorama.

★ ***La villa Noailles :*** montée de Noailles. De la place Clemenceau, prendre le cours de Strasbourg jusqu'à la police municipale, puis itinéraire fléché. Visites guidées du 15 juin au 15 septembre, tous les vendredis à 16 h 30, organisées par l'office du tourisme. Durée : 1 h 30. Tarifs : 4,50 € (30 F) ; enfants à partir de 12 ans et étudiants : 1,50 € (10 F). Départ à partir de 8 adultes. Sinon, la villa peut se visiter quand elle accueille des expos (entrée libre).
Superbe villa construite par Mallet-Stevens, entre 1924 et 1933, pour Charles et Marie-Laure de Noailles, richissimes mécènes, amateurs d'art moderne. Ce fut l'un des lieux phares du bouillonnement intellectuel et créatif de l'entre-deux guerres. Man Ray y tourna son premier film : *Les Mystères du château de Dé*, Giacometti travailla dans un atelier au milieu du parc, Buñuel y écrivit en 1930 le scénario de *L'Âge d'Or*. Bien d'autres heureux mortels, dont Cocteau, séjournèrent dans cet immense volume de cubes superposés accueillant la lumière par de grandes baies vitrées. Contrairement aux apparences, l'architecte n'a pas utilisé le béton mais les matériaux traditionnels des constructions provençales : brique et enduits naturels. Cette « maison infiniment pratique et simple », comme la souhaitait le vicomte de Noailles, s'étendait toutefois dans les années 1930 sur 2400 m² dont 600 de terrasses et englobait une piscine, un gymnase, un terrain de squash. Une ouverture sur la nature indispensable en ces temps où l'on mettait en avant (différemment d'aujourd'hui !) le culte du corps. Des lieux très spacieux qui tranchaient avec la quinzaine de chambres monacales réservées aux invités et avec la modestie des salons et de la salle à manger... Petite précision, l'entretien de ce château des temps modernes, nécessitait l'emploi d'une bonne vingtaine de domestiques.

Monument emblématique de l'architecture moderne, la villa Noailles revient pourtant de loin. Quasiment abandonnée après la mort de Marie-Laure de Noailles en 1970, rachetée quelques années plus tard par la ville de Hyères, elle a connu des vicissitudes diverses avant d'être petit à petit restaurée... Mais les murs écaillés n'ont pas empêché le *Festival international des Arts de la Mode* de s'y dérouler ces dernières années, pas plus que de remarquables expositions temporaires d'y être montées. Mode et design y font désormais bon ménage, les étudiants y trouvent une terre d'accueil et une bibliothèque, et tous les visiteurs, une ouverture sur le rêve.

★ ***L'église Saint-Louis :*** du XIIIe siècle. C'est ici que le premier roi routard de l'histoire vint prier au retour de sa première croisade.

La ville XIXe siècle

En contrebas de la ville médiévale, de grandes avenues, des villas et édifices publics, élégants vestiges du premier âge d'or touristique d'Hyères au XIXe siècle. Quand un certain Alexis Godillot, qui avait fait fortune en fournissant des chaussures (le mot « godillot » vient de là) aux armées de Napoléon III pendant la guerre de Crimée, possédait un quart de la ville.

★ ***Les villas Belle Époque :*** petite balade à la rencontre de ces témoins d'une époque révolue comme l'imposant *Park Hôtel,* sur l'avenue Jean-Jaurès, où Bonaparte déposa Joséphine avant d'embarquer pour la campagne d'Égypte. Ou la rigolote *villa Godillot* au n° 70, av. Riondet. Juste en face descend l'avenue Godillot (« interdite aux voitures non suspendues », prévient encore une vieille pancarte de fonte), d'où l'on aperçoit la belle *maison mauresque.* En tournant à gauche dans l'avenue de Beauregard, on trouvera au n° 1 une autre villa d'inspiration orientale, la *villa tunisienne.*

★ ***Le parc Olbius-Riquier :*** av. A.-Thomas. ☎ 04-94-00-78-65. Ouvert tous les jours ; en été, de 7 h 30 à 20 h ; hors saison, de 8 h à 17 h. Entrée gratuite. Annexe du jardin d'acclimatation de Paris, aménagée au milieu du XIXe siècle. 6,5 ha et une végétation franchement luxuriante : gingko biloba, bambous, agaves, et bien sûr ces palmiers dont la ville d'Hyères s'est autoproclamée capitale française (il y a même ici une association des « Fous de Palmiers » !). Quelques animaux également : oiseaux exotiques dans la serre, singes, daims, chèvres naines ou émeus.

★ ***Le Musée municipal :*** galerie du *Park Hôtel*, av. de Belgique. ☎ 04-94-00-78-80. Ouvert le lundi et du mercredi au samedi de 10 h à 12 h et de 14 h 30 à 17 h 30. Fermé le mardi et les jours fériés (sauf pendant les expos temporaires). Entrée gratuite. Archéologie, meubles et section d'histoire naturelle.

Sur le littoral

★ ***Le site archéologique d'Olbia :*** vers la plage de l'Almanarre. ☎ 04-94-57-98-28. Ouvert tous les jours du 1er avril au 30 juin de 9 h 30 à 12 h 30 et de 14 h 30 à 19 h, et du 1er juillet au 30 septembre de 9 h 30 à 12 h 30 et de 15 h à 19 h. Vestiges d'un comptoir maritime grec : on distingue encore nettement les traces des habitations, de thermes romains...

★ ***Simone Berriau Plage :*** juste avant le port des Salins. Encore un bel exemple d'architecture moderne. Résidence de tourisme conçue en 1962 pour Simone Berriau, productrice et directrice de théâtre. De grands noms du spectacle y avaient acheté des appartements.

Les plages : Hyères en totalise une bonne vingtaine de kilomètres. D'est en ouest, on rencontre la *plage des Salins* (réservée en partie aux naturistes et aux... militaires !). La très longue plage de sable brun de *l'Ayguade* s'étend ensuite jusqu'au port Saint-Pierre. Le long de la route du sel qui mène à la presqu'île de Giens s'allonge la plage de l'*Almanarre,* très souvent ventée et devenue LE spot de fun-board de la côte. Elle accueille régulièrement une étape de la coupe du Monde de la discipline. Le long du tombolo de la presqu'île de Giens, des plages familiales abritées du vent comme la *Capte* ou la *Bergerie.* Et pour ceux qui ne rechignent pas à une balade avant la baignade, quelques belles petites plages à découvrir sur la presqu'île comme celle de la *pointe des Chevaliers* (lire ci-dessous).

★ LA PRESQU'ÎLE DE GIENS

À une poignée de kilomètres au sud d'Hyères-Ville, sa forme évoque une botte (dommage, le surnom est déjà pris par l'Italie). La presqu'île est reliée au continent par un double tombolo. Quesaco? Un phénomène rarissime (il n'en existe que deux en Europe) : deux cordons de sable qui ont formé un isthme à l'intérieur duquel subsistent des marais salants. Ces salins du Pesquier ont été exploités depuis le milieu du XIXe siècle jusqu'en 1995. Le Conservatoire du littoral tente de sauver cet espace sauvage des pelleteuses de quelques promoteurs immobiliers... Les flamants roses venus en voisin de Camargue et une foule d'autres oiseaux semblent s'y trouver à leur aise. On pourra les observer depuis la *route du Sel* qui longe la côte ouest du tombolo au départ de l'Almanarre. Pour une visite guidée, contacter la *Ligue Protectrice des Oiseaux.* ☎ 04-94-12-79-52.
Attention, la *route du Sel* est interdite à la circulation automobile du 15 novembre au 15 avril. Il faut dire qu'elle est constamment exposée au mistral, souvent inondée. Les plages ont d'ailleurs, année après année, tendance à diminuer comme une peau de chagrin (le tombolo est ici large de 50 m, contre 200 pour son faux jumeau). La presqu'île de Giens va-t-elle redevenir une île? En attendant, poussez jusqu'au joli village perché de ***Giens*** qu'adorait Saint-John Perse (il repose au cimetière) ou jusqu'au croquignolet petit port de pêche du ***Niel,*** niché dans une calanque.

Idée rando

➢ ***La presqu'île de Giens*** *(8 km, 2 h 30 aller-retour sans les arrêts)* **:** calanques, pointes et baies. Il s'agit d'une randonnée assez sportive, à faire par beau temps. Les îles d'Hyères sont à vos pieds, mais il y a peu de monde sur ce sentier solitaire.
En boucle de l'extrémité ouest du port de La Madrague à l'ouest de Giens. Balisage jaune. Ne pas s'approcher des zones militaires ou du rebord des falaises. Faire attention aux sentiers escarpés. Mais cela vaut le coup car on se prend à imaginer toute la Côte à l'image de ce joli coin. À consulter : *PR en littoral varois,* éd. FFRP; *Randonnées dans les îles d'Or et la côte varoise,* éd. Édisud. Carte IGN au 1/25000, n° 3446 O.
Du port de La Madrague de Giens, retrouver la plage que l'on emprunte sur la droite. S'il fait mauvais temps, prendre la route du mas de Redouno. Un escalier monte sur la falaise vers la calanque du Four-à-Chaux. Par des ravinements et des talus, le chemin se poursuit le long de la falaise. Attention, son rebord est instable! Un coup d'œil sur l'île de la Redonne et l'on poursuit par la calanque des Chevaliers. Pour les plus paresseux, en 35 mn, une piste permet alors de rejoindre le port de La Madrague. Le sentier continue par la crête côtière vers la pointe de l'Esquillier et la pointe Escampobariou (terrain militaire). À un petit col, suivre la crête jusqu'à la pointe de Rabat et redescendre en corniche jusqu'à la plage du Pontillon. Les dénivelées se font sportives autour de la pointe du Piguet et la calanque de Tamarin. L'itinéraire se dirige vers la plage de l'Arbousière où un chemin charretier remonte vers le nord jusqu'au port de La Madrague.
➢ Pour les plus courageux, le tour complet de la presqu'île (18 km, 5 h environ).

Fêtes et manifestations

– ***Marché paysan :*** le mardi matin en hiver et les mardi et jeudi en été place de la République ; le samedi matin av. Gambetta (toute l'année).
– ***Corso :*** en mars.
– ***Festival international des Arts de la Mode :*** la dernière semaine d'avril. Défilés de jeunes stylistes qui, pour certains, seront les grands couturiers de demain.
– ***Les Médiévales :*** fin juin-début juillet. Reconstitution de l'arrivée de Saint Louis de retour de la septième croisade, dans le port de l'Ayguade. Dans la vieille ville, défilé en costumes d'époque, marché médiéval, adoubement des chevaliers devant la collégiale...
– ***Aquaplaning :*** fin juin-début juillet. Festival international de musiques électroniques. Le plus *cool* des festivals français du genre. *DJs* sur les plages en fin d'après-midi (gratuit) et en soirée, concerts dans le cadre exceptionnel de la villa Noailles.

LES ÎLES D'HYÈRES (83400)

Trois îles fameuses : Porquerolles, Port-Cros et du Levant, appelées les *îles d'Or* à la Renaissance (les roches contenant du mica et brillant au soleil sont à l'origine de cette appellation). Bien que très touristiques, elles constitueront dans votre itinéraire autant d'étapes extrêmement agréables et reposantes.

★ *PORQUEROLLES (83400)*

La plus vaste des trois : environ 8 km de long sur 3 km de large. La plus fréquentée aussi : près de 13000 touristes par jour pendant l'été. Résultat : les plages sont surpeuplées et les déchets rejetés à la mer se multiplient. De quoi inquiéter les amoureux de Porquerolles.
Port des Poteries, port de la Bonté-Divine, port des Rochers, port des Lavandes : l'étymologie n'est pas claire mais chaque interprétation a sa raison d'être. Paradis de la marche familiale, en tous cas. Faisons un bref état des lieux. 300 habitants permanents, dont certains se battent pour instaurer des quotas, avant qu'il ne soit trop tard. Rares voitures. Il n'y a pas de routes (ouf !). Seuls des chemins de terre se faufilent entre les pins. On peut louer des vélos (à notre avis, le meilleur moyen de visiter l'île) à l'heure ou à la journée. Sur la côte nord, de superbes plages abritées par une flore très protégée. Côte sud très accidentée. C'est là que se trouve le phare que trois gardiens font fonctionner à tour de rôle. En dehors de juillet et août, possibilité de se promener sans rencontrer trop de monde. Village très agréable s'ordonnant autour de la charmante place d'Armes. Que dire de plus de ce rocher qui rappelle la Provence des siècles passés, mais dont on comprend mieux l'inquiétude des habitants quand ils se voient cernés, certains matins, par plus de 800 bateaux au mouillage...

Un peu d'histoire

On retiendra d'abord pour la petite histoire que l'île fut par deux fois offerte en cadeau de mariage. La première fois, lors du mariage d'Henri IV avec Marie de Médicis en 1600, et la seconde fois par François-Joseph Fournier à sa seconde épouse en 1912.
Celui-ci eut un destin peu commun. Ingénieur, issu d'une famille de mariniers belges, il participe à Panamá à la construction du canal de Lesseps,

puis part pour le Mexique y construire des lignes de chemin de fer. Il y découvre l'un des plus importants gisements d'or de la planète. Obligé de s'enfuir en 1907 en raison de la Révolution mexicaine, il rejoint le Vieux Continent et se remarie avec la fille d'un célèbre savant anglais. Séduit par la beauté de l'île, il l'achète aux enchères (152450 €, soit un million de francs !) et décide d'y vivre sur le mode de l'hacienda mexicaine. Il y fait venir des familles italiennes et entreprend de grands travaux d'exploitation agricole, reboisant l'île de vignes et de plantes exotiques. Il constitue ainsi une communauté autonome possédant sa propre école, son médecin, son usine électrique... Il meurt en 1935 et, en 1971, sur décision de Georges Pompidou, sa veuve se verra expropriée des trois quarts des terres pour préserver la nature et ouvrir l'île au tourisme.
La fin d'une époque, mais pour d'autres le début du rêve. Car la couleur de l'eau et la douceur du climat font de Porquerolles la « section terrestre du paradis », pour reprendre les mots de Simenon... De belles et bonnes vignes y prospèrent même joliment sur quelque 200 ha : domaine de l'Ile, toujours propriété des descendants de la famille Fournier, domaine de La Courtade et domaine Perzinsky.

Comment y aller?

➢ ***Du port de la Tour-Fondue*** à l'extrémité de la presqu'île de Giens, par la compagnie *TLV*. Renseignements : ☎ 04-94-58-21-81. De 5 départs par jour en basse saison à plus de 20 départs par jour en juillet et août. Se renseigner pour les horaires. 20 mn de trajet. 13 € (87 F) aller-retour plus le parking pour les voitures à 5 € (30 F) la journée. Possibilité de faire un circuit deux îles en une journée. Uniquement en haute saison.
➢ En été, bateaux également de ***Toulon,*** du ***Lavandou,*** de ***Cavalaire, La Londe, Bormes.***
– Lorsqu'un plan ALARM (alerte liée aux mauvaises conditions météorologiques : fort mistral, d'où risques d'incendie, par exemple) est déclenché, l'île ne se visite pas. Se renseigner avant l'embarquement.
– Pas de liaison régulière entre Porquerolles et Port-Cros.
– Pour les véliplanchistes confirmés, la traversée Giens-Porquerolles par un bon force 4 se révèle une balade sportive superbe d'une douzaine de minutes.

Adresse utile

🅸 ***Bureau d'informations :*** carré du Port. ☎ 04-94-58-33-76. Fax : 04-94-56-36-39. • www.porquerolles.com • Ouvert de 9 h à 13 h et de 14 h 30 à 17 h 30.

Où dormir? Où manger?

Seulement sept hôtels sur l'île, tous très chers. Réservation plusieurs mois à l'avance pour la haute saison. La plupart imposent la demi-pension. Pour satisfaire les fringales, une douzaine de *restaurants* inévitablement touristiques. Rien ne vous empêche d'apporter votre casse-croûte.

🏠 🍽 ***Les Glycines :*** pl. d'Armes. ☎ 04-94-58-30-36. Fax : 04-94-58-35-22. • auberge.glycines@wanadoo.fr • Demi-pension de 60 à 135 € (390 à 890 F) par personne, selon la saison. Menus de 15 à 26 € (99 à 169 F). Rénové dans un esprit très provençal, un hôtel de charme à découvrir en mars, à la saison des glycines, ou à l'automne, mais pas en plein été si vous voulez être vraiment dorlotés. À noter, un patio très agréable et une cuisine de la mer des plus savoureuses (tartare de poisson, omelette aux oursins, carpaccio de thon). Si vous avez les moyens, voilà notre adresse préférée sur cette île.

☗ |●| ***Hôtel Sainte-Anne :*** pl. d'Armes. ☎ 04-94-04-63-00. Fax : 04-94-58-32-26. • steanneporquerolles@wanadoo.fr • Au cœur du village, juste à côté de l'église. Congés annuels du 4 novembre au 27 décembre et du 5 janvier au 5 février. Doubles avec douche et w.-c. ou bains de 91 à 137 € (600 à 900 F). Demi-pension, obligatoire en juillet-août, de 70 à 102 € (460 à 670 F). Menus de 14,50 à 43,50 € (95 à 285 F). Chambres plaisantes (pas données, mais l'île veut ça). Salle à manger genre rustique de toujours. Ambiance familiale. Terrasse face à la place d'Armes.

|●| ***L'Alycastre :*** rue de la Ferme. ☎ 04-94-58-30-03. En plein cœur du village. Fermé le lundi hors saison et de mi-novembre à mi-mars. Menu à 21,34 € (140 F) et carte autour de 33 € (220 F). Une bien bonne adresse, au décor rustique typique, où l'on mange plutôt correctement. Bien sûr, beaucoup de poisson et notamment une excellente choucroute de la mer. Idéal sous les eucalyptus. Après, petite sieste bienvenue.

|●| ***Il Pescatore :*** carré du port. ☎ 04-94-58-30-61. Ouvert tous les jours du 1er mars au 1er novembre. Compter autour de 18 € (120 F). Le grand spécialiste du thon et de l'espadon pêchés en Méditerranée. Terrasse sur le port face à la rade d'Hyères. Extrêmement touristique, parfois vraiment trop...

À voir. À faire

Avant toute chose, quelques règles élémentaires : camping sauvage et bivouac proscrits, interdiction également de faire du feu, de fumer en dehors du village et de pratiquer la pêche sous-marine. Respect de la nature : pas de fleurs coupées ni de fruits cueillis, pas d'abandon d'ordures sur place. Enfin, économie de l'eau douce.
Le bureau d'informations édite un guide fort complet sur les balades possibles à réaliser, la flore et la faune à découvrir, ainsi que quelques dépliants.

Les plages

La plage d'Argent : à gauche du port. Elle doit son nom à son beau sable, composé de quartz blanc. Bien abritée et entourée d'arbres. Eaux transparentes.

Un peu plus loin, à la pointe ouest de l'île, ***plage du Grand-Langoustier***, dominée par un fort.

La plage de la Courtade : à droite du port, la plus fréquentée. Assez longue, très belle aussi, bordée de tamaris, de pins et d'eucalyptus. Petites criques de sable jusqu'au fort de Lequin.

La plage Notre-Dame : la plus grande de l'île. Agréable promenade de 3 km pour l'atteindre. Bordée d'arbousiers et de bruyère. La préférée des adorateurs du soleil. À l'extrémité de la plage, les cinéphiles retrouveront la *calanque de la Treille,* où Godard tourna l'une des plus belles scènes de *Pierrot le Fou.*

Quelques promenades

En plus des plages, voici quelques balades réalisables tranquillement en quelques heures.

➢ ***Le phare, le cap d'Armes et la calanque des gorges du Loup :*** plutôt que de prendre la route directe, suivre le petit chemin passant par le cimetière. Itinéraire moins « boulevard ». Compter de 1 h 30 à 2 h de balade. Au passage, on notera une expérience intéressante : à Porquerolles, les habitants ont en grande partie résolu le problème des eaux usées par le système du lagunage. Le soleil, l'oxygène, les algues, les bactéries éliminent presque complètement les germes. Au point que l'eau, réutilisée sans problème pour les cultures, paraît si propre qu'on a beaucoup de mal à empêcher les visiteurs de s'y baigner !
Le phare, le plus puissant de la Méditerranée après celui de Marseille, avec une portée de 54 km, est posé sur le point culminant de l'île. Après la calanque de l'Oustaou-de-Diou et le cap d'Armes, on atteint l'impressionnante calanque des gorges du Loup, où la mer se précipite impétueusement. Baignade extrêmement dangereuse dans ce coin-là. Lorsque le mistral souffle, on peut à peine tenir debout.

★ ***La balade des forts :*** vu sa situation géographique, Porquerolles fut de tout temps considérée comme une position stratégique de première importance. La poliorcétique (« art d'assiéger une ville », le *Routard* se doit d'étaler de temps à autre son immense culture !) s'y est donc beaucoup développée, ainsi qu'à Port-Cros.

– Au-dessus du village, expo permanente au ***fort de Sainte-Agathe*** sur l'histoire contemporaine de l'île, le parc national et les découvertes archéologiques faites dans la rade d'Hyères. Ouvert en mai et juin de 10 h à 12 h 30 et de 14 h à 17 h 30, en juillet et août de 10 h à 12 h 30 et de 15 h 30 à 17 h 30, et en septembre de 10 h à 12 h 30 et de 14 h à 17 h 30. Entrée payante. De la terrasse, beau point de vue. C'est un fort construit sous François Ier, sur l'emplacement d'une ancienne fortification romaine. Impressionnante épaisseur des murailles.
– À la pointe ouest de l'île, sur un îlot, ***fort du Petit-Langoustier,*** construit par Richelieu. Celui du ***Grand-Langoustier,*** à la pointe Sainte-Anne, est en ruine mais possède encore beaucoup d'allure. Visite assez risquée, surtout par jour de grand vent.
– Enfin, belle petite balade vers le ***fort de la Repentance,*** au nord-est, enfoui dans les buttes de terre.

★ ***Le conservatoire botanique :*** dans le hameau agricole, au centre de l'île. Entrée gratuite. Il n'y a pas que les animaux à être en voie de disparition. Les fruits et légumes aussi, menacés par l'agriculture à haut rendement. Ce conservatoire qui milite pour la biodiversité stocke, par exemple, les graines de deux mille variétés qui pourraient disparaître. Une collection complète, notamment de toutes les variétés et espèces de figuiers, mûriers et oliviers existant sur le territoire français. Joli jardin de plantes aromatiques ou médicinales. Et un verger où poussent mandarines, kumquats, figues et autres pamplemousses dont on fait de si bonnes confitures (*Les Saveurs des Vergers.* ☎ 04-94-38-78-75). Par contre, le microclimat marqué par une humidité certaine, même en plein été, n'a pas convenu à certains arbres fruitiers comme l'abricotier ou le cerisier.

– ***Attention,*** une partie de l'île (terrain militaire pas encore complètement déminé !) est zone interdite du cap des Mèdes à la pointe de la Galère. L'endroit est, en principe, signalé.

★ PORT-CROS *(83400)*

Depuis 1963, c'est à 100 % un parc national, et le seul d'Europe qui soit en même temps parc sous-marin et terrestre. Clause obligatoire des époux Henry, derniers propriétaires de l'île, dans leur acte de donation à l'État de ce qui n'a longtemps été qu'un bastion, avant de devenir ce havre de paix, qui envoûtait aussi bien Gide et Malraux que Jules Supervielle. Une tentative de préserver un petit morceau de forêt méditerranéenne resté intact et d'empêcher la dégradation des fonds marins, ainsi que la disparition de la végétation marine très menacée aujourd'hui. L'île propose un vaste réseau de sentiers aménagés pour découvrir une flore très riche. Des trois îles, c'est la plus montagneuse, de forme presque circulaire, avec une longueur maximale de 4,5 km. Elle s'étend sur 640 ha et dans la journée on peut en faire le tour. Le point le plus élevé, le *mont Vinaigre,* culmine à 196 m. Les rivages rocheux et déchiquetés ne livrent que deux toutes petites plages.

Ce paradis écologique est cependant menacé par un ennemi que l'on n'attendait point : son propre succès. Ce ne sont pas tant les centaines de milliers de touristes qui lui rendent visite chaque année, d'ailleurs, que les innombrables bateaux de plaisance qui y jettent l'ancre chaque jour. Difficile de dire combien avec précision, mais le chiffre est déjà beaucoup trop élevé aux yeux des amoureux de l'île...

Le seuil de saturation étant depuis longtemps dépassé, les effets négatifs deviennent vraiment alarmants. Certaines variétés d'arbres des rivages commencent à dépérir (ce qui est un comble), rongées par les eaux usées des plaisanciers et les détergents qu'ils véhiculent. Si les poissons semblent pour le moment s'en accommoder, en revanche les herbiers d'eau le supportent très mal. D'autant plus que les centaines d'ancres jetées et remontées quotidiennement les arrachent du fond impitoyablement. Encore ne nous étendrons-nous pas sur la pollution par le plomb des rejets des moteurs...

Cela dit, la situation ne se révèle pas encore désespérée. Quelques mesures radicales ont déjà été prises pour contrer les effets pervers du succès : camping et bivouac sont désormais strictement interdits, tout comme le mouillage dans certaines zones, pour protéger l'herbier de Posidonie.

Bien que l'île soit petite, elle abrite une grande variété d'animaux, principalement à plumes : 114 espèces très exactement. Les oiseaux migrateurs habituels y font escale : fou de Bassan, huppe, passereau, guêpier, etc. Les autres, goéland, fauvette mélanocéphale, hypolaïs polyglotte, bruant, zizi, pipit, rousseline, puffin cendré n'ont pas envie de quitter ce petit paradis. L'île abrite également des espèces rares : le faucon crécerelle, celui d'Éléonore, l'épervier, l'aigle botté, réapparu en 1980, et le plus grand coquillage du monde, la grande nacre (ou *pinna nobilis*), sorte de moule géante (elle peut dépasser le mètre) qui vit plantée à la verticale dans le sable.

Comment y aller ?

➢ ***Du Lavandou :*** avec les *Vedettes Îles d'Or,* 15, quai Gabriel-Péri. ☎ 04-94-71-01-02. Certains bateaux accostent à l'île du Levant. Le trajet avec escale au Levant dure 45 mn, en direct 30 mn. De 3 départs par semaine en basse saison à 7 par jour en été. Aller-retour Port-Cros : 20 € (129 F) ; enfants : 13 € (84 F). Même prix pour le Levant. Billet circulaire (Port-Cros, le Levant) : 24 € (157 F) ; enfants : 17 € (111 F).

➢ ***Du port d'Hyères :*** circuit deux îles (Port-Cros – île du Levant) 5 fois par jour en juillet et août uniquement. ☎ 04-94-58-21-81. 1 h de navigation pour Port-Cros.

Adresse utile

ℹ ***Bureau d'informations du parc :*** ☎ 04-94-01-40-72. Horaires variables suivant les saisons, téléphonez ! Pour tout renseignement sur l'île et le parc. Excellent accueil et indiscutables compétences.

Où dormir ?

Un seul hôtel, bourré de charme mais très cher. Quelques restos sur le port. Si l'on souhaite rester dans le coin, il vaut mieux résider au Levant, qui n'est, au fond, qu'à un quart d'heure en bateau. De mars à novembre, 1 départ par jour. De novembre à mars, 1 départ les mercredi, vendredi, samedi et dimanche.

Maison du Port : ☎ 04-94-05-92-72. Doubles de 46 à 54 € (305 à 355 F), minimum 2 nuits. Appartements à la semaine de 85 € (555 F), par jour et pour deux, à 152 € (1 000 F) pour quatre. Une bonne petite adresse tranquille pour qui voudrait résider sur l'île.

À voir. À faire

Situé dans une belle rade, le village de Port-Cros aligne ses charmantes demeures et ses palmiers. Point de départ pour aller à la découverte du plus merveilleux concentré de la flore méditerranéenne.
Même avertissement qu'à Porquerolles : en cas de risques d'incendie, donc de déclenchement du plan ALARM, les sentiers sont interdits. Seul l'accès aux plages est autorisé.

➢ Si vous ne disposez pas de beaucoup de temps, empruntez le **_sentier des Plantes_** qui contourne le fort du Moulin et grimpe au-dessus de l'adorable petit cimetière planté de cyprès comme tous, ou presque, les cimetières de Provence (les cyprès symbolisent la vie éternelle et la liaison entre le ciel et la terre). Avec la brochure du parc, possibilité d'identifier le ciste de Montpellier ou oléastre (olivier sauvage). Comptez 35 mn aller. En chemin, vous verrez le *fort de l'Estissac,* édifié sous Richelieu (visite et expo en été). Tout au long du sentier, les espèces sont signalées. On peut ainsi faire connaissance avec toutes les variétés de pins (maritime, d'Alep, parasol, etc.), avec les « yeuseraies » (concentration de chênes verts dans les vallons humides) et l'« oléolentisque » (brousse à oliviers, myrtes et lentisques). Au passage, l'euphorbe arborescente rappelle sa curieuse nature : elle se dénude totalement en été, rameaux et feuilles poussant en automne. L'herbe aux chats est tellement odorante que son parfum entêtant rend fou tous les matous (surtout à la mi-août).
Le maquis recèle aussi de nombreux arbustes et plantes : l'arbousier, un des rares végétaux à porter en même temps des fleurs et des fruits, la bruyère arborescente qui peut atteindre jusqu'à 7 m de hauteur et qui, dès mars, offre de belles fleurs blanches, le romarin, la lavande des îles, le ciste à feuilles de sauge, le genêt à feuilles de lin, etc. Plus toute la végétation halophile (qui aime le sel) aux si jolis noms : crithme (ou perce-pierre), laiteron glauque, lotus à feuilles de cytise, griffe de sorcière, etc.

Au bout de votre initiation d'herboriste, la **_plage de la Palud._** Assez bondée en été. Un choc. Et n'espérez pas trouver un débit de boissons pour vous rafraîchir !
Au retour de la balade, *fort de l'Éminence.*
Pour les plus courageux, deux autres balades :

➢ **_Le sentier des Crêtes :_** 3 h. Le sentier musarde d'abord à l'ombre de l'épaisse forêt du vallon de la Solitude (joli nom !). Après le *fortin de la Vigie*, on suit les crêtes au pied du *mont Vinaigre* (point culminant de l'île à 194 m d'altitude). Le sentier longe ensuite les impressionnantes falaises rocheuses de la côte sud jusqu'à la *pointe de Malalongue* face à la réserve de l'*île de Bagaud.*

➢ Ceux qui disposent de plus de temps peuvent effectuer le **_sentier de Port-Man,_** grande boucle de 10 km (soit 4 h) passant par le *col des 4-Che-*

mins, le *fortin de la Vigie* (qui ne se visite pas), l'ancienne *fabrique de soude*, le *fort de Port-Man* (belle vue sur l'île du Levant toute proche). Retour par la *pointe de la Galère* et la *plage de la Palud.* Itinéraire très complet (vallonné, ombragé et beaux paysages).

Port-Cros propose aux amateurs de plongée une balade haute en couleur : un ***sentier d'initiation et d'exploration en milieu sous-marin,*** situé entre la plage de la Palud et l'îlot du Rascas, sans danger (il ne dépasse pas 5 m de profondeur), parfaitement balisé. Il suffit d'être équipé de palmes, masque et tuba, et d'être capable de nager sur une longueur de 300 m. Le parc national a même édité une plaquette plastifiée permettant de suivre le parcours sous l'eau. Nombreuses espèces végétales dans l'herbier de Poséidon, véritable prairie de la mer, algues, etc.
Vous rencontrerez de merveilleux poissons dont certains sont fort peu farouches : bancs de sars, saupes, rascasses, rougets, girelles-paons, etc. Visite guidée avec un animateur du 15 juin au 15 septembre, tous les jours de 10 h 30 à 16 h sauf en cas de mauvais temps. Gratuit. Autour de l'île, des spots somptueux attendent les plongeurs expérimentés comme le très riche *îlot de la Gabinière* réputé pour ses mérous et cité parmi les 80 plus belles plongées au monde (lire plus loin la rubrique « Plongée sous-marine »).

★ *L'ÎLE DU LEVANT* *(83400)*

Longue de 8 km, large de 1,5 km, peut-être bien l'île la plus sauvage des trois : l'eau courante n'y est installée que depuis une décennie, l'électricité depuis 2 ans. Au village, en l'absence d'éclairage public, une lampe électrique n'est parfois pas un outil superflu ! Côté continent, ce ne sont que pentes escarpées, qui plongent dans la mer. On comprend vite pourquoi l'île du Levant a, de tout temps, été peu habitée. Pourtant, si le Levant reste aujourd'hui la moins fréquentée des trois îles (20 000 visiteurs par an contre 200 000 à Port-Cros), c'est pour d'autres raisons. Dans les années 1930, 10 % de l'île ont été achetés par deux toubibs, André et Gaston Durville, dans le but d'y promouvoir le naturisme. Difficile aujourd'hui d'imaginer que cette petite île fit tant parler d'elle il y a déjà quelques solides décennies de cela. D'autres centres naturistes se sont aujourd'hui fait une réputation beaucoup plus sulfureuse que le Levant. Qui plus est, ici, un « minimum » (maillot de bains ou paréo) est conseillé au village ou sur le port. Si vous avez de vieux fantasmes, vous risquez d'être déçu !
Le Levant est avant tout un lieu de repos total avec ses villas, ses petits hôtels noyés dans les mimosas et les lauriers-roses, ses sentiers qui serpentent dans la garrigue. Il n'y a évidemment pas de voitures sur l'île : on gagne le village d'Héliopolis en navette ou, mieux, à pied. Dépaysement garanti (on se croirait en Asie), en grimpant (ça grimpe vraiment !) en un gros quart d'heure le chemin du val de l'Ayguade. Si vous voulez vous muscler les mollets, prenez plutôt le sentier à gauche du port puis à droite le chemin de la Perspective (belle vue, effectivement). Du village, un sentier conduit vers les 25 ha de la réserve naturelle volontaire du domaine des Arbousiers. Pour le reste, l'île est, à 90 %, domaine militaire...

Un bagne d'enfants

Un épisode honteux (enfoui d'ailleurs dans les archives de l'île jusqu'à il y a une dizaine d'années) de l'histoire du Levant, ou comment ce petit paradis a pu se transformer en enfer. À la fin du XIXe siècle, le propriétaire de l'île, un certain comte de Pourtales, obtient de Napoléon III l'autorisation de créer sur l'île une « colonie agricole » pour jeunes délinquants. Des mineurs détenus à la prison parisienne de la Roquette sont transférés sur l'île, dans ce qu'il faut bien appeler un bagne pour enfants. Maltraités, affamés et exténués, 99 de ces enfants et adolescents (de 5 à 21 ans) mourront sur l'île.

Comment y aller?

➢ La plupart des bateaux se rendant à Port-Cros du ***Lavandou*** font d'abord escale au Levant. Se reporter donc à la rubrique « Comment y aller? » dans la partie sur Port-Cros.

➢ Bateaux d'***Hyères*** également avec la compagnie *TLV*. Renseignements : ☎ 04-94-58-21-81. En principe, 5 départs par jour en haute saison. Un seul en basse saison. 1 h de trajet. Possibilité de combiner Port-Cros et le Levant dans la journée.

Où dormir? Où manger?

Camping

⛺ ***Camping Colombero :*** ☎ 04-94-05-90-29. Pas loin de l'hôtel *Gaétan*, à 100 m du port. Ouvert de Pâques à fin septembre. Forfait emplacement tente pour 2 personnes à 12 € (80 F). Meublés dans bungalow de 26 à 35 € (170 à 230 F). Confort assez sommaire, mais bien tenu et surtout très bon marché. Jardin. Le propriétaire du camping possède aussi des meublés avec cuisine, situés sur le chemin de l'Ayguade entre le pont et le restaurant *La Source*. Bon accueil.

Prix moyens à plus chic

Comme à Porquerolles, une majorité d'hôtels fait avant tout pension complète ou demi-pension.

🏠 🍽 ***Hôtel Le Ponant :*** ☎ et fax : 04-94-05-90-41. Sur la côte, au-dessus de la plage des Pierres-Plates. Congés annuels du 21 septembre au 1er juin. Chambres avec douche et w.-c. de 76 à 91 € (500 à 600 F) par personne en demi-pension uniquement. Bâtiment années 1950 dressé comme la proue d'un vaisseau sur l'arête d'une des falaises qui bordent l'île. Des vastes terrasses aux fenêtres des chambres, la mer comme seul interlocuteur. Chambres « faites main » (quand il ne sculpte pas de sublimes créatures...) par Frets, atypique patron de cet atypique endroit. Toutes différentes, toutes séduisantes : de la roche qui affleure dans une salle de bains ici, du bois à profusion là. Cuisine simple mais goûteuse. Apéritif maison offert à nos lecteurs sur présentation du *Guide du routard*.

🏠 ***Villa Marie-Jeanne :*** ☎ et fax : 04-94-05-99-95. • naturiste.com/villamariejeanne • Entre le village et la plage des Pierres-Plates, sur le domaine naturiste d'Héliopolis. Congés annuels de fin octobre à Pâques. Studios équipés, de 52 à 75 € (341 à 492 F) pour deux. Dans une grande villa d'architecture très balnéaire, joliment rénovée. Studios plaisants et bien tenus (les proprios sont suisses, serait-ce pour cela?). Également loft et appartements. Sauna et salle d'exposition. Une bonne adresse de séjour. Accueil très sympa (bouteille de rosé dans le frigo du studio pour les routards assoiffés).

🏠 🍽 ***La Source :*** chemin de l'Ayguade. ☎ 04-94-05-91-36. Fax : 04-94-05-93-47. À deux pas du port; du débarcadère, emprunter la route qui monte. Congés annuels du 15 octobre au 1er avril. Doubles de 40 à 53 € (260 à 350 F). Demi-pension obligatoire en juillet et août : de 49 à 67 € (320 à 440 F) par personne. Menus à 17 et 20 € (112 et 132 F). Les fils de la patronne sont pêcheurs et proposent, dans une salle bien fraîche ou sous les canisses de la petite terrasse, des menus très poisson. Accueil plein de gentillesse. Profitez-en vite avant que *La Source* ne change de propriétaires. Dispose aussi d'agréables chambres dans des maisons disséminées au milieu des fleurs sur la colline. Apéritif offert sur présentation du *GDR* de l'année.

🏠 🍽 ***Hôtel Gaétan :*** chemin de l'Ayguade. ☎ 04-94-05-91-78. Fax : 04-94-36-72-71. À 300 m du port. Ouvert de mai à septembre. Doubles de 40 à 46 € (260 à 300 F) avec douche ou douche et w.-c. Demi-pension obligatoire en été : de 49 à 52 € (320 à 340 F) par personne selon la saison. Petit hôtel gentiment désuet. Chambres pas compliquées. Joli jardin exotique. Café offert à nos lecteurs ainsi que 10 % de réduction sur le prix de la chambre en avril sur présentation du *GDR*.

Plongée sous-marine

Excellentes nageuses, les filles du roi Olbianus s'étaient aventurées au large où elles furent prises en chasse par des pirates. Les dieux intervinrent et transformèrent les jeunes femmes en « îles d'Or ». Eaux limpides et très poissonneuses, telles sont les richesses inestimables des îles d'Or, petit paradis sous-marin local. Dans le parc national de Port-Cros, véritable sanctuaire de la vie marine, les mérous débonnaires (on en dénombre près de 200) resteront béats devant votre palmage nonchalant ! Particulièrement « chouchoutés », ils donnent la réplique aux autres espèces : daurades, loups, sars, saupes, castagnoles, girelles-paons, congres, murènes, poulpes... Ce petit monde se faufile harmonieusement dans une flore luxuriante qui renforce encore la féerie des plongées. Derrière l'île de Porquerolles, on trouve aussi l'épave du *Donator,* l'un des musts sur les côtes françaises. Très généreux en curiosités, ce vieux cargo ne doit pas pour autant vous faire oublier les lois implacables de la plongée sous-marine... Règle d'or aux îles d'Hyères : respectez absolument cet environnement fragile. N'apportez aucune nourriture aux poissons (à Port-Cros, c'est interdit), ne prélevez rien, et attention où vous mettez vos palmes ! Gare à la météo. Courants fréquents.

Clubs de plongée

■ ***Porquerolles Plongée :*** ZA n° 7, 83400 Île de Porquerolles. ☎ 04-98-04-62-22 ou 06-07-40-25-02. • www.porquerolles-plongée.com • Ouvert toute l'année. C'est l'unique centre de plongée (ANMP, PADI) de l'archipel (15 ans d'existence). Le proprio, Jean-Paul Costes (moniteur d'État), assure avec son équipe d'instructeurs professionnels les baptêmes, les formations jusqu'au niveau IV, les brevets PADI, ainsi que les explorations à la journée ou à la demi-journée sur Porquerolles, Port-Cros, Giens et Cavalaire. Après avoir enfilé votre équipement complet, vous rejoindrez les spots à bord d'un catamaran rapide (très design !) ou sur un chalutier avec compresseur à bord (pas de bouteilles à porter, ouf !). Stages épaves et Nitrox (plongée aux mélanges). Réservation obligatoire.

■ ***Destination Plongée :*** av. du Docteur-Robin, 83400 Hyères. ☎ 04-94-57-02-61 ou 06-62-37-53-27.• www.destination-plongée.com • Ouvert toute l'année. École (FFESSM, PADI) installée sur le port d'Hyères. Sur l'ancien chalutier reconverti en navire de plongée avec compresseur, l'encadrement est assuré par des moniteurs d'État. Albert Coria, le maître de bord, propose baptêmes, formations jusqu'au niveau IV et brevets PADI, plongées-explo autour des îles d'Or et de la presqu'île de Giens. Équipements complets fournis. Stages d'initiation à la biologie marine et découverte d'épaves prévus. Réservation souhaitée.

■ ***CIP Lavandou :*** quai des îles d'Or, 83980 Le Lavandou. ☎ 04-94-71-54-57. • www.cip-lavandou.com • Ouvert du 1er avril à mi-novembre. Établie sur le port du Lavandou, l'école (FFESSM, ANMP) – très bien équipée – arme 2 gros navires pour acheminer ses plongeurs sur les spots. Encadrement exemplaire de

Jean-Noël Duval, directeur du centre et moniteur breveté d'État, qui assure explorations, baptêmes et formations jusqu'au niveau IV. Départs quotidiens pour l'île de Port-Cros, et plusieurs fois par semaine pour les autres îles. En été, réservation 2 jours à l'avance souhaitable.

■ ***Aqualonde :*** place de l'Hélice, carré du Nouveau-Port, 83250 La Londe-les-Maures. ☎ 04-94-01-20-04 ou 06-09-88-45-55. Situé juste en face des îles. Ouvert de mi-mars à mi-novembre, et sur demande. Si plonger est votre seule ambition, embarquez donc sur *Idefixe,* le navire de cette école (FFESSM, ANMP). Jérôme Boutie et Philippe Douceret, les deux moniteurs brevetés d'État, mettent à votre disposition des équipements complets pour les explos, baptêmes et formations jusqu'au niveau III. 2 départs par jour pour Port-Cros et plongée à la carte possible. Stages épaves. Réservation souhaitable.

Nos meilleurs spots

Sur Port-Cros

La Gabinière : à partir du niveau I. Au sud de l'île, la plongée à ne pas manquer. En dévalant ce tombant (40 m maxi) aux eaux cristallines, vous recevrez l'accueil enjoué des innombrables mérous « pépères », devenus, au fil des années, les maîtres incontestés du lieu. Comment copiner avec eux ? Ignorez-les, et ils viendront tout seuls, par simple curiosité. Également d'impressionnants bancs de sars, saupes, mulets, girelles, castagnoles, loups, etc., engagés dans une parade frénétique au-dessus des gorgones, spirographes, éponges... Courant fréquent. « À deux brassées de palmes » et toujours au sud de l'île, 2 autres spots très cotés : ***la pointe du Vaisseau*** et ***la pointe de la Croix*** offrent de fameuses tranches de vie sous-marine... Plongée en dérive et paliers de décompression au parachute. Sites très fréquentés en été.

La pointe de Montrémian : pour plongeurs de tous niveaux. Au nord-ouest immédiat de l'île, cette belle plongée (40 m maxi) offre un paysage unique et très curieux : une dune hydraulique immaculée de 10 m de dénivelée où, à l'automne, d'imposantes raies pastenagues viennent se reproduire. Également pas mal de poissons plats, et sur les arêtes rocheuses à proximité : gorgones rouge éclatant, anémones jaune chatoyant ; un grand jardin de couleurs habité par de petites langoustes, des loups, sars... Courant fréquent.

La barge aux congres : pour plongeurs confirmés (niveau III). À côté du spot précédent. Également appelée *Tantine* par les intimes, cette épave abrite une colonie d'énormes congres par 48 m de fond. Promenez votre lampe torche sous la barge pour débusquer ces beaux bestiaux gris à gueule béante, alignés et bien timides depuis qu'il est interdit de les nourrir. Site exposé (voir météo).

Sur Porquerolles

Le Donator : pour plongeurs confirmés (niveau III). Au sud-est de l'île, l'une des épaves phares de Méditerranée. Pour réaliser un rêve de gamin, saisissez donc (avec des gants !) la grande barre à roue de ce cargo – magnifiquement conservé – reposant par 50 m de fond depuis 1945. Ensuite, effleurant les gorgones aux couleurs pimpantes (prendre une lampe torche), explorez les ponts, le nid de pie abattu. Très belle hélice de rechange et panorama superbe à la poupe. La faune est aussi exceptionnelle : mérous, congres, sars, daurades, rougets en brochettes... Ne pas trop s'attarder, et éviter toute incursion à l'intérieur. Cette plongée délicate ne doit pas excéder 15 mn. Attention, courant souvent violent. À proximité, ***la Sèche du Sarranier*** (de 15 à 45 m) : un « caillou » où la nature farouche prend merveilleusement ses aises. Niveau II.

Le Sec du Langoustier : à partir du niveau I confirmé. À l'ouest de l'île, sur ce riche îlot rocheux (de 18 à 40 m), vous admirerez le curieux flirt des congres et murènes réfugiés par deux dans les mêmes failles (prendre une lampe torche). Plusieurs mérous paisibles entament un bal de bienvenue au-dessus des magnifiques gorgones, et les petits poulpes solitaires n'ont rien d'effrayant au regard des *Travailleurs de la mer* (Victor Hugo). Quelques petites branches de corail rouge (pas touche !). Courant parfois sensible.

La Ville de Grasse : accessible aux plongeurs de niveau III confirmés. Au nord-ouest de l'île, une autre épave mythique accessible aux plongeurs aguerris. Coupé en deux lors d'un abordage en 1851, ce paquebot à vapeur gît par 50 m de fond. La partie arrière, avec la machine à vapeur et 2 grandes roues à aubes, représente un joli petit monument historique dédié à la marine d'antan. Cousteau s'y est beaucoup intéressé dans les années 1950, et l'on prétend aujourd'hui encore que l'épave recèle un trésor... Rêvons un peu ! Pour votre sécurité, cette plongée dans une zone sensible ne doit pas excéder 15 mn. Courant sensible.

Sur l'île du Levant

La balise de l'Esquillade : à partir du niveau II confirmé. À l'est de l'île, ces magnifiques paysages chaotiques (jusqu'à 35 m) offrent d'excellents abris pour les murènes, congres, rascasses et poulpes que survolent d'impressionnants bancs de barracudas (on les a vus !). Également quelques petites langoustes peu craintives. Claquez des doigts devant les superbes spirographes, la réaction est instantanée ! Plongée en dérive et paliers de décompression au parachute. Courant fréquent.

LA LONDE-LES-MAURES (83250) 8 840 hab.

Une petite ville qui vit tranquillement, hors saison surtout, à mi-chemin des palmiers d'Hyères et du massif des Maures dont elle est l'entrée discrète. Les plages ne sont pas loin (3 km de sable fin), ni les domaines et châteaux viticoles : on en compte 19 en plus de la cave coopérative, à découvrir le long d'une petite route que l'on adore. L'oléiculture (non, ce n'est pas la culture de la *Ola*, on est à La Londe, pas sur un stade ni autour d'une arène !) a depuis peu repris de l'activité, avec 3 producteurs dont un possédant la plus grande oliveraie du Var (pas mal, en une seule parcelle d'exploitation !).

Adresse utile

Office du tourisme : av. Albert-Roux. ☎ 04-94-01-53-10. Fax : 04-94-01-53-19. • www.ot-lalondelesmaures.fr • En juillet et août, ouvert de 9 h à 12 h 30 et de 15 h à 20 h ; hors saison, de 9 h à 12 h 30 et de 14 h 30 à 18 h 30. À compléter par une visite à *L'Oustalet du Terroir,* la maison du patrimoine londais. Ouvert le mercredi après-midi et le jeudi matin toute l'année, le dimanche matin durant les vacances scolaires. Expositions semi-permanentes et animations.

Où dormir ?

Camping Le Pansard : ouvert d'avril à octobre. ☎ 04-94-66-83-22. Fax : 04-94-66-56-12. • pansardcamping@aol.com • Un bon camping sur la plage pour passer l'été les pieds dans l'eau.

Où manger ?

🍽 ***Chez Francis :*** carré du Port-Miramar. ☎ 04-94-35-03-75. Sur le port. Fermé le dimanche soir et le lundi sauf en juillet et août. Congés annuels de novembre à février. Menu à 13,57 € (89 F). À la carte, compter environ 18 € (120 F). Dans un bâtiment récent, le classique resto de bord de mer. Cuisine toute simple (moules frites, poisson grillé) pas trop rudement facturée. Apéritif maison offert à nos lecteurs sur présentation du *Guide du routard* de l'année.

🍽 ***La Grupi :*** place du 11-Novembre. ☎ 04-94-66-84-70. Fermé les lundi et samedi midi. Menu à 20 € (132 F). Compter 24 € (160 F) à la carte. Des spécialités italiennes et provençales (pas si éloignées que ça les unes des autres, vous vous en rendrez vite compte sur place) que les locaux aiment bien. Et de bonnes pizzas pour concilier tout le monde.

Plus chic

🍽 ***Le Jardin Provençal :*** 15-18, av. Georges-Clemenceau. ☎ 04-94-66-57-34. ♿ Fermé les dimanche soir et lundi hors saison, et du 15 décembre au 15 janvier. Menus de 22 à 39 € (148 à 260 F). Compter 38 € (250 F) à la carte. Une petite salle genre « Provence revue par un magazine de déco » et, nécessairement, une agréable terrasse dans le jardin. Accueil charmant, service à la hauteur et une bien bonne cuisine de région : filets de sardines farcis, tartines provençales, soupière de favouilles et de moules crémées à l'ail, coq fermier mijoté au vin de Provence... Apéritif maison offert à nos lecteurs.

À voir

★ ***Le jardin d'oiseaux tropicaux :*** quartier Saint-Honoré. ☎ 04-94-35-02-15. Sur la D559. Suivre le fléchage. Ouvert tous les jours ; de juin à septembre, de 9 h à 19 h ; d'octobre à mai, de 14 h à 18 h. Entrée : 7 € (45 F) ; enfants de 3 à 14 ans : 5 € (33 F). Assez unique en son genre, avec ses quelque 450 oiseaux de 86 espèces différentes. Des célèbres toucans du Brésil aux pintades tropicales en passant par les calaos d'Asie, balade agréable dans un parc de 6 ha. Ici, vous ne pouvez faire que de jolies rencontres. Comme le martin de Rothschild, venu directement de Bali : rien à voir avec les oiseaux de nuit de la jet-set, ceux-ci étant vraiment rarissimes (il ne reste plus qu'une vingtaine d'individus de cette espèce). Beau jardin botanique et belle aire de pique-nique.

CABASSON (83230) ET LE CAP BRÉGANÇON

Quitter la N 98 et emprunter la délicieuse ***route des Côtes-de-Provence,*** qui va vers le cap de Brégançon. La promenade à vélo rêvée. Ça monte sans peine, ça descend tranquillou dans de sereins paysages. Coin absolument pas urbanisé. On se pince pour y croire. Traversée de nombreux domaines viticoles. Adorable plage de sable fin de Cabasson. Au bord d'une petite baie, noyée dans la verdure, à droite des rochers. Beaucoup de monde en été (parking payant), pratiquement personne en basse saison. Un petit troquet et une aire de loisirs pour les enfants. Au loin se profile la silhouette massive du fort de Brégançon. C'est là que notre président de la République vient se reposer de temps à autre des turpitudes du pouvoir. Croquignolet village de Cabasson. Prendre la route qui grimpe sur la colline surplombant le village. Panorama superbe sur toute la région.

Où dormir ? Où manger ?

Camping

⛺ *Camping de la Griotte :* 2168, route de Cabasson. ☎ 04-94-15-20-72. • lagriotte@free.fr • Situé à mi-parcours (3 km environ) sur la petite route entre Cabasson et Le Lavandou, au milieu des vignes. Ouvert d'avril à fin septembre. Emplacements de camping ombragés et location de caravanes et mobilehomes.

Plus chic

🏠 🍽 *Les Palmiers :* 240, chemin du Petit-Fort, 83230 Cabasson. ☎ 04-94-64-81-94. Fax : 04-94-64-93-61. • www.hotel-palmiers.com • Restaurant fermé le lundi et le mardi midi. Congés annuels de novembre à fin janvier. Doubles avec bains de 76,20 à 94,50 € (500 à 620 F). Chambres pour 3 ou 4 également. Demi-pension obligatoire de juillet à septembre, pendant les vacances de Pâques et les longs week-ends du printemps : de 80 à 93 € (525 à 610 F) par personne. Menus à 25 et 46 € (165 et 300 F). Formule estivale le midi à 15 € (100 F). Au milieu d'un grand jardin exubérant, une jolie maison de style provençal. Repos total et calme assuré. Certaines chambres avec terrasse au sud. Apéritif maison sur présentation du *GDR*.

BORMES-LES-MIMOSAS (83230) 6400 hab.

L'un des plus beaux villages de la Côte et l'un des plus étendus puisqu'il compte plus de 10000 ha entre le vieux village et le cap Brégançon. Le vieux village est un chouia trop touristique (mais les parkings – c'est à souligner par ici – sont gratuits) surtout en été : tout y est bien propre, léché, rénové, restauré, peaufiné. Hors saison, vous trouverez à Bormes un charme certain. De nombreux artisans et artistes y puisent en tout cas l'inspiration, et un grand nombre de célébrités viennent s'y reposer : les familles royales du Luxembourg et de Belgique et quelques acteurs soucieux de leur anonymat.
Et le mimosa ? Ici, pas la peine de chercher à faire son intéressant en prétendant tout savoir. Quand vous quitterez les pépinières du pays, vous finirez même par douter de sa couleur. Ce qu'on appelle bêtement mimosa a pour nom botanique *acacia* et il en existe plus de 1200 espèces au monde : « Ce qui est dit botaniquement pour le mot mimosa a pour nom français *mimeuse* et pour nom commun *sensitive* ». Du coup, on se contentera de reconnaître cet arbrisseau qui s'épanouit largement dans la région. Et de vous inciter à rencontrer un mimosiste (on appelle ainsi les professionnels qui cultivent certaines variétés pour l'exploitation de la fleur coupée). Une exploitation qui crée une certaine animation dans les villages alentour en hiver...
Ce n'est qu'à partir de 1920, pourtant, qu'on associa les mimosas à Bormes, avant d'officialiser l'appellation en 1968, année où partout ailleurs c'était le rouge, et non le jaune, la couleur du moment.

Adresses utiles

ℹ ***Office du tourisme :*** 1, pl. Gambetta. ☎ 04-94-01-38-38. Fax : 04-94-01-38-39. • www.bormeslesmimosas.com • D'avril à septembre, ouvert tous les jours de 9 h à 12 h 30 et de 14 h 30 à 19 h; d'octobre à mars, du lundi au samedi de 8 h 30 à 12 h 30 et de 14 h à 18 h. Petit circuit de visite du vieux village et plan détaillé de la commune de Bormes (utile, vous verrez!).

ℹ ***Annexe estivale :*** bd du Front-de-Mer. ☎ 04-94-64-82-57. Fax : 04-94-64-79-61. Ouvert de juin à septembre du mardi au samedi de 9 h à 12 h 30 et de 15 h à 18 h 30.

ℹ ***Maison de Bormes-les-Mimosas :*** 2273, av. Lou-Mistraou. ☎ 04-94-00-43-43. Fax : 04-94-00-43-44. Ouvert du lundi au samedi de 9 h à 12 h 30 et de 15 h à 18 h 30.

Où dormir?

Camping

⛺ ***Camp du Domaine :*** La Favière, BP 207. ☎ 04-94-71-03-12. • www.campdudomaine.com • Sur la plage. Depuis Toulon, par la N 559, tourner à droite 500 m avant Le Lavandou. Ouvert du 1er avril à fin octobre. L'un des plus grands campings de la Côte d'Azur. 25 ha de pinède, une grande plage de sable fin. Épicerie, resto, machines à laver. Espace raisonnable entre les tentes. Deux catégories de prix, qui varient en fonction de l'aménagement électrique. Pour juin, juillet et août, obligation de réserver. Cependant, les motorisés peuvent toujours tenter leur chance : un emplacement peut se libérer par hasard. Enregistrement des nouveaux arrivants obligatoire avant 19 h 45, sinon impossible de s'installer.

Assez bon marché

🏠 ***Hôtel Bellevue :*** 12, pl. Gambetta. ☎ 04-94-71-15-15. Fax : 04-94-05-96-04. Fermé de fin novembre à fin janvier. Doubles de 30 à 40 € (197 à 262 F). Au resto, menus de 13 à 24 € (85 à 158 F). Un petit hôtel-resto à la douce atmosphère provinciale... hors saison, du moins. Beaucoup de plats à la carte, vous allez pouvoir choisir. Les chambres donnent pour la plupart sur une forêt de toits. Apéritif maison offert à nos lecteurs.

Prix moyens

🏠 ***Hôtel Paradis :*** 62, impasse de Castellan. ☎ 04-94-01-32-62. Fax : 04-94-01-32-60. Sur la droite en descendant du village. Ouvert tous les jours du 1er avril au 30 septembre. Doubles avec douche à 42 € (275 F), avec douche et w.-c. ou bains de 55 à 66 € (360 à 433 F). Une adresse loin du circuit traditionnel, au calme, qu'on aime bien pour son luxuriant jardin. Pour un peu, on se croirait sur une île à l'autre bout du monde. Pas le grand confort, évidemment. Chambres simples, mal insonorisées, certaines avec vue (lointaine) sur la mer. Sur présentation du *GDR*, 10 % de réduction sur le prix de la chambre à partir de 2 nuits consécutives en avril, mai et juin et à partir du 15 septembre sauf les week-ends et jours fériés.

🏠 ***Hôtel de la Plage :*** rond-point de la Bienvenue, La Favière. ☎ 04-94-71-02-74. Fax : 04-94-71-77-22. À l'entrée de Bormes, prendre la direction du port, puis La Favière. Congés annuels du 1er octobre au 30 mars. Doubles avec douche et w.-c. de 43 à 49 € (282 à 321 F) selon la saison, avec bains de 55 à 61 € (360 à 400 F). Demi-pension obligatoire en juillet et août. Menus de 15 à 28 € (98 à 183 F). À part quelques concessions à la mode et au confort, rien n'a changé, dans l'esprit, depuis 1960. On joue à la pétanque, après le repas, dans le jardin. Si vous regrettez les vacances à la plage, façon Tati (Jacques, il faut préciser aujourd'hui !), offrez-vous un voyage dans le temps à bon compte. Seul regret : pour gagner la plage, il faut passer plusieurs immeubles de béton. Apéritif maison offert à nos lecteurs, sur présentation de ce guide, ainsi que 10 % de réduction, hors saison et grands week-ends, sur le prix de la chambre (à compter de deux nuits consécutives).

Plus chic

🏠 ***Le Grand Hôtel :*** 167, route du Baguier. ☎ 04-94-71-23-72. Fax : 04-94-71-51-20. • www.augrandhotel.com • ♿ Congés annuels en novembre. Parking gratuit. Doubles de 32 à 91 € (210 à 600 F). Dominant superbement le village, au milieu des palmiers, probablement l'un des 3 étoiles les moins chers de la Côte. Toutes les chambres ne sont évidemment pas de première jeunesse. Atmosphère un peu curiste début de XXe siècle pas désagréable du tout. On peut prendre le petit déj' dans le jardin. Si vous voyagez avec votre compagnon à quatre pattes, choisissez un autre établissement : ici, on n'accepte pas les chiens. Apéritif maison offert à nos lecteurs sur présentation du *Guide du routard*.

🏠 ***Chambres d'hôte La Bastide Rose :*** 464, chemin du Patelin, route de Cabasson. ☎ 04-94-71-35-77. Fax : 04-94-71-35-88. • bastide.rose@wanadoo.fr • À 2 km de Bormes-Plage. De la D 559, suivre la direction Cabasson ; à 1 km prendre à droite, c'est à 500 m. Fermé du 1er octobre au 31 mars. Doubles avec douche et w.-c. ou bains de 76 à 107 € (500 à 700 F) suivant la saison, petit déj' compris. Suite à partir de 107 € (700 F). N'accepte pas les cartes de paiement. 5 chambres superbes, à la décoration dépouillée digne d'un designer réputé oscillant entre Mexique, Italie et Provence (normal). Piscine, solarium, jacuzzi extérieur... Quant aux petits déj' sur la terrasse, c'est le bonheur absolu.

🏠 ***La Grande Maison :*** domaine des Campaux, 6987, route du Dom. ☎ 04-94-49-55-40. À une dizaine de kilomètres par la D 41 puis la N 98 direction La Mole (accès fléché sur la gauche depuis la nationale). Fermé en décembre et janvier. Doubles avec douche et w.-c. ou bains de 77 à 93 € (505 à 610 F), petit déj' non compris (autour de 8 €, soit 52 F). 2 suites à 107 et 123 € (700 et 800 F). Table d'hôte à 25 € (160 F). Maison d'hôte de charme installée dans une ancienne bastide au milieu des vignes, avec des chambres raffinées et des salles de bains spacieuses. Piscine.

Où manger ?

Prix moyens à plus chic

🍴 ***La Fleur de Thym :*** 2, rue P.-Toesca. ☎ et fax : 04-94-71-42-72. Fermé le lundi hors saison. Congés annuels du 15 novembre au 15 décembre. Menus à 18 et 26 € (120 et 168 F). Beau menu-carte à 30 € (195 F). À l'écart des flux touristiques, une adresse accueillante où l'on dîne de façon fort sympathique. Le chef (son œil noir nous regarde !) travaille remarquablement : cuisine apparente, mais vous n'êtes pas obligé de surveiller toute la préparation du plat ! Café offert à nos lecteurs.

🍴 ***Lou Portaou :*** 1, rue Cubert-des-Poètes. ☎ 04-94-64-86-37. Fermé le mardi hors saison, les lundi et jeudi midi en juillet-août. Congés annuels du 15 novembre au 20 décembre. Menu unique à 28 € (185 F). Vous entrez dans un univers entre Molière et *Le Bossu,* entre la comédie et le film de cape et d'épée. Déco pleine de tableaux, de pierre, de beau mobilier, un côté très XVIIe siècle agréable. Boutique pour faire patienter. Cuisine réputée depuis un certain temps déjà. Un rare plaisir, à savourer l'été, en réservant une table sous les voûtes de la ruelle. Digestif maison offert à nos lecteurs sur présentation du *GDR*.

Ι●Ι ***L'Escoundudo :*** 2, ruelle du Moulin. ☎ 04-94-71-15-53. Fermé le lundi et le mardi midi hors saison. Congés annuels de la mi-novembre à fin mars. Menu à 18 € (118 F) à midi et à 26 € (171 F). À la carte, compter 32 € (210 F). Depuis son ouverture, ce bon petit restaurant reste fidèle à la qualité : bonnes spécialités régionales bien présentées, vin de pays, service et accueil soignés et constants. Parmi les spécialités, petits farcis, marinée de sardines et son mesclun, bourride provençale, onglet de bœuf à l'anchoïade, gnocchis à la pomme de terre, dessert rafraîchissant. Ils servent encore quand les autres restaurants vous refusent leur porte. Adorable terrasse dans l'une des ruelles les plus passantes du village. Apéritif maison offert à nos lecteurs sur présentation du *Guide du routard.*

Plus chic

Ι●Ι ***La Tonnelle :*** place Gambetta. ☎ 04-94-71-34-84. Fermé le mercredi et le jeudi midi, ainsi qu'en novembre. Menus à 26 et 33 € (170 et 215 F). Des patrons adorables, une cuisine délicieuse. Tous ceux qui avaient eu, naguère, la chance de venir jusqu'ici pour goûter la cuisine de Guy Gedda, font aujourd'hui leur pèlerinage à Bormes pour découvrir la cuisine provençale futée de Gil Renard. Mettez de l'argent de côté pour le dépenser ici plus que sur la plage, vous ne le regretterez pas.

À voir

Bormes, c'est avant tout la découverte d'un réseau de ruelles fleuries, bordées de jolies maisons, dans la fraîcheur du matin ou au soleil couchant.

★ ***La chapelle Saint-François-de-Paule :*** édifiée en 1560 par la population pour remercier saint François d'avoir sauvé la cité de la peste. Jolis vitraux en façade.

★ ***L'église Saint-Trophyme :*** date du XVIIIe siècle, mais l'architecture est plutôt romane. Sur la façade, cadran solaire. Trois nefs aux lignes pures et de bien vieilles fresques datant de sa construction, redécouvertes en 1999 lors de la restauration de l'église.

★ ***Les vieilles rues :*** en contrebas de l'église s'étend le vieux Bormes. Un labyrinthe d'escaliers, de jardins fleuris, de passages voûtés dits « cuberts », de poternes, culs-de-sac et autres venelles aux noms évocateurs. Un seul coup d'œil à ses dalles usées et pentues et l'on comprend où la rue Rompi-Cuou a été chercher son nom ; la rue des Amoureux se trouve juste à côté de la place où l'on dansait pour les fêtes du village ; quant à la montée du Paradis, essayez-la...

★ ***Le musée d'Arts et d'Histoire :*** rue Carnot. ☎ 04-94-71-56-60. Ouvert de 10 h à 12 h et de 14 h 30 à 19 h. Fermé le mardi et l'après-midi des dimanches et jours fériés. Entrée gratuite. Pour les beaux-arts : quelques toiles régionales de Cazin, peintre paysagiste, des œuvres de Pissaro, Rivière, et des sculptures et esquisses de Rodin (eh oui !). Pour l'histoire : amphores, objets religieux. Ce petit musée municipal évoque aussi la vie des « deux Hyppolite », Brouchard et Mourdeille, marins locaux, célèbres au XVIIIe siècle pour avoir participé aux guerres de libération en Amérique du

Sud et en Amérique centrale. Bormes célèbre d'ailleurs la fête d'Indépendance de l'Argentine le 9 juillet. Le rez-de-chaussée accueille des expositions temporaires d'artistes locaux.

★ Enfin, monter jusqu'aux ***ruines du château*** pour jouir du panorama sur Bormes, le cap Bénat, les îles d'Hyères.

★ La petite ***chapelle Notre-Dame-de-Constance :*** sur la route de Collobrières. Depuis le XIIIe siècle, c'est toujours un lieu de pèlerinage. Les intéressés y punaisent désormais leurs vœux au mur. On y accède par un ancien chemin de croix jalonné d'oratoires (compter une bonne demi-heure de grimpette). À côté, quelques très vieilles tombes. De la terrasse devant, belle vue sur le village. Au sommet, table d'orientation avec un majestueux panorama qui s'étend jusqu'à Toulon.

★ Pour les amoureux des jardins, une visite incontournable : ***les pépinières Gérard Cavatore***, Le Mas du Ginget, 488, chemin de Bénat (sur la D529, en direction du Lavandou, prendre à droite à la station Avia). ☎ 04-94-00-40-23. Ouvert du lundi au vendredi de 9 h à 12 h et de 13 h 30 à 17 h 30 (mais seulement le matin de juin à octobre). La plus belle collection de mlmosas de France, tout simplement (qu'est-ce que vous espériez ? qu'on vous parle de tulipes ou d'anémones !).

À faire

➢ Pour les valeureux cyclistes, la région nécessite des mollets d'acier. Superbe balade dans le ***massif des Maures*** (voir plus loin), par Bormes-les-Mimosas, les cols du Gratteloup et de Babaou, Collobrières (charmante bourgade), Notre-Dame-des-Anges (point culminant du Var), Pignans, les Vidaux, etc. Finalement, la piste de l'Issemble vous ramène au Lavandou par La Londe-les-Maures.

Fêtes et manifestations

– ***Marché provençal :*** le mardi matin au Pin de Bormes et le mercredi place Saint-François-de-Paule.
– ***Mimolasia :*** en janvier, dans le vieux village. Deux journées d'exposition-vente de plantes de collection.
– ***Corso Fleuri :*** en janvier, dans le vieux village. La plus vieille fête du village. Un des plus grands, un des plus beaux de la Côte d'Azur.
– ***Pentecôte :*** fêtée dans la tradition provençale. Procession, fête foraine, bal du village, aïoli géant.
– ***Santo-Coupo :*** en octobre. Pin de Bormes (en contrebas du vieux village). Fête autour du vin et de la vigne. Stand de dégustation de côtes-de-provence.
– ***Foire aux santons :*** en décembre. Dans le vieux village.

LE LAVANDOU (83980) 5510 hab.

Une autre station balnéaire populaire de la Côte qui doit son nom, non pas à la lavande (ce serait un peu trop simple) mais au lavoir (*lavandou* en provençal). Elle est renommée surtout pour ses belles plages de sable fin, car la ville en elle-même ne possède pas de charme particulier. Portion de côte en bonne voie de bétonnage, comme beaucoup d'autres. Port d'embarquement principal pour Port-Cros et le Levant. Cela dit, pour quelqu'un voulant concilier la mer et les balades à vélo, Le Lavandou peut constituer un agréable camp de base. Nombreux et superbes itinéraires au-dessus, dans le massif des Maures, pouvant vous mener à des auberges cachées dont vous allez garder un joli souvenir.

Adresses utiles

i ***Lavandou Tourisme :*** quai Gabriel-Péri. ☎ 04-94-00-40-50. Fax : 04-94-00-40-59. • www.lelavandou.com • Ouvert du lundi au samedi de 9 h à 12 h et de 14 h 30 à 18 h ; en été, tous les jours.

■ ***Holiday Bikes :*** av. du Président-Auriol. ☎ 04-94-15-19-99. Location de vélos, de motos et de voitures.

Où dormir ? Où manger ?

Campings

Pas de camping en bord de mer au Lavandou même. Le plus proche de la mer est situé sur la plage de Bormes-les-Mimosas (voir plus haut).

⛺ ***Camping Saint-Pons :*** av. du Maréchal-Juin. ☎ 04-94-71-03-93. Dans le quartier Saint-Pons. Ouvert de Pâques à fin septembre. À 800 m de la mer. Snack et location de caravanes.

⛺ ***Parc-camping de Pramousquier :*** av. du Capitaine-Ducournau, 83980 Cavalière. ☎ 04-94-05-83-95. Fax : 04-94-05-75-04. • camping-lavandou@wanadoo.fr • À 8 km à l'est du Lavandou par la N559. Ouvert de fin avril au 30 septembre. Plage à 400 m. Emplacements aménagés en terrasses avec vue sur la mer. Confortable. Alimentation. Bar-restaurant. Petit cadeau surprise aux lecteurs porteurs du *Guide du routard*.

Prix moyens

Le Lavandou possède pas mal d'hôtels proposant un excellent rapport qualité-prix. En basse saison, garantie de trouver pratiquement toujours de la place. En été, réservation plus qu'obligatoire.

🏠 ***Le Rabelais :*** 2, rue Rabelais. ☎ 04-94-71-00-56. Fax : 04-94-71-82-55. • hotel.lerabelais@wanadoo.fr • ♿ Dans une petite rue perpendiculaire au port de plaisance. Fermé du 11 novembre à fin janvier. Parking gratuit. Doubles avec douche, w.-c. et TV de 44 à 65 € (290 à 430 F) selon la saison. Jolie maison à deux pas du centre, pas bien loin non plus de la plage. Chambres rénovées, confortables et mignonnes comme tout. Les n°s 1, 2 et de 12 à 16 ont vue sur la mer et sont climatisées. Petit déj' aux beaux jours sur la terrasse qui surplombe le port de pêche.

🏠 ***Hôtel California :*** av. de Provence. ☎ 04-94-01-59-99. Fax : 04-94-01-59-98. • hotel.california@wanadoo.fr • Parking gratuit. Doubles avec douche, w.-c. et TV satellite de 36 à 64 € (230 à 420 F) selon la situation. Un hôtel entièrement refait par un jeune couple qui s'est donné les moyens de réussir « autrement ». Le mari est architecte, il a le sens des proportions et des couleurs. Sa jeune femme, à l'accueil, a appris dans les îles lointaines à accueillir différemment les clients. On se sent bien, ici, le regard perdu vers la baie et les îles (d'Hyères). Les chambres ne sont pas gigantesques, mais elles sont bien aménagées, et surtout à prix justes. Chambres moins chères avec vue sur jardin. À 8 mn à pied des plages, top chrono ! Petit déj' offert à nos lecteurs en basse et moyenne saisons.

Hôtel Beau Soleil : Aiguebelle-Plage. ☎ 04-94-05-84-55. Fax : 04-94-05-70-89. ♿ (pour le resto). À 5 km du centre, sur la route vers Fréjus. Parking gratuit. Fermé de début octobre à Pâques. Doubles de 46 à 79 € (300 à 520 F). En juillet et août, demi-pension obligatoire : de 53 à 65 € (345 à 425 F) par personne. Menus de 15 à 27 € (98 à 178 F). Un petit hôtel tranquille, loin de l'agitation nocturne et estivale du Lavandou. Les patrons, jeunes et dynamiques, accueillent leurs clients avec beaucoup de gentillesse et de prévenance. Aux menus, pléthore de choix dans les spécialités locales : mention spéciale pour la bourride. Terrasse ombragée. 10 % de réduction sur le prix de la chambre en juin et septembre sur présentation du *Guide du routard.*

Plus chic

Hôtel L'Escapade : 1, chemin du Vannier. ☎ 04-94-71-11-52. Fax : 04-94-71-22-14. • hotelescapade@wanadoo.fr • Au calme dans une ruelle donnant dans l'avenue de Provence. Congés annuels en décembre et janvier. Parking gratuit. Doubles de 42 à 56 € (270 à 370 F). Demi-pension obligatoire en été : de 45 à 61 € (295 à 400 F) par personne. Menus à 18,30 et 25 € (120 et 165 F). Petit hôtel bien tenu, au confort très *British*, et décoré avec goût. Apéritif maison offert à table à nos lecteurs sur présentation du *GDR.*

Les Tamaris : plage de Saint-Clair. ☎ 04-94-71-79-19 (hôtel) et 04-94-71-02-70 (resto). Fax : 04-94-71-88 64. • www.lestamaris.com • À 2 km du centre, face à la plage de Saint-Clair. Parking gratuit. Congés annuels du 1er novembre au 1er avril. Doubles avec bains et TV satellite de 54 à 61 € (350 à 450 F) suivant la saison. À peine à l'écart de la plage, derrière un jardin, un bâtiment tout en longueur. Chambres contemporaines et fonctionnelles, pas désagréables avec leurs balcons. Bon resto tenu par la même famille (voir ci-dessous).

Où manger ?

Auberge Provençale : 11, rue du Patron-Ravello. ☎ 04-94-71-00-44. • provencale.auberge@wanadoo.fr • Fermé les lundi, mardi et mercredi midi. Congés annuels en janvier. Doubles de 30,50 à 61 € (200 à 400 F). Menu à 13 € (80 F) en semaine le midi ; autres menus de 23 à 46 € (148 à 298 F). Les chambres sont simples mais agréables ; certaines (les nos 10, 11, 12, 14) ont une petite vue sur la mer. En plein centre, donc un peu bruyantes en saison. Au resto, salle à manger superbe avec sa grande cheminée, meublée en vrai rustique. Cuisine provençale, ce qui ne devrait pas vous épater, plutôt honnête dans sa catégorie. Service déficient parfois en saison. Au resto, apéritif maison offert à nos lecteurs, et de fin octobre à fin mars réduction de 10 % sur le prix des chambres sur présentation du *GDR.*

La Favouille : 9, rue Abbé-Helin (angle avec rue Patron-Ravello). ☎ 04-94-71-34-29. Fermé les lundi, mardi et mercredi midi. Ouvert de mars à fin octobre. Menus de 15 à 30,50 € (98 à 200 F). Tout fait un peu trop net, trop léché de l'extérieur : la façade, la place ombragée, la fontaine... Mais c'est à l'intérieur que ça se passe, et depuis plus de vingt ans. Les habitués viennent chez Guy et Françoise Orlando se refaire une santé à coup de bons plats autant que de bons mots provençaux. On se régale avec le loup grillé aux herbes, le lapin aux olives et aux cèpes... Le jeudi, c'est l'anchoïade géante, le vendredi l'aïoli, le samedi la fête assurée... le dimanche et le lundi, on racle la marmite du pêcheur, etc, etc...

Les Tamaris : plage de Saint-Clair. ☎ 04-94-71-02-70. À 2 km du centre, face à la plage de Saint-Clair. Compter environ 30,50 € (200 F) à la carte. Un genre d'institution locale (les habitués disent « Chez Raymond ») à 15 m de la plage. Un restaurant de classe mais sans chichis, joliment décoré, plein d'un charme désuet, gastronomique sans vulgarité et proposant une cuisine de qualité, spécialisée dans le poisson, sans diminuer les portions.

Où manger dans les environs?

I●I *Le relais du Vieux Sauvaire :* route des Crêtes. ☎ 04-94-05-84-22. À 468 m d'altitude, face aux îles du Levant, un lieu en or. Ouvert de début mai à fin septembre. Menus de 17 à 30 € (109 à 195 F). Compter environ 30,50 € (200 F) à la carte. Du Lavandou, on rejoint Bormes. De là on monte au col de Gratteloup où l'on bifurque sur la droite. Après une petite dizaine de kilomètres de cette jolie route des Crêtes où les vues imprenables s'enchaînent, on arrive juste au-dessus du Lavandou dans ce relais quadragénaire appartenant en fait à cette commune, malgré la distance. C'est superbe, on embrasse toute la chaîne des Maures et même ses voisins, tellement on est content d'être là ! On peut se baigner dans la piscine, avant ou après avoir dévoré sardines provençales ou poisson à la croûte de sel. De la pizza à la langouste grillée, il y en a pour tous les goûts et tous les prix. On termine par de succulentes tartes chaudes. Pour digérer, si on est sur deux roues, il faut continuer la route des Crêtes jusqu'au col suivant, dit du Canadel. Bienvenue dans l'univers des Maures !

LA CÔTE VAROISE

À faire

Balade en bateau à Port-Cros et à l'île du Levant : voir plus haut le chapitre « Les îles d'Hyères ». Possibilité de jumeler les deux visites. Renseignements : ☎ 04-94-71-01-02.

➢ Quelques ***parcours à pied*** mémorables à effectuer dans le coin pour ceux qui séjourneraient au Lavandou. Malheureusement, pour éviter les incendies, ils sont fermés en juillet et août.

➢ De la plage de la Favière sur la commune de Bormes, le ***sentier du littoral***, divisé en deux parties. La première, accessible à tous, va jusqu'à la ***pointe de la Ris*** et la ***plage du Gau*** (1 h de randonnée environ). La deuxième partie, sans être trop difficile, demande un peu plus d'expérience : quelques grimpettes escarpées et des escaliers jusqu'au petit ***port du Pradet,*** puis une très agréable section jusqu'au sud du ***cap Bénat*** (superbe panorama depuis les ruines du château sur le massif des Maures et le littoral).

■ ***Seascope :*** 15, quai Gabriel-Péri. ☎ 04-94-71-01-02. Fax : 04-94-71-78-95. Départ à la gare maritime sur l'ancien port. Tous les jours de 9 h à 19 h, avec une rotation toutes les 40 mn. Tarif : 11 € (73 F) pour les adultes, 7 € (47 F) pour les enfants. Assez intéressant, surtout pour les enfants. Grâce à sa coque transparente, ce trimaran, créé par l'architecte Jacques Rougerie, permet une véritable visite guidée des fonds sous-marins à la découverte des daurades, des loups, des girelles et des herbiers de posidonies... Durée : 35 mn.

Les plages : douze (les douze sables, *dixit* le slogan touristique local). D'ouest en est, on trouve *l'Anglade,* aux portes de Bormes, la plus branchée (enfin, il paraît) ; la plage du *Lavandou,* au centre et familiale ; *Saint-Clair,* à fréquenter le matin ; la *Fossette,* nichée entre deux pointes rocheuses, puis *Aiguebelle.* Plus loin, nichées dans de petites criques quelque peu difficiles d'accès donc moins fréquentées, *Jean-Blanc* et *l'Éléphant.* Deux plages pour les naturistes : *Le Rossignol* et *Layet.* Plus à l'est dans une anse, la belle et longue plage de *Cavalière,* le *cap Nègre* à la pointe d'une discrète presqu'île et *Pramousquier,* enfin, nichée entre deux pointes rocheuses, juste avant Le Rayol.

Fêtes et manifestations

– ***Concerts et spectacles :*** en saison au théâtre de verdure.
– ***Fête du Romérage :*** début septembre, plage de Saint-Clair. Procession en l'honneur du saint patron des couturières qui, paraît-il, avait le pouvoir de guérir la cécité.

LE GOLFE DE SAINT-TROPEZ ET LE PAYS DES MAURES

S'il est une destination au monde qui fait encore rêver, c'est bien celle-là. Mais si vous parvenez à trouver rapidement une chambre d'hôtel libre en plein cœur de l'été tropézien, même aux prix souvent astronomiques pratiqués ici, on vous tirera notre canotier (quoique, à force d'augmenter leurs prix, certains vont finir par avoir des taux d'occupation annuels inférieurs à la moyenne varoise !). Si vous prétendez venir en été pour son merveilleux climat, et pensez mieux l'apprécier à Saint-Tropez en vous éveillant quand le soleil se couche et en vous couchant quand il se lève, vous avez certainement d'autres adresses que celles du *Routard* pour être hébergé et véhiculé. En revanche, si vous êtes venu ici pour goûter, avec modération, à la vie tropézienne tout en ayant envie de voir ce qui se passe aux alentours, alors bienvenue au club !
Le pays est fabuleux, découvrez-le sur les petites routes du massif des Maures, et faites comme tout un chacun, promettez-vous de revenir aux mois tendres, au printemps ou en automne, pour partir à la découverte d'un art de vivre encore préservé. Notez bien l'adresse ci-dessous, elle vous sera utile en toute saison pour préparer votre séjour ici.

LA FORÊT DES MAURES

Raté, ce ne sont pas les Maures, lointains envahisseurs d'hier, qui ont laissé leur nom à ce massif qui longe la côte sur 60 km entre Hyères et Fréjus ! Maures vient en fait du provençal *mauro* qui signifie « sombre ». Plutôt pertinent quand on parcourt ce massif forestier de 12000 ha excessivement boisé mais quasi exclusivement composé de... chênes et de châtaigniers !
C'est de cette ressource naturelle que les villages des Maures ont longtemps vécu. Non, les troncs orange vif des chênes ne sont pas là pour aider quelque randonneur égaré à retrouver son chemin. Ils ont été écorcés, lors de la montée de sève, pour en récolter le liège. On fabriqua ici jusqu'au XIXe siècle (particulièrement à La Garde-Freinet) des bouchons de liège (un chêne normalement constitué en fournissant en moyenne 800... tous les dix ans !). Cette petite industrie a vécu, et ce sont des compagnies étrangères (portugaises notamment) qui exploitent aujourd'hui le liège des Maures.
Les châtaigneraies continuent, elles, à être cultivées. 900 ha de châtaigniers dont 1/3 sont entretenus (regardez les nombreux panneaux interdisant la cueillette), produisant quelques 200 tonnes de châtaignes et marrons par an. Et Collobrières s'est fait, faut-il le rappeler aux gourmands, une spécialité de

ses marrons glacés. À propos, connaissez-vous la différence entre un marron et une châtaigne ? La bogue (enveloppe) de la châtaigne est cloisonnée et contient deux à trois fruits ; le marron, variété améliorée de châtaigne, pas partageur, pousse seul dans sa bogue.
Terre rude, les Maures ont longtemps été isolés. Durant des siècles, Saint-Tropez ne fut accessible que par voie maritime. Le littoral était encore quasiment inhabité en 1885, quand la percée du chemin de fer de Provence allait décider de la vocation touristique de toute la région.
À moins que vous ne soyez un inconditionnel des plages et ayez décidé de rejoindre Saint-Trop' et sa région par la N98 (qui n'est certainement pas la plus belle), *via* La Mole, on vous conseille les petites routes du massif des Maures. La plus magique est la D41, au départ de Bormes-les-Mimosas. Elle sinue d'abord jusqu'au *col de Gratteloup,* puis traverse en surplomb la superbe et profonde *forêt du Dom,* dont les pentes semblent encore résonner des exploits du fameux Maurin des Maures. Après le *col de Babaou* (414 m d'altitude, Hyères et ses îles à l'horizon), la route redescend dans la *vallée de Collobrières,* le « pays des marrons ». De Collobrières, la non moins superbe D14 gagne Grimaud *via* le *col de Taillude* (petit crochet pour admirer l'intéressante *chartreuse de la Verne*). On vous en indique une autre, par contre, si vous décidez de revenir avec nous ensuite sur le Rayol. Une route magique, avec des paysages à vous couper le souffle, au détour du chemin... Une route réservée d'ordinaire aux cyclotouristes courageux, qui nécessite de prendre tout son temps.

Adresse utile

i ***Maison du tourisme Golfe de Saint-Tropez – Pays des Maures :*** carrefour de la Foux, 83580 Gassin. ☎ 04-94-55-22-00. Fax : 04-94-55-22-01. • www.golfe-infos.com • Une expérience unique en Europe : elle répond en urgence à toute demande d'information comme de réservation sur l'ensemble des 14 communes du site. Une équipe de choc et de charme.

COLLOBRIÈRES (83610) 1 700 hab.

Nichée dans la vallée du Réal Collobrier, au cœur du massif, petite « capitale » des Maures et chef-lieu de canton, cette paisible bourgade ne manque pas de charme : un pont du XIe siècle qui jette son arche unique sur un presque torrent, d'opulentes maisons bourgeoises le long de la rue principale, témoins d'un passé florissant. En effet, en 1850, on comptait 17 bouchonneries (c'est un enfant du pays qui alla chercher en Espagne le secret de la transformation du liège en bouchon), 3 scieries et plusieurs mines, qui contrastent avec les maisons médiévales du vieux village, tout en ruelles et passages couverts, au pied des émouvantes ruines d'une église du XIIe siècle.
Animation les jours de marché : le jeudi en saison et le dimanche toute l'année, place de la Libération. Et surtout, des parties de pétanque âprement disputées le long du mail ombragé où les hôtels et restos pratiquent des prix d'amis (même si avoir des amis sur ce coin de terre, ça n'a pas de prix !), l'impression fugace qu'on n'a jamais, ici, entendu parler de Saint-Tropez. Ne pas manquer de goûter aux fameux marrons glacés. Mais il y a aussi, pour ceux qui n'aimeraient pas ça, bien d'autre choses : des marrons en pâte de fruit, en crème, en liqueur, en confitures, au sirop, au marc... Il y a même des glaces au marron, et, bon, on arrête-là !

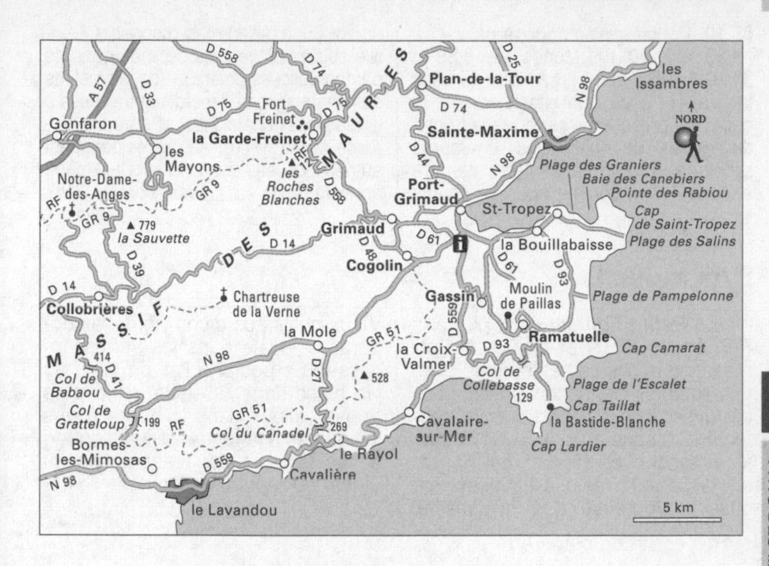

LE MASSIF DES MAURES

Adresse utile

Office du tourisme : bd Charles-Carinat. ☎ 04-94-48-08-00. Fax : 04-94-48-04-10. • www.collotour.com • Installé dans les anciens bains-douches municipaux (les deux entrées « dames » et « messieurs » sont toujours là). En juillet et août, ouvert du lundi au samedi de 10 h à 12 h 30 et de 15 h à 18 h 30 ; sinon, du mardi au samedi de 10 h à 12 h et de 14 h à 18 h.

Où dormir ? Où manger ?

Camping

Camping municipal Saint-Roch : ☎ 04-94-28-15-72. Le reste de l'année, renseignements à la mairie : ☎ 04-94-13-83-83. À 200 m du village. Ouvert seulement en juillet et août. Accès très étroit, ce qui est assez gênant pour les caravanes...

Bon marché

Hôtel-restaurant Notre-Dame : 15, av. de la Libération. ☎ 04-94-48-07-13. Fax : 04-94-48-05-95. Resto fermé le mardi hors saison. Congés annuels du 15 décembre au 15 janvier. Doubles à 26 € (170 F) avec douche, 30,50 € (200 F) avec douche et w.-c. Menus de 15,25 à 22,90 € (100 à 150 F). Tranquille petit hôtel de campagne, dans une bien vieille maison au bord de la rivière. Chambres toutes simples mais pas dépourvues de charme. Très bon accueil. Honnête cuisine familiale et traditionnelle. Gibier en saison. Apéritif maison offert au moment du repas aux porteurs de ce guide.

Hôtel-restaurant des Maures : 19, bd Lazare-Carnot. ☎ 04-94-48-

07-10. Doubles avec douche et w.-c. à 18,30 € (120 F). Menus de 8,38 à 38,10 € (55 à 250 F). La vraie adresse familiale et popu : un bistrot où tout le bourg ou presque se retrouve les soirs de match de foot. Des chambres simples (« à ce prix-là, ne pas s'attendre à Versailles », comme nous l'a soufflé un voisin de palier) mais proprettes. Gentille cuisine provençale déclinée dans de pantagruéliques menus (de l'omelette aux champignons débordante de cèpes à la glace aux châtaignes) et agréable terrasse sur la rivière. Accueil évidemment authentique et sans chichis. Café offert après le repas sur présentation du *GDR*.

Prix moyens

Ⅰ●Ⅰ ***La Petite Fontaine :*** 1, pl. de la République. ☎ 04-94-48-00-12. Fermé le dimanche soir et le lundi. Congés annuels pendant les vacances de février et la 2e quinzaine de septembre. Menus à 21 € (137 F) sauf le dimanche et 25 € (164 F). Un adorable petit resto à l'atmosphère aussi savoureuse que la cuisine. Vieux outils aux murs, vin de la coopérative locale dans les verres, fricassée de poulet à l'ail ou lapin au vin blanc dans l'assiette, difficile de trouver mieux dans le genre à des kilomètres à la ronde... Digestif offert à nos lecteurs sur présentation du *Guide du routard* de l'année.

Où dormir ? Où manger dans les environs ?

⌂ Ⅰ●Ⅰ ***La Chèvrerie du Peïgros :*** col du Babaou. 83610 Collobrières. ☎ 04-94-49-03-83. Déjeuner toute l'année (19,82 €, soit 130 F), et déjeuner et dîner en juillet et août (le repas est alors à 21,34 €, soit 140 F). Menu unique avec variantes : entrée, plat, fromage et dessert. Réservation obligatoire, la veille ou le matin. Dans la partie la plus sauvage du massif des Maures, une adresse magique dans une forêt de châtaigniers et de chênes-lièges, au bout d'une de piste de 1,8 km (bien entretenue) qui part du col. À la table, produits du pays, selon la saison (daube de sanglier, champignons, chapons, terrines...). Accueil sympathique des propriétaires, qui possèdent cette ferme depuis 32 ans maintenant.

Également 2 maisons individuelles pour 4/5 personnes à louer à la semaine (381,12 €, soit 2500 F en pleine saison), un studio et un mobile home (intégré au paysage). Tout ça au milieu des poules, lapins, cochons, ânes... Un bon point de départ pour une balade aux menhirs de Lambert et au gouffre de Destéou (compter environ 1 h 30 en famille pour l'une comme pour l'autre).

⌂ Ⅰ●Ⅰ ***Chambres d'hôte de la Ferme de Capelude :*** Capelude, 83610 Collobrières. ☎ 04-94-56-80-35. • www.chez.com/capelude • À 12 km de Collobrières par la D14 direction Grimaud, en contrebas de la chartreuse de la Verne. Chambres doubles avec douche et w.-c. à 38,12 € (250 F). Petit déj' à 3,80 € (25 F). Cuisine à disposition : 3 € (20 F) par jour et par personne. En pleine nature, dans une ferme du XVIe siècle, gentiment restaurée, 5 chambres d'hôte, pas immenses mais plaisantes. Vente de produits fermiers : miel et confiture de figues, crème de marrons, melons, pêches... Piscine.

⌂ ***Chambre chez l'habitant :*** le vallon des Fées, Les Bonnaux. Chambre avec salle de bains et terrasse, au 1er étage, à 45,75 € (300 F), petit déj' inclus. Vous êtes ici à 2 km du village, dans la campagne, au calme, chez Colette Brésis qui possède un atelier de céramique et de sculpture, et propose des stages-séjours.

Plus chic

🏠 🍽 ***Chambres d'hôte La Bastide de la Cabrière :*** D 39. ☎ 04-94-48-04-31. Fax : 04-94-48-09-90. • www.provenceweb.fr/83/cabriere • À 6 km de Collobrières par la D 39 direction Gonfaron. Doubles avec douche et w.-c. ou bains de 75 à 105 € (492 à 690 F), petit déj' compris. Table d'hôte sur réservation : 34 € (223 F) tout compris. Cartes de paiement non acceptées. Dans une ferme en activité. Pour ceux qui ont un besoin urgent de calme, de nourriture saine, c'est l'adresse rêvée. Piscine. À la table d'hôte, chevreau et agneau de la ferme, produits typiques de l'exploitation.

Randonnées

Plusieurs belles balades dans les environs (sentiers parfois interdits l'été en raison des risques d'incendie, renseignez-vous). Descriptifs vendus à l'office du tourisme : 1,52 € (10 F), le topoguide des 5 randonnées. Le plus simple : les sentiers botaniques (2 km) et de découvertes nature (6 km). Les plus courageux partiront, pour 4 heures environ, sur le plateau du Lambert (et ses deux impressionnants menhirs, les plus hauts du Var, datant d'une période comprise entre la fin du néolithique et la fin de l'âge de bronze), ou choisiront le vallon de Pérache, le circuit du barrage de la Verne (3 h), etc.

Fêtes

– ***Fête des Fontaines :*** autour du 15 août. Le pinard est directement branché sur la fontaine municipale, on ne vous en dit pas plus...
– ***Fête de la Châtaigne :*** les 3 derniers dimanche d'octobre. Vente de produits du terroir, groupes folkloriques et animations de rue.

Où acheter de délicieuses friandises ?

La confiserie Azuréenne : ☎ 04-94-48-07-20. Ouvert tous les jours de 10 h à 13 h et de 14 h à 18 h (plus tard en été). ☎ 04-94-43-62-79. Petit musée sur le ramassage de la châtaigne et ses techniques de transformation, et surtout une boutique : marrons glacés (pour ceux qui ont la nostalgie des fêtes de Noël en juillet et août), surprenante mais très bonne glace aux marrons... glacés, liqueur de châtaigne... À propos, la châtaigne est, paraît-il, énergétique et anti-stress.

➤ *DANS LES ENVIRONS DE COLLOBRIÈRES*

À voir. À faire

★ ***La chartreuse de la Verne :*** ☎ 04-94-43-48-28 (de préférence l'après-midi). À 12 km au sud-est de Collobrières par la D 14, direction Grimaud ; à 6 km, prendre à droite une petite route qui mène au site, 6 km plus loin (le dernier kilomètre n'est pas goudronné). En été, ouvert tous les jours de 11 h à 18 h ; hors saison, ouvert de 11 h à 17 h, fermé le mardi et les jours de fêtes religieuses. Fermé en janvier. Entrée : 4,50 € (30 F) ; de 8 à 14 ans : 1,50 € (10 F) ; étudiants : 3 € (20 F). Construite en terrasses, sur un promontoire rocheux, dans un coin superbement paumé du massif. Une fois de plus, on constate que les moines savaient choisir leurs sites !

Fondée en 1170 par les évêques de Toulon et de Fréjus, à l'emplacement d'un prieuré abandonné, cette chartreuse a connu une histoire pour le moins mouvementée. Les moines chartreux auraient voulu vivre hors du monde, le monde ne les oublia pas pour autant : pillage par les seigneurs de Bormes au XVe siècle, saccage des guerres de Religion, raids des Sarrasins, sans compter une succession d'incendies de forêt... Systématiquement, les chartreux relevèrent les ruines, agrandirent encore l'abbaye. Jusqu'à la Révolution qui les chassa définitivement de la chartreuse, de fait jamais terminée. Aujourd'hui, une association d'amoureux du site a entrepris de restaurer les bâtiments, occupés à nouveau, depuis 1984, par une communauté d'une quinzaine de sœurs contemplatives, qui respectent la loi du silence (faites-en autant).
On rencontre d'abord un très haut mur d'enceinte dont l'austère façade de pierre blonde contraste avec les encadrements en serpentine (une pierre verte avec de jolies nuances) de la monumentale porte d'entrée. Elle s'ouvre sur la cour des obédiences, entourée des bâtiments de service : écurie, forge, boulangerie (avec un four à pain gigantesque dans lequel étaient cuits tous les plats de la communauté), ancienne huilerie (pressoir à olives)... Au cour de la visite, on découvrira les vestiges du petit cloître (belles arcades en serpentine), de l'église romane, de l'église du XVIIe siècle, etc. Intéressante reconstitution d'une cellule de moine du XVIIe siècle. Quatre pièces aux murs simplement blanchis à la chaux, conçues pour limiter au maximum le contact du moine avec l'extérieur : du verre dépoli aux fenêtres, un passe-plat... Toute l'existence des moines (qui n'en sortaient que pour les deux célébrations liturgiques quotidiennes) était concentrée sur ces quelques mètres carrés : un jardin potager, un « promenoir », un lit de planche et une paillasse... Un autre monde, à quelques kilomètres à vol d'oiseau des étés tropéziens... Au cœur de la chartreuse, le grand cloître autour duquel s'ouvrent les anciennes cellules des moines, doucement réhabilitées. Et le cimetière, ceint de hauts murs, symbolique encore de cette vie recluse : quelque 800 moines y ont été enterrés entre le XIIe siècle et la Révolution française.

★ ***La chapelle Notre-Dame-des-Anges :*** à une vingtaine de kilomètres de Collobrières, par la D14 puis à gauche la D39; au col des Fourches, tourner à gauche, puis suivre le fléchage. Chapelle du XIXe siècle (donc d'un intérêt architectural limité), construite à l'emplacement d'un édifice qui existait déjà au VIe siècle. Lieu de pèlerinage très fréquenté, d'où la présence de nombreux ex-voto (dont un vrai crocodile suspendu à la voûte !). Vue superbe sur le massif des Maures (table d'orientation).

LA CORNICHE DES MAURES

Si vous venez de Collobrières, et si vous avez du temps, faites-vous plaisir en arrivant par les hauteurs au Rayol-Canadel : vous ne pouvez rêver meilleure entrée dans le petit monde des Tropéziens. La D 27 passe à côté de l'aéroport international de La Mole (qui ressemble comme un frère, mais en moins coloré, à celui de Saint-Barth...) et traverse une autre partie, quelque peu sauvage, des Maures. À 1 km de La Mole, pour les fans de Saint-Exupéry, arrêt pour jeter un œil sur un château visible de la route (mais qui ne se visite pas) où l'auteur passa une partie de son enfance (il le décrit dans *Le Petit Prince*).
Roulez lentement, la D27 est une route étroite et sinueuse, où vous croiserez de valeureux cyclotouristes. Elle enjambe parfois de jolis ponts de pierre aux arches particulières, près desquels vous aurez peut-être envie de marquer un arrêt, le temps d'un pique-nique. Attendez plutôt l'arrière-saison pour ça. Les bois gardent hélas encore la trace des incendies des années

passées. C'est là qu'au détour d'un chemin, un bleu qui fait presque mal aux yeux vous annoncera votre arrivée prochaine sur la corniche des Maures.

★ *LE RAYOL* *(83820)*

Si vous venez directement du Lavandou, la route de la côte suit la corniche, livrant de beaux points de vue, notamment à votre arrivée au Rayol. Si vous n'avez pas encore pu vous baigner, n'ayez pas de regrets : dans l'ensemble, les plages, jusqu'au Lavandou, sont assez petites, et le béton se fait envahissant. Difficile d'imaginer qu'ici, il n'y avait que très peu d'habitants jusqu'au début du XXe siècle, le littoral n'étant devenu accessible qu'avec la percée du chemin de fer de Provence, en 1885. La station balnéaire et climatique du Rayol [illegible]née en 1925, d'une opération immobilière à grande échelle qui amena, [illegible] l'aménagement de 35 km de routes, la création d'escaliers, de jardins, d'[illegible]... En 1949, ayant vite grandi, elle se sépara de La Mole, la commune mère, pour vivre sa propre vie.
On s'arrête surtout dans cette mignonne station pour déjeuner chez *Dédé-des Maures* et visiter le domaine du Rayol, parfaite illustration de ce que pouvait être une riche résidence de la corniche des Maures au début du XXe siècle, avec 5 ha de jardins où se mêlent des plantes venues du monde entier.

Adresse utile

ℹ ***Office du tourisme :*** ☎ 04-94-05-65-69. Fax : 04-94-05-51-80.

Où dormir ? Où manger ?

🏠 |●| ***Hôtel de la Plage :*** D559. ☎ et fax : 04-94-05-61-22. • hotel-plage@infonie.fr • À 200 m de la plage. Ouvert de Pâques à octobre. Doubles de 41,15 à 48,80 € (270 à 320 F). Demi-pension obligatoire en juillet et août : 51,85 € (340 F) par personne. Menus de 17,55 à 21,35 € (115 à 140 F). Un bon petit hôtel à la mode d'autrefois, avec un joli petit jardin, une piscine et des prix doux, mais tout près de la route, hélas.

|●| ***Maurin des Maures :*** av. du Touring-Club. ☎ 04-94-05-60-11. Du 15 novembre au 20 décembre, ouvert le soir seulement. Menu à 10,65 € (70 F) le midi en semaine ; autres menus à 18,30 et 22,70 € (120 et 149 F). Dédé Delmonte, le propriétaire, circule derrière son comptoir comme un croupier derrière une table de jeu. Perchés sur des tabourets, les gens du cru alimentent les conversations sur les événements locaux. Ici, le pastis aime peu l'eau, le pichet et les glaçons se font rares, et c'est tant mieux. Le menu du jour est immuable. Les autres alignent *toti du Maurin* (pain aux olives avec tapenade, tomates, anchois, etc.), tarte aux courgettes et chèvre, daube de bœuf à la provençale. À la carte, omelette provençale, moules, mais surtout poisson selon la pêche, et bouillabaisse sur commande. Réservez une table près de la fenêtre pour profiter de la vue sur la baie. Une adresse vraie, au cœur d'un pays qui, les beaux jours venus, a tendance à perdre son âme. Apéro maison (vin d'orange ou de citron) offert à nos lecteurs sur présentation du *Guide du routard*.

Où manger dans les environs ?

|●| ***L'Auberge de La Mole :*** place de l'Église, 83310 La Mole. ☎ 04-94-49-57-01. À 20 mn, par le col du Canadel. Menus à 30 € (197 F) le midi,

47,30 € (310 F) le soir. Resto-bar-tabac ! L'auberge de campagne pur jus ! Posées au bord de la terrasse ombragée, il y a même encore les pompes à essence du temps où ils faisaient aussi station-service. Menus pantagruéliques (jeûnez la veille ou grimpez jusqu'à La Mole à pied) qui font le bonheur de la jet-set tropézienne venue, de temps à autre, goûter au terroir vrai.

À voir

★ ***Le domaine du Rayol :*** av. des Belges. ☎ 04-98-04-44-00. Fax : 04-98-04-44-01. ♿ Ouvert tous les jours de 9 h 30 à 12 h 30 et de 14 h 30 à 18 h (15 h à 19 h en juillet-août). Fermé du 24 novembre au 27 janvier. En[illegible] : 6,10 € (40 F) ; demi-tarif de 6 à 18 ans. Visite guidée possible tous les jours à 15 h ; en juillet et août, à 10 h 30, 16 h 30 et 17 h 30. Acquis à l'origine par un banquier quinquagénaire (qui fut ruiné par le krach de 1929) pour les beaux yeux de sa jeune moitié, le domaine ne trouve sa véritable vocation qu'avec l'installation de l'industriel Henry Potez qui y fait planter plus de 400 espèces exotiques. Après la Seconde Guerre mondiale, la propriété passe de main en main, les jardins retournent peu ou prou à l'état sauvage mais échappent miraculeusement aux promoteurs immobiliers. Ce n'est qu'en 1989 que le Conservatoire du littoral rachète le terrain et décide de réhabiliter les jardins. Mission confiée au paysagiste Gilles Clément qui a créé au Rayol des « jardins de voyages » qui évoquent régions ou pays (Californie, Chili, Afrique du Sud...)... Bien sûr, on peut, grâce à la petite brochure fournie à l'accueil, suivre les sentiers tracés à travers le jardin et identifier ces plantes rapportées par Gilles Clément des forêts tasmaniennes comme du cap de Bonne-Espérance. Mais le domaine du Rayol mérite, pour vraiment s'imprégner de son atmosphère vite magique, qu'on s'y balade au hasard : grimper le long du vallon empli de fougères arborescentes au retour de la petite maison de la plage, rêver face à la Méditerranée sur la terrasse de la superbe villa Art nouveau de l'accueil ou sous la vaste pergola... Un dernier petit conseil : si, souvent, il est prudent d'éviter certains lieux en pleine saison, Le Rayol n'est, au contraire, pas des plus fréquentés en juillet et août, les foules balnéaires, préférant (à tort, mais heureusement pour les amateurs de calme !) la plage aux jardins romantiques. Pourtant, l'été (en juillet et août, sauf le lundi), il y a même un *jardin marin* qui se visite muni d'équipement de flottaison fourni avec le ticket d'entrée. 12 € (80 F) pour les adultes, 9 € (60 F) pour les 6-18 ans. L'été toujours, des soirées musicales sont proposées à 21 h le lundi. Places à 20 € (132 F) ; visite des jardins illuminés jusqu'à la ferme lors de l'entracte. Un regret, mais il est de taille : la fermeture à l'heure du déjeuner, qui pourrait être compensée par l'installation d'une cafétéria de charme, la place ne manquant pas...

★ *CAVALAIRE-SUR-MER* (83240)

Plus fameuse pour son immense plage de sable fin que pour le charme de la ville elle-même... Difficile, là aussi, d'imaginer le petit hameau de pêcheurs du XVIIIe siècle, resté longtemps dans son jus, et qui dépendait, jusqu'en 1929, du village de Gassin. C'est la station balnéaire des familles par excellence car on y trouve encore des hôtels abordables. Seul casino de tout le golfe, avec ses machines à sous, son restaurant et ses night-clubs, pour routard flambeur ! Pour les autres, promenades matinales ou footing du port jusqu'à la plage de Pardigon, et marché provençal, le mercredi matin. À vos cabas !

Adresses utiles

ℹ *Office du tourisme :* maison de la Mer, square Maréchal-de-Lattre-de-Tassigny, BP 32. ☎ 04-94-01-92-10. Fax : 04-94-05-49-89. • www.franceplus.com/cavalaire • Sur le front de mer. En été, ouvert tous les jours de 8 h 30 à 19 h 30 ; le reste de l'année, de 9 h à 12 h 30 et de 14 h à 18 h 30.

■ *Location de vélos et motos : Holidays Bikes,* Les Régates, rue du Port. ☎ 04-94-64-18-17. Fermé de début décembre à mi-février.

Où dormir ?

Campings

⛺ *Camping de la Baie :* bd Pasteur, BP 12. ☎ 04-94-64-08-15. Fax : 04-94-64-66-10. • campbaie@club-internet.fr • ♿ Situé en ville même, à 400 m de la mer. Ouvert du 15 mars au 15 novembre. Réservation nécessaire pour la période du 1er juin au 15 septembre et une semaine minimum de séjour exigée. 440 emplacements dans un grand parc de verdure. Bon confort. Piscine, épicerie, bar, resto... Location de mobile homes et de chalets. Évidemment bondé en été.

⛺ *Camping La Pinède :* chemin des Mannes. ☎ 04-94-64-11-14. Fax : 04-94-64-19-25. ♿ À l'entrée de la ville, accès par la N559. À 400 m de la mer. Ouvert du 15 mars au 15 octobre. Forfait 2 personnes avec un véhicule de 13 à 16 € (86 à 115 F) suivant la saison. Confortable et ombragé. Épicerie, machines à laver. Réservation très recommandée en juillet et août. Évitez de vous installer sur le côté gauche, surplombant la route de Toulon (bruit de fond assuré !).

Prix moyens

🏨 *Hôtel Raymond-restaurant Le Mistral :* av. des Alliés, BP 45. ☎ 04-94-64-07-32. Fax : 04-94-64-02-73. • hotelraymond@wanadoo.fr • Fermé le lundi. Congés annuels, en principe, de novembre à mars ! Doubles avec douche et w.-c. ou bains (TV satellite) de 46 à 71 € (300 à 470 F) suivant la saison. Demi-pension obligatoire en juillet et août : 46 € (300 F) par personne. Menus de 16,75 à 33,55 € (110 à 220 F). Situé à 600 m de la plage, un hôtel familial (transmis de père en fils depuis trois générations), bien tenu et qui pratique des prix raisonnables. Architecture très années 1960 d'un motel de luxe. Piscine et jardin. Parmi les spécialités, bouillabaisse de la mer, fondue de poissons et fruits de mer. Apéritif maison offert à nos lecteurs.

🏨 *La Bonne Auberge :* 400, av. des Alliés. ☎ 04-94-64-02-96. Fax : 04-94-64-15-19. Fermé le dimanche soir, et pendant les vacances scolaires de la Toussaint et de Noël. Parking gratuit. Doubles de 35 à 49 € (230 à 320 F) avec douche et w.-c. ou bains. Demi-pension à 47 € (310 F) par personne et par jour. Repas pour les pensionnaires le soir uniquement. Encore une maison dans le style motel, très datée années 1950-1960, précédée d'une grande terrasse. Pas désagréable. Accueil charmant. Quelques chambres (les nos 22 à 27) avec terrasse et de grandes baies vitrées protégées de la rue par des pins. Possibilité de manger dans le jardin. Poissons et grillades.

🏨 🍽 *La Villa Provençale :* rue des Maures. ☎ 04-94-64-04-68. Fax : 04-94-01-91-32. Ouvert toute l'année, sauf du 15 novembre au 15 décembre. Chambres de 29 à 75 € (195 à 495 F). Au restaurant, compter entre 11,45 et 16 € (75 et 105 F). Des chambres au calme, à 600 m de la plage, dans une villa rénovée dans le style provençal (on vous aurait dit un chalet suisse, vous y auriez cru ?) et une atmosphère encore familiale qui fait plaisir... Bonne petite cuisine traditionnelle que l'on vous sert, le soir, à la fraîche, dans le jardin.

Plus chic

🏠 🍴 ***La Pergola :*** rue du Port. ☎ 04-94-00-42-22. Fax : 04-94-64-60-08. Congés en janvier. Doubles de 74 à 93 € (485 à 605 F) selon la saison. TV satellite. Parking privé gratuit. Demi-pension obligatoire en saison : de 116 à 129,50 € (760 à 850 F) pour deux. Menus à 14,95 € (98 F) sauf le dimanche, et de 20,60 à 30 € (135 à 195 F). Salle rustique ou terrasse dans le jardin ombragé. Bonne cuisine de tradition et de région : pigeonneau confit comme en Provence, chapon de mer farci, bourride et bouillabaisse. Service parfois long (c'est assez à la mode dans la région). Quelques chambres, confortables. Digestif maison offert à nos lecteurs, au restaurant, et réduction de 10 % sur le prix de la chambre, hors saison.

Où manger ?

🍴 ***Les Rôtisseurs de la Côte :*** promenade du Port. ☎ 04-94-15-46-47. ♿ Fermé le dimanche midi. Congés annuels de novembre à février. Plat du jour à 7,60 € (50 F) le midi en semaine, 11,45 € (75 F) le dimanche. Compter 15,25 € (100 F) au minimum à la carte. Bonne musique, bonne ambiance. L'adresse sympa, où l'on mangera, comme son enseigne l'indique, viande grillée (du bœuf au cheval, en passant par le taureau) et grosses salades. Digestif offert à nos lecteurs sur présentation du *Guide du routard.*

Un peu plus chic

🍴 ***L'Espadon :*** promenade de la Mer. ☎ 04-94-64-66-05. Sur le front de mer. Fermé le mardi. Menus de 18,30 à 33,55 € (120 à 220 F). Une table qui commence à faire parler d'elle. Normal, la salle est plutôt classe et la cuisine a de l'idée : escabèche de sardines au coulis de tomates au basilic et jeunes olives, blanquette de lotte aux morilles en infusion, crémée de vin blanc de Ramatuelle... Vente de fruits de mer à emporter. Parking gratuit devant le restaurant. Kir offert aux porteurs de ce guide.

Fêtes et manifestations

– ***Rencontres d'art contemporain :*** de mi-juin à mi-septembre sur l'esplanade du Port. Grandes expos de photos ou de peintures (Jean-Loup Sieff ou Lartigue, Jansen ou Buffet). Et l'esplanade du Port est offerte à un sculpteur.
– ***Les Estivales :*** de début juillet à début septembre, sur l'esplanade du Port. Concerts, groupes folkloriques...

Plongée sous-marine

Haut lieu de la plongée sur la Côte d'Azur, la baie de Cavalaire – bordée d'une longue plage de sable clair – s'ouvre généreusement sur le large. Surnommée « la baie aux épaves », elle conserve dans ses profondeurs limpides plusieurs navires engloutis : *Ramon Membru, Torpilleur 178, Togo, Espingole* et *Prophète* ; mais également quelques *Duckw,* camions amphibies américains, vestiges du débarquement de 1944... En partie protégée du mistral par ses collines verdoyantes, repères des navigateurs depuis l'Antiquité, la baie est très exposée au vent d'est, qui rend la plongée assez aléatoire. Mêmes conditions autour de la magnifique presqu'île de Saint-Tropez, petit bijou de nature, largement épargnée par le béton des promoteurs. Au large du cap Camarat, on trouve l'épave du sous-marin *Rubis,* un must de la plongée sur les côtes françaises...

Clubs de plongée

■ ***Mio Palmo Plongée :*** Port-Cavalaire, 83240 Cavalaire. ☎ 06-08-43-10-98. Fax : 04-94-15-43-10. Ouvert de mars à mi-novembre. Vous serez surpris par le grand confort du *Golfo Paradiso,* ancienne vedette de transport de passagers de 20 m avec compresseur à bord, où Régis Chabbert – le très chaleureux moniteur d'État – embarque ses plongeurs. Parfaitement équipée, l'école (FFESSM, ANMP, PADI) propose tous les jours : explorations de roches et d'épaves, virées à Port-Cros, baptêmes, formations jusqu'au niveau IV et brevets PADI. Stages Nitrox (plongée aux mélanges). Réservation souhaitable. Après la plongée, vous écouterez les récits maritimes de Christian, le capitaine gaillard !

■ ***Loisirs Méditerranée :*** Port-Cavalaire, 83240 Cavalaire. ☎ 04-94-79-60-97. • www.chez.com/loismed • Ouvert de mi-mars à mi-novembre. Une école réputée pour son sérieux sur la Côte. Ambiance très amicale à bord du *Picantin II,* le navire de plongée où Jacky Hébréard – le sympathique capitaine – met à votre disposition des équipements complets. Côté encadrement, Alain Seiwert, moniteur d'État, assure, en compagnie d'autres instructeurs fédéraux, baptêmes, formations jusqu'au niveau IV, stages épaves et d'initiation à la biologie marine ; sans oublier les journées à Port-Cros, les explorations des épaves du coin et autres nouvelles roches très vivantes que le club débusque en hiver. Réservation obligatoire en été. Hébergement possible.

Nos meilleurs spots

La roche Quairolle : pour plongeurs de tous niveaux. Devant le cap Lardier. L'une des plus belles plongées du coin. Sous 10 m d'eau très claire, accueil chatoyant des girelles-paons multicolores ; puis joli ballet argenté des sars sous les rayons perçants du soleil. On y croise également d'impressionnants bancs de barracudas. En vous faufilant parmi les gorgones jaunes ou rouge flamboyant bercées d'un léger courant, vous épaterez les mérous « pépères » avec votre palmage gracieux légendaire ! Rascasses paisibles et murènes craintives (attention à vos mains !) dans les nombreuses failles (se munir d'une lampe torche) jusqu'à 40 m de fond environ.

Le Prophète : à partir du niveau II. A proximité du spot précédent, ce vapeur coulé en 1860 par 32 m de fond dégage un charme qui ne vous laissera pas indifférent. À partir de la vieille machine dominée par une grande roue d'entraînement et 2 chaudières, vous suivrez l'arbre de propulsion jusqu'à l'hélice très curieuse (deux pales). Quelques congres, rascasses et petites langoustes peu farouches agrémentent la visite de ce véritable petit musée de la marine d'antan.

Le Rubis : pour plongeurs de niveau II confirmés. Le « joyau » de la plongée méditerranéenne ! Après une carrière exemplaire, ce sous-marin de la Royale est sabordé en 1958 par 40 m de profondeur devant le cap Camarat. Sa magnifique silhouette fuselée repose sur un écrin de sable clair. En survolant le pont, vous constaterez que les « monstres du *Rubis* » – un équipage complet de murènes et congres impressionnants et peu farouches – manquent cruellement de discipline (attention à vos patounes !). Aussi, évitez absolument de les nourrir, et d'entrer dans l'épave... Classiques castagnoles en bancs compacts et ronde majestueuse des loups et daurades en chasse. Visibilité excellente, mais courant parfois très violent.

Le Togo : pour plongeurs de niveau III confirmés. Encore une épave somptueuse, mais réservée aux plongeurs aguerris uniquement. Ce fier cargo repose droit sur sa quille entre 50 et 60 m de fond depuis son naufrage en 1918. À partir de l'étrave droite et massive, offrez-vous une balade *first class* dans les coursives investies de gorgones rouges, imposantes comme l'ensemble de l'épave. Après un bref coup d'œil dans la cuisine (elle existe encore !), le survol des cales béantes donne un aperçu de la danse des congres en pleine eau... Parfois, en remontant (il le faut bien !), un poisson-lune gracieux vient parachever l'envoûtement. Pour votre sécurité, cette plongée un peu hors normes ne doit pas excéder 15 mn.

★ LA CROIX-VALMER (83420)

Un nom qui sent bon la Côte d'Azur des années 1950, quelques belles constructions anciennes (comme l'imposant *hôtel Kensigton* de 1895, qui sert de point de repère aux navigateurs, ou la villa Couadan construite en 1914 pour Sarah Bernhardt) dans un environnement naturel préservé. Une succession de criques et de plages de sable fin, de la plage du débarquement à Cap Taillat, à découvrir à pied par le sentier du littoral ou en kayak.

Adresse utile

Office du tourisme : esplanade de la Gare, BP 56. ☎ 04-94-55-12-12. Fax : 04-94-55-12-10. • otac@wanadoo.fr • Du 1er juin au 30 septembre, ouvert du lundi au samedi de 9 h à 20 h et le dimanche de 9 h à 13 h ; hors saison, ouvert de 9 h 15 à 12 h et de 14 h à 18 h, fermé les samedi et dimanche après-midi.

Où dormir ?

Camping

Sélection Camping : bd de la Mer. ☎ 04-94-55-10-30. Fax : 04-94-55-10-39. • www.selectioncamping.com • À 400 m de la mer. Ouvert du 15 mars au 15 octobre. Parc de 5 ha, bien ombragé, dans lequel se perdent les 215 emplacements. Tout le confort moderne (supérette, bar, resto, discothèque...). L'été, il vaut mieux réserver.

Où manger ?

La Petite Auberge de Barbigoua : av. des Gabiers. ☎ 04-94-54-21-82. Au rond-point du Débarquement, tourner vers la colline pendant 1,2 km, prendre le boulevard de la Mer, puis l'avenue Neptune (ah, les noms !). Fermé le dimanche soir, le lundi et le mardi hors saison. Congés annuels du 30 novembre au 27 décembre. Menus de 26,70 à 38,90 € (175 à 255 F). Sur les hauteurs, un resto à part, où la propriétaire fait une cuisine à son image, sans idées préconçues, sans frontières, selon l'humeur du jour et du marché. Cadre très agréable, très calme, même en juillet et août. Terrasse ombragée.

À voir

★ ***La croix de Constantin :*** monument en pierre érigé en 1893 au croisement de la D 559 et de la D 93 qui mène à la plage de Gigaro. Il a été élevé en mémoire de l'empereur romain, au lieu supposé de la vision qu'il a eue lorsque, partant combattre son beau-frère en Italie, sa mère Hélène lui apparut pour lui signaler que, par le signe de la croix rayonnant dans le ciel, il vaincrait. Révision du programme de latin de 4e ! Le village aurait pu continuer de s'appeler *La Croix,* mais grâce à l'administration des Postes et aux ambitions électorales d'un maire qui ne voulait pas la porter, cette croix, durant tout son mandat, il devint, en 1934, *La Croix-Valmer.*

Randonnée

➢ ***Le cap Lardier :*** en suivant le sentier du littoral. 2 h 30 à 3 h aller-retour. Départ de la plage de Gigaro (parking et bon resto de plage). Prévoir de bonnes chaussures. Balisage jaune. Descriptif complet dans le petit guide des randonnées disponible à l'office du tourisme. Un des derniers coins de cette portion de la côte à être resté sauvage, grâce (une fois encore) au Conservatoire du littoral. Le sentier longe d'abord la mer sur les rochers, puis s'offre une petite montée entre genêts et hautes bruyères. Balade tranquille ensuite dans une pinède (pins parasols et pin d'Alep pour les apprentis botanistes). Une nouvelle grimpette pour rejoindre le sentier de crête et gagner le cap Lardier, salué par les cris des mouettes. Paysage typique de maquis, falaises abruptes et vue panoramique garantie : par temps clair, on peut apercevoir l'île du Levant ou même Porquerolles. Au loin, l'étonnante silhouette du cap Taillat, que les courageux pourront atteindre en poursuivant par le sentier du littoral (l'itinéraire peut se poursuivre jusqu'à Saint-Tropez, voir ce chapitre). Pour les autres, retour vers Gigaro par une piste forestière facile et ombragée.

Manifestations

– ***Festival des Anches d'azur :*** en juillet. Concours d'instruments à vent, concerts, harmonie et autres fanfares.
– ***Marché provençal :*** chaque dimanche matin, place des Palmiers. Bonne ambiance.
À nos lecteurs motorisés, on conseille toujours, pour rejoindre le golfe de Saint-Tropez, la D 93 vers Ramatuelle, sinueuse mais superbe.

SAINT-TROPEZ (83990) 5540 hab.

Pas facile d'échapper aux clichés quand on parle de Saint-Tropez, d'autant plus que les clichés sont pour la plupart vrais : délicieux petit port de pêche, un charme fou, une qualité de lumière extraordinaire, une séduisante homogénéité architecturale, un... Une image valable dix mois par an, même onze, avec un peu de chance. Ce qui n'évite pas le tableau apocalyptique dressé par les aoûtiens de passage qui n'ont pas eu l'idée de réserver et n'ont pas pu éviter les pièges habituels (tarifs prohibitifs, embouteillages, etc.).
Et puis une frime, un cinoche insupportable, le royaume du faux-semblant... Long défilé, devant un public qui n'a pas raté un seul documentaire consacré à la Jet-Set, de vedettes sur l'arrivée ou sur le retour, de parasites du show-biz, de starlettes en folie et de vieux beaux trouvant là leur « cimetière des

éléphants »... Quai de Suffren, on est en représentation permanente. Des bateaux de plaisance et des yachts ventrus qui ne naviguent jamais font s'extasier les familles. Parfois, les marchands de croûtes (faut bien qu'ils la gagnent, certes !) cachent le port. Allons, on arrête, parce que les lecteurs vont penser que nous sommes aigris !

Que nenni, on adore et il faut absolument aller à Saint-Trop'. Il suffit de bien choisir son moment ! En basse saison, la ville déploie un charme incomparable, vous serez conquis. Vous y rencontrerez les vrais habitants avant qu'ils ne rentrent dans leurs coquilles en juillet et août. Et puis, si vous ne pouvez venir qu'en été, arrangez-vous pour réserver une chambre longtemps à l'avance dans l'un des rares petits hôtels pas (trop) chers (si, si !) et découvrez le ravissant tableau que compose la ville au petit matin. Personne ne vous embêtera : on se couche et on se lève tard à Saint-Trop'.

Enfin, on y trouve l'un des plus intéressants musées de peinture de la Côte (à Marseille, ils n'en ont pas un aussi beau !). Une véritable explosion de couleurs, les photophobes mettront des lunettes noires...

UN PEU D'HISTOIRE

Cette baie exceptionnelle devait, à coup sûr, attirer les conquérants. Ligures, Celtes, Grecs bien évidemment et Romains tombèrent amoureux du site. Puis l'histoire devint presque légende.

En l'an 68, *Torpes*, intendant du palais de Néron, refusant d'abjurer sa foi chrétienne, fut torturé, décapité et son corps jeté dans une barque, à l'embouchure de l'Arno, en compagnie d'un coq et d'un chien censés grignoter ce qui restait. Les courants ligures et le vent d'Est ramenèrent en l'an 68 de notre ère la barque jusqu'au rivage, sur la plage du lieu-dit Le Pilon. Les chrétiens du coin, prévenus (par le téléphone arabe ?) de l'événement, trouvèrent la barque, cachèrent le corps du martyr (si bien qu'on ne le retrouva jamais en entier : seul reste son crâne, partagé entre Pise, Gênes et Saint-Tropez), puis ils lui élevèrent une chapelle. Sancti-Torpeti devint finalement Saint-Tropez. Les villages de Cogolin (« Petit Coq ») et de Grimaud (« Chien » en vieux français), situés à proximité, continuent de rappeler cette légende.

La région demeura l'un des derniers bastions des Sarrasins après leur défaite à Poitiers. Relancée par les Génois, débarqués en famille en 1471, la ville devint, du XVe au XVIIe siècle, une sorte de petite république autonome qui prospéra (ils s'étaient exemptés d'impôt !) et se couvrit de belles demeures. Colbert, le centralisateur, mit fin à ce statut privilégié dont la nostalgie perdure aujourd'hui dans le cadre de la *Bravade*, célébration de ce glorieux passé militaire qui vit, durant 150 ans, les marins, pêcheurs ou corsaires tropéziens repousser toutes les attaques venues de terre comme de mer.

Pendant la Révolution française, le bourg, qui compte alors 3000 habitants, reprit son nom romain d'Heraclea. À la fin du XVIIIe siècle, concurrencé par Marseille et les bateaux à vapeur, le port va se confiner dans le cabotage, avec les tartanes. Une activité que le rail fera disparaître...

Pour finir, les bombardements du débarquement, le 15 août 1944, endommagèrent gravement le port. Mais, à la différence de tant d'autres villes et ports à l'époque, il fut heureusement reconstruit sur le même modèle, donnant aujourd'hui une image à peu près fidèle de ce qu'était la ville il y a quatre siècles.

SAINT-TROP', LES ÉCRIVAINS, LES PEINTRES ET LES AUTRES...

L'exceptionnelle qualité de la lumière, la violence et la variété des couleurs dans la région devaient fatalement y attirer les artistes et écrivains. Au XIXe siècle, Saint-Trop' était en outre un port actif, pittoresque : on chargeait sur les « tartanes » le gouleyant rosé de la presqu'île, les écorces de chêne-liège, les châtaignes du massif des Maures. Autant de scènes authentiques

propres à susciter l'émotion et à inspirer les artistes. Les premiers résidents firent venir des essences exotiques pour les planter : palmiers, cactus, yuccas et agaves du Mexique, eucalyptus d'Australie, etc.
Colette savourait ces « nuits pleines d'odeurs de matou et d'embrocation ». Elle qui se moquait des « boîtes à débardeurs truqués pour touristes riches » ajoutait aussitôt, en 1932 : « Je connais l'autre Saint-Tropez. Il existe encore. Il existera toujours pour ceux qui se lèvent à l'aube. Quand mon golfe des Cannebiers dort encore... »
Le premier « étranger » à succomber au charme de Saint-Trop' fut un ministre de Napoléon III qui y acheta un château. *Guy de Maupassant* s'enthousiasma : « C'est là une de ces charmantes et simples filles de la mer... On y sent la pêche et le goudron qui flambe, la saumure... On y voit, sur les pavés des rues, briller, comme des perles, des écailles de sardines. »
Le peintre *Paul Signac* craqua également quand il accosta avec son « Olympia » et décida d'y vivre : « je ne fais pas escale, je me fixe ». Il y produisit ses plus belles toiles, mais surtout, en tant que président des Indépendants, le salon qui faisait rêver tous les peintres de l'époque, il draîna à Saint-Tropez tous les inconnus célèbres du moment : *Henri Matisse* qui y peignit *Luxe, Calme et Volupté, Marquet, Bonnard, Dunoyer de Segonzac,* etc.
Et c'est là que les ennuis commencèrent, pourrait-on dire. Dans les années 1920, Saint-Tropez va prendre, sans le vouloir, un petit air « à la mode ». *Francis Picabia, Errol Flynn, Anaïs Nin* fréquentent la ville assidûment. Après la dernière guerre, la vague existentialiste arrive jusque-là avec la bande de *Juliette Gréco, Daniel Gélin, Annabel Buffet,* etc. Puis c'est vraiment le décollage médiatique avec les années 1950-1960, et l'apparition des nouvelles locomotives : *Sagan, Bardot, Vadim, Eddie Barclay* et tout le petit monde du showbiz... Nouvelle vague, nudistes, gendarmes en folie. La suite, on la connaît !

Adresses et infos utiles

🛈 ***Office du tourisme :*** bureau principal, quai Jean-Jaurès. ☎ 04-94-97-45-21. Fax : 04-94-97-82-66. • www.saint-tropez.st • Ouvert tous les jours ; en été, de 9 h 30 à 13 h et de 15 h à 22 h 30 ; hors saison, de 9 h à 12 h et de 15 h à 19 h.

🛈 ***Maison du tourisme du golfe de Saint-Tropez :*** carrefour de la Foux, 83580 Gassin. ☎ 04-94-55-22-00. Fax : 04-94-55-22-01. • www.golfe-infos.com • Pendant l'intersaison, ouvert du lundi au vendredi de 9 h à 19 h et le samedi de 10 h à 18 h, fermé le dimanche ; en été, ouvert du lundi au vendredi de 9 h à 19 h 30 et les samedi et dimanche de 10 h à 18 h.

■ ***Location de vélos, motos :*** *Holiday Bikes,* 14, av. du Général-Leclerc. ☎ 04-94-97-09-39. *Établissements Mas-Louis,* 3, rue Quaranta. ☎ 04-94-97-00-60. Face à la place des Lices. En été, ouvert tous les jours sauf le dimanche matin. Fermé du 10 octobre à Pâques. Location de vélos, cyclomoteurs et motos. Cautions assez lourdes.

■ ***Renseignements pour les cars :*** *Sodetrav,* à Hyères ☎ 04-94-12-55-00. À Saint-Tropez en saison. ☎ 04-94-97-88-51.

➢ En été, liaisons en autocar avec l'***aéroport de Toulon-Hyères.***

Où dormir ?

Campings

On parle souvent des campings de Saint-Tropez. En fait, il n'y en a pas sur la commune ! Ils sont tous à Ramatuelle (voir le chapitre « Ramatuelle »).

Prix moyens

▲ ***Lou Cagnard :*** 18, av. Paul-Roussel. ☎ 04-94-97-04-24. Fax : 04-94-07-09-44. À 250 m de la place des Lices et à 2 mn à pied du port. Fermé du 5 novembre au 27 décembre. Selon la saison, doubles de 45 à 48 € (290 à 310 F) avec douche, de 53 à 87 € (350 à 570 F) avec douche et w.-c. ou bains et TV satellite. Parking privé et gratuit. Grosse maison de style provençal. Agréable terrasse et jardin fleuri. D'ailleurs, mieux vaut réserver une chambre sur le jardin – pour dormir en été –, mais vient-on ici pour dormir ?

▲ ***Hôtel Le Baron :*** 23, rue de la Citadelle, BP 67. ☎ 04-94-97-06-57. Fax : 04-94-97-58-72. Ouvert toute l'année. Doubles avec bains de 47 à 100 € (320 à 650 F) suivant la saison. Le patron de cette belle maison aux chambres un peu exiguës, mais confortables et très *cosy*, est un passionné de Harley. Presque banal à Saint-Trop' ! Sauf que c'est un vrai fondu. D'ailleurs, il vaut mieux arriver chez lui à moto qu'en voiture. Pour se garer c'est plus simple et ça évite de payer les parcmètres (payants 24 h/24 dans le quartier ; c'est pas scandaleux, ça ?). Un petit hôtel de style provençal offrant (hors les heures chaudes de juillet et août) paix et tranquillité, avec des chambres douillettes à 2 mn du port.

▲ ***Lou Troupelen :*** chemin des Vendanges. ☎ 04-94-97-44-88. Fax : 04-94-97-41-76. • troupelen@aol.com • Congés annuels de mi-octobre à mi-avril. Doubles avec douche ou bains et w.-c. de 67 à 83 € (440 à 550 F) suivant la saison. On ne vous dira pas que c'est le plus beau, le plus fréquenté par le showbiz, le plus près des plages, le plus ceci, le plus cela... C'est du moins un petit hôtel à l'ambiance familiale et aux tarifs honnêtes pour la ville. Dommage que les matelas, comme le personnel, donnent parfois des signes de fatigue... L'avantage, c'est d'avoir un parking gratuit et d'être à 400 m à pied du centre du village. Si vous voulez reprendre la voiture, vous êtes à 5 mn des plages.

Plus chic

▲ ***Mas Bellevue :*** route de Tahiti. ☎ 04-94-97-07-21. Fax : 04-94-97-61-07. ♿ Doubles standard de 58 à 90 € (380 à 590 F) selon la saison, demi-pension de 130 à 160 € (852 à 1 050 F) ; les chambres les plus chères disposant de la clim' et d'une grande terrasse. Menus à 29 et 34 € (190 à 223 F). Dominant la baie de Pampelonne, un mas quelque peu transformé et agrandi dans un parc joliment fleuri, qui a le mérite de ne pas se moquer du monde en offrant l'un des meilleurs rapports qualité-prix du golfe. Restaurant-grill avec terrasse près de la piscine, aux prix habituels. Mais ici, une bonne grillade ne vous ruinera pas, et puis, ça fait beau de venir à Saint-Tropez pour se bâfrer comme des goinfres ! Apéritif et café offerts aux heureux routards porteurs de ce guide.

▲ ***La Bastide du Port :*** port du Pilon. ☎ 04-94-97-87-95. Fax : 04-94-97-91-00. • hotel-la-bastide-du-port@wanadoo.fr • Ouvert du 1er avril au 1er novembre. Chambres de 61 à 145 € (400 à 950 F). Un hôtel avec des chambres bien insonorisées ; pour celles qui s'ouvrent face à la mer, très belle vue sur le Golfe. Une situation idéale, à 4 mn du village. Pour un petit déj' réparateur, au calme, quelques tables sous les palmiers, côté jardin. Un parking fermé pour les inquiets.

Très chic

▲ ***La Ponche :*** port des Pêcheurs, 3, rue des Remparts. ☎ 04-94-97-02-53. Fax : 04-94-97-78-61. • www.laponche.com • Dans le vieux quartier des pêcheurs. Congés annuels de novembre à mi-février. Doubles de 125 à 340 € (820 à 2230 F) en basse-saison et de 167 à 450 € (1100 à 2950 F), en haute saison ! Menus de 22 € (145 F) le midi à 42 € (275 F). Compter 42 € (275 F) à la carte. L'hôtel de luxe qui possède le plus de charme. Picasso venait prendre le « pastaga » au bar, Boris Vian y noircissait du papier, Brigitte Bardot y séjourna pendant le tournage du film *Et Dieu créa la femme*, et Mouloudji chantait pendant les dîners. Ces quelques maisons de pêcheurs, formant aujourd'hui hôtel et meublées avec un goût exquis, raviront nos riches lecteurs amoureux. Cuisine de très bonne tenue. Une chance !

Où manger ?

Sur la plage

- ***Les Graniers*** **:** plage des Graniers. ☎ 04-94-97-38-50. À 10 mn à pied du centre, sur la première plage après le port des pêcheurs et le cimetière marin. Ouvert tous les jours, le midi seulement. Congés annuels du 15 octobre au 30 avril. Plat du jour à 15,20 € (100 F). Compter 30,50 € (200 F) à la carte. Dans un coin sympa, un resto possédant une bonne réputation et qui, malgré la foule de l'été, maintient une constante qualité. Les tables sont dehors avec des parasols. Grillades et poissons à prix raisonnables. Vins de la coopérative de Saint-Tropez. Apéritif maison offert à nos lecteurs.
- ***Leï Salins*** **:** plage des Salins. ☎ 04-94-97-04-40. À 3 km du centre. Congés annuels de mi-octobre à début avril. Compter 24 € (157 F) à la carte. Sur une jolie petite plage dans une crique, autre adresse sympa, où l'on peut venir sans façon se régaler de poissons ou viande grillés ou de plats régionaux.

En ville

- ***La Cascade :*** 5, rue de l'Église. ☎ 04-94-54-83-46. Fermé de novembre à février. Compter autour de 23 € (150 F). L'adresse à géométrie variable : bonne cuisine à dominante antillaise dans le deuxième menu. Le premier menu est d'inspiration provençale et le dernier est une « formule langouste ». Atmosphère animée à souhait.
- ***Le Salama :*** 3, rue Saint-Jean. ☎ 04-94-97-59-62. Ouvert du 15 mars à la mi-novembre. Compter autour de 25 € (130 F). À deux pas de la mairie, de délicieux tajines ou couscous bons comme là-bas. Un petit resto sympa comme tout, dans une toute petite rue, à tout petit prix... pour Saint-Trop !
- ***La Grange :*** 9, rue du Petit-Saint-Jean (dans le vieux village). ☎ 04-94-97-09-62. Ouvert uniquement le soir. Congés annuels du 10 janvier au 15 mars et du 15 novembre au 20 décembre. Compter de 23 à 30,50 € (150 à 200 F) à la carte. Un petit troquet plein de charme, décoré de carreaux de faïence rouge et blanc. On a un peu l'impression d'entrer dans une brocante. Dans les assiettes, des pâtes savoureuses et préparées avec originalité (linguini aux moules safranées ou au foie gras, tagliatelles aux noix de Saint-Jacques). De plus, elles sont faites maison.
- ***L'Échalote :*** 35, rue Allard. ☎ 04-94-54-83-26. ♿ Ouvert midi et soir jusqu'à 22 h. Fermé le jeudi hors saison. Congés annuels du 5 novembre au 10 décembre. Menus à 16 et 25 € (105 et 165 F). Compter 30,50 € (200 F) à la carte. À l'entrée, un billot en guise de comptoir, sur lequel on trouve les saucissons et les jambons. Le décor est planté. Beau jardin au calme pour dîner au clair de lune. Clientèle d'habitués ve-

nant se régaler avec une bonne pièce de bœuf grillée à l'échalote et au gros sel. Rare de trouver par ici des menus à prix aussi raisonnables. Attention, le petit menu n'est pas servi au-delà de 20 h 30.

lel ***La Cantina El Mexicano :*** 16, rue des Remparts. ☎ 04-94-97-75-85. Fermé du 15 octobre au 30 mars. En remontant la rue de la Mairie, passer le porche puis parcourir une centaine de mètres sur la droite. À la carte, compter environ 24,40 € (160 F). Un des lieux « shows » de Saint-Trop', avec des additions qui ne vous refroidissent pas à la sortie, ça mérite le détour! En devanture, un petit bassin en mosaïque de vieilles faïences, de petits personnages très kitsch, une statue de la Vierge... Ambiance exotique à l'intérieur sur les murs et dans l'assiette : *tacos* et *quesadillas, tortillas, brownies* et... super margarita! Délicieux, copieux, chaleureux... tout pour faire des heureux. Clientèle d'habitués, ce qui devrait vous rassurer. *Tequila rapido* offerte à nos lecteurs.

lel ***Chez Fuchs :*** 7, rue des Commerçants. ☎ 04-94-97-01-25. Près du port. Fermé le midi en saison et le mardi hors saison. Congés annuels du 15 janvier au 25 février. Compter 38 € (250 F) à la carte. Quitte à jouer les Tropéziens d'un jour, allez-y carrément. Surtout hors saison, pour vous fondre parmi les habitués, dans la salle en étage. Ici, on se régale d'artichauts barigoule, de petits farcis, d'encornets à la provençale. Les vins, comme les trognes, sont du coin. Et l'été? Bien sûr, certains soirs, c'est vous qui ferez la sardine, pour reprendre l'expression d'un habitué. Au moins, vous aurez mangé authentique, dans un cadre qui a réussi à le rester.

lel ***Le Bistrot du Phare :*** 1, quai de l'Épi. ☎ 04-94-97-46-00. ♿ Près de la capitainerie du port de plaisance, juste à côté du grand parking de l'entrée de Saint-Tropez. Congés annuels du 10 janvier au 12 février et du 15 novembre au 12 décembre. À la carte, compter au minimum 23 € (150 F). On y va autant pour la patronne, Josie, haute en verbe et en couleur, jamais à court de bons mots, que pour une cuisine toute simple, un peu rudement facturée... Dommage, vraiment, que les menus ne soient proposés qu'aux groupes! Un verre de sangria offert à nos lecteurs sur présentation du *Guide du routard*.

lel ***L'Auberge des Maures :*** 4, rue du Docteur-Bouttin. ☎ 04-94-97-01-50. Dans une toute petite rue perpendiculaire à la rue Allard, où l'on ne marche qu'à la queue-leu-leu. Fermé de début janvier au 1er mars. Menu à 40 € (262 F). Avec son patio ombragé, un vrai restaurant provençal au cœur du Saint-Tropez éternel. Bouillabaisse selon les arrivages et sur réservation, poisson et viande grillés, cuisine du marché, etc. Très agréable aux heures chaudes.

Plus chic

lel ***Le Café des Arts :*** place des Lices. ☎ 04-94-97-02-25. À la carte, compter 30,50 € (200 F). Tout le décor est en place pour accueillir la faune tropézienne : le vieux zinc, les murs patinés, le carrelage usé, les tables de bistrot, le percolateur datant du néolithique... Pour ne pas mourir idiot, allez-y pour le déjeuner, autour d'un plat du jour provençal. Spectacle garanti.

lel ***Au Caprice des Deux :*** 40, rue du Portail-Neuf. ☎ 04-94-97-76-78. Ouvert le soir uniquement. Fermé le mercredi hors saison. Congés annuels du 10 janvier au 2 mars et du 15 novembre au 20 décembre. Compter 38 € (250 F) minimum à la carte. Dans une mignonne petite rue, un resto où l'on ne vient pas en famille, surtout si l'on paie, mais pour en fonder une, avec le nouvel amour de sa vie. Cuisine raffinée.

Où sortir ? Où boire un verre ?

En juillet et août, c'est bien connu, le soleil ne se couche plus sur Saint-Tropez. Vous avez déjà sûrement repéré pour vos chaudes soirées ***Les Caves du Roy,*** la discothèque du ***Byblos,*** le premier hôtel mythique de Saint-Trop', construit en 1967, et la ***Bodega du Papagayo***, sur le port, pour des soirées salsa. Il y a aussi un piano-bar avec de super-groupes tous les soirs, le ***Yaca club***, bd d'Aumale, près de la citadelle.

🍸 ♪ La meilleure adresse reste malgré tout ***L'Octave-Café,*** place de la Garonne, bar de nuit pour les amateurs de soirées musicales éclectiques.

🍸 Quant à l'adresse la plus courue des nuits chaudes, c'est bien sûr le ***VIP,*** sur le port, la boîte de nuit de Jean Roch. Très classe.

🍸 Pour le reste de la journée, suivez la foule ou les conseils des offices du tourisme. Allez boire un verre en fin d'après-midi au ***Café des Arts,*** pour regarder les boulistes, en sirotant un pastis à un prix qui vous flanquera lui-même les boules. Prix beaucoup moins flippants, sur le port, dans la salle en étage (au superbe décor marin) du discret ***Sube,*** qui offre, en outre, avec ses deux tables posées sur un petit balcon, la plus croquignolette des terrasses de la ville.

🍸 Pour les lève-tôt, il y a toujours ***Le Sénéquier,*** sur le port, autrefois fréquenté par Paul Éluard et Paul Valéry, puis par de moins lettrés. Aujourd'hui, les vedettes n'y vont presque plus. Cependant, pour passer pour un vrai Tropézien, il faut aborder la terrasse par derrière et non par devant et, si possible, gagner le « Paradis », carré de tables situé à l'extrême gauche. C'est à ces petits détails qu'on vous jugera...

À voir. À faire

★ ***Le musée de l'Annonciade :*** place Grammont. ☎ 04-94-97-04-01. Ouvert de 10 h à 12 h et de 15 h à 19 h (14 h à 18 h d'octobre à fin mai). Fermé le mardi, les jours fériés et en novembre. Entrée : 5 € (35 F) ; de 12 à 16 ans et étudiants : 3 € (20 F). Superbement installé dans une ancienne chapelle du XVIe siècle, le musée présente une exceptionnelle collection de toiles de grands artistes qui furent inspirés par la lumière géniale de Saint-Tropez. La qualité des œuvres proposées est telle que l'on est finalement étonné de trouver un tel musée dans un petit port de pêcheurs, si l'on ignore qu'un riche mécène, Tropézien d'adoption, fit don en 1955 de sa collection particulière à la ville. Au dernier étage, possibilité de « s'ébouriffer » les yeux de couleurs, enfoncé dans un fauteuil moelleux. C'est ainsi que l'on peut y admirer parmi les plus beaux Signac, Picabia, la *Gitane* de Matisse, Albert Marquet, Dufy *(La Jetée),* Bonnard, Vuillard, Braque *(L'Estaque),* Vlaminck, Rouault, l'admirable *Femmes à la balustrade* de Van Dongen, Derain, Camoin et tant d'autres. Expositions temporaires très intéressantes.

★ ***La balade dans la ville :*** débarrassée de ses touristes, Saint-Trop' livre de bien charmants secrets : ruelles médiévales comme la *rue de la Miséricorde* et ses arcades, passages étroits mangés par la végétation, jardins secrets, placettes poétiques où glougloutent d'antiques et nobles fontaines, le vieux *quartier de la Ponche* avec son petit port de pêche, vestiges de tours et remparts, le *portique du Revelen* bâti au XVe siècle, les superbes portails de serpentine verte, etc.
Rue Gambetta, la *chapelle de la Miséricorde,* qui date du XVIIe siècle, possède un bien joli toit de tuiles vernissées bleues, vertes et dorées. *Rue Allard,* nombre de demeures présentent des détails pittoresques, comme la « maison du Maure » et sa tête de Barbaresque enturbanné.

– La croquignolette *place aux Herbes* n'a, elle, jamais changé, avec son petit marché aux poissons, ses étals de légumes, de fruits et de fleurs...
– *Place de l'Hôtel-de-Ville,* noter cette porte insolite, véritable dentelle de bois qu'on dit avoir été sculptée par des « indigènes de Zanzibar ».
– *La place des Lices :* les joutes s'y déroulaient autrefois. Aujourd'hui, un marché animé s'y tient les mardi et samedi matin. D'âpres parties de boules opposent, de temps à autre, vieux pêcheurs à la retraite aux vedettes du show-biz, tandis que le *Café des Arts* se transforme en *Deux-Magots* estival. Pour voir et être vu, comme toujours !

★ Grimper à la ***citadelle*** pour bénéficier du plus beau coup d'œil sur la forêt de toits aux tuiles patinées. Dites bonjour en passant aux paons majestueux. La citadelle fut édifiée aux XVIe et XVIIe siècles. Elle abrite un important *musée de la Marine.* ☎ 04-94-97-59-43. Du 2 mai au 30 septembre, ouvert de 11 h à 18 h ; le reste de l'année, de 10 h à 12 h et de 13 h à 17 h. Fermé le mardi, le 1er et le 17 mai. Congés annuels en novembre. Entrée : 4 € (26 F) ; enfants de 7 à 15 ans : 2,45 € (16 F). Maquettes, vieux instruments de navigation, produits de fouilles archéologiques sous-marines, évocation du débarquement d'août 1944, etc.

★ ***La maison des Papillons :*** 9, rue Étienne-Berny. ☎ 04-94-97-14-36. Ouvert du 1er avril au 31 octobre tous les jours sauf le mardi, de 10 h à 12 h et de 15 h à 18 h (19 h en été) ; d'octobre à mars, visite sur rendez-vous. Entrée : 2,45 € (16 F) ; gratuit pour les moins de 12 ans. Abrite les milliers de lépidoptères capturés par Dany Lartigue, un doux rêveur, et permet de retrouver quelques souvenirs de son photographe de père, Jacques-Henri Lartigue, et de son grand-père compositeur, André Messager.

★ Redescendre vers la mer pour rendre visite au pittoresque ***cimetière marin,*** un des rares en France fusionnant véritablement avec les flots. Certaines familles tropéziennes qui y sont enterrées descendent directement des 21 familles génoises qui relevèrent la ville au XVe siècle. Une fille de Liszt y repose aussi.

Fêtes et manifestations

– ***La Bravade :*** elle se déroule du 16 au 18 mai. L'une des plus vieilles traditions provençales. Son origine remonterait au XIIIe siècle, mais c'est en 1558 qu'on en trouve les premières descriptions. Fête patronale célébrant à la fois l'arrivée du corps de saint Torpes dans sa barque vermoulue et la défense de la cité, sur laquelle il fallait veiller jour et nuit. À cette occasion, un capitaine de ville est élu. La statue du saint parcourt la ville en procession. D'archaïques pétoires et autres tromblons font parler la poudre. La ville se pare de rouge et de blanc, couleurs des corsaires. Durant ces jours de fête, d'autres cérémonies se déroulent, toutes suivies par une population locale très soucieuse de préserver son identité et de se purifier avant les invasions de l'été.
Voir le *Guide des Bravades* en vente au siège : 10, rue du Commandant-Guichard.
– ***La petite Bravade,*** dite des Espagnols : elle commémore, le 15 juin, une victoire navale des Tropéziens contre une vingtaine de galères espagnoles, en 1637. Elle fut d'ailleurs instituée par décret, cette année-là, par le « conseil vieux et nouveau » de la ville.
– ***Les Voiles de Saint-Tropez :*** le plus beau rassemblement de vieux gréements de la Méditerranée, chaque année début octobre.

Les plages

- ***La plage des Graniers :*** la plus proche du centre, près du cimetière. Facilement accessible à pied. Vite bondée. Un peu plus loin, la baie des Canebiers attire tout autant de monde, mais elle possède quelques criques.
- ***La plage des Salins :*** à environ 4 km à l'est. Quasiment vide en basse saison.
- ***La baie des Canebiers :*** avec la célèbre *Madrague* de Bardot et la *Treille Muscate* de Colette, remise au goût du jour par le sitcom *Sous le Soleil* (signe des temps !).
- ***La plage de la Bouillabaisse :*** à l'entrée du village, sur la gauche.
- Voir aussi le chapitre « Ramatuelle » puisque les plages mythiques de Saint-Tropez sont à... Ramatuelle.

Randonnées

- ***Le tour de la presqu'île :*** c'est une portion du sentier du littoral. Un sentier piéton balisé part de la *plage des Graniers* et effectue le tour de la pointe nord-est de la presqu'île (par la *pointe de Rabiou,* le *cap de Saint-Tropez,* la *pointe de Capon*) jusqu'à la *plage de Tahiti.* Compter une douzaine de kilomètres. Chouettes vues sur les contreforts du massif des Maures et les fantasmatiques paysages de l'Estérel. Variante possible : après la baie des Canebiers, le chemin communal des Salins menant directement à la plage des Salins. Des itinéraires balisés par le Conservatoire du littoral circulent entre les pins parasols. Les plus courageux peuvent pousser jusqu'au cap Camarat après la plage de Pampelonne. Est-il alors besoin de préciser que le camping sauvage et le vélo sont interdits ?
- Possibilité aussi d'une courte excursion à la petite ***chapelle Sainte-Anne,*** au sud de la ville. Compter 4 km. Construite au XVIIe siècle, pour remercier Dieu d'avoir épargné la région de la peste qui frappait la Provence. Pittoresques ex-voto et beau panorama sur le golfe.

RAMATUELLE (83350) 2 170 hab.

Vieux village accroché à une colline, au milieu des vignobles. Ses maisons lui servent d'enceinte. Abondamment restauré et très touristique en haute saison, Ramatuelle a conservé un brin d'esprit de clocher pas désagréable. Au centre, la place de l'Ormeau semble avoir été figée pour l'éternité : avec son agent de police qui règle la circulation comme hier le garde champêtre, et son bon vieux bistrot sous les frondaisons. Nombreux artisans et antiquaires. Balade plaisante dans ses ruelles étroites à arcades. Au cimetière, tombe très visitée, depuis 1959, de *Gérard Philipe.* Facile à trouver : contre le mur à droite. C'est la plus belle, la plus simple, la plus émouvante (une pierre blanche et un tertre couvert d'une dense végétation).

Adresses utiles

- ***Office du tourisme :*** place de l'Ormeau. ☎ 04-98-12-64-00. Fax : 04-94-79-12-66. En juillet et août, ouvert du lundi au vendredi de 9 h à 13 h et de 15 h à 19 h 30, le samedi de 9 h 30 à 13 h et de 15 h à 19 h 30, et le dimanche de 10 h à 13 h et de 15 h à 19 h ; hors saison, du lundi au vendredi de 8 h à 12 h 30 et de 14 h à 18 h.

■ ***Location de vélos et motos :*** *Holiday Bikes,* route de Pampelonne. ☎ 04-94-79-87-75. Ouvert du 1er juin au 30 septembre.

Où dormir ?

Campings

⛺ ***Les Tournels :*** route de Camarat. ☎ 04-94-55-90-90. Fax : 04-94-55-90-99. • www.tournels.com • À 700 m de la mer. Fermé de mi-janvier à mi-février. Location de bungalows également. Piscine. C'est le plus éloigné de Saint-Trop', mais le plus sympa, semble-t-il, car s'étageant sur une colline au milieu des pins. Une véritable petite ville de près de 1 000 emplacements.

⛺ ***Camping à la ferme, Biancolini :*** Les Tournels. ☎ 04-94-79-84-59. À 4 km du village, sur la commune de Ramatuelle, à côté du camping *Les Tournels,* en revenant vers la route des plages. Ouvert « quand il y a du monde » (!), environ de mi-avril à fin septembre. Bon marché et correct. Évidemment moins congestionné que les « grands ».

⛺ ***Camping à la ferme, chez Marcel :*** chemin des Boutinelles, Le Fond-du-Plan. ☎ 04-94-79-86-07. Ouvert du 15 juin au 15 septembre. À 1 km des plages de Pampelonne et de L'Escalet. Ombragé et au milieu des vignes. Ambiance familiale et accueil chaleureux.

Assez bon marché

⛺ ***La Croix du Sud :*** route des Plages. ☎ 04-94-79-80-84. Fax : 04-94-79-89-21. Ouvert du 1er avril au 1er octobre. À 2 km de la mer. Location de bungalows. Coco, le perroquet, garde fort bien l'établissement. Pas mal de moustiques et assez surchargé.

⛺ ***La Toison d'Or :*** sur la plage même de Pampelonne. ☎ 04-94-79-83-54. Fax : 04-94-79-85-70. Réservation obligatoire en juillet et août. C'est le plus proche de Saint-Trop'. Ouvert de Pâques à début octobre. Assez cher. Location de mobile-homes et de caravanes.

⛺ ***Kon Tiki :*** plage de Pampelonne. ☎ 04-94-55-96-36. À côté du précédent. Même genre, mais en plus grand : 700 emplacements.

Prix moyens à plus chic

🏠 ***L'Amphore :*** route de L'Escalet. ☎ 04-98-12-90-90. Fax : 04-94-79-28-22. À quelques minutes de Ramatuelle et de la baie. Fermé du 30 octobre au 1er avril. Doubles de 60 à 105 € (390 à 690 F) selon la saison. Un drôle d'hôtel, qui renouvelle l'esprit des pensions de famille d'antan, avec un patron pittoresque et des prix ajustés. Près d'une pinède. Calme garanti. Piscine.

🏠 ***Chambres d'hôte Leï Souco :*** Le Plan, plaine de Camarat. ☎ 04-94-79-80-22. Fax : 04-94-79-88-27. • www.leisouco.com • À 3,5 km du village, par la route des Plages; sur la D 93 direction Saint-Tropez, tourner à droite à hauteur de la station-service. Congés annuels du 15 octobre au 1er avril. Doubles avec bains et TV satellite de 60 à 81 € (393 à 531 F) en basse saison, de 65 à 95 € (426 à 625 F) en haute saison, petit déj' compris. Difficile d'imaginer qu'on est à seulement 7 km de Saint-Trop' et à 2 km de la plage de Pampelonne. Ici, rien de surfait. De grandes chambres accueillantes dans un mas provençal tranquille, entouré d'oliviers et de mûriers. On peut lire en terrasse, faire un tour dans les vignes (il y en a 10 ha !). Tennis. En plus, on vous offre gentiment des fruits du verger et du jardin.

🏠 ***Motel des Sellettes :*** chemin de l'Oumède. ☎ 04-94-79-88-48. Fax : 04-94-79-82-24. À 4 km du village. Fermé du 4 novembre au 1er avril.

Studios pour 2 personnes, de 65 à 100 € (426 à 656 F) en basse saison et de 85 à 150 € (556 à 985 F) en haute saison. Possibilité de forfaits semaine. Également des appartements pour 4 à 6 personnes. Un coup de cœur pour ces maisons au milieu des vignes, au pied des collines, chacune abritant un studio en rez-de-jardin, d'un confort total. Il y a la pinède, la piscine, la plage de Pampelonne à deux pas, et la cuisinette pour préparer une cuisine à sa façon. 10 % de réduction offerts à nos lecteurs en basse saison, hors week-end, sur présentation du *Guide du routard.*

Où manger ?

Côté plage

🍽 ***Le Club 55 :*** plage de Pampelonne. ☎ 04-94-79-80-14. Ouvert le midi uniquement (jusqu'à 17 h, pour les lève-tard). Congés annuels du 11 novembre au 20 décembre et du 10 janvier au 10 février. De 33 à 38 € (220 à 250 F) à la carte. Au cœur même du mystère tropézien (souvenir d'un été où Vadim tourna *Et Dieu créa la femme*), jouez au PDG en escale ou aux stars de passage (il y en aura sûrement autour de vous, ou alors vous n'êtes pas physionomiste !) et choisissez un poisson grillé (incontournable, la daurade royale !), plutôt que le feuilleté de Ramatuelle. Le patron, Patrice de Colmont, est également le créateur de la *Nioulargue,* le plus beau rassemblement de vieux gréements de la Méditerranée, fin septembre-début octobre.

🍽 ***Les Murènes :*** Cap 21, plage de Pampelonne. ☎ 04-94-79-83-15. Comptez autour de 30,50 € (200 F). Très bon rapport qualité-prix pour ce resto qui tient bon le cap.

🍽 ***Plage de L'Orangerie :*** bd Patch, plage de Pampelonne. ☎ 04-94-79-84-74. ♿ Ouvert le midi (jusqu'à 16 h 30) de mai à octobre. Environ 18,30 € (120 F) à la carte sans la boisson. Poisson frais grillé ou plat du jour.

🍽 ***Key West Beach :*** plage de Pampelonne. ☎ 04-94-79-86-58. Ouvert toute l'année le midi ; en juillet et août, ouvert le soir également. Compter autour de 30,50 € (200 F). L'ambiance, ici, ça ne manque pas. Surtout le soir en été, quand il y a de la salsa dans l'air. Bonne cuisine exotique pour chaude soirée.

🍽 ***Les Bronzés :*** plage de Pampelonne, route de Bonne-Terrasse. ☎ 04-94-79-81-04. Au pied du cap Camarat. Ouvert d'avril à mi-octobre, midi et soir. Compter 23 à 30,50 € (150 à 200 F) à la carte. Resto, bar et plage privée, là aussi, tout y est, avec parasols et sable fin, s'il vous plaît ! Gambas crémées au pastis... Une cuisine simple et bien du coin à base de légumes provençaux, notamment l'incontournable aïoli provençal (à déguster tous les vendredis). Apéritif maison offert à nos lecteurs sur présentation du *GDR.*

🍽 ***Le Migon :*** quartier Bonne-Terrasse. ☎ 04-94-79-93-85. Ouvert toute l'année. Tout au bout de la plage, côté Camarat. Compter autour de 20 € (130 F).

Côté village

🍽 ***Le Cigalon :*** place de l'Ormeau. ☎ 04-94-79-21-08. Congés annuels d'octobre à avril. Menu à 11,45 € (75 F) le midi en semaine ; autre menu à 18,30 € (120 F). Compter 20 € (130 F) à la carte. Petit restaurant tout simple. Appuyé à une jolie maison provençale, avec une terrasse qui fait vite le plein, il est abrité aussi bien du vent que du soleil. À la carte, pizzas, anchoïades et autres spécialités du coin. Digestif maison offert à nos lecteurs sur présentation du *Guide du routard.*

Plus chic

|●| ***Auberge de l'Oumède :*** chemin de l'Oumède, route des Plages. ☎ 04-94-79-81-24. À 3 km du centre, par la route des Plages. Ouvert d'avril à octobre, le soir uniquement. Fermé le mercredi en avril-mai. Menu unique à 45 € (295 F). Dans les vignes, un mas provençal accueillant, où l'on se régale de petits farcis, de poisson du jour, d'un parmentier de queue de bœuf au foie gras poêlé et jus tranché. Belle terrasse et prix à la hauteur.

À voir

★ ***L'église Notre-Dame :*** du XVIe siècle. Très beau portail en serpentine, de 1620. L'église est appuyée sur les anciens remparts (le chemin de ronde passe encore sur le toit !). Le clocher était d'ailleurs à l'origine une tour de guet. À l'intérieur, statuaire pas inintéressante : deux statuettes en bois doré du XVIe siècle, un buste de saint André, patron de Ramatuelle, taillé dans une souche de figuier, et deux retables du XVIIe siècle.

Les plages

La plage de Pampelonne : la plus longue plage de Ramatuelle (5 km de sable fin) et, sûrement, la plus friquée des plages françaises. Au cœur de l'été, l'horizon est bouché par une véritable barrière de yachts de luxe. Sur la plage, 25 restos à des prix pas franchement démocratiques (voir « Où manger ? ») où, comme à Saint-Tropez, l'important est moins de regarder ce qu'on avale que de voir et d'être vu. Tout ça fait un peu tache dans un site considéré par plusieurs décisions de justice comme « paysage remarquable » au titre de la loi Littoral, non ? Un projet de réaménagement global de la plage se balade de bureaux d'études en tribunaux depuis quelques années, projet qui limiterait évidemment le nombre de plagistes. Vu le poids économique des plages privées à Pampelonne, y va y'avoir du sport ! Avec quelque 30 000 visiteurs par jour, la plage dans son ensemble génère aujourd'hui près de 500 emplois et quelques 30 490 000 €, soit 200 MF de chiffre d'affaires. On comprend pourquoi l'annonce de la disparition des différents plagistes – qui occupent le quart des 27 ha de plage et du plan d'eau – pourrait entraîner un séisme pour l'économie locale, si un jour le littoral devait retrouver son intégrité « naturelle ». Cela dit, il reste à Pampelonne des portions où respirer un peu ; en gros, plus on va vers le sud (soit vers le cap Camarat) considéré comme beaucoup moins chic, voyez-vous, plus on est tranquille.

La plage de L'Escalet : plus au sud, entre le cap Camarat et le cap Taillat, accessible par une petite route. Des mini-bandes de sable alternant avec des criques et des eaux profondes, vivifiantes et claires. Nettement moins de monde.

La plage de la Bastide-Blanche : la plus au sud, en contrebas du cap Taillat. Au bout d'une piste. Pour ceux qui ne supportent pas les foules, les douches au champagne et les parkings payants. L'idéal est d'y aller à pied, depuis la plage de L'Escalet, par exemple, en trottant 30 mn sur le sentier du littoral.

Fêtes et manifestations

– ***Les Temps Musicaux :*** en juillet. Musique classique et folklorique.
– ***Festival de Ramatuelle :*** la 1re quinzaine d'août. Dirigé par Jean-Claude Brialy. Programme plutôt éclectique, de Molière à Muriel Robin(!).
– ***Jazz Festival :*** mi-août.

GASSIN (83990) 2750 hab.

Par une route en lacet, on atteint ce village bien léché, également perché sur une hauteur (classé bien sûr parmi les plus beaux de France). Du belvédère, panorama évidemment superbe sur toute la région. Vestiges de remparts, ruelles et passages charmants. Quand il fait trop chaud sur la côte, c'est une saine habitude de venir y boire un verre de vin du pays au frais, entre chien et loup. Car Gassin a su rester fidèle à sa viticulture, ce qui fut autant bénéfique à son économie qu'à son environnement. Les domaines possèdent des étiquettes qu'il ne tient qu'à vous de collectionner en allant acheter quelques bonnes bouteilles ici et là. Horaires des visites dans le guide pratique de la Maison du tourisme.

Adresse utile

i ***Maison du tourisme Golfe de Saint-Tropez – Pays des Maures :*** carrefour de la Foux, 83580 Gassin. ☎ 04-94-55-22-00. Fax : 04-94-55-22-01. • www.golfe-infos.com • Une équipe de choc et de charme à qui vous pouvez tout demander (ou presque). En plus, vous allez pouvoir déguster les vins des domaines des Maîtres Vignerons et faire votre marché au *Petit Village* à côté. Marché provençal.

Où dormir ? Où manger ?

Hôtel Bello Visto : place des Barrys. ☎ 04-94-56-17-30. Fax : 04-94-43-45-36. Sur le belvédère. Resto fermé le mardi. Congés annuels de fin octobre à fin décembre. Doubles de 46 à 58 € (300 à 380 F). Menu à 23 € (150 F). Compter 33,55 € (220 F) à la carte. Aimable petit hôtel à l'orée du village. Chambres simplettes mais proprettes et gentiment tarifées pour le coin. Évidemment, on n'est pas les seuls à connaître l'adresse : réservez très tôt. Au resto, terrasse d'où l'on a une gentille vue sur le golfe de Saint-Tropez et cuisine provençale : lapin rôti à l'ail, galette de truffes.

Le Provençal : chemin de Bonnaventure. ☎ 04-94-97-00-83 ou 04-94-97-05-75. Fax : 04-94-97-44-37. Fermé du 15 janvier au 15 février et du 1er novembre au 15 décembre. Chambres entre 69 et 183 € (450 à 1200 F). Un hôtel de charme, légèrement en retrait par rapport à la route, donc au calme, de style provençal (non, sans blague ?), à 300 m des plages. Des chambres bien équipées, une piscine et un solarium. En prime, un bon accueil. Du sérieux, quoi !

Auberge La Verdoyante : 866, chemin de la Coste-Brigade. ☎ 04-94-56-16-23. À la sortie de Gassin, à 1 km du village par la petite route partant à droite du cimetière, prendre ensuite un chemin de terre (fléché). Ouvert d'avril à fin octobre. Fermé le mercredi à midi et le soir, sauf en juillet et août. Menus à 23 et 29 € (150 et 190 F). Grande maison perdue dans la campagne. Situation exceptionnelle. Grande salle bien agréable aux grosses poutres. À partir de mai, on mange évidemment dehors au son des cigales. Goûtez, par exemple, les tartinettes au foie de lapin et la daube de bœuf, histoire de vous caler un peu. Apéritif maison offert sur présentation du *GDR*.

À voir

★ ***L'église :*** elle date du XVIe siècle. À l'intérieur, très ancien bénitier en marbre blanc orné de quatre têtes d'anges et un buste en bois doré de saint

Laurent, patron du village, ainsi que quelques beaux tableaux de l'époque de la construction. Petite histoire amusante : le curé de la paroisse, ne voulant pas payer les frais de la cérémonie de consécration que l'évêque désirait présider, s'enfuit avec la clé de l'église. C'était en 1582, mais c'est à méditer !

PORT-GRIMAUD (83310)

Situé à 7 km de Saint-Tropez, sur la route de Fréjus. Vaut la peine d'y jeter un œil (mais vous y serez rarement seul : c'est désormais l'une des villes les plus visitées de France).

Un des rares ensembles immobiliers modernes réussis de la Côte, comptant désormais 2 500 habitations et 7 km de voies navigables bordées par 12 km de quai. Construit à partir de 1966 sur un terrain marécageux de 100 ha par l'architecte alsacien François Spoerry (on lui doit, dans un tout autre genre, la tour de l'Europe à Mulhouse) en forme de village méditerranéen typique et coloré, autour d'un canal à la vénitienne. Parking (payant) pour la voiture, puis balade à pied. Possibilité aussi d'emprunter une navette pour remonter le canal. Visite de 20 mn avec un des « coches d'eau » affrétés pour le transport de passagers dans la cité lacustre. Départ place du Marché, toute l'année, sauf du 15 novembre au 15 décembre. ☎ 04-94-56-21-13.

On peut aussi grimper sur la terrasse de l'église Saint-François (qui imite une église fortifiée, vitraux de Vasarely), pour s'offrir une vue d'ensemble du port.

Grande plage et **camping** tout à côté.

Adresse utile

■ ***Location de vélos et motos :*** Holiday Bikes, N 98. ☎ 04-94-56-31-28.

Où manger ?

Chic

La Table du Mareyeur : 10 et 11, pl. des Artisans. ☎ 04-94-56-06-77. Fermé le lundi hors saison. Congés annuels du 15 novembre au 15 décembre, et du 15 janvier au 15 mars. Menus à 23 € (150 F) vin et café compris le midi, 42,70 € (280 F) le soir. Beaucoup plus cher à la carte. Toutes les tables sont au bord de l'eau. Terrasse fleurie en été, fermée et chauffée en hiver, la grande classe. Une super adresse, en toutes saisons, au cœur de la cité lacustre, pour les amateurs de fruits de mer et de bons poissons, cuisinés avec talent. Vous vous régalerez avec les filets de rouget sur une fondue d'artichauts barigoule ou avec l'assiette de « poissons sauvages du marché » proposée à 30 € (195 F). Apéritif maison offert à nos lecteurs sur présentation de leur guide.

GRIMAUD (83360) 3 748 hab.

Un des villages-pitons les plus célèbres de la région. Évidemment très touristique, même s'il a conservé un caractère provençal marqué (aucune rue du village ne porte par exemple le nom d'un personnage historique ou célèbre). Restauré, abondamment fleuri, il propose une délicieuse promenade mi-ombre mi-lumière, dans ses ruelles entrelacées et sur ses délicieuses places, avec arrêts pour souffler et admirer au passage escaliers de pierre, lourdes portes en bois, façades cachées sous les bougainvilliers. Une longue marche (mais c'est tout le charme des vacances, non ?) qui vous mènera, épuisés mais ravis, vers le superbe château féodal en ruine.

Adresse utile

ℹ ***Office du tourisme :*** 1, bd des Aliziers. ☎ 04-94-43-26-98. Fax : 04-94-43-32-40. En saison, ouvert de 9 h à 12 h 30 et de 15 h à 19 h ; hors saison, de 9 h à 12 h 30 et de 14 h 30 à 18 h 30 ; et de 9 h à 12 h et 14 h à 18 h les mois d'octobre à mars. Propose plusieurs petits circuits de randonnée (gratuits).

Où dormir ?

Prix moyens

Chambres d'hôte Domaine du Prignon : route du Val-de-Gilly. ☎ 04-94-43-34-84. Chambres à 58 € (385 F) en été, à 52 € (345 F) sinon, avec toujours le petit déj' compris. Aux portes de Grimaud, entre vignes et collines, trois chambres coquettes dans un agréable domaine viticole. Vous pourrez toujours déguster le vin maison à la fraîche. Pas de table d'hôte, mais faites confiance à votre hôtesse pour vous indiquer ses adresses...

Hôtel La Pierrerie : quartier du Grand-Pont. ☎ 04-94-43-24-60. Fax : 04-94-43-24-78. • info@lapierrerie.com • À 2 km de Port-Grimaud par la D 61. Fermé du 31 octobre au 1er avril. Doubles avec douche et w.-c. ou bains (TV avec Canal +) de 70 à 98 € (459 à 643 F) selon la saison et la situation. On l'aime bien, ce gentil petit hôtel qui semble perdu en pleine campagne tout en étant dans le golfe de Saint-Tropez. Côté architecture, on se croirait dans un mas provençal, avec des petits bâtiments en pierre noyés dans les fleurs et la verdure, tout autour d'une piscine qui tient lieu d'agora, car tout le monde s'y retrouve aux beaux jours (les « moches » se comptant ici sur les doigts de la main !). Et quel calme... La 7e nuit consécutive est gratuite pour nos lecteurs sur présentation du *Guide du routard.*

Plus chic

Hôtel Le Ginestel : chemin des Blaquières. ☎ et fax : 04-94-43-48-45. • leginestel.hypermart.net • ♿ À 3 km du village de Grimaud et à 1,5 km de Port-Grimaud. Fermé du 10 octobre au 1er avril. Doubles avec douche et w.-c. ou bains de 57 à 99 € (380 à 650 F). Une fois que le nuage de poussière est retombé, au bout du chemin de terre qui le protège, ô combien efficacement, vous découvrez un hôtel *a priori* sans prétention, qui cache en fait 18 chambres plutôt sympas, ayant toutes une terrasse privée donnant sur le parc et la piscine. Si vous avez un bateau (pourquoi pas ? On peut rêver !), il y a un ponton, sur la Giscle. La classe !

Hôtel Athénopolis : quartier Mouretti. ☎ 04-94-43-24-24. Fax : 04-94-43-37-05. À 3 km de Grimaud, sur la route de La Garde-Freinet. Fermé du 1er novembre au 1er avril. Doubles avec douche et w.-c. ou bains de 77,75 à 103,65 € (510 à 680 F). Le nom peut faire peur, on vous l'accorde. Une fois arrivé au milieu du parc, on respire doublement. Des chambres (sans colonnes) joliment décorées, avec loggia ou terrasse, une piscine qui a de la gueule, une atmosphère paisible. Idéal pour un couple ayant envie de se (faire) dorloter, car les prix atteignent quand même un niveau élevé. Petit déjeuner copieux avec des fruits. Si vous avez un brin de voix, le patron, plutôt original, a un studio d'enregistrement à côté...

Où manger ?

🍽 ***Le Pâtissier du Château :*** 19, bd des Aliziers. ☎ 04-94-43-21-16. Fermé le mercredi. Congés annuels du 15 au 30 novembre et du 1er au 15 février. Compter de 10 à 15 € (65 à 98 F). Pour les gourmands, amateurs de sucré-salé, une super adresse, du petit déj' au tea-time autour d'une tarte au citron en passant par les tourtes aux herbes, à midi.

🍽 ***Restaurant du Café de France :*** 5, pl. Neuve. ☎ 04-94-43-20-05. Fermé de novembre à fin février. À la carte, compter 32 € (210 F). Vieille maison couverte de vigne vierge et belle et grande terrasse pour manger dehors. Salle du fond creusée dans la roche et donc fraîche par grosse chaleur. Cuisine de région style filet de loup pas mal dans son genre, mais les additions sont un peu trop parisiennes, à moins qu'elles ne soient simplement tropéziennes...

À voir

★ ***Le musée des Arts et Traditions populaires :*** route Nationale. ☎ 04-94-43-26-98. De Pâques à octobre, ouvert de 14 h 30 à 18 h, fermé les mardi et dimanche ; d'octobre à Pâques, ouvert les jeudi, vendredi et samedi de 14 h à 17 h 30. Entrée gratuite. Installé dans les bâtiments d'un ancien moulin à huile (au 1er étage subsistent les niches de pierre appelées chapelles, où l'on pressait les olives) et d'une bouchonnerie. Outils de la forge, harnais et licols, meubles provençaux qui abritent bonnets de dentelle, jupons, boutis, chemises et linge de maison... Expos à thème en été.

★ ***Le vieux village :*** on y grimpe par la *rue du Porche,* où les Grimaudois discutent le coup à l'ombre des micocouliers sur le banc dit « des menteurs » *(sic !)*. À deux pas, mignonnette *place du Cros*. La *rue des Templiers* est la plus spectaculaire du vieux village et la plus belle avec ses élégantes arcades de basalte. Au n° 10, belle porte en serpentine du XVIIIe siècle.

★ ***L'église Saint-Michel*** : un petit bijou d'église romane (XIe-XIIe siècles) qui n'a subi que peu de modifications (un clocher ajouté au XVIe, une sacristie au XVIIe). Évidemment d'une grande pureté de lignes et d'une certaine austérité. À l'intérieur, un bénitier du XIIe, en marbre de Carrare, qui aurait été offert par le célèbre roi René. Vitraux modernes de Jacques Gautier (1975). En revanche, la fresque du XIXe montrant saint Michel terrassant le dragon n'était peut-être pas indispensable...

★ ***La chapelle des Pénitents :*** encore un édifice roman, mignonne petite chapelle, contemporaine de l'église Saint-Michel, agrandie au XVIe siècle et modifiée au XVIIIe siècle. Un petit air mexicain. Joli retable et reliques de saint Théodore.

★ ***Le château :*** quelques vieilles pierres encore dignes, seuls vestiges d'un puissant château médiéval (XIe-XVe siècles) pillé à la Révolution. On distingue encore nettement les trois enceintes ; le corps de logis est toujours flanqué de trois grosses tours rondes.

★ Redescendre place du Château et, sur la gauche, rue de Clastre. Rejoindre la rue de la Cabre-d'Or pour aller vers le ***moulin à vent de Saint-Roch***, entièrement restauré et remis en état de moudre en 1990. Plein de touffes de lavande tout autour. À voir et à humer.

COGOLIN (83310) 9180 hab.

Charmante petite ville qui vit à l'année, et qui vit plutôt bien, au pied du massif des Maures. Cogolin a conservé une centre ancien qui mérite une petite balade. Possession des chevaliers de Malte, le château qu'ils avaient fait construire n'a en revanche pas résisté aux guerres de Religion.
La légende veut que ce soit le coq accompagnant le corps du martyr Torpes, devenu saint par la suite, qui soit à l'origine de la ville. Lorsque l'embarcation toucha les côtes, le coq s'envola et se posa au milieu d'un champ de lin, d'où le « coq au lin » ! En revanche le mystère demeure sur les mésaventures arrivées au chien, égaré, lui, du côté de Grimaud...
À 5 km du village en direction de Saint-Tropez par la N98 se trouvent les ***Marines de Cogolin,*** construites entre la rive droite de la Giscle et la plage. Complexe portuaire, plage, base nautique. Marché le vendredi matin l'été. Autres rendez-vous en ville pour les amateurs de marché provençal : le mercredi matin place Victor-Hugo, et le samedi matin place Dolet.

Adresse utile

i ***Office du tourisme :*** place de la République. ☎ 04-94-55-01-10. Fax : 04-94-55-01-11. • cogolin.tourisme.accueil@wanadoo.fr • Hors saison, ouvert du lundi au vendredi de 9 h à 12 h et de 14 h 30 à 18 h 30, et le samedi de 9 h à 12 h ; en saison, ouvert du lundi au samedi de 9 h à 12 h 30 et de 14 h 30 à 19 h, et le dimanche de 9 h à 12 h 30.

Où dormir ?

Camping

⛺ ***Camping L'Argentière :*** chemin de L'Argentière. ☎ 04-94-54-63-63. Fax : 04-94-54-06-15. Sur la D 48, direction Collobrières. Ouvert du 15 avril au 30 septembre. À 4 km de la plage. Location de caravanes et de bungalows.

Prix moyens

⌂ ***Coq'Hôtel :*** place de la Mairie. ☎ 04-94-54-13-71 et 04-94-54-63-14. Fax : 04-94-54-03-06. En plein centre. Ouvert toute l'année. Restaurant fermé le vendredi. Doubles de 42,70 à 73,20 € (280 à 480 F) selon la saison. Menus de 14,50 à 22,10 € (95 à 145 F). Également un menu du jour à 10,35 € (68 F) le midi, du lundi au vendredi. Un hôtel au cadre agréable et aux prix qui ne vous feront pas grimper sur vos ergots. Chambres joliment rénovées dans le style provençal, certaines avec terrasse (côté place, un peu plus bruyantes donc, mais climatisées et insonorisées). 10 % de réduction sur le prix de la chambre du 1er novembre au 30 avril sur présentation du *GDR*.

Plus chic

⌂ ***La Maison du Monde :*** 63, rue Carnot. ☎ 04-94-54-77-54. Fax : 04-94-54-77-55. • info@lamaisondumonde.com • Chambres de charme de 80 à 145 € (525 à 951 F). Une maison d'hôte pour voyageurs amoureux d'un confort certain autant que d'un certain art de vivre, d'une beauté sereine, où tout est fait pour se relaxer, du salon au parc en passant par la terrasse et la bibliothèque. Belles chambres mais demandez de préférence le côté jardin, celles côté rue n'étant pas encore l'idéal pour se reposer. Piscine extérieure dans la verdure. À *La carte de Clarisse,* plus table d'hôte de luxe que restaurant, compter autour de 30,50 € (200 F).

Où manger?

La Grange : 7, rue du 11-Novembre. ☎ 04-94-54-60-97. Fermé le lundi toute la journée et le samedi midi. Congés annuels en novembre et février. Formules le midi à 10,35 et 13,40 € (68 et 88 F). Autres menus de 18 à 24 € (118 à 158 F). À la carte, compter aux environs de 15 € (100 F) sans la boisson. On mange dans une ancienne grange. Cuisine simple mais vraiment pas chère pour la Côte d'Azur. Poivrons à l'huile et anchoïade, foie de veau à l'ancienne, aïoli le vendredi. Carte de fidélité magnétique! Apéritif maison offert sur présentation du *GDR*.

La Taverne du Siffleur : 9, rue Nationale. ☎ 04-94-54-67-02. Dans le centre ancien, derrière l'église. Ouvert de Pâques à septembre. Réservation très conseillée en soirée. Menu complet à 18,30 € (120 F). Compter autour de 15 € (100 F) à la carte. Une petite table sans prétention, dans le genre authentique. Cuisine de ménage, inévitablement provençale (essayez l'aïoli et la bouillabaisse) au gré des saisons et de l'humeur de la patronne. Agréable petite terrasse.

Pizzeria del Sol : 34, rue Gambetta. ☎ 04-94-54-47-39. ♿ Fermé le dimanche. Ouvert toute l'année, sauf entre Noël et le Nouvel An. Menus de 10,35 à 22,10 € (68 à 145 F). La pizzeria classique : patron accueillant, pizzas copieuses, clientèle d'habitués et petits prix. Café offert à nos lecteurs sur présentation du *Guide du routard*.

Le Coq au Lin : 40, rue Marceau. ☎ 04-94-54-60-50. Fermé le mardi en basse saison. Menu à 10,35 € (68 F) le midi ; autres menus à 19,50 et 23 € (128 et 150 F). Salle cossue et rustique, vaisselle du pays, comme les patrons. Très bonne viande (on est ici boucher de père en fils) mais rassurez-vous, en même temps que la carte, on vous présente la pêche du jour dans une assiette : sar, pageot, daurade... Couscous maison le mercredi midi.

Le Jardin d'Italie : quai la Galiote, Les Marines de Cogolin (à 6 km). ☎ 04-94-56-46-41. Après avoir fait, pendant sept ans, les beaux jours du *Petit Bakoua*, à Saint-Tropez, durant l'été (l'hiver, ils migraient, comme beaucoup, à Courchevel), les nouveaux propriétaires de ce resto de poissons et pâtes fraiches, qui reste d'un bon rapport qualité-prix, ont décidé de s'installer à l'année dans le midi. Profitez-en, même aux jours gris : ils ont une terrasse couverte et chauffée sur le quai, face aux petits bateaux qui vont sur l'eau...

Plus chic

La Ferme du Magnan : route de La Mole. ☎ 04-94-49-57-54. À 5 km de Cogolin par la N 98. Fermé de novembre à mars. Menus de 24 à 44,50 € (157 à 292 F). Dans une ancienne bastide du XVIe siècle sur les premiers contreforts du massif des Maures. Une adresse de rêve même si les prix n'ont certes rien de « fermier » (mais ici, c'est bien connu, les poules pondent des œufs en or). Belle terrasse à flanc de colline, près dudit poulailler, pour goûter le coquelet rôti au miel et cinq épices ou le lapin à la provençale, avec un vin de Cogolin. Café offert à nos lecteurs.

À voir

★ ***L'espace Raimu :*** 18, av. Georges-Clemenceau. ☎ 04-94-54-18-00. Fax : 04-94-54-43-24. Hors saison, ouvert tous les jours sauf le dimanche matin, de 10 h à 12 h et de 15 h à 18 h ; du 1er juillet au 31 août, tous les jours de 10 h à 12 h et de 16 h à 19 h. Fermeture annuelle la 2e quinzaine de novembre. Entrée : 3 € (20 F) ; 2,30 € (15 F) pour nos lecteurs sur présentation du *Guide du routard.* Orson Welles a dit de Raimu qu'il était le plus grand acteur du monde. Ce qui est sûr, c'est qu'il a marqué de son empreinte une bonne partie du cinéma français. Sa petite-fille entretient depuis 1989, dans ce musée, la mémoire de son aïeul avec un amour et une passion qui forcent le respect. C'est elle qui vous fera visiter ce musée rassemblant des objets mythiques tout droit sortis de *Marius,* de *La Fille du puisatier* ou de *L'Inconnu dans la maison* (le plus grand Raimu pour nous !). Isabelle Raimu vous racontera son grand-père, elle vous fera toucher du doigt la vie de cet homme qui n'avait pas mauvais caractère, qui n'était pas radin comme le prétend la légende ! Il faut absolument aller voir ce musée, le seul en France consacré à un acteur, et quel acteur !

★ ***L'église romane Saint-Sauveur :*** du XIe et du XVIe siècle, elle contient un beau triptyque en bois de 1540. Beau portail nord en serpentine verte, inspiré par la Renaissance florentine.

★ ***La ville haute :*** avec ses vieilles rues, ses passages voûtés en pierres de lave, elle a peu ou prou conservé son aspect médiéval. Il faut s'attarder sur les porches des maisons dont certains datent du XIIe siècle, comme dans la *rue de la Résistance* ou dans la *rue du Piquet.* Ils sont pour la plupart taillés dans des blocs de serpentine des Maures.

★ ***La maison-musée Sellier :*** 46, rue Nationale. ☎ 04-94-54-63-28. Ouvert du lundi au samedi de 10 h 30 à 12 h et de 17 h à 20 h. Entrée : 2,30 € (15 F) ; gratuit pour les moins de 15 ans. Dans une jolie maison du XVIIe siècle. Expo sur les pionniers de la télégraphie sans fil et les nombreux constructeurs qui ont jalonné l'histoire de la radio.

★ ***La manufacture de tapis :*** bd Louis-Blanc. ☎ 04-94-55-70-65. Ouvert du lundi au vendredi de 9 h à 12 h et de 14 h à 18 h (17 h le vendredi). Créée en 1924. Tous les tapis, des pièces uniques, sont faits à la main et on en trouve à l'Élysée, à Versailles, dans les ambassades et au palais de Monaco. Salle d'expo-vente.

★ ***La fabrique de pipes Courrieu :*** 58, av. Georges-Clemenceau. ☎ 04-94-54-63-82. Ouvert de 9 h à 12 h et de 14 h à 18 h (17 h le samedi). Fermé le dimanche. Visite des ateliers où l'on fabrique des pipes (normal) dans de la bruyère récoltée dans le massif des Maures. Une tradition qui remonte à plus de 200 ans, et les amateurs avertis vous diront qu'elles valent largement celles de Saint-Claude.

➤ *DANS LES ENVIRONS DE COGOLIN*

★ ***Château Saint-Maur :*** route de Collobrières (à 2 km). ☎ 04-94-54-63-12. Un microclimat propice à la culture de la vigne, dû à la présence protectrice, au nord et à l'ouest, du massif des Maures, et grâce à l'ensoleillement et aux brises marines venues de l'est. Un lieu qu'il faut prendre le temps de visiter pour mieux aimer ces vins qui peuvent se permettre d'afficher haut et fort leurs trois couleurs. Cru classé depuis 1946, pour la petite histoire.

LA GARDE-FREINET

(83680) 1 660 hab.

Gros village du massif des Maures, semblant flotter à 400 m d'altitude sur une vaste forêt de châtaigniers. La tradition locale veut que les Sarrasins y aient trouvé leur dernier point d'appui en France. Chassés de partout, ils étaient parvenus, grâce à la position stratégique du site, à s'y maintenir un siècle de plus. Mais aucune découverte archéologique n'a pu confirmer cette légende... Le village a longtemps vécu en quasi-autarcie autour des cultures traditionnelles : châtaignes (les fameux marrons... du Luc, du nom de leur gare d'embarquement) et liège (la fabrication de bouchons faisait vivre 700 personnes au XIXe siècle). Certes un peu touristique en journée, La Garde reste, pour ceux qui font une allergie aux foules luisantes ou tapageuses de l'été, une base arrière idéale pour visiter la région.

Adresse utile

i ***Office du tourisme :*** 1, pl. Neuve. ☎ 04-94-43-67-41. Fax : 04-94-43-08-69. • www.lagardefreinet-tourisme.com • Ouvert de 10 h à 12 h 30 et de 15 h à 18 h. Fermé le dimanche hors saison, le dimanche après-midi de Pâques à la Toussaint.

Où dormir ?

Gîte

■ ***Gîte d'étape :*** hameau de la Cour. ☎ et fax : 04-94-43-64-63. ♿ À 6 km du village. Nuitée à 12,20 € (80 F), petit déj' compris. En juillet et août, la maison est uniquement louée en gestion libre pour 6 personnes, autour de 380 € (2500 F). Cartes de paiement non acceptées. 14 lits dans deux dortoirs. Apéritif maison offert à nos lecteurs sur présentation du *Guide du routard*.

Campings

⛺ ***Camping municipal Saint-Éloi :*** quartier Saint-Éloi. ☎ et fax : 04-94-43-62-40. À la sortie du village, direction Grimaud. Ouvert du 1er juin à fin septembre. Dans un grand parc ombragé, peuplé de cèdres, de chênes-lièges et de pins maritimes. Possibilité de réserver. Douches chaudes.

⛺ ***Camping La Ferme de Bérard :*** route de Grimaud. ☎ 04-94-43-21-23. Fax : 04-94-43-32-33. Par la D558, à 5 km du village. Ouvert de mars à novembre. Piscine. Location de caravanes.

Prix moyens

■ ***La Claire Fontaine :*** place Vieille. ☎ et fax : 04-94-43-60-36. Fermé de mi-février à mi-mars. Doubles de 29 € (190 F) avec lavabo à 35 € (230 F) avec douche et w.-c. Sur la place centrale du bourg, quelques chambres simples mais assez confortables. Et un snack bien pratique.

■ ***Hôtel Le Suve :*** 14, rue du Noyer. ☎ 04-94-43-09-86. Fax : 04-94-43-09-89. Congés annuels du 1er octobre au 31 mars. Doubles de 53,35 à 76,20 € (350 à 500 F). Une vieille maison à peine à l'écart du centre du village, avec des chambres correctes, à prix doux pour le pays. 10 % de réduction sur le prix de la chambre, sauf en juillet-août, sur présentation du *GDR*.

Où manger ?

Prix modérés

🍽 *Le Lézard :* 7, pl. du Marché. ☎ 04-94-43-62-73. • lelezard@wanadoo.fr • En face du kiosque municipal. Fermé le lundi et en février. Menus à 19,50 et 25,60 € (128 et 168 F). Bonne ambiance (le patron et chef – impossible à rater – s'en occupe !). Terrasse pour lézarder au pied d'un mignon kiosque à musique. Cuisine très personnelle, style canard au miel, à l'orange et au gingembre frais... Concerts de jazz en été ! Apéritif ou digestif maison offert à nos lecteurs sur présentation du *Guide du routard*.

🍽 *Pizzeria Da Mimmo :* place Vieille. ☎ 04-94-43-09-80. Compter autour de 10 € (65 F). Ouvert toute l'année. Fermé le lundi en hiver. Pizzas géantes et délicieuses que les autochtones recommandent, et comme ils n'ont pas tous mauvais goût (allez, c'est une plaisanterie, on a déjà oublié les fabriques de boutons du bord de mer !), on leur fait confiance...

Plus chic

🍽 *La Faucado :* route Nationale. ☎ 04-94-43-60-41. À droite en venant de Grimaud. Fermé le mardi hors saison et de mi-janvier à mi-mars. Menu à 24,40 € (160 F) le midi uniquement. À partir de 30,50 € (200 F) à la carte. Superbe salle à manger : du rustique exquis. Terrasse noyée dans la verdure. Belle et bonne cuisine de tradition, avec un soupçon de raffinement. Réservation conseillée. Digestif maison offert aux lecteurs sur présentation du *GDR*.

À voir. À faire

★ ***Le village :*** ruelles aux noms pittoresques, fontaines, vieux lavoir, église Renaissance avec un autel polychrome.

★ ***Le conservatoire du Patrimoine et des Traditions du Freinet :*** 1, pl. Neuve. ☎ 04-94-43-08-57. Au 1er étage, au-dessus de l'office du tourisme. Ouvert du mardi au samedi de 10 h à 12 h et de 15 h à 18 h. Entrée : 1,50 € (10 F) ; gratuit pour les moins de 12 ans. Visite guidée du conservatoire, du fort Freinet et du vieux village, tous les samedis à 9 h 30 ou sur rendez-vous. Tarif : 6,10 € (40 F). Si vous avez décidé de grimper jusqu'au fort Freinet, on vous conseille au préalable la visite de ce tout petit musée. Une maquette permet de mieux comprendre l'organisation du site, et quelques vitrines exposent les objets trouvés sur place : dés à coudre du XIVe siècle, céramiques des XIIe et XIIIe siècles, etc. Très intéressantes expos thématiques bi-annuelles autour des activités traditionnelles des Maures comme le travail du liège (démonstration d'écorçage du liège tous les étés).

Balades

L'office du tourisme propose une dizaine de circuits de randonnées (pédestres ou à VTT).

➢ ***Le fort Freinet :*** accès par la route forestière au-dessus du village, compter une bonne demi-heure de marche. Le voilà, posé à 450 m d'altitude, ce légendaire nid d'aigle sarrasin (point de vue évidemment exceptionnel) ! Ce village fortifié a plus sûrement été aménagé à la fin du XIIe siècle.

Un site étonnant : tout, des douves aux maisons en passant par la chapelle, avait été creusé à même la roche. Le village sera abandonné à la fin du XIVe-début du XVe siècle au profit du village actuel, au passage du col de La Garde.

➢ Autre promenade bien sympathique : les ***roches Blanches*** (à 20 mn à pied, autre panorama somptueux). Ces rochers qui, de loin, évoquent quelques neiges éternelles sont en fait en quartz blanc !

➢ Possibilité aussi de joindre les hameaux paisibles qui entourent La Garde-Freinet. Le temps semble s'y être arrêté. En particulier, ***La Moure, Valdegilly, Camp-de-la-Suyère,*** etc. Des petits guides décrivant ces balades sont en vente à l'office du tourisme.

➢ Vers l'ouest, le fameux GR 9 rejoint ***Notre-Dame-des-Anges*** (voir le chapitre « Collobrières »).

Fêtes et manifestations

– ***Marché :*** les mercredi et dimanche matin.
– ***Bravade de la Saint-Clément :*** le 1er mai. Moins spectaculaire que celle de Saint-Tropez, intéressante toutefois. Une procession d'hommes en armes conduisent les cendres du saint patron de l'église à une chapelle située à 1 km du village.
– ***Fête de la Transhumance :*** en juin. Quelque 2000 moutons passent à La Garde. Marché paysan, démonstration de dressage de chiens de bergers...
– ***Fête de la Châtaigne :*** fin octobre. Grand marché, vente de châtaignes (une dégustation-vente de kouign-amann nous aurait étonnés...).
– ***Fête de la Vigne et du Vin :*** fin octobre. Avec groupes folkloriques.
– ***Foire aux santons :*** la dernière semaine de décembre.

LES MAYONS (83340)

À une vingtaine de kilomètres de La Garde-Freinet par la D558 puis, à gauche, la D75 qui traverse la jolie plaine des Maures. Village accroché aux premiers contreforts du massif des Maures, fondé au XVIe siècle par des charbonniers venus d'Italie. Tranquille et mignon. L'église abrite une belle crucifixion du XVIIe siècle.

Où dormir ? Où manger ?

⌂ |●| ***Chambres d'hôte et ferme-auberge Domaine de la Fouquette :*** 83340 Les Mayons. ☎ 04-94-60-00-69. Fax : 04-94-60-02-91. • domaine.fouquette@wanadoo.fr • À 2 km après le village des Mayons sur la D 75, direction Collobrières. Fermé d'octobre à mars. Doubles avec douche et w.-c. à 48 € (315 F), petit déj' compris. Table d'hôte sur réservation : 16 € (105 F). 3 chambres, à la déco toute simple mais pas désagréables. Vous apprécierez, après la balade dans la forêt, la table de ce couple de viticulteurs qui se font un devoir de vous faire goûter, outre leur vin, une cuisine de terroir à base de produits fermiers : lapin au safran, petit farcis, bouillabaisse de poulet. Digestif maison offert aux lecteurs du *Guide du routard.*

➤ *DANS LES ENVIRONS DES MAYONS*

★ ***Le village des Tortues :*** 83590 ***Gonfaron.*** ☎ 04-94-78-26-41. Sur la D 75 entre Les Mayons et Gonfaron. Ouvert tous les jours de 9 h à 19 h. Fermé de décembre à février. Entrée : 7 € (45 F) ; enfants de 3 à 16 ans : 4,60 € (30 F). Bien sûr, la réintroduction de l'ours dans les Pyrénées a plus fait parler d'elle que celle de la tortue dans les Maures. Et pourtant, sans le travail de ce « village », la tortue de Hermann, plus ancien vertébré d'Europe (son espèce affiche plus de 50 millions d'années d'existence), aurait peut-être disparu du massif des Maures, dernier endroit où elle subsiste avec la Corse, victime des incendies de forêt, du défrichement ou de la simple bêtise humaine. Signalons au passage à ceux qui seraient tentés d'en rapporter une pour animer leur jardin que les tortues ne supportent pas la captivité... Les tortues sont soignées et élevées ici afin de repeupler le massif des Maures. Nursery, clinique, petites maisons ont été construites à cet effet sur 1 ha de sous-bois. Pour être sûr de voir ces gentilles bestioles, on vous conseille en été la visite le matin vers 10 h-11 h, quand les tortues mangent, ou vers 17 h-18 h ; le reste de l'année, aux heures les plus chaudes de la journée. Il y a aussi un parcours paléontologique, style Maurassic Parc, à l'époque des dinosaures, avec des tas de tortues disparues : son, images, etc. Un joli voyage dans le temps.

PLAN-DE-LA-TOUR (83120) 2410 hab.

Un nom à retenir car vous allez tomber amoureux de ce coin de la campagne varoise si vous aimez les longues balades dans les collines, les grimpettes sur de petites routes odorantes aux innombrables virages, menant à des lieux accueillants où l'on a forcément envie de prolonger son séjour...

Adresse utile

🛈 ***Office du tourisme :*** place du 19-Mars-1962. ☎ 04-94-43-01-50. Fax : 04-94-43-75-08. En saison, ouvert de 9 h à 12 h et de 15 h à 18 h ; hors saison, de 9 h à 12 h et de 14 h à 18 h.

Où dormir ? Où manger ?

🏠 ***Mas des Brugassières :*** ☎ 04-94-55-50-55. Fax : 04-94-55-50-51. À 1 km du village sur la route qui rejoint la N98. Fermé du 10 octobre au 20 mars. Doubles avec bains de 69 à 87 € (452 à 570 F) selon la saison. En v'là du charme, en v'là ! Au cœur même du massif des Maures, à 5 km de la mer seulement et à 12 km de Saint-Tropez, un hôtel accueillant tenu par un drôle d'oiseau voyageur – d'où l'impression d'exotisme bienvenue dès l'entrée. Le reste, vous pouvez l'imaginer : accueil décontracté, chambres décontractées, piscine décontractée. Possibilité d'un déjeuner-piscine qui n'a rien de petit, servi entre 10 h et 13 h. Apéritif maison offert à nos lecteurs, et pour un séjour supérieur à 3 nuits hors juillet et août, 2 petits déj' offerts sur présentation du *GDR*.

🏠 🍽 ***La Bergerie :*** le Clos de San Peire. ☎ 04-94-43-74-74. Fax : 04-94-43-11-22. • labergeriecaranta@wanadoo.fr • À 2 km du village, sur la D 44. Doubles de 40 à 65 € (263 à 426 F) en basse saison, et de 50 à 77 € (327 à 505 F) en haute saison, petit déj' compris. Table d'hôte sur réservation : 22 € (145 F). Au cœur d'une propriété de 6 ha, une ancienne bergerie retapée avec goût, des chambres agréables, des petits déj' avec des produits maison, un mari, fou de vin, qu'on croise en tracteur revenant des vignes, et sa femme qui vous accueille avec un grand sourire, dans une salle où vous vous retrouverez, un soir ou deux par semaine, à la table d'hôte. Piscine paysagée. Boules de pétanque à disposition. Gîte également à proximité.

SAINTE-MAXIME

(83120) 12000 hab.

Trouville a Deauville, Sainte-Maxime a Saint-Tropez. L'image de star de la seconde occulte un peu la première. Et Sainte-Maxime est peut-être un peu moins agréable que Saint-Trop' hors saison mais, en été, elle offre une belle alternative. Ses plages sont tout aussi belles qu'en face et elles sont moins remplies de m'as-tu-vu avec leur téléphone cellulaire coincé dans le maillot de bain. Si, si, on en a vu !

Adresse utile

- ***Office du tourisme :*** promenade Simon-Lorière. ☎ 04-94-55-75-55. Fax : 04-94-55-75-56. • www.sainte-maxime.com • En saison, ouvert tous les jours de 9 h à 20 h ; hors saison, de 9 h à 12 h 30 et de 14 h à 18 h.

Où dormir ?

Prix moyens

- ***L'Ensoleillée :*** 29, av. Jean-Jaurès. ☎ 04-94-96-02-27. Au centre-ville, à l'angle de l'avenue Jean-Jaurès et de la rue Martin. Parking gratuit. Fermé d'octobre à Pâques. Suivant la saison, doubles de 38 à 46 € (250 à 300 F) avec douche, de 46 à 53 € (300 à 350 F) avec douche et w.-c. ou bains. Demi-pension de 41 à 53 € (270 à 350 F) obligatoire en juillet et août. Menus de 15,20 à 21,30 € (100 à 140 F). Le nom peut prêter à sourire, mais les prix, la gentillesse de l'accueil, le décor donnent du baume au cœur, dans cette ville ayant grandi trop vite. Ici, on fait une sorte de retour en arrière avec des chambres sans prétention, confortables et propres (eh oui, faut le signaler !), et un restaurant qui est une bonne petite surprise. Le tout à 50 m de la plage. Sur présentation du *GDR* de l'année, 10 % de réduction sur le prix de la chambre hors saison et hors grands week-ends, et café offert au restaurant.
- ***Le Petit Prince :*** avenue Saint-Exupéry (bon sang, mais c'est bien sûr !). ☎ 04-94-96-44-47. Fax : 04-94-49-03-38. • lepetit.prince@wanadoo.fr • Ouvert toute l'année. Chambres de 38 à 76 € (250 à 500 F). Un gentil petit hôtel pour tous ceux qui n'aiment pas être traités comme des moutons, à 100 m des plages. Une jolie surprise : les chambres sont confortables, spacieuses, agréables à vivre, avec balcon ou loggia. Patronne d'une vraie gentillesse.

Plus chic

- ***Le Mas des Oliviers :*** La Croisette. ☎ 04-94-96-13-31. Fax : 04-94-49-01-46. Sur les hauteurs de la ville, côté Grimaud. Fermé du 15 janvier au 15 février. Doubles avec douche et w.-c. ou bains de 44,20 à 90 € (290 à 590 F) avec vue sur la garrigue, de 53,35 à 120,45 € (350 à 790 F) avec vue sur la mer. Bleu, paisible, charmant, confortable, comme dit le prospectus maison (et vous verrez, c'est vrai). Pins parasols, chant des cigales et vue sur le golfe... 10 % de réduction sur le prix de la chambre du 1er novembre au 30 avril sur présentation du *GDR*.

Le Montfleuri : 3, av. Montfleuri. ☎ 04-94-55-75-10. Fax : 04-94-49-25-07. • montfleuri.ste.maxime@wanadoo.fr • Dans une rue perpendiculaire à l'avenue du Général-Leclerc (sortir du centre direction Saint-Raphaël). Fermé du 10 novembre au 1er mars. Doubles avec douche et w.-c. de 54 à 114 € (355 à 750 F), avec bains de 70 à 183 € (459 à 1 200 F). Demi-pension à 33 € (216 F) par personne. Menus à 19 € (120 F) le midi, 23 € (151 F) le soir. La façade annonce la classique hôtellerie balnéaire, engoncée dans le conformisme pour ne pas chagriner ses vieux habitués. Impression qui vole en éclat dès l'accueil, charmant et enjoué. Voilà, « drivé » par un jeune couple, un vrai hôtel de vacances dont l'ambiance parvient à marier professionnalisme et franche décontraction. Chambres toutes différentes, toutes plaisantes, toutes climatisées. Tables gaiement dressées autour d'une piscine quasi hollywoodienne et agréable petite cuisine. Apéritif maison offert à nos lecteurs.

La Croisette : 2, bd des Romarins. ☎ 04-94-96-17-75. Fax : 04-94-96-52-40. • www.hotel-la-croisette.com • Sur les hauteurs de la ville, côté Grimaud. Fermé du 1er novembre à mi-mars. Doubles avec douche et w.-c. ou bains et TV satellite de 57 à 89 € (374 à 584 F) hors saison, de 95 à 160 € (623 à 1 050 F) en saison. Dans une rigolote villa balnéaire qui semble tout droit sortie du XIXe siècle (elle a été construite dans les années 1950 et remaniée récemment...). Déco de la réception un peu chargée. Les chambres, climatisées, ont plus de charme. Certaines ont une petite terrasse qui donne sur le jardin planté de palmiers, chênes verts et de lauriers-roses ou sur la mer. Accueil sympa et pas du tout guindé. En plus, apéritif maison offert aux lecteurs sur présentation du *GDR*.

Les Santolines : La Croisette. ☎ 04-94-96-31-34. Fax : 04-94-49-22-12. • www.hotel-la-croisette.com • Sur les hauteurs de la ville, côté Grimaud. Ouvert toute l'année. Doubles avec douche et w.-c. ou bains et TV satellite de 60 € (394 F) hors saison pour une chambre en rez-de-jardin à 130 € (853 F) en saison pour une chambre climatisée avec vue sur mer. Un nom qui sent bon la Provence, et des prix qui ne sentent pas trop la Côte d'Azur, surtout hors saison bien sûr. Piscine. Apéritif maison offert à nos lecteurs sur présentation du *Guide du routard*.

Le Jas Neuf : 112, av. du Débarquement. ☎ 04-94-55-07-30. Fax : 04-94-49-09-71. • info@hoteljasneuf.com • Ouvert de février à octobre et pour les fêtes de fin d'année. Chambres de 78 à 160 € (510 à 1 050 F). Au restaurant, compter entre 28 et 38 € (185 et 250 F). À 2 km des plages de la Nartelle, en direction du golfe de Sainte-Maxime, un hôtel de charme tenu par un couple sympa qui se met en quatre pour ses clients. Chambres climatisées très confortables dans un style provençal allégé, comme la cuisine de *L'Olive d'Or*, un resto au nom impossible mais qui ne triche pas, lui non plus, sur les produits. Goûtez le saint-pierre aux tomates épicées et fenouil, il vous ouvrira les portes du paradis. Belle et lumineuse véranda, et équipe souriante qui ne se la joue pas tropézienne. Piscine, jardin avec transats : la belle vie, à l'écart du bruit et de la foule...

Où manger ?

Restaurant La Maison Bleue : 48 *bis*, rue Paul-Bert. ☎ 04-94-96-51-92. Fermé le mercredi en octobre. Congés annuels du 27 octobre au 26 décembre et du 3 janvier au 30 mars. Menus à 15 et 21,35 €

(100 et 140 F). Voici une maison que toutes les petites filles rêveraient de posséder si elle se vendait en jouet. Car c'est un vrai rêve d'enfant dans lequel on pénètre pour dîner, une sorte de « Mille et Une Nuits provençales » aux couleurs bleu (bien sûr), ocre et jaune. En clair, une déco de très bon goût. La terrasse avec ses banquettes aux coussins coquets et confortables permet d'apprécier en plein air la cuisine savoureuse que l'on sert ici. Car en plus, on y mange bien ! Très bonne adresse, malgré un service un peu léger.

Ⅰ●Ⅰ ***Auberge Sans Souci :*** 58, rue Paul-Bert. ☎ 04-94-96-18-26. À 100 m du pont et de l'église. Fermé le lundi hors saison, le lundi midi et le samedi midi en saison. Congés annuels du 5 novembre au 15 février. Menus à 15,10 et 21,20 € (99 et 139 F). Une adresse où il n'y a pas trop de souci à se faire : la cuisine provençale – simple, goûteuse, pleine de senteurs de la garrigue – est à l'honneur. On y mange plutôt bien, dans une salle cossue aux premiers frimas et sur une terrasse agréable en été, en plein dans la rue « gourmande » de la ville. Sauté de veau à la provençale, salade tiède de raie aux bulots, filet de mérou grillé au noilly agrémentent les deux menus.

À voir. À faire

★ ***La tour Carrée :*** place des Aliziers. ☎ 04-94-96-70-30. Juste derrière le port de plaisance. Ouvert toute l'année, tous les jours sauf le lundi matin et le mardi, de 10 h à 12 h et de 15 h à 18 h. Entrée : 2,30 € (15 F) ; enfants de 5 à 15 ans : 0,75 € (5 F). Dite aujourd'hui tour Carrée (ce qu'elle est), elle s'appelait autrefois tour des Dames (mais ne nous demandez pas pourquoi !). Construite en 1520, par les moines de Lérins, pour que les habitants puissent s'y réfugier en cas d'attaque des pirates, elle a servi par la suite de grenier à grain, de prison, d'école, et de mairie jusqu'en 1935 ! Elle abrite désormais un petit musée des traditions locales.

Les plages : d'ouest en est, on trouve la *plage de la Croisette* (surveillée et école de voile à partir de 8 ans), les plages du centre-ville pour baigneurs urbains, un peu plus loin dans une calanque, la *Madrague*, qui ravira les plongeurs amateurs. On tombe ensuite sur la *Nartelle* (un brin chic avec ses plages privées mais les snobs continuent à ne jurer que par Pampelonne) puis sur la plage des *Éléphants*. Vous ne reconnaissez pas les collines en arrière-plan ? C'est que vous ne connaissez pas vos classiques ! Ce sont en effet les mêmes que celles que Babar survole en montgolfière dans *Le Voyage de Babar* !

Fête et manifestation

– ***Marché des vieux quartiers :*** produits régionaux de producteurs le jeudi matin dans les vieux quartiers.
– ***Fête de l'Huile et de l'Olive :*** mi-novembre.

ROQUEBRUNE-SUR-ARGENS (83520) ET LES ISSAMBRES (83380)

11 540 hab.

Une des plus vastes communes françaises, au double nom et aux sites enchanteurs, qui marque la fin de la chaîne des Maures et qui possède un riche patrimoine historique (église paroissiale, chapelles, portails, petit musée ouvert en saison...), ainsi qu'un magnifique rocher. 372 m de grès rouge dominant la vallée et visible de loin. On se croirait au Colorado ! Trois itinéraires permettent de le découvrir (disponibles à l'office du tourisme). C'est la commune la plus étendue et la plus contrastée du département : montagneuse au nord, médiévale au cœur du village, elle se fait maritime sur sa partie littorale : Les Issambres. Belle balade sur le sentier du littoral.

Adresse utile

- ***Office du tourisme :*** rue Jean-Aicard. ☎ 04-94-45-72-70. Fax : 04-94-45-38-04. En saison, ouvert du lundi au samedi de 9 h à 13 h, et de 15 h à 19 h et le dimanche de 9 h 30 à 12 h 30 ; hors saison, du lundi au vendredi de 9 h à 12 h et de 14 h à 18 h, et le samedi de 9 h à 12 h.

Où dormir ? Où manger ?

Dans le village

Chambres d'hôte Vasken : Les Cavalières. ☎ 04-94-45-76-16. Dans le village, 1re à droite. Suivre les panneaux, au cimetière. Chambres doubles à 61 € (400 F). Une adresse à retenir pour les amateurs de calme et de simplicité. Chambres avec terrasse à la déco parfois étonnante. Bon accueil. Piscine et jardin.

Sur le littoral

Le Provençal : N98, Les Issambres. ☎ 04-94-55-32-33. Fax : 04-94-55-32-34. • info@hotel-le-provencal.com • Restaurant *Les Mûriers* fermé le mardi midi et tous les midi en juillet-août (sauf week-ends et jours fériés). Congés annuels de début novembre à début février (sauf fêtes de fin d'année). Doubles avec douche et w.-c. ou bains et TV satellite de 52 à 95 € (340 à 623 F). Demi-pension de 58 à 79 € (380 à 518 F). Menus de 23 à 35 € (150 à 230 F). Un vrai rêve de vacances à l'ancienne mode. La famille Sauvan a fait de cette vieille maison, avec vue sur le golfe de Saint-Tropez et la plage, un hôtel de charme plein d'atmosphère. Agréable terrasse ombragée et belle plage de sable fin. Et bien bonne cuisine classique, d'un rigoureux professionnalisme. Apéritif maison offert aux porteurs de ce guide.

La Caravelle : N 98, La Gaillarde. ☎ 04-94-81-24-03. Fax : 04-94-81-78-21. Fermé d'octobre à fin mai. Doubles avec douche et w.-c., climatisation et vue sur mer de 47 à 91 € (308 à 600 F) selon la saison. Entre Les Issambres et Saint-Aygulf, face à la mer, un hôtel bien tenu aux prix raisonnables. À noter : ils ont des chambres pour quatre.

Le Chante-Mer : village provençal, calanque des Issambres. ☎ 04-94-96-93-23. Fermé le lundi, ainsi que le mardi midi. Congés annuels du 15 décembre au 31 janvier. Menus à 19,50, 26,70 et 32,80 € (128, 175 et 215 F). Une adresse que l'on peut toujours recommander aux amateurs de poisson.

Manifestation

– ***Marché à la brocante :*** le 2e vendredi du mois, au village.

L'ESTÉREL

Un petit morceau d'Afrique sur la Côte d'Azur ! Arraché à son continent d'origine lors de la formation de la Méditerranée, ce massif d'origine volcanique offre, malgré sa faible altitude (le mont Vinaigre culmine à 618 m d'altitude), quelques-uns des plus étonnants paysages de la Côte : de vastes éboulis, des crêtes hachées, des falaises déchiquetées qui plongent dans la mer. Végétation assez rare (le massif a été littéralement dévasté par les incendies de forêt). Et partout ces roches d'une flamboyante couleur rouge, qui se teintent ici ou là de violet, de jaune ou de gris. Terre longtemps hostile (aux XVIIe et XVIIIe siècles, l'Estérel servait surtout de refuge aux bandits de grand chemin, dont le célèbre Gaspard de Besse, et aux forçats évadés du bagne de Toulon), le massif est aujourd'hui sillonné par de nombreux sentiers de randonnée pédestre ou à VTT. Attention, ils sont interdits en cas de risques d'incendies (renseignements : ☎ 04-98-10-55-41).

FRÉJUS (83600) 47900 hab.

Au pied des premiers contreforts de l'Estérel. Difficile à première vue de la dissocier de sa sœur jumelle, Saint-Raphaël. Les deux villes étant tellement imbriquées l'une dans l'autre qu'on ne voit pas quand on quitte Fréjus pour entrer dans Saint-Raphaël et « lycée de Versailles ». Surtout en été ! Tant pis, on va essayer quand même de vous montrer l'une et l'autre, en les séparant par une balade sur cette *voie aurélienne* (pas si fous que ça, les Romains) qui reliait la Rome italienne à la Rome des Gaules (Arles) et qui vous entraînera jusqu'à Cannes par les Adrets-de-l'Estérel. Autrement dit la N 7.

Si Fréjus-Plage, création très artificielle, ne séduira que les fondus de tourisme balnéaire, la ville construite sur une petite colline mérite une visite. Et pas seulement pour ses monuments romains ! Port-Fréjus vaut une balade autant pour son architecture inspirée du style balnéaire du début du XXe siècle, assez bourgeois, que pour l'animation des quais et ses nombreux restaurants. En empruntant les quais du port de Fréjus, laissez-vous aller quelques instants et imaginez...

UN PEU D'HISTOIRE

Vous êtes à *Forum Julii*, le port d'Octave Auguste, entre Olbia et Antipolis, à 600 stades de Massalia... Vous venez en un instant de traverser vingt siècles d'histoire, de la création de la cité à ses retrouvailles avec la Méditerranée.

Fréjus fut, pendant la période romaine, l'un des plus importants ports de la Méditerranée. Port de lagune, un chenal y amenait les galères. Jules César en fit un grand marché-étape sur la route de l'Espagne, d'où son nom de *Forum Julii* qui se transforma en Fréjus. L'empereur Auguste y établit une grande base militaire. Puis la lagune commença à s'ensabler et les activités déclinèrent, pour cesser au IIe siècle de notre ère. Fréjus vint rejoindre Aigues-Mortes au panthéon des grands ports déchus et disparut de l'actualité, se contentant de cajoler ses vestiges romains. À Fréjus, on dit souvent : « Ici, on ne peut pas creuser un trou sans trouver un Romain. » Lors de vos pérégrinations, vous rencontrerez un tout petit *théâtre romain,* des restes de *remparts,* la *porte des Gaules* (près des arènes), l'emplacement de l'ancien

port, la *porte d'Orée* (seule arcade subsistant des anciens thermes), la plate-forme, etc.
Quant au quartier de Saint-Aygulf, moins « artificiel » que Fréjus-Plage, il ne manque vraiment pas de charme avec ses criques, son chemin des douaniers, ses plages de sable et ses belles maisons bourgeoises. À découvrir : la chapelle moderne, avec des toiles de Carolus Duran et le sentier du littoral praticable en VTT. C'est en 1881 qu'une société immobilière acheta 200 ha de terrain et traça hardiment lots et voies d'accès d'une nouvelle station balnéaire, afin d'attirer une clientèle fortunée sous les pinèdes de pins parasols bordant la mer. Aujourd'hui, les villas « Belle Époque » se dissimulent à l'ombre des pins, des chênes verts, des chênes-lièges et des eucalyptus...
En 1959, la ville effectua une tragique réapparition publique avec la rupture du barrage de Malpasset, qui provoqua plus de 400 morts.

Adresses utiles

i ***Office municipal du tourisme de Fréjus :*** 325, rue Jean-Jaurès, à Fréjus-Ville. ☎ 04-94-51-83-83. Fax : 04-94-51-00-26. • www.ville-frejus.fr • Ouvert toute l'année du lundi au samedi de 9 h 30 à 12 h et de 14 h à 19 h (18 h en hiver) ; pendant les vacances scolaires, ouvert également le dimanche et les jours fériés de 10 h à 12 h et de 15 h à 18 h (17 h 30 en hiver). Ouvert l'été de 9 h 30 à 12 h 30 et de 15 h à 19 h ; l'hiver de 9 h à 12 h et de 15 h à 18 h.

i ***Syndicat d'initiative :*** bd de la Libération, à Fréjus-Plage. ☎ 04-94-51-48-42. Ouvert du 1er juin au 30 septembre tous les jours de 10 h à 12 h et de 15 h à 18 h (19 h en juillet-août).

■ ***Location de vélos et motos :*** *Holiday Bikes,* 943, av. de Provence. ☎ 04-94-52-30-65.

Où dormir ?

À Fréjus-Ville et aux alentours

Chambres d'hôte

■ ***Les vergers de Montourey :*** à la sortie Fréjus-centre de l'A 8, prendre, au premier rond-point, la direction Caïs. Fléchage « produits de la ferme », à 800 m. ☎ 04-94-40-85-76. Chambres à 49 € (325 F) avec le petit déj'. Table d'hôte à 17 € (115 F). On a du mal à imaginer qu'on peut si vite se retrouver en pleine nature, entre l'autoroute et la ville. Chambres toutes pimpantes dans une ancienne bergerie située à côté de l'habitation principale. Elles répondent au nom des fruits que la maison produit, fruits que vous retrouverez dans les confitures du petit déjeuner. Et pour les repas, pris en commun, ce sont évidemment les légumes du jardin et les produits fermiers qui sont à l'honneur. Accueil chaleureux.

Auberge de jeunesse

■ ***Auberge de jeunesse :*** chemin du Counillier. ☎ 04-94-53-18-75. Fax : 04-94-53-25-86. À 2 km du vieux Fréjus. En train, gare de Saint-Raphaël puis, à la gare routière, à 18 h au quai n° 7, un bus vous y conduira. Pour les motorisés, accès par la N 7, direction Cannes ou, pour ceux qui arrivent par l'autoroute, sortie Fréjus. Ouvert toute l'année, dès 18 h. Fermé du 20 décembre au 31 janvier. Nuitée en dortoir : 12 € (76 F), petit déj' compris. En chambre de 4, avec lavabo et w.-c. : 13 € (85 F) par personne, avec le petit déjeuner. Possibilité de camper dans le parc pour 6 € (40 F) la nuit. Repas uniquement le soir : 8 € (52 F). Auberge très agréable, située dans un parc de 7 ha, à 4,5 km de la plage mais à quelques minutes à pied du vieux Fréjus. Un bus vient chaque matin à l'auberge et conduit les gens à la plage ou à la gare pour 1 €. Carte d'adhérent obligatoire.

Plus chic

Hôtel Arena : 139, rue du Général-de-Gaulle. ☎ 04-94-17-09-40. Fax : 04-94-52-01-52. • www.arena-hotel.com • Dans le centre ancien, juste à côté de la place Agricola. Restaurant fermé les lundi midi et samedi midi. Doubles de 69 à 130 € (450 à 850 F). TV satellite. Parking payant. Beau menu du jour à 22 € (145 F) à midi en semaine. Menu du marché à 32 € (210 F) et menu gourmand à 42 € (270 F). Une maison qui réussit très vite à vous faire oublier la ville qui bourdonne à sa porte. Déco très Provence éternelle : couleurs chaudes sur les murs, mosaïques et meubles peints. Jardin exubérant (eh oui, en plein centre-ville) et belle piscine. Chambres pas toujours très grandes mais mignonnes, climatisées et vraiment insonorisées (la voie ferrée n'est pas loin...). Il y a la piscine pour perdre du poids et la cuisine gastronomique à base de bons produits du marché pour en reprendre. Bien belle étape, et bon accueil. Pas de problème pour se garer, grâce aux deux parkings. Café offert à nos lecteurs sur présentation du *Guide du routard.*

À Fréjus-Plage et Saint-Aygulf

Campings

Beaucoup de campings à Fréjus, mais peu en bord de mer. Est-il besoin de préciser combien ils sont surchargés en été ?

Parc de camping de Saint-Aygulf : 270, av. Salvareli. ☎ 04-94-17-62-49. Fax : 04-94-81-03-16. Ouvert de début avril à fin octobre. Un des plus grands campings de la région (1 600 places), situé sur la petite commune de Saint-Aygulf, rattachée à Fréjus. Pratiquement en bord de plage (mais la plus bondée). Sanitaires refaits à neuf. Ombragé à 75 %. En saison, on y parle l'anglais, l'allemand, l'italien, le danois et le néerlandais.

Holiday Green : D4. ☎ 04-94-19-88-30. Fax : 04-94-19-88-31. À 7 km de la mer, sur la route de Bagnols. Ouvert du 1er avril au 21 octobre. Le meilleur camping 4 étoiles. Environ 720 emplacements qui se répartissent sur des terrasses, mais aussi des caravanes et des mobile homes. Anglophobes s'abstenir, car la perfide Albion a colonisé le site. Camping célèbre surtout pour son immense piscine. 10 % de remise sur le prix de votre séjour (en mobile home) sur présentation du *GDR*.

Pas très loin, le ***camping de la Baume,*** même genre, même coût.

Le Colombier : 1952, route de Bagnols. ☎ 04-94-51-56-01. Fax : 04-94-51-55-57. • www.domaine-du-colombier.com • Ouvert du 1er avril au 30 septembre. À 4 km de la mer. Assez confortable et bien ombragé. Grande piscine. 3 toboggans aquatiques.

Prix moyens

Hôtel L'Oasis : impasse Jean-Baptiste-Charcot, Fréjus-Plage. ☎ 04-94-51-50-44. Fax : 04-94-53-01-04. • www.hotel-oasis.net • Fermé du 10 novembre au 1er février. Doubles avec douche de 37 à 49 € (242 à 321 F) ou douche et w.-c. de 41 à 63 € (265 à 413 F) suivant la saison. Parking gratuit. Petit immeuble années 1950, bien tranquille au fond de son impasse. Tenu par un jeune couple qui vous traite bien vite en habitué, sinon en ami de la famille. Chambres assez disparates (papiers peints à l'ancienne pour certaines, mignonne déco provençale pour d'autres), pas bien grandes mais pas désagréables. Petit déj' sous la tonnelle aux beaux jours. À 5 mn (on y a été et montre en main) de la plage.

Où manger ?

À Fréjus-Ville

|●| ***Cadet Rousselle :*** 25, pl. Agricola. ☎ 04-94-53-36-92. Fermé le lundi et le jeudi midi hors saison. Congés annuels du 15 décembre au 15 janvier. Compter 12,20 € (80 F) à la carte. Petite crêperie appréciée des autochtones. Rien d'extraordinaire mais on s'y sustente pour pas cher.

|●| ***L'Arcosolium :*** 14, pl. des Jésuites. ☎ 04-94-40-14-44. Fermé les dimanche soir et lundi (lundi uniquement en juillet et août). Congés annuels en décembre. Menus de 11,90 à 21 € (78 à 140 F). Installé dans une maison construite autour des vestiges d'un mur romain, un restaurant qui joue désormais la carte provençale. Belles arcades de pierre, accueil sympa et bonne petite cuisine.

Plus chic

|●| ***Les Potiers :*** 135, rue des Potiers. ☎ 04-94-51-33-74. À 50 m de la place Agricola. Fermé le mardi et le mercredi midi ; congés annuels du 1er au 20 décembre. Menus à 21 et 29 € (138 et 190 F). Toute petite salle dans une petite rue tranquille (réservation conseillée, donc). Cuisine imaginative, légère et goûteuse : foie gras de canard mi-cuit aux figues et gelée au *Baume de Venise*, palette des 5 crèmes brûlées. Café offert à nos lecteurs sur présentation du *Guide du routard*.

À Fréjus-Plage

|●| ***La Romana :*** 155, bd de la Libération. ☎ 04-94-51-53-36. Fermé les dimanche soir et lundi hors saison. Compter 23 € (150 F). Un resto du front de mer, au style brasserie 1900 un peu kitsch, proposant une honnête cuisine, généreuse et d'un bon rapport qualité-prix. Pizzas et pâtes fraîches, comme bourride ou daube à la provençale. Dans ce coin très touristique, où il y a plus souvent du mauvais que du bon, une adresse valable.

À voir

★ ***Le groupe épiscopal :*** 58, rue de Fleury. ☎ 04-94-51-26-30. Dans le vieux Fréjus. Du 1er octobre au 31 mars, ouvert tous les jours sauf le lundi, de 9 h à 12 h et de 14 h à 17 h ; du 1er avril au 30 septembre, tous les jours de 9 h à 19 h. Fermé les jours fériés. Entrée : 3,80 € (25 F) ; moins de 25 ans : 2,30 € (15 F).
Cet ensemble remarquable comprend :
– *la cathédrale :* ouvert tous les jours de 8 h à 12 h et de 14 h 30 à 18 h. Construite sur l'emplacement d'un temple romain, elle marque l'apparition du gothique en Provence, tout en conservant de nombreuses caractéristiques romanes. Élégant clocher du XIIIe siècle. Magnifiques portes Renaissance

en bois sculpté. Sur le bord de l'une d'entre elles, noter une évocation très réaliste des massacres des Sarrasins. Dans le chœur, stalles du XVe siècle.
– *Le baptistère :* le plus ancien de France, datant de la fin du IVe siècle. Au centre, une petite piscine de forme octogonale. Aux huit angles de la salle, colonnes et chapiteaux provenant d'un édifice antique.
– *Le cloître :* adorable, paisible. Rez-de-chaussée du XIIe siècle. Certaines colonnes proviennent du podium du théâtre romain. Plafonds de bois peint évoquant l'Apocalypse (personnages, animaux fantastiques). Double escalier construit également avec les gradins du théâtre. Grande finesse des colonnettes du 1er étage.
– *Le Musée archéologique :* place Calvini. ☎ 04-94-52-15-78. Fax : 04-94-53-85-01. Du 1er avril au 31 octobre, ouvert le lundi et du mercredi au samedi de 10 h à 13 h et de 14 h 30 à 18 h 30; du 1er novembre au 31 mars, le lundi et du mercredi au vendredi de 10 h à 12 h et de 13 h 30 à 17 h 30, et le samedi de 9 h 30 à 12 h 30 et de 13 h 30 à 17 h 30. Fermé les mardi et dimanche. Collections de pièces archéologiques essentiellement gallo-romaines. Vous y admirerez une superbe mosaïque retrouvée intacte, une copie de l'Hermès découvert il y a quelques années (considéré comme trésor mondial) et une belle tête de Jupiter.

★ ***Les arènes (amphithéâtre) :*** rue Henri-Vadon. ☎ 04-94-51-34-31. Mêmes horaires que le Musée archéologique. Elles datent de la fin du IIe siècle. Moins spectaculaires que celles d'Arles et de Nîmes, elles n'en accueillaient pas moins 10000 spectateurs. Gradins très restaurés, mais une grande partie des galeries voûtées sont intactes. Il y a cent ans, l'ancêtre de la N 7 traversait les arènes par ses deux portes monumentales. Aujourd'hui, ce « nombril ébréché » fait office de *plaza de toros* et a servi de scène pour de fameux concerts de rock.

À voir dans les environs immédiats

Départ de la *voie aurélienne*, beau circuit vous menant vers les Alpes Maritimes en passant par les Adrets-de-l'Estérel (voir plus loin). Pour qui aurait encore un peu de temps, quelques arrêts pour découvrir un Fréjus plus contemporain...

★ ***L'aqueduc :*** av. du 15e-Corps-d'Armée. À 2 km du centre (suivre la direction Cannes par la N 7). Quelques arches d'un aqueduc autrefois long de 40 km dans un parc de 22 ha où se cache l'élégante *villa Aurélienne* (☎ 04-94-53-11-30) construite, comme son nom ne l'indique pas, en 1880. Elle accueille régulièrement des expos de photos. Ouvert (pour les expositions) tous les jours sauf les dimanche et lundi, de 14 h à 19 h (18 h en hiver). Entrée gratuite.

★ ***La pagode Hong-Hien :*** 13, rue Henri-Giraud. ☎ 04-94-53-25-29. À 1,5 km du centre (suivre la direction Cannes par la N 7). Ouvert toute l'année tous les jours de 9 h à 12 h et de 14 h à 17 h (18 h de mai à août). Entrée : 0,90 € (6 F) ; gratuit pour les moins de 7 ans. Une pagode bouddhique qu'on ne s'attendait pas vraiment à trouver là ! Elle a été construite en 1917 par les troupes indochinoises du 4e régiment d'infanterie coloniale, sur le modèle des pagodes traditionnelles vietnamiennes. C'est toujours un lieu de culte : le temple n'est donc accessible qu'aux seuls bouddhistes. Mais on peut se balader dans le jardin, peuplé bien sûr d'une foule de statues polychromes (pour certaines gigantesques : le bouddha au nirvana est long de 10 m). Étonnant et dépaysant.

★ Dans le même genre, on pourra voir (de la route seulement), à 5 km du centre sur la D 4 direction Fayence, une réplique de la ***mosquée Missiri,*** de Djenné au Mali, en béton à défaut de bois et de pisé. Même les termitières sont là...

★ ***La chapelle Notre-Dame-de-Jérusalem :*** à 5 km du centre. Suivre la direction Cannes par la N 7. Du 1er avril au 31 octobre, ouvert du lundi au vendredi de 14 h 30 à 18 h 30 et le samedi de 10 h à 13 h et de 14 h 30 à 18 h 30 ; le reste de l'année, du lundi au vendredi de 13 h 30 à 17 h 30 et le samedi de 9 h 30 à 12 h 30. Accès fermé 15 mn avant. Entrée gratuite. De Cocteau, on connaissait les fresques des chapelles de Milly-la-Forêt et de Villefranche-sur-Mer, mais pas celles de cette sobre petite chapelle contemporaine, un peu isolée dans une pinède. Il faut dire que c'est une œuvre inachevée de l'artiste, décédé subitement en 1963 alors qu'il y travaillait. Ses croquis préparatoires ont permis à son fils adoptif, Édouard Dermit, de terminer la mise en couleur des fresques. C'est donc bien du Cocteau, d'une symbolique parfois énigmatique, mixant allègrement sacré et païen (le Christ pointe du doigt un scarabée, symbole de la vie éternelle dans l'Égypte antique) et s'offrant quelques clins d'œil (on reconnaît parmi les apôtres un autoportrait et celui de Jean Marais).

★ ***Le parc zoologique Safari de Fréjus :*** Le Capitou. ☎ 04-94-40-70-65. À 5 km du centre par la D 4 direction Fayence, sur l'un des premiers contreforts de l'Estérel. Ouvert tous les jours de 10 h à 17 h 30 (19 h de juin à septembre). Entrée : 9 € (60 F) ; enfants de 3 à 10 ans : 5,35 € (35 F). À pied et en voiture parmi les singes et les fauves. Ça repose des animaux sans poil et empestant l'huile solaire que l'on rencontre habituellement dans le coin...

Fêtes et manifestations

– ***Marché à la brocante :*** les 2e dimanche de janvier et de juillet. Renseignements : ☎ 04-94-58-44-29.
– ***Bravade de Fréjus :*** le 3e dimanche après Pâques. Fête traditionnelle de la ville.
– ***Nuits Auréliennes :*** la 2e quinzaine de juillet. Théâtre romain. Musique et théâtre.
– ***Nuits de Port-Fréjus :*** le vendredi soir, en juillet et en août. Festival d'art pyrotechnique
– ***Fréjus fête son port :*** à la mi-juillet. Festival de théâtre de rue.
– ***Fête du Raisin :*** le 1er week-end d'août, dans la vieille ville.
– ***Omelette géante de Saint-Aygulf :*** le 2e dimanche de septembre.
– ***Noël provençal :*** les 2e et 3e semaines de décembre.

QUITTER FRÉJUS

➢ ***Pour Nice et Marseille :*** cars Phocéens. ☎ 04-93-85-66-61.
➢ ***Pour Saint-Tropez et Toulon*** *(par la côte)* **:** compagnie *Sodetrav.* ☎ 04-94-95-24-82.
➢ ***Pour Bagnols, Fayence et Les Adrets :*** compagnie *Gagnard.* ☎ 04-93-36-27-97.

LA VOIE AURÉLIENNE

C'est la route qui relie Fréjus à Cannes par l'intérieur. Dans l'Antiquité, la voie Aurélienne allait de Rome à Arles. La N 7 a en grande partie suivi le même tracé.

➢ Au bout de 11 km de route de « montagne », on parvient au ***col du Testanier*** (310 m). Là, prendre à droite la route forestière. À la maison forestière de Malpey (traduction : « La Mauvaise Montagne »), tourner à gauche ; 1 km plus loin, nouveau carrefour, prendre à gauche. On est à la base du Vinaigre, où on laisse la voiture pour monter à pied au sommet du ***mont Vinaigre*** (618 m). De l'ancienne tour de vigie, la vue, très dégagée, s'étend de la côte italienne à la Sainte-Baume. À ne pas manquer.

➢ Retrouver la N 7, on monte encore jusqu'au *Logis de Paris,* point culminant du trajet.
➢ À gauche, la D 237 conduit aux Adrets-de-l'Estérel ; de cette petite route, vue sur la mer, les îles de Lérins et Cannes.

SAINT-RAPHAËL (83700) 31 200 hab.

Sous l'Empire romain, la ville est déjà une banlieue résidentielle de Fréjus baptisée Epulias (« Les Ripailles », ce qui donne une petite idée du genre de vie que les Romains y menaient...). Un petit village de pêcheurs (c'est ici qu'a été inventée la bouillabaisse, enfin c'est ce que certains prétendent !) vit ensuite tranquillement sur ces rivages jusqu'à (histoire connue sur la Côte !) ce qu'un certain Félix Martin, ingénieur ingénieux en passe de devenir maire de la ville, profite de l'arrivée du chemin de fer en 1864 pour transformer Saint-Raphaël en station balnéaire. Sous son mandat, de 1878 à 1894, sont réalisés les principaux équipements destinés à attirer une foule de célébrités : Fitzgerald qui y écrivit *Tendre est la nuit,* Marcel Aymé, la princesse Elizabeth, future reine d'Angleterre, qui séjourna chez les Rothschild... De cette époque, la ville a conservé son casino, sa monstrueuse église néo-byzantine, sa promenade des Bains sur le front de mer et de très chics quartiers résidentiels comme Valescure, peuplés de somptueuses villas de style palladien. Les décennies suivantes ont malheureusement aussi apporté leurs blocs de béton à la ville...
Mais Saint-Raphaël (un nom qu'on doit à l'archange représenté sur les armoiries de la ville, accompagné d'un jeune garçon ayant, grâce à lui, sauvé son père de la cécité !) conserve un certain charme désuet. Et puis, l'Estérel est tout près... et vous êtes toujours en ville, puisque Saint-Raph' comprend, outre la vieille ville et le centre commerçant, Valescure, Boulouris, Le Dramont, Agay, Anthéor et le Trayas !

Adresses utiles

ℹ *Office du tourisme et des congrès de Saint-Raphaël :* rue Waldeck-Rousseau, BP 210. ☎ 04-94-19-52-52. Fax : 04-94-83-85-40. En saison, ouvert tous les jours de 9 h à 20 h ; hors saison, du lundi au samedi de 9 h à 12 h 30 et de 14 h à 18 h 30.
■ ***Centrale de réservation :*** ☎ 04-94-19-10-60. Fax : 04-94-19-10-67. • reservation@saint-raphael.com •
Gare SNCF : rue Waldeck-Rousseau. ☎ 08-92-35-35-35 (0,34 €/mn, soit 2,23 F). TGV Méditerranée : Paris-Saint-Raphaël en 4 h 40. Train régional pour Cannes avec arrêts dans les gares de la corniche de l'Estérel : Boulouris, Le Dramont, Agay, Anthéor, cap Roux, Le Trayas, Théoule-sur-Mer.
Gare routière : derrière la gare SNCF. ☎ 04-94-83-87-63. Bus pour Fréjus, Saint-Tropez, Cannes, Draguignan, Fayence, Aix-Marseille.

Où dormir ?

Bon marché à prix moyens

Centre international du Manoir : chemin de l'Escale, Boulouris. ☎ 04-94-95-20-58. Fax : 04-94-83-85-06. • manoir@cei4vents.com • À 5 km de Saint-Raphaël, par la N 98. Tout à côté de la gare de Boulouris. Bus toutes les 30 mn de Saint-Raphaël. Du 15 juin au 15 septembre uniquement. 23 € (151 F) par personne en chambre double, petit déj' compris. Demi-pension à 32 € (210 F). Réservé aux jeunes de 18 à 35 ans (sans enfant). Genre de grande AJ privée, membre de l'UCRIF (Union des centres de rencontres internationales en France). Accueil très sympa. Ambiance internationale chaleureuse garantie. 50 chambres sont désormais équipées de douches et w.-c. Celles de 2 à 6 lits dans le manoir et ses annexes (donnant sur un grand parc ombragé) sont très agréables. Petite cotisation à donner la première fois, car il s'agit d'un organisme privé. L'été, on mange dehors sous les palmiers. Nombreuses activités : stages de voile, tennis, etc. Plage à deux pas.

🏨 ***Hôtel Le Thimothée :*** 375, bd Christian-Lafon. ☎ 04-94-40-49-49. Fax : 04-94-19-41-92. À 1,5 km du centre-ville, dans le quartier des Plaines. Fermé en janvier. Doubles de 31 à 46 € (203 à 302 F) en basse saison et de 50 à 73 € (328 à 479 F) en haute saison. Parking privé gratuit. Dans un quartier résidentiel calme, à quelques minutes pourtant de la mer, une villa bourgeoise du XIXe siècle et son parc à l'ombre d'arbres centenaires. TV satellite et mini-bar dans toutes les chambres. Certaines sont climatisées. Piscine et parking fermé bien utile à Saint-Raphaël. 10 % de réduction hors saison pour nos lecteurs sur présentation du *GDR*.

🏨 ***Hôtel Le Provençal :*** 195, rue de la Garonne. ☎ 04-98-11-80-00. Fax : 04-98-11-80-13. • reception@hotel-provencal.com • À côté du vieux port et à 100 m de la plage et de la gare. Ouvert toute l'année. Chambres de 49 à 75 € (320 à 490 F) selon la saison. Un vieil hôtel du centre-ville devenu un hôtel-bureau entièrement rénové, aux couleurs du Midi (des ocres, du vert olive). Idéal pour un court séjour puisqu'il propose une vingtaine de chambres climatisées bénéficiant d'un double-vitrage, avec garage et ascenseur. Accueil vraiment très agréable.

Où manger ?

🍽 ***La Bouillabaisse :*** 50, pl. Victor-Hugo. ☎ 04-94-95-03-57. ♿ En centre-ville. Fermé le lundi. Congés annuels du 27 novembre au 27 décembre. À la carte, compter de 30,50 à 43 € (200 à 280 F). Spécialité maison : la bouillabaisse, bien sûr ! À déguster dans une salle désuète ou sur une terrasse, sous un appentis recouvert de lierre. Quelques autres plats, tous inspirés par la mer, normal, le marché au poisson est à deux pas. Apéritif offert sur présentation du *GDR*.

🍽 ***Pastorel :*** 54, rue de la Liberté. ☎ 04-94-95-02-36. Dans le centre. Fermé les dimanche soir et lundi. Congés annuels la 1re quinzaine de mars, la 1re quinzaine de novembre et fin mai. Menus à 27,55 et 32 € (180 et 210 F). Un resto ouvert depuis 1922, aujourd'hui entre les mains du petit-fils de Mme Pastorel. Atmosphère feutrée pour déguster une bonne cuisine provençale (bourride au safran, petits farcis). Belle tonnelle de lierre sur la terrasse.

🍽 ***L'Arbousier :*** 6, av. de Valescure. ☎ 04-94-95-25-00. En centre-ville. Fermé le lundi, le mercredi soir et le dimanche soir hors saison. Congés annuels du 18 décembre au 10 janvier. Menu à 22,90 € (150 F) le midi en semaine ; autres menus de 30,50 à 50,30 € (200 à 330 F). Près de la mairie, le meilleur restaurant de la ville pour les connaisseurs. À découvrir surtout le midi en semaine, avec un menu épatant comme tout. Une cuisine parfumée, équilibrée et originale, signée Philippe Troncy, à savourer dans le jardin, à l'ombre des magnolias, plutôt qu'en salle.

🍽 ***Le Jardin de Sébastien :*** 599, av. du Golf, à Valescure. ☎ 04-94-44-66-56. Fermé les jeudi midi (en saison), dimanche soir et jeudi (hors saison). Menu à 16 € (105 F), tous les midis, en semaine, et de 22 à

32 € (145 à 210 F). Une maison récente et agréable, près du golf de Valescure, où il fait bon s'arrêter pour profiter du calme et déguster une bonne cuisine traditionnelle (pieds-paquets cuits en cocotte, cassolette de petits gris du pays, carré d'agneau de Haute-Provence...). L'été, c'est un joli moment de détente assuré, avec le petit jardin.

À voir

★ ***Le Musée archéologique :*** place de la Vieille-Église. ☎ 04-94-19-25-75. Du 1er juin au 30 septembre, ouvert de 10 h à 12 h et de 15 h à 18 h 30 ; le reste de l'année, de 10 h à 12 h et de 14 h à 17 h 30. Fermé le dimanche et le lundi. Entrée : 1,50 € (10 F). Installé dans l'ancien presbytère de l'église Saint-Pierre. Dans la cour, curieux menhir dont une des faces est gravée d'une figure humaine et d'un serpent. À l'intérieur, belles collections provenant des fouilles dans la baie de Saint-Raphaël. On n'échappera pas aux amphores ! Jarres sarrasines très rares et superbe reconstitution d'un chargement d'amphores sur un navire romain du Ier siècle avant J.-C. Plus étonnantes : des pompes en bronze romaines qui servaient à vidanger les fonds de cales des bateaux. Également des objets du néolithique, de l'âge du bronze : poignard en silex, céramiques, colliers de perles, etc.

★ ***Ancienne église paroissiale dite « Église des Templiers » :*** entrée par le musée (pour accéder à l'église et à la tour). Du XIIe siècle, mais des fouilles ont permis de mettre à jour des éléments de fondation d'une église pré-romane, elle-même édifiée sur un temple païen. La tour de guet voisine, d'une hauteur de 30 m, date, elle, des XIIIe et XIVe siècles. Pour les amateurs de panorama, 129 marches pour gagner son sommet.

Plongée sous-marine

Saint-Raphaël s'est tourné très tôt vers les joies de la plongée sous-marine, et l'année 1935 vit la création du tout premier club français, le « Club des scaphandres et de la vie sous l'eau », animé par le commandant Le Prieur, un grand pionnier de l'aventure sous-marine... La ville, stratégique dans l'Antiquité, demeure également un creuset de notre archéologie sous-marine, dont le petit musée séduira les routards passionnés... Au large de ce petit coin de littoral qui a gardé, en partie, son caractère sauvage, voici les quelques spots notoires, où parfois mistral et vent d'est peuvent compromettre la plongée.

Clubs de plongée

■ ***CIP Odyssée :*** Vieux Port, quai Albert-Ier, 83700 Saint-Raphaël. ☎ 06-03-42-81-60. • diving.systems@wanadoo.fr • À côté de la gare maritime. Ouvert d'avril à novembre. Vous embarquerez sur *la Plongée,* le chalutier de l'école (FFESSM, PADI) avec compresseur à bord (pas de bouteilles à porter !), où Alain Boesch et ses moniteurs brevetés d'État assurent baptêmes, formations jusqu'au niveau IV et brevets PADI ; sans oublier les explorations des meilleurs spots du coin. Tout l'équipement est fourni. Réservation obligatoire. Hébergement possible.

■ ***CIP Fréjus :*** sur l'aire de carénage de Port-Fréjus Est. ☎ 04-94-95-27-18 ou 06-09-58-43-52. • cip@cip-frejus.com • Ouvert toute l'année. Vous embarquerez sur l'un des navires de cet important centre de plongée (FFESSM, PADI) pour rejoindre les plus beaux spots des alentours. Une sérieuse palanquée de moniteurs d'État et fédéraux guident vos explorations et assurent baptêmes, enseignement jusqu'au niveau IV et brevets PADI. Nombreux équipements disponibles. Plongée de nuit et initiation enfants à partir de 8 ans.

■ ***Europlongée :*** dans le joli port de Boulouris. ☎ 04-94-19-03-26. Ouvert de février à décembre. • europlongee @aol.com • Un petit club sympa (FFESSM) où les moniteurs d'État et fédéraux encadrent baptêmes, formations jusqu'au niveau IV, mais aussi de belles explorations dont vous garderez le plus vif souvenir. Matériel fourni. Plongée de nuit en été, et initiation enfants à partir de 8 ans. À proximité, petite plage de sable fin...

Nos meilleurs spots

L'île d'Or : au sud-ouest du cap Dramont. Pour tous niveaux. Un îlot rocheux baigné d'eaux limpides (de 3 à 30 m de fond) et surmonté d'une jolie tour byzantine qui aurait inspiré Hergé pour les aventures de Tintin dans *L'Ile Noire...* Agréable enchaînement de plateaux, éboulis, tombants; avec nombreuses failles, arches et canyons. Ici, pas de gorille monstrueux, mais un gentil cocktail de mérous, daurades, murènes, langoustes qui batifolent tranquillement... De bien belles rencontres, mille sabords! Attention, site exposé.

Le Lion de Mer : à partir du niveau I. Un îlot rocheux planté devant le port de Saint-Raphaël. Glissant voluptueusement le long d'un tombant chaotique largement peuplé, vous aborderez serein « Notre-Dame des Fonds-Marins » – statue de bronze du XIXe siècle scellée par 12 m de fond – avant de céder aux charmes de la sirène plantureuse, autre statue du spot (18 m). Un peu plus bas (de 22 à 40 m), embrassez d'un regard les surplombs recouverts de corail rouge avec votre lampe torche! Plongée sympa, mais exposée au vent d'est.

La Balise de la Chrétienne : pour les plongeurs de niveau I. Un écueil très sauvage au large d'Anthéor. Murènes, congres et rascasses trouvent refuge parmi les blocs de cet immense plateau rocheux aux maxi. Le site est célèbre dans l'histoire de l'archéologie sous-marine française, car une dizaine d'épaves antiques y ont été successivement découvertes. Nombreux débris de poteries (ne rien prendre, c'est interdit!). Courant fréquent. Au sud-ouest, le spot du ***Dramont*** (jusqu'à 45 m) est aussi réputé pour ses naufrages antiques, dont les ultimes vestiges se perdent dans de magnifiques champs de gorgones, où évoluent mostelles et mérous gracieux. Niveau II.

Le village sous-marin de Silver : à partir du niveau I. Devant le cap Dramont. Une plongée ludique sur un village de lilliputiens construit dans les années 1960 par une équipe d'artistes-plongeurs farfelus animée par Néjad Silver (20 m maxi). Sous une voûte, vous distinguerez l'église et son clocher qui domine quelques maisons...

Les péniches d'Anthéor : pour plongeurs de niveau II. À proximité du cap Roux. Vestiges éclatés de 2 péniches torpillées en 1944, entre 24 et 36 m de fond. Vous reconnaîtrez aisément la poupe avec hélice et safran, et surprendrez congres, murènes et rascasses sous les tôles (coupantes!). Également quelques mérous. Surtout, ne chatouillez pas la cargaison d'obus (frissons!) encore à bord... Courant sensible.

Fêtes et manifestations

– ***Corso du Mimosa :*** en février, sur la promenade des Bains.
– ***Fête traditionnelle de la Saint-Honorat :*** en mai. Messe à Agay, procession en mer par les pêcheurs et les jouteurs, procession à terre par les chasseurs et les piétons, tournoi de joutes provençales et anchoïade monstre.
– ***Compétition internationale de jazz New-Orleans :*** début juillet. Grande parade et concours de concerts.

– ***Soirées musicales des Templiers :*** à l'église du même nom, fin juillet. Venue des plus grands interprètes classiques, solistes ou ensembles du monde entier.
– ***Fêtes traditionnelles de la Saint-Pierre :*** en août. C'est la fête des pêcheurs. Procession à travers la ville et en mer, grand messe, embrasement du pin, bataille de fleurs nautiques et tournoi de joutes.
– ***Festival de Quatuors à cordes :*** fin octobre. Saint-Raphaël participe au *Festival en pays de Fayence.* Un très bel événement, qui permet de découvrir l'arrière-pays (voir chapitre suivant) sous son meilleur jour, loin des foules estivales.

LA CORNICHE DE L'ESTÉREL

Jusqu'en 1903, aucune route ne permettait de longer la mer de Saint-Raphaël à Cannes. C'est à l'initiative du Touring-club que nous devons ces 23 kilomètres taillés en plein rocher, qui permettent de passer sans difficulté du Var au département voisin. La route qui longe le littoral offre des points de vue splendides, des criques en contrebas où l'on peut se baigner et des sentiers qui vous mèneront sur les sommets au milieu d'une végétation sauvage. Les roches rouges de l'Estérel (blocs de porphyre déchiquetés) sont spectaculaires.

★ *LE DRAMONT* *(83700)*

Une stèle commémorative s'élève au-dessus de la grève où débarqua la 36e division du Texas de l'armée américaine, le 15 août 1944. De violents combats eurent lieu, mais le lendemain la ville fut libérée. Efficace !
Belle balade balisée sur le sentier du Littoral à faire en 1 h à partir du petit port du Poussaï. Haut-lieu des activités sportives et nautiques, le Dramont et l'île d'Or restent un des plus beaux sites touristiques du pays. Pour ceux qui ne seraient pas fans de plongée mais fans de Tintin, on rappelle (voir plus haut) que la tour de style moyen âgeux que vous apercevez aurait inspiré Hergé pour le décor de *L'île Noire.* À la Belle Époque, le bon docteur Luthaud (rien à voir avec le faussaire des aventures du héros à la houppette et aux idées fixes) y recevait tout le gratin de la région.

★ *AGAY* *(83700)*

Station balnéaire très bien située au bord d'une rade profonde et dominée par le *Rastel d'Agay* (288 m) et ses roches rouges. C'est un bon point de départ pour les excursions dans l'Estérel. À moins que vous ne vouliez profiter des plus belles plages de sable fin de la côte...

Adresse utile

ℹ ***Office du tourisme :*** place Giannetti. ☎ 04-94-82-01-85. Fax : 04-94-82-74-20. • agay.tourisme@wanadoo.fr •

Où camper ?

⛺ ***Camping Agay-Soleil :*** 1114, bd de la Plage, N98. ☎ 04-94-82-00-79. Au bord de la mer. Ouvert du 15 mars au 10 novembre. Il est prudent de réserver.
⛺ ***Les Rives de l'Agay :*** av. du Gratadis. ☎ 04-94-82-02-74. Fax : 04-94-82-74-14. Au bord du fleuve et à 400 m de la mer. Fermé de novembre à février. Camping ombragé. Attention aux moustiques. Agréable. Réservation conseillée.

Randonnées pédestres

➢ ***La maison forestière du Roussiveau :*** très jolie balade au cœur de l'Estérel, accessible à tous (3 h aller-retour), depuis la maison forestière de Roussiveau jusqu'à la baisse d'Andoulette.
Depuis la baie d'Agay, prendre la direction de Saint-Raphaël. Au bout de 4 km, après le ranch de l'Estérel tourner tout de suite à droite vers le caravaning. Se garer si la barrière est fermée. Une petite route goudronnée mène en 30 mn à pied à la maison forestière de Roussiveau au milieu des chênes verts, des eucalyptus et des pins. Depuis la maison, 1 h pour rejoindre la baisse d'Andoulette. Suivre d'abord l'indication « Le Perthus-Dissate » en longeant les clôtures. Au moment où elles s'arrêtent, quitter le chemin goudronné et bifurquer à gauche, là où le talus présente des marques de passage. Après la traversée d'une plaque de roche lisse (ouf !), reprendre un chemin transversal à gauche (zone de maquis et sangliers potentiels). Le chemin, large au départ, devient une sente qui grimpe au nord de la maison forestière et passe par un petit gué bétonné. Puis le sentier (envahi par les buissons) contourne la montagne par l'ouest en dominant le vallon de l'Apie, avant de surplomber un ravin qui s'achève en cul-de-sac. On arrive à la barre de Roussiveau (282 m, c'est le moment de surveiller les enfants !).
Le chemin est alors balisé par des cailloux et change de versant, avec une vue superbe jusqu'à la mer. Après la traversée des plantations de jeunes pins, suivre le balisage jaune jusqu'à la baisse d'Andoulette (c'est un col, 245 m). Très belle vue sur les deux versants. Redescendre alors par le même itinéraire (le plus court) ou prendre le chemin à main droite, après le col, sur le versant nord. On contournera alors le pic du Perthus par le sud-est pour rejoindre la maison forestière (prévoir 1 h de plus).

➢ ***Le tour du cap de Gramont :*** sortir de la baie d'Agay, puis tourner à gauche, rue Robinson, en suivant l'indication « IGESA ». Se garer sur le parking sous les arbres. Après la barrière, ignorer le chemin de droite (« Le Dramont-belvédère de la Batterie »). À hauteur d'une construction basse, prendre les escaliers à droite. Le sentier (marquage bleu) zigzague à flanc de collines au-dessus de jolies criques, dans une végétation typiquement méditerranéenne (salsepareille – l'herbe à Schtroumf ! – et lavande). Après le belvédère du Camp-Long, tourner le dos à la mer pour grimper une pente à 30°. La végétation devient plus touffue (petits pins et genévriers). Remarquer une super fenêtre naturelle, rectangulaire, découpée dans un gros rocher. Roches de porphyres rouges, contrastant violemment avec le bleu de la mer. À l'embranchement, la piste à main droite monte jusqu'au sémaphore (15 mn). Mais il s'agit d'un domaine militaire (bâtiment interdit au public). En revanche, on s'approche du point (ô combien) culminant (136 m). Très belle vue sur Agay et, au loin, sur la plage du Dramont.
Redescendre jusqu'à l'intersection, prendre à droite le chemin goudronné jusqu'à la sente menant au sémaphore (balisage bleu), qui effectue le tour du cap. On longe ensuite une falaise (traces d'escalade : pitons, etc.) sur un chemin plat, large et facile, à l'abri des vents d'ouest. Contourner la pointe de l'Esquine-de-l'Ay au sud du cap Dramont. Au croisement, prendre à gauche vers le port du Poussaï ; à droite, c'est le retour à la plage du Camp-Long. Sentier bordé de pins et de chênes-lièges. Dans le tournant, abandonner le chemin en goudron et bifurquer à gauche (2 fois de suite) pour rejoindre le parking.

★ *ANTHÉOR* *(83530)*

La station est dominée par les sommets du cap Roux, classé site remarquable. Peu avant la pointe de l'Observatoire, vue étonnante à gauche sur le ravin couronné par les rochers rouges de *Saint-Barthélemy,* du *Saint-Pilon* et du *cap Roux.* 5 km après Anthéor, route forestière pour le cap Roux. De la *pointe de l'Observatoire,* vue superbe sur Anthéor mais aussi sur le golfe de La Napoule. Toute la côte, ici, déchiquetée, creusée de calanques, est splendide.

⛺ ***Camping Azur Rivage :*** location de mobile homes. ☎ 04-94-44-83-12. • www.saint-raphael.com/azurivage •

★ *LE TRAYAS* *(83113)*

Agréable station : on peut se baigner dans les criques du bord de mer, ou monter assez haut à l'intérieur. Vue splendide assurée. Les quatre plages du Trayas, toutes bordées de calanques, sont les plus à l'est de la ville. La dernière, celle de la Pointe Notre-Dame, bordée de végétation méditerranéenne, marque le passage avec les Alpes Maritimes.

Randonnées pédestres

➢ ***Le lac des Écureuils :*** très belle balade en boucle, assez sportive et sans beaucoup d'ombre (durée : 4 h).

Depuis la gare du Trayas, traverser la voie ferrée et prendre, côté montagne, le petit sentier à gauche (en février, superbes mimosas en fleur). Faire 100 m après la barrière et choisir à droite le chemin (très caillouteux) marqué en blanc et rouge d'abord, bleu ensuite, qui vous fera serpenter au milieu des jeunes pins. Vue superbe sur la mer. Prendre ensuite une sente à droite, juste signalée par un tas de cailloux et une marque bleue. Le chemin est très étroit mais bien marqué, au milieu du maquis et de quelques éboulis à flanc de colline, et mène en 1 h de grimpette au col Notre-Dame, d'où l'on aperçoit le sommet des Petites-Grues et, au sud, le pic de l'Ours (492 m), surmonté d'une antenne. Arrivé au col, traverser la petite route et poursuivre par le chemin, en face, marqué en blanc et rouge du GR 51, pour se diriger vers le lac des Écureuils (1 h de marche). Après le bassin de rétention d'eau (orange), franchir 3 zones d'éboulis, larges d'une vingtaine de mètres. Là, on surplombe le ravin de la Couche-de-l'Âne avant de le rejoindre. À l'intersection des deux chemins, prendre à gauche pour effectuer les derniers mètres avant le lac. Site d'un calme absolu, d'où l'on peut observer quelques variétés d'oiseaux migrateurs.

Repartir par le GR 51 en longeant le lac par le sud. Après un gué marqué par des plots en béton, traverser un couloir d'eucalyptus : on est dans la réserve biologique du Mal-Infernet, au fond du ravin du même nom, sur un beau chemin large et plat qui suit les méandres de la rivière. Autour de vous, un paysage d'une sauvage beauté (mais si !), avec ses pitons de roches porphyriques rouges. Continuer le GR 51 sur une passerelle en fer qui enjambe la rivière. À gauche, « piscines naturelles » dans la roche. À la patte d'oie, prenez à gauche vers le col de l'Evêque un chemin de faible pente qui grimpe régulièrement en surplombant le ravin des Lentisques (buissons à petites feuilles ovales). Compter 1 h jusqu'au col. Passer dans la rocaille avant un virage en épingle à cheveux.

Arrivé au col et au parking, descendre à gauche la route en direction du Trayas jusqu'au 2e virage. Là, quitter le bitume pour suivre l'indication « Gare du Trayas ». On passe au pied du pic d'Aurelle (322 m, à gauche) et on aura une vue superbe sur les îles de Lérins et la baie de Théoule, dans l'odeur des romarins. Les mimosas réapparaissent. C'est l'arrivée à la gare du Trayas par le chemin du départ.

➢ De la gare du Trayas également, après le passage à niveau, sentier balisé pour le ***pic de l'Ours,*** en 3 h aller et retour. Vue géniale des Maures au Mercantour.

➢ À la calanque de Maubois, arrêt des cars Cannes-Saint-Raphaël, sentier balisé pour le ***pic du Cap-Roux*** en 3 h également. Superbe.

L'ARRIÈRE-PAYS VAROIS

Envie de changer d'air, ras-le-bol des plages surpeuplées et des embouteillages ? Envie de retrouver, hors saison, des villes et villages ayant gardé leur personnalité ? Bienvenue dans « l'arrière-pays » varois, un mot qui a fait longtemps peur aux édiles et aux spécialistes en communication. Aujourd'hui pourtant, il a un petit air nostalgique de retour au pays, celui qu'on n'aurait jamais dû quitter...
Le circuit que nous vous proposons, au départ de Fréjus ou Saint-Raphaël, devrait vous permettre de respirer un peu, avant de poursuivre votre route vers Cannes, Nice, Menton... Prenez la N 7 (qui n'a plus rien à voir, hélas, avec celle chantée par Charles Trenet) jusqu'au Muy, puis la quatre-voies qui mène directement à Draguignan et vers le Haut-Var. On a gardé les routes les plus jolies pour le retour, par le pays de Fayence...
La mer est au loin. Les hordes touristiques qui considèrent que la Provence n'existe pas en dehors de la plage ne vous suivront certainement pas sur ces routes étroites et tortueuses... sauf, peut-être, lors des (rares) jours de pluie. On y trouve de vrais Provençaux ou de tels amoureux de la Provence qu'ils sont devenus plus accros que les enfants du pays. Il faut reconnaître qu'il y a vraiment de quoi tomber amoureux de ce pays, ou plutôt de cet *arrière-pays.*

LE PAYS DRACÉNOIS ET LE CENTRE-VAR

De cette région qui s'étend largement autour de Draguignan, entre massif des Maures et plateau de Canjuers, les foules estivales pressées de rejoindre le littoral ne connaîtront que l'A 8 ou les poids lourds de la N 55. Comme si cette voie de passage traditionnelle entre l'Italie et l'Espagne n'était pas assez encombrée...
Le Centre-Var, pour reprendre un terme générique un peu dépassé, ne se révèle vraiment qu'à ceux qui emprunteront les chemins de traverse vers des caves qui cachent quelques bienveillants côtes-de-provence, de jolis villages perchés et une des plus belles abbayes cisterciennes de Provence.

DRAGUIGNAN (83300) 34 800 hab.

La capitale du pays dracénois possède un cachet méridional que l'on retrouve sur le pittoresque marché, bordé de platanes centenaires, en flânant dans sa vieille ville ou le long des terrasses des cafés. C'est aussi une ville active, universitaire, branchée sur les nouvelles technologies, qui se bat pour faire oublier son image de ville de garnison un peu triste des précédentes décennies. « Draguignan avance », disent les pannonceaux affichés sur les chantiers. Lentement, a-t-on envie d'ajouter. Des jardins sortent de terre, des couleurs apparaissent sur les façades rénovées des vieux quartiers. Soyons donc optimistes autant que patients. Une qualité que l'on prête souvent au dragon, animal mythique dont Draguignan tire sa force, et que vous retrouverez un peu partout, sur les armes de la ville ou sur ses murs.

En attendant, il faut bien le reconnaître, pour qui arrive à Draguignan la première fois, le charme n'opère pas immédiatement. Peut-être parce que les célèbres principes d'urbanisme du baron Haussmann ont été ici appliqués à la lettre, et même anticipés.
Devenue comtale au XIIIe siècle, l'ancienne cité bâtie sur une butte autour des restes d'une forteresse ligure, puis romaine, était descendue peu à peu de cette position haut-perchée pour s'étendre, bien protégée par des remparts dont deux portes sont toujours visibles. Au XVe siècle, c'était la quatrième ville de Provence, importance dont témoignent quelques portes de maisons bourgeoises, très ouvragées. Au XIXe, la ville moderne pointe son nez : on démolit une partie des remparts, on crée des places, on ouvre de grandes artères. Et on construit la nouvelle préfecture (durant la Révolution française, Toulon, puni par la Convention pour ses sympathies royalistes, avait perdu son statut de préfecture au profit de Draguignan).
Au milieu des années 70, c'est Draguignan qui perd cette fois son statut de préfecture pour devenir, par contre, une des plus importantes villes de garnison de France. Il faudra attendre un demi-siècle pour que le tourisme devienne une des priorités de la ville...

Adresses utiles

i ***Office du tourisme :*** 2, av. Carnot. ☎ 04-98-10-51-05. Fax : 04-98-10-51-10. • contact@coeurdeprovence.com • En été, ouvert du lundi au samedi de 9 h à 19 h et les dimanche et jours fériés de 9 h à 13 h ; hors saison, du lundi au samedi de 9 h à 18 h et les dimanche et jours fériés de 10 h à 12 h. Demander les brochures très bien faites qui sont à la disposition des visiteurs, dont celle des randonnées ou de la *Découverte du centre ancien*. Location de VTT-VTC à l'office.

i ***CDT du Var :*** conseil général du Var, 1, bd Foch, BP 99, 83003 Draguignan Cedex. ☎ 04-94-50-55-50. Fax : 04-94-50-55-51. Service documentation : ☎ et fax : 04-94-50-55-65.

Où dormir ?

Hôtel-restaurant du Parc : 21, bd de la Liberté. ☎ 04-98-10-14-50. Fax : 04-98-10-14-55. Ouvert toute l'année. Chambres de 37 à 48 € (240 à 310 F) selon la saison. Parking privé fermé. Chambres confortables et insonorisées mais demander le côté jardin de préférence. Un hôtel entièrement rénové, où on peut se détendre au calme.

Hôtel Les Oliviers : route de Flayosc (D 557). ☎ 04-94-68-25-74. Fax : 04-94-68-57-54. Chambres de 46 à 75 € (300 à 490 F) selon la saison. Un hôtel au look certes un peu bétonné mais avec des chambres très correctes pour le prix, surtout si vous cherchez à dormir au calme.

Où manger ?

Restaurant du Parc : 21, bd de la Liberté. ☎ 04-94-50-66-44. Fermé dimanche soir et lundi. Menus de 15 € (à midi, avec les suggestions du chef) à 28 € (100 à 180 F). Parking privé à midi, accès par le clos Jean-Aicard. Rien à voir avec l'hôtel du même nom, au-dessus. Un restaurant tenu par une équipe sympathique, en salle comme en cuisine, qui propose une saine et bonne cuisine du marché (il est à deux pas). Ambiance feu de cheminée aux jours gris, et belle terrasse à l'ombre des platanes en été.

|●| ***Restaurant Le Baron :*** 42, Grand-Rue. ☎ 04-94-67-31-76. ♿ Près de l'église Saint-Michel. Fermé le lundi sauf les jours fériés. Menus de 11 à 23 € (72 à 150 F). La façade de cet immeuble en pierre blanche est cossue. D'ailleurs, une fois la porte franchie, on a plus l'impression d'entrer chez son médecin que dans un restaurant. Histoire d'une méprise ! C'est bien un resto, et un bon avec ça. Au menu, de grands classiques entre Méditerranée et... Franche-Comté : bourride de lotte à la sétoise comme coq au vin jaune et morilles... Apéritif maison, café ou digestif, au choix, offert sur présentation du *GDR*.

|●| ***Les Mille Colonnes :*** place aux Herbes. ☎ 04-94-68-52-58. Fermé le dimanche et du 18 au 31 août, ainsi que fin février. Plat du jour à 8 € (52 F) en semaine; grandes assiettes autour de 10 € (65 F); menu à 15 € (99 F). Au cœur de la vieille ville, une brasserie animée, l'été, avec une terrasse bien remplie les soirs de concert. Cuisine de saison sans prétention qui ne fera pas de mal à votre porte-monnaie. Un cybercafé qui devient café-philo en hiver, sur fond de décor 1830, avec petites colonnes, glaces, chapiteaux, arrondis joliment travaillés.

|●| ***Restaurant Le Domino :*** 28, av. Carnot. ☎ 04-94-67-15-33. Fermé le samedi midi ainsi que les dimanche et lundi. Congés annuels du 1er au 15 novembre. Compter entre 20 et 23 € (130 à 150 F) à la carte. Une maison de caractère, et un restaurant qui n'en manque pas, sur l'artère principale. On se croirait invité à une *tex-mex-party* dans un appartement loué par une styliste qui aurait beaucoup d'amis pas tristes, ou qui adorerait les films d'Almodovar. Gentillesse de l'accueil et du service. Des salades, des viandes parfumées et, bien sûr, pas mal de spécialités mexicaines à déguster, selon le temps, sous la véranda ou sous les palmiers du jardin. Expositions de peinture.

À voir

★ ***Le musée-bibliothèque :*** 9, rue de la République. ☎ 04-94-47-28-80. Ouvert de 9 h à 12 h et de 14 h à 18 h. Fermé le dimanche et les jours fériés. Entrée gratuite. Un petit musée valant le coup d'œil. Conservateur très affable. Quelques œuvres intéressantes : *L'Enfant à la bulle* attribué à Rembrandt, des scènes paysannes flamandes, un beau marbre de Camille Claudel, *Rêve au coin du feu*, un manuscrit du *Roman de la rose,* une bible de Nuremberg du XVe siècle, *Le Médecin de village,* de David Téniers, une belle armure du XVIe siècle, enluminures et incunables, collections de faïences, etc.

★ ***Le musée des Arts et Traditions populaires :*** 15, rue Joseph-Roumanille. ☎ 04-94-47-05-72. Ouvert de 9 h à 12 h et de 14 h à 18 h. Fermé le lundi. Entrée : 3 € (20 F); réductions; 2 € (13 F) sur présentation du *GDR*. Installé dans un ancien couvent. Agriculture, artisanat et petite industrie sont présentés sur trois niveaux avec des objets et des documents divers. Expositions temporaires à thème.

★ ***La vieille ville*** mérite une longue flânerie pour découvrir les portes sculptées, les linteaux, les vieilles maisons et l'ambiance très provençale de la cité avec ses odeurs, ses bruits et ses volets mi-clos pendant la sieste.

★ ***La tour de l'Horloge :*** surmontée d'un campanile en fer forgé du XVIe siècle, elle s'élève à la place de l'ancien donjon détruit par Louis XIV, au temps de la Fronde. L'office du tourisme organise des visites guidées permettant de découvrir les deux étages. Elle domine la chapelle Saint-Sauveur, joliment restaurée, avec une couverture en lauzes, et le petit théâtre de verdure, aménagé sur les ruines de l'ancienne cité médiévale, qui accueille, en été, certains des spectacles des *Draguifolies.*

★ ***Le cimetière militaire américain :*** bd John-Fitzgerald-Kennedy (!). On imagine que les cimetières militaires sont une spécialité normande. Mais des hommes sont tombés en 1944 après avoir débarqué sur les côtes de Provence. 861 soldats sont enterrés ici, et le mur de soutènement du monument de l'Ange de la Paix rappelle les noms des 3000 Américains qui ont disparu.

★ ***La Pierre de la fée :*** un dolmen de 25 tonnes, datant de 2500 ans av. J.-C., qui doit son nom à la légende de la fée Estérelle dont il est en partie le théâtre.

Fêtes et manifestations

– ***Le marché provençal :*** tous les matins, mais surtout les mercredi et samedi, entre 7 h et 13 h. Ouverture d'une halle marchande.
– ***Draguifolies :*** de mi-juillet à mi-août. Renseignements : Théâtres en Dracénie. ☎ 04-94-50-59-59. Organisé par le théâtre de Draguignan. Spectacles de rue, théâtre, cirque etc... Téléphoner pour avoir le programme précis.

LA DRACÉNIE

Plusieurs possibilités de circuits s'offrent aux portes de Draguignan, qui se complètent d'ailleurs joliment. Pour les cyclistes, de toute façon, mieux vaut éviter la D 555 : trop de camions. Il vaut mieux musarder par Flayosc, Lorgues, etc.

★ ***FIGANIÈRES*** *(83830)*

Un village éclaté au nord-est de la ville. Deux jolies routes vous y emmènent ; la seconde, notre préférée, étant réservée à ceux qui ont tout leur temps. De Draguignan à Châteaudouble, la D 955 serpente au milieu de gorges encaissées, creusées par la Nartuby. Au pied de Châteaudouble, prendre à droite la D 54 en direction de Figanières.

Où dormir ? Où manger ?

■ |●| ***Chambres d'hôte Le Mas de l'Hermitage :*** quartier Saint-Pons, 83830 Figanières. ☎ 04-94-67-94-94. Fax : 04-94-67-83-88. ● www.masdelhermitage.com ● À 10 mn, au nord de la ville. Doubles avec douche et w.-c. ou bains de 61 à 69 € (400 à 450 F), petit déj' compris. Gîte de 460 à 671 € (3000 à 4400 F) la semaine. Pour la table d'hôte, compter environ 23 € (150 F) par personne. Au milieu des oliviers et des arbres fruitiers, un mas à l'atmosphère chaleureuse, où l'on se retrouve autour de la table d'hôte, avec Michael et Laurence. Lui concocte (une cuisine locale à base de produits frais), elle papote. Piscine chauffée de mars à octobre. Le bonheur ! 10 % de réduction sur le prix de la chambre, sauf juillet-août, aux lecteurs du *GDR*.

À voir

★ ***Jardin des Senteurs :*** place de Lirette. ☎ 04-94-67-96-14. Ouvert de 15 h à 19 h, de Pâques à la Toussaint. Fermé les mercredi et jeudi. Entrée libre. Au-dessus des ruines du château des Vintimilles, surplombant les toits roses du village, cet étonnant jardin à thèmes est un modèle de ce qu'un amoureux des plantes peut réaliser sur un espace quelque peu compté et difficile à aménager. Disposé en terrasses, mêlant aux senteurs des roses de la tonnelle médiévale celles des plantes médicinales et aromatiques du jardin renaissance, il privilégie le plaisir des yeux, de l'odorat et du toucher pour un public mêlant néophytes et professionnels.

★ *AMPUS* (83111)

Gentil village à 25 km au nord-ouest de Draguignan. Voir l'église paroissiale édifiée sur l'ancien castrum romain, tout en haut du bourg. La plus grande partie, de style roman, date du XIe siècle.
À quelques kilomètres, petite chapelle Notre-Dame-de-Spéluque, de la même époque, qui renferme un remarquable autel pentapode (à cinq pieds, quoi !) sculpté.
La D 49 est vivement recommandée pour retourner à Draguignan : magnifiques points de vue.

★ *FLAYOSC* (83780)

À 7 km à l'ouest de Draguignan, par la D 557. Le village a conservé son aspect fortifié. Les maisons du Moyen Âge entourent la jolie place de la Rainesse avec son lavoir, sa fontaine et ses platanes qui forment comme un grand mur ondulant. Nombreuses fontaines dans le village et portes des remparts du XIVe siècle. De la terrasse de l'église, belle vue sur les environs. Voir également les chapelles Saint-Jean et Saint-Augustin, très bien restaurées.

Adresse utile

🛈 ***Office du tourisme :*** place Pied-Barri. ☎ 04-94-70-41-31. Fax : 04-94-70-47-91. • officedetourisme@ville-flayosc.fr • Ouvert toute l'année du lundi au vendredi de 9 h à 12 h et de 15 h à 18 h, et le samedi de 9 h à 12 h.

Où dormir ? Où manger ?

Prix moyens

🍴 ***L'Oustaou :*** 5, pl. Brémond. ☎ 04-94-70-42-69. Fermé le jeudi soir, le dimanche soir et le lundi (en juillet-août, tous les dimanches et lundis). Congés annuels une semaine début mai et de mi-novembre à mi-décembre. Menus de 20 à 43 € (130 à 285 F). La cuisine ne manque pas d'intérêt et le chef joue dans un registre largement traditionnel. Pieds-paquets, daube provençale, des magrets « à tout » et du gibier en saison.

Chic

🏠 🍴 ***La Vieille Bastide :*** 226, route du Peyron, face au vieux village. ☎ 04-98-10-62-62. Fax : 04-94-84-61-23. Fermé le dimanche soir et le lundi. Congés annuels en novembre et en février. Chambres de 46 à 73 € (300 à 480 F). Menus de 20,60 à 43,45 € (135 à 285 F). Un poil chic, cette bastide de pierres blondes blanchies sous le soleil. Pour les amoureux de calme et de nature, sept chambres confortables aux couleurs du Midi. Piscine, solarium, pourquoi aller s'embêter à redescendre sur la côte ! On peut faire suffisamment de randonnées et de promenades à cheval dans les environs pour s'occuper sainement. Et arriver en forme pour déguster la cuisine savoureuse d'un chef qui aime les produits du marché et qu'il cuit avec amour et précision. Idéal en été sur la terrasse ombragée par les vieux chênes.

★ LORGUES *(83510)*

Au sud de Flayosc, on atteint Lorgues par une route très étroite. Si la chaleur est au rendez-vous, laissez-votre voiture sur le parking de l'office et entrez, pour vous rafraichir, dans la *collégiale Saint-Martin.* Architecture assez lourde, avec une imposante façade de style classique. On est surpris de découvrir un monument aussi massif dans un village aussi frêle. À l'intérieur, beau maître-autel en marbre polychrome.
Intéressant vieux village offrant, dans son lacis de ruelles pittoresques, de jolies fontaines et de nombreuses maisons médiévales qui n'ont pas encore été rénovées. Elles possèdent un charme séculaire et une noblesse fanée qu'ont perdus en partie les maisons trop bien léchées de certains villages restaurés du Haut-Var. Joli spectacle composé de toits à génoise, de figurines sculptées dans la pierre, de portes en bois ouvragé... Dommage que l'ensemble soit un peu gâché par l'absence trop visible de réglementation concernant les pubs, les enseignes. Une bonne idée pourtant : sur les plaques des rues figurent leurs dates de naissance.
Faites un détour, sur la route de Vidauban, pour découvrir l'attraction gastronomique qui, depuis quelques belles arrière-saisons déjà, fait courir jusqu'ici les gourmets du monde entier, attirés par le parfum des truffes dont le chef le plus célèbre de la région s'est fait un devoir d'en faire non seulement tout un plat mais même un menu-carte. Faites des économies et pensez à réserver *Chez Bruno* pour votre prochain passage (même pour un routard amoureux, c'est devenu vraiment un peu trop cher !). On ne vous donne pas l'adresse, vous ne risquez pas de manquer le « pharaon » de Lorgues, avec toutes les belles voitures garées sur le parking...

Adresse utile

ℹ ***Syndicat d'initiative*** : place d'Entrechaus. ☎ 04-94-73-92-37. Hors saison, ouvert de 9 h à 12 h 30 et de 15 h à 18 h ; en été, de 9 h à 12 h 30 et de 15 h 30 à 19 h.

Où dormir ? Où manger ?

🏠 🍴 ***Hôtel-restaurant du Parc*** : 25, bd Clemenceau. ☎ 04-94-73-70-01. Fax : 04-94-67-68-46. Fermé le dimanche soir et du 15 novembre au 5 décembre. Doubles de 35 à 43 € (230 à 280 F). Menus de 11 à 32 € (75 à 210 F). Dans le centre, à deux pas de la collégiale. Modeste petit hôtel de dépannage qui n'attend qu'un signe du destin pour devenir, une fois rénové, une vraie étape de charme. En attendant, dommage, que les chambres (sauf celles côté jardin comme les nos 7 et 8) soient si bruyantes et que l'entretien laisse tant à désirer... Derrière, un grand jardin au calme où l'on peut manger l'été. Menus avec daube provençale, civet de porcelet, etc.

🍴 ***Le Bistrot « Chez Doumé »*** : 12, pl. Clemenceau. ☎ 04-94-67-68-97. Fermé le lundi (seulement le midi d'octobre à décembre). Congés annuels du 5 janvier au 10 février. Plats du jour de 8 à 14 € (50 à 93 F).

Compter 20 € (130 F) à la carte. Une maison toute petite, mais tout ce qu'il y a de plus provençal. Salles en pierre apparente et surtout une terrasse sous un platane séculaire, près d'une fontaine rafraîchissante. Accueil agréable. Ici, pas de manières, c'est à la bonne franquette. Les produits sont frais, la cuisine simple et les plats renouvelés régulièrement. Magret de canard au miel, bourride du pêcheur, filet de loup au beurre blanc et des pâtes fraîches... fraîches. Deux chambres à 54 € (350 F) pour qui ne voudrait plus repartir.

Plus chic

⌂ |●| ***Chambres d'hôte La Maison du Midi :*** 14, rue de l'Église. ☎ 04-98-10-61-71. Fax : 04-98-10-61-72. • office@maisondumidi.net • Chambres de charme à partir de 76 € (500 F), petit déjeuner compris. Une maison magnifique, pour qui a le budget en conséquence ou veut s'offrir un séjour de rêve, dans l'arrière-pays. De grandes et belles chambres, qui respirent la douceur de vivre, au cœur du village. Une maison ancienne restée dans son jus, où le bois, la lumière, la pierre ajoutent au confort d'une décoration très *Côté Sud*.

|●| ***Le Chrissandier :*** 18, cours de la République. ☎ 04-94-67-67-15. Fermé le mercredi. Congés annuels en janvier. Menu à 10,65 € (70 F) le midi en semaine; autres menus de 17 à 40 € (112 à 260 F). Changement de propriétaire, changement de décor, changement de cuisine, changement d'ambiance. Malgré la terrasse donnant sur la rue, ce n'est pas là qu'il faut diriger vos pas pour avaler simplement une salade fraîcheur. Mais c'est le lieu parfait pour vous faire offrir par belle-maman un super déjeuner aux parfums du sud. Beaucoup de classiques revisités à la carte de cet établissement repris et corrigé par Christophe et Sandra Chabredier (on vous donne leur nom en passant, pour vous éviter de demander l'explication de l'enseigne du restaurant!).

LE CENTRE-VAR

Vers le sud, l'autoroute A 8 a bouleversé considérablement le paysage. Vidauban, Le Cannet-des-Maures, Le Luc, etc., n'apparaissent pas vraiment comme des lieux de villégiature, mais voici néanmoins quelques curiosités à dénicher, dans cette région choisie par les bâtisseurs du Moyen Âge pour y établir leur résidence... Si les édiles locaux voulaient bien se donner la peine de soigner un peu leur environnement, on pourrait de nouveau avoir envie de s'arrêter plus longtemps, par chez eux, avant de retourner chercher le calme et la sérénité au Tholonet.

★ *LES ARCS-SUR-ARGENS* *(83460)*

En marge de la D 555, à 12 km au sud de Draguignan, un bourg viticole possédant sur une hauteur un quartier médiéval très pittoresque. Vestiges de l'enceinte et du *château* du XIIe siècle (qui abrite aujourd'hui un hôtel de charme). Impressionnant donjon d'où l'on guettait le retour des Sarrasins. Maisons de ce quartier superbement restaurées et abondamment fleuries. Venez flâner quelques instants entre chien et loup dans ses ruelles et ses escaliers voûtés.

En bas, dans l'*église paroissiale* (fermée de 11 h 30 à 14 h), beau polyptyque daté 1501. Si vous arrivez par le TGV (seul arrêt entre Toulon et Saint-Raphaël), arrêtez-vous à la terrasse du buffet de la gare, ombragée par la plus vieille glycine de France (1865)!

Adresses utiles

Office du tourisme : place du Général-de-Gaulle. ☎ 04-94-73-37-30. Ouvert de 9 h à 12 h et de 14 h à 18 h.

Maison des vins des côtes-de-provence : N 7. ☎ 04-94-99-50-10. • www.caceaucp.fr • Fermé le dimanche d'octobre à mars. Caveau de dégustation-vente.

Où dormir ? Où manger ?

Campings

Camping L'Eau Vive : à 800 m des Arcs. ☎ 04-94-47-40-66. Fax : 04-94-47-43-27. Ouvert du 1er mars au 1er novembre. Propre et très ombragé. Bondé l'été et bruyant car proche de l'autoroute. Piscine.

Camping à la ferme, Le Pré veire : 300 m plus haut que le précédent. ☎ 04-94-45-15-59. Ouvert du 1er juin au 15 septembre. Proche de l'A 8, mais relativement tranquille et sympa.

Très chic

Le Logis du Guetteur : place du Château. ☎ 04-94-99-51-10. Fax : 04-94-99-51-29. Fermé du 15 janvier au 1er mars. Chambres de 93 à 123 € (610 à 807 F) en saison. Menus de 26,70 à 73,20 € (175 à 480 F). Dans un château fort du XIIe siècle. Drôle de château, drôle d'atmosphère. Service tellement décontracté que vous aurez tout le temps pour le visiter avant qu'on ne s'intéresse à vous. Cher vu l'état de certaines chambres, mais calme absolu garanti. Possibilité de pratiquer l'équitation, le tennis et le kayak. Piscine très agréable. Restaurant réputé qui pourrait servir de lieu de tournage pour des *sitcoms* réunissant jeunesse dorée et dames argentées. Très belle terrasse et cuisine à la hauteur. Une certaine idée du luxe !

Où dormir ? Où manger dans les environs ?

Hôtel L'Orée du Bois : quartier Sainte-Roseline, 83490 Le Muy. ☎ 04-98-11-12-40. Fax : 04-98-11-12-53. Doubles avec douche et w.-c. ou bains (TV satellite) de 43 à 50 € (280 à 330 F). Menus de 17,60 à 24,40 € (115 à 160 F). Petite route très agréable menant des Arcs à La Motte. Difficile de manquer l'hôtel, sinon, si vous êtes sur la quatre-voies qui relie Draguignan au Muy, au rond-point, prendre la direction des Arcs et tout de suite le chemin de terre en lisière de forêt. Chambres climatisées donnant sur la piscine, et un environnement verdoyant, malgré la proximité de la route. Service décontracté, mais professionnel. La jolie surprise arrive au moment de passer à table, le soir, en terrasse. On oublie d'un coup tous ses préjugés pour ne plus s'intéresser qu'à cette cuisine de saison et de saveurs digne des meilleures tables de la région : râble de lapin très tendre, magret de canard au miel et épices... Choisissez en entrée la composition *Orée du Bois*, dans le premier menu. Et demandez, vous aussi, à Jean-Claude Bénichou, qui dirige cette maison à l'atmosphère restée familiale, de cacher dans les arbres les voitures et motos qui gâchent la vision des fleurs et de la verdure de cette nouvelle oasis en terre dracénienne.

À voir dans les environs

★ ***La chapelle Sainte-Roseline :*** à 5 km, entre les Arcs et la Motte, tout près de la N 555. Ouvert tous les après-midi, hors saison de 14 h à 17 h ou 18 h, et en été de 15 h à 19 h. Fermé le lundi. Cette chapelle abrite la châsse et le reliquaire de la sainte (miraculeusement, on peut le dire, conservé depuis sa mort, en 1329 !). C'est en réalité l'église abbatiale d'une abbaye disparue sous la Révolution. L'extérieur ne paye pas de mine mais l'intérieur est très richement décoré. Jubé très rare en bois de 1658, retable baroque encadrant une *Descente de croix* de la fin du XVe, stalles finement sculptées, mais aussi des œuvres d'art contemporain : une mosaïque de Chagall, un bas-relief en bronze de Giacometti, des vitraux signés Bazaine et Ubac. En sortant, arrêtez-vous au château pour découvrir les vins qui font vivre le domaine. Mais personne ne vous oblige à les acheter. ☎ 04-94-99-50-36.

★ ***Le château Saint-Martin :*** à l'entrée de Taradeau. ☎ 04-94-73-02-01. Fax : 04-94-73-12-36. En été, ouvert tous les jours de 8 h à 20 h ; hors saison, du lundi au samedi de 8 h à 19 h. Entrée (spectacle) : 5 € (33 F). Le domaine fut fondé par les moines de Lérins qui y installèrent un prieuré viticole. Du XIe au XVIIIe siècle, les hommes de prière firent du vin ici, et pas seulement pour la messe ! Au début du XVIIIe siècle, la famille de l'actuelle propriétaire arrive et fait construire le château. Heureusement, elle continue à produire du vin et c'est tant mieux. Syrah, carignan, cabernet-sauvignon, grenache, cinsault... Au travers de ces cépages assemblés, rouge, rosé et blanc prennent de belles saveurs dans le verre. Et on découvre qu'on peut boire du rouge de Provence à température. Pour compléter la dégustation, Adeline du Barry a créé un son et lumière dans son ancien chai, qui raconte toute l'histoire du domaine depuis sa création. Tous les jours sauf pendant les vendanges.

★ *LE VIEUX-CANNET (83340)*

Peu avant Le Cannet-des-Maures, pittoresque petit village accroché à sa butte, d'où l'on bénéficie d'un vaste panorama sur la région. Table d'orientation pour vous guider. Charmant campanile du XVIIIe siècle surmontant l'*église Saint-Michel* (plus âgée, elle, de six siècles). Ici, au Moyen Âge, les populations pouvaient dominer l'unique passage qui conduisait de l'Italie à la Vallée du Rhône et à l'Espagne. Plus difficile à faire aujourd'hui avec l'autoroute...

★ *LE LUC-EN-PROVENCE (83340)*

Gros bourg agricole sans charme particulier, mais qui intéressera les philatélistes. En effet, le *château de Vintimille,* beau bâtiment du XVIIe siècle aujourd'hui entièrement rénové, abrite non seulement l'*office du tourisme* (☎ 04-94-60-74-51) mais aussi un musée intéressant et inhabituel. Pour des timbrés ? Pas seulement. Voyez plus loin...

Où dormir ? Où manger ?

Chic

■ |●| ***La Grillade au feu de bois :*** sur la N 7, entre Le Luc et Flassans-sur-Issole. ☎ 04-94-69-71-20. Fax : 04-94-59-66-11. Ouvert toute l'année. Chambres insonorisées de 61 à 92 € (400 à 600 F). Menu à 28 € (180 F). Le nom et la proximité de la N 7 n'incitent pas à la rêverie, la bâtisse, si. Beau mas du XVIIIe siècle, bien restauré, aménagé par une propriétaire amoureuse des antiquités (c'est en fait son métier). Peut-être préférez-vous les chambres, plus jeunes, plus colorées, du second bâtiment : question de goût, et de coût, aussi. Un lieu pour se mettre au vert, comme on aimerait beaucoup en trouver tout au long de la N 7, si on veut sauver son image de marque. Bonne cuisine aux couleurs et aux parfums de la Provence, à savourer en terrasse.

|●| ***Restaurant Le Gourmandin :*** 8, pl. Louis-Brunet. ☎ 04-94-60-85-92. ♿ Fermé les dimanche soir et lundi. Congés annuels du 20 février au 10 mars et du 20 août au 15 septembre. Menus à 21,35 et 29,75 € (140 et 195 F). Mignon petit établissement, au décor régional, connu dans la région pour son accueil autant que pour sa cuisine. Fleurs de courgettes farcies à la mousse de rascasse sur coulis d'étrilles, magret de canard braisé au miel de châtaignes... Belle carte de vins régionaux. Apéritif maison offert à nos lecteurs sur présentation du *GDR*.

À voir

★ ***Musée du Timbre-Poste :*** dans le château des Vintimille (au 2e étage), à 50 m de la place de la Mairie. ☎ 04-94-47-96-16. Ouvert les mercredi et jeudi, de 14 h 30 à 17 h 30, les vendredi, samedi et dimanche de 10 h à 12 h et de 14 h 30 à 17 h 30. Fermé les lundi et mardi. Tout sur l'histoire du timbre, mais aussi sur les techniques de fabrication : le dessin, l'impression, la taille-douce, l'héliogravure, etc. Atelier reconstitué d'Albert Decaris, l'un des derniers graveurs en taille douce de France.

★ ***Musée historique du Centre-Var :*** rue Victor-Hugo (derrière l'église) ; ouvert de mi-mai à mi-octobre, du lundi au samedi de 15 h à 18 h. Matériel ethnologique, armes, documents d'archives, fossiles, etc.

Où acheter un bon côtes-de-provence ?

Domaine de Brigue : 2, pl. Pasteur, Le Luc. ☎ 04-94-60-74-38. À deux pas de la tour hexagonale. Une entreprise trentenaire qui reste encore familiale, et bénéficie de 80 ha plantés dans la plaine du Luc.

Domaine de la Lauzade : route de Toulon, Le Luc. ☎ 04-94-60-72-51. Fax : 04-94-60-96-26. Un domaine célèbre qui doit son nom aux pierres plates qui couvraient la bergerie d'antan. De très grands vins, dans les trois couleurs, que vous retrouverez à la carte des meilleures tables de la région. Nombreuses médailles d'or et d'argent récoltées à Macon comme à Paris.

Domaine de la Pardiguière : route des Mayons, Le Luc. ☎ 04-94-60-72-52. Fax : 04-94-99-82-42. Sur rendez-vous. On peut faire confiance à Jean-Marie Guérin pour la qualité intrinsèque aussi bien des olives que des vins typés sortant de son beau domaine adossé au massif des Maures : 33 ha de plants nobles d'AOC côtes-de-provence contre 17 ha d'oliveraies, produisant notamment des olives de table comme la lucque ou à huile comme le pardiguier. Toutes plantations réalisées sur des parties défrichées afin que ces cultures servent de pare-feu. Cave de vieillissement aménagée dans une ancienne bergerie taillée dans le roc.

À faire

➢ Deux belles ***balades à vélo*** sans trop de difficultés depuis Le Luc-en-Provence. Voir la brochure *Promenades et randonnées cyclotouristes* éditée par le CDT. Traversée de paysages sereins, de villages typiques du Haut-

Var pas trop restaurés, sans « résidences secondarisées »... Un *circuit sud* passant par Cabasse, Flassans, Besse, Carnoules, Pignans, Gonfaron, Les Mayons (par la D75), Vidauban (par la D48), Entraigues, Le Vieux-Cannet, etc. Un *circuit nord* par Cabasse, Le Thoronet, Carcès, Cotignac, Entrecasteaux, etc. Plus au nord, vers Villecroze et Tourtour, ça grimpe trop.

★ *CABASSE* (83340)

Par une jolie route (D33) qui démarre du Luc et louvoie entre pinèdes et collines couvertes de chênes blancs, rejoignez Cabasse-sur-Issole. Tout petit village endormi. Quelques ruelles en surplomb de la vallée, une très jolie fontaine moussue et une *église* du XVIe siècle. Pour la visiter et contempler les visages grotesques ornant les retombées d'ogives ainsi que le retable en bois doré, demandez la grosse clé au tabac de la place.

Où dormir ? Où manger ?

▲ |●| ***Le Mas des Maupassets :*** route du Luc, 83340 Cabasse. ☎ 04-94-80-27-92. • abecle@aol.com • Chambres d'hôte à 26 € (170 F) avec le petit déjeuner. Compter 15 € (100 F) à la table d'hôte. Anne et Jean-Paul Liaumond ont entièrement transformé cet ancien relais de poste pour créer 5 chambres très simples, idéales pour les promeneurs à pied, à cheval ou à vélo. Cuisine familiale provençale servie le soir, sur réservation (les mercredis et samedis, avec le marché de Brignoles).

★ *L'ABBAYE DU THORONET*

Sans conteste l'une des plus fascinantes abbayes du Midi. À ne pas rater. Située sur la D79, à 12 km de Lorgues et à 4 km du village du ***Thoronet***. ☎ 04-94-60-43-90. Fax : 04-94-60-43-99. ♿ D'avril à septembre, ouvert du lundi au samedi de 9 h à 19 h et le dimanche de 9 h à 12 h et de 14 h à 19 h ; d'octobre à mars, de 10 h à 13 h et de 14 h à 17 h. Des visites guidées, intéressantes, sont assurées toutes les heures, en saison, par les guides de l'abbaye. Prix d'entrée : 5,50 € (36 F). Tarif réduit pour les jeunes : 3,50 € (23 F). Chaque dimanche et jour de fête, messe chantée à midi. Exceptionnellement, portail ouvert pour ceux qui veulent y assister. Parking, buvette et comptoir de vente d'ouvrages et d'enregistrements très intéressants. Festival à la mi-juillet.

Construite par les cisterciens en 1146, l'abbaye du Thoronet est d'une grande sobriété. Moins connue que Sénanque, et pourtant plus belle, plus pure. Poignante, ajouterons-nous, tant dans ce vallon isolé elle nous apparaît austère et dépouillée. La nature ingrate, le relief hostile, la configuration inhospitalière du site contribuèrent également à la simplicité de l'architecture, contrainte de s'entendre avec le terrain. Le grand architecte Fernand Pouillon avait dit : « Dure, cassante, irrégulière, cette roche refusait toute complication, interdisait toute sculpture, elle avait vocation cistercienne ! »

Votre guide vous fera revivre avec bonheur les bâtiments, remettant au passage en cause nombre d'idées reçues, rappelant l'importance de l'eau, du silence, du travail, vous ouvrant les yeux sur les couleurs changeantes de la pierre (blanche en été, rouge à midi...).

Compte tenu de la configuration du terrain, les proportions traditionnelles n'avaient pas été respectées : cloître en forme de trapèze, galeries à des niveaux différents, etc. Église aux lignes pures, harmonieuses, presque parfaites. Voûtes en arcs légèrement brisés, timide approche du gothique. L'acoustique est exceptionnelle et on imagine ce que devaient donner les chants grégoriens dans un tel cadre, que le festival de musique fait revivre chaque année pendant quelques jours. Le cloître à l'aspect massif est pourtant élégant avec ses grosses arcades divisées chacune par deux baies retombant sur une colonne. Possibilité de monter sur la terrasse du cloître. Faites une pause dans la salle capitulaire pour admirer les voûtes d'ogives et leurs nervures. Magnifique berceau brisé du dortoir des moines. Enfin, d'autres vestiges vous attendent tout autour. Déjà, la restauration des restanques va permettre de découvrir l'envers du bâtiment et augmenter le charme de la balade dans le temps comme dans l'espace cistercien. Ici, plus qu'ailleurs, prenez le temps de voir, de sentir, de vivre. Possibilité de grignoter sous les arbres, à la sortie (kiosque).

Où dormir ? Où manger dans les environs ?

🏠 |●| ***Hostellerie de l'Abbaye :*** chemin du Château, 83340 Le Thoronet. ☎ 04-94-73-88-81. Fax : 04-94-73-89-24. • h.abbaye.var@enfrance.com • ♿ Fermé le dimanche soir hors saison. Congés annuels en novembre. Doubles avec bains de 48 à 64 € (315 à 420 F). Menu à 20 € (130 F) en semaine ; autres menus à 23,65 et 32,80 € (155 et 215 F). Un hôtel-restaurant au look béton, tout propret, qui a choisi de quitter sa robe de bure pour prendre des couleurs plus provençales. Piscine. Dans les menus, la cuisine a elle aussi des accents provençaux. Voilà qui ne devrait pas vous surprendre...

LA « PROVENCE VERTE »

À ceux qui auraient pris goût à l'arrière-pays varois, on conseille forcément un séjour dans la « campagne varoise » (on parle aujourd'hui de Provence verte !). Un arrière-pays déjà différent du Centre-Var, riche de jolis villages dont les noms chanteront à vos oreilles, avec les cigales. La Provence varoise, quel que soit le nom qu'on lui donne, a toujours vécu doucement sa vie, loin des villes, en suivant la vallée verdoyante de l'Argens. Un pays à redécouvrir, à pied, à cheval, à vélo ou en voiture.

BRIGNOLES

(83170) 13300 hab.

La capitale de la « Provence verte » manque de charme, on vous l'accorde. La « riante nourrice des comtes de Provence », comme l'appelait le bouillant Mistral, a un peu de vague à l'âme.

Adresse utile

ℹ ***Maison du tourisme de la Provence verte :*** carrefour de l'Europe. Informations : ☎ 04-94-72-04-21. • contact@la-provence-verte.org • Pour organiser vos vacances et recevoir des brochures – demandez notamment celles des « chemins de l'Eau » –, indispensables, avec des itinéraires superbes. Faites le *circuit de la vieille ville* proposé par l'office : c'est la seule façon de découvrir l'envers du décor...

À voir

★ ***Musée du Pays brignolais :*** sur la place des Comtes-de-Provence. ☎ 04-94-69-45-18. Ouvert de 9 h à 12 h et de 14 h 30 à 18 h ; le dimanche et les jours fériés, de 9 h à 12 h et de 15 h à 18 h. Entrée : 3 € (20 F) ; enfants à partir de 8 ans : 1,50 € (10 F). Il rassemble objets, meubles et témoignages de la vie quotidienne dans la région. Une salle est consacrée aux tableaux de Barthélemy Parrocel, peintre des batailles ayant donné naissance par ailleurs à toute une famille d'artistes.

★ ***Circuit de la vieille ville :*** de son passé prestigieux, Brignoles n'a pas conservé que son ancien palais comtal, aujourd'hui transformé en musée. Pour retrouver les traces du passé, dans cette ville qui a perdu quelque peu l'habitude, au fil du temps, de se montrer aux autres, il faut flâner au gré des rues et de sa fantaisie : hôtels particuliers, fontaines, rues entrecoupées d'escaliers et de passages voûtés, portes et poternes des XIII e et XV e siècles...

Manifestations

– ***Festival Mosaïque des Suds :*** mi-juillet.
– ***Festival de jazz :*** à la mi-août.

➤ *DANS LES ENVIRONS DE BRIGNOLES*

★ ***L'abbaye royale de La Celle*** *(83170)* **:** à 3 km au sud-ouest de Brignoles, au cœur du village, un des plus anciens monastères de Provence. Au VIe siècle, une communauté de femmes y était déjà implantée. L'ensemble des bâtiments devint bénédictin au XIIe siècle. Quelques décennies plus tard, les dons et les protections pleuvant, sa prospérité fut assurée. Au fil des siècles, il acquerra même une jolie réputation... de libertinage. Car les nonnes étaient pour la plupart des filles de bonnes et grandes familles qui avaient nombre d'amoureux dans le village. Ces derniers n'hésitèrent pas, lorsque Mazarin envoya un de ses hommes mener l'enquête, à le chasser sans ménagement. Ce qui incita notre homme de robe à fermer le couvent en 1660.
Vendu à la Révolution comme bien national, le bâtiment sera, comme nombre de ses confrères, transformé en ferme. On peut encore visiter aujourd'hui la chapelle romane, la salle capitulaire, les dortoirs et le logis du prieur, seuls rescapés du monastère d'autrefois.
L'abbaye abrite aujourd'hui la *Maison des vins des coteaux varois,* bonne introduction à ce vignoble qui s'étend sur 28 communes, de Brignoles aux contreforts de la Sainte-Baume. Une jeune appellation, devenue AOC en 1993. ☎ 04-94-69-33-18.
Et tout un village à découvrir autour, avec le vieux lavoir, la fontaine, les vieilles rues et même le « village miniature », à l'espace Jean-Giono. Renseignements : ☎ 04-94-59-19-05.

À faire

Nous vous proposons en fait deux circuits au départ de Brignoles, complémentaires et aussi attachants l'un que l'autre, si vous avez suffisamment de temps devant vous...

➢ Le premier, ***de Brignoles à la Sainte-Baume,*** vous ramènera à la frontière du Var et des Bouches du Rhône, et pourra même vous entraîner jusqu'au pied de la Sainte-Victoire, jusqu'à Pourrières et le canal de Provence. C'est le massif de la Sainte-Baume, où vous risquerez de vous retrouver souvent seuls sur les petites routes en lacet menant jusqu'à Plan d'Aups.

➢ Le second circuit, ***de Brignoles au Haut-Var,*** vous permettra de découvrir le magnifique Val d'Argens, avant de remonter vers le Haut-Var par Cotignac.

DE BRIGNOLES À LA SAINTE-BAUME

C'est le plus important massif provençal, à cheval entre les Bouches-du-Rhône et le Var.
La Sainte-Baume est un lieu « chargé ». Les druides déjà y célébraient leurs cultes. Les Romains y avaient élevé une stèle à l'Alma Mater. Au Ier siècle, Marie-Madeleine y aurait passé les trente dernières années de sa vie, recluse dans une grotte sombre et humide devenue, par la suite, un des principaux lieux de pèlerinage de France et une étape sur le chemin de Saint-Jacques-de-Compostelle. Cette grotte (*baoumo* en provençal, ne cherchez pas plus loin le nom du massif !) est aussi un lieu de passage « obligatoire » pour les compagnons du Tour de France, leur fondateur, maître Jacques, ayant été assassiné là (vers 950), selon la tradition.
Avec ses 12 km de crêtes rocheuses qui culminent à 1 147 m, ses 45000 ha de forêt et ses multiples sources (typiques d'un relief karstique, comme celui du Jura), le massif est un refuge idéal pour tous les amoureux de la nature. Au programme, de jolies balades, de villages paisibles en sites archéologiques, d'anciennes glacières en mines de charbon de bois...

★ *SAINT-MAXIMIN-LA-SAINTE-BAUME* (83470)

Gros bourg provençal typique, au centre ancien ramassé autour de sa célèbre basilique gothique.

Un peu d'histoire

Au Ier siècle, sainte Marie-Madeleine et saint Maximin sont (paraît-il) chargés par l'apôtre Pierre de l'évangélisation de la Provence. Après leur décès, des moines les ensevelissent dans un lieu tenu secret, entre Aix-en-Provence et la Sainte-Baume, pour éviter que leurs dépouilles ne tombent aux mains des Sarrasins.
En 769, le corps de Marie-Madeleine réapparaît à Vézelay : un moine bourguignon affirme l'avoir découvert à Aix. Premier pèlerinage, autorisé par le pape, même si l'évêque d'Autun croit à une mystification. Le comte de Provence, pas convaincu non plus, fait faire en 1279 des recherches sur le site de Saint-Maximin. Une crypte est découverte, où reposent des sarcophages. Dans l'un deux, un corps dont la mâchoire (les âmes sensibles arrêteront là la lecture de cette page d'histoire religieuse...) mâchonne encore un rameau de fenouil frais. Plus miraculeux encore : sur le front subsiste un lambeau de chair à l'endroit même, où, au matin de sa résurrection, Jésus avait touché Marie-Madeleine !
Pour les archéologues de l'époque, pas de doute, il s'agit de la « vraie » sainte. Le « troisième tombeau du monde » (après celui du Christ à Jérusalem et celui de saint Pierre à Rome) devient logiquement un lieu de pèlerinage des plus fréquentés, et une basilique est édifiée au-dessus de la crypte.

Adresse utile

i ***Office du tourisme :*** place Jean-Salusse, couvent royal. ☎ 04-94-59-84-59. Fax : 04-94-59-82-92. Ouvert tous les jours de 9 h à 12 h 30 et de 14 h 30 à 18 h 30 (de 14 h à 18 h de septembre à Pâques). Organise des visites guidées de la basilique et du couvent royal.

Où dormir ? Où manger ?

Hôtellerie du Couvent Royal : place Jean-Salusse, BP 19. ☎ 04-94-86-55-66. Fax : 04-94-59-82-82 • www.hotelcouventstmaximin.com • Resto fermé le dimanche soir et le lundi. Doubles avec douche et w.-c. ou bains (et TV) de 44,20 à 73 € (290 à 480 F). Menu du marché à 19 € (125 F) le midi en semaine ; autres menus de 26 à 38 € (170 à 250 F). Au cœur du couvent, une trentaine de chambres aménagées dans les anciennes cellules des moines. De vieilles pierres, des poutres, du charme : rien de monacal, donc ! Cadre encore plus étonnant pour le resto, installé dans la salle capitulaire. Cuisine provençale joliment réinterprétée par un chef qui a fait ses classes dans quelques-unes des plus prestigieuses tables du coin. Accueil très pro.

Chambres d'hôte chez Mme Dubois : 380, chemin du Claret. ☎ 04-94-59-83-75. À 3 km du bourg, entre le massif de la Sainte-Baume et celui de la Sainte-Victoire. Ouvert toute l'année. Chambres à 50 € (330 F), petit déj' compris. Vous aimez la campagne ? Choisissez la chambre verte. Vous regrettez un peu la mer, prenez la bleue. Une belle maison ensoleillée, au calme, avec jardin et piscine.

À voir

★ ***La basilique :*** ouvert tous les jours de 8 h à 12 h et de 14 h à 18 h. Fondée en 1279 par Charles II, roi de Sicile (d'où le « royale ») et comte de Provence. C'est le plus important ensemble de style gothique provençal (titre, au passage, facile à s'arroger dans une région où le roman prédomine !). Les travaux entamés en 1296 se sont éternisés jusqu'en 1532. La basilique n'a d'ailleurs jamais été achevée, ce qui explique la façade un peu brute de décoffrage, sans portail ni rosace, et l'absence de clocher. À l'intérieur, c'est une tout autre histoire : ample nef (près de 80 m de long et de 30 m de haut) au mobilier étonnamment riche. Normal pour une basilique royale mais peut-être pas évident à assumer pour les dominicains (ordre mendiant) qui l'administraient ! Grandes orgues du XVIIIe siècle, superbes et d'une grande musicalité (concerts le premier dimanche de chaque mois à 17 h, gratuit). Chaire de bois délicatement sculptée, comme les médaillons des stalles du chœur (XVIIe siècle). Une foule d'intéressantes œuvres d'art, dont une belle *Descente de croix* (école provençale du XVe siècle) et l'incontournable *retable de la Passion* d'Antoine Ronzen (1520) ; 22 panneaux sur lesquels l'artiste a représenté quelques-uns des hauts lieux de la région : Jésus devant Pilate et devant... le palais des Papes d'Avignon, Caïphe déchirant ses vêtements au cœur des arènes de Nîmes...

La crypte, creusée au IVe siècle, abrite quatre sarcophages dont, évidemment, celui que la tradition attribue à Marie-Madeleine, en marbre, usé par les mains de générations de pèlerins. Un reliquaire en bronze doré contient le masque mortuaire de la sainte et un tube de verre le fameux lambeau de peau ! Le sarcophage de saint Maximin, quant à lui, a conservé une belle frise où s'entrelacent dauphins et monstres mythologiques.

★ ***Le couvent royal :*** ouvert tous les jours de 9 h 30 à 18 h. Édifié en même temps que la cathédrale mais les travaux ont duré encore plus longtemps (les derniers aménagements remontent au milieu du XVIIe siècle). Ce grand ensemble religieux destiné à abriter 100 moines a connu une histoire mouvementée : abandonné plusieurs fois par les dominicains (qui le quitteront définitivement en 1957), transformé en forteresse, puis en prison par la Révolution. Bel ensemble de bâtiments toutefois. Joli cloître qui plante sa trentaine d'arcades autour d'un jardin. Le couvent accueille désormais la mairie (dans l'ancien hospice), un hôtel-restaurant (lire ci-dessus), un bar à vins et la Maison des vins de pays du Var.

★ ***Le quartier médiéval :*** au sud de la basilique, quelques vieilles mais belles rues dont la *rue Colbert* avec ses maisons à arcades des XIIIe et XIVe siècles et ses portails sculptés. Elle débouche sur l'ancien quartier juif : étonnante tolérance dans une ville aussi marquée par la foi catholique (même si, dès le XIVe siècle, les juifs ont servi de boucs émissaires pendant les épidémies de peste...).

★ *ROUGIERS* *(83170)*

À peine à l'écart de la N 560, entre Saint-Zacharie et Brignoles. Village un peu endormi à la longue rue principale jalonnée de belles maisons anciennes. Sur une colline, étonnants vestiges d'un château et d'un village fortifié médiéval. Accès automobile fléché depuis Rougiers. 1 h 30 aller-retour à pied depuis le parking.

★ *NANS-LES-PINS* *(83860)*

Classique village provençal (avec sa place ombragée de platanes, les ruines d'un château médiéval...) surtout intéressant parce qu'il est le point de départ de plusieurs sentiers vers le massif de la Sainte-Baume. Le chemin des Roys, notamment, voie traditionnelle du pèlerinage à la Sainte-Baume depuis le XIVe siècle (2 h 30), ou le chemin de la glace, par lequel, au XIXe siècle, la glace produite dans les glacières était acheminée vers Marseille ou Aix-en-Provence. Descriptifs vendus à l'office du tourisme.

Adresse utile

ℹ ***Office du tourisme :*** 2, cours du Général-de-Gaulle. ☎ 04-94-78-95-91. Fax : 04-94-78-60-07. Ouvert tous les jours sauf le dimanche après-midi, de 9 h à 12 h et de 14 h à 17 h (de 15 h à 18 h du 1er juillet au 30 septembre).

Où dormir ?

⛺ ***Camping municipal La Petite Colle :*** route de la Sainte-Baume. ☎ et fax : 04-94-78-65-98. À 5 km du village sur la route de Plan-d'Aups. Ouvert toute l'année. Autour de 11 € (72 F) l'emplacement pour deux avec un véhicule. Petit camping dans un joli sous-bois (ombre garantie à 90 % !). Idéal pour les randonneurs et autres amateurs de nature vraie. Petite réduction sympa pour nos lecteurs hors saison.

Hôtel-restaurant de Nans : 10, route de Marseille. ☎ 04-94-78-97-00. Fax : 04-94-78-91-90. Ouvert tous les jours toute l'année. Chambres doubles à 34,30 € (225 F). Demi-pension à 31,25 € (205 F) par personne. Menus de 13,70 à 30,50 € (90 à 200 F). Un petit hôtel familial à l'ancienne mode, où l'accueil est chaleureux et la cuisine maison.

★ *PLAN-D'AUPS-SAINTE-BAUME* (83640)

À 700 m d'altitude, petit village qui vaut surtout pour son environnement naturel. On est ici littéralement au pied des falaises de la Sainte-Baume, dans lesquelles est creusée la célèbre grotte qui a, selon la légende, abrité Marie-Madeleine.

Adresse utile

🛈 ***Office du tourisme :*** place de la Mairie. ☎ 04-42-62-57-57.

Où dormir ? Où manger ?

🏠 🍽 ***Lou Pèbre d'Aï :*** quartier Sainte-Madeleine. ☎ 04-42-04-50-42. Fax : 04-42-62-55-52. ♿ Fermé le mardi soir et le mercredi hors saison. Congés annuels en janvier. Doubles de 42,70 à 59,45 € (280 à 390 F). Menus de 17,55 à 42,70 € (115 à 280 F). Demi-pension obligatoire en juillet et août : à partir de 45,45 € (298 F) par personne. Piscine. Un lieu de détente idéal, avec des chambres douillettes et une vaste salle à manger à l'ancienne pour goûter une bonne cuisine d'aujourd'hui et de toujours : rouelle de lapereau à la tapenade d'olives noires, tête de veau sauce ravigote. Apéritif maison offert à nos lecteurs sur présentation du *Guide du routard.*

🏠 🍽 ***Hôtellerie de la Sainte-Baume :*** ☎ 04-42-04-54-84. Fax : 04-42-62-55-56. Sur la D 95, quelques kilomètres avant Plan-d'Aups. Ouvert toute l'année. Nuitée à 8 € (52 F) en dortoir ou en chambre de 4 ou 5 lits, 11 € (72 F) en chambre double, 19 € (125 F) en chambre individuelle. Repas à 11 € (72 F). Au pied du massif, au départ du GR 9, c'est en fait la maison d'accueil des sœurs bénédictines, installée dans l'hôtellerie créée au XVIIIe siècle. Également un gîte pour groupes de 7 personnes minimum, avec possibilité de faire la cuisine.

À voir

★ ***La grotte de la Sainte-Baume :*** au milieu de la falaise, à 950 m d'altitude. Marie-Madeleine y aurait vécu 30 ans dans la solitude et l'humidité. Lieu de pèlerinage des plus fréquentés (et des plus jet-set : pas moins de 8 papes et 18 souverains y sont venus depuis le Moyen Âge). Si la grotte, fermée depuis 1998 (risque de chutes de pierres), est de nouveau ouverte à la visite, lors de votre passage, allez-y à votre tour en pèlerinage.

➢ Sinon, le sentier qui y grimpe offre une très belle balade (45 mn aller en suivant le balisage rouge et blanc du GR 9). Le GR, qui suit le tracé de l'ancien chemin des Roys, traverse l'une des plus surprenantes forêts de France : 120 ha considérés comme sacrés et dont les arbres (chênes blancs, hêtres, érables...) n'ont jamais connu la hache ni la tronçonneuse. Les plus courageux peuvent grimper jusqu'à la chapelle du Saint-Pilon, posée, au sommet de la falaise, à l'aplomb de la grotte. Vue évidemment somptueuse, des îles d'Hyères aux sommet des Écrins.

★ ***L'écomusée de la Sainte-Baume :*** face à l'*Hôtellerie de la Sainte-Baume.* ☎ 04-42-62-56-46. Du 15 avril au 30 octobre, ouvert tous les jours de 9 h à 12 h et de 14 h à 18 h ; le reste de l'année, tous les jours de 14 h à 17 h. Entrée : 3 € (20 F) ; gratuit pour les moins de 14 ans. Petit musée qui évoque (un peu avec les moyens du bord, mais on y a toutefois découvert que le miroir aux alouettes existait vraiment !) l'histoire du pèlerinage et les activités traditionnelles de la Sainte-Baume : reconstitution d'une hutte de charbonnier, intéressante section consacrée au travail de la laine (filage, teinture, tissage) avec démonstrations. Projection de film vidéo sur le massif et la culture provençale. Bonne librairie spécialisée.

– Sur la droite de la route qui mène de l'*Hôtellerie de la Sainte-Baume* à Plan-d'Aups se dresse un petit bâtiment abandonné, aux fenêtres béantes, aux murs graffités... Il est pourtant l'œuvre d'un certain Le Corbusier ! Le célèbre architecte avait construit ce garage-atelier pour Édouard Trouin, initiateur d'un projet un peu fou : une basilique creusée comme un tunnel sous le massif. Le Corbusier devait en assurer la réalisation. Soutenu par Picasso, Léger, Matisse et bien d'autres grands noms de l'art moderne, le projet ne s'est pourtant jamais concrétisé...

★ *MAZAUGUES* *(83136)*

On gagne ce petit village accroché à une pente boisée par la très belle et très tranquille D95 qui longe le massif. 10 km avant Mazaugues, une route forestière à droite conduit (en 5 mn à pied) à la *glacière de Pivaut*. Ce n'est pas un cube de plastique isotherme abandonné par quelque pique-niqueur indélicat mais une impressionnante tour de pierre : 20 m de diamètre, autant de hauteur et d'épais murs épais de 2,5 m de haut. Recouverte d'un toit de tuile et de terre, elle aurait pu contenir jusqu'à 6 000 tonnes de glace (le fonctionnement des glacières de la Sainte-Baume est très bien expliqué au musée de la Glace) mais... elle n'a jamais été utilisée !

Adresse utile

🛈 ***Renseignements touristiques :*** à la mairie. ☎ 04-94-86-95-03.

À voir

★ ***Le musée de la Glace :*** ☎ 04-94-86-39-24. Du 1er juin au 30 septembre, ouvert tous les jours sauf le lundi, de 9 h à 12 h et de 14 h à 18 h ; le reste de l'année, le dimanche de 9 h à 12 h et de 14 h à 17 h. Entrée : 1,50 € (10 F) ; gratuit pour les moins de 6 ans. Un musée sur la glace ? Difficile entreprise ! Parce qu'évoquer un produit qui ne demande qu'à fondre et disparaître... C'est pourtant là tout l'intérêt de ce petit musée qui, en une pièce, évoque la plupart des moyens mis en œuvre par l'homme pour se procurer de la glace à rafraîchir. À commencer, bien sûr, par ces gigantesques glacières construites sur les hauteurs provençales (le seul secteur de Mazaugues en comptait 17, qui ont fonctionné de 1650 jusqu'au début du XXe siècle). Le mécanisme (qu'une maquette permet ici de bien comprendre) en était simple : on profitait des gelées d'hiver pour faire prendre, couche par couche, l'eau en glace. Glace conservée jusqu'aux chaudes journées de l'été dans de vastes réservoirs de pierre logiquement appelés glacières. Découpée en pains, la glace était acheminée sur des chariots et de nuit, vers Toulon ou Marseille, pour conserver le poisson (ou se glisser dans les verres de coco, boisson à la mode au XIXe siècle...). Cette technique a été mise à mal par le développement du rail permettant d'acheminer de la glace de beaucoup plus loin, et définitivement rendue obsolète par l'invention du réfrigérateur.

DE BRIGNOLES AU HAUT-VAR

Suivez les « chemins de l'eau » avec le joli et passionnant guide de circuits édité par l'*office intercommunal du tourisme de La Provence Verte*, qui justifierait à lui seul que vous repassiez par Brignoles, si vous ne l'avez pas trouvé en route. Du château d'eau naturel qu'est le massif de la Sainte-Baume au bassin du Verdon qui touche ces collines, vous allez regarder d'un autre œil ce pays où « cascades, gorges, gourgs, mais aussi lavoirs, fontaines, canaux, puits, glacières témoignent de l'omniprésence de l'élément aquatique au cœur des villages comme en pleine nature », comme dit joliment la préface.

★ LE VAL *(83143)*

Un endroit adorable comme on les aime, plein de vie, des fontaines partout, un théâtre en plein air, un beffroi pas froid. Bref, on y est bien. Amusante ***foire à la saucisse*** le 1er week-end de septembre (réunion de confréries, grands banquets campagnards, cochonnailles à profusion...).
Un village au caractère provençal affirmé hors saison. Crèche animée, atelier du santonnier, petits musées insolites ou traditionnels, voire religieux, à découvrir d'un œil ému.

★ ***Musée du jouet ancien et des miniatures :*** sur rendez-vous. ☎ 04-94-37-02-28.

★ ***Maison de l'olivier, musée d'art sacré et du santon :*** ☎ 04-94-37-02-22. Traditions de Noël célébrées pendant tout le mois de décembre : pastorale en provençal, messe de minuit, expositions...

★ CORRENS *(83570)*

« Il faut aller à Correns tout exprès, et s'en revenir par le même chemin. C'est un des bouts du monde », vous voilà prévenu ! Comme le dit votre carnet de randonnée distribué par l'office du tourisme, « la géologie, l'histoire de l'Argens, la flore et la faune en font un endroit magique où l'appel du rocher est très fort ». Comme nous, vous allez craquer pour cette oasis au débouché de gorges dominées par des falaises abruptes entre lesquelles coule l'Argens, le « fleuve » comme on dit ici.
Une qualité de vie tellement préservée que Correns est devenu désormais le premier village bio de France. En effet, la quasi totalité des viticulteurs et agriculteurs se sont convertis. Et le résultat est plutôt réjouissant. Pour tous renseignements, s'adresser au bureau du tourisme mis en place par la mairie, place Général-de-Gaulle. ☎ 04-04-37-21-95.
Belles maisons Renaissance dans les rues en escaliers du vieux village qui se transforment parfois en passages voûtés. Tour du XVIe siècle surmontée d'un campanile. Sur la butte qui domine l'Argens, vestiges du donjon de la forteresse médiévale, Fort Gibron.
Continuer ensuite jusqu'à ***Montfort***, joli village lui aussi baigné par le fleuve Argens, qui appartint à l'ordre des Templiers. Ils y construisirent le *château des Hospitaliers*, le seul qu'ils détinrent en Provence.

Où dormir ? Où manger ?

🏠 |●| ***Auberge Le Val d'Argens :*** place de l'Arenier. ☎ 04-94-59-57-02. Fax : 04-94-59-54-11. Doubles de 48 à 54 € (310 à 350 F) selon la saison, petit déj' compris. Table d'hôte pour les résidents à 15 € (100 F). Menus de 15 à 20 € (100 à 130 F). Une bien sympathique auberge sous les platanes, avec une très agréable terrasse au bord de l'Argens. Pas de la grande cuisine, mais on est si bien qu'on ne va pas chipoter sur la cuisson de la viande ou l'assaisonnement. Trois chambres vraiment sympas, avec douche et w.-c., au-dessus de l'auberge. Et de quoi s'en mettre plein les yeux dans toutes les pièces car le patron adore les vieilles affiches de Dubout et les souvenirs colorés en tous genres. De plus, location de canoës et kayaks sur place du 15 avril au 15 novembre. Compter de 20 à 34 € (130 à 220 F) pour la demi-journée et de 31 à 46 € (200 à 300 F) pour la journée.

À voir

★ ***Le Vallon Sourn :*** à la sortie de Correns. Le « vallon Sombre », en provençal. 5 km de gorges sinueuses dominées par des rochers escarpés et des grottes qui servirent de refuge pendant les guerres de Religion. Paradis des kayakistes, haut lieu de l'escalade. Un petit coin de verdure et de fraîcheur étonnant. Ce site est autant réputé pour ses falaises que pour ses qualités écologiques, car il est le refuge de nombreuses espèces animales et végétales. C'est ici que les truites Fario trouvent par exemple les lieux de ponte les plus favorables. Un milieu fragile aussi, qu'il faut donc protéger.

★ *ENTRECASTEAUX* *(83570)*

Bourg médiéval très agréable. Petit, mais charmant. Déambulez dans ses ruelles pittoresques pour humer l'air du temps jusqu'à ce que l'une d'entre elles vous ramène à l'*église fortifiée* du XIVe siècle (une particularité : l'abside est plus basse et plus étroite que la nef).

Adresse utile

i ***Syndicat d'Initiative :*** cours Gabriel-Péri. ☎ 04-98-05-22-05. Fax : 04-98-05-22-06. Ouvert en juillet-août de 10 h à 12 h et de 15 h à 17 h.

Où manger ?

🍽 ***Lou Picateou :*** place du Souvenir. ☎ 04-94-04-47-97. Au pied du majestueux château d'Entrecasteaux. Fermé le jeudi sauf en juillet et août. Congés annuels du 15 janvier au 15 février. Menu à 12 € (78 F) le midi en semaine ; autres menus de 15 à 22 € (98 à 145 F). Ce restaurant propose, sur une terrasse calme et ombragée, une cuisine de saison préparée par un chef qui fit ses classes à l'*Epcot Center* (un des 4 parcs de Disneyworld en Floride), ce qui ici n'est pas une mince référence, apparemment.

🍽 ***La Fourchette :*** Le Courtil. ☎ 04-94-04-42-78. Juste à côté de l'église. Fermé les dimanche soir et lundi. Congés annuels de décembre à mars. Beaux menus à 15 et 23 € (98 et 150 F). À l'ombre du célèbre château, une maison pour les voyageurs gastronomes, qui y déposeront fatigue et soucis pour savourer tout autant la vue, depuis la terrasse, que la cuisine de Pierre Nicolas. Accueil adorable de sa jeune femme américaine, qui a quitté San-Francisco pour le Haut-Var sans perdre le sourire. Simplicité, qualité, juste prix. Foie gras et Saint-Jacques se glissent dans les menus. Café offert à nos lecteurs sur présentation du *Guide du routard*.

À voir

★ ***Le château :*** ☎ 04-94-04-43-95. Visites guidées tous les jours, sauf le mercredi, en été, à 11 h, 16 h et 17 h. Une seule visite l'après-midi hors saison. Fermé de mi-octobre à Pâques. Entrée : 5 € (33 F) ; enfants : 3 € (20 F).
Le plus grand château de la région. À l'origine, c'était un château fort qui fut transformé en château d'agrément au XVIe siècle. Brûlé puis reconstruit et agrandi, il s'ouvre à vous au fur et à mesure de l'avancement des travaux réalisés par son nouveau propriétaire !
Alain Gayral est tombé amoureux des lieux en 1985 mais il lui fallut ronger son frein pendant des années avant de pouvoir acquérir ce chef-d'œuvre en péril, à qui il redonne, dès qu'il a une heure de libre, forme et couleurs. Cet ancien médecin a décidé de lui refaire une santé sans attendre que tombent du ciel des rentrées d'argent supplémentaires. Il fait donc tout, ou presque tout lui-même, maniant truelle, rabot et pinceaux non sans une touche de fantaisie qui risque de faire verdir certains tenants d'une conservatisme rigide. Avec lui, ou avec la guide passionnante qui se dévoue sans compter son temps pour le château, vous allez vous régaler, des caves – où la visite se poursuit à la bougie – au grenier, en passant par les nouveaux salons destinés à accueillir des concerts certains soirs.
Dans tout château, il y a forcément une histoire de crime. Ici, elle s'avère plutôt rocambolesque. Le neveu de Raymond Bruny, le propriétaire de 1713, voulait occire son épouse enceinte pour en épouser une autre (non, on n'est pas à Monaco !). La pauvre résista à une chute dans l'escalier due à des noyaux de cerises. Elle fut sauvée du potage empoisonné, mais elle succomba tout de même aux trois coups de rasoir qui lui furent infligés.
Pour vous remettre, allez admirer, de la terrasse, la vallée encaissée de la Bresque et, des fenêtres donnant côté village, les jardins dessinés par Le Nôtre. Rien ne vous empêche, ensuite, d'y aller vous promener, les jardins sont publics et ombragés. Ça vaut la peine !

★ ***COTIGNAC*** *(83570)*

Le village de rêve par excellence, dans lequel on a envie de s'installer pour y goûter les plaisirs de la vie. Son nom est tiré du coing, et c'est d'ailleurs ici qu'on en fit les premières gelées. Anecdote amusante : dans *Les Noces de Cana* de Véronèse, on voit les boîtes de gelée de Cotignac sur la table. Cotignac a gardé de ce fruit la beauté lumineuse. Le village est planté au fond d'une vallée barrée par une immense falaise de tuf, percée de grottes d'où tombe une cascade, et surmontée des ruines d'un château du XVe siècle. Longtemps isolée (la route ne fut construite qu'au XIXe siècle), Cotignac fut tout de même la première commune entièrement électrifiée de France. Normal, avec la cascade, elle fabriquait facilement son électricité.
Il faut absolument s'arrêter un (long) moment dans ce pays de cocagne pour profiter du cours central bordé de platanes (marché paysan le vendredi matin en été), avant de grimper vers la délicieuse place de la Mairie. Prenez votre temps, lorgnez les ateliers d'artistes, entrez chez le jeune artisan cordonnier qui, rue des Deux-Places, continue de fabriquer des chaussures à l'ancienne dans un cadre d'hier... Et posez-vous chez l'étonnant photographe qui a eu l'idée de transformer sa boutique en salon de thé (voir : « Où manger ? »).

Adresse utile

ℹ ***Office du tourisme :*** rue Bonaventure. ☎ 04-94-04-61-87. En été, ouvert du mardi au samedi de 10 h à 12 h et de 15 h à 18 h ; hors saison, jusqu'à 17 h.

Où dormir ? Où manger ?

Camping

⛺ ***Camping Les Pouverels :*** route de Sillans. ☎ 04-94-04-71-91. À 1 km par la D 22. Ouvert de mars à octobre. 42 emplacements au calme, dans un endroit plein de verdure.

Prix moyens

🏠 |●| ***Chambres d'hôte du Domaine de Nestuby :*** domaine de Nestuby. ☎ 04-94-04-60-02. Fax : 04-94-04-79-22. De Cotignac, prendre la D 22 vers Brignoles pendant 4 km, puis le chemin de terre sur la droite. Pas de repas le dimanche soir. Fermé du 15 novembre à fin février. Doubles avec douche et w.-c. ou bains de 54 à 61 € (354 à 400 F). Table d'hôte le soir à 18 € (118 F). N'accepte pas les cartes de paiement. Au milieu des vignes, de leurs vignes, dans une superbe bastide, Nathalie et Jean-François Roubaud accueillent les amateurs de vins depuis longtemps. De l'art de faire du vin à celui de recevoir et de cuisiner, il n'y a qu'un pas, qu'ils ont allègrement franchi. Plutôt réussi comme choix. 4 chambres toutes décorées dans des tons pastel agréables. On a un faible pour celle avec le lit en fer forgé. Pour la table d'hôte, Nathalie prépare de bons petits plats dans la plus pure tradition provençale. Si vous aimez, n'hésitez pas à repartir avec quelques bouteilles de côtes-de-provence AOC ; existe en rouge, rosé et blanc. Réduction de 10 % pour les routards désireux d'acheter un carton.

|●| ***Le Temps de Pose :*** 11, pl. de la Mairie. ☎ 04-94-77-72-07. Ouvert tous les jours sauf le jeudi, de 7 h 30 à 19 h. Un lieu où les poseurs sont interdits, où l'on se sent bien, le temps d'un copieux petit déjeuner ou d'un petit creux de midi : salade tomates-mozzarella à 6 € (40 F), assiette provençale ou anchoïade à 10 € (60 F), sandwichs copieux à 4 € (26 F)... En terrasse ou dans la salle, au milieu des vieux outils et des photos en noir et blanc, on prend son temps.

Plus chic

|●| ***Le Clos des Vignes :*** route de Montfort. ☎ 04-94-04-72-19. Juste en face du *Domaine de Nestuby*. Du 1er octobre au 30 juin, fermé le dimanche soir et le lundi ; du 1er juillet au 1er octobre, fermé les lundi midi, mardi midi et vendredi midi. Menu express le midi en semaine, à 17 € (110 F). Autres menus de 25 à 35 € (165 à 225 F). La maison est belle, la cuisine bonne et vraiment bien faite : filet d'agneau poêlé minute parfumé au gingembre et girolles fraîches, pavé de bar aux pousses d'épinards à la crème, entre autres bonheurs. On mange sous une véranda dans un décor plutôt chic. La carte est renouvelée régulièrement en fonction des saisons et des produits (on ne vous a signalé ces deux plats que pour vous mettre l'eau à la bouche !). Accueil chaleureux. Apéritif maison offert sur présentation du guide.

🏠 |●| ***La Radassière :*** quartier les Fabres, D50, route d'Entrecasteaux. ☎ 04-94-04-63-33. Fax : 04-94-04-66-99. • radasse@club-internet.fr • Fermé en janvier. 4 très jolies chambres d'hôte à 61 € (400 F) la nuit, petit déj' compris. Table d'hôte sur réservation à 23 € (150 F). Maryse et Richard Artaud ont construit, au milieu des oliviers, près de leur maison, cette dépendance toute neuve abritant des chambres de rêve, toutes blanches mais colorées par les œuvres d'artistes contemporains habitant les environs. Grand lit, fauteuils confortables, des fleurs du jardin pour vous accueillir, et une petite terrasse pour voir le soleil se coucher sur un paysage apaisé. Salles de douche en carreaux de Salernes. Délicieux petits déjeuner et très bons dîners.

Le Mas de Canta-Dié : route de Carcès. ☎ 04-94-77-72-46. Fax : 04-94-77-79-33. • mas-de-canta-die@wanadoo.fr • Ouvert toute l'année. Chambres à 61 € (400 F), petit déj' inclus. Accueil et prestations fort sympathiques. Rien à voir avec les chambres précédentes, évidemment. Un lieu à l'image de ses propriétaires, qui ont décoré chaque chambre en fonction de leurs souvenirs (Mykonos, Corsica...) et de leurs passions. L'une d'elles étant la peinture, vous pourrez même bénéficier de son atelier.

Spécial coup de cœur

Essayez de rencontrer *Gabriel-Henri Blanc,* la figure de Cotignac. On peut le trouver de temps en temps dans sa « galerie-musée », 3, rue d'Arcole, à Cotignac. En passant un petit moment dans son antre, vous en saurez plus sur Cotignac que le commun des mortels. Il est LA mémoire de la cité.
Originaire de la ville comme toute sa famille depuis des siècles, il a consacré une large partie de sa vie à son œuvre. En effet, voilà plus de trente ans qu'il transcrit sur papier toute l'histoire de Cotignac et de sa région dans des livres entièrement écrits à la main. N'ayons pas peur des mots, on peut parler de chef-d'œuvre. Tout est fait main, textes, enluminures, dessins... et édité à compte d'auteur. Si vous avez des cadeaux à faire, pensez-y !
Et puis Gabriel-Henri Blanc est un personnage attachant, érudit, râleur, jovial, toujours prêt à vous livrer une anecdote. Un homme rare dont la rencontre se mérite !

À voir

★ ***La Roche :*** haute de 80 m, elle s'étale sur 400 m de longueur. Les grottes furent longtemps utilisées comme refuge. Certaines sont aménagées avec des escaliers, des fenêtres, et furent utilisées par des générations de militaires comme poste de guet.

★ ***L'ancien quartier*** mérite une flânerie pour découvrir les belles maisons aux façades des XVIe et XVIIe siècles. La place de la Mairie, sur laquelle se trouvent l'un des plus beaux campaniles du Var (datant de 1496) et la maison du prince de Condé, est un bon point de départ. Sur la place de la Liberté se dressait la synagogue, dont les bassins étaient desservis par trois sources. Les plus vieilles maisons de la ville sont dans la rue Clastre. Elles datent du Moyen Âge, comme le presbytère, la poste, l'hospice. Dans la Grande-Rue, il faut lever les yeux pour découvrir trois magnifiques cariatides du XVIIe siècle élevées par des bourgeois pour marquer leur rang dans la société.

★ ***L'église Saint-Pierre :*** sa nef, construite dans le plus pur style roman, date du XIIIe siècle. À l'intérieur, beau maître-autel et bénitier du XVIe siècle. Orgue du XIXe siècle à la sonorité réputée bien au-delà de la cité.

★ ***Notre-Dame-de-la-Grâce :*** à l'entrée de la ville, sur le mont Verdaille. Le sanctuaire et la chapelle – actuellement occupés par les pères de la communauté de Saint-Jean – valent vraiment une visite. On dit que Notre-Dame-de-la-Grâce, déjà réputée en raison d'une apparition au XVIe siècle, a peut-être assuré un héritier au trône de France. En effet, Louis XIII ne pouvant avoir d'enfant, un frère diacre de Paris eut une révélation. Pour être féconde, Anne d'Autriche devait effectuer trois neuvaines, dont une à Cotignac. Miracle, à la fin de la troisième neuvaine Louis XIV naquit. En 1660, avant d'aller rejoindre Marie-Thérèse d'Autriche à Saint-Jean-de-Luz pour l'épouser, Louis XIV fit une halte à Notre-Dame-de-la-Grâce ! Voilà pour la petite histoire !

À voir dans les environs

★ ***Le monastère la Font-Saint-Joseph-du-Bessillon :*** à 3 km de Cotignac, en direction de Barjols, après avoir encore roulé 2 km sur un chemin de terre. On découvre alors le monastère de Saint-Joseph, site magnifique. À l'intérieur, seize sœurs chantent l'office en grégorien sans le moindre fidèle. Spectacle presque incroyable, respect et silence s'imposent. Ancien couvent des oratoriens, abandonné depuis la Révolution, il a été sauvé de la ruine et de l'oubli par les bénédictines de Médéa de retour d'Algérie. Saint-Joseph-du-Bessillon était un haut lieu de la piété provençale. On y commémorait l'apparition de saint Joseph à un berger mourant de soif pour qui il fit jaillir une source, le 7 juin 1660...
L'ancien couvent était à ciel ouvert, la chapelle à l'abandon. Pleines de courage, les sœurs entreprirent de restaurer ou plutôt de reconstruire le cloître et les cellules avec l'aide de l'architecte Fernand Pouillon. Une quinzaine d'années après le début de cette entreprise, dix-sept cellules sont déjà occupées et la moitié du cloître leur permet de vivre en toute quiétude et spiritualité. Quinze cellules restent encore à terminer, mais les bénédictines ne peuvent compter que sur les dons et aides de tous. On vous conseille d'assister à une messe ou aux vêpres célébrées en latin et chantées en grégorien. Messe tous les jours à 11 h et vêpres à 17 h.

★ *BARJOLS* *(83670)*

De nombreux artisans et artistes se sont installés ici. Profitez de votre séjour pour les rencontrer. Et puis, il y a la *collégiale* à visiter, et le *circuit des fontaines et lavoirs* à suivre, qui vous raconte de manière émouvante l'histoire de ce village attachant, autour du seul véritable trésor qu'ait toujours eu Barjols : l'eau !
La ville, qui est arrosée par trois rivières, compte quelques 30 fontaines et 12 lavoirs. Le triste spectacle des tanneries désaffectées, à la sortie, rappelle que la renommée du village, au XIXe siècle, reposait, comme sa prospérité, sur une industrie du cuir rendue possible, justement, par la présence de l'eau...

Adresses utiles

ℹ ***Office du tourisme :*** bd Grisolle. ☎ 04-94-77-20-01.

ℹ ***Maison régionale de l'Eau :*** dans l'ancien hospice du village, à côté de l'office. ☎ 04-94-77-15-83. Expos thématiques sur les milieux aquatiques et la gestion de l'eau en Provence, aquarium présentant tous les poissons et autres bestioles des rivières du coin. Entrée gratuite.

Où dormir ? Où manger ?

🏠 ***Auberge de l'Eau Salée :*** 606, chemin de l'Eau-Salée. ☎ 04-94-77-26-30. Fax : 04-94-77-27-02. Chambres doubles de 43 à 46 € (280 à 300 F). Demi-pension de 40 à 43 € (260 à 280 F) par personne. Menus de 15 à 22 € (98 à 140 F). À 2 km du village, déjà en pleine campagne, une auberge chaleureuse où l'addition n'est pas salée. 7 chambres dont 5 avec terrasse. Calme absolu et bonne table.

☗ ***Chambres d'hôte Domaine Saint-Christophe :*** chemin Mareliers. ☎ 04-94-77-03-23. Fax : 04-94-77-16-32. À la sortie de Barjols, sur la D 35 entre Brue-Auriac et Varages. Fermé d'octobre à Pâques. Doubles avec douche et w.-c. de 41 à 45 € (270 à 290 F), petit déj' compris. 3 belles chambres. Cette grosse bastide provençale, au milieu de 45 ha de vignes et d'oliviers, bénéficie d'une vue exceptionnelle sur la campagne du Haut-Var et peut vous accueillir autant de jours que vous le souhaitez. Pas de table d'hôte, mais cuisine à disposition et vente de produits fermiers. N'accepte pas les cartes de paiement.

Où dormir ? Où manger dans les environs ?

☗ I●I ***Le Rouge-Gorge :*** quartier Les Costes, 83670 Pontevès. ☎ 04-94-77-03-97. Fax : 04-94-77-22-17. ♿ (pour le resto). Fermé le mardi hors saison. Congés annuels à la Toussaint et du 1er janvier au 15 mars. Doubles avec douche et w.-c. ou bains de 49 à 56 € (320 à 370 F). Demi-pension obligatoire en juillet et août : de 45 à 49 € (293 à 320 F) par personne. Menus de 15 à 23 € (99 à 153 F). Sur la D 560, entre Barjols et Salernes, passez le pont et grimpez vers Pontevès. Un très joli petit village comme on en voit par ici, avec un château un peu mort et une auberge bien vivante, pleine de rires et de parfums. Le soir, tout le monde dîne autour de la piscine, l'accueil est comme le climat, sain, tonique. Chambres sans prétention mais confortables. Cuisine du pays, avec aiguillettes d'agneau au jus de romarin, magret de canard au miel de Provence, daube provençale façon grand-mère, etc. Et plein de balades à faire alentour. Le bonheur ! Apéritif maison offert à nos lecteurs sur présentation du *Guide du routard.*

☗ ***Chambres d'hôte Domaine de Saint-Ferréol :*** 83670 Pontevès. ☎ 04-94-77-10-42. Fax : 04-94-77-19-04. Sur la D 560, chemin à gauche, juste après le panneau « Bienvenue à Pontevès ». Congés annuels de fin novembre à début mars. Doubles avec douche et w.-c. ou bains à 53,35 € (350 F), petit déjeuner compris. Suite à 73,20 € (480 F) pour quatre. Chambres dans une aile restaurée du corps de ferme du XVIIIe siècle, avec mobilier rustique et tissus provençaux. Grande ferme entourée de vignes (les propriétaires sont vignerons) et ouvrant sur deux petites collines qui semblent avoir été plantées là par hasard. Ambiance agréable, coin cuisine à disposition pour qui ne veut plus repartir. Un peu à l'écart de la ferme, le vieux pigeonnier cache une piscine superbe.

Fête

– ***Fête de la Saint-Marcel :*** le week-end précédant la Saint-Marcel (logique). En janvier, si vous êtes dans la région (pourquoi pas, il y fait meilleur qu'à Paris !) participez à cette fête traditionnelle et spectaculaire commémorant l'arrivée du saint à Barjols : on danse dans l'église pendant la messe, on promène un bœuf en cortège dans les rues du village ; tous les 4 ans, on en fait rôtir un sur la place publique, et tout le monde en mange.

À voir dans les environs

★ ***La source de l'Argens :*** sur la D 560, à 18 km, au sud. Un peu avant Seillons, emprunter le chemin avant le domaine de Saint-Estève. Vous découvrirez la source, ses marais et un vieux moulin à huile.

★ *VARAGES* (83670)

Sur la D 554, à 10 km au nord-ouest de Barjols. C'est le berceau provençal de la faïence. Varages, au XVIIIe siècle, compta jusqu'à huit fabriques. De nos jours, la *Manufacture des Lauriers* perpétue trois siècles de tradition et fournit le monde entier. À la *maison Gassendi*, un très attachant petit musée de la faïence retrace l'histoire de la production et les techniques de fabrication et de décoration. (☎ 04-94-77-60-39).

Où dormir ? Où manger ?

🏠 🍴 ***Chambres d'hôte La Seignerolle :*** à la sortie de la ville, direction Rians, ensuite fléchage par un petit chemin goudronné sur 1 km. ☎ 04-94-77-85-39. 3 chambres toutes simples à 35 € (230 F) pour deux, petit déj' compris. En pleine nature, jolie maison avec véranda, terrasse et piscine. Lucette Raibaut, fine cuisinière, propose aussi une table d'hôte pour 14 € (95 F), vin compris. Si vous aimez les pâtes au pistou ou la daube, vous avez toutes vos chances d'être (bien) servis. Excellent accueil et calme garanti.

LE HAUT-VAR ET LE VERDON

Le Haut-Var abrite de nombreux villages qui méritent les détours que vous ferez pour grimper jusqu'à eux. Pour les amateurs d'artisanat authentique, il reste encore pas mal d'ateliers à visiter, le travail de la terre et du bois étant encore une des activités importantes de ce pays. Pour les amateurs de gorges profondes, encore quelques kilomètres de patience pour atteindre l'important massif calcaire des plateaux du Verdon, doté de nombreux lacs et de villages pittoresques, pour reprendre un qualificatif qu'on imaginerait usé ailleurs.

SILLANS-LA-CASCADE (83690) 480 hab.

Très joli village, typique du Haut-Var. Environ 500 habitants, en comptant les canards et les fontaines. Pas un poil de restauration, il a conservé toute son âme. Beaucoup de *maisons abandonnées*, complètement figées depuis la disparition du dernier locataire. Nombreux détails insolites de la vie rurale à découvrir suivant sa sensibilité. Exemple : l'incroyable bric-à-brac devant certaines maisons, là aussi statufié pour toujours. La boulangère cuit encore son bon pain au feu de bois.
En bordure de la route Marseille-Draguignan, portions quasi intactes des remparts du château. Petit *musée* d'intérêt local (vieux outils, minéraux, etc.).

ℹ ***Office du tourisme :*** ☎ 04-94-04-78-05.

➢ À 800 m du village, superbe *cascade de la Bresque,* haute de plus de 40 m. Une délicieuse promenade.

Où dormir ? Où manger ?

🏠 🍴 ***Hôtel-restaurant Les Pins (chez Luc et Gertrud) :*** Grand-Rue. ☎ 04-94-04-63-26. Fax : 04-94-04-72-71. ♿ Fermé le mercredi soir et le jeudi. Congés annuels de mi-janvier à mi-février. Doubles avec douche et w.-c. ou bains et TV de 36,60 à 42,70 € (240 à 280 F). Demi-pension à 38 € (250 F). Menus de 13 à 32 € (85 à 210 F). Réserver un mois à l'avance en été. Agréables chambres à prix modérés. Salle à manger de style rustique avec une grande cheminée. Menus affichant de bons petits plats comme le célèbre pot-au-feu des mers au pistou. Gibier en saison, etc. L'été, service en terrasse.

Gîte d'étape Le Relais de la Bresque : 15, chemin de la Piscine. ☎ 04-94-04-64-89. À 2 km du village, en direction d'Aups. Fermé en janvier. Nuitée (pour les groupes uniquement) à 10 € (65 F) et repas à 11 € (75 F). Pour les individuels, en demi-pension uniquement : 26 € (170 F) par jour et par personne. Un gîte d'étape confortable, avec piscine. 2 dortoirs de 14 lits chacun. Réservation souhaitable. En saison, pizzeria-grill sur la terrasse. Apéritif maison offert à nos lecteurs.

Où dormir ? Où manger dans les environs ?

Chambres d'hôte La Bastide Rose : quartier Haut-Gaudrant, 83690 Salernes (à mi-chemin de Sillans et Villecroze). ☎ 04-94-70-63-30. Fax : 04-94-70-77-34. • labastiderose@wanadoo.fr • Sur la D 31, direction Entrecasteaux (fléchage). Au milieu des vignes, une jolie maison dont nous vous laissons deviner la couleur. Doubles avec douche et w.-c. à partir de 57 € (375 F), petit déj' inclus. Table d'hôte le soir avec un menu à 17 € (105 F). Soirées barbecue et anchoïade.

➤ *DANS LES ENVIRONS DE SILLANS-LA-CASCADE*

★ **_Fox-Amphoux :_** vieux village perché à 515 m, c'est un ancien camp romain et le dernier relais des Templiers. Église romane du XIIe siècle.

VILLECROZE

(83690) 1 100 hab.

Moins restauré que Tourtour, Villecroze a conservé un côté plus vivant et plus populaire. Quelques ruelles très pittoresques, dont celle des *Arcades* (ou des Arceaux), bien cachée, possédant un authentique charme médiéval. Passez sous la tour de l'horloge, puis empruntez la *rue de France*. Jolie et photogénique succession d'arcades et de voûtes.

Adresse utile

Office du tourisme : rue Principale. ☎ 04-94-67-50-00. Ouvert tous les jours en été.

Où dormir ? Où manger ?

Auberge des Lavandes : place du Général-de-Gaulle. ☎ 04-94-70-76-00. Fax : 04-94-67-56-45. Fermé le mardi soir et le mercredi hors saison. Congés annuels, pour le restaurant seulement, de novembre à mars. Doubles de 47,25 à 52 € (310 à 340 F), petit déj' compris. Menus de 13,70 à 42,70 € (90 à 280 F). Tons lavande (évidemment). Beaucoup de touristes, ce qui est plutôt normal puisque le décor s'y prête. Terrasse sur la place à l'ombre des platanes. Apéritif maison offert à nos lecteurs sur présentation de *GDR*.

Au Bien-Être : quartier des Cadenières. ☎ 04-94-70-67-57. À 3,5 km au sud de Villecroze, accès fléché depuis la D 557 (route de Draguignan). Fermé les lundi, mardi et mercredi midi. Congés annuels pendant les vacances scolaires (sauf en juillet et août) et de novembre à février. Doubles de 54 à 58 € (350 à 380 F). Formule à 20 € (130 F) autour d'un plat. Menus de 23 à 45 € (150 à 290 F). Au bout d'une petite route qui ne mène nulle part ailleurs, une grande maison au milieu de la verdure, avec une terrasse bien agréable à la belle saison. Clientèle assez *middle-class*. Chambres correctes et très propres dans les tons pastel fleuris. Resto possédant une bonne réputation. Apéritif offert sur présentation de ce guide.

À voir

★ ***Le jardin de la cascade :*** à l'entrée du village. Grand parc agréable aménagé au pied d'une falaise de tuf percée de grottes (d'où *Villecroze,* la « Ville Creuse »). Au XVIe siècle, certaines d'entre elles furent aménagées en repaire imprenable par un seigneur local et habillées d'une façade renaissance. Visite de 9 h à 12 h et de 14 h 30 à 19 h. De la falaise tombe une cascade dont l'eau vient arroser les pelouses et la roseraie.

Où acheter du bon vin ?

Le Château Thuerry : ☎ 04-94-70-63-02. Ouvert toute l'année de 9 h à 19 h. Fermé les samedi et dimanche entre 13 h et 15 h. Une bonne adresse pour acheter un vin rouge excellent et pas très cher. Visites guidées et dégustations. Bel accueil.

Domaine de Valcolombe : chemin des Espèces (à 1,4 km). ☎ 04-94-67-57-16. Ouvert toute l'année de 10 h à 12 h et de 15 h à 19 h. 24 médailles entre 1999 et 2001 dont 3 en or à Paris au Concours général agricole, pas mal, non ? Compter 35 € (230 F) le carton de 6 bouteilles.

TOURTOUR (83690) 480 hab.

Ce « village dans le ciel », entièrement restauré, est devenu très touristique et assez cher. Pour y arriver, belle route panoramique, mais à travers de grandes collines dénudées depuis les terribles incendies de forêt de ces dernières décennies. Quelques maisons de style Renaissance aux façades ouvragées. Vieux château. Église du XIe siècle, un peu à l'écart du village, d'où l'on bénéficie d'un panorama, par beau temps, portant jusqu'aux Maures, aux monts de la Sainte-Victoire, etc. C'est à Tourtour que Bernard Buffet a fini ses jours, en 1999.

Où dormir ? Où manger ?

Prix moyens

Chambres d'hôte Le Mas de l'Acacia : route d'Aups. ☎ 04-94-70-53-84. À 300 m du centre, à l'entrée ouest de Tourtour. Doubles avec douche et w.-c. ou bains et TV de 50 à 54 € (330 à 354 F), petit déj' compris. Suite pour 4 personnes à 106 € (700 F). Une belle maison provençale avec plusieurs corps de bâtiments entourant une charmante piscine.

lel ***La Farigoulette :*** place des Ormeaux. ☎ 04-94-70-57-37. Plat du jour à 10 € (65 F). Menu à 17 € (112 F). Un restaurant déjà appétissant, vu de la place, avec sa terrasse accueillante. On entre chercher des journaux ou du tabac et on découvre l'autre terrasse, avec vue panoramique celle-là. Ici, ambiance garantie et bonne cuisine familiale. Au menu du jour, lors de notre passage, soupe de favouilles et lapin au pistou. Si c'est pas le bonheur...

Plus chic

⌂ lel ***La Petite Auberge :*** ☎ 04-94-70-57-16. Fax : 04-94-70-54-52. À 1,5 km du village par la route (accès bien fléché), 500 m à pied, sous la petite église de la colline. Fermé le lundi midi et le jeudi midi. Congés annuels du 15 novembre au 15 décembre. Doubles avec douche et w.-c. ou bains de 70 € (450 F) pour une chambre standard en basse saison à 162 € (1 060 F) pour une chambre avec balcon en haute saison. Menus à 27,45 et 53,35 € (180 et 350 F). Calme total et vue extra sur la campagne. Piscine. Splendide salle à manger de style rustique. Apéritif maison offert aux lecteurs du *Guide du routard.*

⌂ lel ***Le Mas des Collines :*** Camp-Fournier. ☎ 04-94-70-59-30. Fax : 04-94-70-57-62. À 2 km de Tourtour, sur la route de Villecroze. Établissement fermé du 1er novembre au 31 mars. Restaurant fermé le mardi midi sauf jours fériés. Chambres doubles à 87 € (570 F), petit déjeuner compris. Demi-pension à 125 € (820 F) pour deux. Menus de 19 à 30,50 € (125 à 200 F). Dos à Tourtour, face à la vallée, le nez dans le ciel de Provence, voilà un endroit tranquille pour séjour reposant. Chambres coquettes, fraîches et fleuries, accueil chaleureux, attentif. Piscine et solarium. La demi-pension peut être exigée en saison, mais menu simple, goûteux et copieux. Apéritif maison offert sur présentation du *GDR.*

AUPS (83630) 1930 hab.

Gros bourg niché dans un environnement de collines boisées. Là encore, la balade dans les ruelles médiévales se révèle un enchantement. Au nord du village, voir la tour de l'Horloge et son campanile, le cadran solaire, les vestiges des remparts et la porte de ville. Pittoresque rue des Aires. Achetez une carte postale du début du XXe siècle et comparez : rien n'a vraiment changé ! Également, tour sarrasine et vieux lavoir. Église collégiale où une vieille inscription *Liberté-Égalité-Fraternité* rappelle que les églises sont la propriété de l'État.

Adresse utile

ℹ ***Office du tourisme :*** place Mistral. ☎ 04-94-70-00-80. Fax : 04-94-84-00-69. Ouvert tous les jours de 9 h à 19 h en saison (12 h dimanche et jours fériés) ; sinon, de 9 h à 12 h et de 14 h à 17 h 30 du lundi au samedi (sauf mercredi après-midi). Toute l'année, visite guidée du village (monuments et artisans).

Où dormir ? Où manger ?

Campings

⛺ |●| *Camping Les Prés :* route de Tourtour. ☎ 04-94-70-00-93. Fax : 04-94-70-14-41. • lespres.camping@wanadoo.fr • ♿ À 500 m du village. Ouvert toute l'année. Petit et calme. Bon accueil. Resto et épicerie. Piscine et tennis tout à côté. Apéritif de bienvenue offert sur présentation du *GDR*.

⛺ *International Camping :* route de Fox-Amphoux. ☎ 04-94-70-06-80. Fax : 04-94-70-10-51. À 500 m du village également. Ouvert d'avril à septembre. Piscine.

⛺ Un autre ***camping*** à 2 km, en direction de Moustiers.

Prix moyens

🏠 *L'Escale du Verdon :* route de Sillans. ☎ 04-94-84-00-04. Fax : 04-94-84-00-05. ♿ Studios à 46 € (300 F) avec douche ou bains, w.-c., cuisine. Une résidence hôtelière accueillante (on ne parle pas de son apparence extérieure !), à recommander aux amateurs de calme et de bronzage peinard. Très bon rapport qualité-prix. Piscine. Réduction de 10 % sur le prix de la chambre sur présentation du *GDR*.

🏠 |●| *Le Saint-Marc :* rue J.P.-Aloïsi. ☎ 04-94-70-06-08. ♿ Fermé le mardi et le mercredi hors saison. Menu du jour à 10 € (65 F) le midi ; autres menus de 20 à 26 € (135 à 170 F). Un restaurant installé dans un ancien moulin à huile qui tourne plutôt bien. Pizzas le soir au feu de bois, poissons grillés. La carte se renouvelle en fait avec les saisons (gibier, truffes, etc.). Petit hôtel de 8 chambres, à prix doux (autour de 38 €, soit 250 F).

Plus chic

|●| *L'Aiguière :* place du Maréchal-Joffre. ☎ 04-94-70-12-40. ♿ Fermé le mercredi hors saison. Congés annuels en novembre. Menu à 15 € (100 F) le midi ; autre menu à 22 € (145 F). Sur une adorable place, entre le vieux lavoir et la tour sarrasine, ce restaurant affiche couleurs, parfums et épices de la Méditerranée aux menus. Terrasse bien agréable.

À voir

★ ***Musée Simon Segal :*** av. Albert Ier, dans l'ancienne chapelle du couvent des Ursulines. ☎ 04-94-70-01-95. Ouvert du 15 juin au 15 septembre, tous les jours de 10 h à 12 h et de 16 h à 19 h. Entrée : 3 € (20 F). Aquarelles, peintures, gouaches de différentes écoles dont celles de Toulon et Paris.

★ ***Musée de Faykod :*** route de Tourtour. ☎ 04-94-70-03-94. Ouvert tous les jours l'après-midi, sauf le mardi (le matin également, en pleine saison). Entrée : 5,35 € (35 F). Un parc d'exposition inhabituel. Étonnante collection de sculptures en marbre blanc de Carrare signées Maria de Faykod.

Où acheter de bons produits ?

Moulin Gervasoni : route de Tourtour, montée des Moulins. ☎ 04-94-70-04-66. Ouvert tous les jours en été, de 9 h 30 à 12 h 30 et de 14 h 30 à 19 h, et seulement l'après-midi en avril-mai-septembre. Visite gratuite. Pour les amateurs d'huile, une vraie référence. Également anchoïade, tapenade... à la boutique du moulin, faut bien le faire tourner !

– ***Marché provençal :*** tous les mercredis et samedis matin.
– ***Marché aux truffes :*** chaque jeudi à 9 h 30, entre novembre et mars, sur la place F.-Mistral. Pour les amateurs de « radasses » (non, ce n'est pas un gros mot, c'est provençal et ça vaut bien « diamant noir »), celles-ci sont récoltées dans les plantations de chênes truffiers qui s'étendent sur les plateaux calcaires tout proches. Et si vous êtes vraiment un fou de la chose, réservez votre dernier dimanche de janvier pour faire ici la *Fête de la Truffe*.

LES GORGES DU VERDON

Sans prétendre concurrencer le Grand Canyon du Colorado, les gorges du Verdon apparaissent cependant comme les plus impressionnantes d'Europe. C'est un grand coup de hache entre le Var et les Alpes-de-Haute-Provence, sorte de frontière naturelle qui a laissé une profonde entaille de 21 km de long dans la terre. Il y a trente ans, le Verdon débitait jusqu'à 800 m³ d'eau à la seconde au moment des plus fortes crues. Aujourd'hui, deux barrages régulateurs ont ramené le débit à 30 m³ d'eau à la seconde et permettent aux randonneurs l'accès au fond du canyon. Falaises vertigineuses qui vous écrasent de leurs 300 à 600 m de hauteur, chaos rocheux, rives sauvages, etc. C'est le paradis des randonneurs. Paradoxalement, les gorges du Verdon sont une découverte récente puisqu'elles ne furent explorées qu'au début du XXᵉ siècle.
Depuis 1997, ce site exceptionnel est même devenu un ***parc naturel régional,*** afin de « concilier développement économique et protection de l'environnement ». Et le Verdon appartient à la réserve géologique de Haute-Provence. L'extraction de minéraux et de fossiles y est donc interdite. En revanche, la pêche y est ouverte à tous... dans les limites légales, bien sûr ! On trouve, dans le Verdon et ses affluents, truites, brochets, carpes et bien d'autres espèces encore. Quant aux ornithologues en herbe, comme les autres, ils peuvent lever les yeux au ciel pour repérer hirondelles, aigles, parmi quelques dizaines d'espèces recensées. Pour la flore, des panneaux sur les sentiers-découvertes indiquent arbres, arbustes et plantes aromatiques (sauge, fenouil, marjolaine...).
Le Touring-Club de France y a créé de nombreux sentiers, sur une grande partie du parcours.
NB : la rive nord des gorges et Moustiers-Sainte-Marie sont traités dans le *Guide du routard Provence.*

LES GORGES CÔTÉ SUD

Les routes, relativement récentes, qui longent les gorges, livrent d'époustouflants paysages.
Notre itinéraire part du ***lac de Sainte-Croix,*** emprunte la route sud (D 71), puis celle de Trigance (D 90).
Mais le Verdon, c'est aussi la découverte des villages perchés, de ruines gallo-romaines, d'églises et du patrimoine local. Escapade imprégnée d'histoire, de couleurs et de coutumes parfois plusieurs fois centenaires.

Quelques conseils

Bien que dépourvues de difficultés majeures, les balades au fond du canyon nécessitent tout de même un certain matériel et quelques précautions :

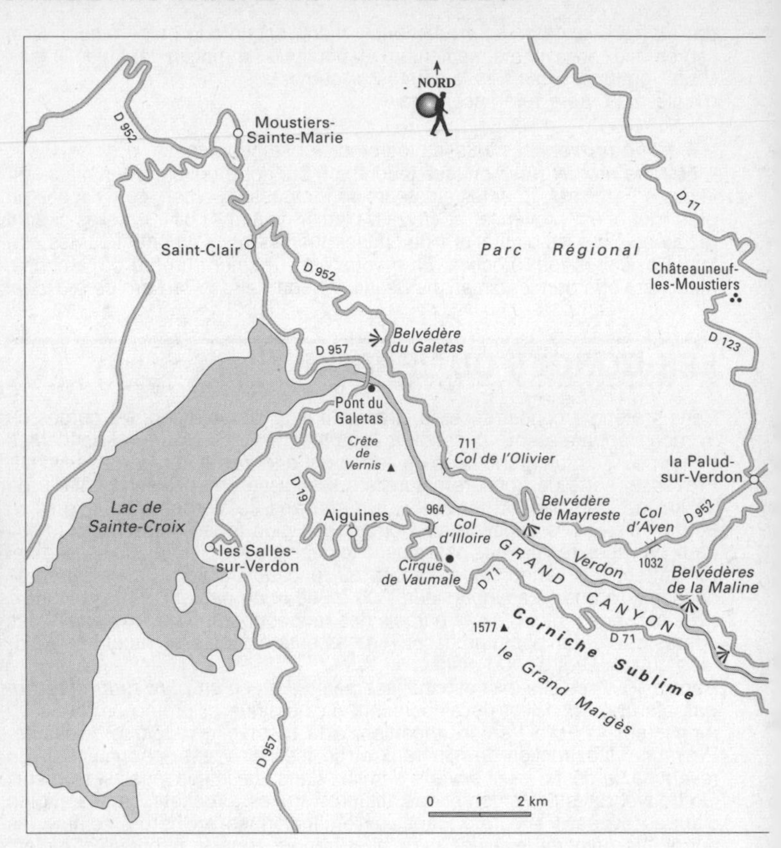

– d'abord, posséder de bonnes chaussures, une réserve d'eau potable, un anorak léger, un pull pour les passages un peu frais, une lampe torche, une petite trousse de secours.
– Utile d'acheter la carte IGN au 1/50 000 *Moustiers-Sainte-Marie,* ainsi que le topo-guide des sentiers de grande randonnée GR 4 *De Grasse à Pont-Saint-Esprit par le canyon du Verdon* et GR 99 *Collines du Haut-Var de Toulon aux gorges du Verdon.*
– NE JAMAIS QUITTER LES SENTIERS, ne pas tenter de prendre des raccourcis (qui peuvent se terminer dans le vide).
– NE PAS TRAVERSER LE VERDON, sauf nécessité absolue. Le délestage des barrages peut amener de brutales variations du niveau de l'eau. Remous éventuels ou tout simplement impossibilité de repasser le gué.
– TENIR SÉRIEUSEMENT COMPTE DE LA MÉTÉO. Les orages au fond du canyon sont très violents.
– NE PAS CUEILLIR LES FLEURS, NE PAS FAIRE DE FEU ET NE LAISSER AUCUNE ORDURE. 100 000 visiteurs par an, les gorges crèveraient du moindre manque de civisme.

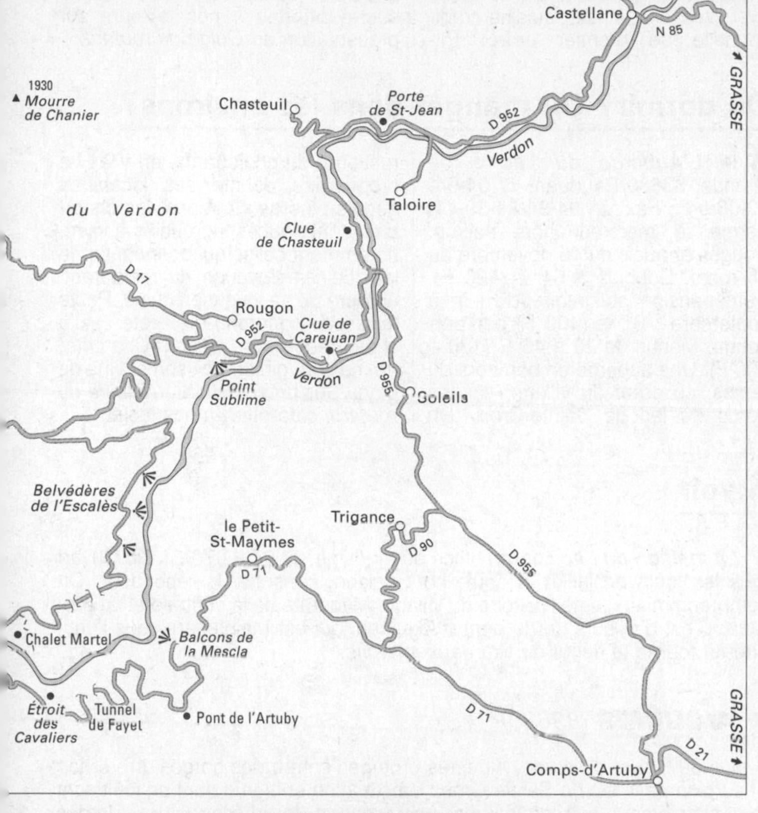

LES GORGES DU VERDON

★ *LES SALLES-SUR-VERDON* (83138)

Cadre plutôt agréable sur les bords du lac de Sainte-Croix, même si on a l'impression d'arriver dans la banlieue d'une ville nouvelle. Il faut dire que ce village date de 1974 et n'est qu'une copie du précédent, englouti par les eaux du lac. En perdant en charme, il gagna en intérêt touristique puisqu'il est devenu une jolie station balnéaire.

Où dormir ? Où manger ?

■ |●| ***Auberge des Salles :*** 18, rue Sainte-Catherine. ☎ 04-94-70-20-04. Fax : 04-94-70-21-78. ♿ Au bout du village, en surplomb du lac. Fermé mardi soir et mercredi hors saison. Congés annuels de la fin novembre à mi-mars. Doubles de 43 à 61 € (282 à 400 F) suivant le confort et la saison. Menus de 15 à 30 € (98 à 197 F). Depuis cinq générations, les Anot sont hôteliers aux Salles. La première maison se trouve aujourd'hui sous les eaux, mais le nouvel hôtel a gardé l'âme de l'auberge originelle. La famille est toujours là, et ils ont tous conservé le sens de la convivialité et de l'accueil. Chambres confortables et bien équipées.

Certaines disposent d'une terrasse avec vue sur le lac. Cuisine traditionnelle de premier ordre. Pitchounes (cerises au kirsch et au sucre) offertes à nos lecteurs sur présentation du *Guide du routard.*

Où dormir? Où manger dans les environs?

L'Auberge du Lac : rue Grande, 83630 Bauduen. ☎ 04-94-70-08-04. Fax : 04-94-84-39-41. Fermé le mercredi hors saison. Congés annuels du 15 novembre au 15 mars. Doubles à 64 € (420 F). Demi-pension obligatoire de juin à septembre : 61 € (400 F) par personne. Menus de 20 à 46 € (130 à 300 F). Une auberge un peu hors du temps, au cœur du village, sur les bords du lac de Sainte-Croix. Du rustique, du chaleureux, en v'là! La propriétaire dorlote ses locataires depuis plus de vingt ans, les chambres sont douces, agréables à vivre, notamment celles qui donnent sur le lac. Le fils s'occupe du restaurant, entouré de sa joyeuse équipe. Petite terrasse vigneronne en été, salle chaleureuse hors saison. Charcuterie maison, gibier, poisson et vins de pays. Sur présentation du *Guide du routard,* café offert à nos lecteurs.

À voir

★ ***La maison du Lac :*** dans l'office du tourisme. ☎ 04-94-70-21-84. Ouvert tous les jours en juillet et août; hors saison, consulter le répondeur. On comprend mieux toute l'histoire du village. Maquette de la centrale et du barrage. C'est d'ailleurs sur le pont d'Aiguines, qui est maintenant sous l'eau, que fut tourné le début du film *Jeux interdits.*

★ ***AIGUINES*** *(83630)*

À plus de 800 m d'altitude, Aiguines protège l'entrée des gorges du Verdon et surplombe le lac de Sainte-Croix. Sa situation et la vue dont on jouit sont tout simplement extraordinaires. Accrochée à la montagne de Margès (1 580 m d'altitude), la cité existe depuis près de 1 000 ans. Des forêts de buis attirent ici dès le XVIe siècle les artisans tourneurs sur bois – profession malheureusement aujourd'hui disparue – et des usines sont même créées. Ce village de 221 âmes propose aussi un château du XVIIe siècle (style Renaissance), avec un toit orné de tuiles vernissées et d'élégantes tours en poivrière (ne se visite pas), ainsi qu'une jolie église paroissiale construite en 1639.
Ni ville d'eaux, ni ville de montagne, Aiguines possède un charme unique. Il faut se promener dans ses vieilles ruelles où les maisons possèdent de belles terrasses et des perrons voûtés. Ici un beffroi, là une fontaine... c'est un musée de la vie quotidienne.

Adresse utile

Point d'accueil Verdon : ☎ 04-94-70-21-64. Fax : 04-94-84-23-59. Hors saison, ouvert du lundi au vendredi de 10 h à 12 h et de 15 h à 17 h; en été, du lundi au samedi de 9 h 30 à 13 h et de 15 h à 19 h. Accueil sympa et compétent. Dispose de cartes et de renseignements très détaillés. Circuits et suggestions de séjours à la demande.

Où dormir ? Où manger ?

🏠 🍽 ***Auberge-relais Altitude 823 :*** dans le village. ☎ 04-98-10-22-17. Fax : 04-98-10-22-16. Ouvert des Rameaux à la Toussaint. Fermé le vendredi hors saison. Doubles avec douche et w.-c. à 49 € (320 F). Demi-pension obligatoire de mi-juin à mi-septembre et le week-end : de 45 à 50 € (295 à 328 F) par personne. Menus à 15 et 20 € (98 et 131 F). Jolie salle à manger de style rustique. Quelques spécialités du chef comme la brouillade aux truffes, le gigot d'agneau aux herbes, la truite amandine. Ambiance un peu pension comme dans *La Vieille Fille,* avec Noiret et Girardot.

🏠 🍽 ***Hôtel du Grand Canyon, restaurant Les Cavaliers :*** falaise des Cavaliers, D71. ☎ 04-94-76-91-31. Fax : 04-94-76-92-29. • hotel-gd-canyon-verdon@wanadoo.fr • ♿ À mi-chemin d'Aiguines et de Comps. Resto fermé le lundi hors saison. Congés annuels du 15 octobre au 1er avril. Doubles avec bains à 50 € (330 F). Demi-pension obligatoire les week-ends et jours fériés, et en été : 48 € (310 F) par personne. Menus de 15 à 28 € (100 à 180 F). Véritable nid d'aigle surplombant le Verdon de 300 m. Chambres confortables avec petite terrasse donnant sur les gorges. Resto panoramique. Sur présentation du *GDR,* 10 % de réduction sur le prix de la chambre en avril, mai et octobre hors week-ends et jours fériés, et apéritif maison offert au restaurant, il faut parfois le réclamer.

À voir

★ ***Le musée des Tourneurs sur bois :*** ☎ 04-94-70-20-89. Ouvert en été tous les jours sauf le mardi ; hors saison, visite possible pour les groupes sur rendez-vous. Entrée : 1,50 € (10 F) ; groupes et ados : 1,20 € (8 F). Créé en 1980 à l'initiative de Marie Wallet autour du dernier atelier du genre. Installé dans une très vieille maison du village, il présente des ouvrages en bois réalisés dans des ateliers similaires aux XVIIIe et XIXe siècles : tabatières, bilboquets, articles ménagers... et, bien sûr, les boules cloutées qui firent la notoriété du village. Le buis, très présent dans la région, a toujours été apprécié pour sa finesse et utilisé dans la fabrication des boules à jouer. Atelier de tourneur. Herbier. Vidéo sur la fabrication des boules cloutées.

★ *LA CORNICHE SUBLIME*

C'est la route du sud (la D 71).

★ Au ***col d'Illoire,*** première vision superbe du canyon. Un peu plus loin, le ***cirque de Vaumale,*** au point le plus élevé de la route (1 200 m), offre un ample panorama.

★ Aux ***falaises de Bauchet,*** la route longe la partie la plus étroite des gorges. Belle vue en enfilade.

★ À la ***falaise des Cavaliers,*** à-pic impressionnant. À ***L'Estellié,*** très beaux jeux de lumière.

★ Aux ***tunnels du Fayet,*** superbe vue plongeante (du 2e tunnel) sur la courbe effectuée par le canyon (parking, ça va de soi).

★ Du ***pont de l'Artuby,*** bel ouvrage d'une seule portée, on domine l'Artuby de 180 m. C'est un haut lieu du saut à l'élastique.

★ Des ***balcons de la Mescla,*** à 2 km du pont, panorama saisissant sur la fusion du Verdon avec la rivière Artuby. Le Verdon se replie autour d'une crête étroite.

Au hameau de Saint-Maimes, quittez la D 71 pour emprunter la D 90 vers Trigance, charmant village perché, dominé par un fier château aux quatre grosses tours rondes.

★ *TRIGANCE* *(83840)*

Encore un pittoresque village provençal, gardien des gorges du Verdon côté est. Il est dominé par un château du XIe siècle transformé depuis quelques années en hôtel-restaurant très chic et cher.

Où dormir ? Où manger ?

■ ☉ *Le Vieil Amandier :* montée de Saint-Roch. ☎ 04-94-76-92-92. Fax : 04-94-85-68-65. ♿ Fermé le mercredi. Congés annuels de décembre à fin janvier. Doubles de 48,80 à 68,60 € (320 à 450 F). Demi-pension de 50,30 à 61 € (330 à 400 F), obligatoire de juin à septembre. Menus de 13,70 à 44,20 € (90 à 290 F). Certes l'architecture de la bâtisse n'est pas géniale, mais voilà néanmoins une excellente adresse. Tout d'abord les chambres sont plutôt cossues et coquettes. Jolie piscine. Et puis on y mange très bien. Cuisine variée très marquée terroir. Truffes en saison. Café offert sur présentation du *Guide du routard*.

Où dormir ? Où manger dans les environs ?

■ ☉ *Grand Hôtel Bain :* rue de Praguillem, 83840 Comps-sur-Artuby. ☎ 04-94-76-90-06. Fax : 04-94-76-92-24. • jmbain@wanadoo.fr • À une vingtaine de kilomètres au sud-est de Trigance par la D 90, puis à droite la D 955. Fermé du 12 novembre au 26 décembre. Doubles de 43 à 46 € (280 à 300 F). Menus de 13 à 30 € (85 à 198 F). Depuis 1737, cette maison est tenue de père en fils par la famille Bain. Les chasseurs connaissent bien cette adresse et viennent y partager un pâté truffé (aux truffes de la région), une omelette (aux truffes en saison) et quelques fromages de chèvre. À l'heure du déjeuner, on vient de très loin manger le lapin à la tomate et au basilic, la daube provençale ou le carré d'agneau rôti. Chambres agréables pour faire halte dans cette vénérable maison. Café offert à nos lecteurs sur présentation du *Guide du routard*.

☉ *Le Moulin de Soleils :* Combes-de-Soleils, 83840 Trigance. ☎ 04-94-85-66-17. • www.moulinsoleils.com • À 6 km de Trigance et 12 km de Castellane. Fermé du 1er novembre au 1er avril. On visite le dernier moulin à farine traditionnel encore en activité en Provence (uniquement le week-end, hors saison) avant d'aller acheter son pain à la boulangerie et grignoter une crêpe confectionnée avec la bonne farine du moulin, dans le petit resto aménagé à côté. L'accueil est charmant et les propriétaires se sont investis avec beaucoup d'énergie dans ce projet de restauration autour du vieux moulin. Une initiative à encourager...

BARGÈME

(83840) 120 hab.

De Trigance, prendre la D 955 jusqu'à Comps-sur-Artuby, puis à gauche la D 21 jusqu'à la bifurcation de la D 37, direction Bargème.
Bargème, le plus haut village du Var (1 094 m), enserré dans son enceinte percée de deux portes du XVIe siècle, est dominé par la belle ruine du château

des Pontevès. Le village et le château ont été restaurés. Village magnifique, un bout du monde à découvrir. Des visites guidées sont organisées en saison : à 16 h 30, 17 h 30, 18 h 30.
Vue panoramique exceptionnelle sur le plateau de Canjuers (camp militaire...) et sur les Préalpes, avec des étendues de champs de lavande en contrebas. Possibilités de randonnée dans les proches pinèdes. Départ du GR49.

Où dormir ? Où manger ?

Chambres d'hôte Les Roses Trémières : ☎ 04-94-84-20-86. Au pied du château. Congés annuels de fin octobre à fin mars. Doubles avec douche et w.-c. à 54 € (350 F), petit déjeuner inclus. Table d'hôte le soir seulement, sur réservation, avec un menu unique à 16 € (105 F), vin compris. Accueil dynamique et souriant. 5 chambres d'hôte coquettes (réservées aux non-fumeurs). Animaux non acceptés. Cuisine campagnarde servie à la table d'hôte : gratin de porc à la sauge, soupe aux orties, tourte aux légumes maison. 10 % de réduction sur le prix de la chambre en avril, mai, juin, septembre et octobre, à partir de deux nuits à nos lecteurs.

Où dormir ? Où manger dans les environs ?

Ferme de séjour - chez Isabelle et Jean-Guy Rebuffel : quartier Riphle, 83840 La Roque-Esclapon. ☎ 04-94-76-80-75. En bordure du camp de Canjuers, bien fléché depuis La Roque-Esclapon. Doubles avec douche et w.-c. à 46 € (300 F), petit déj' inclus. À la ferme-auberge, menu unique à 20 € (130 F). Ce couple d'agriculteurs élève un millier de brebis et cultive des pommes de terre, façon de vous indiquer ce que vous pourrez goûter à leur table, en dehors de l'anchoïade ou des farcis aux légumes traditionnels. Leur ferme ocre jaune, avec des volets bleus, est située à 1 000 m d'altitude et jouit d'un panorama exceptionnel sur la montagne de Lachens.

LE PAYS DE FAYENCE

Microrégion qui nous ramène à travers les coteaux, depuis de charmants petits villages, haut perchés sur les premiers contreforts des Alpes-de-Haute-Provence, presque aux portes de Fréjus. Et le changement est radical !

BARGEMON (83830) 130 hab.

Bourg agrippé à sa colline, entre Draguignan et Fayence. Vestiges de l'enceinte médiévale. Ne pas y manquer la petite *église Notre-Dame-de-Montaigu,* qui fut longtemps un lieu de pèlerinage important. Vierge miraculeuse et bel autel baroque tout doré. L'*église Saint-Étienne,* du XVe siècle, offre, quant à elle, un portail de style flamboyant et, à l'intérieur, deux belles têtes sculptées par Pierre Puget.

Adresse utile

🛈 ***Syndicat d'initiative :*** ☎ et fax : 04-94-47-81-73. En saison, ouvert en principe du lundi au samedi de 9 h à 12 h et de 14 h 30 à 18 h 30, et le dimanche de 10 h à 12 h 30 ; hors saison, du lundi au samedi de 9 h à 12 h.

Où manger ?

🏠 🍽 ***Auberge des Arcades :*** 2, av. Pasteur. ☎ 04-94-76-60-36. Fermé le mardi hors saison. Chambres de 38 à 48 € (250 à 300 F). Menus de 17 à 29 € (110 à 190 F). Un restaurant dans une vénérable bâtisse du début du XIXe siècle. On y mange simplement. Morilles et écrevisses du vivier en saison. En été, belle terrasse à l'ombre des platanes. Normal, on est en Provence ! Chambres gentiment et régulièrement retapées. Apéritif offert aux porteurs du guide.

🍽 ***La Taverne :*** place Philippe-Chauvier. ☎ 04-94-76-62-19. Fermé le dimanche soir et le lundi. Menus de 17 à 27 € (110 à 175 F). Cette petite auberge au charme discret et suranné fait figure d'étape obligée lorsqu'on visite ce village superbe accroché à la colline. Service aimable et compassé à souhait. Cuisine provençale pleine d'idée : ragoût d'escargots de pays en croûte, brussoles d'agneau confit et tomates séchées, caillette du Haut-Var... Seulement des produits frais, provenant de petits éleveurs ou producteurs locaux. Belle terrasse ombragée. L'adresse que les Varois fréquentent le dimanche midi en famille. Café offert à nos lecteurs.

SEILLANS (83440) 2130 hab.

Un autre charmant village haut perché. Le peintre Max Ernst choisit d'y passer ses dernières années. Vestiges de remparts, porte du XIIIe siècle, ruelles étroites et places croquignolettes. Église avec deux beaux triptyques.

Adresse utile

🛈 ***Office du tourisme :*** Le Valat. ☎ 04-94-76-85-91. Fax : 04-94-39-13-53. • otseillans@wanadoo.fr • Ouvert du lundi au samedi de 9 h à 12 h 30 et de 14 h 30 à 18 h 30, et en saison le dimanche de 10 h à 13 h et de 15 h à 18 h. Visite du village le jeudi à 10 h.

Où dormir ? Où manger ?

Pas d'hôtel bon marché, la région est éminemment touristique et, bien sûr, assez chère. Mais de bonnes adresses pour glisser les pieds sous la table, à l'ombre des platanes.

🏠 🍽 ***Chambres d'hôte du Mas Selverinne :*** quartier des Hautes-Selves, route de Claviers (1,5 km). ☎ 04-94-76-86-80. Chambres doubles à 46 et 69 € (300 et 450 F), petit déj' compris. Deux chambres toutes simples pour voir la vie en rose (ou couleur lavande), et suffisamment de terrain alentour pour se couper du monde réel. Piscine et oliviers, pour ne citer que deux éléments indissociables de la vie en

Provence. Possibilité de repas d'accueil sur demande.

|●| *La Chirane :* rue de l'Hospice. ☎ 04-94-76-96-20. Ouvert tous les jours sauf mercredi midi et samedi midi. Fermé de novembre à mars. Compter autour de 14 € (92 F). Devanture peinte en bleu ciel, menus posés sur une ancienne chaise haute pour bébé, accueil chaleureux du patron. Déjà trente ans de bons et loyaux services pour ce resto bon enfant, faisant dans la qualité. Tout est « maison », ou presque, du pain à l'omelette norvégienne en passant par les lasagnes ou les pizzas. On s'installe en terrasse ou dans la petite salle voûtée aux poutres apparentes, selon l'humeur, et on passe un bon moment. De plus, des soirées « jazz » sont organisées durant la saison estivale.

Plus chic

🏠 |●| ***Hôtel des Deux Rocs :*** rue de la Font-d'Amont. ☎ 04-94-76-87-32. Fax : 04-94-76-88-68. ♿ En haut du village, dans un des coins les plus charmants. Resto fermé le mardi et le jeudi midi. Congés annuels de novembre à décembre. Doubles de 45,73 à 91,47 € (300 à 600 F). Menus de 14,48 à 39,64 € (95 à 260 F). Une grosse demeure provençale, pleine du charme raffiné des temps passés, tenue de main de maître par une dame honorable. Derrière les volets bleus, quelques chambres très cossues et confortables. L'été, repas sur la terrasse, à l'ombre des platanes, près de la vieille fontaine, dans un cadre superbe. Café offert sur présentation du *Guide du routard.*

🏠 |●| ***Hôtel de France-restaurant Le Clariond :*** place du Thouron. ☎ 04-94-76-96-10. Fax : 04-94-76-89-20. Resto fermé le mercredi hors saison et du 1er novembre au 15 décembre ; hôtel fermé de début novembre à fin janvier sauf pendant les fêtes de fin d'année. Doubles de 61 à 99 € (400 à 650 F). Menus de 22 à 43 € (144 à 280 F). Établissement assez luxueux. Belle piscine offrant un cadre adorable et une superbe échappée sur les alentours. Restaurant assez conventionnel mais cuisine bien tournée dans le genre traditionnel. De juin à septembre, on mange dehors, autour de la vieille fontaine du Thouron et sous les platanes.

À voir

★ ***La collection Ernst (donation Tanning) :*** dans une rue du centre. Renseignements à l'office du tourisme. En saison, ouvert du mardi au samedi de 10 h 30 à 12 h 30 et de 15 h à 19 h ; hors saison, l'après-midi uniquement, de 14 h à 18 h. Entrée : 1,50 € (10 F) ; gratuit pour les moins de 12 ans. 71 lithographies de Max Ernst, léguées à la commune par sa compagne Dorothea Tanning.

★ ***Notre-Dame-des-Ormeaux :*** à 1 km, sur la route de Fayence, belle chapelle romane proposant aux connaisseurs un superbe retable Renaissance *(Adoration des Mages et des bergers).* Visites commentées le jeudi de 11 h à 12 h toute l'année, également le mardi en saison. Se renseigner à l'office du tourisme.

Fêtes et manifestations

- ***Salon-concours des figurines et des soldats de plomb :*** avril ou mai.
- ***Fête des Fleurs :*** à la Pentecôte, tous les deux ans, les années paires.
- ***Musiques en liberté :*** la première quinzaine d'août.
- ***Marché potier :*** le 15 août.

FAYENCE (83440) 4300 hab.

Un des plus beaux villages de l'arrière-pays, évidemment très touristique. Dominant insolemment toute la plaine, il s'est retrouvé naturellement l'un des plus importants centres de vol à voile. Habité par une colonie d'antiquaires, peintres, sculpteurs sur bois et potiers. Quatre salons d'antiquités par an. ☎ 04-94-76-11-11.

Voir la *Sarrasine,* porte fortifiée du XIVe siècle, l'*église paroissiale* du XVIIIe siècle (belle vue de sa terrasse) et le campanile en fer forgé de la *tour de l'Horloge.* Surtout se perdre dans le treillis pittoresque des ruelles.

Courte et jolie balade à pied jusqu'au village jumeau de *Tourrettes.* Dans le coin aussi, *Notre-Dame-des-Cyprès,* une gentille chapelle romane au sud-est du village (retable du XVIe siècle).

Adresse utile

i ***Office du tourisme :*** place Léon-Roux. ☎ 04-94-76-20-08. Fax : 04-94-39-15-96. Ouvert du lundi au samedi de 9 h à 12 h et de 14 h à 18 h.

Où dormir ? Où manger ?

Chambres d'hôte Mas des Suanes Hautes : Les Suanes-Hautes. ☎ 04-94-76-11-28 ou 04-94-84-11-99. À 8 km sur la D 562 ; suivre le fléchage. Ouvert toute l'année. Doubles avec douche et w.-c. à 45 € (295 F), petit déjeuner compris. Joli mas du XVIIe siècle, agréablement restauré, qui jouit d'un magnifique panorama. 5 chambres coquettes. Un point de chute idéal pour visiter la région.

La Sousto : 4, rue du Paty. ☎ 04-94-76-02-16. Au cœur du vieux village. Congés à la Toussaint. Doubles avec douche et w.-c. à 42,70 € (280 F). Fermé à la Toussaint. La Provence comme on l'aime. Perché au-dessus de la vallée, ce petit hôtel nous a tapé dans l'œil. Des chambres gentillettes, meublées simplement, qui nous font croire que l'on est en visite chez une charmante vieille tante. Plaque chauffante, réfrigérateur, évier et douche. Chaque chambre a sa personnalité, mais notre préférée reste la n° 5, avec sa petite terrasse ensoleillée, dominant la vallée. On y passerait bien tous ses après-midi. 10 % de réduction à nos lecteurs sur le prix de la chambre à partir de la 2e nuit hors juillet et août.

Patin Couffin : placette de l'Olivier. ☎ 04-94-76-29-96. Fermé le lundi. Congés annuels de fin novembre à début mars. Menu à 15 € (99 F) le midi ; autre menu à 21 € (138 F). Cuisine servie sur une minuscule terrasse ou dans la non moins petite salle. Au menu : caillette du Haut-Var à la sauge, lapin farci aux olives, daube provençale... Des plats traditionnels simples et goûteux. Niveau ambiance, on aime ou on n'aime pas, mais on ne ressort pas indifférent. Digestif offert à nos lecteurs sur présentation du *Guide du routard.*

Plus chic

Le Temps des Cerises : place de la République. ☎ 04-94-76-01-19. Sur une placette en plein cœur du village, entre église et mairie, comme chez Don Camillo. Fermé le mardi. Ouvert le soir et le dimanche midi. Congés annuels du 1er au 20 février et du 5 au 20 novembre. Menu unique à 28,97 € (190 F). De nouveaux proprios, un nouvelle déco (on voit de la salle ce qui se trame autour des fourneaux). Mais la qualité de la cuisine semble avoir baissé et les prix ont beaucoup grimpé... Aux beaux jours, service sous une très jolie tonnelle de vigne vierge. Kir maison offert à nos lecteurs sur présentation du *GDR*.

Très chic

🏠 🍽 ***Moulin de la Camandoule :*** chemin Notre-Dame-des-Cyprès. ☎ 04-94-76-00-84. Fax : 04-94-76-10-40. ♿ De Fayence, prendre la route de Seillans. C'est à 5 mn en voiture (1 km environ). Resto fermé les mercredi midi et jeudi midi et deux semaines en janvier. Doubles avec douche et w.-c. ou bains, TV, de 52 à 152 € (340 à 995 F) selon le confort et la saison. Demi-pension obligatoire en saison et pour les fêtes de fin d'année. Menus de 27 à 45 € (175 à 295 F). Ancien moulin à huile, merveilleusement restauré, dans un parc de 4 ha au bord de la rivière Camandre. Dans le salon, meules et presses sont restées en l'état. Terrasses ombragées. Piscine. Restaurant gastronomique ouvert aux non-résidents. Une vraie *guest house* provençale (ses propriétaires sont anglais !) Réservation recommandée. Apéritif maison offert aux porteurs de ce guide, ainsi que 10 % sur le prix de la chambre hors saison et fêtes.

Manifestation

– ***Festival Musique en Pays de Fayence :*** en octobre. ☎ 04-94-76-02-03. Une semaine de concerts de quatuors à cordes dans les églises des huit communes du canton.

CALLIAN (83440) 2460 hab.

À Callian, montée délicieuse par de charmantes ruelles jusqu'au château. Sur le parcours, vieilles portes, blasons sculptés, petits jardins secrets fleuris, etc. Chapelle des Pénitents au pied du château. Quant à l'église Notre-Dame, elle abrite les reliques de la patronne du village, Sainte-Maxime. Précieuses reliques, qui avaient été piquées au début du XVe siècle par l'évêque de Fréjus. Une de ces *bravades* comme seuls les hommes d'armes (on l'a vu pour Saint-Tropez) savaient les faire, autrefois, permit de ramener ces précieux restes. Si vous passez par là, à la mi-mai, vous aurez droit à une commémoration ; c'est bien la moindre des choses...

Adresse utile

ℹ ***Office du tourisme :*** place Bourguignon. ☎ 04-94-47-75-77.

Où dormir ? Où manger ?

🍽 ***Au Centenaire :*** 1, rue Lyle. ☎ 04-94-47-70-84. ♿ Fermé le mardi. Congés annuels du 26 décembre au 31 janvier. Un menu à 11,43 € (75 F) avec plat du jour, dessert et vin ; sinon, copieux menu à 29,73 € (195 F) pour un repas complet, de l'apéro au dessert. Auberge à l'ancienne avec de grandes tablées conviviales offrant de bonnes grillades au feu de bois. Avec le menu à 29,73 €, le gigot mariné aux herbes et à l'huile d'olive est servi entier sur la table et le tonneau de vin est à disposition pour se servir à volonté; de quoi sortir de table repu...

🏠 🍽 ***Auberge des Mourgues :*** quartier des Mourgues. ☎ 04-94-76-53-99. Fax : 04-94-39-11-32. Fermé les dimanche et mercredi hors saison. Doubles de 40 à 68 € (260 à 450 F). Menu à 19 € (125 F) en semaine, et 23 € (150 F). Jolie auberge de campagne au calme, en contrebas du village, que ses nouveaux propriétaires ont entièrement rénovée. Piscine et parc. Cuisine simple, agréable, qui plaira aux amateurs de poissons. Apéritif offert à nos lecteurs sur présentation de leur *GDR*.

Plus chic

🏠 ***Chambres d'hôte du Domaine du Riou Blanc :*** Le Grand Chêne, 1345, chemin des Maures. ☎ 04-94-47-70-61. Fax : 04-94-47-77-21. • dandi@europost.org • À 6 km du village par la D 562 direction Draguignan-Grasse, prendre direction « Les Coulettes d'Allongue », chemin des Maures; suivre les flèches « Domaine du Riou Blanc ». Congés annuels du 30 septembre au 1er mai. Doubles avec douche et w.-c. ou bains de 75 à 90 € (492 à 590 F), petit déj' compris. N'accepte pas les cartes de paiement. 4 chambres et un appartement dans cette grosse et massive bâtisse, parfaitement au calme et bien située. Agréable piscine pour les fins d'après-midi. Assez cher, mais bon accueil. Café offert à nos lecteurs sur présentation du *GDR* de l'année.

MONTAUROUX (83440) 4 060 hab.

À côté de Callian, Montauroux, « balcon de l'Estérel », est désormais proclamé « patrie de Christian Dior », à qui l'on doit la restauration d'une magnifique chapelle. Le célèbre couturier, qui possédait un château à Montauroux, vécut ici jusqu'à sa mort. Vieilles maisons dans la rue de la Rouguière, entièrement pavée à l'ancienne.

Adresse utile

ℹ ***Office du tourisme :*** place du Clos. ☎ 04-94-47-75-90. • montaurouxtourisme@wanadoo.fr •

Où dormir? Où manger?

Campings

⛺ ***Camping Les Floralies :*** 83440 Montauroux. ☎ et fax : 04-94-76-44-03 ou 06-15-39-40-96. Situé à égale distance du village et du lac de Saint-Cassien (2 km). Autoroute, sortie Les Adrets. Ouvert du 1er avril au 30 septembre. Autour de 11 € (72 F) l'emplacement pour deux. Calme et ombragé. Atmosphère assez familiale. Petite alimentation et plats cuisinés. Réservation quasi obligatoire en juillet et août.

⛺ ***Camping Les Chaumettes :*** à Montauroux également. ☎ 04-94-76-43-27. Ouvert de la mi-juin à la mi-octobre. Calme et confortable, dans son genre.

Bon marché à prix moyens

🏠 🍽 ***Le Relais du Lac :*** sur la D 562. ☎ 04-94-76-43-65. Fax : 04-94-47-60-13. • hotel.relaislac@wanadoo.fr • ♿ Entre Montauroux et Callian, à deux pas du lac de Saint-Cassien, un complexe hôtel-resto un peu en retrait de la route. Ouvert toute l'année. Doubles de 26 à 52 € (170 à 340 F). Une multitude de formules à tous les prix, pour 2, 3 ou 4 personnes. Menus de 11 à 32 € (72 à 210 F). Bonne table, mais atmosphère impersonnelle et peu intime. Les chambres sont correctes et certaines ont vue sur un grand jardin agréable et la campagne. Piscine.

🏠 ***Résidence de tourisme Le Champ d'Eysson :*** quartier Les Chaumettes. ☎ 04-94-85-70-00. Fax : 04-94-85-70-01. • champ.eysson@freesbee.fr • ♿ À 1,5 km du lac de Saint-Cassien. Fermé en novembre. Compter 267 € (1750 F) par semaine en basse saison pour un studio pouvant recevoir 4 personnes. Et, par exemple, 823 € (5400 F) pour un trois-pièces (6 personnes) en haute saison. Une résidence tranquille à des prix qui trouvent preneur. Piscine.

➤ *DANS LES ENVIRONS DE MONTAUROUX*

★ ***Complexe artisanal*** : sur la D 562, à 2 km de l'intersection de la route de Draguignan et de Montauroux. À visiter sans complexes. Bois d'olivier, tissus provençaux, poteries, verrerie...

★ ***Les bambous du Mandarin :*** à ***Pont-de-la-Siagne.*** ☎ 04-93-66-12-94. Ouvert du 1er mars au 30 novembre tous les samedis de 8 h à 18 h et sur rendez-vous. Entrée : 3,80 € (25 F) ; enfants à partir de 7 ans : 2,30 € (15 F).

★ ***Le lac de Saint-Cassien :*** un grand lac de barrage de 430 ha au sud de Montauroux (35 km de pourtour), offre ses coteaux boisés, d'agréables baignades dans ses eaux très pures et la possibilité de pratiquer divers sports nautiques.

BAGNOLS-EN-FORÊT (83600) 1690 hab.

Tranquille petit village offrant de magnifiques possibilités de promenades dans un site superbe couvert de forêts (d'où son nom, évidemment !). Profitez-en pour faire le plein de vert avant de retrouver la grande bleue. On ne se trouve qu'à 14 km de Fréjus par la D 4.

Adresse utile

ℹ ***Office du tourisme :*** place de la Mairie. ☎ 04-94-40-64-68. Fax : 04-94-11-30-68. • bagnols-en-forêt.tourisme@wanadoo.fr • Ouvert toute l'année du mardi au samedi de 9 h à 12 h 30 et de 14 h à 17 h 30. Ouvert aussi le lundi de juin à septembre.

Où dormir ? Où manger ?

⛺ ***Camping Le Clos :*** Le Clos. ☎ 04-94-40-60-69. À la sortie du village, à 400 m sur la route de Fayence. Ouvert du 1er avril au

30 octobre. Autour de 12 € (77 F) l'emplacement pour deux. Calme et ombragé. Piscine et tennis.

|●| ***Le Commerce :*** 1, Grand-Rue. ☎ 04-94-40-60-05. Ouvert tous les jours. Menus à 14 et 17 € (92 et 112 F). Pizzas sur feu de bois de 6 à 9 € (40 à 60 F). Petit resto proposant notamment de bonnes salades. Paella et couscous sur commande. Gibier en période de chasse.

À voir. À faire

★ ***L'église Saint-Antonin :*** datant du XVIIIe siècle, elle contient quelques beaux retables à colonnes.

★ Jolie balade vers la ***chapelle Saint-Denis,*** à 1 km à l'ouest du village. On avance à travers les vignes pour accéder à cette chapelle romane construite sur un site romain, dont les fresques ont été récemment mises à jour.
On peut également se rendre à la ***cascade de Gourbachin*** en prenant la route du Muy et en tournant ensuite à droite, après le pont neuf. Rafraîchissant. Si vous avez encore du temps, il y a aussi l'***ancien gisement de tailleries*** de meules pour moulins à huile (depuis 1478 !). Rien que pour la vue. Il y a aussi les ***gorges du Blavet*** toutes proches, qui peuvent vous ramener sur Draguignan.
Sinon, retour à la case départ. Cap sur l'Estérel. Fréjus n'est pas loin, à moins que vous ne décidiez de reprendre directement la route de la corniche, direction Cannes. Facile, il suffit de tourner la page.

LA BAIE DE CANNES ET L'ARRIÈRE-PAYS

LE GOLFE DE LA NAPOULE

Adieu rochers rouges de l'Estérel ! Sur la route du littoral avant d'arriver à Cannes, quelques petites stations disséminées tout au long du rivage, où les promoteurs ne semblent pas en mal d'imagination pour vendre leurs résidences « pleine vue sur mer », avec pins, oliviers et soleil...

★ *MIRAMAR* *(06590)*

Station cossue au-dessus de la baie de La Figueirette. Dans un virage, à gauche, un sentier monte en 5 mn au *point de vue de l'Esquillon* d'où l'on a un panorama grandiose sur la Grande Bleue, les îles de Lérins et l'Estérel.

Où dormir ? Où manger ?

■ |●| ***Motel Le Patio :*** 48, bd de Miramar. ☎ 04-93-75-00-23. Fax : 04-93-75-02-87. • www.lepatio.fr • Fermé de fin octobre à début avril. Parking gratuit. Chambres avec douche et w.-c. ou bains de 31 à 69 € (203 à 453 F) en saison. Menu à 13,70 € (90 F). Carte autour de 22,90 € (150 F). Un motel, donc en bordure de route, mais peu de trafic la nuit. Chambres avec vue sur la mer un peu plus chères (on a aimé les n°s 2 et 14, avec terrasse). Piscine, demi-court de tennis et resto style pizzeria. Apéritif offert sur présentation du *GDR*.

– De la route, remarquer en contrebas la ***cité marine de Port-la-Galère,*** due à Jacques Couelle. Les façades qui font bloc avec les rochers semblent avoir été sculptées par la mer et s'intègrent parfaitement au paysage. On aimerait voir de plus près cet ensemble architectural, mais c'est privé.
– Consolez-vous en profitant du ***panorama*** qui s'étend maintenant sur le golfe de La Napoule, Cannes, les îles de Lérins et le cap d'Antibes.

★ *THÉOULE-SUR-MER* *(06590)*

Gentille station d'été. La rue principale est bordée de petites villas familiales, précédées de petits potagers où court la glycine. Un côté paisible, non loin de l'animation de Cannes. Au bord de la mer, le château est une ancienne savonnerie du XVIIIe siècle, restaurée et transformée. En soirée, promenade romantique au pied des rochers, à droite de la plage. Petits bancs pour roucouler dans les massifs joliment éclairés.
➢ ***Bus :*** de *Cannes* ou de *Saint-Raphaël,* toutes les heures.

Adresse utile

ℹ ***Office du tourisme :*** 1, bd de la Corniche-d'Or. ☎ 04-93-49-28-28. Fax : 04-93-49-00-04. • www.theoule-sur-mer.org • En été, ouvert du lundi au samedi de 9 h à 19 h et le dimanche de 10 h à 13 h ; hors saison, du lundi au samedi de 9 h à 18 h 30.

NORD
D 902
D 64
Saint-Dalmas-
le-Selvage
D 63
Saint-Étienne-
de-Tinée
Col de
Bouchiet
Auron
2155
Col de Pal
2208
D 2205
D 97
Isola
Isola 2000
D 908
Colmars
les Tourres
D 2202
D 74
Péone
D 2205
Roure
Saint-
Sauveur-
sur-Tinée
Valberg
Beuil
ALPES-
DE-HAUTE-PROVENCE
Guillaumes
D 28
les Launes
D 30
D 2565
St-Dalmas
Marie
D 2202
Gorges
de Daluis
D 28
Gorges du Cians
D 2205
Clans
D 955
D 908
Puget-
Rostang
Puget-
Théniers
Touët-
sur-Var
Villars-
sur-Var
Saint-André-
les-Alpes
N 202
N 202
D 2211a
Mallaussène
Pt de la Mescla
N 202
D 17
Gréolières-
les-Neiges
Bouyon
Bézaudun-
les-Alpes
Castellane
N 85
Thorenc
Coursegoules
D 1
le Broc
D 8
D 2
Gréolières
D 2
D 2
Gattières
Andon
D 3
Saint-Jeannet
N 85
D 5
Gorges
du Loup
Tourrettes-
sur-Loup
D 2210
Vence
D 21
Plateau
de Caussols
Gourdon
D 2210
Souterroscope
de la Baume Obscure
le Bar sur-L.
la Colle
sur-L.
St-Paul
St-Vallier-de-T.
D 2085
Cagnes-
sur-Mer
Grottes des Audides
N 85
Grasse
Opio
Villeneuve-
Loubet
Grottes de Saint-Cézaire
Cabris
Valbonne
Cros-de-C.
Sophia-Antipolis
Biot
D 2562
Mouans-
Sartoux
Marineland
VAR
Mougins
Vallauris
Antibes
le Cannet
D 562
Mandelieu-
la-Napoule
Golfe-
Juan
Juan-
les-Pins
Cannes
Draguignan
G. de la
Napoule
le
Vengeur
A 8
N 7
Pte de
l'Aiguille
Île St-
Honorat
Îles
de Lérins
Théoule-sur-Mer
N 555
Île Ste-
Marguerite
Tombant
de la Tradelière
Miramar

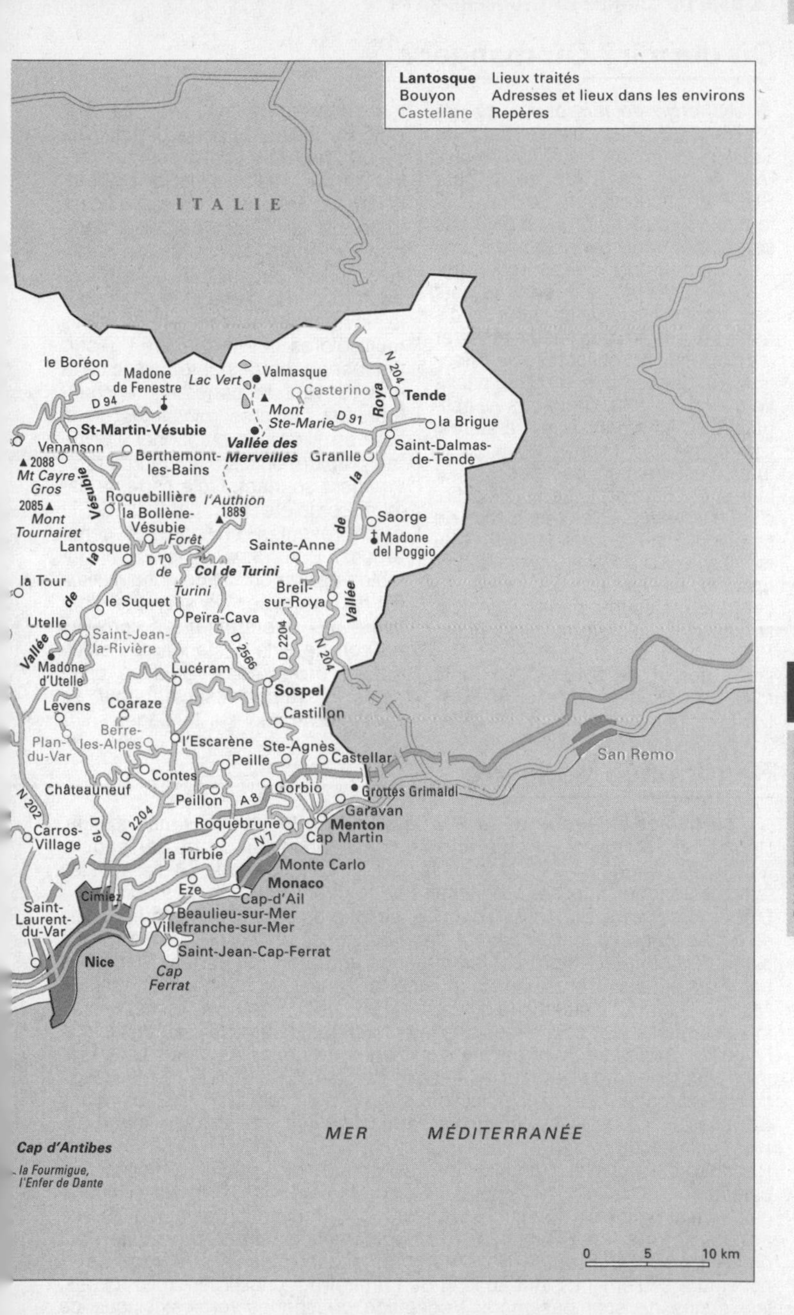

LES ALPES-MARITIMES

Où dormir? Où manger?

🏠 ***Auberge de jeunesse :*** ☎ 04-93-75-40-23. Fax : 04-93-75-43-45. Sur la commune de Théoule-sur-Mer, à près de 2 km de la gare SNCF en montant vers Le Trayas (il faut toujours monter, on ne peut pas se tromper, mais avec un sac à dos, c'est un peu dur). Fermé en janvier. 7,80 € (51 F) la nuit, sans le petit déj'. Pour un séjour supérieur à trois nuits en été, il vaut mieux réserver (demi-pension obligatoire). Attention, le dernier bus du soir passe vers 19 h-19 h 30. Carte des AJ obligatoire. L'AJ organise, entre autres, des stages de planche à voile. La situation est vraiment géniale : vue sur la mer et l'Estérel; la seule difficulté, c'est d'y arriver. Quelques places de camping. Point accueil jeunes, l'été.

I●I ***Marco Polo Plage :*** route de Lérins. ☎ 04-93-49-96-59. Juste au centre de la courbe de la plage. Réservation hautement recommandée. Plats à partir de 13,70 € (90 F). Salades autour de 9,15 € (60 F) le midi. Le soir, bien compter 30,50 € (200 F) par personne à la carte, mais le premier menu est à 25,15 € (165 F). Fidèle au poste depuis plus de 50 ans (on y venait déjà en traction 11 CV – voir les vieilles photos), le *Marco Polo* est l'adresse incontournable de Théoule. Une grande rotonde centrale, greffée de satellites qui s'étendent tout autour. Les pontons sur la plage et la jetée pour le ski nautique se couvrent de tables multicolores dès la tombée du jour. On mange, bercé par le ressac de la mer, devant le panorama enchanteur des lumières dansantes de la baie de Nice. Un personnel virevoltant, rapide, efficace et, denrée rare, vraiment souriant. Côté carte, la palette complète des produits de la mer présentés en portions généreuses. Bons vins de pays, disponibles également en demi-bouteilles. En fin de soirée, les serveurs n'hésitent pas à entraîner les convives au son des vieux standards nostalgiques des *Sixties*. Salades originales et rafraîchissantes pour se sustenter le midi sur la plage.

Randonnée pédestre

➢ ***La balade à l'arche de la Pointe-de-l'Aiguille :*** petite rando sympa. Départ de la promenade Pradayrol au fond du parking au centre de Théoule, à côté des plages. Le chemin longe la mer sur le flanc est de l'Aiguille, et les falaises abruptes imposent de rester sur les chemins aménagés.
D'abord une ferme aquacole à gauche. Le long du chemin, une source avec de belles fougères (osmondes royales), des joncs et des prêles. Arrivé à la plage de l'Aiguille, emprunter les marches en béton qui partent derrière le bar. Très bel eucalyptus dans la montée (et bancs pique-nique). En haut de l'escalier, tourner à gauche (à droite, c'est un cul-de-sac). Puis quitter le chemin 200 m plus loin pour descendre les marches du belvédère au-dessus de l'Aiguille. Très beau point de vue sur les îles de Lérins et Cannes. Au premier plan, quatre petites criques (plages de galets), au milieu d'un paysage de roches rouges dues aux projections de lave d'un volcan (il y a 300 millions d'années!) : l'Aiguille est donc une fabrication maison en pyroméride, un verre volcanique rouge.
Remarquer l'arche au fond de la plus grande des plages. Continuer la balade sur le chemin initial après l'escapade côté mer. Progresser courageusement pour les 400 marches suivantes (!) Plus haut, beau point de vue en direction de Saint-Raphaël. À l'embranchement, prendre à droite (tout droit on arrive à la route). Pour les gourmands, arbousiers (en octobre et novembre seulement!) tout au long de l'itinéraire – choisir les fruits rouges, les jaunes ne sont pas mûrs. Végétation de chênes-verts ainsi que de bruyères arborescentes, de genêts et de petits figuiers. Petite zone déboisée de thym et de romarin en redescendant.

★ *MANDELIEU-LA-NAPOULE* (06210)

Agréable station estivale au fond du golfe de La Napoule, dotée d'un grand port de plaisance bien situé près de l'imposant château.

Adresse utile

🅸 ***Office du tourisme :*** centrale de réservation hôtelière au 340, rue Jean-Monnet, BP 947. ☎ 04-93-93-64-64. Fax : 04-92-97-64-66. Ce sont les services administratifs, la billeterie et les réservations hôtelières. Également deux bureaux d'accueil, av. Henry-Clews, à La Napoule. ☎ 04-93-49-95-31. Fax : 04-92-94-99-57 ; et av. de Cannes (sortie n° 40 de l'autoroute). ☎ 04-92-97-99-27. Ouverts toute l'année, tous les jours sauf le week-end en hiver.

Où dormir ? Où manger ?

Camping

⛺ ***Camping Les Pruniers :*** 118, rue de la Pinea. ☎ 04-92-97-00-44. Fax : 04-93-49-37-45. Dans le quartier de la Pinède, à 300 m de la mer. Fermé du 15 octobre au 1er avril. Emplacement pour 2 personnes avec voiture et tente de 11,75 à 20,10 € (77 à 132 F) selon la saison. Location de bungalows à partir de 259,15 € (1 700 F) la semaine hors saison ; en été, 609,80 € (4 000 F). Prix dégressifs si l'on prolonge son séjour hors saison. Douches chaudes gratuites. Calme et ombragé. Apéritif maison offert aux lecteurs munis du *GDR*.

Prix moyens

🏠 🍴 ***La Calanque :*** bd Henry-Clews. ☎ 04-93-49-95-11. Fax : 04-93-49-67-44. Face au château et avec vue sur la mer. Fermé du 20 octobre au 31 janvier ainsi qu'en mars. Chambres de 29,75 à 57,95 € (195 à 380 F) en fonction de la période et du confort. Au restaurant, menus de 16,80 à 24,10 € (110 à 158 F). Terrasse ombragée agréable. Chambres doubles propres et agréables, surtout quand elles ont la vue sur la Grande Bleue. Bon plan : les nos 20 et 23 au 3e étage, avec vue imprenable et à prix doux (douche et w.-c. sur le palier). Les moins chères donnent sur l'arrière mais sont correctes.

Plus chic

🍴 ***Le Boucanier :*** sur le port de plaisance. ☎ 04-93-49-80-51. En face du château de La Napoule. Congés annuels du 15 novembre au 15 décembre. Un menu à 27,45 € (180 F). À la carte, compter autour de 30,50 € (200 F). Terrasse au bord de la plage. Très beau le soir, quand le château est illuminé. On vient au *Boucanier* pour goûter tranquillement une cuisine fraîche à base de produits de la mer. Cadre agréable et service efficace.

À voir

★ ***Le château-musée :*** visites accompagnées débutant à 15 h et 16 h (plus 17 h en juillet et août) sauf le mardi. Fermé de novembre à février. Entrée : 3,80 € (25 F) ; réduction étudiants. Du puissant château fort du XIVe siècle ne subsistent que deux tours. Le château a été restauré par le sculpteur américain Henry Clews. Cela donne un étonnant patchwork de styles, mais l'ensemble garde belle allure. Le site est superbe.

★ ***Le port de la Rague :*** plus loin, en allant vers Théoule. Petit port naturel bien abrité, moins gigantesque et plus sympa que le bassin béton de La Napoule.

Idée rando

➢ ***Le sentier botanique du San Peyre** (4 km, 1 h aller-retour sans les arrêts) :* de l'ombre et de la fraîcheur en sous-bois, voilà de quoi calmer les brûlures de la plage. Le chêne-liège, l'arbre à fraises ou arbousier et le genévrier cade se penchent sur le sentier, en plein cœur du massif de l'Estérel, face au panorama sur les îles de Lérins. Ce dernier arbre est une espèce de genévrier *(Juniperus oxycedrus)* très estimée pour son bois parfumé. D'ailleurs, une fois poli sous forme de galet, il est souvent vendu dans les magasins régionaux. Vous le frottez et il dégage une odeur proche de l'encens. Saviez-vous que les Grecs et les Romains l'utilisaient pour embaumer leurs morts ? Son huile sert encore de nos jours pour les produits dermatologiques et les shampooings. Ici, on s'en sert pour éloigner les lapins des laitues...
Parking au cimetière du Bon-Puits, à 2 km à l'ouest de Théoule (camping). Balisage : fléchage en bois. Facile. Pour s'informer, lire *Les plus belles balades autour de Nice,* éd. du Pélican. Documentation à l'office du tourisme de Mandelieu-la-Napoule. Carte IGN au 1/25 000 n° 3644 O.
En direction de Théoule sur la N 98 à 6 km à l'ouest de Cannes, se diriger vers Le Bon-Puits (parking au cimetière). À quelques dizaines de mètres sur la droite, des panneaux de bois indiquent le sentier botanique du San Peyre. Une curiosité en automne : les fleurs blanches et les fruits rouge vif de l'arbousier s'épanouissent en même temps. Prenez ensuite le sentier qui monte sur la gauche et traverse un bois de chênes-lièges. Les ruines de la chapelle Saint-Pierre vous attendent au sommet du San Peyre (133 m) où un panorama magnifique s'étend sur le port de La Napoule et les îles Sainte-Marguerite et Saint-Honorat.

CANNES

(06400) 68 200 hab.

Pour le plan de Cannes, se reporter au cahier couleur

Que dire de neuf sur cette ville de Cannes, multiforme, excentrique, dont on a tout de suite des images un peu surfaites : palaces, Rolls et casinos, célébrissime Croisette, luxueuses boutiques, festival du Film... Un univers un peu inaccessible. La réalité, bien sûr, est différente : le nombre de Rolls, de Ferrari et de Jaguar est certes impressionnant, les cheveux argentés sont en forte proportion, mais Cannes n'en demeure pas moins un site exceptionnel, un port coquet avec de nombreux hôtels et restaurants à des prix... abordables.
Partez hors des sentiers battus pour découvrir les îles de Lérins, les avenues de la Californie cachées sous les pins, les chemins de la Croix-des-Gardes ou les placettes ombragées du Cannet. Et puis, surtout, évitez juillet et août. Quoi de plus agréable que de déjeuner sur la plage au mois de janvier, quand le soleil n'est pas encore très chaud et que la silhouette mystérieuse de l'Estérel se découpe sur la netteté du ciel d'un bleu diaphane et pur ? La Croisette est vide, l'air est vif et la vie est belle. Soupir...

UN PEU D'HISTOIRE

Le nom de la ville viendrait des cannes ou roseaux qui poussaient jadis dans les marais voisins. Les Romains nommèrent le site *Canoïs*. Il est plus probable que le nom soit d'origine indo-européenne. *Kan* signifiant « sommet », Cannes découlerait de cette hauteur qui domine la ville, le Suquet. Pendant longtemps, ce ne fut qu'un petit bourg de pêcheurs. À la fin du IVe siècle cependant, saint Honorat fonde le monastère de Lérins. Invasions barbares, sarrasines, passages réguliers et dévastateurs de soldats, la vie est plutôt agitée pour les Cannois jusqu'au XVIIIe siècle.
À cette époque, la construction du port développe l'activité de la bourgade. En 1815, Napoléon, qui vient de débarquer à Golfe-Juan, campe dans les dunes hors de la ville. Pour la petite histoire, il envoie le célèbre général Cambronne obtenir (sans un mot !) 6000 rations, pour tromper l'opinion sur l'importance de ses troupes...
Mais c'est l'année 1834 qui va changer le destin de Cannes. Lors de l'épidémie de choléra qui sévissait en France et en Italie, lord Henri Brougham, qui appartenait à la fine fleur de l'aristocratie anglaise, est refoulé d'Italie. Il se voit contraint de faire demi-tour avec sa fille malade et décide de retourner vers Grasse, mais, à la nuit tombée, il s'arrête à Cannes, à l'unique auberge *Pinchinat,* où la bouillabaisse est particulièrement délicieuse. Séduit par le site, le petit port bien abrité, les îles qui brillent au soleil, les pins parasols et les oliviers, lord Brougham décide de s'y installer et fait construire une somptueuse résidence, le *château Éléonore,* du nom de sa fille. Jusqu'à sa mort, en 1868, cet hôte illustre passera tous les hivers dans la ville, et son exemple sera suivi par l'aristocratie anglaise. Le Cannes d'aujourd'hui est né. En 1853, après l'ouverture du chemin de fer, on construit un début de Croisette et, en 1870, la ville compte déjà quelque 35 hôtels et 200 villas...
D'autres étrangers et de nombreux artistes y séjournent pendant l'hiver : on pense à Mistral, Mérimée et surtout à Maupassant... mais Thiers, le vice-roi des Indes, les membres de l'aristocratie russe, les Rothschild et les de Broglie prennent également leurs quartiers d'hiver à Cannes (à l'époque, on fuyait la Côte l'été car le soleil brûlant aurait hâlé les teints de lis alors à la mode...). Les maisons les plus étonnantes, les plus extravagantes, les plus luxueuses voient le jour, du manoir faux gothique aux villas style pagode ou avec minaret, grottes et colonnes de marbre, etc.

CANNES AUJOURD'HUI

Nostalgie, quand tu nous tiens ! Cannes a bien changé depuis un siècle... Les héritiers des belles villas n'ont souvent plus les moyens d'entretenir de telles demeures, ni de résister aux offres des promoteurs qui ont fait surgir un peu partout des appartements « dans un site unique, pour une retraite heureuse ». Il en reste néanmoins un grand nombre, enfouies sous les pins de la Californie où vécut quelque temps Picasso, tout en haut de la Croix des Gardes... ou à travers les rues de Super-Cannes... Villas modernes dotées de tous les gadgets nécessaires, châteaux flanqués de tours surréalistes, maisons de délire...
Le XXIe siècle permettra-t-il d'effacer quelques-unes des erreurs architecturales engendrées autour du port par la mégalomanie de ceux qui, durant le dernier quart du XXe siècle, ont fait trop souvent couler le béton sur les rêves des autres hommes ? La redistribution des cartes, entamée au niveau des principales villes de congrès du pourtour méditerranéen, en remettant certains projets en question et en sauvant les sites qui peuvent encore l'être, pourrait peut-être éviter à Cannes, même si les choix à venir risquent d'être difficiles, de payer le prix fort dans la prochaine décennie.

Y'a plus de saison!

La saison cannoise a changé elle aussi : l'été est désormais la saison reine, et il est loin le temps où sur le casino figurait cette pancarte : « Fermé pendant l'été ».

Pour l'heure, voilà une petite liste des autres animations et des spectacles que cette ville étonnante vous propose à longueur d'année :

- ***Festival international des Jeux :*** en février et juillet.
- ***Nuits musicales du Suquet :*** en juillet.
- ***Festival international d'Art pyrotechnique :*** en juillet et août.
- ***Festival international de Marionnettes :*** en novembre (biennale).
- ***Festival international de Danse :*** en décembre (biennale).
- ***Festival de la Voyance :*** en août.
- ***Rencontres cinématographiques de Cannes :*** en décembre.
- Quant au ***Festival de Cannes,*** le seul, l'unique aux yeux de la foule qui se faisait son cinéma quinze jours durant, qui nous a fait tant rêver pendant des décennies, avant de sombrer dans le rituel, redonnera-t-il envie aux amoureux de ce qu'on appelait alors le 7e Art de s'intéresser à son sort, quand viendra l'heure de régler les comptes? « En avril, ne te découvre pas d'un film », qu'ils disaient, les anciens!

CANNES EN CHIFFRES (PITTORESQUES)

- ***Population :*** 1 430 habitants en 1638 et près de 70000 aujourd'hui.
- ***Nombre de chambres en hôtels 4 étoiles :*** 2147 sur 4875 au total.
- ***Nombre de jours d'occupation du palais des Festivals :*** 327 jours par an (inutile de préciser que tout retour en arrière serait ici considéré comme une catastrophe).
- ***Élimination des algues sur les plages :*** environ 2000 tonnes par an.

CANNES

Adresses utiles

Direction du tourisme *(plan couleur B2,* ***1****) : accueil palais des Festivals,* esplanade du Président-Georges-Pompidou. ☎ 04-93-39-24-53. Fax : 04-92-99-84-23. • semoftou@palais-festival-cannes.fr • En été, ouvert tous les jours de 9 h à 20 h; hors saison, du lundi au samedi de 9 h à 18 h 30. Attention car les horaires varient en fonction des événements, mieux vaut téléphoner avant. Beaucoup de documentation et personnel compétent.

Accueil gare SNCF *(plan couleur B1,* ***2****) :* ☎ 04-93-99-19-77. Ouvert toute l'année de 8 h 30 à 12 h 30 et de 14 h 30 à 18 h 30, parfois sans interruption en été.

Office du tourisme : à Cannes-La Bocca, 1, av. Pierre-Sémard. ☎ 04-93-47-04-12. Fax : 04-93-90-99-85. Se renseigner pour les horaires.

Cannes Jeunesse *(plan couleur A2) :* 2, quai Saint-Pierre. ☎ 04-93-06-31-51. Fax : 04-93-06-31-39. Toutes les informations concernant les sports nautiques, les stages sportifs et les centres aérés.

Transports

Gare SNCF *(plan couleur B2) :* rue Jean-Jaurès. Informations : ☎ 08-92-35-35-35 (0,34 €/mn soit 2,23 F). Trains très fréquents (le Metrazur) pour toutes les gares de la Côte, de Saint-Raphaël à Menton. Demander la fiche horaire.

Gares routières : il y en a deux. La première à côté de la gare SNCF. *Rapides de la Côte d'Azur.*

☎ 04-93-39-11-39 ou 04-93-39-31-37 (en dehors des heures de bureaux). Vers Grasse, Val-de-Mougins et Vallauris (pour cette dernière, renseignements au ☎ : 04-93-64-18-37). La seconde, place de l'Hôtel-de-Ville *(plan couleur A2)*. ☎ 04-93-39-11-39. Vers Grasse, Nice (en passant par Golfe-Juan) et Nice aéroport.

■ ***Société des transports urbains de Cannes Bus Azur*** *(plan couleur A2)* : départ et informations place de l'Hôtel-de-Ville. ☎ et fax : 04-93-45-20-08.

Gare maritime *(plan couleur B2, **3**)* : 3 compagnies desservent les ***îles de Lérins*** au départ de la gare maritime.
– *Compagnie Estérel Chanteclair :* ☎ 04-93-39-11-82.
– *Compagnie Maritime Cannoise :* ☎ 04-93-38-66-33.
– *Horizon 4 :* ☎ 04-92-98-71-36.
– Une quatrième vous attend, quai Laubeuf, de l'autre côté du port, préfigurant l'avenir des futurs départs : *Trans Côte d'Azur.* ☎ 04-92-98-71-30.

Où dormir ?

Hors congrès, hors Festival, il n'y a pas de raison de vous affoler à l'idée de ne pas trouver de chambre ici. Entre les petits hôtels du Suquet et les palaces qui, l'hiver surtout, cassent leurs prix (idéal pour un tête-à-tête amoureux, à condition d'avoir mis de côté une poire pour la soif et de vous habiller pour la circonstance), vous devriez trouver votre bonheur. Sinon, dites-vous qu'il y a dans ce guide plein d'adresses aux alentours, au vert comme près de la Grande Bleue (voir aussi à Mougins, Valbonne, Golfe-Juan, Mandelieu, etc.).

Auberge de jeunesse

≙ ***Auberge de jeunesse Le Chalit*** *(plan couleur B1, **19**)* : 27, av. du Maréchal-Gallieni. ☎ et fax : 04-93-99-22-11. À 300 m de la gare. Nuitée à 13,70 € (90 F) par personne. Auberge de jeunesse non affiliée à la FUAJ, donc pas de carte nécessaire. 2 chambres de 4, et 1 dortoir avec 8 lits superposés. Location de draps. Pas de couvre-feu. Ambiance agréable.

Bon marché

≙ ***Hôtel Chanteclair*** *(plan couleur A2, **11**)* : 12, rue Forville. ☎ et fax : 04-93-39-68-88. À 200 m de la plage et à 100 m du quartier le plus typique et animé de la ville. Fermé de novembre à mi-décembre. Chambres doubles de 35,05 à 41,15 € (230 à 270 F). N'accepte pas les cartes de paiement. Des chambres fonctionnelles, à défaut d'être toujours impeccables, aux murs blancs et au mobilier simple de sapin naturel, dans cet hôtel idéalement placé sur le haut du Suquet. Malgré la proximité de la plage, assez calme (préférer les chambres donnant sur le patio). Autres atouts, les prix doux, et le patio où prendre le petit déjeuner ; enfin l'accueil souriant du patron, serviable et volontiers causeur. Pour finir, café ou boisson non alcoolisée offert sur présentation du *GDR*.

≙ ***Hôtel National*** *(plan couleur B2, **12**)* : 8, rue du Maréchal-Joffre. ☎ 04-93-39-91-92. Fax : 04-92-98-44-06. • hotel.national.cannes@wanadoo.fr • Central, à équidistance des plages et de la gare, soit quelque 200 m. Fermé en novembre. Chambres doubles de 30,50 à 41,90 € (200 à 275 F) avec lavabo ou douche et de 38,10 à 54,90 € (250 à 360 F). Un hôtel très bien tenu par un couple d'Anglais, et nous savons que les Anglais ont du savoir-vivre, on peut le vérifier ici. Accueil charmant donc, et tarifs intéressants. Préférez les chambres donnant sur la cour, et pensez à réserver. Pour nos lecteurs, 10 % de remise sur le prix des chambres pour 2 nuits minimum hors saison et périodes de Festival, congrès, etc., sur présentation du *Guide du routard.*

Prix moyens

Touring Hôtel *(plan couleur B2, **13**) :* 11, rue Hoche. ☎ 04-93-38-34-40. Fax : 04-93-38-73-34. Juste à côté de la rue d'Antibes, dans une rue piétonne qui assure une certaine tranquillité. Chambres doubles de 53,35 à 68,60 € (350 à 450 F) avec douche et w.-c. ou bains ; moins cher hors saison. Vous serez séduit par la belle façade blanche très Belle Époque. Chambres toutes mignonnes, certaines avec balcon (Ah ! le petit déj' sur la terrasse au soleil !). Belle cheminée dans certaines chambres. Un petit déj' offert sur présentation du *Guide du routard.*

Appia Hôtel *(plan couleur B2, **8**) :* 6, rue Marceau. ☎ 04-93-06-59-59. Fax : 04-93-38-43-38. • www.appia-hotel.com • Congés annuels environ 3 semaines entre mi-novembre et mi-décembre. Parking public et protégé à 200 m. Chambres de 47,25 à 70,15 € (310 à 460 F). Chiens acceptés. Un hôtel entièrement rénové, sans prétention excessive, sinon celle d'assurer le calme et la sérénité intérieure aux hôtes de passage dans cette petite rue faisant l'angle avec la rue de Châteauneuf. Pas cher, en plus. Et très bon accueil d'une famille depuis longtemps dans l'hôtellerie. 10 % de réduction accordée sur le prix de la chambre aux lecteurs munis du *GDR* de l'année, sauf en haute saison d'été et pendant les fêtes de fin d'année.

Plus chic

Hôtel Albert Ier *(plan couleur A1-2, **14**) :* 68, av. de Grasse. ☎ 04-93-39-24-04. Fax : 04-93-38-83-75. Pas loin du centre et à 10 mn à pied des plages et du casino. Parking gratuit et terrasse fleurie. Fermé du 20 novembre au 20 décembre. De 45,75 à 57,95 € (300 à 380 F) la double. Chambres tout confort, avec TV, sèche-cheveux, mini-bar. Accueil sympa. En prime, on entend les grenouilles alors qu'on est quasiment au centre de Cannes.

Hôtel Molière *(plan couleur C2, **15**) :* 5, rue Molière. ☎ 04-93-38-16-16. Fax : 04-93-68-29-57. • www.hotel-moliere.com • ♿ Fermé du 15 novembre au 25 décembre. Belles chambres de 73,20 à 109,75 € (480 à 720 F) ; moins cher en basse saison. Dans deux bâtiments contigus, l'un du XIXe siècle à façade bourgeoise, l'autre récent, et chacun meublé dans son genre propre, classique ou moderne, de fort belles chambres au calme, pas loin du centre et de la Croisette (100 m), et long jardin pour le petit déj'. Accueil serein. Sur la gauche de ce jardin, 3 chambres-bungalows aménagées pour personnes handicapées. Sur présentation du *GDR*, 10 % de remise sur le prix des chambres à partir de 2 nuits consécutives.

Hôtel Le Florian *(plan couleur B2, **16**) :* 8, rue Commandant-André. ☎ 04-93-39-24-82. Fax : 04-92-99-18-30. • www.hotel-florian-cannes.com • Fermé du 15 novembre au 15 janvier. Chambres de 47 à 70 € (308 à 459 F) suivant la saison. Un hôtel familial depuis trois générations, aux prix remarquablement stables. Propre, au confort moderne, quasiment sur la Croisette. Éviter les chambres donnant sur la rue ; les soirs d'été, de festivals... sont bruyants.

Hôtel de France *(plan couleur B2, **9**) :* 85, rue d'Antibes. ☎ 04-93-06-54-54. Fax : 04-93-68-53-43. • infos@h-de-France.com • À deux pas de la Croisette et du palais des Festivals. Fermé du 22 novembre au 26 décembre. Chambres doubles de 78 à 108 € (512 à 708 F). Entièrement rénové dans son style Art déco d'origine, cet hôtel situé au cœur de l'animation de la ville propose une trentaine de chambres au confort moderne : climatisation, coffre-fort, sèche-cheveux et tout le toutim. Si c'est votre jour de chance et que vous recevez une clé ouvrant une chambre au numéro compris entre 501 et 508, bingo : vous avez la vue en plus ! 10 % de réduction sur le prix des chambres, sauf au mois d'août pour nos lecteurs.

Vraiment plus chic

🏠 ***Le Splendid*** *(plan couleur B2, **18**)* **:** 4-6, rue Félix-Faure. ☎ 04-97-06-22-22. Fax : 04-93-99-55-02. • accueil@splendid-hotel-cannes.fr • Chambres doubles de 111,30 à 218 € (730 à 1 430 F). Un vrai petit hôtel de charme face au palais des Festivals et au port, ayant échappé au massacre architectural du Cannes des années fric et folles. Ce n'est pas un palace de la Croisette, mais ça y ressemble (majestueuse façade très début XXe siècle) et, en plus, c'est une affaire de famille tenue de main de maîtresse femme par Annick Cagnat. Chambres très belles, aux meubles anciens, avec de jolies salles de bains toutes neuves, et des fruits en corbeille offerts à l'arrivée si vous avez réservé. Une adresse de charme idéale pour les tourtereaux en voyage romantique ayant envie de se prélasser en peignoir pour une grasse matinée mutine. Petit déjeuner offert aux routards venant avec leur *GDR*.

Où manger ?

Bon marché

🍽 ***L'Entracte*** *(hors plan couleur par A2, **20**)* **:** 106, av. Francis-Tonner, 06150 Cannes-La Bocca. ☎ 04-93-48-69-75. À 4 km à l'ouest de Cannes-Centre, à droite sur la N 7, à La Bocca. Fermé le dimanche. Congés annuels du 15 décembre au 15 janvier. Ouvert seulement le midi. Menu à 10,40 € (68 F) tout compris. La Bocca borde Cannes à l'ouest, et si la ville n'est pas passionnante, *L'Entracte* est le bienvenu, car on y trouve une cuisine familiale maison tout à fait satisfaisante. Aïoli le vendredi (tous les 15 jours), pour respecter la tradition. Idéal pour déjeuner après la baignade, dans une ambiance simple et populaire de petit troquet. Et ça fait 20 ans que ça dure. C'est pas beau, ça ?

Prix moyens

🍽 ***Aux Bons Enfants*** *(plan couleur A2, **21**)* **:** 80, rue Meynadier. Pas de téléphone. Fermé les samedi soir sauf de mai à septembre et dimanche toute l'année. Congés annuels en août et pour les fêtes de fin d'année. Menu unique à 15,25 € (100 F). Les habitués passent réserver leur table à l'heure où, dans la fraîche petite salle du rez-de-chaussée, s'épluchent les légumes achetés à deux pas, au marché Forville. La cuisine est restée familiale et régionale : terrine de chèvre au confit de tomates, sole meunière, beignets de sardines, aïoli (le vendredi), poivron en anchoïade. Accueil et service « bon enfant », comme il se doit...

🍽 ***Le Lion d'Or*** *(plan couleur B1, **22**)* **:** 45, bd de la République. ☎ 04-93-38-56-57. Fermé le samedi. Congés annuels de mi-novembre à mi-décembre. Menus de 10,70 à 21,35 € (70 à 140 F). Pendant la Seconde Guerre mondiale, le menu était à 0,75 € (5 F) et les clients faisaient la queue tout au long du boulevard. Aujourd'hui, les salles sont toujours remplies d'habitués : personnes âgées, employés des bureaux voisins. Les patrons actuels n'ont rien changé à la tradition de cette maison ouverte depuis plus de 60 ans : solide et bonne cuisine de ménage, où tout, jusqu'aux pâtisseries, est fait maison. Une spécialité : le *baeckeoffe,* plat alsacien mangé le lundi soir, jour de la lessive et pas des raviolis ! Café offert sur présentation du *GDR* de l'année.

Le Jardin *(plan couleur C1, 31) :* 15, av. Isola-Bella. ☎ 04-93-38-17-85. Fermé le dimanche soir. Menus de 12,95 à 19,05 € (85 à 125 F). Grill ouvert le soir dans le jardin d'avril à octobre. Un petit resto simple, loin des chemins touristiques et des hordes sauvages de la Croisette. Certes, le quartier est un peu tristounet. Dans un coin, la TV diffuse un ronron gentil et des images qui bougent. Et puis, au fond, on découvre le jardin. Une vraie cour intérieure pleine de charme, dans laquelle on dîne au calme. Cuisine simple et goûteuse : daube provençale, sole grillée, poisson grillé à la cendre et autres sardines, loups, daurades, pageots... grillés. Et le plus étonnant, outre la gentillesse des patrons, ce sont les prix très raisonnables. Apéritif maison offert à nos lecteurs sur présentation du *Guide du routard* de l'année.

Le Bouchon d'Objectif *(plan couleur C2, 23) :* 10, rue de Constantine. ☎ 04-93-99-21-76. Fermé le dimanche soir et le lundi hors saison et... hors congrès. Menus à 14,50 et 22,90 € (95 et 150 F). Un resto, comme son nom l'indique, très « photo ». Ses murs reçoivent chaque mois une nouvelle expo. Cuisine simple et originale. Marinière de moules et de rascasse, terrine de lapin aux raisins et pistaches, porcelet au miel... Service agréable. Jolie terrasse dans un quartier moderne et piéton. Kir maison offert sur présentation du *GDR*.

Au Bec Fin *(plan couleur B2, 24) :* 12, rue du 24-Août. ☎ 04-93-38-35-86. Près de la gare. Fermé les samedi soir et dimanche en hiver, dimanche et lundi midi en été. Congés annuels : 1 semaine en juillet et 1 semaine en novembre. Menus à 17,55 et 20,60 € (115 et 135 F). Compter environ 27,45 € (180 F) à la carte. Depuis 1955, la famille Hugues accueille ici les habitués comme les affamés de passage. Choix époustouflant pour le premier menu : pas loin de 20 entrées et à peu près autant de plats. Une cuisine largement régionale (daube de bœuf à la provençale, soupe au pistou, filet de rascasse...), qui fait oublier le décor un peu banal. Bons plats du jour. Beaucoup de monde certains midis. Apéritif maison offert à nos lecteurs.

Plus chic

Le Comptoir des Vins *(plan couleur C2, 35) :* 13, bd de la République. ☎ 04-93-68-13-26. À deux pas de la rue d'Antibes. Ouvert le midi du lundi au samedi, et le soir du jeudi au samedi. Fermé le dimanche. Congés annuels en février. Menus à 15,09 € (99 F) le midi en semaine, 22,10 € (145 F) le soir. À la carte, compter autour de 22,90 € (150 F). On entre par la cave, histoire de se mettre en appétit devant quelques bouteilles, puisqu'on peut choisir celle qui accompagnera le repas. Jérôme Bitton a pris le temps d'acclimater les Cannois à cette formule, nouvelle pour eux, de bistrot-cave, et il y a du monde, en soirée, pour goûter au saucisson pistaché aux pommes de terre chaudes ou à la blanquette de veau maison. Sinon, vaste choix de tartines ou même de plats savoyards, le pays de son épouse. Vins servis au verre et à la bouteille, au prix de la cave + 6,10 € (40 F). Café offert sur présentation du guide.

Le Bistrot de la Galerie *(plan couleur A2, 26) :* 4, rue Saint-Antoine. ☎ 04-93-39-99-38. Ouvert uniquement le soir. Fermé le lundi. Congés annuels 15 jours en décembre et de mi-février à mi-mars. Menus à 20,60 et 25,75 € (135 et 169 F). Comme l'indique son nom, dans ce bistrot – qui n'en est pas un – sont accrochées des toiles. La tendance est à l'acrylique pétant et aussi aux cadres éclatés encadrant d'autres cadres, eux-mêmes englués dans de la toile tordue... Impressionnant. Tout de même, c'est avant tout un restaurant où l'on mange plutôt bien, à un prix raisonnable. Pas question d'amuser seulement la galerie ! Ambiance jeune et accueil plutôt cordial.

Lou Souléou *(plan couleur A2, 27)* : 16, bd Jean-Hibert. ☎ 04-93-39-85-55. Derrière le vieux port, ou juste avant, si vous arrivez à Cannes depuis l'Estérel par la route du bord de mer. Fermé le lundi toute la journée et le mercredi soir hors saison. Congés annuels en novembre. Menus à partir de 22,90 € (150 F). Les menus offrent un bon rapport qualité-prix. Ici, vous pourrez manger une blanquette de lotte aux moules, une raie aux câpres ou la traditionnelle bourride du pêcheur (lotte, demi-homard, moules, croûtons aillés et rouille, etc.). Excellent accueil et service impeccable. Vue sur l'Estérel et décor style bateau, pour compléter le tableau. Apéritif maison offert aux routards sur présentation de leur *GDR*.

Vraiment plus chic

La Brouette de Grand-Mère *(plan couleur C2, 28)* : 9, rue d'Oran. ☎ 04-93-39-12-10. Ouvert uniquement le soir. Fermé le dimanche. Congés annuels du 25 juin au 10 juillet et du 1er novembre au 15 décembre. Formule à 29,75 € (195 F), apéritif et vin inclus. Agréable petit resto fréquenté par les jeunes Cannois aisés, dans un décor 1900 rouge madère – gravures, affiches –, hétéroclite mais sympathique. Une seule formule indémodable autour de ces plats eux-mêmes hors du temps : poulette à la bière brune, pot-au-feu aux cinq viandes et os à la moelle, cailles rôties à la crème... Bon accueil. Au fait, pourquoi *La Brouette* ? Tout simplement parce qu'elle a servi à transporter le parrain de la patronne (de Cannes à Mougins tout de même !) le jour de son baptême. On vous laisse imaginer l'état de sobriété du « transporteur »... Apéritif maison et café offerts à nos lecteurs sur présentation du *Guide du routard*.

Le Restaurant Arménien *(plan couleur C3, 33)* : 82, la Croisette. ☎ 04-93-94-00-58. Fermé le lundi. Menu unique à 39,65 € (260 F). Lucie et Christian Panossian accueillent leurs clients comme chez eux. Décor raffiné de brasserie un peu kitsch avec des vitraux. Les entrées, les plats, les desserts sont apportés successivement tous ensemble sur la table, comme dans une famille arménienne un jour de fête. Le menu est le même pour tous. Après les traditionnels *meze*, pas moins de douze plats dont les brochettes de bœuf au citron, le *smoules* fourré au riz pilaf et aux pignons, mais surtout le *kechkek*, plat national arménien composé de blé et de bœuf qui peut cuire plus de 24 h. Gardez une petite place pour les sorbets aux fruits, les nougats au sésame et les loukoums. Imposante carte des vins à prix abordables. Apéritif maison offert sur présentation du *GDR* de l'année.

Côté Jardin *(plan couleur A1, 29)* : 12, av. Saint-Louis. ☎ 04-93-38-60-28. Fermé les dimanche et lundi. Congés annuels en février. Menu à 19,80 € (130 F) le midi ; autre menu à 34,30 € (225 F). Une très belle adresse située à l'écart du Cannes touristique, derrière la voie ferrée et dans une rue sans passage, et qui ne doit son succès qu'à la qualité. Qualité du cadre d'abord, fleuri et aéré, dans les tons pastel en salle ou sous la tonnelle au jardin-terrasse, puis qualité de la cuisine de M. Walge, chef s'il en est et compétent patron. Au hasard du menu-carte, renouvelé régulièrement, vous trouverez, par exemple, soupe au gingembre, poulet et noix de coco, canard confit en parmentier de céleri-rave aux écorces d'orange, croustillant au caramel et pommes poêlées aux graines de sésame ; c'est inventif sans excès, subtil et mesuré, savoureux – en un mot, réussi. Et le service est pro. Chapeau ! Apéritif maison offert à nos lecteurs sur présentation du *Guide du routard*.

Où sortir ? Où boire un verre ?

🍸 ***Le Zanzibar*** *(plan couleur B2, 40)* **:** 85, rue Félix-Faure. ☎ 04-93-39-30-75. Ouvert tous les soirs de 17 h à 6 h, à partir de 14 h pendant le Festival. Créé en 1885, *Le Zanzibar* est sûrement l'un des plus vieux bars de Cannes. Sur les voûtes de la toute petite salle s'étalent des fresques des années 1960 : légionnaires, marins... dans des poses très *Querelle.* Dans les petits boxes, les habitués se prennent aussi pour des héros de Genet sur fond de house-music. Si *Le Zanzibar* est gay, c'est sans trop d'ostentation.

🍸 Voir aussi plus bas *Chez Lucullus*, près du marché Forville.

À voir. À faire

Le centre-ville

★ ***Les allées de la Liberté*** *(plan couleur A2)* **:** ombragées de vieux platanes. Il fait bon s'y promener le matin quand s'y tient le marché aux fleurs (tous les jours sauf le lundi !), non loin du kiosque à musique. Le samedi, marché à la brocante. À l'extrémité des allées, l'hôtel de ville et la gare routière.

★ ***Le vieux port*** *(plan couleur A-B2)* **:** face aux allées, il abrite une flottille de pêche et de nombreux voiliers de plaisance. En toile de fond, le Suquet et le charmant *quai Saint-Pierre* aux belles façades pastel. On aime flâner sur le quai, et les amateurs de voile seront fascinés par les superbes voiliers (cuivres et acajous vernis) qui y sont amarrés. Le réaménagement du port devrait permettre de faire sauter la verrue en béton qui gâche le paysage (non, il ne s'agit pas du Palais des Festivals mais de la gare maritime !). Sur la jetée Albert-Édouard sont amarrés les yachts les plus luxueux ; un spectacle en soi le soir, lorsqu'ils sont éclairés, et qu'on devine les salons avec TV, bien sûr, tableaux de maître, canapés en cuir, gerbes de fleurs, bar, etc. Sur l'*esplanade Pompidou,* à côté, superbe manège à l'ancienne et plus de 120 empreintes de vedettes au sol. La plage, à cet endroit, est très agréable hors saison. Non payante. En retournant vers les allées de la Liberté, *square Mérimée* qui rappelle la mémoire de l'écrivain mort ici en 1870.

★ ***Le palais des Festivals*** *(plan couleur B2)* **:** « hénaurme »... Inauguré en 1982, véritable vaisseau de béton et de verre baptisé charitablement « Bunker », à ses débuts, qu'on essaie de dissimuler quelque peu derrière un écran de verdure moins fugitif que l'écran noir des célèbres nuits blanches du Festival. Le bâtiment, impressionnant vu de l'intérieur, est doté de tout l'équipement perfectionné pour recevoir les congressistes et, bien sûr, les projections du Festival. Son extension et les problèmes juridiques qui ont suivi n'ont pas fini de faire parler les Cannois, dont certains ne se sont jamais vraiment remis de l'évolution de leur ville au cours du dernier quart du XXe siècle.

★ ***La rue d'Antibes*** *(plan couleur B-C2)* **:** c'est la grande rue commerçante de Cannes, ville qui détient le record pour le nombre de commerces par rapport à la population. Ici, on compare parfois la rue d'Antibes au Faubourg-Saint-Honoré, ce qui est quelque peu exagéré... sauf pour les prix !

★ ***La rue Meynadier*** *(plan couleur A-B2)* **:** beaucoup plus sympa que la précédente, elle relie la ville moderne au Suquet. C'était autrefois la rue principale ; de nos jours, elle est très animée grâce à ses nombreux commerces d'alimentation et de vêtements ; la rue compte quatre « Mercure d'Or » ou prix d'excellence. À vous les fromages réputés de la *Ferme Savoyarde,* les pains de seigle de *Jacky Carletto* et les pâtes fraîches de la *Maison des Ravioli* ou *Aux Bons Ravioli...* Pour les amateurs de couscous à la mode tunisienne, une adresse recommandée par des locaux : *Taty Danièle,* 82, rue Meynadier. ☎ 04-93-38-94-95.

★ ***Le marché Forville*** *(plan couleur A2)* **:** tout à côté, où vont se ravitailler les meilleurs restaurants de Cannes, c'est dire. Forville, car situé *for la ville,* autrefois hors de la ville ancienne, qui s'étalait sur la butte du Suquet... Il est célèbre pour ses poissons qui frétillent encore sur les étals, mais aussi pour ses fruits et légumes, véritable festival de couleurs et de senteurs. Suivez les vieux Cannois pour dénicher les bons producteurs, avant d'aller boire un verre tout à côté :

🍷 ***Chez Lucullus*** *(plan couleur A2)* **:** 4, pl. Marché-Forville. ☎ 04-93-39-32-74. Fermé tous les soirs et le lundi. Un troquet populaire avec des personnages hauts en couleur des deux côtés du comptoir, où l'on vous offre des tas de *tapas* pour vous faire patienter, et quelles *tapas*! Accras, beignets de courgettes, toasts, etc. De quoi se caler en vidant un verre ou deux, le temps de trouver un coin de table pour manger l'aïoli ou le plat du jour. Un lieu où bat le cœur du vieux Cannes et où il fait bon traîner pour prendre le pouls de la ville, tôt le matin.

La vieille ville

Montez par la pittoresque *rue Saint-Antoine,* saturée de restaurants. Il faut quand même remarquer les maisons basses aux volets verts ou bleu pâle, les vieilles plaques, les entrées en ogive... Vous arrivez à la *place de la Castre,* bordée par un vieux mur d'enceinte. Vue d'un côté sur la Californie et l'Observatoire, de l'autre sur l'Estérel.

★ ***L'église Notre-Dame-d'Espérance*** *(plan couleur A2,* ***51****)* **:** construite en 1627, alors que Cannes ne comptait que 1 000 habitants, elle est de style gothique provençal. Ce fut longtemps un lieu de pèlerinage. À l'intérieur, retables de l'époque classique et statue de sainte Anne, en bois polychrome, de la fin du XVe siècle. À l'extérieur, juste au-dessus du portail, statue de la Vierge surmontée d'une tête de mort et de deux tibias. Drôle de symbole d'espérance...

★ ***La tour du Suquet :*** ancienne tour de guet, assise sur une voûte, terminée en 1385. En passant sous le vieux clocher, on arrive à une agréable terrasse, très reposante, avec vue sur le port, les allées de la Liberté... Vous découvrez aussi la petite *chapelle Sainte-Anne,* surélevée d'un chemin de ronde, la *tour carrée du mont Chevalier* et les restes du château des abbés de Lérins. Ils étaient bien, là-haut!

★ ***Le musée de la Castre*** *(plan couleur A2,* ***50****)* **:** dans le château. ☎ 04-93-38-55-26. Ouvert tous les jours sauf le mardi; d'octobre à mars, de 10 h à 12 h et de 14 h à 17 h; d'avril à juin, de 10 h à 12 h et de 14 h à 18 h; de juillet à septembre, de 10 h à 12 h et de 15 h à 19 h. Fermé en janvier. Entrée : 1,52 € (10 F); gratuit pour les scolaires et étudiants.
Installé dans l'ancien château des abbés de Lérins. Collections d'antiquités égyptiennes, phéniciennes, grecques, romaines, et d'ethnographie (3e fonds de France) provenant des cinq continents. On y retrace aussi l'histoire de Cannes au travers de toiles d'artistes locaux, principalement du XIXe siècle avec l'incontournable Ernest Buttura, orientaliste. À l'entrée, expositions temporaires.
– En outre, le musée présente un espace « Musiques du Monde » : environ 200 instruments d'Asie, d'Afrique, d'Océanie, anciens et contemporains,

pour beaucoup rapportés par le voyageur Ginou de La Coche, routard oublié du XIXe siècle. Intéressant.

★ ***Retour dans la ville « moderne » :*** le vieux Cannes du Suquet n'est constitué que de sept ou huit rues, alors n'hésitez pas à les parcourir toutes : *rue de la Suisse,* réservée jadis aux réformés de la Ligue, *rue Coste-au-Corail,* où l'on entreposait les coraux pêchés dans la rade, *rue de la Boucherie,* et ses escaliers, *rues du Château-Vert, de la Bergerie, du Moulin,* etc., sans compter les passages, voûtes et placettes...

La Croisette

C'est la façade luxueuse de Cannes avec ses palaces et ses boutiques réservées aux milliardaires et à ceux qui font semblant d'en être, mais c'est aussi une agréable promenade de bord de mer, avec vue sur l'Estérel. Plantée de palmiers et ornée de parterres et jardins fleuris, c'est la promenade inévitable de tous les vacanciers. L'hiver, l'endroit est plutôt fréquenté par un troisième âge fortuné, caniches distingués et lourds colliers de perles (pas les caniches, quoique...), venu chercher encore un peu de douceur de vivre. L'été, la population est plus jeune et les rares plages publiques sont très fréquentées. Beaucoup d'étrangers, de toutes nationalités comme en témoignent la centaine de quotidiens en 30 langues différentes vendus à Cannes. Notre palace préféré, de l'extérieur, est bien sûr le *Carlton* pour son architecture Belle Époque. Mais pour dormir, on préfère le *Majestic* (patron, c'est de l'humour !).
Au niveau du *port Canto,* jardins impeccablement entretenus, avec manège et jeux pour bambins bleu marine. Belle vue sur le vieux Cannes ; allez-y la nuit, quand la tour du Suquet est illuminée et que la route de l'Estérel se dessine clairement sous les réverbères.
Si vous continuez jusqu'à l'extrémité de la promenade, la pointe de la Croisette – où s'élevait autrefois une petite croix, d'où le nom de Croisette –, vous arriverez au casino du *Palm Beach,* tellement célèbre... Rappelez-vous *Mélodie en sous-sol,* d'Henri Verneuil, avec Gabin et Delon... C'est là. Depuis, il est surtout connu pour les histoires politico-financières sulfureuses qui l'entourent.

Plongée sous-marine

Hormis son « festival » de yachts en tout genre, la baie de Cannes offre une bonne trentaine de « plongées stars » où la curiosité des débutants et confirmés est sans cesse en éveil. Et puis, quelle que soit la météo, on trouve toujours un site à l'abri...

Club de plongée

■ ***Plongée Club de Cannes :*** quai Saint-Pierre. ☎ 04-93-38-67-57 ou 06-11-81-76-17. • www.sylpa.com • Sur le vieux port. Ouvert d'avril à octobre tous les jours sauf le dimanche après-midi. L'un des plus anciens centres (FFESSM, ANMP, PADI) de la ville. Chouette ambiance sur le *Sylpa,* agréable et spacieux navire de plongée, où Patrick et Sylvie Hubert – tous deux moniteurs d'État – encadrent baptêmes, formations jusqu'au niveau III et brevets PADI ; sans compter de bien belles explorations sur les spots du coin. Compresseur à bord (pas de bouteille à porter) et équipement complet fourni. Plongée de nuit et initiation enfants à partir de 8 ans.

Nos meilleurs spots

Le tombant de la Tradelière : à l'est de l'île Sainte-Marguerite. Pour plongeurs de tous niveaux. Daurades, castagnoles, sars, saupes et poulpes seront vos joyeux compagnons de plongée sur ce « caillou » (de 6 à 40 m) particulièrement riche. Vers 20 m, vous embrasserez la petite grotte aux parois recouvertes de corail rouge, avec votre lampe torche. Plongée sensas!

L'Enfer de Dante : à proximité de la Fourmigue. Pour plongeurs confirmés (niveau II). Ces grands pitons (de 20 à 40 m) remontant dans le bleu offrent un spectacle véritablement dantesque! Profusion de gorgones et de failles survolées par les nuées de castagnoles et quelques dentis « maousses » et très curieux. Un must dans le coin; assez exposé.

Le Vengeur : au nord-est de l'île Sainte-Marguerite. Pour tous niveaux. Fabuleuses richesses sur ce tombant (de 6 à 40 m) coloré, que les congres, mostelles, sars et chapons se partagent avec avidité (un vrai panier de crabes!). Attention au courant!

La Fourmigue : un haut lieu de la plongée au beau milieu du golfe Juan. Pour plongeurs de tous niveaux. Pas moins de 6 plongées différentes sont envisageables autour de ce caillou. De 5 à 50 m de fond, enchaînement somptueux de failles, tombants, canyons et promontoires couverts de gorgones que survolent castagnoles, sars, girelles et labres dans un grand ballet sympathique. La balade des routards aventuriers s'achève même sous une arche perdue! À quelques encablures, une ville de lilliputiens construite dans les années 1960 par une équipe d'artistes-plongeurs farfelus animée par Néjad Silver (15 m maxi). Vous distinguerez le stade, la poste, et quelques congres aux fenêtres des maisons! Enfin, « à deux brassées de palmes », la ***grotte de Miro*** (18 m) abrite la statue magistrale du commandant Le Prieur, grand pionnier de la plongée sous-marine. Site exposé.

➤ DANS LES ENVIRONS DE CANNES

★ ***La chapelle Bellini :*** parc Fiorentina, 67 *bis,* av. de Vallauris. ☎ 04-93-39-15-55. Ouvert de 14 h à 17 h (18 h en été). Sinon, prendre rendez-vous. Fermé les samedi et dimanche. Entrée gratuite. Construite en 1880 dans un style florentin-baroque par le comte Vitali, elle fut achetée par le peintre local Emmanuel Bellini, qui y installa son atelier. Le parc est rempli de cèdres du Liban, de cyprès centenaires, de palmiers, d'oliviers et d'orangers. L'intérieur de la chapelle impressionne par son atmosphère calme et sereine. Un vrai havre de paix, propice à la création artistique.

★ ***La Croix des Gardes :*** bloc rocheux situé au nord-ouest de Cannes. Cette colline boisée de pins est une des plus belles promenades des environs. Prendre l'avenue du Docteur-Picaud et, à droite, le boulevard Leader, puis, à pied, le sentier sous les pins maritimes. Vues superbes sur Cannes et l'Estérel. Au sommet de la colline (163 m), grande croix de fer scellée sur un rocher. Rentrer par l'avenue J.-de-Noailles ou se promener encore dans les nombreuses avenues de la colline, au milieu de luxueuses villas.

★ ***Le Cannet :*** agréable lieu de villégiature, loin du bruit et des embouteillages de Cannes, situé à 2,5 km au nord de la ville. Pour s'y rendre, bus n° 4 ou 5 de la place de l'Hôtel-de-Ville. Sinon, en voiture prendre le boulevard Carnot et continuer toujours tout droit. Le Cannet constitue en fait une banlieue chic de Cannes, réputée pour son doux climat. Le site est en effet très protégé du vent.
Le peintre Bonnard y passa les dernières années de sa vie. Il a rendu la ville célèbre dans le monde entier au travers de ses tableaux. Laissez-vous dériver dans les vieilles rues dont certaines maisons datent du XVIIIe siècle, découvrez au hasard une placette ombragée avec parfois des échappées sur la mer. De la place Bellevue, panorama sur la baie de Cannes.

LES ÎLES DE LÉRINS

Notre promenade préférée à partir de Cannes. L'île Sainte-Marguerite et l'île Saint-Honorat, à respectivement un quart d'heure et une demi-heure de Cannes, sont des paradis de soleil, de verdure, de calme et de fraîcheur... On se sent tout à coup très loin de la Côte et de la foule.

Comment y aller ?

Gare maritime des îles de Lérins : vieux port. ☎ 04-93-39-11-82. Départ toutes les 30 mn à partir de 9 h de juin à septembre ; toutes les heures à partir de 10 h le reste de l'année. Aller-retour Sainte-Marguerite : 8,40 € (55 F) ; enfants : demi-tarif.

★ *L'ÎLE SAINTE-MARGUERITE*

C'est la plus grande des deux îles ; elle abrite 170 ha de forêt. Possibilité de se baigner à l'aplomb des rochers et sur quelques petites plages de sable et de galets. Des bateaux viennent mouiller au nord et au sud de l'île. Les randonneurs effectueront le tour de l'île en 2 h environ, ou iront au hasard des allées qui desservent la forêt.

Un peu d'histoire

En 1685, le fort de Sainte-Marguerite devint prison d'État. Le célèbre *Masque de fer* débarqué en 1687 par Saint-Mars y fut interné. Les hypothèses les plus étranges ont été émises quant à l'identité du Masque de fer. Voltaire affirmait que c'était un frère aîné de Louis XIV, mais fils illégitime de la reine ; un historien pencha pour Marc de La Morelhie, gendre du médecin d'Anne d'Autriche qui établit le rapport d'autopsie de Louis XIII. Ledit gendre aurait lu le document qui déclarait le roi incapable d'avoir des enfants et, en conséquence, laissait supposer que le futur Roi-Soleil était un bâtard... D'autres érudits proposèrent le comte Mattioli, diplomate italien qui aurait escroqué Louis XIV, ou encore Eustache Dauger, ancien serviteur de Fouquet compromis dans l'affaire des Poisons... On n'en sait pas plus.
Autre prisonnier célèbre, le *maréchal Bazaine,* qui capitula sans résistance durant la guerre de 1870. Il n'endura que peu de temps les rigueurs de la prison car il réussit à s'évader quelques mois plus tard.

À voir

★ ***Le fort Royal :*** édifié par Richelieu, il fut renforcé par Vauban en 1712. Belle porte monumentale. De part et d'autre de l'allée centrale, dite allée des Officiers, s'élèvent des bâtiments qui étaient des casernements. À l'angle nord-est, les prisons, surmontées par la tour du sémaphore. Dans l'une des cellules fut emprisonné le Masque de fer. Un lieu qui vous refroidit, même au cœur de l'été, où il ne fallait pas attendre des mois pour perdre la raison, les gardiens eux-mêmes n'ayant pas le droit de parler aux prisonniers (d'où l'expression « Motus et bouche cousue »). On peut également visiter les salles où furent internés des pasteurs protestants après la révocation de l'édit de Nantes. À l'angle nord-ouest, importantes ruines romaines mises au jour récemment.

Voir encore le bâtiment mis à la disposition de Bazaine au cours de sa détention. Terrasse d'où la vue est superbe. Le maréchal n'était pas trop à plaindre malgré tout.
Un prix d'entrée tout à fait raisonnable (1,52 €, soit 10 F) vous sera demandé pour la visite des prisons et du reste du bâtiment consacré au ***musée de la Mer.*** Ouvert tous les jours sauf mardi et jours fériés, de 10 h 30 à 12 h 15 et de 14 h à 17 h 30. Fermé en janvier. Un musée intéressant pour les amateurs (et les armateurs !) qui abrite les produits provenant des fouilles réalisées sur l'île ou des épaves de bateaux découvertes au large (dont la seule épave sarrasine d'Europe). Belles salles voûtées romaines restées intactes.

★ ***Le sentier botanique :*** aménagé et fléché, il permet d'identifier les différentes espèces signalées au pied de chaque arbre. Vous apprendrez vite à distinguer le pin parasol du pin maritime ou du pin d'Alep si léger. Les chênes verts, chênes kermès, les eucalyptus et les arbousiers n'auront bientôt plus de secrets pour vous. Vous découvrirez également les plantes les plus variées : clématites, immortelles, garances, garous, dites « herbes de belle-mère » car... toxiques, centaurées, etc.

★ *L'ÎLE SAINT-HONORAT*

C'est un domaine privé qui appartient au monastère. On ne peut donc pas la visiter.

Un peu d'histoire

Du monastère, un des plus connus de la chrétienté, sortirent (comme d'une grande école de nos jours) les saints les plus célèbres : saint Patrick, l'évangélisateur de l'Irlande, saint Hilaire, évêque d'Arles, saint Cézaire, saint Salvien et saint Vincent de Lérins. En 660, saint Aygulph introduisit la règle de saint Benoît. Le patrimoine temporel de l'abbaye était immense et s'étendait bien au-delà de la Provence. Mais avec les incursions répétées des Sarrasins, les attaques des Génois, puis des Espagnols, le rayonnement de l'abbaye ne pouvait que décroître. En 1788, le monastère fut sécularisé par le pape.
En 1791, la comédienne *Saint-Val,* interprète de Voltaire et partenaire de Talma, acquit l'île et s'y établit. Selon les potins de l'époque, Fragonard, son vieil amant, serait venu la voir et aurait décoré de fresques galantes son boudoir qui n'était autre que l'ancienne salle du chapitre !
En 1859, l'évêque de Fréjus racheta l'île et, dix ans plus tard, l'abbé de Sénanque rétablissait la vie cistercienne à Saint-Honorat. De nos jours, 36 moines y cultivent la lavande et la vigne, et distillent une liqueur, la *lérina* (du nom grec de l'île), mélange d'une quarantaine de plantes aromatiques.

MOUGINS (06250) 16300 hab.

Relais de poste important des Romains sur la via Aurelia, Mougins était au Moyen Âge une ville plus importante que Cannes (c'est vrai que les casinos se faisaient rares à l'époque), elle est aujourd'hui son « jardin luxueux » où l'on vient se reposer loin de la foule du littoral. Il fait bon retrouver ici l'atmosphère d'un village provençal, bâti en colimaçon autour de son clocher de l'époque féodale. La colline sur laquelle est perché le village était autrefois couverte d'oliviers et de champs de roses ; aujourd'hui, c'est le fief de somptueuses résidences secondaires, avec toit provençal, jardin paysager et piscine, qui ont quelque peu dégradé le paysage.

Un endroit quasi idyllique qui séduisit de nombreux artistes et non des moindres. Francis Picabia tomba sous le charme dès 1924. Il fit construire une très belle maison et attira les plus grands noms de l'époque. Bien sûr, il y eut Picasso, qui décida de finir ses jours ici. Et puis Cocteau, Paul Éluard, Man Ray, Fernand Léger, Robert Desnos, Isadora Duncan...
Aujourd'hui, on ne compte plus les artistes qui ont une résidence à Mougins, où le charme de la campagne telle qu'ils l'imaginent s'allie pour eux à la proximité d'une mer qu'on voit danser, les jours où elle tient la grande forme...

Adresse utile

i ***Office du tourisme :*** 15, av. Jean-Charles-Mallet. ☎ 04-93-75-87-67. Fax : 04-92-92-04-03. • www.mougins-coteazur.org • À l'entrée du village, à côté du lavoir, transformé en lieu d'exposition. En été, ouvert tous les jours de 10 h à 20 h ; hors saison, du mardi au samedi de 10 h à 17 h 30 et le lundi après-midi. Demander *L'Agenda des Manifestations,* importantes ici, entre le golf, le théâtre et les fêtes de village, comme la Saint-Jean, fin juin, ou la Saint-Barthélemy, le 22 août. Un grand rendez-vous : *Les Arts dans la Rue,* fin juillet.

Où dormir ?

Prix moyens

Les Liserons de Mougins : 608, av. Saint-Martin. ☎ 04-93-75-50-31. Fax : 04-93-75-56-13. En dehors de la vieille ville, direction Mouans-Sartoux. Accès par la voie rapide de Cannes. Chambres de 45,75 à 108,25 € (300 à 710 F) selon la saison. Chambres confortables, récemment rénovées. Les n°s 4 et 10 sont particulièrement réussies. La demi-pension est proposée à des prix avantageux. Grande piscine et grand parking gratuit, deux avantages très appréciables ici. Évitez les chambres côté route, très bruyantes. Apéritif maison offert aux heureux détenteurs du *GDR*.

Plus chic

Le Manoir de l'Étang : Les-Bois-de-Fontmerle, route d'Antibes. ☎ 04-92-28-36-00. Fax : 04-92-28-36-10. Resto fermé le lundi. Congés annuels de novembre à février. Chambres toutes mignonnes mais chères, de 91,50 à 152,45 € (600 à 1 000 F). Menu à 22,90 € (150 F) le midi en semaine ; autre menu à 29 € (190 F). Très joli manoir de charme isolé sur une butte dont les chambres, spacieuses, ouvrent sur un immense jardin et cet étang paresseux qui donne des idées à ceux qui ne quittent guère leur chaise longue, près de la piscine. En terrasse ou en salle, on retrouve l'appétit pour goûter une pissaladière de filets de rougets tiède, le dos de loup sur sa peau à la fleur de thym ou des cannelloni de homard au jus de favouilles. Une cuisine somme toute simple mais bien faite, avec de beaux produits.

Où manger ?

Mougins est à la fois une petite ville réputée chère et une étape de bonne chère réputée, vivant dans le souvenir des grandes heures de Roger Vergé au *Moulin de Mougins.*

🍽 ***Resto des Arts :*** rue du Maréchal-Foch. ☎ 04-93-75-60-03. Fermé le lundi et le mardi toute l'année, seulement le lundi et le mardi midi hors saison. Congés annuels de mi-novembre à fin décembre. Menu à 11,45 € (75 F) le midi en semaine ; autre menu à 18,30 € (120 F). Dans un village qui a la réputation d'accueillir des stars et des milliardaires, cette maison saura séduire tous les routards. Denise est aux fourneaux. Elle prépare une cuisine traditionnelle, goûteuse et simple, avec des recettes qu'elle détient de sa mère, de sa grand-mère... Elle a le sens des beaux produits, qu'elle va acheter elle-même le matin pour préparer des daubes provençales, des aïolis, un pot-au-feu du pêcheur, un stouffi d'agneau accompagné de polenta ou des petits farcis. Et c'est Grégory qui vous servira. Ancien coiffeur de stars, il a posé ses valises à Mougins et a gardé une faconde et une décontraction vraiment sympathiques.

🍽 ***Aux Trois Étages :*** 10, pl. du Commandant-Lamy. ☎ 04-93-90-01-46. Fermé le mercredi toute la journée et en novembre. Menus de 14,95 à 22,10 € (98 à 145 F). Vous l'avez compris, il y a trois étages et, indubitablement, c'est la terrasse qui est agréable, car la vue sur la vieille ville est absolument merveilleuse. Dans les assiettes, galette mouginoise, ravioles de gambas aux trompettes de la mort, mitonnée d'agneau au cumin... Très mode. De plus, le personnel s'avère agréable et attentif.

🍽 ***L'Amandier :*** place des Patriotes. ☎ 04-93-90-00-91. Menus à 26,70 et 32,80 € (175 et 215 F). C'est une des maisons de Roger Vergé, installée dans les pierres séculaires d'un ancien moulin à huile, au cœur du vieux village. Une cuisine inspirée tout entière du terroir : michette de *L'Amandier* à l'huile de basilic, filet de loup sauvage sur une tombée d'artichauts poivrade et estouffade de fenouil à l'huile d'olive, carré d'agneau rôti en croûte d'herbe, escalope de foie gras de canard aux figues rôties... Accueil plein de tact et de gentillesse.

🍽 ***L'Estaminet des Remparts :*** 24, rue Honoré-Henry. ☎ 04-93-90-05-36. Fermé le mardi. Congés annuels de mi-novembre à fin décembre et de mi-janvier à fin février. Menu à 21,35 € (140 F). C'est exactement l'endroit dont on rêve quand il fait bien chaud l'été. Un authentique petit bistrot de village avec de gros murs de pierre qui gardent la fraîcheur. Atmosphère chaleureuse et accueillante. Tenu par Cyriaque qui fait lui-même la cuisine. Décoré de bric et de broc, avec de jolies trouvailles du marché aux puces. Agréable terrasse pour prendre ses repas.

🍽 ***Les Pins de Mougins :*** 2308, av. Maréchal-Juin, quartier Val-de-Mougins. ☎ 04-93-45-25-96. À la périphérie de Mougins, vers Le Cannet. Fermé le dimanche soir, sauf en juillet et août, et le lundi. Menu à 17 € (112 F) le midi ; autres menus à 22,10 et 28,20 € (145 et 185 F). Fuyez la foule et le centre si vous voulez passer un agréable moment dans un restaurant où l'on ne vous prendra pas pour des touristes. Au premier menu, salade de Saint-Jacques sur lit d'avocats et tomates fraîches, aïoli et ses petits légumes, crème brûlée à la lavande. Derrière ce joli petit resto aux couleurs jaune et vert provençal se cache une terrasse-jardin sous les pins, bien accueillante dès les premiers beaux jours. Apéritif maison ou café offert à nos lecteurs sur présentation du *Guide du routard.*

À voir

★ ***Le vieux village :*** situé à 260 m au-dessus du niveau de la mer, il jouit d'un panorama grandiose (vous remarquerez, dès qu'il y a un panorama quelque part, il est grandiose !) sur Cannes, les îles de Lérins, Mandelieu, Grasse et les Préalpes. Mougins est enroulé en spirale comme un coquillage géant et montre une rigueur géométrique due aux fortifications du système

de défense médiéval dont il reste quelques vestiges et une seule des portes : la *porte Sarrazine.* La place centrale, agrémentée d'une belle fontaine de la fin du XXe siècle, est presque trop pittoresque. On se croirait dans un village de poupées.
La *rue des Orfèvres* est à notre avis une des plus jolies avec ses portes colorées et surélevées. À voir aussi, la *rue de la Glissade,* que les Mouginois appelaient, en raison de sa forte pente : « Roumpe cuou » (on traduit ?).

★ Il est intéressant de visiter le ***clocher de l'église Saint-Jacques-le-Majeur*** – qui est un mélange de roman et XIXe – car la vue de là-haut est superbe, à condition de fermer les yeux sur les opérations immobilières récentes et la « pénétrante » (mais il faut choisir : bouchons ou « authentique »). En été, ouvert tous les jours de 14 h à 19 h ; hors saison, du mercredi au dimanche de 14 h à 17 h. Les clés sont à retirer au musée de la Photographie, en face (et ci-dessous pour vous qui lisez !).

★ ***Le musée de la Photographie :*** près de la porte Sarrasine. ☎ 04-93-75-85-67. Ouvert du mercredi au samedi de 10 h à 12 h et de 14 h à 18 h et le dimanche de 14 h à 18 h (en été ouvert tous les jours de 10 h à 20 h). Entrée : 2 € (13 F). Il renferme une collection d'objets anciens de matériel photo. Expositions temporaires au 1er étage. Au 2e, des photos de Picasso signées de Doisneau, Lartigue et André Villers, entre autres.

★ ***Le musée d'Histoire locale :*** av. du Maréchal-Foch. ☎ 04-92-92-50-42. Ouvert du lundi au vendredi de 10 h à 12 h et de 14 h à 18 h. Fermé en novembre. Entrée gratuite. Toute l'histoire locale.

★ ***Notre-Dame-de-Vie :*** à 2,5 km au sud-est de Mougins, par la D 35 et la D 3, un ermitage typiquement provençal dans un très beau site. Picasso avait été séduit par l'endroit puisqu'il habita de 1961 à sa mort (en 1973) une propriété contiguë qui avait pour nom *L'Antre du Minotaure.* La vue sur Mougins et les paysages environnants sont superbes. Une belle allée de cyprès conduit à l'ermitage. La chapelle, qui est l'église de l'ancien prieuré de l'abbaye de Lérins, est précédée d'un porche à trois arcades. Derrière elle, l'ermitage avec son clocheton qui constitue la partie la plus ancienne de l'ensemble (XIIIe siècle).
La chapelle est dénommée Notre-Dame-de-Vie, car elle était un « sanctuaire à répit ». On y amenait des enfants mort-nés qui ressuscitaient quelques instants, ce qui permettait de les baptiser. En 1730, l'évêque de Grasse interdit cette pratique.

★ ***Le musée de l'Automobile :*** accès par l'A 8 (entre Antibes et Cannes, aire des Bréguières). ☎ 04-93-69-27-80. Ouvert tous les jours de 10 h à 18 h (19 h en été). Entrée : 6,85 € (45 F), gratuit pour les moins de 12 ans. Fondé en 1984 par Adrien Maeght dans un bâtiment ultra-moderne. Une fabuleuse machine à remonter le temps dans l'histoire mondiale de l'automobile, de la Formule 1 aux tout premiers véhicules à moteurs, en passant par les voitures utilisées pendant la guerre. Une exposition thématique est organisée chaque été. C'est sans doute l'une des plus belles collections d'Europe, avec celle de Mulhouse.

➤ DANS LES ENVIRONS DE MOUGINS

★ ***Le parc forestier de la Valmasque :*** aménagé par l'ONF sur 427 ha, il offre aux randonneurs 20 km de sentiers sous les pins. Idéal pour pique-niquer. Plusieurs sentiers botaniques fléchés, des pistes équestres, un parcours de santé, mais aussi l'***étang de Fontmerle*** (voir « Randonnée pédestre »), qui abrite une importante colonie asiatique (une collection de lotus – prestigieux nénuphar géant importé d'Asie – unique en Europe, qui présentent de début juillet à mi-septembre des fleurs roses de 25 cm sur une

feuille de 1 m de diamètre), mais aussi une belle population d'oiseaux (migrateurs, ou foulques, macroules), dont deux espèces en voie de disparition : les blangios et les rousserolles.
Cet étang naturel de 3 ha est dominé par une colline où se dresse *Le Manoir de l'Étang,* aujourd'hui hôtel (voir « Où dormir ? »). Cette bâtisse a une belle histoire. Après la Seconde Guerre mondiale, Maurice Gridaine, architecte de cinéma à qui l'on doit le premier palais des Festivals de Cannes, s'entiche du manoir en ruine et de sa campagne typiquement provençale. En 1949, Jean Cocteau et Jean Marais viennent sur les lieux : le projet, cher à Marcel Pagnol, de créer une cité du cinéma se ranime. Mais avec la crise du cinéma en France, la création en Italie de Cinecittà et la modernisation en parallèle des studios de la Victorine à Nice, le projet tomba à l'eau. En dédommagement, on lui laissa cette propriété, dont il était tombé amoureux.

Randonnée pédestre

➢ ***La découverte du canal de la Siagne, de l'étang de Fontmerle et de la chapelle Notre-Dame-de-Vie :*** très jolie balade de 1 h 30 sur terrain plat. Idéal pour un footing (courage !). En partant de Mougins, se diriger vers Valbonne et se garer sur la gauche après le restaurant russe *St-Petersbourg.* Traverser la route et chercher la porte du canal dans le virage.
Petite pensée émue pour *Le Château de ma mère,* le classique de Pagnol : on s'y croirait presque ! Le canal serpente au pied des plus belles propriétés de Mougins. Petits ponts l'enjambant de-ci de-là. Passer d'abord sous un porche garni de bougainvillées, puis sous la voie rapide avant de suivre le viaduc sur une large poutrelle de béton. Une grosse truite vous accompagne parfois sur quelques mètres. Traverser la petite route qui mène à la chapelle Notre-Dame-de-Vie, puis suivre le canal.
Après un pâture sur la droite, quitter le canal pour une ruelle avant de le retrouver 50 m plus loin. On passe au pied du « jardin » de la maison Pablo Picasso. Très belle vue dégagée sur Cannes. Le canal change d'orientation dans la forêt et lorsque le chemin arrive à une route goudronnée, faire demi-tour sur 300 m. À hauteur de la jolie vue, remonter le chemin (à droite) qui longe une petite maison en pierre. On arrive à l'***étang de Fontmerle,*** avec en arrière-plan les montagnes.
Deux points de vue pour observer le lac et ses spécimens (voir plus haut) dont un sur une petite estrade en bois. Pour la ***visite guidée de l'étang,*** contacter l'office du tourisme de Mougins (☎ 04-93-75-87-67).
Repartir du lac de Fontmerle en revenant au chemin du canal. Ne pas s'y engager mais partir à droite sur une petite route sinueuse et très étroite. Très belle chapelle du XVIIe siècle à gauche, avec une superbe allée de cyprès. La maison qui la jouxte était celle de Picasso. Continuer à descendre la route sur 20 m et, tout de suite à gauche, prendre le chemin bétonné qui ramène au canal. Le suivre alors (à droite) pour revenir à la voiture.

GRASSE

(06130) 44 800 hab.

À 17 km de Cannes, la capitale mondiale de la parfumerie s'étage langoureusement sur les premiers contreforts des Alpes provençales. Une vieille ville pittoresque datant du VIIe siècle – des familles entières, fuyant la côte et ses envahisseurs, trouvèrent refuge ici – attend toujours le prince charmant qui voudra bien aujourd'hui la réveiller de sa longue léthargie. Déjà, des travaux d'aménagement importants ont tenté de redonner vie au centre (rénovation des placettes, accueil d'artistes dans d'anciennes boutiques, etc.).

Mais il faudra beaucoup de temps et d'argent pour sauver des immeubles qui semblent abandonnés depuis plusieurs décennies par les Grassois, partis se mettre au vert en dehors.

A priori, la ville doit son nom à sa terre « grasse » qui favorise depuis longtemps la culture des fleurs. Ces fleurs qui collent à son image au-delà même de la réalité quotidienne, et font apparemment toujours autant rêver les visiteurs attirés par un climat exceptionnel, très efficace contre l'asthme, et fin prêts pour des balades superbes dans l'arrière-pays. Suivez le flot des automobilistes doublement déroutés par le nouveau sens de circulation, garez votre voiture dans un parking souterrain (sinon, vous n'avez pas fini de tourner en vain autour du centre-ville) et partez... le nez au vent !

➢ Pour se rendre à Grasse, cars réguliers de la gare de Cannes.

Adresse utile

i ***Office du tourisme :*** palais des congrès. ☎ 04-93-36-66-66. Fax : 04-93-36-03-56. • www.ville-grasse.fr • Du 1er juillet au 15 septembre, ouvert du lundi au samedi de 9 h à 19 h et le dimanche de 9 h à 12 h 30 et de 13 h 30 à 18 h ; du 16 septembre au 30 juin, ouvert du lundi au samedi de 9 h à 12 h 30 et de 13 h 30 à 18 h, fermé le dimanche. Demander le plan historique de la ville, très clair. Fournit des lecteurs laser portables (location à la journée : 3 €, soit 20 F) pour une visite commentée de la ville trois fois par semaine.

Où dormir ?

Hôtel Panorama : 2, pl. du Cours. ☎ 04-93-36-80-80. Fax : 04-93-36-92-04. Parking payant à 50 m. Doubles de 48,80 à 75,45 € (320 à 495 F). Hôtel à l'architecture plutôt banale, mais ayant l'avantage d'être central et récent. Chambres modernes, avec TV, téléphone, minibar, balcon avec vue sur la ville et la campagne environnante. Les chambres donnant sur le jardin sont toutes avec douche et w.-c. ; celles au sud disposent d'une baignoire. Accueil agréable. Sur présentation du *GDR*, 10 % de réduction sur le prix de la chambre sauf en juillet et août.

Hôtel-pension Sainte-Thérèse : 39, av. Y.-E.-Baudoin (route Napoléon). ☎ 04-93-36-10-29. Fax : 04-93-36-11-73. De la gare routière, prendre le boulevard du Jeu-de-Ballon, puis tourner à droite direction Digne et Saint-Vallier ; c'est à 15 mn de marche sur l'avenue Baudoin. Fermé du 20 octobre au 20 novembre. De 38,10 € (250 F) la chambre double avec douche et w.-c. à 44,21 € (290 F) avec bains. Une maison tenue par des religieuses, très bien située, avec une vue imprenable sur Grasse, le golfe de La Napoule et, au loin, les îles de Lérins. Chambres toutes simples mais spacieuses et très propres. Salons, bibliothèque, jardin, magnifique terrasse et.... chapelle (!) sont à votre disposition. Clientèle plutôt âgée, bien sûr, mais voilà une adresse économique et sûre !

Hôtel des Parfums : bd Eugène-Charabot. ☎ 04-92-42-35-35. Fax : 04-93-36-35-48. Fermé de novembre à janvier. Chambres doubles de 64 à 121,20 € (420 à 795 F). Menus de 13,70 à 36,60 € (90 à 240 F). Un hôtel qui pourrait être tout à fait charmant, vu son emplacement privilégié au-dessus de la ville, mais qui se contente pour l'instant d'être fonctionnel avec ses 70 chambres et sa salle de restaurant prévue pour accueillir des cars entiers. Idéal pour qui voudrait s'arrêter une nuit à Grasse, profiter de la vue et de la terrasse, et goûter au restaurant à des plats typiques comme le *fassum* (chou farci à la grassoise) ou le lapin à la provençale. Pour nos lecteurs, remise de 10 % sur le prix de la chambre sauf en août et en période de congrès, et apéritif maison ou café offert.

Où manger ?

Bon marché

🍽 ***Le Gazan :*** 3, rue Gazan. ☎ 04-93-36-22-88. Fermé le dimanche et le soir hors saison (sauf les vendredi et samedi). Congés annuels du 15 décembre au 4 janvier. Menus de 14,50 à 25,15 € (95 à 165 F). Notre œil a été attiré par les parasols qui protègent la terrasse. Force est de constater que la salle n'est pas mal non plus. On s'y sent bien, dans une ambiance amicale et gentille. Les plats, à l'image du lieu, permettent de découvrir des saveurs simples et agréables : poêlée de Saint-Jacques au fumet de crustacés, fricassée de cagouilles à la crème de cerfeuil...

Où manger dans les environs ?

🍽 ***Le Relais de la Pinède :*** route de La Roquette (D409), 06370 Mouans-Sartoux. ☎ 04-93-75-28-29. Fermé le mercredi hors saison et le dimanche soir ainsi que 15 jours fin novembre et 15 jours début février. Menus de 15,10 à 25,75 € (99 à 169 F). Étonnant de trouver en pleine Côte d'Azur un resto comme *Le Relais de la Pinède,* version « ma cabane au Canada » avec bruitage de cigales : la déco est feutrée, le service pro, et de plus, il y en a pour toutes les bourses... et pour tous les goûts, de la cassolette de Saint-Jacques à la tête de veau. Carte des vins assez chère.

À voir. À faire

★ ***La vieille ville :*** à partir de la *place aux Aires,* aménagée au XVe siècle, où il est agréable de prendre un verre à la fraîche, un lacis de ruelles révélant de jolies demeures anciennes et de nobles hôtels particuliers, pas toujours bien conservés, hélas. Voir notamment l'*hôtel Isnard,* du XVIIIe siècle, sur la place aux Aires, et la superbe maison médiévale, rue de l'Oratoire. Plan détaillé des curiosités à ne pas manquer à l'office du tourisme.

★ ***La cathédrale :*** ouverte tous les jours de 8 h 30 (8 h le dimanche) à 11 h 45 et de 14 h 30 à 17 h. Elle date du XIIe siècle et fut restaurée au XVIIe siècle. Construite en calcaire blanc, son style roman provençal est extrêmement dépouillé. À l'intérieur, quelques peintures intéressantes : Rubens (le *Couronnement d'épines* et le *Crucifiement de Notre Seigneur*), Fragonard (*Le Lavement des pieds,* un de ses plus beaux tableaux religieux) et un triptyque de Louis Brea.

★ ***La villa-musée Fragonard :*** 23, bd Fragonard. ☎ 04-93-36-02-71. À l'entrée de la ville, en venant de Cannes, près du parking du cours H.-Cresp. Du 1er juin au 30 septembre, ouvert tous les jours de 10 h à 19 h ; hors saison, ouvert du mercredi au dimanche de 10 h à 12 h et de 14 h à 17 h. Fermé en novembre, ainsi que les jours fériés. Entrée : 3,05 € (20 F) pour les expositions permanentes, 3,80 € (25 F) pour les expositions temporaires. Fragonard, originaire de Grasse, vécut dans cette villa cossue pendant la Révolution française, les commandes de peintures des nobles ayant singulièrement baissé à Paris. Nombreuses toiles, esquisses, dessins et gravures du maître et de sa famille dans un superbe cadre.

★ ***Le musée international de la Parfumerie :*** 8, pl. du Cours. ☎ 04-93-36-80-20. De juin à septembre, ouvert de 10 h à 19 h ; d'octobre à mai, de 10 h à 12 h 30 et de 14 h à 17 h 30. Fermé le mardi en basse saison, ainsi qu'en novembre. Entrée : 3,05 € (20 F) pour les expositions permanentes, 3,80 € (25 F) pour les expositions temporaires. Attention, quelle que soit la parfumerie que vous visitez, le saint des saints ne vous sera pas révélé. Les parfumeurs vous reçoivent dans le salon et pas dans la cuisine. D'une part, parce qu'il y a des secrets de fabrication à préserver ; d'autre part, parce que les vapeurs d'essence omniprésentes dans une usine sont extrêmement incommodantes pour des nez non avertis. Mais les visites sont quand même intéressantes. On y apprend que l'industrie du parfum débute avec celle des gantiers parfumeurs (souvenez-vous du célèbre roman de Patrick Süskind, *Le Parfum*). Toutes les grandes étapes de la fabrication sont dévoilées. Pour votre culture, sachez que presque tous les parfums des grands couturiers sont créés à Grasse.

★ Possibilité de visiter les plus importantes ***parfumeries*** de Grasse et de s'initier aux techniques qui firent le renom de la ville, notamment les maisons *Fragonard, Molinard* et *Galimard.* L'entrée est généralement gratuite mais il y a évidemment une boutique à la sortie. Ce n'est pas un hasard, car ces entreprises vivent essentiellement du tourisme. Pour ceux qui voudraient visiter les industries des grands couturiers, c'est loupé : on ne les visite pas. Ces trois parfumeries sont des musées. Les grandes maisons se trouvent à l'écart de la ville.
C'est au XVIe siècle que la ville découvre sa vocation olfactive. La *rose centifolia,* qui fleurit uniquement à Grasse, a une odeur inimitable. Mais aujourd'hui le secteur des arômes a supplanté celui des parfums, ne parle-t-on pas d'une cuisine parfumée ?
– ***Les ateliers de création :*** depuis quelque temps, les grandes maisons proposent des initiations à ceux qui veulent aller plus avant dans le monde du parfum. Le but n'est pas de devenir un « nez » (il faut une dizaine d'années), mais on aiguisera vos sens et vous pourrez même créer votre parfum. Vous repartirez avec et, si cette création vous plaît, la formule étant conservée, vous pourrez faire fabriquer à loisir votre fragrance à vous. Sympa !

★ ***Le musée d'Art et d'Histoire de la Provence :*** 2, rue Mirabeau. ☎ 04-93-36-01-61. Du 1er juin au 30 septembre, ouvert tous les jours de 10 h à 19 h ; hors saison, ouvert tous les jours sauf le mardi de 10 h à 12 h 30 et de 14 h à 17 h 30. Fermé en novembre, ainsi que les jours fériés. Entrée : 3,05 € (20 F) pour les expositions permanentes, 3,80 € (25 F) pour les expositions temporaires. Dans une magnifique demeure du XVIIIe siècle ayant appartenu à la sœur de Mirabeau, riches collections de faïences, meubles, costumes, outils, santons...

★ ***Le musée de la Marine :*** 2, bd du Jeu-de-Ballon. ☎ 04-93-40-11-11. En été, ouvert tous les jours de 10 h à 18 h ; hors saison, du lundi au samedi de 10 h à 12 h et de 14 h à 18 h. Fermé les 15 premiers jours de novembre. Entrée : 3,05 € (20 F). Un musée consacré à la vie et à la carrière de l'amiral de Grasse, qui participa à la guerre d'indépendance des États-Unis. 30 maquettes de navires sont exposées dans les salles voûtées.

★ ***Le musée du Costume et du Bijou :*** hôtel de Clapiers-Cabris, 2, rue Jean-Ossola. ☎ 04-93-36-44-65. Ouvert tous les jours de 10 h à 13 h et de 14 h à 18 h. Entrée gratuite. Un temps tribunal révolutionnaire, cette demeure de la marquise de Cabris, sœur de Mirabeau, abrite désormais une charmante collection particulière de costumes et bijoux provençaux des XVIIIe et XIXe siècles. Boutique de souvenirs.

Achats

🛍 ***Grasse Bonbon :*** dans la même rue, un magasin connu pour ses fruits confits, et tout spécialement pour ses violettes.
🛍 ***Huilerie Autran :*** rue Mougins-Roquefort. ☎ 04-93-36-03-23. Aimé Baussy, fabricant-négociant, a su sélectionner les bons produits du coin (huile d'olive de Spéracèdes, savons, etc.) et vous racontera volontiers les différentes étapes de fabrication de l'huile.

Fêtes et manifestations

Bien sûr, on peut acheter dans toutes les parfumeries parfums, savons et autres babioles. Mais on peut aussi profiter des différents marchés de la ville.
– ***Marché aux fleurs :*** tous les matins sauf le lundi, sur la place aux Aires. Roses, œillets, etc.
– ***Marché provençal :*** sur cette même place, tous les matins également. Intéressant pour ses fruits confits et ses épices. Sur la place du Cours, en été, une fois par semaine.
Deux grandes manifestations pour les amoureux des fleurs :
– ***Expo Rose :*** le 1er week-end de mai. À cette occasion, 30 000 roses, en provenance de France et d'Italie, à découvrir dans les jardins de la villa-musée Fragonard.
– ***Fête du Jasmin :*** le 1er week-end d'août. Grande fête avec un corso qui donne à Grasse un parfum de ville heureuse.

➤ *DANS LES ENVIRONS DE GRASSE*

★ ***L'espace de l'Art concret :*** dans le château, 13, place Suzanne-de-Villeneuve, 06370 ***Mouans-Sartoux.*** ☎ 04-93-75-71-50. Ouvert tous les jours de 11 h à 18 h (19 h de juin à septembre). Entrée : 2,30 € (15 F). Un espace culturel intéressant, installé dans un beau château remarquablement rénové au XIXe siècle et mis en valeur par la municipalité de Mouans. On notera sa forme triangulaire particulière et peu commune. Des expos temporaires d'art constructif et concret (3 par an) sont conçues avec un réel parti pris didactique (visites guidées pour les groupes et particuliers – ici, on vous bichonne – si les conditions le permettent).

CABRIS

(06530) 1 510 hab.

Un village de crèche provençale s'étalant
au bon soleil du Midi,
tel un lézard sur le plan d'un vieux mur.

R. Dufour

À 6 km de Grasse, sur la route de Saint-Cézaire, par la D 11. Vieux village surplombant la région avec une vue à couper le souffle, qui plonge sur un tapis de verdure piqueté, çà et là, des taches ocre et bleues que sont les villas et leurs piscines. Beaucoup d'écrivains s'y sont implantés, comme Camus, Gide et Saint-Ex. Très touristique, bien entendu. Monter aux *ruines du château* pour le panorama, de Nice aux contreforts de Toulon. Le village vaut aussi le détour pour son *église,* particulière car dépourvue de transept, et le point de vue sur le lac de Saint-Cassien. Les habitants de la Côte aiment s'y rendre le week-end et il n'est pas rare que les Anglais de Sophia-Antipolis jouent au cricket sur le grand pré (vision pour le moins surréaliste, il faut bien l'avouer). Plusieurs lieux portent le nom de Saint-Exupéry, la mère de l'aviateur y ayant longtemps séjourné.

Adresse utile

Syndicat d'initiative : ☎ 04-93-60-55-63.

Où dormir ? Où manger ?

L'Auberge Le Vieux Château : place du Panorama. ☎ et fax : 04-93-60-50-12. Fermé les lundi et mardi de septembre à juin, lundi et mardi midi en juillet et août. Chambres doubles de 60 à 100 € (394 à 656 F) avec douche et w.-c. Menus de 24 € (157 F), le midi en semaine, à 39 € (256 F). Un restaurant charmant, construit dans les ruines du vieux château, qui possède aussi 4 chambres, décorées avec goût. Grande salle de restaurant et vaste terrasse où l'on déguste de bonnes spécialités, comme le filet d'agneau des Alpes cuit en croûte d'herbes fraîches au fumet de thym sauvage, ou le pigeon farci aux noisettes et aux choux. 10 % de réduction sur le prix de la chambre d'octobre à mars (sauf pendant les fêtes) accordés à nos lecteurs.

➤ *DANS LES ENVIRONS DE CABRIS*

★ ***Le domaine des grottes des Audides :*** route de Cabris (D 4), à quelques kilomètres au nord de Cabris. ☎ 04-93-42-64-15. En juillet et août, ouvert tous les jours de 10 h à 18 h, visite guidée à partir de 10 personnes ; le reste de l'année, ouvert du mercredi au dimanche de 14 h à 17 h. Entre le 1er novembre et le 15 février, téléphoner pour réserver.

C'est en cherchant de l'eau pour sa bergerie (encore un qui avait lu *Jean de Florette*) qu'Herbert Reich a découvert la grotte du Grand-Dôme, ainsi que des vestiges d'un foyer datant du paléolithique au néolithique. Depuis, les lieux ont été aménagés avec le concours de spécialistes, et un musée en plein air présente 15 scènes de la vie préhistorique.

SAINT-VALLIER-DE-THIEY (06460) 2280 hab.

À 12 km au nord-ouest de Grasse, une halte sympathique et une étape gastronomique réputée. Point de départ de nombreuses randonnées, notamment au *pas de la Faye* (point de vue superbe). Vieille église de style roman provençal.

Adresse utile

Office du tourisme : place du Tour. ☎ et fax : 04-93-42-78-00. Ouvert toute l'année du lundi au samedi de 9 h à 12 h et de 15 h à 17 h (18 h en été) et le dimanche de 10 h à 12 h. Bien documenté. Se procurer leur dépliant sur les promenades à faire dans le coin.

Où dormir? Où manger?

Camping

⛺ ***Camping du parc des Arboins :*** sur la N 85. ☎ 04-93-42-63-89. Fax : 04-93-09-61-54. À 1,5 km vers Grasse. Ouvert toute l'année. Compter environ 15 € (100 F) pour l'emplacement, la tente, la voiture (ou la caravane) et 2 personnes. Ombragé. Beau 3 étoiles. Piscine chauffée.

Prix moyens

🏠 🍽 ***Hostellerie Le Préjoly :*** place Rouguière. ☎ 04-93-42-60-86. Fax : 04-93-42-67-80. Fermé le dimanche soir et le lundi toute la journée sauf en juillet et août. Congés annuels en décembre et janvier. Chambres (la plupart avec petite terrasse) de 30,50 à 68,60 € (200 à 450 F) avec douche et w.-c. ou bains. Demi-pension de 77 à 92,25 € (505 à 605 F), obligatoire en été. Premier menu à 15 € (98 F) en semaine; autres menus jusqu'à 29,75 € (195 F). Auberge de charme avec un grand parc sur l'arrière. Sauna et solarium. C'est également et surtout une très belle table. Avant nous, Charles Bronson, Charles Vanel, Bourvil, Claude François, Mireille Darc ont fait honneur à la table (d'accord, ça ne nous rajeunit pas tout ça!). Éventail de fonds d'artichauts, foie gras poêlé, magret de canard au miel, civet de lapereau grand-mère, gibier en saison... Une belle cuisine classique. L'apéritif maison vous sera offert sur présentation du *GDR*.

À voir

★ ***Le Souterroscope de Baume-Obscure :*** ☎ 04-93-42-61-63. Fax : 04-93-42-69-19. De Saint-Vallier, suivre la direction Saint-Cézaire, prendre à droite la route du cimetière, puis continuer sur la route non goudronnée (attention aux amortisseurs !) sur 2 km. Ouvert du lundi au vendredi de 10 h à 17 h et le week-end et les jours fériés de 10 h à 19 h. Entrée : 7,65 € (50 F) ; demi-tarif pour les enfants. Durée de la visite : 1 h. La température constante est de 14 °C. Spectacle son et lumière.

➤ *DANS LES ENVIRONS DE SAINT-VALLIER-DE-THIEY*

★ ***Les grottes de Saint-Cézaire :*** 9, bd du Puits-d'Amon, 06530 Saint-Cézaire. Bien indiqué depuis Grasse. ☎ 04-93-60-22-35. De juin à septembre, ouvert de 10 h 30 à 18 h 30 ; hors saison, de 14 h 30 à 17 h. Entrée : 4,60 € (30 F) ; demi-tarif pour les enfants de 5 à 11 ans. Heureux coup de pioche qui permet aujourd'hui de découvrir, sur 200 m, ces grottes célèbres pour leur extraordinaire coloration rouge.

★ ***Le plateau de Caussols :*** voir les circuits autour de Vence dans le chapitre « Les gorges du Loup ». Si vous voulez revenir sur la côte sans retraverser Grasse, une route superbe vous ramènera à travers le plateau de Caussols jusqu'au pied de Gourdon en direction d'Opio et Valbonne. Un joli moment d'émotion, avant-goût de ce qui vous attend, quand vous partirez, d'ici quelques pages et avec quelques kilomètres au compteur en plus, dans l'arrière-pays vençois.

Randonnées pédestres

Deux balades faciles et sympas, à buts culturels.

➢ ***La balade du col Ferrier jusqu'à l'oppidum :*** belle balade facile. Durée : 2 h aller-retour. Très bon balisage jaune d'abord, orange ensuite. Sortir de Saint-Vallier-de-Thiey par la route Napoléon et tourner tout de suite à droite vers Caussols. S'arrêter au col du Ferrier et s'y garer.

Prendre le chemin qui grimpe perpendiculairement à la route et tourner tout de suite avant la montée très raide. Le chemin, à flanc de montagne au milieu des lavandes, des pins et d'énormes touffes de genêt, est cimenté dans le tournant et sur le tronçon pentu. Belle vue sur le plateau de Saint-Vallier. Quitter le chemin principal et contourner la barrière cadenassée qui se trouve à gauche. Grimper un moment face à la montagne. À droite, borie (hutte de berger en pierre sèche, ronde et conique) dans une propriété privée. Passer une 2e barrière métallique et laisser les poteaux électriques à main droite, pour les retrouver sur la gauche après avoir traversé un petit radier. Passer ensuite devant une bergerie new look (volets alu !) sur ce beau chemin large et gazonné qui suit le flanc de la montagne. Énormes genévriers (baies noires) sur les abords et bel érable de Montpellier à gauche (feuille à 3 lobes), ainsi que de larges murs sur le même côté. On arrive ensuite à une petite clairière en gazon entre deux érables, idéal pour une sieste ou un casse-croûte (garder ses emballages !). Plus loin, après une très jolie bergerie restaurée, une autre clairière. Le chemin pénètre ensuite dans la propriété de Malle, délimitée par une barrière. À éviter car c'est privé !

Suivre plutôt la grosse flèche en pierre réalisée à même le sol, qui vous fait quitter le chemin et partir sur un petit sentier. Traverser une ancienne pâture et faire l'ascension de la colline en passant dans un bosquet, sur un sentier de cailloux très bien balisé. Et c'est l'arrivée aux deux rochers en nids d'aigle surmontés par l'oppidum fait par une tribu celto-ligure autour de l'an 300 avant J.-C. Belle muraille imposante qui domine d'un côté les chaînes montagneuses (côté Saint-Vallier) et de l'autre une très belle plaine surplombée par le château de Malle, avec en toile de fond la mer, Nice et le cap Ferrat. La redescente se fait par le même chemin.

➢ ***La pierre druidique :*** balade sympa. Durée : 1 h aller-retour. En sortant de Saint-Vallier, après la station-service, prendre la route en direction de Saint-Cézaire, à gauche. Au bout de 1 km, quitter la route principale juste avant le garage pour tourner à gauche vers le *collet d'Assou* et continuer jusqu'à croiser l'avenue Séverine. Une croix en fer forgée noire marque le carrefour où se garer.

Prendre alors le chemin le plus à droite (balisage jaune). Très joli paysage de pâtures clôturées de murets en pierre sèche avec des chênes-lièges. À la patte d'oie, prendre à gauche. Sur la droite, maison en bois. À l'embranchement suivant, prendre le chemin de droite, bordé d'érables champêtres et de chênes verts. Remarquer l'arbre à perruque, qui se reconnaît à ses feuilles rouges en automne et à son duvet de coton blanc en hiver. Passer au milieu de deux grands champs (dans celui de gauche, un cairn). Laisser le chemin de droite qui passe entre deux piliers vers une propriété privée et continuer sur 30 m. Le sentier qui part alors sur la gauche conduit (à 50 m) à la pierre druidique, un énorme monolithe de calcaire qui s'est lentement érodé au fil des siècles et a pris l'apparence d'un « T » gigantesque (renforcé au ciment pour éviter tout risque). Le retour s'effectue par le même chemin.

VALBONNE

(06560) 11 200 hab.

On aime beaucoup ce village au plan en damier inspiré des plans de ville romains et qui fut reconstruit par les moines de Lérins. La « ville à la campagne » accueille aujourd'hui bon nombre d'Anglais travaillant sur le site de Sophia-Antipolis.

Adresse utile

i ***Office du tourisme :*** 1, pl. de l'Hôtel-de-Ville. ☎ 04-93-12-34-50. Fax : 04-93-12-34-57. Un peu loin du centre, sur la route de Cannes. De mi-juin à mi-septembre, ouvert du lundi au vendredi de 9 h à 18 h, le samedi de 9 h à 12 h 30 et de 15 h à 18 h, et le dimanche de 9 h à 12 h 30 ; de mi-septembre à mi-juin, ouvert du lundi au vendredi de 9 h à 17 h et le samedi de 9 h à 12 h 30, fermé le dimanche. Très bien documenté.

Où manger ?

|●| ***La Fontaine aux Vins :*** 3, rue Grande. ☎ 04-93-12-93-20. Fermé le mercredi sauf en saison. Compter autour de 15 € (100 F) à la carte. Dans le vieux Valbonne, un lieu de vie qui continue d'offrir aux habitués tartines originales et petits plats mijotés, accompagnés de vins sélectionnés à prix sympathiques. Son originalité : les *tapas* provençales. Si vous voulez goûter à la bière blanche de Nice, à de bons coteaux-du-bellet, achetez les produits d'Olivier and Co, ou des confitures originales, ne vous privez pas, surtout ! La boutique jouxte le restaurant. Cadre et service simples. En fin de semaine, animation musicale avec orchestre et tout. Café offert à nos lecteurs.

|●| ***L'Auberge Fleurie :*** 1016, route de Cannes. ☎ 04-93-12-02-80. Fermé le lundi et le mardi. Congés annuels de décembre à janvier. Menus à 19,80, 25,90 et 29 € (130, 170 et 190 F). Grandes glaces à l'intérieur et glycine au dehors. Dans ce décor agréable, on vous servira, avec le sourire, croustillant de lisette tiède en ratatouille, feuilleté chaud de lapin en salade, filet de loup à l'unilatérale... Cuisine discrètement ensoleillée, faite avec de beaux produits et des saveurs qui restent simples. Une clientèle composée de nombreux fidèles, ce qui est toujours bon signe. Apéritif maison ou café offert à nos lecteurs.

Où manger dans les environs ?

|●| ***Le Mas des Géraniums :*** quartier San Peyre, 06650 Opio. ☎ 04-93-77-23-23. Fermé le mercredi toute la journée et le jeudi midi en juillet et août, le mardi et le mercredi toute la journée hors saison. Congés annuels de mi-hovembre à mi-janvier. Menus à 23, 30 et 37 € (151 et 243 F). Une bastide aux volets bleus que l'on découvre parmi des oliviers, une terrasse-jardin où l'on se tient bien (à table)... Une belle adresse recommandée par les gens du pays qui ont trouvé leur bonheur avec ce couple venu de Bourgogne leur proposer une cuisine n'ayant rien de vraiment local : escargots en coquille, marengo de poulet aux écrevisses... Idéal pour s'offrir un repas de grande qualité, à des prix évidemment à la hauteur des prestations offertes.

À voir

★ ***La place des Arcades :*** entourée de maisons à arcades surbaissées, sous lesquelles passe la rue.

★ ***L'église romane :*** en bas du village, au bord de la rivière, précédée d'une terrasse. C'est l'église de l'ancienne abbaye. Une partie de ses bâtiments accueille un ***musée des Arts et Traditions populaires.*** ☎ 04-93-12-96-54. De mai à septembre, ouvert tous les jours sauf le lundi, de 15 h à 19 h; d'octobre à avril, le week-end de 14 h à 18 h. Entrée : 1,50 € (10 F). Cartes postales, outils racontant la vie d'autrefois de la ville et du canton. Il est à présent possible de visiter l'église et l'abbaye (un des rares exemples d'architecture chalaisienne) sur rendez-vous. ☎ 04-93-12-15-72.

★ ***La vieille fontaine et l'abreuvoir,*** devant la mairie.

★ ***L'hôtel de ville,*** du XIXe siècle, et le ***moulin des Artisans.***

Fêtes et manifestation

– ***Fête de la Saint-Blaise, du Raisin et des Produits du terroir :*** à Valbonne, le dernier week-end de janvier et le 1er week-end de février. L'occasion de manger du raisin servan, raisin tardif dont la particularité est de se conserver à l'état frais : on plonge les sarments dans des bocaux, les grappes pendant à l'extérieur, le tout à 5 °C. Une façon astucieuse qu'avaient trouvée les anciens pour déguster du raisin frais à Noël, où il entrait dans les 13 desserts. Production réduite, le terroir étant constitué des seules communes de Valbonne, Plascassier, Opio et Biot.
– ***Brocante :*** le premier dimanche de chaque mois.

➤ *DANS LES ENVIRONS DE VALBONNE*

★ *OPIO (06650)*

Petit village spécialisé dans la culture des fleurs à parfum. Vieux moulin à huile. C'est sur la route d'Opio à Valbonne que *Coluche* trouva la mort; une croix constamment fleurie rappelle cette disparition à la hauteur de la pépinière *Nova Jardin,* la région Provence-Côte-d'Azur ayant refusé d'accueillir la statue du généreux organisateur des *Restos du cœur.* On a honte pour ces politiciens. C'est à Opio également que le photographe *Lartigue* finit ses jours.
Le *Club Méditerranée* y a installé un village. Possibilité d'y passer une journée, de 10 h à 18 h, au milieu d'oliviers centenaires, incluant le déjeuner et différentes activités sportives, la salle de fitness, le sauna, le hammam et les piscines extérieure et intérieure. Renseignements : ☎ 04-93-09-71-53 ou 04-93-09-71-00. Pour séjourner une ou plusieurs nuits : ☎ 0810-810-810.

★ *SOPHIA-ANTIPOLIS*

Les qualificatifs sont nombreux pour décrire ce complexe implanté dans la zone boisée au sud-est de Valbonne : « cité internationale de la sagesse, des sciences et des techniques », « surgénérateur de créativité scientifique », « réplique de Silicon Valley », etc.
L'homme à l'origine d'une telle réalisation, *Pierre Laffitte,* persuadé de l'avenir de la télématique, fut frappé en voyant IBM s'installer à La Gaude, audessus de Cagnes. Les Américains étaient séduits par la proximité d'un

aéroport international et par la région, particulièrement attrayante. Plus tard, Texas Instruments crée un centre de recherches à Villeneuve-Loubet... Le modèle américain des zones (Silicon Valley) où les petites sociétés de haute technologie poussent comme des champignons fait son chemin... Sous l'impulsion de Pierre Laffitte, de la DATAR et de la chambre de commerce de Nice, on achète en 1972 quelque 2400 ha de bois afin d'y implanter des entreprises. Les laboratoires des grandes écoles s'y installent, le centre mondial de réservations d'Air France est fixé ici, Télésystèmes y crée la plus grande banque de données d'Europe.
Actuellement, environ 18000 personnes travaillent à Sophia-Antipolis dans les domaines les plus performants, des télécommunications à la biotechnologie. Un parc de sports et de loisirs a été dessiné.
Fort de son succès, le site ne cesse de s'étendre. Le centre de réservation *Amadeus* de cinq grandes compagnies aériennes a vu le jour, ainsi qu'un centre de communication avancée, unique au monde.

GOLFE-JUAN (06220) 25900 hab. avec Vallauris

Retour sur la Côte d'Azur. On aurait pu commencer par Vallauris, puisque c'est sur le chemin et la même commune, mais on s'est dit que vous auriez peut-être envie d'aller d'abord jouer les Don Juan à Golfe-Juan. Une petite ville où, trop souvent, on ne fait que passer, par la N 7 ou la route du bord de mer. Et pourtant Golfe-Juan avec ses belles petites plages, ses deux ports et la vue sur les îles de Lérins d'un côté et le cap d'Antibes de l'autre, mérite au moins un arrêt.

UNE STATION RENOMMÉE

Nombreuses sont les personnalités qui séjournèrent à Golfe-Juan. La plus célèbre fut bien sûr *Napoléon Ier* qui débarqua ici le 1er mars 1815, quand la rade était encore un mouillage naturel, avec quelques cabanes de pêcheurs et des hangars à poterie (eh oui, déjà !). Une stèle rappelle cet événement sur la route du bord de mer. Plus loin, sur la N 7, à l'angle avec le CD 135 qui va à Vallauris, une colonne surmontée d'un buste (classée monument historique après avoir subi pas mal d'ennuis aux lendemains de Waterloo et sous la Commune !) rappelle également cet événement ; elle est le point de départ de la fameuse « route Napoléon » (la première route touristique à caractère historique !). En 6 jours, Napoléon et ses troupes réussirent à aller de Golfe-Juan à Digne. Ils évitèrent ainsi les troupes de Marseille et la ville d'Antibes, royalistes à l'époque, et renversèrent la monarchie constitutionnelle de Louis XVIII.
Chaque année, vous pouvez à votre tour revivre ces heures glorieuses, le temps d'un week-end de mars, aux côtés des Vallauriens (plutôt bons, ici) et Golfe-Juanais costumés en l'occurrence pour accueillir l'Empereur. 150 figurants, des expos, des animations, des menus napoléoniens évoquant ses batailles : salade Albufera, noisette d'agneau Rivoli, poulet Marengo, gâteau Frascatti ! Renseignements à l'office du tourisme.
Une évocation qui n'a certes rien à voir avec les souvenirs de *Chateaubriand* ou *Victor Hugo* qui vinrent ici en pèlerinage. Témoignage de Victor Hugo en 1839 : « Je me suis arrêté et j'ai contemplé cette mer qui vient mourir doucement au fond de la baie sur un lit de sable au pied des oliviers et des mûriers et qui a apporté là Napoléon. »
Plus tard encore, c'est *Juliette Adam,* femme de lettres renommée à l'époque, qui y fit construire une villa, « Bruyères », et lança ainsi la station. De

nombreux écrivains et hommes politiques séjournèrent chez elle : *George Sand* (en 1868), *Gambetta, Thiers,* l'éditeur *Hetzel, Pierre Loti,* etc.

Adresse et info utiles

i ***Office du tourisme :*** parking du Vieux-Port. ☎ 04-93-63-73-12. Fax : 04-93-63-95-01. En été, ouvert tous les jours de 9 h à 19 h ; hors saison, du lundi au vendredi de 9 h à 12 h et de 14 h à 18 h, et le samedi de 14 h à 18 h.

➢ ***Autocars :*** pour *Cannes* et *Nice,* toutes les 20 mn. Pour *Vallauris,* tous les quarts d'heure.

Où dormir ?

Hôtel California : 222, av. de la Liberté. ☎ 04-93-63-78-63. À 800 m de la gare, sur la N 7, près du bord de mer. Fermé pendant les vacances de la Toussaint. Chambres doubles de 23 à 45 € (151 à 295 F) selon le confort. Maison des années 1930 en retrait de la nationale. On l'imagine lorsqu'elle était seule ici, il y a bien longtemps. Transformée en hôtel, on y dort dans de jolies chambres et on oublie le temps qui passe. 10 % de remise sur le prix des chambres à partir de 2 nuits sauf en juillet et août pour nos lecteurs sur présentation du *GDR*.

Le Palm-Hôtel : 17, av. de la Palmeraie. ☎ 04-93-63-72-24. Fax : 04-93-63-18-45. • www.palmhotel.fr • Chambres doubles de 42,70 à 73,20 € (280 à 480 F). Évidemment, il y a la N 7 qui passe à côté et qui fait aujourd'hui plus déchanter que chanter. Mais cette vieille maison, à l'ombre des palmiers et de plantes qu'on qualifie toujours d'exotiques, a bien du charme, et ses propriétaires ne manquent pas de sens de l'accueil. Chambres arrangées de telle sorte que l'on croit que c'est un style. Terrasse. 10 % de réduction accordée sur le prix de la chambre du 10 janvier au 15 mars et du 25 septembre au 20 décembre sur présentation du *Guide du routard.*

Où manger ?

|●| ***Restaurant Bruno :*** 27, av. Roustan. ☎ 04-93-63-72-12. Sur le port. Fermé le dimanche soir et le lundi sauf de mi-juin à mi-septembre. Congés annuels de novembre au 20 décembre. Menus à 14,50 et 23,70 € (95 et 155 F). À la carte, compter autour de 25 € (170 F). Dans un cadre agréable avec fontaine à aubes dans le jardin, vous dégusterez une bonne cuisine provençale : bouillabaisse, soupe de poisson, petits rougets du pays flambés au pastis. Bon rapport qualité-prix pour ce grand classique de la ville, qui a conservé l'enseigne d'un précédent propriétaire. Plus agréable le soir pour l'ambiance. Apéritif maison offert à nos lecteurs.

|●| ***La Taverne :*** 45, av. des Frères-Roustan. ☎ 04-93-63-72-14. Sur le port. Fermé le dimanche soir et lundi hors saison. Congés annuels en janvier. Menus à 19,70 et 27,30 € (129 et 179 F). Un très bon restaurant de poisson, sans prétention excessive, à des prix justes, et qui ne triche pas avec les produits. Plutôt que le menu régional, offrez-vous celui du Port, avec la petite friture de Méditerranée sauce antiboise ou la grosse raviole aux fruits de mer dans son bouillon de légumes au pistou, et bien sûr la daurade cuite au four, façon Golfe-Juan. La salle à manger ne vous laissera pas de souvenirs impérissables, mais avec un peu de chance vous trouverez peut-être de la place en terrasse.

Où faire de la plongée sous-marine ?

■ ***Golfe Plongée Club*** **:** port de Golfe-Juan, quai Napoléon. ☎ 06-09-55-73-36 ou 04-93-64-22-67. ● www.members.aol.com/golfeplong ● Ouvert de mars à décembre ; tous les jours d'avril à octobre. Équipé d'un compresseur à bord, le *Souvenez-vous,* gros chalutier de plongée de l'école (FFESSM, ANMP), vous emmènera vers des aventures sous-marines inoubliables ! Les deux responsables – Claude Quas et Bernard Natoli –, entourés de moniteurs brevetés d'État, assurent baptêmes, formations jusqu'au niveau IV, stages d'initiation à la biologie marine et explorations des meilleurs spots du coin (voir « Nos meilleurs spots » à Cannes). Équipement complet fourni. Forfait dégressif pour 6 ou 12 plongées. Réservation souhaitable. Excellente ambiance à bord.

VALLAURIS (06220) 25900 hab. avec Golfe-Juan

Vallauris, dont l'histoire est très terre à terre, est située à 2 km au nord-ouest de sa sœur siamoise, Golfe-Juan, la méditerranéenne, leur histoire commune tenant à une particularité géographique : le vallon de l'Issourdadou qui les a préservées d'une urbanisation en continuité.

Vallauris, comme Rome, est entourée par 7 collines. Célèbre grâce à Picasso qui y vécut quelque temps et donna un nouveau souffle à la poterie, activité traditionnelle de la ville, en faisant d'un artisanat à vocation culinaire un véritable art décoratif, elle accueille aujourd'hui tous ceux et celles qui viennent en pèlerinage sur la tombe de *Jean Marais,* dont les œuvres sont elles aussi l'objet d'une exposition permanente dans sa galerie, en attendant d'entrer au musée.

Vallauris vaut mieux que l'image que vous pourriez en avoir une fin d'après-midi d'été, perdu dans une foule ne faisant pas toujours la différence entre les artistes, vivants ou morts, qui ont vitrine sur rue et les magasins vendant des œuvres alimentaires au sens strict, qui auront du mal à passer à la postérité (quoique !).

À Vallauris se tient désormais une *biennale internationale de céramique d'art,* et quelque 200 maîtres potiers y travaillent encore selon les techniques traditionnelles. Un autocollant apposé sur les vitrines permet aux visiteurs d'identifier les artisans qui se sont engagés à signer une charte de qualité qui n'est certes pas la panacée mais une initiative commerciale bienvenue. Quant aux artistes les plus célèbres, ceux qui sont représentés au musée de la Céramique à Sèvres comme ceux qui ont depuis longtemps pignon sur rue ici, vous apprendrez vite à connaître leurs noms (et leurs prix !) : Roger Collet, Gilbert Portanier, Roger Capron, Jean Derval, Yvan Koenig-mosaïques Gerbino, Sassi-Milici, Gilbert Valentin...

UN PEU D'HISTOIRE

Dès l'occupation romaine, on travaillait l'argile à Vallauris. En 1501, alors que la population avait été décimée par la peste, on fit venir, pour repeupler le village, 70 familles génoises parmi lesquelles se trouvaient des artisans potiers. Ces familles reconstruisirent Vallauris et la dotèrent de rues en damier dont on voit encore aujourd'hui le témoignage.

PICASSO ET VALLAURIS

En 1946, Picasso, qui résidait à Golfe-Juan avec sa famille, fit la connaissance de Georges et Suzanne Ramié, propriétaires de la fabrique *Madoura;* sur leur invitation, il vint les voir, s'intéressa vivement au travail des potiers et promit de revenir. Il revint effectivement et se passionna aussitôt pour la céramique. Certains jours, il réalisait jusqu'à 25 pièces. L'artiste s'installa alors à Vallauris dans une maison très simple, « La Galloise ». Cocteau, visitant la demeure, ironisa sur le « faste pauvre » de l'endroit, ce à quoi Picasso répondit : « Il faut pouvoir se payer le luxe pour le mépriser. » À partir de 1949, Picasso délaissa quelque peu la céramique pour la peinture, et en 1951 la municipalité de Vallauris proposa à l'artiste de décorer la chapelle désaffectée du prieuré de Vallauris. Picasso accepta et réalisa en 1952 une immense fresque, *Guerre et Paix,* en un temps record. On alla même jusqu'à prétendre qu'un peintre en bâtiment n'aurait couvert pareille surface en si peu de temps...

Après tant de travail consacré à Vallauris, Picasso fut nommé citoyen d'honneur. En 1955, il quitta Vallauris pour Cannes, puis Mougins, mais il resta très attaché à Vallauris. Pour ses 90 ans, la municipalité organisa une fête populaire à laquelle il refusa de participer en disant : « Je veux bien assister à votre spectacle, mais je ne veux pas être votre spectacle ». Il regarda la fête de chez lui, à la télévision...

FÊTES TRADITIONNELLES

Pour ceux qui n'ont pas les mêmes soucis de renommée et aiment assister à des manifestations locales typiques, en été, à la mi-juillet, Vallauris, décorée aux couleurs espagnoles, fête sans rancune Picasso au son des *penas*. Et le 2e dimanche d'août, il y a toujours la ***fête des Potiers,*** avec des jeux traditionnels dignes d'Intervilles, tel le *roumpa-pignata* qui consiste, les yeux bandés, à briser avec un bâton, ces fameuses *pignates* (poteries utilitaires non décorées qui servaient à la cuisson des aliments) suspendues dans lesquelles il y a des cadeaux ou... de l'eau et de la farine ! Plus sérieusement, si l'on peut dire, artistes et artisans s'installent dans toute la ville et travaillent devant les visiteurs du jour qui repartent avec les *tarayettes*, ces morceaux de terre du pays façonnés devant leurs yeux pas toujours éblouis.

Adresse utile

- ***Office du tourisme :*** square du 8-Mai-1945. Parking sud. ☎ 04-93-63-82-58. Pensez à vous y arrêter avant d'entrer dans Vallauris, surtout l'été ! Bonne documentation disponible.

Où dormir ?

- ***Hôtel Val d'Aurea :*** 11 *bis,* bd Maurice-Rouvier. ☎ 04-93-64-64-29. Fermé de mi-septembre à début avril. Chambres de 44,21 à 69 € (290 à 400 F) avec douche et w.-c. ou bains. 26 chambres simples et jolies, en plein centre-ville mais très tranquilles. Le patron passe son temps à les repeindre du mieux qu'il peut. La patronne semble tout droit sortie d'un film de Pagnol. Bref, c'est comme si elle vous connaissait depuis toujours. Ambiance, ambiance. Pour le petit déj', il suffit de traverser la rue et d'aller *Au Temps Jadis.* Petit souvenir offert au bout de la 2e nuit pour les lecteurs du guide.

Où manger ?

Bon marché

🍽 ***Restaurant La Tonnelle :*** rue Hoche. ☎ 04-93-64-34-01. Dans une rue perpendiculaire à la rue centrale. Fermé le dimanche et le lundi soir sauf en juillet et août. Menu unique à 16 € (105 F). Plat du jour à 7 € (46 F). Carte autour de 19 € (125 F). Les pizzaiolos italiens proposent à nos ventres affamés pizzas et pâtes fraîches accommodées de mille façons, mais aussi quelques plats bien provençaux. Idéal le midi sous la tonnelle ou en salle, où la fraîcheur est reine. Plus tranquille en mezzanine. Personnel avenant.

🍽 ***Lou Pichinet :*** 16, pl. Jules-Lisnard. ☎ 04-93-64-63-70. Fermé le soir. Menus de 12,20 à 18,30 € (80 à 120 F). Un petit bistrot face à l'espace Jean-Marais, ouvert très tôt, où l'on vient pour le plat du jour : daube, raviolis bolognaise, tripes à la niçoise, petits farcis... Une cuisine du pays, très simple. Mais quel plaisir de traîner sur cette terrasse sympa et conviviale, loin des grands flux touristiques. Apéritif ou digestif maison offert aux lecteurs du *Guide du routard*.

Plus chic

🍽 ***Le Manuscrit :*** 224, chemin Lintier. ☎ 04-93-64-56-56. Le chemin Lintier donne boulevard du Tapis-Vert, dans le centre de Vallauris, et *Le Manuscrit* se trouve à quelque 50 m sur la droite. Fermé le lundi en saison, les dimanche soir, lundi et mardi hors saison. Congés annuels du 18 novembre au 3 décembre ainsi que de mi-janvier au 5 février. Petit menu à 16,75 € (110 F) le midi en semaine ; autres menus de 21,35 à 36,60 € (140 à 240 F). Cette belle maison de pierre grise était un des restaurants préférés de Jean Marais. Ses œuvres trônent dans le jardin et sur les murs déjà chargés de cette ancienne distillerie de parfums devenue l'adresse que l'on rêvait de trouver, au calme, à Vallauris. Idéal pour un repas très terre et mer (du feuilleté de rognons à la marmite du pêcheur, on voyage !). Pour arroser le tout, de bons vins à prix abordables. Et si vous voyez autour de vous des dames d'un âge raisonnable se lever de table pour aller grappiller les cerises ou d'autres fruits mûrs du verger, souriez, car c'est ainsi que ça se passe... au *Manuscrit* ! Apéritif maison offert à nos lecteurs.

À voir

★ ***La place Paul-Isnard :*** elle est ornée de la statue de *L'Homme au mouton,* bronze de Picasso, une des rares statues du maître exposées ainsi en place publique. Dommage que l'environnement commercial ne soit pas à la hauteur. Belle église baroque au clocher roman.

★ ***Le château :*** il s'agit de l'ancien prieuré de Lérins, reconstruit au XVIe siècle. C'est un château carré flanqué de tours d'angle qui abrite deux musées :

– ***le Musée national Picasso :*** ☎ 04-93-64-16-05. En été, ouvert de 10 h à 18 h 30 ; hors saison, de 10 h à 12 h et de 14 h à 18 h. Fermé le mardi et les jours fériés. Entrée : 3,05 € (20 F). Vous y admirerez *Guerre et Paix.* La composition orne la crypte de la chapelle romaine. La Guerre est représentée par un corbillard ; les chevaux tirant le char piétinent les livres, symboles de la civilisation. Le guerrier porte un bouclier où figure une colombe de la paix et une lance en forme de balance, symbolisant la Justice. Sur la paroi

opposée, l'humanité libérée laisse éclater sa joie : des enfants s'amusent, des femmes dansent... La composition du fond représente la fraternité des races.
– ***Le musée Magnelli, musée de la Céramique :*** il renferme, d'une part, des expositions de céramiques dans des salles voûtées ; d'autre part, des toiles d'*Alberto Magnelli,* l'un des pionniers de l'abstraction, au 2e étage. Et tous les deux ans, il accueille, de juin à septembre, la *biennale internationale de Céramique d'art.*

★ ***Le musée de la Poterie :*** rue Sicard. ☎ 04-93-64-66-51. En saison, ouvert de 9 h à 12 h et de 14 h à 18 h ; hors saison, de 14 h à 18 h. Fermé le dimanche matin. Entrée : 2,30 € (15 F). Il présente une reconstitution historique aussi fidèle que possible d'un atelier de potier tel qu'il existait au début du XXe siècle. Intéressant.

★ ***Les rues de Vallauris :*** elles alignent d'innombrables boutiques de céramiques ; quelques belles pièces (rares) mais aussi beaucoup d'horreurs. Difficile d'éviter les deux galeries proposant des œuvres des deux artistes célèbres du pays. La *galerie Madoura,* qui vend des éditions des œuvres de Picasso et d'autres œuvres d'artistes contemporains, est tenue par *Alain Ramié,* le fils des amis de Picasso. La *galerie Jean-Marais,* av. des Martyrs-de-la-Résistance, est dirigée par son amie Nini Pasquali, la femme du potier qui initia Jean Marais à cet art dans lequel il devait trouver une ultime consécration, si l'on en juge par l'abondance, assez surprenante, des œuvres comme des visiteurs.

★ ***La maison de la Pétanque :*** 1193, chemin de Saint-Bernard. ☎ 04-93-64-11-36. Ouvert du lundi au vendredi de 9 h à 12 h et de 14 h à 18 h 30, plus le samedi en été. Entrée : 3,05 € (20 F). Une balade inattendue dans le monde du jeu, qui plaira aux mordus, reconversion maligne d'un fabricant de boules contraint de cesser un jour son activité. Histoire, fabrication, etc. Magasin de vente, boules sur mesure, gravure de boules à votre nom (eh ouais !)...

Achats

Quelques adresses que nous aimons tout particulièrement, où vous devriez trouver votre bonheur.

Nérolium : accès par l'avenue Georges-Clemenceau (le matin) ou celle des Deux-Vallons. ☎ 04-93-64-27-54. C'est la coopérative agricole de la ville. Son nom vient de *néroli* (essence de fleur d'oranger). Grand choix d'huiles d'olive, miels, confitures d'oranges amères (ou bigarades).
Gerbino mosaïque Koenig : 8, av. du Stade. ☎ 04-93-63-77-18. Dans une rue sur la droite en bas de l'avenue Georges-Clemenceau. Vases, assiettes et objets décoratifs en terre mêlée.
Galerie Sassi-Milici : 65 *bis,* av. Georges-Clemenceau. ☎ 04-93-64-65-71. Très beau lieu, avec les œuvres céramiques de Boncompain et vente permanente des œuvres de Roger Capron. Beaucoup de couleurs, une certaine ambiance.
Roger Collet : montée Sainte-Anne. ☎ 04-93-64-65-84. Fermé le dimanche et parfois dans la semaine (mieux vaut téléphoner pour se faire confirmer les jours d'ouverture). Niché à côté de l'église, un lieu assez magique avec un céramiste étonnant d'humilité et de talent, excellent dans le traitement des émaux et sans illusion aucune sur la qualité générale des œuvres présentées en ville.

JUAN-LES-PINS

(06160) 72310 hab. avec Antibes

Quand les milliardaires s'intéressent à une pinède et à une saison d'été...
Tout a commencé en 1881 par une affaire de spéculation immobilière (déjà !). Un banquier, sentant l'engouement qui commençait à naître pour ce qui n'était pas encore « la Côte d'Azur », créa la Société foncière de Cannes et du Littoral. La station était née. Le duc d'Albany, fils de la reine Victoria, s'intéressa très vite à cet endroit paradisiaque, à tel point que Juan-les-Pins faillit s'appeler Albany-les-Pins ! La Société foncière acheta de grands terrains dans ce qui était une splendide forêt de pins. Mais la spéculation ne donna pas les résultats espérés : au début du XXe siècle, ce fut la faillite. Il restait alors huit petits hôtels et deux villas. Que la vie devait être belle ! La guerre de 1914-1918 n'accéléra pas le renouveau, même si le casino, construit en 1908 par un certain Godéon, avait créé un pôle d'attraction dans cette pinède.
C'est alors qu'en 1924, Édouard Baudouin, l'associé de Cornuché, le patron du casino de Deauville, séduit au cinéma par une scène tournée à Miami, se rendit compte que l'Atlantique était bien froid par rapport à cette Côte d'Azur qui commençait à être en vogue. Le casino était en vente. Il l'acheta, y adjoignit un restaurant et fit venir les Dolly Sisters. Carrément ! L'idée a séduit, vu le succès. Et ce fut la rencontre entre Baudouin et Franck Jay Gould, le magnat du chemin de fer américain, tombé amoureux de l'endroit pendant son voyage de noces avec sa troisième femme, Florence. Il voulait acheter Juan-les-Pins. Il s'associa avec Baudouin, fit construire le *Provençal,* immense hôtel de grand luxe, en moins d'un an (en 1927) et lança la saison d'été (à l'époque, on n'y séjournait que l'hiver). Ce fut le début des années de gloire pour Juan, succès teinté de scandale. Pour la première fois, des jeunes femmes enlevèrent leur jupette et se baignèrent en maillot de bain collant. Une révolution ! Tout ce que le monde de l'époque connaissait de célébrités se donna rendez-vous à Juan : les Fitzgerald, Rudolf Valentino, Mistinguett, les frères Warner, Hemingway, la Belle Otero, sans compter les rois, les reines, les maharadjahs... Un seul point commun : ils avaient tous beaucoup d'argent pour s'amuser. Le jazz fit son apparition en Europe à Juan. Ce fut une bombe. Armstrong, Count Basie, Errol Garner et les autres se donnèrent rendez-vous ici.
Et tout recommença après la guerre. Les fils des Américains qui avaient lancé Juan la relancèrent. Les marins de la VIe flotte qui croisait en Méditerranée vinrent s'y distraire. Les fêtes reprirent comme s'il ne s'était rien passé. Les années 1950 vont accélérer le succès de Juan. Sidney Bechet s'y maria. Piaf, Gréco, Eddie Constantine fréquentèrent l'endroit. On y dansait jusqu'au petit matin.

JUAN, D'ABORD UN FESTIVAL

Il se tient au cours de la 2e quinzaine de juillet (réservations par courrier à l'office du tourisme d'Antibes-Juan-les-Pins). Renseignements : ☎ 04-92-90-53-00. Sidney Bechet était tombé amoureux de Juan dont l'ambiance, à l'époque, lui rappelait La Nouvelle-Orléans, et revenait chaque été animer « Le Carrefour de la Joie ». À sa mort, en 1959, l'engouement pour le jazz était devenu irrésistible, comme dit la plaquette de l'office. Dès 1960, le premier festival de jazz en Europe se déroulait dans la pinède Gould. Tous les grands du jazz s'y sont succédé depuis 35 ans : Ella Fitzgerald, Al Jarreau, Fats Domino, Lionel Hampton... Sous les arbres plus que centenaires de la pinède, avec la Méditerranée, les îles de Lérins et l'Estérel pour toile de fond, grands moments d'émotion garantis.

Adresses utiles

i ***Office du tourisme :*** 51, bd Guillaumont. ☎ 04-92-90-53-05. Ouvert toute l'année. En juillet et août, tous les jours de 9 h à 19 h ; de septembre à juin, du lundi au vendredi de 9 h à 12 h et de 14 h à 18 h, et le samedi de 9 h à 12 h.

Gare SNCF : place de la Gare (av. de l'Estérel). ☎ 08-92-35-35-35 (0,34 €/mn, soit 2,21 F).

■ ***Location de vélos et motos :*** *Rent-a-Car*, 122, bd Wilson. ☎ 04-93-67-66-94.

Où dormir ?

Les boutiques sont ouvertes très tard, cafés et boîtes battent le rappel des noctambules et les rues du centre sont animées bruyamment jusqu'à une heure avancée. Mais il y a quand même des endroits où il est possible de se reposer. De plus, ils sont agréables...

Prix moyens à plus chic

La Marjolaine : 15, av. du Docteur-Fabre. ☎ 04-93-61-06-60. Fax : 04-93-61-02-75. Fermé en novembre. Chambres doubles de 33 à 53 € (216 à 348 F) avec douche et w.-c., de 37,50 à 61 € (246 à 400 F) avec bains. Tarifs intéressants à partir de 3 nuits de mi-octobre à mi-mai. Au fond d'un jardin avec des lauriers-roses, dans une rue calme, une grande maison pleine de charme. Chambres agréables, aménagées et décorées avec goût. Ici, pas de numéros, mais des noms : nos préférées sont *l'Escarpolette, la Loggia* et *le Manoir,* mais vous pouvez également dormir à *l'Églantine* ou à *la Frégate.* Parking clos.

Hôtel Christie : rue de l'Oratoire. ☎ 04-93-61-01-98. Fax : 04-93-61-47-52. • hotelchristie@wanadoo.fr • Fermé de mi-octobre à Pâques. Chambres doubles climatisées de 61 à 76,25 € (400 à 500 F). Un immeuble fonctionnel, au nom très nostalgique qu'aurait aimé dame Agatha, chaudement recommandé par des habitués. Idéal pour un court séjour de charme. Même piscine que son grand frère, l'hôtel Sainte-Valérie. Pour nos lecteurs, remise de 10 % sur le prix de la chambre du 15 avril au 15 juin.

Hôtel Sainte-Valérie : rue de l'Oratoire. ☎ 04-93-61-07-15. Fax : 04-93-61-47-52. Fermé du 15 octobre à Pâques. Doubles de 99,10 à 115,85 € (650 à 760 F) avec douche et w.-c., de 120,45 à 146,35 € (790 à 960 F) avec bains. Menu à 22,90 € (150 F). Compter environ 30 € (200 F) à la carte. Un hôtel discret et chic qui vous ravira. Posé dans un quartier très calme de Juan-les-Pins et pourtant à deux pas de la pinède Gould et de la mer. Chambres modernes, mais au décor agréable. Joli petit jardin arboré où il fait bon prendre le frais. Une adresse pour ceux qui veulent faire un séjour en amoureux. La piscine vous fera croire que vous êtes dans un palace de la Côte. Et on peut se restaurer agréablement sous le magnolia ou au bord de la piscine. Sur présentation du *GDR*, 10 % de remise sur le prix des chambres du 15 avril au 15 juin.

Où manger ?

Le Capitole : 26, av. Amiral-Courbet. ☎ 04-93-61-22-44. Pas loin du centre. Fermé le mardi. Congés annuels deux semaines en novembre ou en janvier. Menus de 10 € (66 F), servi jusqu'à 20 h seulement, à 16 € (105 F). Bon rapport qualité-prix pour ses menus connus des habitués : croustillant de Saint-Jacques, confit de canard maison, nougat glacé, pamplemousse soufflé... C'est plutôt correct et ça dure depuis 1956. Apéritif maison offert à nos lecteurs sur présentation de leur *GDR*.

Plus chic

I●I ***Restaurant Le Perroquet :*** av. G.-Gallice. ☎ 04-93-61-02-20. Menus à 22,90 et 27,45 € (150 et 180 F). À la carte, compter autour de 30 € (200 F). Belle salle aux tons rose et bleu pastel, provençale et reposante, et terrasse agréable donnant sur le jardin de la Pinède. Menus dans lesquels le poisson est à l'honneur, comme toujours au *Perroquet,* vous l'avez compris, pas la peine de le répéter. Tarif réduit pour les enfants, et apéritif maison offert sur présentation du *GDR*.

Où boire un verre?

🍸 ***Le Pam Pam :*** 137, bd Wilson. ☎ 04-93-61-11-05. Ouvert très très tard dans la nuit. Fermé du 11 novembre au 20 mars. Orchestres brésiliens qui attirent tous les... Brésiliens de la Côte. Excellents cocktails exotiques. Mais difficile d'y trouver une place (en saison) après 21 h. C'est bondé. Ne manquez pas les accras de morue, ils sont chers mais excellents. Le patron est très fier de son record, car il paraît que c'est ici qu'on en mange le plus en France, DOM-TOM compris. On n'a pas vérifié !

À voir

★ ***Le jardin Exflora :*** av. de Cannes. Ouvert tous les jours, de 9 h 30 à 21 h de juin à la fin août, et 17 h le reste de l'année. Pour se mettre au vert, un jardin public de 5 ha, bienvenu aux heures chaudes. Au cours de votre promenade, vous rencontrerez différentes expressions du jardin méditerranéen. Une belle balade dans le temps et l'espace, idéale pour retrouver la mémoire, depuis la Rome antique jusqu'à l'exubérante Riviera du XIXe siècle.

LE CAP D'ANTIBES

Splendide presqu'île qui sépare Antibes de Juan-les-Pins où, protégés par les pins, se dressent de superbes villas et de luxueux palaces dont le plus que fameux *Hôtel du Cap.* C'est un peu ici qu'est née toute la légende du cap et de Juan-les-Pins. André Sella, perspicace hôtelier italien, racheta, en 1914, la villa Soleil abandonnée depuis près de 50 ans. Il la restaura, en fit un hôtel destiné à une clientèle riche et bourgeoise. Et ce fut le premier à rester ouvert durant tout un été. Il ne devait jamais plus fermer. Hier : Marlène Dietrich, Douglas Fairbanks et Mary Pickford, Gloria Swanson; aujourd'hui : Madonna, Claudia Cardinale, Alain Delon, De Niro, Schwarzenegger... Ils y ont (presque) tous dormi.

Le cap commence (côté Antibes) au petit *port de la Salis.* La plage de la Salis (gratuite) est l'une des plus agréables de la Côte. Quand vous vous baignez, vous avez vue d'un côté sur la riche végétation du cap, les mimosas, les pins, de l'autre sur la masse grise des remparts d'Antibes et de son château, avec en arrière-plan la baie des Anges et les Alpes...

Autant la plage de Juan une fois lancée connut très vite un grand succès, autant, curieusement, les spéculations financières sur le cap d'Antibes furent un échec. C'est ce qui explique le côté protégé de l'endroit. Plus tard, la municipalité d'Antibes, la loi sur la protection des caps et l'omniprésence des associations de défense du cap évitèrent un emploi immodéré du béton.
À la fin du XIXe siècle, l'isolement et la beauté du site attirèrent de nombreux artistes : Anatole France, Jules Verne qui y écrivit *Vingt Mille Lieues sous les mers,* Maupassant, etc. Plus tard, des personnages célèbres s'y fixèrent. Tous ont été séduits par ce coin privilégié où les grandes propriétés sont au milieu de la verdure, difficiles d'accès et donc tranquilles. Le château de la Croë a connu les douces amours du duc de Windsor et de Wallis Simpson. Il fut racheté en 1952 par l'armateur grec Niarchos et il a été détruit par un incendie en 1980. À côté, la villa Eilenroc fut construite en 1867 pour le gouverneur des Indes néerlandaises, par Charles Garnier (celui de l'Opéra !). Elle fut rachetée par la cantatrice Hélène Beaumont en 1927. Elle y fit construire une salle de bains antique pour 180 000 F (plus cher que le prix d'une belle villa à l'époque). La villa est entourée d'un magnifique parc de 11 ha. Léopold II, l'ex-roi d'Égypte Farouk, Onassis, Greta Garbo, Henri d'Orléans... ont séjourné ici. Aujourd'hui, la splendeur (et surtout le système de sécurité) des villas cachées au regard des curieux laisse à penser que des personnages importants et fortunés y résident toujours, ne serait-ce que quelques mois par an.
On peut aussi voir au cap des maisons de retraite ou des établissements de vacances pour les enfants et de vastes serres. Le premier producteur mondial d'œillets est antibois, mais c'est la rose qui a fait la célébrité du lieu : une rose sur trois offerte dans le monde a été créée ici.
Le plus étonnant au cap reste sans doute ces petits cabanons avec jardinet qui subsistent à côté des propriétés de milliardaires. De la plage de la Garoupe, empruntez l'agréable *sentier du Tir-Poil* qui longe la mer. Une balade à faire à tous les âges, par tous les temps, ou presque. Vous longerez d'immenses propriétés, bien cachées, comme toujours, derrière les pins.

Où dormir ? Où manger ?

Très bon marché

⌂ |●| ***Relais International de la Jeunesse :*** 60, av. de l'Antiquité. ☎ 04-93-61-34-40. Fax : 04-93-80-65-33. À l'angle du bd de la Garoupe. 11,45 € (75 F) la nuit, petit déjeuner inclus. Demi-pension à 22,90 € (150 F). Situation superbe au milieu des pins du cap d'Antibes. Nous avons remarqué une bien jolie chambre pour 4 personnes, avec balcon et vue directe sur la mer. Le bon plan pour une bande de copains, voire une petite famille. En outre, espace camping pour une quinzaine de tentes.

Prix moyens

⌂ |●| ***La Jabotte :*** 13, av. Max-Maurey. ☎ 04-93-61-45-89. Fax : 04-93-61-07-04. Dans une rue perpendiculaire au boulevard James-Wyllie, qui borde le cap d'Antibes (plage de la Salis). Fermé du 15 novembre au 15 décembre. Chambres avec douche et w.-c. de 45,75 à 64,05 € (300 à 420 F). Hôtel d'un excellent rapport qualité-prix. Nous vous conseillons les bungalows donnant sur la terrasse. Accueil aimable et atmosphère reposante, dans la douceur de vivre du cap. Évitez d'arriver un dimanche entre 13 h et 18 h, c'est leur seul moment de repos. Pour nos lecteurs restant plus de 3 jours, 10 % de remise sur le prix des chambres de novembre à mars sauf pendant les vacances scolaires sur présentation de leur *GDR.*

Plus chic

🏠 ***Villa Panko :*** 17, chemin du Parc-Saramartel. ☎ 04-93-67-92-49. Fax : 04-93-61-29-32. À 10 mn à pied des plages de sable. Fermé pendant les fêtes de fin d'année et 15 jours en août. Réservation obligatoire ; 3 nuits minimum et 5 en saison (d'avril à septembre). À noter : établissement strictement non fumeur. Chambres de 100 à 115 € (656 à 754 F), petit déj' gourmand offert. Une vraie villa de rêve, avec 2 chambres d'hôte confortables, joliment décorées et des petits déjeuners ensoleillés, servis dans le jardin fleuri. Le bonheur ! Terrasses pour les pique-niques. Accueil très sympathique. Clarisse Bourgade est vraiment adorable. Pot d'accueil et boissons offerts au cours du séjour.

À voir

★ ***Le plateau de la Garoupe*** est occupé par une chapelle, un phare et une table d'orientation. Vue splendide de Saint-Tropez aux Alpes italiennes. La *chapelle Notre-Dame-de-Bon-Port* abrite deux nefs, des XIIIe et XVIe siècles, fermées par deux belles grilles en fer forgé.
À l'intérieur de la chapelle, nombreux ex-voto aux formes les plus diverses : tableaux, maquettes de bateaux, photos de familles, dessins ou simplement petits mots écrits sur des bouts de papier. Ne manquez pas la sirène offerte par l'équipage d'un bateau. Tout cela pour remercier Notre-Dame de Bon-Port, patronne des marins, dont la statue veille sur le lieu.
S'il vous reste des jambes (car on ne doute pas que vous serez venu ici à pied par le chemin du calvaire qui part du bout de la plage de la Salis), montez les 116 marches du *phare* construit en 1837. Vue exceptionnelle, même jusqu'à la Corse, quand le temps le permet. Petite devinette : sur quoi flotte l'optique du phare qui pèse environ une tonne ?... Sur 25 litres de mercure ! Malheureusement, le phare ne se visite pas.

★ ***Le jardin Thuret :*** 1, bd du Cap. Ouvert du lundi au vendredi de 8 h à 18 h. Visite gratuite. Parc de 7 ha créé au milieu du XIXe siècle par le botaniste Gustave Adolphe Thuret. En 1868, George Sand était frappée par « cet Éden qui semble nager au sein de l'immensité ». Aujourd'hui, le parc est sous la responsabilité de l'Institut national de la recherche agronomique. Environ 140 espèces botaniques différentes dont dix très rares comme le *Brabea Edulis* ou le *Jubaea Chilensis*. À vous de les trouver !

★ ***Le Musée napoléonien :*** av. J.-F.-Kennedy. ☎ 04-93-61-45-32. Ouvert de 9 h 30 à 12 h et de 14 h 15 à 18 h. Fermé le samedi après-midi, le dimanche et en octobre. Entrée : 3,05 € (20 F). À la pointe du cap, la *tour Grillon* (ou *tour Sella*) surplombe les vestiges d'une ancienne batterie, face aux îles de Lérins. Trois salles présentent des objets personnels de Napoléon, des gravures et peintures de l'époque, des uniformes de l'armée, etc. Du sommet de la tour, vue sur l'extrémité boisée du cap (accès interdit, propriétés privées obligent), la pointe de la Croisette et les îles de Lérins.

ANTIBES

(06600) 72400 hab. avec Juan-les-Pins

D'abord, un site superbe, entre deux anses, avec des remparts plantés sur la mer, un port de plaisance de rêve, une vieille ville aux rues tortueuses et aux hautes maisons où court le lierre, un côté provençal presque authentique ; d'ailleurs, Antibes vit aussi l'hiver (contrairement à Juan) et ne se contente pas d'exploiter ses ressources touristiques. Par sa population, c'est la 2e ville du département après Nice. On ne se lasse pas de longer les quais du port Vauban, de se promener sur les remparts ou dans le vieil Antibes... Place Nationale, à la terrasse d'un café, sous les platanes, on a du mal à réaliser que la mer est si proche. Mais les marins du port, attablés à côté de vous, vous le rappelleront.

UN PEU D'HISTOIRE

Vers le IVe siècle av. J.-C., les Grecs s'installèrent à un endroit situé en face de Nice, qu'ils appelèrent *Antipolis* (la ville d'en face). Devenue *Antiboul* dès le haut Moyen Âge, le pape décida d'y installer l'évêché. Et le rayonnement de la cité alla grandissant en même temps que l'influence du monastère de Lérins. Au milieu du VIIIe siècle, les invasions répétées (Wisigoths, Sarrasins...) détruisirent pratiquement toute la ville. Et après les envahisseurs, ce fut la peste qui décima la population. L'évêque partit à Grasse en 1236, et Antibes redevint une bourgade bien anonyme pendant plus de deux siècles.
Au XIVe siècle, située à la frontière franco-savoyarde, Antibes occupait une place stratégique dont l'importance n'échappait pas aux rois de France. Henri IV la dota de fortifications poursuivies sous Vauban (1707). Quand Napoléon débarqua en 1815 à Golfe-Juan, la place forte d'Antibes refusa de le recevoir et on emprisonna les 40 envoyés de Napoléon. Le colonel d'Ornano n'alla pas cependant jusqu'à attaquer l'usurpateur, ce qui aurait peut-être changé bien des choses. Louis XVIII décerna plus tard un brevet de fidélité à la bonne ville d'Antibes.
En 1894, les fortifications furent rasées en grande partie pour permettre l'expansion de la ville. Quel massacre ! Elles avaient permis jusque-là de résister à l'afflux d'étrangers, qui s'étaient donc installés à Cannes ou à Nice. Ce n'est qu'après 1920 que la ville commença à accueillir des touristes (avec modération !). Les artistes ne dédaignèrent pas l'endroit : *Max Ernst, Picasso, Prévert, Sidney Bechet* « Dans les rues d'Antibes », *Nicolas de Staël,* etc.

Adresses et infos utiles

- ***Office du tourisme :*** 11, pl. du Général-de-Gaulle. ☎ 04-92-90-53-00. Fax : 04-92-90-53-01. Ouvert en été tous les jours de 9 h à 19 h, en basse saison de 9 h à 12 h et de 14 h à 18 h sauf le dimanche. Bonne documentation.
- ***Gare SNCF :*** av. Robert-Soleau. ☎ 08-92-35-35-35 (0,34 €/mn soit 2,23 F). Derrière le port Vauban, à la sortie d'Antibes direction Nice. Nombreux trains pour Cannes et Nice.
- ***Gare routière :*** de la place du Général-de-Gaulle, descendre la rue la République ; c'est tout de suite à droite, dans ce beau bâtiment aux formes harmonieuses ! Pour aller à Nice, Cannes, Cagnes, prendre le bus de la place du Général-de-Gaulle.
– ***Bus pour l'aéroport de Nice :*** le bus qui va à Nice passe par l'aéroport.
- ***Location de vélos et motos :*** nombreux loueurs. Liste disponible à l'office du tourisme.

Où dormir ?

Prix moyens

- ***Le Ponteil :*** 11, impasse J.-Mensier. ☎ 04-93-34-67-92. Fax : 04-93-34-49-47. Fermé du 15 novembre à début février, sauf pendant les fêtes. Chambres de 59,45 à 77,75 € (390 à 510 F) avec douche et w.-c. ou bains. Demi-pension (dîner) de juin à fin septembre, de 48,78 à 64,05 € (320 à 420 F). Tranquille, familial et tout entouré de verdure. René Riedinger, ancien boulanger alsacien, a le sens de l'hospitalité. Chambres dans la villa ou en bungalow, joliment décorées et propres. Cuisine traditionnelle et familiale faite par le patron le soir pour les demi-pensionnaires : tarte à la tomate, gratin d'aubergines, blanquettes, tartes...

■ ***L'Étoile :*** 2, av. Gambetta. ☎ 04-93-34-26-30. Fax : 04-93-34-41-48. À 5 mn de la gare, c'est le seul hôtel de sa catégorie à être en plein centre d'Antibes. Doubles de 48,80 à 53,35 € (320 à 350 F) avec douche et w.-c. ou bains. Moderne, confortable, *L'Étoile* est plus un hôtel de passage qu'un endroit où séjourner pour ses vacances. Chambres spacieuses et insonorisées. Accueil aimable, même si cette pratique qui veut qu'on règle sa chambre en arrivant est un poil désagréable. 10 % de remise sur le prix de la chambre à partir de 2 nuits sauf en juillet et août sur présentation du *GDR*.

Plus chic

■ ***L'Auberge Provençale :*** 61, pl. Nationale. ☎ 04-93-34-13-24. Fax : 04-93-34-89-88. Chambres doubles de 53,35 à 76,20 € (350 à 500 F) avec bains. Bons menus de 15,25 à 41,15 € (100 à 270 F). Bien située sur cette jolie place ombragée de platanes, c'est plus une grande maison conviviale qu'un hôtel ; 6 chambres seulement, bien meublées, style provençal, lits à baldaquin, confortables et impeccablement propres. Petit jardin avec tables sous la tonnelle. Spécialités de poisson : boudin de rascasse à la menthe fraiche, paupiettes de saumon au beurre blanc.

■ ***Chambres d'hôte La Bastide du Bosquet :*** chez Christian et Sylvie Aussel, 14, chemin des Sables. ☎ et fax : 04-93-67-32-29. Fermé de novembre à mi-décembre. Chambres de 65 à 91 € (426 à 597 F) selon la saison, petit déj' compris. À mi-chemin des plages d'Antibes et de Juan-les-Pins. Dans une bastide du XVIIe siècle, 3 chambres spacieuses avec salle de bains, absolument charmantes avec leur style provençal ancien, et très bien tenues. Bon accueil et site au calme. Pour l'anecdote, Maupassant y a séjourné un hiver et c'est ici qu'il a commencé à écrire *Pierre et Jean*.

■ ***Mas Djoliba :*** 29, av. de Provence. ☎ 04-93-34-02-48. Fax : 04-93-34-05-81. • www.hotel-djoliba.com • Fermé de novembre à janvier. Doubles de 74,70 à 112,80 € (490 à 740 F) avec douche et w.-c. ou bains. Demi-pension souhaitée – mais non imposée – en saison, de 70,15 à 85,40 € (460 à 560 F) par personne. Dans un joli mas provençal entouré de verdure, vous allez séjourner dans des chambres confortables et agréables, à la déco typique. Belle piscine reposante, un peu comme l'endroit. Du coup, pourquoi aller s'entasser sur la plage ? En vérité, la seule adresse dans le secteur à proposer de telles prestations à ce prix-là. Accueil sympathique et professionnel. Parking. Café offert à nos lecteurs sur présentation du *Guide du routard*.

Où manger ?

Assez bon marché

|●| ***La Socca, Chez Jo :*** 1, rue James-Close. ☎ 04-93-34-15-00. Fermé le dimanche soir et lundi. Congés annuels de mi-décembre à mi-janvier. Pour manger sur le pouce, entre 6,10 et 12,20 € (40 à 80 F). Même moins pour qui ne veut qu'une part de *socca* à 1,50 € (10 F). Nos pizzas préférées à Antibes. Toute petite salle, et donc souvent la queue devant, surtout le dimanche midi ! Vous y trouverez, comme son nom l'indique, de la *socca*, spécialité importée de Nice la belle voisine, ainsi que de la pissaladière.

|●| ***Key-West :*** 30, bd de l'Aiguillon. ☎ 04-93-34-58-20. Casse-croûte non-stop à partir de 8 h. Fermé le

mardi sauf en juillet et août. Congés annuels en janvier et février. Autour de 7,60 € (50 F). De l'*English breakfast* au *chili con carne,* l'idéal pour manger sur le pouce en surveillant les allées et venues du port Vauban. Petits prix et accueil agréable. Rien de gastronomique, mais une adresse fréquentée par beaucoup d'Antibois pas forcément ratiboisés, c'est bon signe.

Adieu Berth : 26, rue Vauban. ☎ 04-93-34-78-84. Entre le port et la poste. Service jusqu'à 1 h du matin. Fermé le mardi hors saison. Congés annuels la 1re quinzaine de janvier. Autour de 10,70 € (70 F). Une petite adresse recommandée par des fous de la crêpe. Les meilleures de la Côte, à leurs yeux. Sucrées, salées, flambées, glacées... il y en a pour tous les goûts. Cadre provençal sans prétention. Et café offert aux routards venant avec leur *GDR*.

Prix moyens

Le Safranier : 1, pl. du Safranier. ☎ 04-93-34-80-50. Fermé le dimanche soir et le lundi en hiver, le lundi et le mardi midi en saison. Congés annuels la 2e quinzaine de décembre. Menu à 9,75 € (64 F). À la carte, compter 18,30 à 24,40 € (120 à 160 F). N'accepte pas les cartes de paiement. On pensait que cela n'existait plus sur la Côte ce genre d'endroit ! Mais on a trouvé *Le Safranier,* au cœur de la commune libre du même nom. Terrasse sous une (vraie) tonnelle. Service et accueil plutôt agréables. On a l'impression d'être dans un petit village de Provence, tellement les touristes sont loin sur cette place. Soupe de poisson et bouillabaisse extra (sur commande), et bien sûr du poisson grillé : daurade, loup... Pour une fois, on adore les arêtes.

L'Oiseau Qui Chante : 3, bd du Général-Vautrin. ☎ 04-93-74-88-75 ou 04-93-74-87-78. À la carte, compter environ 11 € (70 F). Un resto qui ne paie pas de mine, déjà parce qu'il n'est pas facile d'accès, coincé entre un pont, un bout de rocade et beaucoup de circulation. Mais quand on y est allé une fois, on y retourne. Pizzas excellentes. Pâtes qui nous ont laissé un beau souvenir. Miam ! les raviolis. Et puis, si on vous sert du poisson congelé, eh bien, on vous le dit : c'est marqué sur la carte !

Chez Juliette : 18-20, rue Sade. ☎ 04-93-34-67-37. Dans une rue piétonne du vieil Antibes. Ouvert le lundi soir, le mardi soir et du mercredi au dimanche midi et soir hors saison ; fermé tous les midis en saison. Congés annuels en janvier. Menus de 12,95 à 24,40 € (85 à 170 F). Une cave voûtée qui vous remontera le moral, si vous avez connu quelques expériences malheureuses auparavant : cadre charmant et accueil sympathique. Idéal pour se faire dorloter autour d'un lapin façon *Juliette* ou d'un filet de bœuf façon *Café de Paris,* pour changer un peu. Un endroit agréable pour dîner entre amis. Apéritif offert sur présentation du *GDR* de l'année.

Le Latino : 24, bd d'Aiguillon. ☎ 04-93-34-44-22. Ouvert le lundi soir, du mardi au vendredi midi et soir, le samedi soir et le dimanche soir, en été ouvert tous les soirs. Autour de 15 € (100 F). Un endroit jeune et branché tenu par un globe-trotter, ça vous tente ? Amateurs de *tapas,* cocktails et autres fortifiants, vous serez ravis. Service tardif et sympa. Cuisine très régulière et bon rapport qualité-prix. Apéritif offert à nos lecteurs sur présentation de leur *GDR*.

Plus chic

L'Oursin : 16, rue de la République. ☎ 04-93-34-13-46. Fermé le dimanche soir et le lundi en hiver. Congés annuels en janvier et février. Menu à 16 € (105 F). À la carte, compter 27 € (180 F). Uniquement du poisson et des fruits de mer. Un must pour la fraîcheur du poisson, le décor de bateau, les belles boiseries en acajou, la qualité de l'accueil et du service. Fréquenté par des habitués.

I●I ***La Bonne Auberge :*** N7, en direction de Nice, juste avant Villeneuve-Loubet. ☎ 04-93-33-36-65. Fermé le lundi sauf en juillet et août. Congés annuels du 15 novembre au 15 décembre. Menu-carte à 35,05 € (230 F), qui change tous les mois. Au gré des saisons, chez Philippe Rostang, vous trouverez la salade de homard aux ravioles de Romans, l'effilochée d'agneau de sept heures et sa polenta, la daube provençale aux olives... Un très beau moment en perspective pour les amateurs de bonne cuisine. Belle carte des vins, mais contentez-vous de choisir parmi ceux en provenance du littoral provençal, pour rester dans les limites du raisonnable.

Où boire un verre ? Où danser ?

🍸 ***Comic Strips Café :*** 4, rue James-Close. ☎ 04-93-34-91-40. Ouvert de 10 h 15 à 20 h en continu. À midi, en été, petits snacks autour de 8 € (50 F) mais on vient ici surtout pour boire un verre en feuilletant un bon bouquin. Un café-librairie très sympa devenu le rendez-vous de tous les amateurs de B.D. de la Côte.

🍸 ***Legend Café :*** place Audiberti. Ouvert jusqu'à 2 h 30. Allez y prendre un verre le soir. Bonnes bières, ambiance jeune et branchée dans une coque de bateau renversée.

♪ ***La Siesta :*** route du bord de mer. ☎ 04-93-33-31-31. En direction de Nice. Entrée : 19,80 € (130 F). Boissons : 10,65 € (70 F). Accueille plusieurs milliers de personnes tous les soirs en été, qui vont se faire suer un bon coup, sous les étoiles. Sept pistes de danse, dans un décor exotique. Chère, très chère *Siesta*. Très connue sur la Côte.

À voir

★ De la porte Marine, tournez à gauche pour gagner la ***promenade du front de mer,*** dénommée actuellement avenue Amiral-de-Grasse. Vous vous trouvez alors sur les seuls remparts qui, face à la mer, ont résisté depuis Vauban aux révolutions, aux guerres et à l'extension de la ville. Au début de cette avenue, une maison à terrasse de laquelle *Nicolas de Staël* se serait suicidé du 2e étage. La vue de ces remparts, d'un côté sur le cap d'Antibes, de l'autre sur le littoral jusqu'à Nice et le Mercantour, est magnifique. Au milieu de l'avenue, tournez à droite pour gagner la vieille ville et d'abord le *château Grimaldi.* Cette grande demeure, ancien castrum romain, maison épiscopale, puis résidence des Grimaldi, abrite aujourd'hui le musée Picasso.

★ ***Le musée Picasso :*** château Grimaldi. ☎ 04-92-90-54-20. Fax : 04-92-90-54-21. Derrière la mairie. Du 1er juin au 30 septembre, ouvert de 10 h à 18 h (nocturne jusqu'à 22 h le vendredi soir) ; hors saison, de 10 h à 12 h et de 14 h à 18 h. Fermé le lundi et les jours fériés. Entrée : 4,55 € (30 F), gratuit pour les moins de 18 ans.

En 1946, Picasso passait l'été à Golfe-Juan avec sa compagne de l'époque, Françoise Gillot, quand il rencontra Dor de La Souchère, qui s'occupait de la collection archéologique du musée d'Antibes. Alors qu'il osait à peine lui demander une toile pour le musée, Picasso lui apprit, entre deux phrases, qu'il cherchait à peindre de grandes surfaces. Aussitôt, l'avisé conservateur sauta sur l'occasion et proposa à l'artiste ce que l'État français n'avait jamais tenté de lui offrir : de grandes surfaces dans son musée.

Quand Picasso visita le musée, qui sera son futur atelier, il découvrit par les fenêtres la vieille ville et ses toits de tuiles, le port, la baie et au loin les montagnes. Il n'hésita pas un instant et, durant l'automne 1946, travailla jour et nuit comme un « fou furieux ».

Toutes ses œuvres offertes au musée reflètent son humeur du moment et sont empreintes de joie et d'allégresse. Elles composent un véritable hymne à la vie plein de fantaisie. Une atmosphère qu'on retrouve dans les superbes photos exposées : instantanés noir et blanc signés Brassaï, Capa, Villers, portraits d'où ressort l'énergie brute de Picasso, vues de l'atelier et extérieurs ensoleillés.

Trois thèmes dominent dans ce que l'artiste a peint durant son séjour antibois : les sujets mythologiques avec les nymphes, les faunes et les centaures (les *Triptyques au Centaure, Ulysse et les Sirènes, Faunes musiciens*). Picasso a peint, ensuite, des sujets de la vie quotidienne d'inspiration naturaliste autour des pêcheurs, des poissons... Le *Gobeur d'oursins* en est le meilleur exemple. Et si vous regardez bien le cou du personnage, vous apercevrez un visage, celui d'un général antibois sur le portrait duquel Picasso a peint. Peut-être manquait-il de toiles et les magasins étaient-ils fermés. Troisième source d'inspiration : les nus directement hérités du cubisme. Remarquez les trois *Nus* dits : *au lit blanc, au lit bleu* et *sur fond vert.* Peintures sur bois de novembre 1946. La donation initiale a été enrichie par près de 80 céramiques réalisées à Vallauris et par d'autres legs comme ce *Buste d'homme au chapeau.* Cet ensemble est dominé par la fameuse *Joie de vivre,* glorification pastorale de tout ce que la ville a représenté pour le peintre. L'impression monumentale est accentuée par ces personnages aux têtes réduites.

Le musée possède également une collection d'art contemporain assez impressionnante constituée au fil des ans : Léger, Hartung (une salle entière lui est consacrée), Max Ernst, Miró, Calder, Magnelli. Extraordinaire *salle Nicolas de Staël* au 2e étage. Le peintre s'est isolé 6 mois dans son atelier, il a peint 350 toiles. Et il mit fin à ses jours... Le *Grand Concert* est sa dernière œuvre (restée inachevée), composition géante dans laquelle le spectateur est happé pour prendre la place des musiciens manquants. Le *Fort carré* appartient à ses œuvres de la dernière période : dans les tons gris, cette toile est un paysage « état d'âme » d'un réalisme saisissant.

Sur la terrasse, face à la mer, se découpent les sculptures de Germaine Richier. *La Déesse de la mer* de Miró, l'*Hommage à Picasso* d'Arman, et *Jupiter et Encelade* de Patrick et Anne Poirier, fait de 10 tonnes de marbre blanc et de vestiges romains. Surprenant !

★ ***Le musée Peynet :*** place Nationale. ☎ 04-92-90-54-30. Ouvert du mardi au dimanche de 10 h à 12 h et de 14 h à 18 h (sans interruption en été). Fermé les jours fériés. Entrée : 3,05 € (20 F). Eh oui ! les célèbres amoureux, créés en 1942 à Valence, se sont installés à Antibes. Ici sont exposées quelques dizaines de gouaches et dessins mêlant humour et poésie, tel cet *Élixir du révérend père Gaucher,* et ces petits mondes un peu fantastiques où les amoureux, parfois coquins, parfois solennels et émus en tenue de mariés, nous font rêver. Et quelques exemplaires des fameuses poupées Peynet qui ont fait les délices des jeunes filles. Expositions temporaires de dessinateurs (Uderzo par exemple...).

★ ***Les Bains Douches :*** bd de L'Aiguillon. Ouvert tous les jours. Entrée gratuite. Un lieu d'art et d'exposition aménagé dans les anciens « bains douches municipaux ». Espaces d'exposition et ateliers reconstitués dans les casemates rénovées des remparts.

★ ***La cathédrale :*** tout à côté du château, l'église de l'Immaculée-Conception présente, sur des structures étonnamment anciennes, une floraison de styles divers. Il est vrai que l'édifice, situé derrière les remparts, eut à subir des bombardements venant de la mer (Antibes, ville-frontière, du temps où le comté de Nice n'appartenait pas à la France, était très convoitée) et un incendie sous Louis XV.

Belle façade classique, aux vantaux en bois sculpté de 1710. Seul le chevet est roman. À l'intérieur, dans une chapelle à droite, *retable du Rosaire* peint en 1515 par Louis Brea. Les quinze petits tableaux qui entourent le panneau représentent les quinze mystères du Rosaire entourant la Vierge Marie.

★ ***Le marché :*** cours Masséna. Ouvert tous les jours sauf le lundi, de 6 h à 12 h. Un des plus sympas de la Côte, sous son architecture à la Baltard. Tous les produits qui sentent bon la Provence sont là et les parlers savoureux et animés des marchandes ne font qu'ajouter à la couleur locale, ici tout à fait authentique. Sur la *place Audiberti* (voisine) se tient un marché à la brocante le jeudi de 6 h à 18 h.

★ ***Les vieilles rues :*** de part et d'autre du marché, flânez dans les vieilles rues d'Antibes où résonnent encore des notes de Sidney Bechet. *Rues de l'Horloge, du Révely, des Arceaux, du Bari...* voies obscures, fraîchement silencieuses, bordées de petites maisons croquignolettes mais souvent retapées, ici une fontaine, là une traverse ombragée ou une placette. *Rue du Bateau* se tenait le club du Bateau où s'illustrèrent Gréco et Annabel (Buffet). Ayez une pensée émue pour Prévert qui s'était installé ici.

★ ***La commune libre du Safranier :*** Paris a Montmartre, Antibes a le Safranier. Commune avec un maire, un comité des fêtes et un garde champêtre. Depuis 1966, tout ce petit monde veille sur les quelque 2000 âmes de la commune. Le maire marie des amoureux et des fêtes sont organisées régulièrement sur la place du Safranier, trouée où il y aurait eu un petit port dans les siècles passés, comme dit la légende. Le nom du Safranier est encore une énigme aujourd'hui : petit oiseau sur un écusson, couleur de la terre à cet endroit ou souvenir de l'époque où l'on fabriquait les safrans des bateaux ? Choisissez la version qui vous plaît !
Promenade agréable dans ces ruelles fleuries (ne manquez pas les *rues du Haut* et *du Bas-Castelet*). Sur la petite place qui porte maintenant son nom se trouve le banc où *Nikos Kazantzákis* venait se reposer vers la fin de sa vie. L'auteur de *Zorba* aimait dire qu'à Antibes il était encore en Grèce.

★ ***Le musée de la Tour :*** portail de l'Orme. ☎ 04-93-34-50-91. À côté du cours Masséna. Ouvert les mercredi, jeudi et samedi de 16 h à 19 h en été, de 15 h à 17 h en hiver. Entrée : 1,50 € (10 F). Photos, mobilier, costumes et documents des temps passés pour découvrir ce qu'était Antibes au travers de ses traditions et son art de vivre. C'est désuet et nostalgique à souhait. Au 3e étage, les premiers skis nautiques de l'histoire puisque c'est Léo Roman qui inventa ce sport à Juan-les-Pins en 1931. Très belle statue de saint Sébastien en tilleul du XVIe siècle (c'est quand même le patron de la ville).

★ ***Le Musée archéologique :*** bastion Saint-André. ☎ 04-92-90-54-35. Ouvert de 10 h à 12 h et de 14 h à 18 h. Fermé les lundi et jours fériés. Entrée : 1,52 € (10 F). Dans cet imposant vestige des fortifications de Vauban est retracée toute l'histoire d'Antipolis. « Musée même de l'homme d'Antibes, né de la terre et des eaux d'Antibes. » Belle collection de poteries (notamment d'amphores, dont certains fragments datent du IVe siècle av. J.-C.), monnaies, bijoux. Pièces découvertes lors des travaux d'aménagement du port, en 1970, et objets provenant d'épaves.

★ ***Le port Vauban :*** très grand port de plaisance dominé par l'imposant *fort Carré,* si bien conçu et si bien armé qu'il ne fut jamais conquis. Le fort est désormais ouvert à la visite, mais seulement en groupe et avec un guide. Ouvert du mardi au dimanche en saison, les mercredi, samedi, dimanche et jours fériés hors saison, de 10 h à 12 h 30 et de 13 h 30 à 16 h (dernier départ à 18 h en été). Tarif : 4,57 € (30 F) pour les adultes.
Le port est totalement intégré dans l'*anse Saint-Roch* et change agréablement des immenses marinas construites sur le littoral, monstrueuses bai-

gnoires artificielles. Ici le site est superbe, avec cette forteresse en arrière-plan et les vieux remparts. Dans le nouvel avant-port, des aménagements récents ont permis de recevoir les plus grands et les plus beaux bâtiments de 50 à 150 m. Le port possède aussi le plus grand bassin de plaisance d'Europe, pour les unités supérieures à 165 m de longueur. Près de la capitainerie se trouve le fameux *quai des Mille-et-Une-Nuits.*
On peut y voir de somptueux yachts, pour la plupart anglais ou arabes. Ceux qui ont des goûts plus modestes iront flâner sur les autres quais et surtout sur le Vieux-Port abrité derrière d'anciennes fortifications (les tournages de films y sont fréquents).

À faire

– ***Marineland :*** à l'angle de la N 7 et de la route de Biot. ☎ 04-93-33-49-49. Ouvert tous les jours de 10 h à 20 h (minuit en juillet et août). Compter autour de 23 € (150 F) pour un adulte et 15 € (100 F) pour un enfant. Accès possible en train, descendre à la gare de Biot. Assez cher, mais il y a plusieurs forfaits permettant de passer du *Parc de la Mer* à la *Petite Ferme* et à la *Jungle des Papillons.* Journée complète sur place, avec possibilité de restauration. Il y a d'ailleurs de quoi s'occuper entre le show marin avec orques, dauphins, otaries, phoques, etc., la visite du musée et des aquariums, sans compter les rencontres avec les animaux domestiques, les insectes de la végétation tropicale ou ces requins de toutes espèces (quoiqu'on pourrait en trouver d'autres, derrière certaines caisses de la Côte !) qu'on voit évoluer bien à l'abri dans un tunnel transparent de 30 m de long. Une nouveauté depuis peu : un bassin d'orques avec vision sous-marine et panoramique unique au monde.
– ***Aquasplash :*** à côté de Marineland. ☎ 04-93-33-49-49. Ouvert tous les jours en été. Cher : 14,94 € (98 F) pour les adultes et 12,50 € (82 F) pour les enfants. Piscine à vagues, rivière relax et 12 toboggans.
– ***Adventure Golf :*** beau mini-golf dans un site exotique. Assez cher : 7,17 € (47 F).

Plongée sous-marine

Temps forts de la plongée sur la Côte d'Azur, les alentours d'Antibes comptent une cinquantaine de jolis sites, que nos routards plongeurs – néophytes ou aguerris – contempleront fiévreusement. Ici, peu d'épaves, mais pas mal de richesses vivantes qui honorent chaque année, depuis près de 30 ans, le très réputé *Festival mondial de l'Image sous-marine* d'Antibes-Juan-les-Pins. Attention, certains sites sont particulièrement exposés.

Club de plongée

■ ***Fabulite :*** à l'hôtel *Fabulite,* 150, traverse des Nielles. ☎ 04-93-61-47-45. • www.fabulite.com • Dans une ruelle à la hauteur du petit port de l'Olivette. Ouvert d'avril à la Toussaint. Un petit club (FFESSM, ANMP, PADI) animé par une poignée de moniteurs d'État sympas, assurant baptêmes, enseignement jusqu'au niveau III et brevets PADI. À bord de leur navire *Fabulite,* stationné au port des Croûtons (!), ils guident les explorations des meilleurs sites alentour. Équipement complet fourni. Initiation enfants à partir de 8 ans; stages de biologie marine et de plongée aux mélanges (Nitrox).

Nos meilleurs spots

Cap Gros : plongée fastoche pour tous niveaux. Dans les nombreuses failles, vous débusquerez les locataires – murènes et congres – de ce plateau rocheux (-10 m) couvert de posidonies ; avant de dévaler le long d'un tombant (-25 m) tapissé d'éponges, d'anémones et de quelques gorgones... Attention au passage des bateaux.
La Love : à proximité du cap d'Antibes. Encore une plongée tranquille pour plongeurs débutants. On survole un plateau de posidonies, puis quatre canyons disposés en étoile (-25 m maximum) avec, au milieu, un cirque. Ici, pas de poissons-clowns, mais parfois des baudroies et raies-torpilles. Beaux tombants hérissés de gorgones, et pas mal de failles abritant congres et rascasses. Idéal pour une plongée de nuit.
Le Boule : à quelques encablures du cap d'Antibes. Pour plongeurs de tous niveaux. Encore un chouette canyon (de 10 à 35 m) ; puis un tombant abrupt, troué comme un gruyère et hérissé de corail rouge à faire pâlir un bijoutier italien ! Pas mal de gorgones, survolées de sars et parfois de daurades. Attention au passage des bateaux. Courant fréquent.
Le Raventurier : en pleine mer. Seuls les plongeurs aguerris (niveau III) descendront sur ce grand plateau rocheux isolé (de 35 à 45 m), où la vie sous-marine est luxuriante et l'eau vraiment limpide. Mérous et murènes se partagent les failles, alors que sérioles, barracudas (vous avez bien lu !), dentis et sars virevoltent au-dessus des belles gorgones rouges... Une plongée magnifique.

BIOT

(06410) 7 490 hab.

À quelques kilomètres de la mer seulement s'élève sur un piton le pittoresque village de Biot (prononcer « Biotte »). Célèbre pour son artisanat traditionnel de poterie puis de verre soufflé et son musée Fernand-Léger, le vieux village, avec ses ruelles en pente et sa place à arcades, a beaucoup de charme.

UN PEU D'HISTOIRE

Depuis longtemps, Biot est réputé pour ses poteries puisque les Romains déjà y exploitaient les argiles fines afin de fabriquer des jarres pour le transport du vin, de l'huile, etc. À la fin du XIXe siècle, les citernes en métal allaient cependant prendre la relève des jarres, qui contenaient pourtant jusqu'à 300 litres. Il fallut attendre les années 1950, l'essor des résidences secondaires et la mode des jarres décoratives destinées au jardin pour que Biot retrouve un nouvel essor. À présent, on y va surtout pour visiter sa verrerie.

Adresse et info utiles

Office du tourisme : 46, rue Saint-Sébastien. ☎ 04-93-65-78-00. Fax : 04-93-65-78-04. Ouvert tous les jours sauf les samedi et dimanche matin, de 10 h à 18 h en été, de 9 h à 12 h et de 14 h à 18 h hors saison.

Autobus : lignes Antibes (gare SNCF)-Biot. Attention, la gare de Biot se trouve à 4 km du village même. Plusieurs allers-retours par jour.

Où dormir ?

Gîtes ruraux

☗ *Villa des Roses, chez M. et Mme R. Dalmasso :* 14, chemin Neuf. ☎ 04-93-65-02-03. Fax : 04-93-65-62-85. Ouvert toute l'année. À partir de 230 € (1 500 F) la semaine hors saison, jusqu'à 282 € (2 500 F) en saison. 4 gîtes tout confort dans une belle maison de maître à 200 m du village. Réservation conseillée. Apéritif de bienvenue offert sur présentation du *GDR*.

Campings

Nombreux campings tout autour de Biot qui, d'ailleurs, déparent quelque peu le paysage.

⛺ ***Les Oliviers :*** 274, chemin des Routes-Vignasses. ☎ et fax : 04-93-65-02-79 ; hors saison : ☎ 04-93-65-11-12. Ouvert de mai à septembre. Compter 18,30 € (120 F) pour deux. Passer devant la verrerie de Biot en partant du bord de mer et prendre la route qui monte sur la droite ; à nouveau sur la droite, suivre le chemin des Hautes-Vignasses ; c'est indiqué. Surtout pour les gens motorisés. Il est rare de trouver des campings réservés aux tentes dans la région. Alors quand on en a déniché un en terrasses au milieu d'oliviers centenaires avec la vue sur le vieux Biot, on n'a pas pu s'empêcher de jubiler à l'idée de vous la communiquer. Grande piscine.

⛺ ***Le Mistral :*** 1780, route de la Mer. ☎ 04-93-65-61-48. Fax : 04-93-65-75-64. À 800 m de la mer. Ouvert du 25 mars au 8 octobre. Correct. Location de mobile homes. Attention, les chiens ne sont pas acceptés.

Prix moyens

☗ *Auberge de la Vallée Verte :* 3400, route de Valbonne. ☎ 04-93-65-10-93. Fax : 04-92-94-04-91. Resto fermé les dimanche soir et lundi. Pas de restauration entre le 31 octobre et le 1er février. Chambres doubles de 42,70 à 53,35 € (280 à 350 F) avec bains. En demi-pension, compter 48,80 € (320 F) par personne. Menus à 19,80 et 24,40 € (130 et 160 F). Joli mas dans un jardin largement à l'écart de la ville, presque perdu dans les collines livrées au chant des cigales. Piscine agréable, agrémentée de jolies chaises longues. Au restaurant, cuisine traditionnelle à découvrir autour du poêlon de moules, du poulet aux écrevisses et des rognons à l'ancienne. Apéritif maison offert à nos lecteurs sur présentation du *GDR*.

Où manger ? Où boire un verre ?

|●| 🍸 *Café Brun :* 44 *ter*, impasse Saint-Sébastien. ☎ 04-93-65-04-83. Fermé la 2e quinzaine de novembre. Un établissement qui vient faire de la concurrence aux tables où le pastaga coule à flots puisqu'ici, la bière est à l'honneur. Dans une ambiance très pub hollandais, avec de vieux instruments de musique accrochés au plafond, on peut même grignoter si l'on n'est pas trop regardant côté gastronomie. Ambiance jeune et décontractée. Digestif maison offert aux lecteurs sur présentation du *GDR*.

À voir

★ ***Le vieux village :*** allez-y tôt le matin, ou le soir après le départ des touristes. Visite fléchée. L'ensemble du village garde une certaine homogénéité malgré quelques restaurations. D'importants vestiges de l'enceinte du XVIe siècle subsistent, *porte des Tines* et *porte des Migraniers*. La place des Arcades des XIVe-XVe siècles est particulièrement pittoresque. Jetez un œil sur l'*hôtel des Arcades,* établissement naguère cher à notre cœur, devenu l'une des attractions touristiques du village. Dommage ! Si vous aimez le risque et le folklore, vous pouvez toujours aller tenter votre chance autour d'une des tables qui accueillirent, en d'autres temps, nombre d'artistes de passage, qui payèrent avec leurs toiles leur temps de séjour.

★ ***L'église Sainte-Madeleine :*** elle abritait, paraît-il, des fresques que l'évêque de Grasse ordonna d'effacer en 1700 pour cause d'indécence... On est d'abord surpris car il faut descendre pour y pénétrer. L'église abrite deux superbes retables, l'un attribué à Louis Brea, la *Vierge au rosaire,* l'autre attribué à Canavesio, le *Christ aux plaies.*

★ ***Le musée d'Histoire et de Céramique biotoises :*** 9, rue Saint-Sébastien. ☎ 04-93-65-54-54. Fax : 04-93-65-51-73. De juillet à septembre, ouvert de 10 h à 18 h ; d'octobre à juin, de 14 h à 18 h sauf les lundi et mardi. Visite guidée sur demande. Entrée : 1,52 € (10 F) ; gratuit pour les enfants.
Le musée est installé dans ce qui reste de la chapelle des Pénitents-Blancs. L'histoire de Biot y est évoquée au travers de nombreux documents. Les vieilles familles du village ont offert l'essentiel des pièces exposées (superbes costumes anciens) ; une jolie cuisine biotoise du XIXe siècle a été reconstituée. Belle collection de fontaines en terre cuite vernissée.

★ ***Le Bonsaï Arboretum :*** 299, chemin du Val-de-Pôme. ☎ 04-93-65-63-99. Fax : 04-93-65-10-78. Ouvert tous les jours sauf le mardi ; de mai à septembre, de 10 h à 12 h et de 15 h à 18 h 30 ; d'octobre à avril, de 10 h à 12 h et de 14 h à 17 h 30. Entrée adulte : 3,81 € (25 F). Plus de 5000 bonsaïs dans une pépinière de 4000 m^2. Si vous êtes passionné, il y a également des stages. Vente sur place. Petit avertissement amical : c'est beau mais très contraignant. Presque plus qu'un animal de compagnie !

★ ***La verrerie de Biot :*** au pied du village, chemin des Combes, au bord de la D 4. ☎ 04-93-65-03-00. Ouvert tous les jours de 9 h 30 à 18 h (20 h en été). Visite guidée : 4,57 € (30 F). C'est une véritable entreprise, employant environ 80 personnes. On y suit les différentes étapes de la fabrication du verre soufflé. Autre visite sur le même site : écomusée du verre, galerie internationale...

– À noter : les sept verreries de la ville se visitent, et si l'on veut fuir l'afflux de touristes, on peut aussi aller voir celle du ***Vieux Moulin,*** 9, chemin du Plan, à l'angle de la route de la mer. ☎ 04-93-65-01-14.

★ ***Le musée Fernand-Léger :*** chemin du Val-de-Pome. ☎ 04-92-91-50-30. ♿ À 3 km du bord de mer, à droite avant le village. De juillet à septembre, ouvert de 11 h à 18 h ; hors saison, de 10 h à 12 h 30 et de 14 h à 17 h 30. Fermé le mardi. Entrée adultes : 3,81 € (25 F). Tarif réduit : 2,59 € (17 F). Un musée superbe, calme, beau et bien aménagé. Avec sa belle architecture aux lignes sobres, l'édifice fut conditionné par deux œuvres de Léger : une mosaïque-céramique (visible sur la façade), de près de 500 m^2, et le vitrail, de 50 m^2, qui éclaire le hall de l'étage. Une mosaïque récente, de 280 m^2, capte la lumière du soleil couchant, se reflétant ainsi dans le bassin de la cour intérieure.

Selon Malraux, Léger est « le seul homme de génie qui ait été capable d'introduire les images dans la véritable peinture ». Né en 1881, le peintre est découvert trente ans plus tard par Kahnweiler, homme de l'art et mécène talentueux qui lança également Braque et Picasso. Blessé pendant la Première Guerre mondiale, Léger sera longtemps influencé par l'univers de la guerre et des machines, autant que par Cézanne et les impressionnistes. Pendant les années 1930, il peint surtout des figures avant d'entamer une série de grands sujets. Son séjour aux États-Unis durant la Seconde Guerre mondiale lui permet de découvrir de nouvelles formes et de nouvelles couleurs.
Le rez-de-chaussée du musée présente les céramiques réalisées à Biot dans l'atelier de Roland Brice. Les premières salles de l'étage retracent l'évolution de sa peinture au travers d'œuvres significatives, allant de l'étude pour *La Femme en bleu,* qui rompt avec l'impressionnisme grâce à l'introduction de couleurs pures, jusqu'à son œuvre maîtresse : *Les Constructeurs* (1950). Cette grande toile aux traits proches d'un certain « réalisme socialiste » résume, peut-être mieux qu'une autre, l'œuvre de celui qui se sentait l'égal du peuple. « C'est debout, en état de guerre avec la société, que ces œuvres ont été conçues et forgées. »
S'intéressant également aux décors de théâtre ou de cinéma (il travailla notamment avec L'Herbier), collaborant avec de nombreux architectes (comme Le Corbusier), Léger illustra aussi des livres (de son ami Cendrars), décora des églises, des immeubles ou des universités avec ses belles mosaïques colorées. On ne manquera pas non plus d'admirer les sculptures du jardin.

Fêtes

– ***Fête de la Saint-Julien :*** la 3e semaine d'août (elle dure 4 jours).
– ***Fête des Vendanges :*** autour du 21 septembre. Dégustation des produits du terroir et folklore.

VILLENEUVE-LOUBET (06270) 13100 hab.

Superbe village qui occupe, sur la rive gauche du Loup, une colline dominée par un château médiéval où résida, entre autres célébrités, François Ier. Mais *Villeneuve-Plage,* l'agglomération du bord de mer, s'étire, quant à elle, le long de la N 7 et propose une succession ininterrompue de campings, motels et restaurants de tous ordres. Bon, pour tout dire, on vous conseille de pousser quelques kilomètres plus loin pour trouver une bonne couche.

Adresses utiles

■ ***Office du tourisme :*** rue de l'Hôtel-de-Ville. ☎ 04-93-20-16-49. Ouvert du lundi au vendredi de 9 h à 12 h et de 14 h à 18 h, le samedi de 9 h à 12 h et de 14 h 30 à 17 h 30, le dimanche de 10 h à 13 h.
■ ***Annexe de l'office du tourisme :*** 16, av. de la Mer. ☎ 04-92-02-66-16. Fax : 02-92-02-66-19. En été, ouvert du lundi au vendredi de 9 h à 19 h, le samedi de 9 h 30 à 12 h et de 14 h 30 à 17 h 30, et le dimanche de 10 h à 13 h ; hors saison, horaires allégés.
■ ***Location de deux-roues :*** *Holiday Bikes,* port de Marina-baie des Anges. ☎ 04-93-20-90-20.

Où dormir? Où manger?

🏠 ⛺ ***Motel-camping de l'Hippodrome :*** « Bouches-du-Loup », 5, av. des Rives. ☎ 04-93-20-02-00. Fax : 04-92-13-20-07. À 250 m de la plage. Studios de 29 à 48,80 € (190 à 320 F) la nuit, selon la saison. Emplacement tente à partir de 13,10 € (86 F) pour 2 personnes. Derrière le grand supermarché *Casino*, pratique pour les courses. Bien ombragé. Possibilité de louer des studios avec salle de bains et cuisine équipée, à la semaine uniquement. Mini-centre aquatique avec piscine et solarium, sous serre l'hiver.

|●| ***Le Mail Post :*** 12, av. de la Libération. ☎ 04-93-20-89-53. Fermé le lundi. Congés annuels à Noël. Menus de 13 à 23 € (85 à 151 F). Cet ancien relais de poste du XVIIe siècle est devenu un petit restaurant au cadre rustique et charmant, où il fait bon passer une soirée loin du monde et du bruit. Souris d'agneau au thym, pavé de filet de bœuf aux herbes, ravioles dauphinoises... Les spécialités? Fondues (dont une au chocolat pas mal du tout), raclettes, tartiflettes, etc. Ne riez pas, vous allez craquer! Sur présentation du *Guide du routard*, apéritif maison offert à nos lecteurs.

|●| ***La Vieille Auberge :*** 11-13, rue des Mesures. ☎ 04-93-73-90-92. Fermé le mercredi, ainsi que le dimanche soir hors saison. Ouvert tous les jours, uniquement le soir, en été. Congés à la Toussaint et en février. Menus à 28,65 € (188 F). Compter autour de 34 € (220 F) à la carte. *La Vieille Auberge* est un digne représentant de l'art culinaire traditionnel. Cadre rustique et agréable pour déguster les préparations de Fabienne Pradier. Voilà une cuisine de femme, une cuisine d'amour et de saveurs, bien vivante, à découvrir en prenant son temps : mesclun à l'effeuillé de foie gras cru et copeaux de truffes, petits filets de bœuf marinés à l'huile d'olive et au thym, crème brûlée à la lavande... Pour les amateurs, le bar compte près de 30 whiskies – dont le fameux *Potcheen* irlandais. Rare, comme cette adresse. Digestif maison offert à nos lecteurs sur présentation du *Guide du routard*.

À voir

★ ***Le musée de l'Art culinaire (fondation Auguste-Escoffier) :*** ☎ 04-93-20-80-51. Ouvert de 14 h à 18 h (19 h en été). Fermé le lundi et les jours fériés. Congés annuels en novembre. Entrée : 1,52 € (10 F). Sa maison natale abrite les souvenirs du célèbre Auguste Escoffier, « cuisinier des rois et roi des cuisiniers », inventeur, entre autres, de la pêche Melba (en l'honneur d'une cantatrice appelée Nelly Melba qui devait avoir la pêche!). Amusez-vous à lire de vieux menus de la fin du XIXe siècle. Un des plus surprenants est celui du restaurant *Voisin* pour le réveillon de Noël de l'année 1870, où vous découvrirez l'art d'accommoder les animaux du zoo de Vincennes tués en raison de la guerre... À noter : bon nombre des restaurants de la Côte affichent fièrement que leur chef est un « disciple » d'Escoffier, de quoi faire se retourner le brave homme dans sa tombe!

★ ***Marina-baie des Anges :*** sur le bord de mer évidemment, d'ailleurs ça se voit de loin (à la sortie d'Antibes, en fin de journée, avec les montagnes derrière, on s'extasierait presque!). Étonnant ensemble architectural au bord d'une grande marina. Ce complexe balnéaire luxueux (un propriétaire s'est fait cambrioler pour 1,5 milliard de centimes de tableaux, dont un superbe Renoir) est constitué de plusieurs immeubles sinusoïdaux, dont les terrasses-jardins descendent en cascade vers la mer. Ces constructions donnent au site de la baie des Anges un aspect insolite et souvent décrié. Bref, un caprice d'architecte qui ravit surtout les mouettes et les habitants au jardin surplombant la mer...

CAGNES-SUR-MER (06800) 44200 hab.

Il faut distinguer le *Haut-de-Cagnes,* la vieille ville médiévale, partie la plus pittoresque, de *Cagnes-Centre,* ville moderne, commerçante, assez banale, et de *Cros-de-Cagnes,* l'agglomération du bord de mer, autour de l'ancien village de pêcheurs, longée par la N 98 sur laquelle s'alignent restaurants, pizzerias, crêperies, snacks, plus ou moins bons...
Est-ce à eux que l'on doit la mollesse des édiles face au flux (en été, le mot est presque risible) d'une circulation qui fait désormais de la basse ville – un vilain mot pour une triste réalité – un lieu où l'on n'a pas envie de rester? À quand la réalisation d'un nouveau plan réglementant enfin le flot ininterrompu de voitures pas toutes touristiques, d'ailleurs, ramenant la quatre-voies séparant les humains de la mer à un simple passage? À quand des sens uniques, des parkings de détournement? Cagnes peut encore être sauvé, mais il faudra en payer le prix. Donc, bien se faire préciser où l'on doit descendre. Plusieurs kilomètres traversés par l'autoroute et la N 7, vraiment pas agréables à parcourir, séparent le Cros-de-Cagnes du Haut-de-Cagnes et du centre-ville.

Adresses utiles

- ***Office du tourisme :*** 6, bd du Maréchal-Juin, Cagnes-Centre. ☎ 04-93-20-61-64. Fax : 04-93-20-52-63. Ouvert tous les jours sauf le dimanche; en été, de 9 h à 19 h; hors saison, de 8 h 30 à 12 h 15 et de 14 h à 18 h du lundi au vendredi, le samedi, de 8 h 30 à 12 h 45 et de 14 h à 17 h 30. Beaucoup de doc. Brochure gratuite permettant d'effectuer 2 itinéraires dans le haut Cagnes, avec commentaires sur les sites.
- ***Office du tourisme :*** 20, av. des Oliviers, Cros-de-Cagnes. ☎ 04-93-07-67-08.
- ***Postes :*** *Cagnes Renoir,* av. de l'Hôtel-des-Postes (dans le centre); *Cagnes le Cros,* av. des Oliviers, à Cros-de-Cagnes; *Cagnes principal,* av. de la Serre, à Cros-de-Cagnes.
- ***Gare SNCF :*** av. de la Gare *(of course).* ☎ 08-92-35-35-35 (0,34 €/mn, soit 2,23 F). Très pratique pour rejoindre Nice en quelques minutes! Bureau d'accueil de l'office du tourisme en été.

Où dormir?

Campings

- ***Camping Panoramer :*** chemin des Gros-Buaux. ☎ 04-93-31-16-15. Au nord de Cros-de-Cagnes. Pour y accéder, chemin du Val-Fleuri, puis chemin des Gros-Buaux. Ouvert du 1er avril au 29 octobre. Assez cher (de 18,60 à 20,10 €, soit de 122 à 132 F) mais très confortable et surtout bien situé (vue sur toute la baie des Anges). Complet en saison (juillet et août). Ombragé.
- ***La Rivière :*** 168, chemin des Salles. ☎ 04-93-20-62-27. À 4 km de la mer. On peut y accéder en bus. Ouvert toute l'année. Restauration sur place du 1er avril au 15 septembre. Prix raisonnables, qui baissent hors saison (de 11,45 à 13,60 €, soit 75 à 89 F). C'est calme et ombragé. Piscine.
- ***Camping Le Colombier :*** 35, chemin Sainte-Colombe. ☎ 04-93-73-12-77. À quelques minutes à pied du vieux Cagnes, à 1,5 km de la gare et 2 km de la plage. Du centre de Cagnes, prendre la direction de Vence. Ouvert d'avril à septembre. Forfait pour 2 à 4 personnes, de 12 à 19 € (79 à 125 F) selon l'emplacement et la saison. Un camping familial de petite taille, bien ombragé et confortable (sanitaires récents, ca-

bines de douche chauffées hors saison, machines à laver et à sécher le linge, table à repasser à disposition, piscine, etc.), au calme, au vert. Peut-être bien le meilleur plan sur la Côte pour planter sa tente à prix correct. Pour nos lecteurs, remise de 8 % dès la 1re nuit.

Bon marché à prix moyens

Turf Hôtel : 9, rue des Capucines, Cros-de-Cagnes. ☎ 04-93-20-64-00. Fax : 04-93-73-92-64. Ouvert toute l'année. Chambres de 41,15 à 44,20 € (270 à 290 F). Parking devant l'hôtel qui, de l'extérieur, a des airs de motel américain. À 100 m de la plage, c'est le seul vrai avantage, la construction d'un immeuble entre l'hôtel et la route augurant mal de l'avenir. Chambres doubles toutes blanches. Certaines ont la TV. Préférer celles au rez-de-chaussée, plus fraîches en été. Petit déj' offert à nos lecteurs sur présentation du *Guide du routard* de l'année.

Le Val Duchesse : 11, rue de Paris, Cros-de-Cagnes. ☎ 04-92-13-40-00. Fax : 04-92-13-40-29. À 50 m de la plage. Congés annuels du 15 novembre au 10 décembre. Studios de 38,10 à 57,95 € (250 à 380 F) et appartements de 53,35 à 81,55 € (350 à 535 F). Tarifs dégressifs à partir d'une semaine. Parking privé. Très au calme au milieu d'un agréable jardin planté de palmiers, avec piscine, ping-pong et jeux pour enfants. Une adresse sympa pour un séjour sur la Côte d'Azur. Accueil chaleureux, décoration très personnalisée (Véronique a fait l'école Boulle) et prix intéressants, ce qui ne gâche rien au plaisir d'y séjourner.

Le Mas d'Azur : 42, av. de Nice, Cros-de-Cagnes. ☎ 04-93-20-19-19. Fax : 04-93-20-87-01. À 3 mn à pied de la plage (parking gratuit pour la voiture !). 15 chambres seulement, avec TV, téléphone, douches et w.-c., de 41,90 à 53,35 € (275 à 350 F). Au départ, vous pouvez être inquiet. Comment, dites-vous dans votre for intérieur qui en a déjà entendu d'autres, ils nous conseillent un hôtel au bord de la N 7 ? Et puis, une fois entré dans la cour de cette vieille maison provençale (datant de 1751, tout de même), vous êtes accueilli par un couple d'une extrême gentillesse. Votre chambre est tranquille, les couloirs ne sont guère bruyants, le jardin est accueillant, vous voilà revenu vingt-cinq ans en arrière. Heureux !

Où manger ?

Dans le centre-ville

Le Renoir : 10, rue J.-R.-Giacosa. ☎ 04-93-22-59-58. Fermé le dimanche soir, le lundi et le jeudi soir. Congés annuels de mi-décembre à début janvier et de mi-juillet à mi-août. Menus à 13,40 et 22,55 € (88 et 148 F). L'entrée de cette maison, juste en face des halles, ne paie pas de mine. Normal, tout se passe au 1er étage, dans une jolie salle jaune et cossue. Un endroit chaleureux, comme la cuisine qu'on y mange. Si on hésite entre un lapin à la purée d'olives, une croustade d'écrevisses aux champignons, une daube aux cèpes ou une fricassée de poissons, la patronne est là pour nous aider à choisir, avec une gentillesse immanente. Café offert à nos lecteurs sur présentation du *Guide du routard.*

Dans le Haut-de-Cagnes

Les Baux : 2, pl. du Château. ☎ 04-93-73-14-00. Fermé le soir sauf entre mai et septembre. Congés annuels du 15 au 31 décembre. Menu autour de 10,70 € (70 F) le midi. À la carte, compter environ 23 € (150 F). D'abord, on ne voit qu'une jolie petite terrasse, à l'ombre du château, puis on découvre la salle, très cosy. Marie-Té (on devrait dire Marie-Thé, tant l'ambiance est au *cocooning*!) ne fait pas dans le provençal, venant d'un pays où l'on aime mettre de la crème dans tous les plats. Arrêtez-vous chez elle pour souffler (surtout si vous venez du centre-ville, par la montée de la Bourgade) autour d'une salade composée et d'une daurade rose grillée simplement.

Entre Cour et Jardin : 102, montée de la Bourgade. ☎ 04-93-20-72-27. Dans le vieux Cagnes. Fermé le mardi. Congés annuels en janvier. Menus de 22,85 à 53,35 € (150 à 350 F). Agréable décor vert tendre, avec fauteuils en osier et un souci du détail dans la décoration plutôt poussé. Service assez attendrissant. Deux salles, dont une cave voûtée du XIIIe siècle. Petits feuilletés d'escargots à l'anis, tatin de cèpes, risotto de Saint-Jacques. C'est intelligent, bien fait et plein de saveurs fines. Apéritif maison offert à nos lecteurs.

La Table d'Yves : 85, montée de la Bourgade. ☎ 04-93-20-33-33. Ouvert le lundi midi et soir le mardi soir, le jeudi soir et du vendredi au dimanche midi et soir. Fermé le mercredi. Congés annuels pendant les vacances scolaires de février et de la Toussaint. Menus à 22 et 32 € (144 et 210 F). Le must : celui à 42 € (275 F). Si seulement d'autres grands chefs voulaient bien, comme Yves Merville, quitter un jour, après 20 ans de bons et loyaux services, les cuisines des grands hôtels pour s'installer à leur compte, quel bonheur ce serait ! On mangerait bien et à bons prix, enfin ! Épanoui dans sa cuisine de poche, le chef, enfin maître chez lui, garde, malgré l'afflux des commandes, le sourire et un œil sur la salle où son épouse fait régner une atmosphère paisible. Du bleu, de l'ocre sur les murs, des rideaux bariolés, des poutres blanchies. Clin d'œil : la serviette est glissée dans un rond, comme dans les anciennes pensions de famille. Trois menus qui changent très vite, selon l'envie du chef, jouant sur les saveurs des produits et la cuisson, parfaite comme toujours : risotto crémeux aux crevettes, poisson de la pêche du Cros-de-Cagnes, pain perdu et sa poêlée de fruits de saison...

Sur le port

Restaurant La Villa du Cros : port du Cros-de-Cagnes. ☎ 04-93-07-57-83. En face du port de pêche. Fermé les dimanche et lundi soir. Congés en décembre et janvier. Menus de 13,70 à 39,50 € (90 à 259 F). Un resto idéal pour un rendez-vous en amoureux, le soir venu, avec les tables au milieu du jardinet fleuri. Peu de couverts, mais un cadre tranquille et un accueil prévenant. Loup grillé, calmars grillés, fritures du Cros en saison. Tous les poissons sont pêchés au Cros. Apéritif maison offert à nos lecteurs sur présentation de leur *GDR*.

À voir

La vieille ville

Dédale de rues en pente, d'escaliers, de passages voûtés, où chaque maison retient l'attention. Entièrement rendue aux piétons grâce à un parking de 14 niveaux en sous-sol, très sophistiqué. Ne manquez pas le *logis de la Goulette* du XVIIe siècle, la *maison commune* du XVIIe siècle, avec ses deux pierres tombales romaines apposées sur la façade, et les nombreuses maisons datées du XVe au XVIIe siècles.

★ **L'église Saint-Pierre :** ouverte tous les jours de 10 h à 19 h. Elle abrite deux nefs, l'une de style gothique archaïque, caractéristique avec ses voûtes à grosses nervures carrées, l'autre du XVIIe siècle. Curieusement, on peut entrer dans l'église par la tribune.

★ ***Le château-musée :*** ☎ 04-92-02-47-30. Il domine la vieille ville de sa masse imposante, couronnée d'une tour crénelée. Autant la façade paraît austère, autant la cour intérieure, avec ses étages de galeries superposées que relie un escalier à balustres, donne une impression de légèreté. Il a appartenu aux Grimaldi de 1310, date de sa construction, jusqu'à la Révolution. On notera sa forme particulière, puisqu'il présente une architecture triangulaire. Le poivrier centenaire qui est à l'entrée est impressionnant. Pour revenir aux Grimaldi, sachez qu'un des marquis Grimaldi avait installé dans une des caves de l'ancienne citadelle un atelier de faux-monnayeurs. C'était compter sans un d'Artagnan qui, en 1710, lui mit le grappin dessus. De nos jours, cette forteresse à laquelle on accède par un bel escalier à double rampe abrite deux *musées.* Ouverts tous les jours sauf les mardi et certains jours fériés, de 10 h à 12 h et de 14 h à 17 h (18 h en été). Visites guidées, le samedi de 10 h à 11 h et le dimanche de 15 h à 16 h. Fermé trois semaines en novembre. Entrée : 3,05 € (20 F). Réductions. Billet groupé avec le musée Renoir : 4,57 € (30 F).
– Au rez-de-chaussée, dans les salles voûtées, ***musée de l'Olivier,*** l'arbre symbole de la Provence. Au 1er étage, réservé autrefois aux réceptions, *salle des fêtes* ornée d'un plafond peint en trompe l'œil, faussement attribué à Carlone, d'où l'appellation « salle Carlone », mais c'est en fait l'œuvre de Giulio Benso Pietra, au XVIIe siècle. La *donation Suzy-Solidor* présente 40 portraits de la chanteuse, réalisés par les peintres les plus célèbres du XXe siècle.
– Enfin, au 2e étage, ***musée d'Art moderne méditerranéen :*** toiles de grands peintres qui ont aimé la Côte d'Azur (Chagall, Dufy, Brayer, Foujita, Carzou, Cocteau, etc.). La tour n'est plus accessible, de longs mois de restauration en perspective.

★ ***La chapelle Notre-Dame-de-la-Protection :*** ouverte pour les visites guidées du Haut-de-Cagnes organisées par l'office du tourisme le samedi matin de 11 h à 12 h et le dimanche après-midi de 16 h à 17 h. En dehors des visites guidées, uniquement le dimanche de 15 h à 17 h. Visite guidée : 5,34 € (35 F), entrée du château comprise, où 7,62 € (50 F) pour 2 visites consécutives. Rendez-vous place Grimaldi. De son porche, très belle vue sur la mer. On comprend que cette adorable chapelle ait inspiré Renoir. À l'intérieur, fresques de 1530. Dans la chapelle gauche, retable du XVIIe siècle. Remarquez la taille de l'âne et du bœuf : plus petite que celle du petit Jésus, et en sortant une inscription très Clochemerle.

★ ***Le musée et le domaine Renoir : Les Collettes.*** ☎ 04-93-20-61-07. Par l'autocar régulier Nice-Cannes, demandez l'arrêt du *Beal-Les Collettes.* En voiture, c'est fléché de la N 7. Ouverts tous les jours sauf les mardi et jours fériés, de 10 h à 12 h et de 14 h à 18 h (17 h hors saison) ; arriver au moins 1 h avant la fermeture. Fermé en novembre. Visite guidée les mercredi et samedi de 14 h 15 à 15 h 30, le dimanche à 10 h et 11 h. Entrée : 3,05 € (20 F). Billet groupé avec le château-musée : 4,57 € (30 F). Visite guidée : 5,33 € (35 F) entrée compris.
Le peintre, atteint de rhumatismes, vint sur les conseils de son médecin s'installer dans le Midi. Après avoir successivement « essayé » Magagnosc, Le Cannet, Villefranche, Cap-d'Ail, Vence, La Turbie, Biot, Antibes et Nice, c'est à Cagnes qu'il décida de se fixer. Il y vécut de 1903 à 1919. C'est là qu'il commença la sculpture. La lumière le comblait.
« Ce qui le réjouissait particulièrement à Cagnes, c'est qu'on n'y avait pas le nez sur la montagne. » Il adorait la montagne, mais de loin...
« Il m'a dit souvent qu'il ne connaissait rien de plus beau au monde que la vallée de la petite rivière, la Cagne, lorsque, à travers les roseaux qui donnent à ces lieux leur nom, on devine le Baou de Saint-Jeannet. » (Jean Renoir, *Pierre-Auguste Renoir, mon père,* Folio, Gallimard).

Il résida d'abord, à partir de 1903, à la maison de la poste (l'actuelle mairie) avant d'acheter en 1907 *Les Collettes* et ses oliviers du XVIe et d'y faire construire une maison, où il passa les douze dernières années de sa vie. Dans la maison, acquise par la ville de Cagnes en 1960, tout a été reconstitué comme du temps de Renoir. Au rez-de-chaussée, le salon, la salle à manger et les chambres des amis : Durand-Ruel, entre autres, le premier marchand de tableaux qui ait cru en Renoir. Tout cela aurait évidemment besoin d'une nouvelle muséographie, mais la présentation a quelque chose de touchant.
C'est aux Collettes que Renoir peignit *Les Grandes Baigneuses,* qu'il considérait comme l'aboutissement de sa vie. Lorsque les enfants du peintre voulurent donner ce tableau au Louvre, les responsables du musée le refusèrent, trouvant les couleurs criardes ! Ce n'est qu'après qu'ils revinrent sur leur décision et l'acceptèrent...
À l'étage, l'émouvant atelier reconstitué, la chambre de Renoir, de Mme Renoir (de la terrasse, vue sur le cap d'Antibes, le vieux village de Cagnes et la mer), des enfants Renoir (Claude, Jean et Pierre). De plus, le musée abrite onze toiles originales du maître impressionniste. Également 2 sculptures modelées entièrement par Renoir et 11 réalisées avec l'aide du sculpteur Richard Guino.
Promenez-vous dans le vaste jardin planté d'oliviers, dont le feuillage argenté atténue les durs rayons du soleil, d'orangers, de citronniers et de rosiers (les roses étaient les fleurs préférées du peintre), vous ne le regretterez pas. Ce jardin fut aménagé pour permettre à l'artiste, infirme dès 1912, de circuler facilement dans son fauteuil roulant, d'ailleurs exposé dans son atelier.

Cros-de-Cagnes

L'office du tourisme organise tous les jeudis des visites guidées du village des pêcheurs. Réserver 48 h à l'avance auprès de l'office du tourisme, compter 2 h de visite. 1,52 € (10 F) par personne sur présentation du *GDR* de l'année. Au programme : visite du port, rencontre avec les pêcheurs, découverte des traditions (fête de la Saint-Pierre) et des spécialités locales, dont la fameuse *poutine*, pêchée à des dates variables, durant 45 jours, comprises entre début février et fin mars ; un filet (la senne) racle le fond herbeux pour capturer ces petits alevins de sardines qui font un malheur, ici, entre Cagnes et Menton.

★ ***L'église des pêcheurs :*** dans les tons ocre jaune, un peu perdue devant le trafic de la nationale qui longe le bord de mer. Elle fut construite par les pêcheurs eux-mêmes. Elle est vraiment croquignolette et l'on comprend qu'elle ait servi de décor de cinéma. Cagnes est une des rares villes des Alpes-Maritimes où il existe encore une activité de pêche (loups, poutines, etc., reviennent avec les marins-pêcheurs tous les matins, quand le temps s'y prête).

Fêtes et manifestations

– ***Exposition internationale de la Fleur :*** 10 jours début avril, à l'hippodrome de la Côte-d'Azur. Depuis 40 ans, des exposants du monde entier viennent célébrer les fleurs à Cagnes-sur-Mer.
– ***Nuit des Contes :*** fin juin-début juillet, dans les jardins du musée Renoir. Gratuit. Apportez une couverture et de la crème anti-moustiques, et ouvrez grand les yeux et les oreilles.
– ***Fête médiévale :*** début août, dans le vieux Cagnes. Tournois, lancement de drapeaux, spectacles, marché et festin médiéval. Tournoi au parc des Cannebiers sud, deux jours durant.

– ***Le bord de mer en zone piétonne :*** 13 juillet et 14 août. Une manifestation très populaire à Cagnes-sur-Mer, qui réserve son bord de mer aux piétons, le temps d'une soirée. C'est le moment de profiter des terrasses des cafés et restaurants. Et de rêver à ce qui pourrait arriver un jour, si la circulation était enfin coupée ou, du moins, régulée !
– ***Championnat de Boules carrées (!) :*** l'avant-dernier week-end d'août. Dans la montée de la Bourgade, la rue qui grimpe au château.
– ***Festival international de la Peinture :*** en juillet, août et septembre. ☎ 04-93-20-87-29. Hommage à un pays étranger.
– ***Salon du Palais gourmand :*** en novembre. Produits du terroir et bons crus.
– ***Festival International de la Magie :*** fin décembre.

➤ *DANS LES ENVIRONS DE CAGNES-SUR-MER*

★ *SAINT-LAURENT-DU-VAR* *(06700)*

Quelques kilomètres à pied, depuis le port de Cagnes, dans un environnement qui ne pourrait qu'être amélioré, et vous voilà sur le port de Saint-Laurent-du-Var, attraction numéro un à la tombée de la nuit pour les jeunes du coin. Pour les amateurs de bateaux comme pour ceux qui chercheraient une plage de sable fin, c'est une promesse de paradis. Une promesse seulement, car on ne se risquera pas à vous donner beaucoup d'adresses...

Où manger ?

|●| ***L'Aigue Marine :*** 167, promenade des Flots-Bleus. ☎ 04-93-07-84-55. Entre le port St Laurent et le Cap 3000 (centre commercial). Fermé le samedi midi en été et le dimanche soir hors saison. Menu « astuce » à 20,58 € (135 F). Carte autour de 30,49 € (200 F). La meilleure adresse sur le front de mer, prise d'assaut le week-end. Un vrai beau resto pour amateurs de poisson : tartare de saumon, gambas grillées et risotto, etc. Un bon rapport qualité-prix qui explique le succès remporté par Jean-Paul Revella (dont la famille tient la plage Miami, à Nice). Choisissez en confiance le menu « astuce », avec son assortiment d'entrées et son pavé de thon grillé aux pignons, ou toute autre suggestion de la semaine.

|●| ***Madame Nature :*** 167, promenade des Flots-Bleus. ☎ 04-92-27-15-45. Fermé les dimanche soir et lundi. Menu « suggestion du jour » à 12,96 € (85 F). Compter 24,39 € (160 F) à la carte. Un bon petit (par la taille !) végétarien, sur le front de mer, au look salon de thé réconfortant. Des épices et des légumes comme on les aime : poissons sauvages à la rôtissoire, tartes aux légumes sympas, gigot de lotte sauce créole... Les tartes sucrées sont bonnes, le vin est naturellement bio et il y a du café philosophique dans l'air le vendredi. On croit rêver ! Apéritif maison offert aux lecteurs sur présentation du *GDR*.

★ *LA COLLE-SUR-LOUP* *(06480)*

Depuis Cagnes, une route sans état d'âme mène jusqu'à ce village né lors de la décision de François Ier de renforcer la défense de Saint-Paul-de-Vence. De nombreuses maisons furent alors détruites et les familles chassées s'établirent dans des hameaux plus bas et sur les coteaux voisins, les *colles,* d'où le nom du village ; le bourg, bien pourvu en eau, ne connut pas

l'exode rural des autres villages. Longtemps, on y cultiva le blé et la vigne. Plus tard vint la vague des plantes parfumées et l'on produisait au début du XXe siècle quelque 500 tonnes de roses par an. Ce ne fut pas la dernière reconversion du pays car l'activité du village se tourna vers les cultures fruitières et maraîchères. Enfin, le prix du mètre carré augmentant, certains maraîchers vendirent leur terrain pour permettre la construction de résidences secondaires, trop nombreuses hélas.
On peut faire une jolie *promenade le long du Loup* (voir le chapitre « Les gorges du Loup »). En direction de Bar-sur-Loup, prendre le chemin de la Canière jusqu'à la rivière (joli coin pour la baignade).
Après La Colle, la route vous conduit à Saint-Paul, puis à Vence.

Où dormir ? Où manger ?

Camping

Camping Les Pinèdes : route du Pont-de-Pierre. ☎ 04-93-32-98-94. Fax : 04-93-32-50-20. À 1,5 km à l'ouest, sur la route de Grasse. Fermé de début octobre au 10 mars. Compter de 12,04 à 15,09 € (79 à 99 F) pour deux avec une tente. Site agréable et reposant : piscine, salle de TV, jeux pour les enfants. Il est prudent de réserver en saison. Propose également la location de mobile homes et de chalets.

Prix moyens à plus chic

Hôtel Marc-Hély : 535, route de Cagnes. ☎ 04-93-22-64-10. Fax : 04-93-22-93-84. • marc-hely@accesinter.com • À 800 m du village. Chambres doubles de 59,46 à 73,18 € (390 à 480 F). Hôtel confortable au décor provençal avec piscine et jardin. Idéal pour faire une cure de silence, toute l'année, et se réveiller le matin face à Saint-Paul.

La Vieille Ferme : 660, route de Cagnes. ☎ 04-93-22-62-42. Fax : 04-93-22-47-98. Fermé le samedi en hiver. Congés annuels en décembre et janvier. Chambres à 42,69 et 45,73 € (280 et 300 F). Au restaurant, menus de 12,96 à 22,11 € (85 à 145 F). Décor assez coquet avec ses parasols blancs. Bonne petite cuisine familiale : poularde vieille ferme, carré d'agneau des prés au four, aile de raie au beurre noisette. Piscine et terrasse avec une vue imprenable sur les *baous*. Pour nos lecteurs, remise de 10 % sur le prix de la chambre de janvier à mars sur présentation du *Guide du routard* de l'année.

Plus chic

Chambres d'hôte La Bastide Saint-Donat : route du Pont-de-Pierre, parc Saint-Donat. ☎ 04-93-32-93-41. Fax : 04-93-32-80-61. Chambres de 60,98 à 91,47 € (400 à 600 F). À 2 km de la Colle-sur-Loup. Dans le creux d'un vallon verdoyant où coule le Loup, cette bergerie du XIXe siècle a été transformée en une belle maison de charme abritant 5 chambres, toutes décorées avec goût. Les propriétaires ont tout fait eux-mêmes au fil des ans et c'est vraiment beau. Certaines chambres donnent sur le vallon, les autres sur le jardin. Les propriétaires, M. et Mme Rosso sont des personnes souriantes et affables, d'une grande gentillesse. Ils reçoivent avec naturel et connaissent le pays par cœur.

SAINT-PAUL-DE-VENCE (06570) 2 890 hab.

On a du mal à imaginer que Saint-Paul, dans les années 1930, n'était qu'un tout petit village perdu et haut perché comme tant d'autres qui gardent l'ancienne frontière du Var. Un aubergiste inconnu accueillait quelques peintres désargentés. Attirés par la lumière tantôt douce, tantôt violente qui baigne ce petit village, les artistes s'y sont installés.
Entre-temps, hôtels et restaurants ont poussé comme des champignons et les circuits touristiques en car se sont multipliés pour le meilleur et pour le pire... Les touristes ont débarqué en nombre. Et puis, après avoir vécu pendant un quart de siècle sur sa réputation, sans chercher à remettre en cause la manne estivale, le village semble avoir décidé, en ce début de XXIe siècle, de reprendre en main son destin. Certes, si vous persistez à venir en plein été, mieux vaut toujours arriver tôt à Saint-Paul, ne serait-ce que parce que l'accès au village est (heureusement!) interdit aux véhicules des non-résidents et que beaucoup cherchent à éviter (mais à quel prix!) le parking payant.

LA *COLOMBE D'OR*, UNE AUBERGE « INSPIRÉE »

Comment une modeste auberge villageoise peut-elle devenir un hôtel de légende? « L'esprit souffle où il veut, et quand il veut » dit la Bible. C'est l'histoire de la Colombe d'Or. Dans les années 1925, *À Robinson,* une banale auberge à l'entrée de Saint-Paul, attira des peintres et des artistes de la Côte d'Azur à la recherche de calme et d'inspiration. Très vite, le fils de l'aubergiste, ***Paul Roux***, découvrit le talent de ces artistes méconnus jusqu'alors, qui avaient pour nom ***Signac***, ***Soutine***, ***Picasso***, ***Miró***, ***Max Ernst***. Jacques Chardonne disait de Paul Roux qu'il était « un paysan artiste de la plus fine variété française ». Il reconvertit le petit établissement en hôtel, baptisé *La Colombe d'Or,* et lança l'endroit en invitant journalistes et personnalités. Il hébergeait alors gracieusement ses amis peintres, ceux-ci lui offrirent souvent une toile pour le remercier et vinrent nombreux : ***Derain***, ***Utrillo***, ***Vlaminck***, ***Matisse***, ce dernier séduit par l'endroit qui lui rappelait San Gimignano en Italie. Des écrivains y passèrent aussi. Le premier qui en franchit le seuil fut ***D.H.Lawrence***, en exil, que la tuberculose emporta à Vence, à 45 ans. D'autres artistes plus riches fréquentèrent aussi l'hôtel : ***Giono***, ***Gide***, ***Paul Morand***, ***Maeterlinck***, ***Kipling***, ***Maurice Chevalier***, ***Mistinguett***. Sans oublier ***Raymond Queneau*** qui y écrivit *Zazie dans le métro* et *Saint-Glinglin.*
Plus tard, dans les années 1940, les vedettes de cinéma séjournèrent à leur tour dans cette auberge « inspirée » : ***Carné***, ***Prévert***, ***Kosma***, ***Allégret***, ***Clouzot***. *La Colombe d'Or* assura même le repas de mariage d'***Yves Montand*** et de ***Simone Signoret*** ! Paul Roux rénova l'hôtel, utilisant des pierres d'un château de la région d'Aix-en-Provence, « Rognes », pour la façade et demandant à ***Léger*** de composer une céramique murale pour la terrasse. Après sa mort, en 1953, ses descendants ont gardé l'endroit tel quel, et on peut toujours y admirer de superbes toiles. Aujourd'hui, le philosophe (nouveau!) *Bernard-Henry Lévy* et sa femme, l'actrice *Arielle Dombasle*, y habitent une partie de l'année. Côté prix, rien à moins de 228,67 € (1 500 F) la nuit... Prestige oblige!

Quelques conseils

– ***Conseil de visite :*** prenez un petit déj' avant l'arrivée des gros bataillons de visiteurs et descendez à la *fondation Maeght* pour être parmi les premiers à l'ouverture. Allez ensuite faire un tour dans l'arrière-pays et revenez en fin d'après-midi, pour goûter au plaisir de passer une soirée à Saint-Paul. Arrivez par le rempart sud, descendez la rue Grande en regardant remonter les derniers rescapés de la folle journée et guettez le coucher de soleil depuis une terrasse, en attendant l'illumination des remparts.

– ***Conseils pour l'hébergement :*** attention ! les prix des hôtels et des chambres d'hôtes à Saint-Paul-de-Vence et dans sa région (dans un rayon d'une dizaine de kilomètres) sont très élevés. Rien de routard, donc pas de tarifs économiques. Il faut le savoir : Saint-Paul est le cœur d'un « triangle d'or » (en gros le secteur Vence, Saint-Paul et Tourettes-sur-Loup) très recherché, où les prix des terrains et des prestations n'ont fait que flamber depuis les années 60. C'est un monde à part, un « balcon de première classe » où la sélection se fait d'abord par l'argent. Donc : pour dormir à des prix sages, se replier à Vence ou dans des villages plus éloignés comme La Colle-sur-Loup, Saint-Jeannet (très beau village), sinon Cagnes-sur-Mer, où les prix sont plus abordables.

Adresse utile

☗ ***Office du tourisme :*** 2, rue Grande. ☎ 04-93-32-86-95. Fax : 04-93-32-60-27. • artdevivre@wanadoo.fr • Ouvert tous les jours ; de juin à septembre, de 10 h à 19 h ; d'octobre à mai, de 10 h à 18 h.

Où dormir ?

Prix moyens

☗ ***Hôtel Les Remparts :*** 72, rue Grande. ☎ 04-93-32-09-88. Fax : 04-93-32-06-91. Ouvert toute l'année. Double de 38,11 à 79,27 € (250 à 520 F). Prix variables selon le confort et la vue (sur la rue ou sur la vallée). L'adresse la moins chère de Saint-Paul. Dans le centre du village, un petit hôtel de 9 chambres (climatisées, avec douche et w.-c.). Parking.

Plus chic

☗ ***Auberge Le Hameau :*** 528, route de La Colle. ☎ 04-93-32-80-24. Fax : 04-93-32-55-75. Fermé de mi-novembre à mi-février, sauf pour les fêtes de fin d'année. De 88,41 à 126,52 € (580 à 830 F) la chambre double. Possibilité de louer 3 appartements. Dans un très joli paysage verdoyant, avec un jardin en terrasses et une piscine. Superbe vue sur le village de Saint-Paul. Chambres confortables (climatisées) et bien meublées. Préférez le corps de bâtiment à l'annexe : les chambres ont beaucoup plus de charme. Idéal pour les amoureux en goguette.

Très chic

☗ ***La Grande Bastide :*** route de La Colle. ☎ 04-93-32-50-30. Fax : 04-93-32-50-59. • www.la-grande-bastide.com • Fermé du 15 janvier au 15 février. À partir de 114 € (748 F). Une bastide du XVIIIe siècle entièrement restaurée et transformée en petit hôtel de charme avec de belles chambres aux meubles peints et aux couleurs pastel, et un accueil à la hauteur. Beaux petits déj'. Piscine, jardin avec vue sur Saint-Paul et la mer au loin. Pas de restaurant. Réduction de 10 % sur le prix de la chambre (en basse saison) accordée aux porteurs du *GDR* de l'année.

☗ ***Le Mas des Gardettes :*** 139,

chemin de la Vieille-Bergerie. ☎ 04-93-32-33-90. À 600 m de l'entrée du village. De 229 à 534 € (de 1 502 à 3 503 F) la semaine, selon l'époque et la surface habitable. Une résidence idéale pour ceux qui préfèrent payer plus cher mais avoir confort, calme et environnement privilégié. Anna Jong a du goût, à commencer par celui de l'ordre et de la propreté, et ses studios et appartements loués à la semaine sont une véritable trouvaille. Terrasse, jardin, tonnelle... Notre chouchou. 10 % de réduction de novembre à mars, sur présentation du *GDR*.

Où manger ?

Bon marché

I●I ***Café de la Place :*** place du Général-de-Gaulle. ☎ 04-93-32-80-03. Ouvert tous les jours, le midi seulement. Plat du jour autour de 10 € (environ 65 F). Entre les platanes de la place aux boulistes et les cyprès de *La Colombe d'Or* où Montand et Signoret allaient se nourrir et dormir, il y a toujours ce café populaire où l'on se retrouve entre bons vivants pour la daube aux raviolis. Une institution, fréquentée par les Japonais comme par les gens du cru.

I●I ***Chez Andréas :*** remparts Ouest. ☎ 04-93-32-98-32. Ouvert tous les jours de midi à minuit. Entre 7 et 15 € environ (50 à 98 F). Un petit bar à vin chaleureux, dans les tons ocre, un peu à l'écart, que demander de plus ? Une terrasse... Elle existe. On vous y servira une salade de lentilles ou de pommes de terre aux lardons, avec un verre et, si vous avez encore faim après, vous pourrez aller manger un gâteau maison au salon de thé que le même Andréas – une des figures incontournables du village – a ouvert, rue Grande, à *La Cocarde,* resto très Mimi Pinson. Café offert à nos lecteurs sur présentation du *Guide du routard* de l'année.

Prix modérés

I●I ***Un Cœur en Provence, comme à la maison :*** montée des Quatre-Coins. ☎ 04-93-32-87-81. À l'angle de la rue Grande. Ouvert tous les jours de 9 h à 19 h pour la boutique et le salon de thé, et de 12 h à 17 h pour le resto. Plats à partir de 6,86 € (45 F), repas autour de 14 € (environ 90 F). Fermé le mercredi, et du 7 janvier au 7 février. On y déguste la cuisine de nos jardins, la plupart des recettes provenant directement des grand-mères italo-françaises. Des soupes fraîches, des tians de légumes, des salades composées et de bons desserts. Animations le dimanche matin avec des poètes et des écrivains autour d'un bon *brunch,* ainsi que des goûters d'enfants contés.

Plus chic

I●I ***La Fontaine :*** place de la Fontaine. ☎ 04-93-32-74-12. Fermé le mardi. Plat du jour à 14 € (environ 90 F). Compter entre 22 et 30 € pour un repas (144 à 197 F). Soyons honnêtes, on n'y vient pas pour la cuisine mais pour rencontrer les gens du village, mêlés aux touristes, autour d'un plat du jour qui tient au corps. Et puis il y a la terrasse, on est au cœur du village...

Très chic

I●I ***La Colombe d'Or :*** place du Général-de-Gaulle. ☎ 04-93-32-80-02. • www.la-colombe-dor.com • Fermé du 2 novembre au 20 décembre. Autour de 61 € (400 F) le repas. On vient ici autant pour voir que pour être vu. La cuisine est raffinée mais on n'a pas pour autant les papilles qui s'entrechoquent. Et surtout, on en sort nostalgique (« C'est une chanson qui nous ressemble, toi qui m'aimais, moi qui t'aimais... »).

À voir

★ ***La rue Grande :*** c'est la rue principale du village. Tout de suite à droite, l'office du tourisme. La rue est bordée de belles maisons blasonnées des XVIe et XVIIe siècles, reconverties en boutiques d'artisanat, ateliers et autres magasins de souvenirs, pièges à touristes d'un goût souvent douteux. Les vieilles et nobles maisons rappellent que Saint-Paul fut cité royale et petite ville prospère. Vous admirerez la *place de la Grande-Fontaine,* avec son élégante urne en pierre au milieu d'un bassin circulaire et son lavoir voûté. À l'extrémité du village, l'ancien hôpital fut reconverti en école. Vous arrivez ensuite à la *porte du Sud* ou *porte de Vence.* À côté, le cimetière, une émouvante chapelle et des cyprès. Effectuez le tour des remparts qui n'ont pas changé depuis François Ier et ont conservé leur chemin de ronde. Le tracé en « as de pique » des bastions est caractéristique du XVIe siècle. La vue sur la campagne, qui rappelle la Toscane, y est superbe. Bordant l'enceinte, superbes vieilles maisons rénovées, aux fenêtres à meneaux, où court le lierre. Si vous suivez nos conseils et évitez les heures chaudes, vous découvrirez un village bien vivant, animé par des habitants qui ne demanderont qu'à nouer le contact, si vous ne jouez pas les envahisseurs.

★ ***Le musée d'Histoire locale :*** place de l'Église. ☎ 04-93-32-41-13. Ouvert de 10 h à 17 h 30 (19 h en été). Fermé 15 jours en novembre-décembre. Entrée : 3,05 € (20 F). Dans le style Grévin (un style qu'on retrouve un peu trop souvent !). Idéal pour se rafraîchir les pieds et les idées en plein été. Et pour voir autrement un des trois plus beaux villages de France, avec le Mont-Saint-Michel et Vézelay, où souffle l'esprit tout comme le vent de l'histoire, depuis le XIe siècle...

★ ***L'église collégiale :*** Saint-Paul fut longtemps la rivale de Vence ; aussi, pour essayer de l'égaler quelque peu, la ville demanda que son église soit promue collégiale, sorte de sous-cathédrale ; la requête fut acceptée mais la Révolution abolit ce privilège. L'église remonte au XIIIe siècle mais fut agrandie et restaurée à la fin du XVIIIe siècle. Le clocher date de 1740. À gauche en entrant, près des fonts baptismaux, Vierge du XVe siècle, *Sainte Catherine d'Alexandrie,* tableau attribué au Tintoret. À droite, chapelle latérale ornée d'une riche décoration en stuc. Le devant de l'autel représente le martyre de saint Clément. Au-dessus, tableau d'un peintre italien du XVIIe siècle : *Saint Charles Borromée offrant ses œuvres à la Vierge en présence de saint Clément.*

★ ***La fondation Maeght :*** ☎ 04-93-32-81-63. En été, ouvert de 10 h à 19 h ; hors saison, de 10 h à 12 h 30 et de 14 h 30 à 18 h. Entrée : 7,62 € (50 F), 6,10 € (40 F) pour les étudiants, gratuit pour les moins de 10 ans. Droit photo, ou alors consigne pour appareils. Petite cafétéria à l'entrée. Notre musée préféré sur la Côte. Nous ne sommes pas les seuls à l'aimer car chaque année quelque 200 000 personnes, dont 50 % d'étrangers, viennent visiter la fondation, ce qui en fait le deuxième musée d'art moderne de France par la fréquentation.

Aimé Maeght, séduit par l'atelier de Miró à Palma de Majorque, fit réaliser le projet qu'il avait en tête avec, pour principe, le respect du paysage. Il ne s'agissait pas pour autant de « faire du pseudo-provençal », heureusement. On retrouve d'ailleurs l'omniprésent Miró au travers de l'étonnant labyrinthe de statues, fontaines et sculptures aux formes étranges, disséminées dans le jardin. La fondation a réussi une réelle osmose entre l'environnement,

l'architecture et la sculpture. Les matériaux utilisés sont simples : béton brut et brique rose romaine. L'escarpement du sol (la fondation est sur une colline) a été conservé grâce à des murettes. On est tout de suite frappé par les éléments blancs en béton qui rappellent des cornettes de religieuse : ce sont en fait des collecteurs d'eau de pluie qui alimentent les bassins.
Beaucoup d'artistes ont participé à la décoration : *Chagall* (en voisin) avec des mosaïques, *Miró* avec des céramiques, *Braque* (pour le vitrail de la jolie chapelle), *Tal-Coat, Pol Bury* avec ses fontaines. On pense à la formule de Braque, « l'art et son bruit de source ».
La fondation fut inaugurée en 1964. Elle possède une importante collection de peintures et sculptures des plus grands noms du XXe siècle, allant de *Bonnard, Matisse, Léger* à *Tal-Coat, Pol Bury, Riopelle, Tapiés,* etc. Les éclairages ont été savamment conçus pour mieux mettre en valeur les œuvres. Chaque année ont lieu de grandes expositions telles que l'Hommage à Dubuffet, à Max Ernst, cet « illustre forgeron des rêves », à Fernand Léger, à Nicolas de Staël ou l'exposition consacrée aux peintres illustrateurs du XXe siècle.
La fondation ne se contente pas d'abriter un musée. Elle est aussi un lieu vivant de confrontation où les artistes sont les bienvenus. Ils y disposent d'une bibliothèque. Enfin, la fondation vit sans aide de l'État, grâce aux entrées et à la librairie, entre autres, ce qui lui laisse une totale liberté.

★ ***Ateliers d'artistes :*** les créateurs saint-paulois existent, vous pouvez les rencontrer, chez eux. Il y en a près de 25, indiqués par l'office du tourisme, dont certains ne manquent pas de pittoresque. Allez voir Sultan, place de la Mairie, pour l'entendre pester contre les faux artistes, tout en le regardant peindre ou sculpter. Ses œuvres n'ont rien à voir avec les peintures de Geneviève Turtaut, rue Grande, qui débordent de la joie de vivre de leur créatrice, ou avec les sculptures réalisées, rue de la Boucherie, par Marie Orsoni, à partir d'emballages industriels, de polyester...

Achats

Un Cœur en Provence : montée des Quatre-Coins. ☎ 04-93-32-87-81. Ouvert de 9 h à 19 h. Un lieu adorable, une petite bulle d'oxygène pour réinventer le temps : celui de lire (au travers d'ouvrages de littérature, de cuisine, de traditions...), celui d'écrire, en s'offrant de beaux papiers, des carnets originaux, celui d'offrir aussi. Cotonnades, senteurs, thés, douceurs...

Les Trois Étoiles de Saint-Paul : place de la Mairie. ☎ 04-93-32-79-68. L'antre d'un alchimiste des temps modernes. Des alambics pleins de crème de coing, de framboise, de cerise ou de pêche, des flacons remplis d'huile de cèpe, de truffe ou d'ail, du vinaigre de lavande... Très malin et original.

VENCE

(06140) 17200 hab.

Vence rime avec Provence... C'est en effet de Provence qu'il s'agit ici ; le littoral se fait loin tout à coup et la vieille ville, avec ses maisons patinées par le temps et ses marchés où se donnent rendez-vous toutes les vraies herbes de Provence, évoque plus le « pays » que la Côte. Plus haute en altitude que Saint-Paul, plus peuplée, plus populaire, mais plus abordable en termes de logement et de restauration, Vence est le point de départ de superbes excursions dans l'arrière-pays.

UN PEU D'HISTOIRE

C'est véritablement après la guerre de 1914 que Vence voit sa population augmenter. La vieille ville, dans ce paysage paradisiaque, avait de quoi séduire. *Gide, Paul Valéry, Soutine* et *Dufy* y séjournèrent. Ce dernier s'installa en 1919 sur la route du Var, face à la vieille ville. Peu à peu, on construisit des hôtels et des maisons de repos (« Une convalescence, avec la connivence du printemps, ici, quelle joie », dira Gide).

Après la pause de la Seconde Guerre mondiale, Vence se développe plus lentement que les villes du littoral, et c'est tant mieux. En 1955, la ville ne compte que 6000 habitants. On voit encore des lavandières au lavoir, les moulins à huile fonctionnent et d'autres artistes viennent à Vence pour y retrouver ce côté authentique : *Céline, Tzara, Cocteau, Matisse, Chagall* qui s'y établit en 1949 (c'est à Vence qu'il réalise le plafond de l'opéra de Paris), *Carzou, Dubuffet.*

Mais, dès les années 1960, les villas avec piscine et jardin paysager surgissent un peu partout; les champs et les oliveraies disparaissent... La ville double en dix ans. On crée une rocade et des parkings; la vieille ville demeure heureusement presque intacte, mais l'urbanisme continue ses ravages un peu partout à l'extérieur, et de grands immeubles qui « effacent les contours » sont construits. *Chagall*, du coup, émigre à Saint-Paul.

Aujourd'hui, pour préserver l'avenir, certains se battent pour sauver ici une place, là une maison classée. Le plus dur sera de revoir, comme dans de nombreuses villes du Sud, le plan de circulation. De quoi décourager pour l'instant les meilleures initiatives, comme celles de l'ancien syndicat du même nom, les panneaux stylisés représentant les fameuses chapelles de Vence étant invisibles aux yeux des conducteurs emportés par un flux aussi fantaisiste qu'ininterrompu (« Père, gardez-vous à droite, père, gardez-vous à gauche! »).

Comment y aller?

➢ ***De Cagnes-sur-Mer :*** bus réguliers pour Vence et Saint-Paul de 7 h 25 à 20 h.

➢ ***De Nice :*** bus toutes les heures environ. Dernier départ à 20 h 15. Dernier retour à 19 h 15. Prix du trajet (aller simple) : 4,57 € (30 F).

Adresse utile

🛈 ***Office du tourisme :*** 8, pl. du Grand-Jardin. ☎ 04-93-58-06-38. Fax : 04-93-58-91-81. En été, ouvert du lundi au samedi de 9 h à 13 h et de 14 h à 19 h; hors saison, du lundi au vendredi de 9 h à 12 h 30 et de 14 h à 18 h.

Où dormir?

Camping

⛺ ***Camping-caravaning Domaine de la Bergerie :*** sur la route de la Sine. ☎ 04-93-58-09-36. À 3 km au sud-ouest de Vence, direction Tourrettes-Grasse; au rond-point à gauche, suivre les flèches. Fermé de mi-octobre à fin mars. Compter entre 12 et 22 € (de 79,50 à 149 F) pour un forfait (2 personnes, 1 tente, 1 voiture) selon l'emplacement et la saison. Très calme et agréable camping trois étoiles. Niché au pied des *baous* et du col de Vence, dans un site boisé et reposant. Jeux pour les enfants. Tennis et deux piscines. Réductions de 5 à 15 % selon la période et la durée du séjour pour nos lecteurs sur présentation du *Guide du routard* de l'année.

Bon marché

- ***Hôtel Les Alpes*** : 36, pl. Antony-Mars. ☎ 04-93-58-13-30. Fax : 04-93-58-29-43. Chambres à 30,49 € (200 F). Un des hôtels les plus économiques de Vence, avec un bar au rez-de-chaussée et des chambres très très simples, mais toutes rénovées et propres, dans les étages. Bien qu'ordinaire, le décor n'est ni cafardeux, ni moche. Il y a la douche et les w.-c. dans chaque chambre. Vue sur les vieux immeubles de la rue. Accueil simple et poli.
- ***La Closerie des Genêts*** : 4, impasse Maurel. ☎ 04-93-58-33-25. Fax : 04-93-58-97-01. Ouvert toute l'année. Chambres doubles de 33,54 à 54,88 € (220 à 360 F). Au fond d'une impasse tranquille, ce petit hôtel vit au cœur de Vence, tout en étant à l'écart de son agitation estivale. Chambres rénovées sur des thèmes différents, spacieuses et calmes. Vue sur le jardin et les environs. Accueil jovial et dynamique. 10 % de remise sur le prix des chambres à partir de 2 nuits d'octobre à avril sur présentation du *GDR* de l'année.

Prix modérés

- ***La Maison du Rosaire*** : 466, av. Henri-Matisse. ☎ 04-93-58-03-26. Fax : 04-93-58-21-10. Demi-pension à 24,39 € (160 F) et pension complète à 33,54 € (220 F) par jour et par personne. Une des adresses les plus incroyables que nous ayons trouvées au cours de notre périple « Sur les pas de Matisse ». Vous dormez (3 jours minimum !) dans les chambres, zen mais entièrement refaites (avec douche et w.-c.), des deux villas qui entourent la chapelle du Rosaire « décorée » par le peintre, vous profitez du calme, de la vue imprenable sur les *baous,* des superbes jardins en terrasses. Les repas se prennent dans une grande salle à manger commune. Évidemment, ce n'est pas l'adresse à conseiller aux familles nombreuses se déplaçant avec le chat, le chien, belle-maman et le poisson rouge, mais pour un couple venu découvrir le pays vençois loin de la foule, c'est surprenant !

Plus chic

- ***Auberge des Seigneurs*** : place du Frêne. ☎ 04-93-58-04-24. Fax : 04-93-24-08-01. À l'entrée du vieux Vence. Restaurant ouvert le mardi soir, le mercredi soir et du jeudi au dimanche, midi et soir ; fermé le lundi. Congés annuels du 1er novembre au 15 mars. Chambres doubles de 60,06 à 69,21 € (394 à 454 F). Menus à partir de 27,44 € (180 F). Cette très belle bâtisse du XVe siècle propose des chambres portant des noms de peintres célèbres. La *Modigliani* et la *Soutine* nous ont bien plu pour la vue qu'elles offrent sur la montagne et pour leur allure de suites plus que de chambres d'hôtel. De plus, leur prix est plus que raisonnable. Menus raffinés et originaux à prix (g)astronomiques. Accueil chaleureux. Digestif offert sur présentation du *GDR*.
- ***Hôtel Miramar*** : 167, av. Bougearel, quartier Plateau Saint-Michel. ☎ 04-93-58-01-32. Fax : 04-93-58-20-22. • resa@hotel-miramar-vence • Chambre double de 59,46 à 90,71 € (390 à 595 F) selon le confort et la saison. À deux pas du centre-ville, au calme, cette belle bâtisse bourgeoise de trois étages et aux murs roses, est tenue avec soin par un couple accueillant et courtois. Charmantes chambres rénovées, dotées de tout le confort. Notre préférée : la *Bouton d'Or* avec ses

3 fenêtres, son balcon et la vue sur les collines. Dans le jardin : piscine, palmiers et terrasse surplombant la vallée.

☗ ***Auberge des Cayrons « Au Coq Hardi » :*** 2340, route de Cagnes. ☎ 04-93-58-11-27. Fax : 04-93-59-88-91. Ouvert toute l'année. Chambres de 59,46 à 72,41 € (390 à 475 F). 10 chambres rénovées (avec salle de bains). Le dîner n'est servi que si on loge à l'hôtel : 15,24 € (100 F) le repas. Parking et piscine.

Où manger ?

Assez bon marché

IOI ***Brasserie-restaurant Chez Marina :*** 7, av. Marcellin-Maurel. ☎ 04-93-58-97-84. À 150 m de la place centrale de Vence. Fermé les dimanche soir et lundi. Repas autour de 10,65 € (70 F). La terrasse ombragée à l'arrière reste le meilleur endroit (calme !) pour savourer une honnête et copieuse cuisine provençale concoctée par une famille d'anciens bouchers. On ne plaisante pas avec la qualité et la provenance de la viande : du charolais, rien que du charolais, à des prix raisonnables.

IOI ***Le Pêcheur de Soleil :*** 1, pl. Godeau. ☎ 04-93-58-32-56. Sur l'une des plus belles places de Vence. Ouvert tous les jours sauf le lundi hors saison, à la Toussaint et à Noël. Pizzas de 6,10 à 19,80 € (40 à 130 F). Ici, vous avez à choisir entre quelques 600 pizzas différentes !

IOI ***Le Troquet :*** 13, pl. du Grand-Jardin. ☎ 04-93-58-75-49. Fermé le dimanche et le lundi soir. Les suggestions du varient de 7,62 à 18,29 € (50 à 120 F). Un petit resto récemment refait et agrandi, où l'on vient pour les patrons autant que pour les plats du jour, simples et bons, et la fameuse *bruschetta* ou les salades provençales, qu'on déguste au soleil, sur la place, en terrasse. En cuisine, le chef s'inspire de la cuisine des plus grands, chez lesquels il a travaillé. Service décontracté. Apéritif maison offert sur présentation du guide.

Prix modérés

IOI ***Le P'tit Provencal :*** 4, pl. Clemenceau. ☎ 04-93-58-50-64. Au centre de la vieille ville. Fermé les mercredis et jeudis hors saison (le midi uniquement en saison). Congés annuels en novembre et 15 jours en mars. Menus à partir de 13 € (85 F) le midi en semaine, à 25 € (164 F). Ce resto à l'ambiance décontractée permet de déguster une cuisine pleine d'inventivité, dans un registre très provençal. De plus, la terrasse s'ouvre au cœur de la cité historique. Daube de joue de porcelet, raviolis à la bouillabaisse, cuisse et épaule de lapereau au jus de tapenade, etc., mais la carte change souvent.

IOI ***Restaurant La Litote :*** 5, rue de l'Évêché. ☎ 04-93-24-27-82. Fermé le lundi et le mardi hors-saison. Menus à partir de 18,29 € (120 F) le midi. Dans le vieux Vence, sur une petite place paisible et agréable à la nuit tombée. « Litote » ? C'est l'art de dire peu pour faire entendre beaucoup. La cuisine de la maison est ainsi : elle paraît modeste, mais en fait, elle est raffinée et servie avec délicatesse. Excellent accueil et très bon rapport qualité-prix.

IOI ***Le Pigeonnier :*** 3-7, pl. du Peyra. ☎ 04-93-58-03-00. En plein centre, sur la plus belle place de la ville. Fermé le vendredi et le samedi midi. Congés annuels de novembre à fin mars. Formule rapide autour de 13 € (85 F) le midi. Menus à partir de 16,77 € (110 F). Ce restaurant un peu touristique installé dans une vieille maison du XVIe siècle sur 3 étages dispose aussi d'une terrasse qui occupe une partie de la place, ce qui en fait tout l'intérêt. Spécialités de raviolis de saumon et de pâtes fraîches.

🍽 ***Chez Jordi :*** 8, rue de l'Hôtel-de-Ville. ☎ 04-93-58-83-45. Fermé les dimanches et lundis. Congés annuels de mi-décembre à mi-janvier et de mi-juillet à mi-août. Menus à partir de 16,77 € (110 F). Un petit restaurant de la vieille ville servant une bonne cuisine espagnole mais aussi quelques bons plats provençaux comme l'aïoli. Apéritif maison offert à nos lecteurs sur présentation du *GDR* de l'année.

Plus chic

🍽 ***La Farigoule :*** 15, av. Henri-Isnard. ☎ 04-93-58-01-27. Fermé le mardi et le mercredi midi en été ; et pendant les vacances scolaires. Menus à partir de 21,34 € (140 F). À la carte, compter 38 € (environ 250 F). On y vient pour l'ambiance autant que pour la bonne et authentique cuisine de Provence réinventée par un chef qui change sa carte au fil des saisons. Une bonne adresse pour goûter, avec un peu de chance, la tarte feuilletée de sardines fraîches à la coriandre et au citron confit, ou une belle épaule d'agneau de lait rôtie au jus de cardamome... Patrick Bruot, qui fit ses classes chez Alain Ducasse, à Juan-les-Pins (oui, c'était avant qu'il soit en même temps à Monaco et à Paris !), est célèbre pour ses figues rôties, au dessert. Agréable patio.

🍽 ***Le Vieux Couvent :*** 37, av. Alphonse-Toreille. ☎ 04-93-58-78-58. Fermé le mercredi. Congés annuels du 15 janvier au 15 mars. Menus à partir de 25,15 € (165 F). Installé dans un ancien séminaire du XVIIe siècle, le chef met à l'honneur son terroir au travers de produits pleins de fraîcheur et d'alliances subtilement maîtrisées : fleurs de courgettes farcies ou gratin d'asperges au velouté de ciboulette. Cadre élégant, ambiance intime comme il se doit. Apéritif maison offert sur présentation du *GDR* de l'année.

À voir

De la *place du Grand-Jardin,* centre de la ville moderne, abritant un parking, certes payant mais incontournable, gagner la *place du Frêne* qui doit son nom au frêne planté en souvenir de la visite de François Ier et du pape Paul III en 1538. C'est, paraît-il, une curiosité botanique : un tel arbre pousse rarement en altitude, même à 325 m. La place est bordée par les murailles imposantes du *château seigneurial,* flanqué d'une tour carrée. De la *place Thiers,* qui prolonge la place du Frêne, jolie vue sur les *baous* (montagnes rocheuses escarpées à sommet plat) et le vallon de la Lubiane.

★ ***La vieille ville :*** elle a gardé tout son caractère derrière son enceinte médiévale. Vous y entrez par l'adorable petite *place du Peyra,* avec pas moins de trois fontaines, dont une en forme d'urne, datant de 1822. C'était le forum de la ville romaine. Ici se trouvait la grande pierre plate (*peyra :* pierre) où le condamné, après un jugement en plein air, s'agenouillait et se faisait trancher la tête.

Prendre la rue du marché et tourner à gauche, vers la place Clemenceau.

– ***La place Clemenceau*** a belle allure avec son hôtel de ville. Il fut construit en 1908 à la place de l'ancien évêché.

– ***La cathédrale :*** si la façade date de la fin du XIXe siècle, la nef et les bas-côtés remontent au XIe siècle. Depuis, la cathédrale a été maintes fois agrandie et remaniée.

L'intérieur, aux dimensions modestes pour une cathédrale, renferme des retables en bois doré, à colonnes torses. Dans une chapelle de droite : tombe de saint Lambert ; sarcophage romain du Ve siècle, dit tombeau de saint Véran. Dans le baptistère : céramique de Chagall, *Moïse sauvé des eaux.*

Mais la partie la plus étonnante est la *tribune.* Les stalles en chêne et poirier, restaurées au XIXe siècle, sont de Jacotin Bellot (un Grassois) qui y travailla

cinq années durant, au XVe siècle. Elles se trouvaient dans le chœur. Admirez les miséricordes « traitées avec une fantaisie satirique et grivoise ».
– À côté de la place Clemenceau, la petite ***place Surian*** est pittoresque avec son minuscule marché du matin où fleurent bon les produits de la Provence. Par une venelle, on arrive à la *porte de Signadour.* Tournez à gauche, vous atteindrez la *porte de l'Orient* et continuerez par le boulevard Paul-André qui offre des vues superbes sur les *baous.* Par la rue du Portail-Lévis, sur laquelle s'alignent de belles façades anciennes, vous retrouverez la place du Peyra.

★ ***La chapelle des Pénitents-Blancs :*** place Frédéric-Mistral. Ouvert toute l'année. Entrée gratuite. Tellement jolie par ses dimensions et surtout son clocheton à l'italienne et son dôme de tuiles polychromes vernissées. Elle abrite des expositions de peinture. André Siegfried disait, à propos de cette chapelle : « On ne sait si elle évoque la Provence, l'Italie ou l'Orient. »

★ ***La chapelle Matisse*** *(ou* ***chapelle du Rosaire****)* ***:*** sur la route de Saint-Jeannet. ☎ 04-93-58-03-26. Pas facile à trouver si l'on n'a pas repéré, aux différents carrefours, les pictos représentant la chapelle. À l'est de la ville, traverser le pont, suivre la D 2210 en direction de Saint-Jeannet ; 200 m plus loin, emprunter l'avenue Henri-Matisse ; c'est sur la droite, après une ancienne maison de repos. Visite tous les jours de 14 h à 17 h 30. Le mardi et le jeudi, ouvert aussi le matin, de 10 h à 11 h 30. Fermé du 1er novembre à mi-décembre. Entrée : 2,29 € (15 F). Une seule messe : le dimanche à 10 h.
De 1943 à 1948, Matisse, fatigué, vint se reposer à Vence. Il y retrouva celle qu'il avait connue en 1942 à Nice quand il avait demandé une « infirmière de nuit, jeune et jolie », et qui était devenue également son modèle. Monique Bourgeois était venue à Vence... pour entrer au couvent sous le nom de sœur Jacques-Marie. À cette époque donc, Matisse habita la villa *Le Rêve,* à 100 m de la communauté. Le projet d'une chapelle était depuis longtemps dans l'air, sœur Jacques-Marie en ayant fait elle-même un croquis préalable. Il fallut un joli concours de circonstances et l'aval d'une supérieure générale audacieuse pour que Matisse pût décorer en toute liberté l'oratoire qui devait être reconstruit.
La chapelle du Rosaire domine le vallon de la Lubiane, face à Vence. Si, de la route, l'édifice semble quelconque, du jardin, la belle façade blanche se découpe admirablement sur fond de montagne.
Matisse a entièrement créé cet espace religieux et pas seulement réalisé toute la décoration intérieure de cette chapelle, de la porte du confessionnal aux chasubles du prêtre ; il s'en dégage une unité parfaite.
À l'intérieur, tout y est blanc sauf les vitraux, hauts et serrés, où tranchent le bleu pur, le jaune citron et le vert vif. Cela donne une impression de gaieté qui a fait dire à Aragon : « C'est si gai qu'on pourrait en faire une salle de bal. »
Sur les murs de céramique blanche, Matisse a tracé en noir de grands dessins représentant le Chemin de croix, saint Dominique, la Vierge et l'Enfant. Le peintre considérait que cette chapelle était le chef-d'œuvre de sa vie. Deux salles du musée Matisse à Nice sont consacrées aux esquisses préalables à la réalisation de sa décoration.

★ ***Le château des Villeneuve – fondation Émile-Hugues :*** 3, place du Frêne. ☎ 04-93-58-15-78. De juin à octobre, ouvert de 10 h à 18 h ; de novembre à mai, de 10 h à 12 h 30 et de 14 h à 18 h. Fermé le lundi. Entrée : 3,81 € (25 F). L'ancien château des Villeneuve, autrefois seigneurs de Vence, est devenu un lieu d'art qui vaut le détour. Rénové en 1992, avec beaucoup de goût, le musée propose aux visiteurs des expositions thématiques concernant des artistes ayant connu la ville (Dufy, Matisse, Chagall, etc.), et en expose d'autres, modernes et contemporains.

★ ***La galerie Beaubourg :*** château Notre-Dame-des-Fleurs, 2618, route de Grasse. ☎ 04-93-24-52-00. En allant vers Tourrettes-sur-Loup. Ouvert du 15 mars au 15 janvier tous les jours sauf le dimanche, de 11 h à 19 h. Entrée : 6,10 € (40 F).

Marianne et Pierre Nahon, qui possédaient la galerie Beaubourg à Paris, se sont offert ce château. On y retrouve, comme dans la capitale, les sculptures bigarrées de Niki de Saint-Phalle et de nombreuses œuvres d'autres artistes contemporains (Schnabel, César, Haring, etc.). À l'image de la fondation Maeght, les œuvres sont présentées à l'extérieur et à l'intérieur du bâtiment.

Fêtes et manifestations

– ***Jardins dans la cité :*** mi-avril, Vence se transforme en un vaste jardin. Marchés botanique et floral, parcours des senteurs, créations paysagères, expos...
– ***Marché des Potiers :*** fin mai-début juin, place du Grand-Jardin.
– ***Fête de l'Ail et de l'Aïoli :*** fin juin, places Clemenceau et Mars.
– ***Nuits du Sud :*** de mi-juillet à mi-août. Festival des musiques du Sud, sur la place du Grand-Jardin et dans le cadre sauvage du col de Vence, à 1 000 m d'altitude.
– ***Fête de la Sainte-Élisabeth :*** fin juillet-début août. La grande fête patronale de Vence depuis le XIXe siècle.
– ***Fête du Moyen et du Haut-Pays :*** un festival des traditions, les métiers, musiques et danses du Moyen Âge se retrouvant pour célébrer la fin de l'été.

Stage de peinture

– ***Villa le Rêve :*** 261, av. Henri-Matisse. ☎ 04-93-58-82-68. Fermé en février. Chambre double à 42,69 € (280 F). Il s'agit de la villa où vécut Matisse. Cette maison n'est pas un hôtel comme les autres car il est destiné en priorité aux peintres et aux artistes désireux de faire une cure de lumière provençale. Des cours et des stages de peinture y sont donnés. Le confort est sommaire mais suffisant et l'accueil adorable.

Randonnée pédestre

➢ ***La balade au Village Nègre :*** promenade facile, accessible aux petites têtes blondes comme aux aïeuls et leurs cannes. Durée : 2 h à partir du village de Saint-Barnabé. Depuis le centre de Vence, prendre la D 2 vers le col de Vence-Coursegoules. 500 m après le col, tourner à gauche (D 302) en passant devant le ranch. Se garer sur le parking de gauche juste avant Saint-Barnabé (site classé, les véhicules sont interdits dans le hameau).
Traverser le village à pied jusqu'à la serrurerie et prendre tout de suite à gauche le GR 51. Très joli paysage de plateau karstique (calcaire) : des milliers de roches sont ciselées avec des formes étranges et parsèment cette terre aride couverte de thym, de chardons et d'aubépines. Autour du village, petites pâtures délimitées par des haies de chênes. Le chemin plat débute sous une voûte feuillue. Traverser un bosquet puis longer deux maisons en pierre sèche. Quelques champs cultivés témoignent de la vaillance des hommes de cette montagne. Continuer toujours à main droite, en passant sous la ligne haute tension, et suivre le GR 51, balisé en rouge et blanc. Lorsqu'on arrive à l'extrémité du plateau (très beau point de vue), abandonner ce chemin qui continue vers le village de Courmes et prendre celui de gauche, comme pour retourner vers le village. Une bergerie, en ruine, est visible au milieu de la boucle effectuée. À droite, une jolie maison (habitable, une éolienne est visible) : quitter la piste pour la contourner, en passant entre l'éolienne et une bergerie désaffectée; continuer en conservant la même orientation. Après une grande dépression circulaire (dolline) d'où jaillissent des feuillus, se diriger vers une butte où s'érigent des monolithes

blancs dont certains atteignent 2 m de haut, formant un dédale de couloirs, évoquant l'art naïf ou des stèles à des dieux inconnus. Bienvenue au *Village Nègre,* appelé aussi « village des Idoles ». En se rapprochant de ces pierres, on constate la présence de ciselures dues aux eaux de pluie (les lapiaz). Puis revenir sur ses pas jusqu'à la maison habitable pour continuer la sente initiale, et repasser sous la ligne haute tension. Au moment de rejoindre le GR 51, surveiller la présence d'une piste continuant à droite qui permet de rejoindre le parking en évitant Saint-Barnabé. Escalader la colline, contourner la barrière sur la piste. Et vous revoilà au parking.

LES GORGES DU LOUP

Un des deux superbes circuits à réaliser au départ de Vence, l'autre menant vers les clues (voir plus loin « Les clues de Haute-Provence », parcours obligés du parfait touriste sur la Côte d'Azur. On n'est pas loin du rivage et on a là des paysages de montagne ou presque. Donc beaucoup de monde en saison. Le Loup prend sa source à Andon et se jette dans la Méditerranée à Cagnes-sur-Mer. Il alimente en eau les villes de Cannes, Grasse et Villeneuve-Loubet. Difficile de passer par ici sans voir le Loup!
De Vence prendre la D 2210 vers Tourrettes-sur-Loup. La route est bordée de luxueuses villas cachées derrière de longues haies parfaitement taillées.

★ *TOURRETTES-SUR-LOUP* (06140)

Le village de Tourrettes est l'un des plus beaux de la région. Cette cité des violettes a connu toutes les invasions : Francs, Huns, Wisigoths et Lombards, d'où son front de maisons érigé en rempart au-dessus d'un à-pic. Situé sur un éperon rocheux, entouré de ravins, le village aligne fièrement ses maisons patinées par le soleil, dont on a dit qu'« elles semblaient se raidir pour ne point choir dans le vide ». Et c'est vrai! Il est dominé par une montagne appelée le *puy de Tourrettes,* qu'un bon marcheur atteint en 2 h. Du haut de ses 1 267 m, vue évidemment splendide. La ville, rebâtie au XVe siècle, doit son nom aux trois tours de sa vieille enceinte.

Où dormir ? Où manger ?

Camping

⛺ ***La Camassade :*** 523, route de Pie-Lombard. ☎ 04-93-59-31-54. Fax : 04-93-59-31-81. À 500 m par la D 2210, puis à gauche sur 1,5 km environ. Ouvert toute l'année. Emplacement pour 2 personnes et une voiture : 13,42 à 14,94 € (88 à 98 F) selon la saison. Piscine et cadre très reposant, ombragé. Il est conseillé de réserver.

À Camassade

🏠 ***Le Mas des Cigales :*** 1673, route des Quenières. ☎ 04-93-59-25-73. Fermé d'octobre à mars. Chambres doubles à 76,22 € (500 F), petit déj' compris. Mareka Montegnies vous propose 4 belles chambres d'hôte (dont 2 communicantes), avec piscine, tennis, patio à disposition. La grande classe, surtout avec la vue sur la baie des Anges. Bouteille d'eau minérale à disposition quotidiennement pour les lecteurs du *GDR*.

Dans la vieille ville

lel *Le Médiéval :* 6, Grande-Rue. ☎ 04-93-59-31-63. Fermé le soir en hiver (de novembre à mars) et le jeudi toute la journée. Congés annuels du 15 décembre au 15 janvier. Menus à 14,50 et 28,20 € (95 et 185 F). Une bonne petite cuisine dans la tradition de la région : terrine de lapin en gelée aux légumes, poulet fermier aux langoustines, crème caramel à l'orange confite. À savourer en regardant la vue depuis la terrasse, au 1er étage. Apéritif maison ou café offert sur présentation du *Guide du routard* de l'année.

lel *Le Petit Manoir :* 21, Grande-Rue. ☎ 04-93-24-19-19. Fermé le mercredi et le dimanche soir. Congés annuels de mi-novembre au 8 décembre. Menus de 15,24 à 34,30 € (100 à 225 F). Une belle adresse pour se faire plaisir à deux, autour d'un foie gras chaud au miel d'acacia, d'un croustillant de poisson, d'un risotto aux légumes, d'un lapereau farci en habit vert. Apéritif maison offert à nos lecteurs sur présentation du *Guide du routard* de l'année.

À voir

★ ***L'église :*** sur la Grand-Place ombragée d'ormeaux. Construite vers 1400, elle abrite quelques tableaux des écoles de Brea et de Léonard de Vinci et, derrière le maître-autel, un autel du IIIe siècle dédié à Mercure.

★ ***La chapelle Saint-Jean :*** au bord du chemin dominant le village. Décorée par Ralph Soupault en 1959.

★ ***Le vieux village :*** superbe ensemble médiéval très bien conservé. On y pénètre par une porte surmontée d'un beffroi et on peut suivre la grande rue qui ramène à la place de l'autre côté. Beaucoup d'ateliers d'artisanat (meubles de bois peint, peinture sur soie). L'été, une ambiance de souk, mais, hors saison, l'authenticité d'un bourg ancien. Placettes à platanes, fontaines, fraîcheur même en pleine canicule.

Fête

– ***Fête des Violettes :*** début mars. Des chars sont décorés de violettes et de mimosa. Cultivée à Tourrettes, la violette se consommait cristallisée, on la vendait aux parfumeries grassoises pour la fabrication d'essence de violette ou sous forme de petits bouquets.

DE TOURRETTES À GOURDON

★ Après Tourrettes, la route domine la vallée du Loup. On arrive à ***Pont-du-Loup,*** qui marque réellement l'entrée du défilé.

– Possibilité de visiter une *fabrique de fruits confits* (visite gratuite et guidée tous les jours de 9 h à 12 h et de 14 h à 18 h). Intéressant de voir les fruits frais transformés selon des méthodes artisanales. Beaux meubles anciens des XVIIe et XVIIIe siècles dans cette petite entreprise qui a reçu la Coupe d'or du bon goût français. Dégustation et comptoir de vente. Difficile de résister.
– Du viaduc ferroviaire qui existait jusqu'en 1944, il ne reste que trois voûtes : il a été miné à la Libération.

★ Au *Saut-du-Loup,* prendre la D 6 qui longe les ***gorges du Loup,*** entaille creusée par le torrent dans le terrain calcaire. Les excavations arrondies sont appelées ici marmites.

★ Du *pont de Bramafan,* plus loin, on peut aller à ***Courmes,*** petit village possédant une bonne auberge pour routards sportifs et affamés. Il est traversé par le GR 51. Les marcheurs peuvent grimper en 2 h au sommet du *puy de Tourrettes,* loin des touristes des gorges.

Où dormir ? Où manger ?

🏠 🍽 ***L'Auberge de Courmes :*** 3, rue des Platanes. ☎ 04-93-77-64-70. À l'entrée du village. Fermé les dimanche soir et lundi. Congés annuels en janvier. Une auberge communale dont on parle beaucoup dans le pays. 6 chambres à 38,11 € (250 F). Au restaurant, une bonne cuisine traditionnelle à 17,53 et 20,58 € le dimanche (115 et 135 F). Avec des plats de terroir... d'un autre terroir d'ailleurs : magret aux poires, confit maison, millas aux pruneaux... Pour nos lecteurs, sur présentation du *Guide du routard* de l'année, apéritif maison offert, ainsi que 10 % de réduction sur le prix de la chambre sauf en août.

➢ Pour continuer la promenade dans les gorges, du pont de Bramafan on prend la D 3, direction Gourdon. Plus la route monte, plus les échappées sur la vallée sont belles. Peu à peu la végétation se raréfie. On n'est plus loin du *plan de Caussols.* Les amateurs de panoramas s'arrêteront à l'emplacement aménagé. On est à 700 m d'altitude et l'on voit bien l'entaille réalisée par le torrent.

★ ***GOURDON*** *(06620)*

L'archétype du village perché en nid d'aigle. Y aller hors saison si l'on craint les boutiques de souvenirs, miel, nougats, vin de noix, sculptures en bois d'olivier, etc., et la foule du mois d'août... À voir aux heures creuses, pour l'atmosphère qui s'en dégage et son château.

Où manger ?

🍽 ***Au Vieux Four :*** rue Basse. ☎ 04-93-09-68-60. À l'entrée du village, 1re rue à gauche. Ouvert uniquement le midi. Fermé le samedi. Congés annuels la 1re quinzaine de juin et de novembre à début janvier. Menu à 16,77 € (110 F). À la carte, compter 20,12 € (132 F). Une adresse agréable pour faire une pause, le midi. Bonne petite cuisine familiale. Après l'assiette de charcuterie du pays ou la salade du berger, vous vous régalerez d'un lapin au thym de la garrigue ou de calamars à l'anis et au fenouil, avant de finir avec un clafoutis ou un tiramisu. Accueil chaleureux. Apéritif maison offert aux lecteurs sur présentation du *Guide du routard.*

À voir. À faire

★ ***Le château :*** ☎ 04-93-09-68-02. Château datant du XIIIe siècle, remanié au XVIIe siècle. Musée d'Arts décoratif et médiéval ouvert de juin à octobre de 11 h à 13 h et de 14 h à 19 h ; hors saison, seulement l'après-midi jusqu'à 18 h. Fermé le mardi hors saison. Visite guidée. Entrée : 4 € (26 F). Intéressant avec sa collection d'armes anciennes, son curieux fauteuil à sel (on y cachait le sel et on asseyait dessus une vieille personne qui, de par son âge, n'était pas obligée de se lever lors des entrées dans les villes ; ainsi, on fraudait sur la gabelle), sa prison (table de torture), ses quelques très belles peintures et surtout, dans la chapelle, une sculpture extrêmement rare, attribuée au Greco, représentant saint Sébastien. Des jardins en terrasses dessinés par Le Nôtre, vous découvrirez une vue superbe sur la côte. Ces terrasses sont transformées en jardin botanique consacré à la flore alpine.

– Ne manquez pas le pittoresque ***sentier du Paradis*** qui descend à Pont-du-Loup en 45 mn. Pour monter, par contre, c'est assez raide, et il faut compter plutôt 1 h 30 à 2 h. Très belle balade, mais vraiment sportive, qui offre de superbes panoramas jusqu'à Nice. Autrefois, le facteur était obligé de faire ce parcours tous les jours...

★ LE PLATEAU DE CAUSSOLS

De Gourdon, la D 12 grimpe sur le plateau de Caussols, offrant un paysage aride ; véritable causse calcaire, percé de grottes, crevassé, buriné, qui évoque les causses des Cévennes. Les spéléologues ici s'en donnent à cœur joie. On est à mille lieues du monde sophistiqué de la Côte.

★ Une petite route là-haut permet d'aller encore plus loin vers la ***« plaine de rochers ».*** Époustouflant décor de pierre où poussent quelques genêts et chardons. Le site lunaire rappelle le désert de Syrie. Des rochers, véritables sculptures, ajoutent à l'étrangeté de l'endroit. Les cinéastes voulant économiser des tournages en Castille n'hésitent pas à venir ici. De plus, l'air y est sec, le ciel très limpide, on ne voit de la brume que 60 jours par an. Un observatoire y a d'ailleurs été installé. Des restes de bergeries se mêlent aux pierres.

– Un sentier de grande randonnée, le GR 4 (balisage rouge et blanc), traverse le plateau de Caussols du nord au sud, et permet d'atteindre le col du Clapier (1 257 m) ou le sommet de la Colle du Maçon (1 417 m). Un point de départ possible : depuis Caussols-village, prendre la petite route à droite après le restaurant et continuer jusqu'à l'embranchement en « T ». Se garer sur le bas-côté et compter 2 h de marche aller-retour avec une petite grimpette (facile) pour atteindre les crêtes à 1 260 m d'altitude. Le chemin part face à la route (GR 4, balise 124).

★ LE BAR-SUR-LOUP *(06620)*

De la D 3 qui mène au Pré-du-Lac, prendre à gauche la D 2210 vers le Bar-sur-Loup. Le bourg conserve de vieilles ruelles bordées de hautes maisons anciennes, serrées les unes contre les autres. Il est dominé par le ***château des comtes de Grasse*** dont le plus illustre descendant fut l'amiral de Grasse qui participa à la guerre de l'Indépendance américaine. Il naquit au Bar-sur-Loup en 1722. Sur la place, ***fontaine*** avec mascaron. Les passionnés d'archéologie industrielle iront voir à l'est, sur le Loup, les bâtiments d'une ***ancienne papeterie*** du XIXe siècle. Un village idéal pour faire un tour à Grasse et dans le haut pays grassois si vous l'avez manqué dans les pages précédentes.

Adresse utile

ℹ ***Office du tourisme :*** place Francis-Paulet. ☎ 04-93-42-72-21. Fax : 04-93-42-92-60. En saison, ouvert tous les jours de 9 h à 18 h 30 ; hors saison, de 9 h à 12 h et de 14 h à 18 h.

Où dormir ?

Camping

⛺ ***Camping des Gorges du Loup :*** 965, chemin des Vergers. ☎ et fax : 04-93-42-45-06. Prendre au nord-est la D 221 sur 1 km, puis encore 1 km par le chemin des Vergers à droite. Ouvert d'avril à septembre. Réserver en juillet et août. Prix forfaitaire pour 2 personnes : de 16,77 à 23,63 € (110 à 155 F). Plats à emporter ou à consommer sur place, avec un menu à 10,06 € (66 F). Camping vraiment super. Vue sur la vallée et les montagnes : emplacements en terrasses. Très calme. Piscine. Possibilité de s'inscrire à différents sports (rando, parapente, delta) pour mieux découvrir la région. Apéritif de bienvenue offert à nos lecteurs sur présentation du *GDR* de l'année.

Prix moyens

🏠 ***Hôtel de la Thébaïde :*** 54, chemin de la Santoline. ☎ 04-93-42-41-19. À 2 km de Bar-sur-Loup et à seulement 7 km de Grasse, ce qui n'est pas à négliger faute d'adresses pour routards dans la « cité des fleurs ». Ouvert toute l'année. Chambres doubles de 32,01 à 47,26 € (210 à 310 F). Petit hôtel simple mais bien tenu.

Où manger ?

|●| ***L'École des Filles :*** 380, av. Amiral-de-Grasse. ☎ 04-93-09-40-20. Fermé les dimanches soir et lundis. Congés annuels en novembre. Menus de 22,11 à 29,73 € (145 à 198 F). Menu enfant à 9,91 € (65 F). Un lieu qui plaira à tous ceux qui ont la nostalgie des pupitres et des tableaux noirs. Dans l'ancienne salle de classe, le soleil est entré avec une cuisine du soleil de bon aloi mais sans prétentions culinaires : filets de rougets, loup grillé flambé au pastis... Au moins, il y a la cour de récréation pour amuser les enfants. Et un verre de vin d'orange maison en apéro pour les lecteurs du *GDR*.

|●| ***La Jarrerie :*** au pied du village. ☎ 04-93-42-92-92. Fermé le lundi et le mardi de mi-septembre à mi-juin, le mardi et le mercredi midi de mi-juin à mi-septembre. Congés annuels du 2 au 31 janvier. Menu à 18,30 € (120 F) le midi en semaine ; autres menus de 23,70 à 40,40 € (155 à 265 F). Très belle salle rustique et chic pour une cuisine bourgeoise très agréable. Si vous rêvez d'une salade de cailles au raisin et vinaigre de framboise, d'un ragoût de Saint-Jacques aux pâtes fraîches, ou de lotte rôtie au basilic et à l'huile vierge, arrêtez-vous deux heures ici, vous serez doublement servi. Kir royal offert à nos lecteurs sur présentation du *Guide du routard* de l'année.

À voir

★ ***L'église Saint-Jacques-le-Majeur :*** on pénètre sur le côté droit par une splendide porte gothique sculptée par l'auteur des stalles de la cathédrale de Vence et représentant saint Jacques le Majeur. L'église comprend une nef du XIIIe siècle et un chœur refait au XVIIe siècle. Derrière le maître-autel, *retable de saint Jacques le Majeur,* en 14 panneaux, attribué à Louis Brea (toujours le même !).

Mais la peinture la plus curieuse est la *Danse macabre,* sous la tribune, qui date du XVe siècle. Le tableau rappellerait une légende. Bien que cela soit interdit, le comte du Bar osa donner un bal pendant le carême. Le sol s'effondra et les invités périrent, punis de leur sacrilège. Affolé, le comte invoqua saint Arnoux et promit, s'il était épargné, de lui édifier une chapelle. Le seigneur tint parole ; on peut voir encore l'*ermitage de Saint-Arnoux* (voir après Pont-du-Loup). L'artiste montre des personnages qui dansent au son d'un tambourin et d'un flutiau. Certains affirment que le comte est l'homme au galoubet et au tambourin. Ils ont tous sur la tête un petit lutin noir. Et on remarque la Mort avec son arc qui a déjà atteint plusieurs personnages. Les âmes sont pesées sur la balance que tient saint Michel, aux pieds du Christ (en haut dans l'angle). Un des plateaux porte une âme et l'autre le *Livre de la Vie.* En bas, un démon essaie de faire pencher de son côté le plateau portant l'âme. Les âmes condamnées sont aussitôt jetées dans la gueule béante de l'Enfer.
De la place de l'Église, vue en enfilade sur les gorges du Loup.
– Pour continuer le *circuit des gorges du Loup,* revenir sur la D 2085 puis, après Pons et Le Collet, prendre à gauche la D 7 qui retrouve la vallée du Loup. Après un superbe point de vue et un passage en corniche, on descend au fond de la vallée et on traverse le Loup. On arrive alors à La Colle-sur-Loup. La route vous ramène ensuite à Saint-Paul puis à Vence, le temps de vous reposer avant d'affronter le second circuit.

LES CLUES DE HAUTE-PROVENCE

DE VENCE À COURSEGOULES

On quitte Vence au nord par la D 2. Très vite la route s'élève dans la montagne, le panorama devient grandiose. Puis un paysage surprenant, austère, qui rappelle les Causses, apparaît. Plus on monte, plus la vue s'élargit : avant le col de Vence, vous découvrez la côte, de l'Estérel au cap Ferrat ; le contraste entre la montagne, désertique, et le littoral tout proche est saisissant.
➢ *Pour les marcheurs,* un sentier permet d'atteindre Saint-Jeannet en 4 h. Un autre, plus loin, avant la maison jaune, ramène à Vence en 2 h par Les Salles, et un troisième rejoint Coursegoules par la combe Moutonne en 2 h 30.

Sur le col, ***snack-bar El Bronco.*** ☎ 04-93-58-09-83. Ouvert toute l'année. Organise des *promenades à cheval,* très agréables dans un tel paysage.

La route, au milieu d'un paysage désertique de toute beauté, domine ensuite la Cagne. Pour Coursegoules, prendre à droite.

★ *COURSEGOULES* (06140)

De la D 2, le vieux village de Coursegoules, juché sur une arête au flanc de la chaîne du Cheiron est superbe, complètement hors du temps.
Au XVIIe siècle, Coursegoules, ville royale, comptait 1 000 habitants. En 1900, il y avait encore un notaire, un médecin et un juge de paix. Depuis, la terre ingrate, les voies de communication difficiles ont provoqué l'exode...
Actuellement, de vieilles maisons retapées sont reconverties en résidences secondaires. L'endroit a de quoi séduire. Ici on est loin de la foule de la Côte

et le vieux village, doté d'une belle architecture collective, garde beaucoup de caractère : passages voûtés, vestiges défensifs, montées en escalier, moulin à grain. L'église, souvent fermée, abrite un retable attribué à Brea. Il est dédié à saint Jean-Baptiste.
Promenez-vous aussi sur le sentier qui contourne le vallon de la Cagne. Vous parviendrez alors au milieu des cyprès à la belle *chapelle Saint Michel*, restaurée, où se rassemblait une communauté de moines rattachée à l'abbaye de Lérins. Si vous êtes courageux, vous pourrez continuer plus loin pour atteindre un col au-dessus de Boyon et un sommet de 1 400 m. Vue magnifique assurée par beau temps.

Où dormir ? Où manger ?

Gîtes

🏠 ***Gîtes communaux :*** dans le bâtiment de la mairie, derrière l'église. ☎ 04-93-59-11-60 (mairie). Autour de 175,32 € (1 150 F) la semaine ; en été, compter un peu plus. Très bien équipés.

Camping

⛺ ***Camping Saint-Antoine :*** ☎ 04-93-59-12-36. Ouvert d'avril à octobre. Ne prend pas de réservations (mais il y a toujours de la place). Compter 9,15 € (60 F) pour l'emplacement avec 2 personnes, une tente et une voiture. Calme, accueillant, familial et sympathique (ils le disent, et c'est vrai). Confort suffisant (pas de restauration, mais des douches... utile, pour qui vit d'amour et d'eau fraîche !), dans un site superbe. 10 % de réduction sur le prix de l'emplacement sur présentation du *Guide du routard* de l'année.

Prix moyens

🏠 ***Chambre d'hôte :*** L'Hébergerie, chez Guy et Martine Durand, 350, chemin du Brec. ☎ 04-93-59-10-53. Compter 44 € (289 F) pour deux, petit déj' inclus. 15 € (98 F) par lit supplémentaire. 1 chambre d'hôte pour 2 ou 3 personnes (lit d'appoint). Que les gros fumeurs soient prévenus, ici il est interdit de fumer dans la chambre. Située à 1 000 m d'altitude, elle offre une vue superbe sur la vallée.

🏠 🍽 ***Auberge de l'Escaou :*** ☎ 04-93-59-11-28. Fax : 04-93-59-13-70. • www.hotel-escaou.com • Fermé les dimanche soir et lundi hors saison. Chambres doubles à 59,45 € (390 F), petit déj' compris. Menus de 12,95 à 22,87 € (85 à 150 F). Une douzaine de chambres très propres, avec vue sur la vallée ou sur la montagne. Cuisine rustico-provençale revisitée : crépinette de volaille aux anchois, pieds et paquets de mouton, mais aussi du velouté de petits pois et copeaux de parfait de foie gras.

DE COURSEGOULES À THORENC

Reprendre la D 2. Le paysage redevient bientôt verdoyant, et on aboutit à la haute vallée du Loup.

★ *GRÉOLIÈRES* (06620)

Le village, perché sur un contrefort du Cheiron, est dominé par les ruines de l'ancien village (Les Hautes-Gréolières).
Promenez-vous dans les ruelles du vieux village. Sur la façade latérale de l'***église***, remaniée au XIIe siècle et agrandie au XVIe siècle, on distingue la porte murée par laquelle pénétrait le seigneur. À l'intérieur, *retable de saint Étienne,* peint en 1480 par un religieux de l'école de Brea, et croix processionnelle plaquée or et argent.
Face à l'église se dressent les ruines du château.

Adresse et info utiles

- ***Syndicat d'initiative :*** ☎ 04-93-59-97-94.
– ***Bus de Grasse :*** en été, 2 bus par jour les mardi et vendredi.

Où dormir ? Où manger ?

Gîte de France, atelier Juliette Derel : place Pierre-Merle. ☎ 04-93-59-98-32. Dans le village. Pour les randonneurs de passage, compter 15,50 € (102 F) la nuit par personne. Sinon, appartement à 381,12 € (2500 F) la semaine, vaisselle et draps compris. Café offert le matin. Location du samedi au samedi. Réservation conseillée en été. Juliette Derel tient un petit atelier de création et peut loger de 5 à 7 personnes (autant venir à plusieurs, sinon logement en fonction des places disponibles), au-dessus de sa boutique.

La Barricade : 17, pl. de la Fontaine. ☎ 04-93-59-98-68. Fermé les lundi et mardi sauf pendant les vacances scolaires. Menus à 10,52 et 17,53 € (69 et 115 F). Un endroit au cadre agréable. Pour se régaler de terrines, de chèvre chaud en chausson, de raviolis aux cèpes, de daube à la polenta, de gibier en saison, de bonnes grillades au feu de bois à prix honnêtes. Apéritif maison offert à nos lecteurs sur présentation du *GDR* de l'année.

★ *GRÉOLIÈRES-LES-NEIGES* (06620)

La station de sports d'hiver la plus méridionale. On y accède facilement par la D 802. On y trouve 11 remontées mécaniques pour 30 km de pistes balisées. Prévoyants, les responsables du tourisme ont équipé la station de canons à neige pour garantir des pistes praticables. Pour le ski de fond, 20 km de pistes fléchées.
Syndicat d'initiative : se renseigner à celui de Gréolières. ☎ 04-93-59-97-94.

★ *THORENC* (06750)

Prononcer « Toran ». Agréable station de ski de fond, à 1250 m d'altitude, dans un paysage alpestre. Elle a été créée au début du XXe siècle par des Anglais et des Russes, d'où une architecture particulière. On l'appelle encore aujourd'hui la « Suisse provençale ». Si vous voulez fuir les bruits de la ville, ici vous serez comblé. On s'y rend en empruntant une route splendide, engloutie par la roche à certains endroits. Pitons, grottes ou simples blocs de pierre percés de trous énormes donnent un côté sauvage.

Où dormir ? Où manger ?

Deux petits hôtels-restaurants très bien, face à face :

🏠 🍽 ***Hôtel des Voyageurs :*** av. du Belvédère. ☎ 04-93-60-00-18. Fax : 04-93-60-03-51. Garage gratuit. Fermé le jeudi hors vacances scolaires. Congés annuels du 1er octobre au 1er février. Chambres impeccables à 38,11 et 45,73 € (250 et 300 F). Demi-pension obligatoire en saison : de 42,69 à 45,73 € (280 à 300 F) par personne. Menus de 14,48 en semaine à 24,39 € (95 à 160 F). Bon restaurant pour amateurs de tête de veau sauce ravigote ou de lapereau sauté chasseur. Terrasse et parc agréables. Vue sur le village.

🏠 🍽 ***Auberge Les Merisiers :*** ☎ 04-93-60-00-23 ou 04-93-60-01-81. Fax : 04-93-60-02-17. Fermé le lundi soir et le mardi hors saison. Congés annuels en mars. Chambres à 30,49 € (200 F) avec douche et lavabo, 38,11 € (250 F) avec douche et w.-c. Demi-pension obligatoire en juillet-août : de 38,11 à 51,83 € (250 à 340 F) par personne. Menus de 15,09 à 25,92 € (99 à 170 F). Des chambres entièrement rénovées (choisissez celles qui sont plein sud, avec balcon) et un restaurant où il fait bon se réfugier près de la tonnelle ou de la cheminée suivant la saison. Spécialités : cabrinette de chèvre chaud au jambon de pays, aumônière de pintade à la crème de champignons, filets de rougets sur lit d'aubergine et tapenade, caille rôtie au vin de noix, à déguster au coin du feu. Apéritif maison offert sur présentation du guide.

Où manger dans les environs ?

🍽 ***Restaurant Le Christiania :*** L'Audibergue, 06750 Andon. ☎ 04-93-60-45-41. En bas des pistes de ski de L'Audibergue. Une adresse que l'on peut aussi atteindre depuis Saint-Vallier. Ouvert uniquement le midi. Très conseillé de réserver les week-ends et les jours fériés. Fermé le lundi sauf hors saison. Fermé du 1er au 26 décembre. Plat du jour à 10 € (66 F). Menu à 20 € (131 F). Huguette, la patronne du *Christiania*, attire dans son chalet de montagne bon nombre de Cannois. Ils viennent ici prendre le frais en été, et bien sûr déguster sa cuisine. Menu fort copieux, avec pas moins de cinq entrées à volonté (jambon de pays, croûte à l'ail, crudités, terrine et fromage de tête), tripes à la niçoise, gigot d'agneau de pays et civet de sanglier ou de lièvre en saison, plateau de fromages et dessert maison.

DE THORENC À BOUYON

Revenir sur la D 2 et, au carrefour des Quatre-Chemins, prendre la route du ***col de Bleine*** (1 440 m). La descente s'effectue au milieu des sapins. Continuer vers *Le Mas* et *Pont-d'Aiglun*. La ***clue d'Aiglun*** est particulièrement spectaculaire par ses dimensions : quelques mètres de largeur seulement mais de 200 à 400 m de hauteur. Arrêtez-vous plus loin au ***pont du Riolan*** pour voir le torrent dévaler entre les énormes rochers. La route traverse ensuite *Roquestéron*. À la sortie du village, prendre à droite la D 1, vers Bouyon. La route s'engage dans la ***clue de la Bouisse.*** Après Conségudes, on peut voir à gauche la ***clue de la Péguière.*** La route en corniche au-dessus de l'Estéron est très belle et offre des vues splendides.

★ *BÉZAUDUN-LES-ALPES* (06510)

Bourgade encore plus isolée et plus émouvante que Coursegoules : remarquer l'unité des toits et la couleur ocre des maisons. Dans le village, une rue centrale recouverte de cailloux, quelques passages voûtés, tout en haut, une tour rectangulaire avec fenêtres géminées. Petite église toute simple qu'il faut traverser pour parvenir au cimetière qui la jouxte.

➢ ***Randonnée :*** gagner *Saint-Jeannet* par les bois de chênes et de noisetiers. Pour les amoureux de la solitude. Le sentier traverse la montagne du Chiers.

Où manger ?

I●I ***Auberge Les Lavandes :*** ☎ 04-93-59-11-08. Ouvert le midi seulement. Fermé le jeudi. Menus de 15,24 à 21,34 € (100 à 140 F). Très bon restaurant. Au premier menu : crudités, jambon et saucisson, truite rose des cascades, puis lapin aux herbes ou cailles, enfin salade, fromage ET tarte aux myrtilles ! En payant un poil plus cher, on a eu droit à des écrevisses fraîches excellentes. Vous savez... celles qu'on mange avec bonheur et en se léchant les doigts. Apéritif maison offert à nos lecteurs sur présentation du *Guide du routard* de l'année.

I●I ***La Capeline :*** lieu-dit Vescous à Toudon. ☎ 04-93-08-58-06. Prendre la direction Pierrefeu-Roquestéron. Fermé le lundi et ouvert en soirée les vendredi et samedi seulement (du 15 juillet au 30 août). Ce restaurant de charme – c'est une ancienne gare de tramway-relais de poste-école communale – peut accueillir 25 personnes dans sa salle à manger avec cheminée, 36 sous la véranda et 40 sur sa terrasse ombragée en surplomb de la vallée. En semaine, menus du marché à 16,46 et 19,51 € (108 et 128 F), les week-ends et jours fériés, menu unique du terroir à 23,63 € (155 F). Laurent Laugier propose un vendredi par mois une « journée de traditions niçoises » avec un menu unique à 21,34 € (140 F) midi et soir. Après avoir inscrit sur son CV les cuisines d'Issautier, de l'*hôtel de Paris* et de l'*Hermitage* à Monaco, Laurent Laugier, jeune chef originaire de Gilette, a repris la direction de *La Capeline*, située au Vescous. Avec une carte dédiée aux spécialités de la vallée de l'Estéron, ce jeune chef passionné travaille en famille et revendique son attachement au terroir en se fournissant chez les producteurs voisins et en privilégiant les recettes et saveurs locales adaptées aux saisons : pelotons, bavarois à la verveine, tourte de blettes sucrée, daube de sanglier aux cèpes, pissaladière, stockfisch, ratatouille, *capouns*...

LA ROUTE DES CRÊTES

Ainsi nommée parce qu'elle relie des villages perchés au-dessus des vallées de l'Estéron et du Var. Une façon détournée d'entrer dans le « haut pays » (voir pages suivantes) ou de revenir sur Vence en prenant son temps.

★ *BOUYON* (06510)

Ce village-frontière, véritable belvédère au carrefour du Var et de l'Estéron, offre de superbes points de vue et de nombreuses possibilités d'excursions. Il fut à moitié détruit en 1884 par un tremblement de terre. Bouyon a moins souffert de l'exode rural que son chef-lieu Coursegoules. Face à la mairie, un passage mène (à gauche) à une jolie terrasse : *panorama* vertigineux sur les forêts voisines.

➢ ***Bus de Nice :*** tous les jours.

Où dormir? Où manger?

Hôtel La Catounière : 12, pl. de la Mairie. ☎ et fax : 04-93-59-07-15. Resto ouvert midi et soir du 1er mars au 30 octobre, et le week-end de début novembre à début mars. Hôtel fermé d'octobre à mars. Chambres doubles de 33,54 à 36,59 € (220 à 240 F). Demi-pension de 44,97 à 57,93 € (295 à 380 F) par personne. Menus à 9,15, 12,20 et 18,29 € (60, 80 et 120 F). Cadre rustique à souhait, avec les vieilles pierres et la cheminée. Chambres très agréables, certaines avec vue sur la montagne. Spécialités régionales comme le traditionnel lapin chasseur aux champignons, la daube de sanglier... Apéritif maison offert à nos lecteurs sur présentation du *Guide du routard* de l'année.

Fête

– ***Procession des Limaces,*** qui remonte au XVIe siècle, le 2e dimanche suivant la Fête-Dieu.

★ LE BROC (06510)

En provençal *broco* signifie bord, talus. Encore un superbe village perché, sentinelle avancée jusqu'en 1860, lorsque le bourg jouait le rôle de poste frontière. Au XVIIe siècle, d'ailleurs, Le Broc comptait autant d'habitants que Vence : il y avait un hôpital, une douane et les évêques venaient s'y reposer. Aujourd'hui, il reste la jolie place à arcades avec une fontaine de 1812, qui fait penser à un film de Pagnol : les platanes, le café, les bancs où s'assoient les vieux du village, tout y est. Dans une rue voisine, deux maisons se rejoignent à l'étage, formant un pont. L'église abrite une peinture de *Canavesio* et un chemin de croix moderne.
Voir aussi la *chapelle Sainte-Marguerite* et son petit cimetière, situés au milieu d'une forêt de chênes.
La route qui mène à Carros offre des points de vue splendides sur la vallée du Var, dont les rives sont bordées de nombreuses serres, et sur les villages perchés.

Où manger?

Restaurant L'Estragon : 101, route de Nice. ☎ 04-93-29-08-91. Sur le bord de la route, à gauche en allant vers Carros. Ouvert uniquement le midi. Fermé le vendredi. Congés annuels du 1er décembre au 1er février. Bons menus à 12,65 et à 25,15 € (83 et 165 F). Tout le monde ici va « Chez Gilbert ». Terrasse agréable avec vue sur le Var et les montagnes. Quelques spécialités : brandade de morue, sauté de bœuf à la provençale, poulet à l'estragon, etc. Sans oublier les crêpes Suzette, souvenir d'un autre temps que les moins de 20 ans ne peuvent pas connaître...

★ CARROS-VILLAGE (06510)

Carros signifie rocher, rocher surplombant le Var de 300 m sur lequel est planté le village. Le *château* des XIIIe et XIVe siècles, en cours de restauration, a belle allure avec ses quatre tourelles d'angle. Le vieux village aux

rues en escalier à pierres disjointes a été rénové. Mais on a un peu l'impression d'être dans un de ces villages-musées figés pour le reste des temps. Allez sur la plate-forme, légèrement en contrebas du vieux village : la vue sur le Var et son embouchure, les villages perchés et les Alpes est spectaculaire.
Avec l'endiguement du Var et la création de la zone industrielle de Nice, un nouveau Carros s'est créé, en bas, face au pont de la Manda, un Carros neuf sans intérêt.

★ *GATTIÈRES* *(06510)*

Un village comme on les aime, avec ses placettes, ses rues en escalier, ses fontaines ou ses maisons à arcades, assoupi dans une douce quiétude. Quelques belles devantures de boutiques, comme la boulangerie. Beaucoup de rues aux noms italiens. Pour visiter l'église, s'adresser au presbytère.

Adresse utile

i ***Syndicat d'initiative :*** à la mairie. ☎ 04-92-08-45-70.

Où dormir ? Où manger ?

🏠 🍽 ***Hôtel Beau Site :*** route de Vence. ☎ 04-92-08-21-00. Fax : 04-92-08-61-15. Resto fermé le dimanche. Congés annuels la 1re quinzaine de novembre. Chambres à 53,36 € (350 F). Au restaurant, un menu à 25,15 € (165 F) ou compter environ 21,34 € (140 F) à la carte. Le nom de l'hôtel résume tout : vue panoramique sur la vallée du Var et jusqu'à la mer. Jardin agréable. Un récent changement de propriétaire, mais la maison semble toujours intéressante (dites-nous ce que vous en pensez !).

🍽 ***L'Hostellerie Provençale :*** juste avant l'entrée de la vieille ville, près du parking. ☎ 04-93-08-60-40. Fermé les lundi soir, mardi, mercredi soir et jeudi. Congés annuels de mi-septembre à mi-octobre ainsi que la 2e quinzaine de février. Menus de 14,94 à 21,34 € (98 à 140 F). On mange dehors, dans un petit clos de cyprès. On commence gentiment par le jambon de Parme, puis la terrine maison, et enfin l'avalanche de hors-d'œuvre (salade de fruits de mer, céleri, pois chiches, oignons sucrés, poivrons à l'huile, salade de riz et on en passe, le tout servi sur un grand plateau). Après quoi, à peine le temps de souffler, les raviolis de la grand-mère arrivent au galop et en grande quantité. Ils précèdent de peu un lapin chasseur ou l'une des meilleures daubes niçoises qu'on ait mangées, accompagnée de champignons et pommes de terre. Pour terminer, fromage ET dessert bien sûr. Apéritif maison offert à nos lecteurs sur présentation du *Guide du routard* de l'année.

SAINT-JEANNET (06640) 3650 hab.

De la route qui nous ramène à Vence, vue sur l'imposant *baou* (montagne rocheuse escarpée à sommet plat, cela dit pour ceux qui n'ont pas suivi, depuis Vence) *de Saint-Jeannet*. Une petite route à droite conduit au village. On est étonné d'être ici à la fois si près de la Côte et dans un bourg au caractère rural très marqué. Ce gros village est tassé au pied de son célèbre rocher qui a inspiré de nombreux peintres : Segonzac, Carzou, Chagall et Poussin, ainsi que le cinéaste Alfred Hitchcock qui y situa quelques scènes de *La Main au collet*. On peut monter au baou par un sentier, le GR51 (ascension en 1 h). Au sommet, table d'orientation.

Saint-Jeannet fut longtemps célèbre pour son vin : la vigne était la culture de base et poussait sur les terrasses caillouteuses très bien exposées. On compta jusqu'à 4000 parcelles cultivées.

Les artistes, quant à eux, n'ont pas dédaigné ce village. Ribemont-Dessaignes, un des fondateurs du mouvement dada et du surréalisme, y possédait une maison. Kosma (la musique des *Feuilles mortes*) et Tzara y ont séjourné, et bien d'autres. Il est vrai qu'ici on se sent plutôt à l'écart de la foule.

Adresse utile

i ***Syndicat d'initiative :*** en été seulement (de juin à septembre). ☎ 04-93-24-73-83. Ouvert de 9 h à 18 h.

Où dormir ? Où manger ?

Gîte

⌂ |●| ***Gîte d'étape La Ferrage :*** dans le village. ☎ 04-93-24-87-11. Fax : 04-93-24-73-03. • gferrage@ifrance.com • C'est fléché. À partir de 9,91 € (65 F) la nuit en gîte par personne. Chambre double avec douche et w.-c. à 42,68 € (280 F) la nuit. Repas à 12,20 € (80 F). Apporter son sac de couchage. Très bien tenu par Jérôme Rasse, jeune homme fort aimable. Cadre rustique authentique avec belle cheminée. Cuisine équipée, salle de bains collective. Un gîte comme on les aime... En plus, le père de Jérôme vend un excellent vin local ! Sur présentation du *Guide du routard* de l'année, 10 % de réduction sur le prix de la nuit sauf pendant les vacances scolaires.

Bon marché à prix moyens

⌂ |●| ***Hôtel-restaurant Le Sainte-Barbe :*** à l'entrée du village à gauche, juste avant la place. ☎ et fax : 04-93-24-94-38. Fermé le mardi soir. Chambres de 25,92 à 36,59 € (170 à 240 F). Menu à 14,94 € (98 F). Un petit hôtel avec un bar tout simple et une terrasse ombragée. Chambres avec douche et w.-c. ou salle de bains, certaines avec balcon et vue sur les collines jusqu'à la mer. Intérieur modeste mais propre. Restaurant villageois fréquenté par les gens du coin. On peut se contenter d'y prendre un verre.

⌂ ***Hôtel L'Indicible :*** rue du Saumalier. ☎ 04-92-11-01-08. Fax : 04-92-11-02-06. Chambres à 50,31 € (330 F), petit déj' en plus. Un petit hôtel dans le centre du village (c'est indiqué), tenu par deux jeunes sympathiques. Originaires de Gand en Belgique, Peter et Els parlent bien le français. Ils ont eu le coup de foudre pour ce village, ressentant quelque chose « d'indicible » devant une pareille beauté. D'où le nom de leur maison, une vieille bâtisse du village fort bien rénovée avec des chambres impeccables mais sans prétention, avec vue sur le baou, sur les collines ou sur la mer au loin (pour certaines). Fait aussi restaurant jusqu'au 15 septembre.

|●| ***Restaurant Au Vieux Four :*** face à la mairie. ☎ 04-93-24-97-41. Ouvert tous les soirs en été. Fermé le mardi. Congés annuels du 20 au 27 novembre et du 15 au 23 janvier. Menu à 14,48 € (95 F). Compter autour de 18,29 € (120 F) à la carte. Mignonne petite salle où l'on vient sans problème se payer une grillade aux herbes, une fondue, une pizza ou un *chili con carne*. Point accueil info pour les randonneurs et ceux qui veulent se lancer dans l'escalade.

À voir

★ Derrière l'église de Saint-Jeannet, par la ruelle sur le Four, ***panorama*** jusqu'à la mer. Dommage quand même qu'on ait tant bâti : un nombre incroyable de mas provençaux construits sur des modèles voisins, avec piscine, etc. Quelques serres aussi.

★ ***L'église fortifiée*** au clocher-tour carré est toute simple. Sur la place de l'Église, plaque rappelant la mémoire de *Joseph-Rolalinde Ranchier* (1785-1843), précurseur du félibrige.

★ Remarquez les noms attachants des rues (comme la rue du Passé) et promenez-vous au milieu de ces ruelles, égayées par une fontaine ou un superbe ***lavoir.*** Sur une maison, à l'angle de la rue de la Mairie et de la rue du Château, vous lirez cette inscription émouvante : « À notre regretté maire Clary-Louis qui nous a si généreusement dotés de l'éclairage électrique. La population de Saint-Jeannet reconnaissante – 1902. »

À faire

➢ Jolie ***promenade dans les gorges,*** le long de la rivière. Prendre la direction « col de Vence », puis le chemin du Riou, à 1 km sur la droite. Le suivre pendant 5 km et prendre un sentier. Après 30 mn de marche, vue splendide et baignade possible !

LES ALPES D'AZUR

Villages au fond de la vallée... Oui, mais laquelle choisir si le blues vous prend et si vous désirez faire un *break*, avant de réattaquer la Côte, et retrouver la civilisation entre Nice et Menton ? Quatre vallées composent le « haut pays », renommé *Alpes d'Azur,* de ce département des Alpes-Maritimes aux allures de petite région. Trois d'entre elles partent de Nice, la quatrième – également accessible depuis Menton – terminera en beauté notre balade entre Méditerranée et haute montagne.

LA VALLÉE DU VAR PAR LE TRAIN DES PIGNES

Un must ! Il faut à tout prix le prendre au moins une fois pour découvrir à pas lents la vallée du Var. Ce tortillard folklorique, qui relie Nice à Digne à une allure de sénateur, traverse des paysages fabuleux, longe des gorges impressionnantes, franchit rivières, torrents, montagnes, et s'arrête dans des villages très reculés, très tranquilles, où il fait bon vivre.
Plusieurs versions pour expliquer le nom de Pignes ; on dit que le train était tellement lent que les voyageurs avaient le temps de descendre ramasser des pommes de pin, des *pignes.* D'autres racontent que les voyageurs devaient rallumer le feu de la machine à bout de souffle avec ces pignes... Il semble, en fait, qu'on versait dans la chaudière quelques pommes de pin avant de partir.
Les travaux commencèrent en 1892, mais la ligne ne fut inaugurée qu'en 1912. Il fallut en effet des dizaines d'ouvrages d'art et de tunnels pour venir à bout d'une nature si rebelle. Le tunnel de La Colle-Saint-Michel ne fait pas moins de 3,5 km !
Les amateurs de randonnées se procureront le guide *75 Randonnées pédestres avec le train des Pignes* de Raoul Revelli, en vente dans toutes les bonnes librairies de Nice et dans certaines gares.

Le parcours du train des Pignes

De Nice à Puget-Théniers, le train suit la nationale et surplombe les rives du Var. Un coup de chapeau aux Chemins de fer de Provence pour avoir sauvé cette ligne magique. Réservations et renseignements : ☎ 04-97-03-80-80. Minitel : 36-15, code CIMALP. Départ : gare des Chemins de fer de Provence (Nice Nord), 4 *bis*, rue Alfred-Binet. 4 départs par jour Nice-Digne. Plusieurs arrêts sympathiques (Annot, Entrevaux et Saint-André-des-Alpes) autant que facultatifs avant d'entrer réellement dans la vallée du Var. Compter 3 h 15 l'aller Nice-Digne. 34,76 € (228 F) l'aller-retour pour 1 adulte, 50 % de réduction pour les enfants.

★ ***MALAUSSÈNE*** *(06710)*

À 45 km de Nice, arrêt facultatif pour accéder à Malaussène (2,5 km, soit 30 mn à pied), un de ces villages typiques perchés sur une arête rocheuse. Alimenté en eau par un viaduc du XVIIe siècle, il vous offre une jolie balade le long du canal.

★ *VILLARS-SUR-VAR* (06710)

À 1 h de train de Nice et encore beaucoup moins en voiture s'il n'y a pas d'embouteillages, on se sent déjà bien loin de la Côte. Ici, on pense plutôt à la vigne, que l'on cultive depuis le Moyen Âge. C'est le seul vin du haut pays qui ait droit à l'appellation côtes-de-provence. Les amoureux de la nature et les amateurs de marche viennent ici l'été faire une cure de bon air et de repos.

Où manger ?

|●| ***Chez Simone :*** sur la place du village. ☎ 04-93-05-76-14. Pour grignoter un plat de raviolis, un lapin ou une tourte au roquefort.

À voir

★ Les vieilles rues du village sont inaccessibles aux voitures, il fait bon s'y promener au frais avant d'aller visiter l'***église Saint-Jean-Baptiste.*** Bien restaurée, avec des fresques en trompe l'œil, elle possède à gauche du chœur un beau *retable de l'Annonciation,* de l'école niçoise (XVIe siècle).

★ Une agréable allée bordée de colonnes mène à une plate-forme d'où l'on découvre une ***vue*** superbe sur la vallée du Var.

★ *TOUËT-SUR-VAR* (06710)

Étonnant village. À l'arrêt de la gare de Touët, compter 10 mn pour monter, par un chemin pittoresque, jusqu'au vieux village plaqué contre la paroi verticale de la montagne où les rues enchevêtrées grimpent à l'assaut du rocher. On a d'ailleurs surnommé l'endroit le « village tibétain ». Dans le sol de l'allée centrale court un torrent sur lequel a été bâtie l'église du XIIe siècle : on peut voir le flot rapide par une petite trappe aménagée dans le sol de l'allée centrale. Beau point de vue derrière la place. Les hautes maisons anciennes ont presque toutes un grenier ouvert (le *soleillaire*) bien exposé au midi, destiné, entre autres, au séchage des figues. Le quartier moderne s'étend au-dessous dans la vallée.

Où manger ?

|●| ***L'Auberge des Chasseurs :*** av. Général-de-Gaulle. ☎ 04-93-05-71-11. Sur le bord de la route, à droite en venant de Nice. Fermé le mardi. Congés en novembre. Menus de 15,09 € (99 F) en semaine à 29,73 € (195 F). Petite maison adorable avec ses balcons en bois et sa treille qui court sur la façade. Face à la vallée, en terrasse, on fait la pause en avalant tripes à la niçoise, magret de canard au miel, faisan à la compote de choux, etc. Apéritif maison offert à nos lecteurs sur présentation du *Guide du routard* de l'année.

Randonnées pédestres

➢ ***Le mont Rourebel*** (1 210 m) ***:*** compter 3 h. Un sentier traverse le Var et monte à droite puis à gauche pour atteindre le col de Rourebel puis le sommet.

➢ ***Thiéry :*** village isolé dans un cirque sauvage que l'on atteint en 2 h par un bien joli petit chemin.

★ *PUGET-THÉNIERS* *(06260)*

Agréable bourg qui fleure bon la Provence, au confluent du Var et de la Roudoule. Ici, on se sent à la fois dans le Midi et à la montagne. Ce vieux village, sur la rive droite de la Roudoule, était au XIIIe siècle le ***quartier des Templiers.*** Les maisons sont très anciennes, avec granges-auvents, insignes de maîtrise sur les linteaux. Rue Gisclette, ancien ghetto juif, subsistent les anneaux qui portaient les chaînes barrant chaque soir l'accès de la rue.
De la place A.-Conil, au pied de la vieille ville, on traverse la Roudoule pour aller à l'église Notre-Dame-de-l'Assomption (remarquez quelques boutiques vieillottes comme celle nommée *Au Pied Mignon*), construite au XIIIe siècle par les Templiers et remaniée au XVIIe siècle. Le clocher carré du XVIIe est surmonté d'un joli campanile.
Au bord de la nationale, sur une place plantée d'ormes, statue de Maillol, *L'Action enchaînée,* symbolisant la vie de Blanqui, qui est né à Puget-Théniers et qui passa 36 ans en prison.
À partir de Puget-Théniers, on peut remonter les gorges de la Roudoule, au nord, par la D 16. On peut aussi, de cette route, au bout de 2,5 km, monter au village de *Puget-Théran,* tout en hauteur, et à celui d'*Auvare,* complètement perdu au pied des contreforts du dôme de Barrot. De ces deux villages pittoresques partent de nombreux sentiers pédestres.

Information utile

- ***Syndicat d'initiative :*** ☎ 04-93-05-05-05.

Où dormir? Où manger?

Camping

⛺ |●| ***Camping Lou Gourdan :*** au bord de l'eau. ☎ 04-93-05-10-53. Ouvert de fin mars à mi-octobre. Compter 11 € (72 F) l'emplacement pour 2 personnes avec tente et voiture. Petite restauration type snack. Confortable. Piscine et tennis à 150 m. Café offert sur présentation du *GDR* de l'année.

Prix moyens

|●| ***Les Acacias :*** quartier du Planet, à l'entrée de Puget, sur la droite, à 1 km du village. ☎ 04-93-05-05-25. Fermé le mercredi. Menu à 12,20 € (80 F) le midi en semaine; autres menus de 17,53 à 29,73 € (115 à 195 F). Cadre provençal et terrasse ombragée au bord du Var en font une adresse que l'on remarque dans le « haut pays », d'autant que la cuisine est tout entière à base de bons produits régionaux. *Secca* d'Entrevaux, mais aussi sanguins, brouillade aux truffes, civets, pieds-paquets... Apéritif maison offert à nos lecteurs sur présentation du *Guide du routard* de l'année.

À voir dans les environs

★ ***L'écomusée du pays de la Roudoule :*** place des Tilleuls, 06260 ***Puget-Rostang.*** ☎ 04-93-05-07-38. Fax : 04-93-05-13-25. D'avril à novembre, ouvert tous les jours de 9 h à 12 h et de 14 h à 18 h; de décembre à mars, fermé le week-end. Entrée : 4,57 € (30 F). Une autre façon de découvrir la vie dans les villages de la Roudoule à travers le temps et l'espace : atelier de charronnage, reconstitution de scènes de la vie quotidienne, expos, diaporama... Boutique (artisanat, produits locaux).

– Le *train des Pignes* continue son lent cheminement vers Digne *via* Entrevaux et Annot, au travers d'un parcours qui est parfois à couper le souffle. Le train se glisse dans les gorges, colle à la paroi, tutoie les torrents – laissant intact le plaisir de la découverte des Alpes-de-Haute-Provence.

LES GORGES DE DALUIS ET DU CIANS

Étonnant et spectaculaire parcours qui nous fait découvrir deux impressionnantes gorges reliées par la route de Valberg. Les amateurs de spectacles grandioses seront comblés. Peut-être la plus belle excursion à faire dans les Alpes-Maritimes.
Le circuit des gorges de Daluis part de la N 202, à mi-chemin environ entre Annot et Entrevaux. À partir de Daluis, la route, sinueuse, remonte en corniche la rive droite du Var. La voie est tellement étroite que les voitures qui descendent passent dans de nombreux tunnels creusés dans le rocher tandis que celles qui montent à Guillaumes continuent à suivre la corniche, offrant de saisissantes vues plongeantes. Paysage d'autant plus spectaculaire que les gorges sont taillées dans les schistes rouges, roches aux formes étranges, tachées de vert, au milieu desquelles courent des cascades.

★ *GUILLAUMES* (06470)

Dominé par les ruines d'un château fort, un village plein de charme qui bénéficie d'une situation géographique privilégiant le passage entre les deux mondes, « celui d'en haut » et « celui d'en bas ».

Adresse utile

i ***Office du tourisme :*** place Napoléon-III. ☎ 04-93-05-57-76.

Où dormir ? Où manger ?

Hôtel-restaurant Les Chaudrons : ☎ et fax : 04-93-05-50-01. Fermé le dimanche soir et le lundi hors saison. Congés annuels de mi-novembre à mi-janvier. Chambres doubles à 36,59 € (240 F). Demi-pension à 38,11 € (250 F) par personne. Menus à 12,96 et 19,82 € (85 et 130 F). Un petit hôtel économique, tout simple mais très propre. La terrasse du restaurant, très agréable en été, donne sur la rue. Truite du Cians, *secca* d'Entrevaux, civet de porcelet au menu.

Restaurant La Diligence : place de la Provence. ☎ 04-93-05-50-33. Fermé les mercredi et dimanche hors saison d'été. Congés annuels en octobre-novembre. Menu du jour à 10,67 € (70 F). À la carte, compter autour de 18,29 € (120 F) pour un repas avec pâtes ou pizza, et aux alentours de 27,44 € (180 F) avec une viande. Une gentille adresse dans ce petit village « au milieu de nulle part ». De bonnes pizzas aux noms des villages du canton. Viandes de très bonne qualité, un excellent tartare, et des pâtes fraîches très réussies. Accueil charmant et bon enfant. Salle un peu banale, donc en été, préférez la terrasse. Café offert à nos lecteurs sur présentation du *Guide du routard* de l'année.

Où dormir ? Où manger dans les environs ?

🏠 🍽 ***Chez Gérard et Christine Kieffer :*** à Villeplane, 06470 Guillaumes. ☎ 04-93-05-56-01. • itinerance@wanadoo.fr • Ouvert d'avril à fin octobre. Demi-pension à 27,44 € (180 F) par personne. Hébergement à la ferme. Repas copieux et bien arrosés. Expérience inoubliable. Balades dans l'arrière-pays. 40 ânes de bât pour vous tenir compagnie. Apéritif maison offert à nos lecteurs sur présentation du *Guide du routard* de l'année.

★ *VALBERG* *(06470)*

De Guillaumes, prendre la D 28 bordée de sapins qui monte à Valberg, à 1 670 m d'altitude ; une station estivale et de sports d'hiver, au milieu des prairies, à moins de 2 h de Nice. En hiver, aménagements spéciaux pour les enfants qui débutent.
Pour ceux qui ne skient que quelques heures par jour, une bonne solution consiste à prendre la carte *Oroski* (renseignements à l'office du tourisme), beaucoup plus économique qu'un forfait à la journée. En été, le pass *Multi-Loisirs* donne accès à toutes les activités de la station.

Adresses utiles

ℹ ***Office du tourisme :*** ☎ 04-93-23-24-25. Ouvert tous les jours, de 9 h à 12 h et de 14 h à 18 h. Liste de meublés, etc.
■ ***Bureau des guides :*** av. de Valberg. ☎ 04-93-02-32-15.
■ ***Bureau de l'École du ski français :*** au pied des pistes. ☎ 04-93-02-51-20.

Où dormir ? Où manger ?

🏠 🍽 ***Hôtel Le Chastellan :*** rue Saint-Jean. ☎ 04-93-02-57-41. Fax : 04-93-02-61-65. Fermé en avril. Chambres doubles à 61 € (400 F), petit déj' compris. 5 petites suites familiales à 113 € (741 F). Menu unique à 15,24 € (100 F) servi le soir. Compter 51 € (335 F) par jour et par personne en demi-pension. Garage clos. Derrière une belle façade en pierre de taille, une hôtellerie où l'on peut venir en famille ! La plupart des chambres, dont quelques-unes avec balcon, ont une vue très agréable. Propreté irréprochable et accueil délicieux. Belle salle à manger spacieuse, coin TV, et même une salle de jeux pour vos petites têtes blondes. 10 % de réduction sur le prix des chambres accordée à nos lecteurs sur présentation du *Guide du routard* de l'année, hors vacances scolaires.

🏠 🍽 ***La Clé des Champs :*** 20, av. de Valberg. ☎ 04-93-02-51-45. Fax : 04-93-02-62-52. Fermé du 10 avril au 1er juillet et du 20 septembre au 20 décembre. Chambres doubles de 44,20 à 55,80 € (290 à 366 F). Demi-pension à 53,50 € (351 F) par personne. Menus de 14,65 à 18,30 € (96 à 120 F). Dans cet hôtel-restaurant ressemblant à un gros chalet, réservez une des belles chambres avec balcon au soleil levant. Ici, c'est le patron qui officie. Cuisine et ambiance familiales, donc. Une bonne adresse pour Valberg, qui n'en compte finalement pas beaucoup. Kir offert à nos lecteurs sur présentation du *Guide du routard* de l'année.

Côté Jardin : ☎ 04-93-02-64-70. Derrière la place centrale. Fermé le jeudi hors saison. Congés annuels en juin et en octobre. Menus de 12,20 à 27,44 € (80 à 180 F). Généralement, station de ski ne rime pas forcément avec gastronomie. Voilà l'exception qui confirme la règle. Certes, on y trouve tartiflettes, raclettes et fondues, mais ce serait dommage de se contenter de ces quelques plats plus savoyards que provençaux. D'autant que les deux menus permettent de goûter quelques bons petits plats, joliment présentés : terrine maison de foie gras confit, noix de Saint-Jacques à la fondue de tomates, carré d'agneau rôti à la tapenade... Vous allez manger côté jardin dans un décor fleuri pendant que le chef se déchaîne côté cour, dans sa cuisine. Service amical. Café offert à nos lecteurs sur présentation du *Guide du routard* de l'année.

Où dormir ? Où manger dans les environs ?

Hôtel-restaurant Le Col de Crous : 06470 Péone. ☎ 04-93-02-58-37. À 8 km au nord de Valberg. Au centre d'un charmant village. Fermé les dimanche soir et lundi hors vacances scolaires. Chambres doubles de 37 à 52 € (240 à 340 F). Demi-pension obligatoire d'octobre à avril : 36 € (236 F) par personne. Menus à 13 et 19 € (85 et 125 F). Une adresse tranquille, agréable et bon marché. On est en retrait de Valberg et de ses pistes, au creux de monts verts et fleuris ou enneigés, et c'est bien. Cheminée et four à feu de bois en hiver, jardin sous la vigne en été. Cuisine consistante et familiale, style raviolis à l'ancienne, pieds-paquets, civet de porcelet... Café offert à nos lecteurs sur présentation du *Guide du routard* de l'année.

À voir. À faire

On a un petit faible pour Valberg. Comme à Auron ou à Isola 2000, on peut y skier jusqu'en avril, mais ici, il y a de l'ambiance toute l'année.

★ Allez voir la jolie ***chapelle Notre-Dame-des-Neiges,*** sainte patronne protectrice des skieurs. D'apparence toute simple, l'intérieur est décoré de peintures modernes.

➢ ***Excursion à la croix de Valberg :*** on part du col du Sapet et on monte par un bon sentier ; en haut, panorama superbe sur les montagnes (45 mn aller-retour).

– ***Luge :*** une piste, accessible même l'été, a été aménagée. Pour y accéder, prendre le télésiège du Garibeuil (gratuit pour les enfants de moins de 6 ans accompagnés).

– ***Karting sur glace :*** se renseigner à l'office du tourisme.

★ BEUIL *(06470)*

La route descend ensuite sur Beuil (1 480 m). C'est une station estivale et de sports d'hiver très reposante.

Adresse utile

Office du tourisme : quartier du Pissai-Re. ☎ 04-93-02-32-58. Fax : 04-93-02-35-72.

Où dormir ? Où manger ?

🏠 🍽 ***Hôtel L'Escapade :*** ☎ 04-93-02-31-27. Fax : 04-93-02-34-67. Ouvert tous les jours, midi et soir. Fermé du 1er novembre au 24 décembre. Chambres doubles de 33 à 50 € (216 à 328 F) avec douche ou bains. Demi-pension de 43 à 52 € (282 à 341 F) par personne. Au restaurant, menus de 16 à 22 € (105 à 144 F). Le premier n'est déjà pas mal : terrine + saucisson + salade aux lardons, puis un plat (genre daube à l'ancienne) et un fromage du pays. Avec le second, vous redescendez la montagne en roulant ! Vue superbe du balcon de certaines chambres. Apéritif maison offert à nos lecteurs sur présentation du *Guide du routard* de l'année.

🏠 🍽 ***Restaurant La Chaumière, Chez Max :*** 06470 Les Launes-de-Beuil. ☎ 04-93-02-30-09. Aux Launes, 2 km avant Beuil en venant de Valberg, sur la droite de la chaussée. Fermé 15 jours en mai et 15 jours en octobre. Studios à 50,31 € (330 F). Menu à 16 € (105 F) le midi. De la salle, vue sur le tremplin olympique. Une table réputée pour ses pâtes maison, effectivement réussies. Loue à l'étage des studios pour 3 ou 4 personnes (avec cuisine, salle d'eau et TV), propres et assez spacieux, à la nuit ou à la semaine. Accueil fort cordial. Pour les routards qui mangent sur place, café offert sur présentation du *Guide du routard* de l'année.

À voir. À faire

★ ***Dans le village,*** adorable placette, bordée d'une église et d'une jolie chapelle, aux couleurs de l'Italie. *L'église* du XVIIIe siècle a gardé un clocher roman du XVe siècle. Sur la façade, jolie statue dans une niche, à gauche. L'intérieur est richement décoré : superbe tableau récemment rénové : *L'Adoration des Mages,* école de Véronèse ; colonnes torses noires, angelots sculptés, etc.

★ ***Visite et dégustation aux granges du Scrouis :*** route de la Couillole. ☎ 04-93-02-31-66. En face à gauche de l'office du tourisme, la route qui grimpe un peu, puis c'est indiqué sur la gauche. Maryse et Alain élèvent des chèvres et vous montrent comment ça se passe, la naissance d'un fromage. Et puis on y goûte et on peut en acheter. Un bon plan promenade, nature et dégustation, que les citadins et particulièrement les enfants apprécieront.

➢ ***Excursion au mont Mounier*** (2 800 m) : vue extraordinaire sur les Alpes. Compter 6 heures aller-retour, donc prévoir un pique-nique, et surtout, écouter les prévisions météorologiques avant de partir.

SAINT-ÉTIENNE-DE-TINÉE (06660) 1 680 hab.

Carrefour entre Nice et Barcelonnette, entre la Provence et le Piémont, ce gros village situé dans un amphithéâtre de montagne, à 1 140 m d'altitude, est un agréable lieu de séjour l'été et un centre d'excursions. En 1860, Saint-Étienne-de-Tinée est devenu français par référendum des habitants du coin. Un incendie détruisit la partie ouest du village en 1929. Jusqu'au début du XXe siècle, le bourg était un centre actif de production des draps de la haute Tinée.

Adresse utile

🛈 ***Maison du tourisme :*** 1, rue des Communes-de-France. ☎ 04-93-02-41-96. Fax : 04-93-02-48-50. En été, ouvert tous les jours de 9 h à 12 h et de 15 h à 18 h, le dimanche de 9 h à 12 h. Le reste de l'année, horaires variables.

Où dormir ? Où manger ?

Gîtes

⌂ Nombreux ***gîtes ruraux.*** ☎ 04-92-15-21-30 (*central des gîtes ruraux* à Nice). Plusieurs gîtes pour 4 personnes de 228,67 à 381,12 € (1 500 à 2 500 F) selon la saison.

Prix moyens

⌂ |●| ***Hôtel-restaurant Le Régalivou :*** 8, bd d'Auron. ☎ 04-93-02-49-00. Fax : 04-93-23-00-40. Chambre double à partir de 53,35 € (350 F) ; en saison, demi-pension à 44,97 € (295 F) par personne. Menus à partir de 13,72 € (90 F). Une grosse maison avec une petite terrasse, des chambres rénovées et confortables, sans charme particulier mais claires. Souffre parfois d'un certain laisser-aller dans l'entretien et l'organisation. Accueil passable.

|●| ***Bar-restaurant de la Poste :*** dans le centre, près de la place de l'Église. ☎ 04-93-02-41-66. Menus à partir de 14,94 € (98 F). Plats autour de 7,62 € (50 F). Cuisine locale et sans prétention, servie en salle ou sur la petite terrasse. Une des rares adresses dans ce gros village.

À voir

★ ***L'église Saint-Étienne :*** elle a été restaurée au XIXe siècle. Joli clocher roman lombard, tour à quatre étages. À l'intérieur, maître-autel de 1669 en bois doré d'influence espagnole.

★ ***La chapelle des Trinitaires :*** elle abrite des fresques datées de 1685, qui représentent Notre-Dame-du-Bon-Remède ou la Madone des combats navals. Sur la voûte est illustrée la bataille de Lépante (de nombreux Niçois y participèrent). Les Trinitaires étaient chargés de racheter les chrétiens captifs aux Barbaresques.

★ ***La chapelle Saint-Sébastien :*** à l'entrée du village. Fresques remarquables de la fin du XVe siècle, de Baleisoni.

★ ***La chapelle des Pénitents-Noirs,*** ou ***chapelle Saint-Michel :*** elle a été aménagée en musée d'Art religieux. Retable du XVIe siècle.
Important ! Pour la visite des chapelles, s'adresser à la maison du tourisme.

★ ***Le musée des Traditions :*** mis en place par l'association des Stéphanois, qui y organise des veillées et fêtes à l'ancienne.

Randonnées

➢ Prendre le sentier qui longe la rivière de l'Ardon, passe devant la chapelle Sainte-Anne puis atteint le ***col de Pal*** (2 208 m). On peut encore, au lieu-dit la Vacherie, emprunter un autre chemin qui mène au ***col de Bouchiet,*** puis à Auron.

➢ On peut également aller au ***col de la Bonette*** (2715 m). La plus haute route goudronnée d'Europe, avec un superbe panorama sur les Alpes. La cime de la Bonette possède une table d'orientation à 2802 m. Liaison alpine entre la vallée de la Tinée et la vallée de l'Ubaye.

➤ DANS LES ENVIRONS DE SAINT-ÉTIENNE-DE-TINÉE

★ ***Saint-Dalmas-le-Selvage** (06660) :* à Saint-Étienne-de-Tinée, prendre la direction de Barcelonnette et du col de la Bonette; le village, à 7 km, a su conserver un caractère simple et pittoresque. Encore quelques toits en bardeaux de mélèze.
Au-dessus de la commune se trouve le plus haut hameau d'Europe, ***Bousieyas*** (1950 m), et le plus haut col d'Europe, ***Restefond-la-Bonette*** (2860 m). Les deux tiers de la superficie de la commune font partie du parc du Mercantour. Départ de circuits de randonnées nordiques, ski de fond et raquettes. Renseignements à la mairie. ☎ 04-93-02-41-01. Fax : 04-93-02-48-82.
Au cœur du village se trouve également une charmante auberge :

🍴 ***L'Auberge de l'Étoile :*** ☎ 04-93-02-44-97 (réservations). Fermé d'octobre à mi-décembre et de mai à mi-juin. Repas entre 7 et 15 € (46 et 98 F). Une bien mignonne terrasse et une salle rustique décorée de peintures, copies de qualité réalisées par le patron. Cuisine sincère et authentique. « L'assiette du randonneur », pour manger sur le pouce nous a plu : omelette, salade mixte, sanguins (champignons du cru), jambon cru et terrine. Et, le soir, on dîne aux chandelles, près du poêle, loin de l'agitation des stations ou de la côte.

AURON (06660) 1530 hab. avec Saint-Étienne-de-Tinée

Très bien situé sur un plateau ensoleillé, à 1600 m, au centre d'un cirque de montagne, cet ancien hameau, qui était autrefois le grenier à blé du village de Saint-Étienne-de-Tinée, est devenu, depuis les championnats de France de ski de 1938, une station de sports d'hiver très réputée. En 1982, les championnats du monde y ont élu domicile. Mais la station garde un côté familial (peu de monde dans les rues à 20 h), moins tapageur qu'à Isola 2000. Elle est la seule du département à posséder un téléphérique. Grand domaine skiable de 130 km de pistes (dont 28 ha d'enneigement artificiel).

Comment y aller?

➢ ***De Nice :*** à la gare routière, à la gare SNCF et à l'aéroport, bus tous les jours. Réservation indispensable. *Santa Azur :* ☎ 04-93-85-92-60.

Adresses utiles

ℹ ***Maison du tourisme :*** Grange Cossat. ☎ 04-93-23-02-66. Ouvert toute l'année.

■ ***École du ski français :*** ☎ 04-93-23-02-53.

■ ***Services des remontées mécaniques :*** ☎ 04-93-23-00-02.

Où dormir ? Où manger ?

🏠 🍽 ***Las Donnas :*** Grand-Place. ☎ 04-93-23-00-03. Fax : 04-93-23-07-37. • www.lasdonnas.com • Fermé de fin avril à mi-juillet, puis de fin août à mi-décembre. Une quarantaine de chambres entre 33,54 à 103,66 € (220 à 680 F). Demi-pension de 30,49 à 65,55 € (200 à 430 F), obligatoire durant les congés scolaires. Menus à partir de 16,77 € (110 F). Compter 24,39 € (160 F) à la carte. Hôtel agréable et calme, donnant sur la place centrale. La moitié des chambres possède un balcon face aux pistes. Cuisine maison. Menus avec fondue bourguignonne et raclette en hiver. Belle terrasse et solarium. Apéritif maison ou café offert à nos lecteurs sur présentation du *Guide du routard* de l'année.

🏠 ***Hôtel Chastellares :*** place centrale. ☎ 04-93-23-02-58. Fax : 04-93-23-01-54. À l'entrée de la station en venant de Saint-Étienne-de-Tinée. Chambre double à partir de 57,93 € (380 F). À la différence des autres hôtels, il est ouvert toute l'année. Plus ancien, construit en surplomb d'une vallée où coule un torrent, ce gros chalet est tenu par un ancien joueur de tennis professionnel ayant bien connu la vie parisienne. Les chambres dotées de terrasses (côté soleil) ont toutes la douche et les w.-c., de bons matelas, mais la déco est ordinaire. Vue superbe sur les versants de la montagne (et les pistes de ski).

Plus chic

🏠 🍽 ***Le Savoie :*** bd Georges-Pompidou. ☎ 04-93-23-02-51. Fax : 04-93-23-04-04. À droite, à l'entrée de la station. Ouvert en juillet et août et de mi-décembre à Pâques. Chambres doubles à partir de 60,98 € (400 F). Restauration en hiver avec des menus à partir de 19,82 € (130 F). Le confort d'un 3 étoiles, un peu vieillot, avec vue sur les montagnes, terrasse panoramique, bar sympa.

🍽 ***Restaurant La Grange d'Aur :*** place centrale. ☎ 04-93-23-30-98. Ouvert tous les jours midi et soir de mi-décembre à mi-avril, puis de fin juin à mi-septembre. Menus à partir de 15,24 € (100 F). Pour un repas à la carte, boisson comprise, compter 30,49 € (200 F). Une jolie petite grange qui rappelle aux touristes qu'Auron était le grenier à céréales de Saint-Étienne-de-Tinée. Aujourd'hui, on s'y régale de plats bien montagnards : reblochon au lard, fondues et raclettes variées. Décor de bon goût, service et accueil agréables. Apéritif maison offert sur présentation du *GDR* de l'année.

À voir. À faire

★ ***La chapelle Saint-Érige :*** saint Érige protégeait les enfants morts-nés et déliait la langue des muets. Ce bâtiment de style roman alpestre, avec son clocher lombard, date du XIIIe siècle et abrite, depuis 1451, un ensemble de *fresques* religieuses exceptionnel. Elles retracent la vie de saint Érige, évêque de Gap au VIe siècle. Émouvante sainte Marie-Madeleine dans la chapelle centrale et, dans l'abside de gauche, un saint Denis. Belle charpente apparente. Demandez les clés à la maison du tourisme, ils garderont votre pièce d'identité en caution. À l'intérieur, aménagement sonore (commentaires en plusieurs langues) et lumineux gratuit.

– ***Le téléphérique de Las Donnas :*** ouvert été-hiver. On parvient à une altitude de 2256 m, panorama très vaste sur la haute Tinée et les Alpes.

Les pistes : 130 km de pistes balisées sur deux vallées (plus qu'à Isola). La station jouit d'un bon ensoleillement, avec cet inconvénient de ne pas offrir toujours une neige d'excellente qualité. Auron convient plus aux skieurs chevronnés.
– *En été,* entre toutes les activités sportives proposées, vous n'aurez que l'embarras du choix : escalade, randonnée, poney, practice de golf, stage de tennis, parapente...

ISOLA 2000

(06420) 540 hab.

Station de sports d'hiver créée en 1972, à 1 h 30 de Nice, « garantie neige et soleil » disent les prospectus, très fréquentée en tout cas, même si elle a un côté complexe commercial assez marqué : longue galerie marchande, autour de laquelle tout s'organise : hôtels, restos, boutiques, etc. Deux saisons, hiver et été. Possibilité de pratiquer de nombreux sports : tennis, natation, VTT, équitation, escalade, etc.

Comment y aller ?

➢ *De Nice :* réservation obligatoire. ☎ 04-93-85-92-60. Départs de la gare routière tous les jours à 9 h et 16 h 30, le vendredi à 17 h 20 et le samedi à 13 h 15, en saison de 8 h 30 à 19 h. Un « skibus » (forfait bus + remontées) passe les mercredi, samedi et dimanche à 7 h 30.

Adresses utiles

Office du tourisme : ☎ 04-93-23-15-15. Fax : 04-93-23-14-25. Liste d'hébergements en gîtes et résidences à disposition.

■ *École du ski français :* ☎ 04-93-23-28-00. 80 moniteurs permanents.

Où dormir ?

Grosse différence entre les tarifs basse saison et les tarifs haute saison (vacances de Noël, février, vacances de Pâques). Renseignez-vous auprès de l'office du tourisme, les adresses pour routards n'étant pas évidentes par ici.

Les pistes

Isola est la plus haute station des Alpes du Sud et l'une des plus enneigées de France (à 50 km à vol d'oiseau de la mer !). Cela est dû à son altitude et à son microclimat qui rendent la neige abondante et d'une bonne qualité poudreuse. On compte quelque 120 km de pistes. Le soir, la station est assez animée (beaucoup plus de vie qu'à Auron en tout cas).

Randonnées pédestres

Isola 2000 est au centre du *parc national du Mercantour,* c'est donc le point de départ idéal de nombreuses excursions. Autrefois, les environs d'Isola étaient territoire italien et chasse privée du roi Victor-Emmanuel II, ce qui explique les nombreux et bons sentiers existants. De plus, une trentaine de lacs ceinturent la station, offrant d'agréables buts de promenades. Se procurer la carte IGN Haute Tinée 2 Isola 2000. Une suggestion :

➢ ***La traversée du pas du Loup-cime de la Lombarde :*** de la maison d'Isola, remonter le sentier qui part du bas des pistes sur 100 m, prendre à gauche et gagner par une petite route le départ du sentier des Lacs-de-Terre-Rouge et du Pas-du-Loup. Superbe randonnée d'environ 6 h aller-retour (1 000 m de dénivelée) qui permet de flirter avec les sommets franco-italiens. On vous conseille de faire une petite halte ou de pique-niquer au bord de l'un des charmants lacs, avant de continuer, versant italien, jusqu'à la cime de la Lombarde. Vue superbe : d'un côté, Isola 2000, de l'autre, les vallons descendant vers le Piémont et la plaine du Pô. Demander les « fiches randonnées » à l'office du tourisme, elles sont très détaillées et vous permettront de raccourcir ou, au contraire, de rallonger cette superbe balade.

➢ *DANS LES ENVIRONS D'ISOLA 2000*

En quittant Isola 2000, changement de décor en retrouvant la vallée de la Tinée :

★ ***Isola*** *(06420)* **:** bourg alpin, qui fut possession du comté de Provence, du duché de Savoie, du Royaume sarde, pour n'être rattaché à la France qu'en 1861. Il s'étire au milieu des châtaigneraies, au confluent de la Tinée et du torrent de Chastillon, en face de deux profondes entailles de rochers. De l'une d'elles tombe la superbe *cascade de la Louch.* À l'entrée du bourg d'Isola, clocher roman carré de l'ancienne église Saint-Pierre. Dans le village, belles maisons anciennes de schiste avec tolts en bardeaux. Sur la place de l'église, une jolie fontaine.

Chalet d'Accueil : ☎ 04-93-02-18-97. Gère les huit gîtes de la commune. Redescendre ensuite par la D 2205 et la route des gorges de la Valabres pour rejoindre Saint-Sauveur-de-Tinée, 14 km plus loin.

LA VALLÉE DE LA TINÉE

C'est la D 2205 qui longe les gorges de la Tinée, depuis Auron jusqu'à sa confluence avec le Var.

D'AURON AU PONT DE LA MESCLA

★ ***SAINT-SAUVEUR-SUR-TINÉE*** *(06420)*

C'est le centre commercial de la vallée, sur la route des stations de sports d'hiver. Nombreuses possibilités d'excursions. Jolie *église* médiévale, avec clocher carré de 1333. À l'intérieur, *retable de Notre-Dame,* de Guillaume Planeta (1483). Dans le village, on est frappé par le côté sévère des maisons hautes ; remarquez les linteaux gravés.

Adresse utile

Syndicat d'initiative : à la mairie. ☎ 04-93-02-00-22. Fax : 04-93-02-05-20. Demandez-leur les adresses des gîtes d'étape.

Où dormir ?

Camping municipal : au bord de la rivière. ☎ 04-93-02-03-20. Ouvert du 15 juin au 15 septembre. Correct. Fait aussi gîte d'étape, de mai à novembre.

★ *ROURE* *(06420)*

Un des plus étonnants villages perchés de la vallée de la Tinée. De Saint-Sauveur-de-Tinée prendre la route de Beuil. À 2 km sur la droite, prendre une route sinueuse qui monte jusqu'à Roure. On est si loin de l'agitation du monde qu'on se sent comme allégé ! Perché sur un promontoire dominant Saint-Sauveur et la vallée de la Violène, Roure est l'exemple même du vieux village « nid d'aigle » montagnard avec ses toits de bardeaux (planchettes de bois) ou de lauzes. Belles maisons et granges des XVIIe et XVIIIe siècles, à auvents. Dans l'église, retable de l'Assomption attribué à François Brea. Par souci de protéger la nature et les arbres, les habitants du village ont pris une inititative intéressante, en réalisant un ***arboretum*** où chaque arbre porte le nom de celui qui l'a planté. L'arboretum se trouve sur la route du refuge de Longon et de la forêt de Fracha (chapelle Saint-Sébastien). De Roure, compter 50 mn de marche. En voiture, suivre la route bitumée qui devient un chemin de terre, et aller jusqu'au bout de la piste.

Où dormir ? Où manger ?

Hôtel Le Robur : rue centrale. ☎ 04-93-02-03-57. Ouvert tous les jours en été. Fermé le mercredi, le reste de l'année. Chambres à partir de 27,44 € (180 F). Demi-pension à 32,01 € (210 F) par personne et par jour. Menus à partir de 12,96 € (85 F). Ça vaut la peine de suivre l'étroite (et superbe !) route qui grimpe à Roure. De sympathiques Jurassiens, épris de nature (*Robur* signifie chêne), ont restauré cette ancienne maison surplombant un beau paysage de montagne. Quelques chambres simples et propres (lavabo et bidet), avec la douche sur le palier. Vue sur la vallée ou sur le village. Au restaurant, cuisine imaginative, copieuse et soignée avec des saveurs inédites. Produits de qualité, plats qui changent souvent, et par-dessus tout, un accueil familial et cordial.

★ *MARIE* *(06420)*

Ce village, situé sur un plateau au-dessus de la vallée, au milieu des oliviers, a beaucoup de charme. On est frappé par son caractère montagnard, les volets cloutés et les toits de lauzes de certaines maisons.
Marie, qui comptait 238 habitants il y a un siècle, voit sa population réduite aujourd'hui à 50 personnes ! Et pourtant, c'est si beau !
Remarquez le lavoir entouré de piliers à ogive, le moulin à huile restauré, le four à pain, et flânez dans les ruelles étroites et en escalier.

Où dormir ? Où manger ?

🏠 🍽 ***Le Panoramique :*** ☎ 04-93-02-03-01. Fax : 04-93-02-03-85. Fermé le jeudi hors saison, sauf pour la demi-pension. Chambres rustiques de 28,96 à 38,11 € (190 à 250 F). Demi-pension à 37,35 € (245 F). Menus à partir de 13,72 € (90 F). Petite auberge rurale de 5 chambres très propres, avec w.-c. sur le palier. Restaurant proposant une bonne cuisine régionale : feuilleté de chèvre aux herbes de Provence, raviolis maison, agneau frotté de piments de Nice et de romarin... Café offert sur présentation du *GDR* de l'année.

Randonnée pédestre

➢ ***Le mont Tournairet*** (2085 m) ***:*** vous pouvez atteindre le sommet en prenant un sentier qui remonte le vallon d'Oglione avant de rejoindre le GR 5.

★ CLANS *(06420)*

Encore une bourgade isolée où l'on se sent loin de tout... Le village perché s'étend sur plusieurs plateaux et est entouré d'une belle forêt qui, longtemps, constitua sa principale ressource.

À voir

★ Sur la place de l'église, bel ensemble de maisons médiévales et vieux lavoir ; l'***église,*** ancienne collégiale, a été restaurée et transformée dès 1200. Derrière l'autel ont été mises au jour des fresques qui passent pour être les plus anciennes du comté de Nice. Le thème de la chasse y est illustré, ce qui est rare dans une église.

★ ***La chapelle Saint-Antoine :*** à 500 m du village, avec son clocher-mur et son petit porche, très simple, mérite une visite (s'adresser à l'épicerie du village). Elle abrite des fresques amusantes qui illustrent la vie du saint, avec les Vertus et les Vices.

Randonnées pédestres

➢ ***Cayre Cros*** (2088 m) ***:*** vous y parviendrez après avoir grimpé au *mont Casteo* (1159 m) puis à la pointe de Serenton (1839 m).

➢ ***Le mont Tournairet*** (2085 m) ***:*** un sentier qui remonte le vallon de Clans passe près de la chapelle Sainte-Anne et atteint le col de Monigas. De là, chemin pour le mont Tournairet ou possibilité de gagner les granges de la Brasque par le col du Fort.

★ LA TOUR *(06710)*

Sur la droite, à environ 3 km, une petite route sinueuse monte au hameau de La Tour. Ce village, qui possède une jolie place pavée avec maisons sur galeries à arcades et fontaine, conserve un caractère plus provençal que montagnard.

L'église, à clocher carré lombard avec bossage à pointes de diamant, abrite deux beaux bénitiers, ainsi que des retables de style Renaissance (s'adresser à la mairie : ☎ 04-93-02-05-27). Il faut également visiter la ***chapelle des***

Pénitents-Blancs (téléphoner à la mairie) qui possède des peintures murales de 1491, dues à Bevesi et Nadale. Les Vices et les Vertus sont représentés : les Vices enchaînés par le cou se dirigent vers la bouche de l'enfer...
Sur la *mairie,* du XIXe siècle, peintures en trompe l'œil à l'italienne.

Randonnée pédestre

➢ Les courageux grimperont par un joli sentier à la ***chapelle Saint-Jean,*** et pourront même continuer jusqu'au ***col de Gratteloup*** (1 411 m).
En quittant le hameau, on peut reprendre à gauche la D 2205, direction Nice, pour retrouver, 8,5 km après le pont de la Mescla, à gauche encore, la D 2565 qui longe une autre vallée, celle de la Vésubie.

LA VALLÉE DE LA VÉSUBIE

Une des plus belles vallées du haut pays niçois, que l'on peut atteindre soit par la N 202 (Nice-Digne), rapide (on quitte la N 202 à Plan-du-Var), soit par la D 19 et l'arrière-pays niçois. On arrive alors par Levens (voir le circuit « Autour de Nice : les villages perchés », après Nice).
Rappelez-vous la scène de la cascade dans *La Nuit américaine* de Truffaut : elle a été tournée dans la vallée de la Vésubie.
La D 2565 s'enfonce dans la vallée aux gorges profondes et sinueuses qui s'élargit par endroits.
➢ À *Saint-Jean-la-Rivière,* prendre à gauche la route en lacet qui monte à Utelle. La vue devient vite féerique et l'on est étonné de voir partout les petits murets qui soutenaient des terrasses cultivées, les *restanques.*

★ *UTELLE* *(06450)*

À 800 m d'altitude, Utelle fut autrefois une bourgade importante qui commandait toute la vallée, à l'époque où les transports ne se faisaient que par mulets. Le village, à l'écart des voies de communication, a gardé tout son cachet, avec ses fortifications, ses maisons médiévales, ses rues en escalier et même ses cadrans solaires.

Où dormir ? Où manger ?

🏠 🍽 ***Hôtel-restaurant Le Bellevue :*** route de La Madone. ☎ 04-93-03-17-19. Fax : 04-93-03-19-17. Hôtel ouvert seulement en juillet et août ; restaurant fermé en janvier et février, ainsi que le mercredi hors saison. Chambres de 33,54 à 47,26 € (220 à 310 F) selon le confort. Demi-pension de 38,11 à 45,73 € (250 à 300 F) par personne, obligatoire en août. Menus à partir de 12,20 € (80 F). Chambres petites et sans caractère mais propres et disposant d'une vue splendide sur la vallée. Restaurant assez réputé servant de la cuisine régionale. Réserver une table avec vue dans la salle à manger rustique.

🍽 ***Aubergerie Del Campo :*** route d'Utelle. ☎ 04-93-03-13-12. La route monte fermement vers Utelle et, à 2 km plus haut, on est intrigué par quelques voitures stationnées sous un arbre au bord de la route ; l'*Aubergerie Del Campo* se trouve un peu en contrebas. Ouvert toute l'année à midi et le soir uniquement sur réservation. Formule déjeuner à 12,20 € (80 F), menus de 16 à 29 € (105 à 190 F). Ancienne bergerie datant de 1785, restaurée et accrochée au flanc de la montagne. Sylvain Moreau, un homme plein d'humour, s'est installé ici pour fuir l'agitation de la côte. Au milieu d'un décor rustique avec une belle cheminée et des planches d'olivier, il prépare une cuisine de terroir avec des produits de grande qualité. Truite du Cians braisée à l'estragon, pintade à la cocotte, et une spécialité : le *crespeü*... Belle terrasse aux beaux jours, dominant les gorges de la Vésubie. Ambiance conviviale. On peut réserver la bergerie pour les anniversaires, baptêmes, réveillons, divorces à l'amiable... Pour nos lecteurs, apéritif maison ou digestif offerts sur présentation du *Guide du routard* de l'année.

À voir

★ ***L'église Saint-Véran :*** elle est précédée d'un porche gothique, et les vantaux sculptés de la porte retracent la légende de saint Véran. Curieusement, les chapiteaux romans et préromans voisinent avec des voûtes décorées en stuc, de style baroque. Au fond du chœur, retable du XVIIe siècle en bois sculpté : les scènes de la Passion.

★ ***La chapelle des Pénitents-Blancs :*** près de l'église, elle abrite une *Descente de croix* en bois sculpté et doré du XVIIe siècle.

À voir dans les environs

➢ ***La Madone d'Utelle :*** balade de 6 km réservée aux conducteurs sportifs. Il s'agit d'avoir un bon moteur (pour monter), de bons freins (pour redescendre) et de ne pas lâcher le volant ! La récompense ? Un panorama inoubliable sur la vallée du Var, le littoral et le cap d'Antibes d'un côté, les Alpes enneigées (par temps clair, de préférence le matin), la Vésubie et la Tinée de l'autre. Cet endroit venteux, sauvage et fabuleusement calme, est aussi un sanctuaire qui attire depuis l'an 850 de nombreux visiteurs et pèlerins.

★ ***Notre-Dame-des-Miracles :*** reconstruit et restauré de nombreuses fois au cours des siècles, le sanctuaire conserve son mystère, distillé par une étrange atmosphère. À l'origine de sa construction, le naufrage d'un navire d'Espagnols, sauvés par leurs prières. La Vierge leur apparut, indiquant la montagne baignée par la lumière ! Ils la gravirent pour y ériger un monument rappelant le miracle. Plus tard, une chapelle fut édifiée et d'autres miracles se produisirent, des dizaines de malades ayant été guéris après avoir adressé des prières à la Vierge... Quelques témoignages, amusants pour les uns, émouvants pour les autres, ornent désormais les murs de la mignonne chapelle : béquilles, brassière d'enfant encadrée, etc.

– ***Les pèlerinages :*** les lundi de Pâques, jeudi de l'Ascension, lundi de Pentecôte, 15 août et 8 septembre (Nativité).
– ***Les étoiles mystérieuses :*** une autre curiosité du site. De tout temps, pèlerins ou simples promeneurs ramenèrent de la montagne de minuscules morceaux de roche à cinq branches ! « Envoyées du Ciel par Notre-Dame en signe d'amour », ces étonnantes poussières sont en fait de simples (mais rares) étoiles de mer ! Il y a plus de cent quarante millions d'années, l'eau recouvrait toute la région : des crinoïdes, animaux marins proches des oursins, se développèrent ici. En se décomposant, ils libérèrent ces pièces calcaires en forme d'étoile que l'on ramasse sur le plateau de La Madone-d'Utelle... Une *marche aux étoiles* a lieu chaque année le 14 août.

★ ***Le belvédère du Saut-des-Français :*** la D 19 grimpe jusqu'au belvédère dénommé du Saut-des-Français, un endroit très beau, à 300 m au-dessus de la rivière. Ici, des soldats républicains furent précipités dans le vide, en 1793, par des Niçois en rébellion, armés par les Sardes, des « barbets ».

★ Peu après, vous arrivez à ***Duranus,*** au milieu des vergers. Dans le village, remarquez le lavoir encastré dans la roche. Un sentier monte au *col Saint-Michel* (953 m) et au sommet de *Rocca Seira* (1 504 m).
De Duranus, une route en corniche spectaculaire qui domine les gorges permet de rejoindre Levens et l'arrière-pays niçois, avec le circuit des plus beaux villages perchés.

★ *LANTOSQUE* *(06450)*

Le bourg, frappé à plusieurs reprises par le destin (tremblements de terre en 1494, 1564, 1566, 1644), a gardé un certain cachet : vieilles demeures de maître, ruelles en escalier, etc. Il surplombe la Vésubie. L'épicerie située face à la poste vend parfois de délicieux petits saucissons aux noix et de l'eau de la vallée des Merveilles.

Où dormir ? Où manger ?

Camping

⩓ ***Camping des Merveilles :*** lieu-dit Le Suquet. ☎ 04-93-03-15-73. À 5 km au sud du village. Au carrefour entre la D 2565 et la D 373. À 200 m de la Vésubie. Ouvert du 1er juillet au 15 septembre. À partir de 10,65 € (70 F) par personne (grande tente, caravane, camping-car). Bien aménagé. Vue sur la montagne. Pour juillet et août, réservation conseillée.

Prix moyens à plus chic

⌂ |●| ***L'Auberge du Bon Puits :*** Le Suquet de Lantosque. ☎ 04-93-03-17-65. Fax : 04-93-03-10-48. À 5 km de Lantosque. Ouvert de Pâques à novembre. Fermé le mardi sauf en juillet et août. Chambres doubles à partir de 48,78 € (320 F). Menus à partir de 16 € (105 F). Demander une chambre sur jardin pour éviter la route. Bon restaurant proposant une cuisine familiale soignée et très copieuse : truite du vivier, canette de barbarie à la broche, tripes et raviolis à la niçoise. Petite terrasse ombragée aux beaux jours. De l'autre côté de la route, une grande aire de jeux pour enfants : ping-pong, toboggan, etc. Apéritif maison ou café offert sur présentation du *GDR* de l'année.

⌂ |●| ***Hostellerie de l'Ancienne Gendarmerie :*** Le Rivet. ☎ 04-93-03-00-65. Fax : 04-93-03-06-31. Sur la D2565, route principale de la vallée. Restaurant fermé les lundi midi et dimanche soir hors saison. Congés annuels du 15 novembre au 28 février. Chambres à partir de 76,22 € (500 F). Demi-pension possible. Bons menus à partir de 14,48 € (95 F) jusqu'à 38,11 € (250 F). Belle maison à la façade fleurie. Demandez les chambres donnant sur le jardin qui domine la rivière, avec vue sur le vieux village et la montagne. Les chambres nos 2 et 9 ont un jacuzzi privé. Bon accueil et calme assuré, une bonne adresse (avec piscine). Café offert à nos lecteurs sur présentation du *Guide du routard* de l'année.

Où manger dans les environs ?

|●| ***Ferme-Auberge La Gabelle :*** lieu-dit Lauda, sur la route du col Saint-Roch. À 13 km de Lantosque. ☎ 04-93-03-04-18. Repas à 22,87 € (150 F). Ouvert tous les jours en été et en fin de semaine le reste de l'année. Réserver au moins 3 jours à l'avance. À 1 000 m d'altitude, un vieux tracteur abandonné sur le bord du chemin semble veiller sur cette

bonne maison montagnarde qui profite du calme et de la fraicheur du haut pays. Tous les produits servis dans l'assiette sont garantis « bio » : légumes du jardin, fromages et volailles de la ferme. L'accueil chaleureux de Daniel Peynichou incite à prolonger son séjour dans le coin. Les repas se prennent dans une salle de caractère (poutres anciennes, murs de pierre et cheminée), à l'image de la cuisine. Camping possible.

★ ROQUEBILLIÈRE *(06450)*

La commune comprend le vieux village, le nouveau village et Berthemont-les-Bains. Le vieux village, sur la rive gauche de la Vésubie, aligne ses hautes maisons serrées les unes contre les autres. Un glissement de terrain en 1926, qui fit 17 morts, obligea à bâtir sur la rive droite de la rivière. Un lieu à ne pas manquer : ***l'église des Templiers*** (voir texte plus bas).

Adresse utile

ℹ ***Office du tourisme :*** 26, av. Corniglion-Molinier. ☎ 04-93-03-51-60.

Où dormir ?

Camping

⛺ ***Camping Les Templiers :*** ☎ 04-93-03-40-28. À 500 m du vieux village, prendre la D69 et le chemin à gauche au bord de la Vésubie. Ouvert toute l'année (c'est rare !). Compter environ 8,38 € (55 F) par jour. Réservation conseillée pour juillet et août. Site très agréable, très calme. Location de caravanes. Tennis à proximité. Patron très gentil. Lui demander des itinéraires pour la vallée des Merveilles : c'est son dada ! On peut louer des vélos un peu plus haut, avant l'entrée dans le nouveau village.

À voir

★ ***L'église des Templiers*** (appelée aussi *Saint-Michel-de-Gast*). Située au bord de la Vésubie et juste avant le pont qui mène au vieux village, cette église est particulièrement remarquable. Selon nous, un des monuments religieux les plus intéressants des Alpes Maritimes.
Pour la visiter, il faut s'adresser à Mme Madeleine Périchon (on l'appelle Mado) qui habite près de l'église une grande maison en partie couverte par des plantes grimpantes. ☎ 04-93-03-45-62. Heures de visite sur rendez-vous. Compter entre 1 et 2 heures. À Roquebillière, c'est une tradition, il y a toujours un des habitants pour guider les visiteurs. Et Mado Périchon est une autodidacte passionnée qui connaît mieux les secrets de l'église que ceux de sa propre demeure. Son mari, M. Nesic, est maçon et il aide sa femme à maintenir en état ce chef-d'œuvre inconnu. Plusieurs fois détruite, l'église prit sa forme définitive en 1533, après l'intervention des Templiers et des chevaliers de Malte. Les styles roman (le clocher) et gothique (nef) se côtoient. L'intérieur est très riche : collections d'objets, de chasubles et de vêtements religieux, nombreux tableaux (notamment l'*Apocalypse*, plein de symboles mystiques), des sculptures. Mado raconte en détail l'histoire de l'église et celle de ce menuisier évangéliste, en quête de la coupe du Graal, qui amassa de nombreuses pièces encore visibles aujourd'hui. Remarquer

aussi les sculptures représentant une corde nouée en forme de huit, symbole de Dieu et de l'infini. Voir aussi le retable de saint Antoine datant du XVIe siècle et la sculpture à échelle humaine du Christ (macabre apparition !), cachée sous un autel, que Mado découvre au visiteur, seulement si celui-ci semble apprécier la visite...

Excursions à partir de Roquebillière

➢ ***Le vallon de la Gordolasque :*** de la route de Saint-Martin, prendre à droite la route sinueuse qui remonte le vallon de la Gordolasque. On arrive d'abord à *Belvédère,* pittoresque village qui n'a pas volé son nom : la vue sur les vallées de la Gordolasque et de la Vésubie est splendide. Pour les randonneurs, un sentier monte aux *granges du Colonel* et à la *cime de Rans* (2160 m). De là, possibilité de rejoindre la vallée de la Roya par le vallon de Cayros.
La petite route continue ensuite au milieu des cascades et des rochers spectaculaires. On arrive à la *cascade du Ray,* puis à la *cascade de l'Estrech.* Là, nombreux sentiers superbes, menant à la *Madone de Fenestre,* à la *vallée des Merveilles* ou au *lac Long.* Les randonneurs seront contents.

★ ***Berthemont-les-Bains :*** à 4 km à droite de la route de Saint-Martin, petite station thermale très fraîche dans un vallon ombragé de châtaigniers, connue déjà du temps des Romains. Allez voir la *grotte Saint-Julien* et sa piscine romaine où vingt personnes pouvaient se baigner. On peut aller en 2 h environ de Berthemont à Saint-Martin-Vésubie par un joli sentier à travers les châtaigneraies.

➢ ***La vallée des Merveilles*** (voir, plus loin, le chapitre qui lui est consacré) *:* accessible en deux jours. On laisse sa voiture avant un col puis on marche. Nuit au refuge. Voir la carte affichée devant le camping *Les Templiers.*

SAINT-MARTIN-VÉSUBIE (06450) 1100 hab.

Joli village de montagne, station verte de vacances située au confluent de la vallée du Boréon et du vallon de la madone de Fenestre qui s'y rejoignent pour former la Vésubie. C'est un centre d'alpinisme et le point de départ de nombreuses randonnées, ainsi qu'une porte privilégiée du parc national du Mercantour. Le décor alpestre et la douceur méditerranéenne ont valu à la région le qualificatif de « Suisse niçoise ». L'air y est pur et tonique... à tel point que la ville a vu naître les frères Hugo, géants de 2,30 m qui pesaient chacun 200 kg ! Malheureusement, Saint-Martin a été l'une des villes françaises les plus touchées par la pollution radioactive au césium 137 après l'explosion de Tchernobyl. Mais pas de panique : les tests ont montré que les habitants les plus consommateurs de produits de la terre (champignons, myrtilles, gibier) ne présentaient au bout de 15 ans aucune accumulation significative de césium dans leur organisme.

Comment y aller ?

➢ ***De Nice :*** *cars TRAM.* ☎ 04-93-85-61-81 et 92-22. Départs de la gare routière, promenade du Paillon. En été, 3 départs par jour du lundi au dimanche ; en hiver, 2 départs quotidiens du lundi au samedi, et les dimanche et jours fériés à 9 h. Durée du trajet : 1 h 50.
➢ ***Retour de Saint-Martin :*** en été, 3 départs quotidiens du lundi au

dimanche ; en hiver, 2 départs du lundi au samedi, et les dimanche et jours fériés à 17 h. Renseignements à Saint-Martin : ☎ 04-93-03-20-23.

Adresses utiles

🅸 ***Office du tourisme :*** place Félix-Faure. ☎ 04-93-03-21-28. Ouvert du lundi au samedi de 9 h 30 à 12 h et de 14 h 30 à 18 h et le dimanche de 9 h à 12 h ; en été, tous les jours de 9 h à 12 h 30 et de 15 h à 19 h.

■ ***Bureau des guides de la haute Vésubie :*** rue Gagnoli. ☎ 04-93-03-39-26. Organisation de nombreuses sorties collectives ou privées en montagne : randonnées, alpinisme, escalade, ski de fond, pêche à la truite, safaris photo, etc.

■ ***Bureau des guides du Mercantour :*** rue Gagnoli. ☎ 04-93-03-31-32. Randonnées, escalades, canyoning...

■ ***École française de vol libre :*** J.-J. Davillier, La Colmiane. ☎ 04-93-02-83-88.

■ ***Randonnées à cheval - Denis Longfellow :*** ☎ 04-93-03-30-23.

Où dormir ?

Camping

⛺ ***Camping à la Ferme Saint-Joseph :*** route de Nice. ☎ 04-93-03-20-14. À 500 m du village. Près du stade. Compter entre 9 et 10 € (60 à 66 F) pour une voiture, deux personnes et une tente. Terrain ombragé. Bon accueil.

Prix moyens

🏠 🍽 ***La Bonne Auberge :*** allée de Verdun. ☎ 04-93-03-20-49. Fax : 04-93-03-20-69. À gauche en sortant de Saint-Martin vers La Colmiane. Fermé de mi-novembre à mi-février. Chambre double à 42,68 € (280 F) avec douche et w.-c., à 45,73 € (300 F) avec bains. Demi-pension à 42,68 € (280 F) par personne. Menus à partir de 14,94 € (98 F). Hôtel confortable et bien tenu, dans une belle maison en pierre qui a vu défiler de nombreuses vedettes comme Jean-Louis Trintignant, Elie Kakou, Roman Polanski... Préférer les chambres qui donnent sur le jardin (plus calmes). Cuisine traditionnelle et gouleyante servie sur une terrasse très agréable, ombragée et bordée de haies. Apéritif maison offert à nos lecteurs sur présentation du *Guide du routard* de l'année.

🏠 ***Hôtel Le Relais Saint-Louis :*** allée de Verdun. ☎ 04-93-03-27-17. Ouvert toute l'année sauf en novembre et décembre. Chambres à 47,26 € (310 F). L'accueil aimable et souriant, le caractère frais et pimpant du lieu, la petite cour fleurie, les balcons des chambres, le cadre paisible et la taille humaine de l'hôtel en font une bonne adresse que l'on apprécie. Nuits calmes garanties avec vue sur la courette et le jardin.

🏠 ***Hôtel Edward's-La Châtaigneraie :*** allée de Verdun. ☎ 04-93-03-21-22. Fax : 04-93-03-33-99. • hotel lachataigneraie@raiberti.com • Fermé d'octobre à juin. Chambres doubles de 54,12 à 67,84 € (355 à 445 F) avec douche ou bains. Demi-pension possible. Un bien bel endroit avec parc et prairie, caché derrière un rideau d'arbres. On se croirait dans une pension chic de ville thermale. Pour les amateurs de Pagnol, réserver la n° 207, c'était la sienne. Petit déj' offert à nos lecteurs sur présentation du *Guide du routard* de l'année.

Où manger ?

IOI ***Restaurant La Treille*** **:** 68, rue Cagnoli. ☎ 04-93-03-30-85. Ouvert de mai à octobre. En hiver, fermé tous les jours sauf en fin de semaine. Moins de 15 € (98 F) à la carte. Menus à partir de 16 € (105 F). Dans une jolie ruelle en pente, un restaurant aux couleurs fraîches avec une terrasse ombragée à l'arrière, animée par le glouglou d'une fontaine intérieure à laquelle les serveuses remplissent les carafes d'eau fraîche. Un endroit très agréable avec une cuisine du pays à prix sages.

Où dormir ? Où manger dans les environs ?

Au Boréon *(8 km ; altitude : 1 500 m)*

Un groupe de maisons près d'un lac, à la lisière de la forêt. Un point de départ idéal pour randonner dans la partie centrale du parc du Mercantour. Deux hôtels se partagent la clientèle. Le lieu est très touristique, évidemment, avec un accueil qui s'en ressent parfois : en juillet et en août, c'est un peu la folie dans la région. À d'autres périodes, les propriétaires vous consacreront davantage de temps, et vous conseilleront volontiers sur les itinéraires de randonnées.

IOI ***Hôtel-Restaurant Le Boréon*** **:** au Boréon, 06450 Saint-Martin-Vésubie. ☎ 04-93-03-20-35. Juste à gauche dans un virage à l'entrée du Boréon. Chambres à 44,21 € (290 F). Demi-pension à 46,49 € (305 F) par personne. Menus à partir de 14,48 € (95 F). Gros chalet de montagne dominant la magnifique vallée couverte de forêts de mélèzes et de sapins. Bon accueil de M. et Mme Thomas. Cadre intérieur chaleureux, spacieux et agréable. Chambres avec douche et w.-c., dans la maison principale ou au rez-de-chaussée ouvrant sur la terrasse. Hors saison, les repas pris près du feu de cheminée, à côté de la table de la famille Thomas, donnent davantage l'impression d'être dans une maison d'hôte plus qu'un hôtel.

IOI ***Hôtel du Cavalet*** **:** ☎ 04-93-03-21-46. Fax : 04-93-03-34-34. Ouvert toute l'année. Réserver en été. Chambre double à 45,73 ou 48,78 € (300 ou 320 F) avec douche et w.-c. Demi-pension à 45,73 € (300 F) par personne. Menus de 13,57 à 21,19 € (89 à 139 F). L'hôtel organise des week-ends randonnée, ski de fond, raquette... Pour nos lecteurs, sur présentation du *Guide du routard* de l'année, réduction de 10 % sur le prix de la chambre de décembre à avril hors vacances scolaires.

À la Madone de Fenestre *(12 km)*

IOI ***Refuge du CAF*** **:** ☎ 04-93-02-83-19 et ☎ 04-93-02-20-73. Hors saison, demander les dates de fermeture au *Club alpin de Nice* (☎ 04-93-62-59-99). Gîte et couvert. Autour de 30 € (198 F) par personne en demi-pension.

À Saint-Dalmas-Valdeblore *(11 km)*

Emprunter la route D 2565 qui passe à la station de La Colmiane.

Gîte, chambres et table d'hôte Les Marmotes : quartier de la Madone, 06420 Valdeblore-Saint-Dalmas. ☎ 04-93-02-89-04. • gite.marmotte@libertysurf.fr • Nuit en dortoir à 11,43 € (75 F) par personne. Chambre double à 36,59 € (240 F). Repas à 12,96 € (85 F). Nicole et Bernard Baldassare ont arrangé leur grande maison montagnarde dans un style rustique afin d'héberger les randonneurs et les amoureux d'aventures en montagne. Les dortoirs ont 4 lits (draps et linge de toilette peuvent être loués sur place). Les chambres avec 2 ou 3 lits sont modestes et bien tenues. Repas en commun dans une grande salle. Ambiance familiale, communautaire et conviviale. Informations sur les possibilités de découverte de la région : balades, randonnées, VTT, escalade, ski.

À voir

★ ***La rue Droite :*** étroite et en pente, elle traverse le village avec une gargouille centrale, comme à Briançon, qui permet l'écoulement des eaux de pluie et de la neige fondue. Elle est bordée de maisons de type alpin à hauts balcons. Au n° 25, la maison à arcades des comtes de Gubernatis.

★ ***La chapelle des Pénitents-Blancs*** (ou ***Sainte-Croix***) ***:*** le clocher est surmonté d'un dôme de métal blanc qui lui donne un air oriental. À l'intérieur, les murs latéraux sont ornés de huit grands tableaux du XVIIIe siècle illustrant la Passion et la mort de Jésus. En fait, chaque personnage est le portrait d'un notable de l'époque. Beau maître-autel en bois sculpté doré avec *Descente de croix*. Sur la façade, trois bas-reliefs de Parini de 1848 : une *Pietà* au centre, *Sainte Hélène découvrant la Vraie Croix* à gauche et à droite l'*Empereur Constantin le Grand*.

★ ***L'église :*** la première chapelle fut édifiée par les bénédictins sur un sanctuaire païen dédié à Jupiter. En 1136, les templiers succédèrent aux bénédictins et, à la suppression de l'Ordre, le sanctuaire fut rattaché à Saint-Martin. Elle abrite la célèbre *statue de Notre-Dame de Fenestre,* Vierge assise en cèdre polychrome du XIIe siècle. Le 15 août, la Vierge est transportée en procession à la chapelle de la Madone de Fenestre, où elle reste jusqu'en septembre. L'église fut plusieurs fois détruite, brûlée ou ravagée, mais la Madone est toujours restée intacte. Sur la gauche, deux panneaux de retables attribués à Louis Brea. Devant l'église, terrasse avec vue sur la vallée du Boréon.

Randonnées pédestres à partir de Saint-Martin

➢ ***Le chemin de Berthemont :*** de l'allée de Verdun, prendre le chemin qui monte vers l'école, continuer tout droit et, à la bifurcation, tourner à droite. On traverse le torrent de la Madone. Ensuite, promenade à flanc de coteau sur 8 km au milieu des châtaigneraies et des prairies.

➢ ***Venanson :*** pour atteindre ce village qui domine la vallée de Saint-Martin et distant de 4 km, prendre la route qui part à gauche après le pont au bout des allées de Verdun. Sur la place de Venanson, vue sur Saint-Martin et son cadre de montagnes.

➢ ***Le sentier de la Palu :*** sur le chemin de Berthemont, au bout de 1 km part à gauche un sentier qui traverse le vallon du Toron, une forêt de pins, puis le vallon de Peyra-de-Villars, avant d'aboutir à la baisse de la Palu (2093 m), puis à la cime du Palu (2132 m). Vous serez récompensé de vos efforts : la vue est magnifique.

➤ *DANS LES ENVIRONS DE SAINT-MARTIN-DE-VÉSUBIE*

ATTENTION ! Au Boréon et à la Madone de Fenestre, on est en HAUTE MONTAGNE. Donc, si vous prévoyez une randonnée, n'oubliez pas le nécessaire : chaussures de marche, sac à dos, pèlerine, trousse de premiers secours, etc. N'oubliez pas non plus que certains sommets, même faciles, sont souvent vertigineux (Gélas, Ponset).

★ ***Le Boréon :*** petite station de montagne (1 500 m) à 8 km de Saint-Martin. Chalets, refuge, petit lac de retenue, belle cascade. Ici, les écolos seront contents, tout est tellement vert...
Le Boréon est le point de départ de nombreuses excursions à pied dans la forêt, puis vers les sommets du parc du Mercantour. Un exemple parmi d'autres : la *cime du Mercantour.* Monter par un sentier au lac de Cerise (2 h). Pendant 5 mn, grimper vers le col de Cerise et, à droite, une terrasse permet d'atteindre le lac du Mercantour. Parfois on rencontre un troupeau de chamois, ce qui ajoute au côté sauvage de l'endroit.
Du Boréon, une route mène aux vacheries du Boréon (2,5 km). De là, un sentier conduit au *refuge de la Maïris* et au *pas des Roubines* en 3 h environ (2 130 m). Les courageux peuvent continuer jusqu'à la Madone de Fenestre.

★ ***La Madone de Fenestre :*** on quitte Saint-Martin par la D 94 qui remonte le vallon de la Madone de Fenestre par des côtes assez rudes, en terrain nu, puis traverse une belle forêt de sapins et de mélèzes. Au bout de 13 km, on parvient à la Madone de Fenestre, dans un cirque sauvage, presque austère, endroit favori des alpinistes. Derrière le *mont Gélas* (3 143 m), couvert de névés, l'Italie.
La chapelle est un lieu de pèlerinage. Pendant l'été elle abrite la statue de Notre-Dame de Fenestre (voir plus haut).

LE COL DE TURINI

Depuis la vallée de la Vésubie, la D 70 et ses épingles à cheveux conduisent à ce col qui, situé au carrefour de plusieurs routes, offre de nombreuses possibilités d'excursions.

Où dormir ? Où manger ?

Ⓘ ***Auberge L'Haïga Blanca :*** col de Turini, 06440 La Bollène-Vésubie. ☎ 04-93-91-57-19. Gros chalet situé à moins de 1 km du col de Turini, au bord de la route de Peïra-Cava. Chambres doubles avec douche à partir de 38,11 € (250 F). Demi-pension possible. Repas à partir de 12,20 € (80 F). Chambres sans prétention mais bien tenues. Salle de restaurant chaleureuse et gaie, où l'on sert une cuisine régionale savoureuse avec des spécialités comme le jambon de montagne ou le sanglier. De juin à octobre, on profite de la véranda ou de la terrasse. Excellent accueil par un couple de gens proches de la nature. Pour les enfants, il y a un poney qui, malheureusement, se fait parfois maltraiter par les chevaux sauvages. Café ou digestif offert à nos lecteurs sur présentation du *Guide du routard* de l'année.

🏠 Ⓘ ***Le Ranch :*** col de Turini, 06440 La Bollène-Vésubie. ☎ 04-93-91-57-23. Fermé les dimanche soir et lundi sauf en juillet et août. Congés annuels du 15 novembre au 28 décembre. Chambres doubles avec douche et w.-c. à 39,63 € (260 F). Demi-pension autour de

41,92 € (275 F). Menus à partir de 13,72 € (90 F). Simple mais correct, et surtout très convivial. Demandez les chambres n°s 7 et 8 avec balcon et jolie vue sur les montagnes. Au restaurant, cuisine provençale teintée d'influence montagnarde : jambon cru, saucisson de montagne et sanguins à l'huile. Café offert à nos lecteurs sur présentation du *Guide du routard* de l'année.

Où acheter du fromage?

La vacherie de Mantenga : sur la route de l'Authion, à 1 km environ du col de Turini. Accessible par une piste de 200 m (on laisse la voiture et on continue à pied). Le maître des lieux, Jeannot Barigo, élabore et vend des tommes de vache et de la brousse (fromage salé au goût très fort).

★ *L'AUTHION*

La D 68 monte à la *baisse de Tueis* où se trouve le monument à la mémoire des Français morts en 1793 et en 1945. Très belle vue. Au fur et à mesure que la route s'élève dans la montagne, les panoramas deviennent de plus en plus spectaculaires.
Prendre ensuite à gauche la piste qui monte à la *pointe des Trois-Communes* (2082 m), point culminant de l'Authion, surmontée d'un fort en ruine. Vue superbe sur le Mercantour.
Pour changer, revenir par le *camp de Cabanes-Vieilles,* la route est encore très belle.

➢ Du col de Turini à Peïra-Cava la route (D 2566) descend en traversant la forêt de Turini.

★ *PEÏRA-CAVA* *(06440)*

À Peïra-Cava, station de sports d'hiver et d'été, montez à la cime (à gauche en arrivant) de Peïra-Cava, d'où l'on découvre une vue splendide sur la vallée de la Bévéra et le Mercantour, d'une part, les montagnes et la vallée de la Vésubie d'autre part. Par très beau temps, on aperçoit la Corse. Il est vrai que Peïra-Cava occupe une situation assez extraordinaire, sur une arête étroite, entre les vallées de la Vésubie et de la Bévéra.
Après Peïra-Cava, possibilité de refaire le circuit des villages perchés de l'arrière-pays niçois en rejoignant Lucéram par une route en lacet, riche en vues splendides... de notre point de vue. Ou retour par le col de Braus et Sospel pour continuer sur la vallée de la Roya. Pas triste non plus.

DU COL DE TURINI À SOSPEL

La descente commence par de nombreuses épingles à cheveux, en traversant une très belle forêt étonnante par sa fraîcheur, à une trentaine de kilomètres du littoral. C'est d'ailleurs l'une des plus belles épreuves chronométrées du rallye de Monte-Carlo depuis longtemps. La montée du Turini de nuit, c'est un peu le juge de paix des pilotes dans cette prestigieuse course.
La route retrouve la vallée de la Bévéra, très encaissée; la rivière a des allures de torrent, de belles cascades sur la droite descendent de la montagne. C'est ensuite la traversée du joli village de *Moulinet,* avec ses maisons roses, sa place ombragée de platanes.
Arrêtez-vous à la chapelle « percée » *Notre-Dame-de-la-Menour* ; on y accède par un petit sentier à droite qui passe sur un pont au-dessus de la

route. Un escalier monumental conduit à la façade Renaissance de la chapelle, d'où la vue sur les gorges est superbe. Il est étonnant de voir, même ici, des restes de terrasses cultivées jadis, soutenues par de petits murs (les *restanques*).
On longe les *gorges du Piaon,* très sauvages, avant d'arriver à Sospel sur une route bordée d'oliviers.

SOSPEL (06380) 2940 hab.

Agréable petite ville de l'arrière-pays, bien située, au fond de la vallée de la Bévéra, entourée de collines et de montagnes semi-arides, semi-cultivées. Quelques belles maisons aux façades peintes en trompe l'œil se dressent sur la rive droite de la rivière. Ce gros torrent qui traverse la ville, s'agite à l'automne mais il est calme et à moitié à sec en été. Outre le charme de la vieille ville et de son cours ombragé, Sospel offre de nombreuses possibilités de randonnées à pied.

Comment y aller ?

En bus

Renseignements à l'office du tourisme.
➢ ***De Menton*** (gare routière) ***:*** 2 départs quotidiens ; les mardis, mercredis, jeudis et samedis, un départ en plus. Durée du trajet : 50 mn.
➢ ***Pour Menton :*** 2 départs de la place du Marché ; les mardis, mercredis, jeudis et samedis, un départ en plus.

En train

➢ ***De Nice*** (gare centrale), ligne Nice-Tende-Cuneo : 6 trains par jour (7 en été).

Adresse et infos utiles

🛈 ***Office du tourisme :*** au Pont Vieux. ☎ 04-93-04-15-80. Fax : 04-93-04-19-96. Ouvert en semaine de 9 h à 12 h et de 14 h à 18 h (16 h 30 en hiver). Bien documenté. Pour tout renseignement sur l'escalade ou le parapente. Organise des visites guidées du Sospel Baroque.

■ ***Sospel VTT (FFC) :*** s'adresser à l'office du tourisme. Location et circuits accompagnés sur les 130 km de pistes balisées, plutôt dans le registre sportif (vous n'êtes pas dans la région la plus plate de France !).

Où dormir ?

Campings

⛺ ***Camping Le Mas Fleuri :*** quartier La Vasta. En saison, ☎ 04-93-04-14-94. Fax : 04-93-04-14-86. Hors saison, ☎ et fax : 04-93-04-03-48. À 2 km par la D 2566, route du col de Turini ; prendre ensuite à gauche. Ouvert de Pâques à fin septembre. Terrain herbeux, belle vue, douches chaudes, piscine. Location de mobile homes et de bungalows.

Cuisine italienne au resto du camping.

⛺ ***Camping Saint-Sébastien :*** 06380 Moulinet. ☎ 04-93-04-80-37 et 04-93-04-81-47. À 12 km au nord de Sospel, sur la route du col de Turini. Juste à la sortie du village de Moulinet (difficilement accessible aux camping-cars), un camping à la ferme, dans un cadre superbe au pied du Mercantour. Sanitaires bien propres et prix modiques.

⛺ ***Camping du Domaine Sainte-Madeleine :*** route de Moulinet. ☎ 04-93-04-10-48. À 4,5 km au nord de Sospel, toujours sur la route de Moulinet, en direction du col de Turini. Fermé du 1er octobre au 1er avril. Entre 12,20 et 14,48 € (80 et 95 F) le forfait tente et voiture pour deux personnes. Chambres rudimentaires dans des bungalows à 38,11 € (250 F), petit déj' compris. Piscine. Possibilité de préparer ses repas dans une cuisine commune aménagée avec un grand salon-salle à manger à la disposition des hôtes.

Prix moyens

Chambres d'hôte Villa Noëlle : chez Jeanine Petit, Vasta Inférieure. ☎ 04-93-04-07-08. Chambres à 42,68 € (280 F) petit déj' inclus. À 2 km environ de Sospel, sur la route du col de Turini. Panneau au bord de la route. Dans un quartier résidentiel et presque déjà à la campagne. Maison moderne « néo-provençale » abritant 2 chambres équipées. Petite piscine.

L'Auberge Provençale : route du col de Castillon. ☎ 04-93-04-00-31. Fax : 04-93-04-24-54. • aubpro@aol.com • À flanc de colline, à moins de 2 km du centre de Sospel. Chambre double à partir de 54,88 € (360 F). Menus à partir de 18,29 € (120 F). Ce petit hôtel dispose d'une terrasse ombragée dominant la vallée de la Bévéra, où il fait bon se retrouver au coucher du soleil. Les chambres à la déco classique (avec douche et w.-c. et TV) jouissent d'une belle vue sur la vallée et la montagne. Cuisine locale simple et goûteuse qui mériterait peut-être un plus grand choix. Peintre amateur, le patron, homme fort aimable, expose ses toiles de style naïf dans les chambres et les couloirs. Projet de piscine à l'avenir.

Plus chic

Chambres d'hôte Le Saint-Pierre : 14, rue Saint-Pierre. ☎ 04-93-04-00-66. Fax : 04-93-04-01-66. • alex@kamshin.com • Du Pont Vieux, prendre une ruelle qui zigzague dans le centre ancien. C'est à 150 m plus loin. Chambres à partir de 61 € (400 F). Vieil immeuble aux murs épais, aux pièces hautes de plafond, fermées par des volets à jalousies. Peu de lumière dans les chambres mais celles-ci sont impeccables et arrangées avec autant de chic qu'un hôtel de charme. Accueil spontané et jovial. Humble terrasse intérieure pour le petit déj'.

Où manger ?

Restaurant Sout'a Laupia : 13, rue Saint-Pierre. ☎ 04-93-04-24-23. À 150 m environ du Pont Vieux, dans une vieille ruelle. Fermé le dimanche soir et le lundi. Repas autour de 15 € (moins de 100 F). Le propriétaire (un homme souriant et affable) a recueilli auprès de sa grand-mère d'anciennes recettes qui avaient disparu. Puis il a interrogé d'autres grands-mères de Sospel et sauvé un passé culinaire oublié. Superbe initiative ! Promeneur attentif, il ramasse ses herbes dans la montagne et n'utilise que de l'huile d'olive locale. À côté des plats quotidiens, la carte propose aussi des plats locaux rares à des prix raisonnables.

Ι●Ι ***Auberge du Pont Vieux :*** en face du pont. ☎ 04-93-04-00-73. Fermé le dimanche soir hors saison. Congés annuels pour les vacances scolaires de Noël, de février et de la Toussaint, ainsi que 10 jours fin juin. Repas à partir de 10,67 € (70 F). Un endroit simple mais que les gens du coin aiment bien. On y mange quelques beaux plats bien goûteux et traditionnels. Fait aussi hôtel avec des chambres à partir de 25 € (164 F). Apéritif maison offert à nos lecteurs sur présentation du *Guide du routard* de l'année.

Où manger dans les environs?

Ι●Ι ***Ferme-auberge La Lavina :*** route du col de Braus. ☎ 04-93-04-04-72. Premier menu à 16,77 € (110 F), apéritif, vin et café compris. On y va autant pour la table que pour la vue dégagée sur Sospel et le Mercantour. Dégustation de produits maison exclusivement : terrine de lapin, pintade aux chanterelles, poularde à l'estragon, canette braisée... Également des chambres de 38,11 à 45,73 € (250 à 300 F). Apéritif maison ou digestif offert à nos lecteurs sur présentation du *Guide du routard* de l'année.

À voir

La rive gauche

★ Après avoir traversé l'adorable *pont Vieux* du XVIe siècle, seul pont à péage des Alpes-Maritimes où l'on acquittait les droits de passage sur la « route du Sel », vous découvrez la ***place Saint-Nicolas*** à la belle ordonnance, avec ses maisons à arcades et l'ancien palais communal; ici se réunissait le Conseil ordinaire et extraordinaire de Sospel. Sur la place, fontaine du XVe siècle.

★ Prenez ensuite la ***rue de la République,*** bordée de vieilles maisons, toutes semblables, avec de vastes caves communiquant entre elles. Dans ce quartier, les auberges et remises étaient nombreuses : ici résidaient les commerçants, avant de franchir le pont à péage. Ledit pont, très endommagé en 1944, a été reconstruit après la guerre.

★ ***La rue Longue :*** bordée de vieilles demeures, elle mène à la chapelle des Pénitents-Blancs, encore appelée église Sainte-Croix.

La rive droite

★ ***La place de la Cathédrale :*** bel ensemble architectural avec ses maisons sur arcades et ses façades de palais. La place est dominée par l'imposante *cathédrale Saint-Michel,* bâtie au XVIIe siècle mais qui conserve un ancien clocher de style roman à bandes lombardes. À l'intérieur, dans une chapelle à gauche du chœur, un des chefs-d'œuvre de François Brea : le *retable de la Vierge immaculée,* peint sur bois au XVe siècle, qui provient de la chapelle des Pénitents-Noirs.
À droite de l'église, le *palais Ricci* où logea le pape Pie VII en 1809, sur ordre de Napoléon.

★ Perdez-vous dans les vieilles rues tortueuses, étroites, encore lourdes de passé : rue ***Saint-Pierre,*** avec ses arcades et sa petite fontaine, *maison du Viguier, placette des Pastoris,* etc. Retournez sur l'agréable cours qui longe la rivière et admirez les maisons aux façades peintes en trompe l'œil avec volets verts, balustres et linge aux fenêtres.

★ ***Musée des Fortifications Alpines :*** N 2204. ☎ 04-93-04-00-70. En direction du col de Braus, derrière le cimetière. De juillet à mi-septembre, ouvert tous les jours sauf le lundi, de 14 h à 18 h ; d'avril à juin et de mi-septembre à fin octobre, le week-end et les jours fériés seulement, de 14 h à 18 h. Entrée : 3,81 € (25 F) ; réductions. Ancien édifice de « la ligne Maginot » de Sospel. *L'**ouvrage Saint-Roch*** est une véritable petite ville à 50 m sous terre, où l'on peut vivre en autarcie pendant plus de trois mois. On y découvre une usine électrique, des cuisines, des salles de ventilation et des blocs d'artillerie, sur plus de 2000 m de galeries. Un ensemble qui représente 5000 m^3 de béton et 385 tonnes d'acier. Musée de 300 m^2 d'exposition.

★ ***Le fort du Barbonnet :*** col Saint-Jean. Pour tout renseignement sur les conditions de visite : ☎ 04-93-04-15-80. Ouvert en juillet et août pour une visite guidée le dimanche après-midi. Site historique et panoramique retraçant la bataille des Alpes de juin 1940, du massif de l'Authion à la Méditerranée.

Randonnées pédestres

➢ ***Le calvaire :*** emprunter à l'ouest la D 2204, puis la D 2566, direction Moulinet, passer sous la voie ferrée. Ensuite, prendre la direction du quartier Resseraya-col de Braus. Après 200 m, on rejoint sur la droite le sentier balisé en jaune indiquant « Les Cyprès-Le Calvaire ». Retour par le même itinéraire. Compter 20 mn aller-retour.

➢ ***Le mont Agaisen :*** à 1,2 km sur la route qui remonte la rive gauche de la Bévéra, prendre à droite et monter sur la chapelle Saint-Joseph et les serres de Bérins. Au premier embranchement après Bérins, revenir vers le sud pour arriver au mont Agaisen (745 m). 600 m après avoir quitté le sommet, prendre à gauche directement vers Sospel. Compter 2 à 3 h de marche.

➢ ***Le Merlanson :*** on quitte Sospel par l'*hôtel de la Gare.* Prendre le sentier qui longe la rive droite du Merlanson, après être passé sous la voie ferrée. Après Erch, on remonte le vallon de Valescure que l'on abandonne tout de suite pour le sentier à gauche qui conduit au col de Castillon. Du col, on peut revenir à Sospel par la D 2566. C'est une promenade de 3 h aller et retour.

➢ ***Le Mangiabo :*** suivre le GR 52 que l'on prend au niveau des écoles de Sospel. On remonte jusqu'à la baisse de La Linière, puis on arrive au Mangiabo (1820 m). Il faut alors continuer 200 m au nord du Mangiabo pour tourner à droite et revenir sur ses pas en le contournant. À la cime du Ters, tourner à gauche et prendre le sentier jusqu'au col de Brouis. Retour par la D 2204. Compter 6 h de marche.

➢ ***Les clues de la Bévéra :*** partir par la D 2204 et le golf. Emprunter le sentier botanique en longeant la rive gauche de la Bévéra pour arriver à *Olivetta* (Italie) après 2 h de marche. Continuer par la route jusqu'à San Michele. Retour par la route normale.

LA VALLÉE DE LA ROYA

À l'extrême orient des Alpes du Sud, c'est l'une des plus belles régions de l'arrière-pays qui s'étend jusqu'à la frontière italienne. C'était le territoire de chasse du roi Victor-Emmanuel II, qui aimait venir y taquiner le chamois. Dans son sillage, la noblesse italienne y passait ses étés, certains marquis ayant, paraît-il, vécu plus de cent ans grâce à l'air pur de la vallée !
Aujourd'hui, l'air y est toujours aussi vivifiant, mais randonneurs et protecteurs de la nature ont remplacé les chasseurs. Les passionnés d'histoire se procureront l'excellent livre de Melina Lapellier, *Saint-Dalmas-de-Tende et Tende, chronique contemporaine* (éd. Cef, Nice), et les amoureux de la

marche la carte *Didier & Richard, IGN nº 9,* qui précise tous les itinéraires du parc du Mercantour.

★ ***BREIL-SUR-ROYA*** *(06540)*

Petite ville à égale distance de la mer et de la haute montagne, Breil-sur-Roya s'allonge entre la rive gauche de la Roya et le pied d'un piton couronné par une tour. Breil, c'est le pays des oliviers qui produisent une huile réputée que l'on servait à la cour de Russie et que l'on exportait jusqu'en Scandinavie !

Adresses et info utiles

i ***Office du tourisme :*** au rez-de-chaussée de la mairie, pl. Biancheri. ☎ et fax : 04-93-04-99-76. • tourismebreilsurroya@wanadoo.fr • En été, ouvert du lundi au samedi de 9 h à 12 h et de 13 h 30 à 17 h 30, et le dimanche de 9 h à 12 h ; hors saison, du lundi au vendredi de 9 h à 12 h et de 13 h 30 à 17 h 30.

i ***Association pour le développement touristique de la vallée de la Roya :*** bd Rouvier. ☎ 04-93-04-92-05. Fax : 04-93-04-99-91.

– Nombreux renseignements dans la revue *Le Haut Pays,* en vente à la Maison de la Presse.

Où dormir ? Où manger ?

Camping

Camping municipal : en bord de rivière. ☎ 04-93-04-46-66. Ouvert toute l'année. Le super plan, c'est les bungalows à louer : compter autour de 365 € (2395 F) la semaine pour 6 personnes : 2 chambres (4 + 2 lits), cuisine, douche et w.-c. Il y en a 10. Piscine payante.

Prix modérés

Restaurant Le Roya : 2, pl. Brancion. ☎ 04-93-04-47-38. Fermé le lundi. Une formule à 10,67 € (70 F) avec café et quart de vin. Menus de 6,86 à 19,51 € (45 à 128 F) sauf les jours fériés. Un bon petit menu avec crudités, plat du jour, fromage, dessert et pichet de vin. Mais prenez plutôt la taille au-dessus pour découvrir une savoureuse cuisine franco-italienne. Spécialités de la maison : les escargots façon Roya et surtout les truites fraîches préparées de toutes les façons.

À voir

★ ***Le vieux village :*** places à arcades, façades colorées ou en trompe l'œil, passages couverts, tout ici fleure bon l'Italie. Vous découvrirez également des vestiges des remparts, comme la *porte de Gênes.*

★ ***L'église Sancta-Maria-in-Albis :*** ouvert tous les jours de 8 h à 12 h et de 14 h 30 à 19 h (18 h en hiver). Imposante par ses dimensions. Joli clocher à trois étages. Restaurée, elle abrite le plus beau buffet d'orgue de la région, en bois sculpté et doré, et un retable de saint Pierre datant de 1500.

★ ***L'écomusée du Haut-Pays :*** à la sortie de la ville, sur la route de Tende. ☎ 04-93-04-99-76 pour tout renseignement concernant les conditions de visite. Ouvert 1 ou 2 jours par semaine. Dans des wagons désaffectés, un endroit original et instructif, abordant la région sous différents thèmes : traditions agricoles, artisanat, histoire, voies de communication, faune et flore...

Randonnées pédestres

➢ ***Baignoires chaudes :*** sur la route de Tende, après les gorges de Saorge, prendre à droite au sens interdit. Puis remonter le vallon de la Bendola. On trouve alors des baignoires creusées dans la roche, à l'eau étonnamment douce. L'endroit est aussi appelé *bain du Sémite,* en raison de l'inscription qu'un soldat juif y a laissée.
➢ ***Notre-Dame-du-Mont :*** traverser le lac de Breil sur le pont Charabot, passer sous la voie ferrée, tourner à gauche et remonter vers la voie ferrée. Une piste part sur la droite dans la campagne où pousse le néflier. Remonter le long de la Lavina avant de la traverser (sur une poutrelle) pour gravir trois courts lacets et déboucher près d'une bastide : Notre-Dame-du-Mont (des Oliviers, bien sûr, en référence à ceux de l'Évangile) trône au milieu de l'oliveraie. Sa construction date du XIe siècle, mais elle fut remaniée au XIIIe. Redescendre vers Breil par une petite route, puis, par un chemin pavé en escalier, rejoindre l'avenue de l'Authion et sa fontaine. Compter 1 h de promenade.
➢ ***Sainte-Anne :*** après 2 km sur la D 2204, direction col de Brouis, prendre à droite la route qui mène à Gavas, La Tour, La Maglia et la chapelle Sainte-Anne. Compter 4 h.
➢ De Breil, la route suit la vallée qui, après le hameau de la Giandola, se resserre de plus en plus, formant des gorges spectaculaires. On découvre ensuite une vue splendide sur le village de Saorge, accroché à la montagne.

Fêtes et manifestations

– ***Les Baroquiales :*** début juillet. Un étonnant festival d'art baroque, organisé par l'*Association pour le développement touristique des vallées Roya-Bévéra,* bd Rouvier. ☎ 04-93-04-92-05. Fax : 04-93-04-99-91. Expositions artistiques, vieux métiers, projections de films, dégustations culinaires, messes, visites guidées, fêtes des mulets sont « valorisées », dix jours durant, par un opéra, une pièce de théâtre et des concerts. À Breil mais aussi à Sospel, Fontan, Saorge, La Brigue et Tende.
– ***A Stacada :*** tous les quatre ans a lieu à Breil cette fête des plus originales. Elle commémore la révolte des habitants contre le droit de cuissage ! À cette occasion, une centaine d'acteurs en costume d'époque reconstituent cette fameuse révolte. Le tout s'achève par des danses folkloriques de réconciliation et un grand bal...

★ *SAORGE* *(06540)*

Un des plus beaux villages perchés de France. Depuis le fond de la vallée de la Roya, il apparaît comme un nid d'aigle vertigineux avec ses hautes maisons (XVe, XVIe et XVIIe siècles) aux toits de lauzes violettes, aux façades ocre ou bleutées, orientées vers le soleil. Dotées de balcon surplombant le vide, ces maisons s'étagent en gradins, accrochées on ne sait comment à des parois abruptes et séparées seulement par des ruelles étroites et en escalier, souvent obscures. Pour y accéder, on emprunte une route de montagne étroite et sinueuse, le long de falaises escarpées. Isolés dans leur bout du monde, tels des oiseaux entre terre et ciel, les Saorgiens ne sont pas pour autant des reclus mais au contraire des habitants avenants, ouverts et serviables. Affiches rigolotes, dessins pacifistes et autres inscriptions alternatives sur les portes des maisons prouvent qu'il y a beaucoup de jeunes et des écologistes qui défendent l'identité du village.

Saorge ? Un endroit à découvrir à pied (parking obligatoire à l'entrée) où il fait bon rester quelque temps.

Un peu d'histoire

Village d'origine étrusque. Par sa position géographique, Saorge joua longtemps un rôle stratégique entre le comté de Nice et le Piémont italien. Village fortifié verrouillant la haute vallée de la Roya, il constituait une barrière infranchissable qui ne céda à Masséna et à ses troupes républicaines qu'en 1794. Aujourd'hui, Saorge est classé à juste titre village monumental.

Où dormir ? Où manger ?

Gîte

■ I●I ***Gîte d'étape de Bergiron :*** ☎ 04-93-04-55-49. À 20 mn de marche derrière le couvent. Compter autour de 12,20 € (80 F) la nuit en dortoir, petit déj' compris. Demi-pension à 24,40 € (160 F) par personne. Franck et Virginie ont aménagé eux-mêmes la maison. Ambiance bucolique à souhait.

Camping

■ ***Camping municipal :*** 06540 Fontan. ☎ 04-93-04-50-01. Ouvert du 15 juin au 15 septembre. Sous les arbres, au bord de la rivière.

Prix moyens

I●I ***Lou Pountin :*** rue Revelli. ☎ 04-93-04-54-90. Dans le village, en remontant vers le monastère. Ouvert jusqu'à 23 h. Fermé le mercredi. Compter autour de 12,20 € (80 F) pour un repas. Tenu par un couple accueillant qui a quitté l'agitation niçoise pour la tranquillité de ce village. Au choix, salle fraîche et voûtée ou terrasse ensoleillée. Cuisine locale sans prétention mais préparée soigneusement. Parmi les spécialités : la tourte saorgienne et les quiches.

I●I ***Le Bellevue :*** 5, rue Louis-Périssol. ☎ 04-93-04-51-37. Fermé le mardi soir et le mercredi sauf en saison. Congés annuels du 15 novembre au 15 décembre. Menus à partir de 15,24 € (100 F). On trouve dans une ruelle étroite ce restaurant-salon de thé qui mérite bien son nom avec la verrière offrant une vue panoramique sur les gorges de la Roya. Quelques spécialités savoureuses : caille rôtie au thym, truite de la Roya, poulet aux écrevisses...

Où dormir ? Où manger dans les environs ?

À Fontan *(dans la vallée, à 2,5 km de Saorge)*

■ I●I ***Chambres du Château de la Causega :*** *Association des Formateurs Sapeurs Pompiers de Menton*, château de la Causega, 06540 Fontan. ☎ 04-93-04-57-41. Fax : 04-93-04-56-68. • causega@club-internet.fr • 15,24 € (100 F) le lit, petit déj' compris. Repas à partir de 12,20 € (80 F). Pour apprendre leur métier, les futurs pompiers séjournent dans ce petit manoir où les routards de passage peuvent aussi loger. Donc pas question de jouer les flambeurs, les pompiers n'apprécient pas ! C'est simple et propre, les chambres ayant le confort des auberges de jeunesse et l'aspect des gîtes d'étape. Les toilettes communes se trouvent sur le palier (sauf pour certaines chambres). Petit déj'-buffet en libre service. Activités possibles : raquettes en hiver, sports en eau vive, randonnées, VTT.

À Berghe-Inférieur *(à 8,5 km au nord de Saorge)*

Chambres et table d'hôte *Chez Guylaine et Jean-Michel Diesnis :* hameau de Berghe Inférieur, Fontan, 06540 Breil-sur-Roya. ☎ 04-93-04-54-65. • amate.diesnis@libertysurf.fr • Chambres à 36,59 € (240 F). Table d'hôte à 10,67 € (70 F). À 1 km après Fontan, à gauche sur la route de Tende, une route très étroite et sinueuse grimpe jusqu'à Berghe Inférieur (environ 4 km), village perché en « nid d'aigle ». Restaurée avec soin, cette vieille maison, en pierre du pays et au toit de lauzes, s'agrippe au versant abrupt de la montagne. Elle abrite deux chambres, une bleue et une verte, coquettement arrangées, équipées de toilettes, et jouissant d'une vue sublime sur la vallée. Randonneurs, protecteurs de la nature, comédiens, Guylaine et Jean-Michel habitent ici été comme hiver. Ils connaissent la région par cœur et vivent en quasi-autarcie. Réservation conseillée, surtout pour les repas que l'on partage avec eux. Une adresse pour oublier l'agitation de la côte d'Azur et découvrir la beauté sauvage de l'arrière-pays.

À voir

★ ***L'église Saint-Sauveur,*** du XVe siècle, remaniée au XVIIIe, siècle, abrite une belle Vierge à l'Enfant de 1708 et des fonts baptismaux du XVe siècle.

★ ***L'église de la Madone-del-Poggio*** est privée. Remarquez son clocher de type roman lombard à sept étages et ses absidioles asymétriques.

★ ***L'ancien couvent Notre-Dame-des-Miracles :*** en haut du village. ☎ 04-93-04-55-55. Ouvert toute l'année. Téléphoner pour les horaires et périodes d'ouverture. Entrée payante. Beau couvent du XVIIe siècle. Dans le cloître, fresques rustiques et cadrans solaires.

Randonnées pédestres

➢ ***La chapelle Sainte-Anne :*** à 2 km à l'est.
➢ ***La chapelle Sainte-Croix :*** à 2 km, mais plus au nord.
➢ ***Les ruines de la forteresse A Malamorte :*** sur l'autre versant, à 5 km. Très dur.

★ ***SAINT-DALMAS-DE-TENDE*** *(06430)*

C'est une agréable station estivale qui connut une grande activité dans les années 1930, lorsqu'elle était gare frontière de la ligne de chemin de fer Nice-Cuneo. À gauche à l'entrée du village (en venant de Sospel), ne manquez pas ***la vieille gare SNCF*** avec ses balustres : elle est vraiment gigantesque et tout en pierre ! Construite dans les années trente (sous le régime de Mussolini), du temps où Saint-Dalmas était la première ville-étape en Italie après le passage de la frontière française, cette gare au style triomphal (disproportionnée par rapport à la taille du village) n'a jamais été fermée. Elle continue de fonctionner ; mais ses nombreuses pièces vides et inutilisées ont

servi un temps à héberger une colonie de vacances. Aujourd'hui des « squatteurs » y logent.
Saint-Dalmas-de-Tende est aussi le point de départ d'excursions dans la vallée des Merveilles.

Où dormir ? Où manger ?

🏠 🍽 ***Hôtel-Restaurant Le Prieuré :*** rue Jean-Médecin. ☎ 04-93-04-75-70. Fax : 04-93-04-71-58. • www.leprieure.org • Chambre double à partir de 49,54 € (325 F). Menus à partir de 13,72 € (90 F). Un ancien prieuré transformé en hôtel géré par un CAT (Centre d'Aide par le Travail). Les murs épais, les arbres du parc, l'espace disponible et le murmure du torrent tout proche (la Roya) en font un endroit paisible et charmant. Chambres décorées avec goût et équipées tout confort : douche et w.-c. ou bains, téléphone, TV. Celles avec vue sur le jardin et la rivière sont un peu plus chères. Au restaurant, étonnante cuisine soignée et variée. Des spécialités comme la truite aux champignons ou la tourte brigasque.

🏠 🍽 ***Hôtel Terminus :*** rue des Martyrs-de-la-Résistance. ☎ 04-93-04-96-96. Fax : 04-93-04-96-97. Sur la route de la vallée des Merveilles, près de la gare. Fermé le midi du 15 septembre au 15 juin. Congés annuels en novembre. Chambre double de 33,54 à 53,36 € (220 à 350 F) selon le confort. Demi-pension possible. Menus à partir de 13,72 € (90 F). Grâce à un accueil amical, on se sent tout de suite à l'aise dans cette maison familiale. Chambres toutes mignonnes et simples : avec lavabo, douche et w.-c. ou bains. Agréable pergola devant la maison et salle à manger avec cheminée dans laquelle on fait des repas plantureux. C'est la patronne qui fait toute la cuisine et ses raviolis sont inoubliables. Apéritif maison ou café offert à nos lecteurs sur présentation du *Guide du routard* de l'année.

★ *LA BRIGUE* (06430)

La cité ne fut rattachée à la France qu'en 1947 suite à un plébiscite. Bien située, à 800 m d'altitude dans le vallon de la Levenza, elle garde un caractère médiéval très marqué et est dominée par les ruines du château et de la tour des Lascaris. Le vieux village avec ses maisons de schiste vert de la haute Roya est agréable à découvrir : linteaux armoriés de portes du XVe siècle à nos jours, maisons sur arcades, peintures en trompe l'œil.

Adresse utile

ℹ ***Office du tourisme :*** place Saint-Martin. ☎ et fax : 04-93-04-36-07. Fax : 04-93-04-36-09. Sur la place de l'église. Ouvert toute l'année de 9 h à 18 h.

Où dormir ?

🏠 🍽 ***Auberge Saint-Martin :*** place Saint-Martin. ☎ et fax : 04-93-04-62-17. Sur la place de l'église, en plein cœur du village. Fermé les lundi soir et mardi hors saison. Congés annuels de fin novembre à fin février. Chambres doubles entre 38,11 et 44,97 € (250 à 295 F). Elles sont rustiques, très propres, calmes, avec vue sur les montagnes, certaines avec un petit balcon. Repas dans la salle voûtée ou sur la terrasse ombragée. Copieux menus à partir de 13,72 € (90 F). Spécialités : tourte brigasque et truite aux amandes.

🏠 🍽 ***Hôtel-restaurant Fleur des Alpes :*** place Saint-Martin. ☎ 04-93-04-61-05. Fax : 04-93-04-69-58. Sur la place de l'église. Fermé le mercredi hors saison. Congés annuels du 15 décembre au 15 février. Chambres doubles de 35,82 à 45,73 € (235 à 300 F). Menu à partir de 12,20 € (80 F) en semaine. Petite auberge villageoise simple et bien tenue. Au restaurant, on mange dans une salle donnant sur la rivière. Spécialités : gnocchi et *sugeli*. Accueil agréable d'un patron haut en couleur. Kir offert à nos lecteurs sur présentation du *Guide du routard* de l'année.

🏠 ***Chambres d'hôte :*** Le Pra-Reound. ☎ 04-93-04-65-67. Du centre de la Brigue, direction le *Centre d'Aide Spécialisé* puis suivre un chemin (sur 300 m) indiqué par un panneau. Fermé du 1er décembre au 15 mars. Chambres doubles à 33,54 € (220 F), petit déj' non compris. Les Molinaro sont de très aimables maraîchers qui connaissent la région par cœur. Situées dans une annexe à 50 m de la maison principale, les chambres, sont bien équipées et calmes (douche et w.-c., chauffage, TV). Sur place, cuisine équipée et barbecue à disposition, jeux de boules, ping-pong, jardin d'enfants. Paysage très reposant : des champs, des plantations, la vallée et les montagnes.

Plus chic

🏠 🍽 ***Hôtel-restaurant Le Mirval :*** 3, rue Vincent-Ferrier. ☎ 04-93-04-63-71. Fax : 04-93-04-79-81. Fermé du 1er novembre au 1er avril. Chambres doubles de 45,73 à 64,03 € (300 à 420 F). Demi-pension obligatoire en été. Menus à partir de 15,24 € (100 F). Grande maison bourgeoise de la fin du XIXe siècle dans un jardin au bord du torrent. Accueil très souriant. Chambres rénovées et calmes avec douche et w.-c. Vue sur le torrent ou sur la forêt à l'arrière. Restaurant fréquenté par les gens des environs qui apprécient les plats mijotés du chef. Sur présentation du *GDR* de l'année, apéritif, digestif ou café offert.

Où manger ?

🍽 ***La Cassolette :*** dans la rue au bord de la rivière, entre la place Saint-Martin et la place de Nice. ☎ 04-93-04-63-82. Fermé les dimanches soir et lundis sauf les jours fériés. Fermé 15 jours fin mars. Menus à partir de 12,96 € (85 F). Tout petit et tout mignon, ce restaurant rempli de poules (mais si, mais si !). Cuisine et service familiaux. Le patron a du caractère. Les jours où il est en forme, il peut parfois sortir pendant le service pour aller chez son voisin boucher chercher un tournedos en plus ou un magret. On se demande s'il ne va pas pêcher directement les truites dans la rivière juste de l'autre côté de la route. Café offert à nos lecteurs sur présentation du *Guide du routard* de l'année.

🍽 ***Restaurant des Alpes « Chez Carla » :*** 2, rue Louis-Bourguet. ☎ 04-93-04-61-58. À la sortie du village, à 50 m après la place centrale. Fermé le soir. Compter environ 22,87 € (150 F) pour un repas (sans la boisson). On ne sert qu'à midi, et uniquement sur commande. Il faut téléphoner pour réserver. Alors Carla, grand-mère alerte et minutieuse, se met aux fourneaux pour concocter ses plats savoureux. Elle les sert elle-même (elle fait tout, en véritable femme-orchestre !) avec une grande gentillesse, dans sa petite salle nette et propre, patinée par le temps. Ses produits sont tous frais et proviennent des producteurs de la vallée.

À voir

★ ***La collégiale Saint-Martin :*** ouvert de 9 h à 18 h. Elle possède un clocher lombard avec tour d'observation. Sur la façade nord, on remarque des meurtrières : l'église faisait aussi fonction de forteresse. À l'intérieur, bel ensemble de peintures primitives : *Crucifixion* de l'école de Brea, *retable de sainte Marthe,* de la Renaissance italienne, *retable de saint Elme,* martyr de l'an 303 (le bourreau lui enlève les intestins, carrément !). Visite possible le soir grâce à une minuterie.

★ ***Le musée des Traditions apicoles :*** en été, ouvert de 8 h 30 à 12 h et de 14 h à 18 h 30 ; hors saison, de 9 h à 12 h et de 14 h à 18 h. Entrée : 2,29 € (15 F). Il offre une documentation détaillée sur l'apiculture et la vie des abeilles illustrées par de nombreux panneaux.

★ ***La place du Rattachement :*** sous-entendu « du rattachement à la France en 1947 ». Place étonnante avec ses maisons au rez-de-chaussée avec galerie à arcades.

À voir dans les environs

★ ***Le sanctuaire Notre-Dame-des-Fontaines :*** D 43, puis à droite la D 143. On passe devant le pont du Coq, à double dos-d'âne, puis plus loin sur la droite devant un ancien four à chaux en brique. Hélas, suite à un vol, le sanctuaire est désormais sous étroite surveillance. De juin à septembre, ouvert de 10 h à 12 h et de 14 h à 17 h 30 ; d'octobre à mai, de 14 h 30 à 16 h 30 (s'adresser à l'office du tourisme de La Brigue). La chapelle, bâtie dans une gorge sauvage au-dessus de sept sources intermittentes, est particulièrement émouvante par les fresques très riches et très bien conservées qu'elle abrite. Celles du chœur, les plus anciennes, dues à Jean Balaison, représentent la Vierge et les Évangélistes. Les autres peintures sont de Jean Canavesio et datent de 1492. Elles retracent les événements importants de l'Évangile, traités avec une vigueur et un surréalisme parfois saisissants (comme ces morts qui ressuscitent au milieu des pâturages) dans une somptueuse palette de couleurs. Remarquez à gauche le *Judas perdu,* d'un réalisme effrayant : du ventre du traître, ouvert, débordent le foie et les intestins... Son visage est hallucinant.

Randonnées pédestres

➢ ***La cime de Maria :*** depuis La Brigue, suivre en voiture la direction de la vallée des Prés, puis bifurquer sur la droite pour se rendre à la baisse de Géréon. Laisser la voiture et continuer à pied par le sentier en direction de la cime de Maria. Très beau panorama sur le massif du Mercantour, la Ligurie italienne et la Méditerranée.

➢ ***Le mont Bertrand :*** se rendre en voiture jusqu'à la baisse d'Ugail depuis Morignole. De là, prendre à pied la direction de la baisse de la Crouscia et se diriger vers le sommet du mont Bertrand d'où l'on peut admirer, si la brume n'est pas au rendez-vous, un paysage magnifique s'étendant des Alpes à la Corse.

➢ ***Le pas du Tanarel :*** prendre la direction de la chapelle Notre-Dame-des-Fontaines. Juste avant celle-ci, tourner à gauche vers la vallée de Bens. Laisser la voiture et continuer à pied en direction du pas du Tanarel.

★ GRANILE

À Saint-Dalmas-de-Tende, prendre la direction Castérino, lac des Mesches. À 1,5 km, tourner dans le chemin de gauche. On roule encore 5 km (ça grimpe bien !) et la route s'arrête brutalement. Granile est un cul-de-sac.
Le plus mignon petit village qui soit, abandonné au soleil dans un cirque de montagnes. Presque un village fantôme : 10 habitants seulement pour une trentaine de maisons ! Et quelles maisons : bâties exclusivement en bois et en pierre, recouvertes de ces curieuses ardoises mal taillées que l'on appelle des lauzes. Tout autour, des jardins miraculeusement suspendus, des escaliers de pierre, des sentiers de montagne. Ici, aucun commerce. Doigt de Dieu planté là, le clocher d'une minuscule église. Prodige de construction, la *place Sainte-Anne,* terrasse artificielle dont la chape de plomb lutte contre la dénivellation.

LA VALLÉE DES MERVEILLES

C'est un ensemble de lacs de haute montagne et de vallons, à l'ouest de Saint-Dalmas, un paysage grandiose, sauvage et mystérieux, célèbre pour ses gravures préhistoriques exceptionnelles. Un univers déchiqueté de roches, de blocs éclatés, aux teintes roses et grises, de lacs miroitants. Il faut prévoir au moins une journée pour une visite du massif. Deux journées avec une nuit passée au refuge sont bien sûr préférables. L'équipement de montagne est vivement conseillé, surtout si vous y passez plus d'une journée. On y accède à pied uniquement de juin à octobre.
La présence d'un guide à vos côtés est obligatoire pour l'accès à la zone des gravures rupestres, il vous permettra d'approcher plus facilement la faune protégée du parc national du Mercantour : marmottes, bouquetins, sangliers et peut-être chamois...
– ***Prévoir un bon équipement :*** chaussures de marche, lainages et imperméable. Cartes IGN 3741 ouest et 3841 ouest.

Adresses utiles

■ Il existe un ***bureau des guides,*** qui propose différents circuits. Renseignements à la ***maison de la montagne :*** 11, av. du 16-Septembre-1947, 06437 Tende. ☎ et fax : 04-93-04-77-73.

■ Pour plus de renseignements : ***parc national de la vallée des Merveilles,*** av. du 16-Septembre-1947, 06437 Tende. ☎ 04-93-04-67-00 ou 04-93-04-68-66.

Où dormir ? Où manger ?

En plus des refuges, où il vaut mieux réserver par écrit, quelques bons hôtels à ***Castérino*** (06430) :

🏠 🍽 ***Hôtel Les Mélèzes :*** ☎ 04-93-04-95-95. Fax : 04-93-04-95-96. Fermé du 15 novembre au 28 décembre. Chambres doubles de 30,49 à 48,78 € (200 à 320 F). Demi-pension à 45,73 € (300 F). Menus à partir de 15,24 € (100 F). Chambres un peu petites mais impeccablement propres. Choisissez-en une du devant, avec balcon et vue sur la montagne, surtout si vous aimez être bercé par le murmure de la rivière. Quelques spécialités : fondue savoyarde aux cèpes, truite au basilic, raviolis maison à la ricotta, soufflé chaud aux myrtilles. Propose des journées excursions en 4 x 4 avec guide.

Auberge Santa Maria Maddalena : ☎ 04-93-04-65-93. Fermé en novembre et avril. Chambre double de 28,96 à 35,06 € (190 à 230 F). Demi-pension obligatoire : compter 34,30 € (225 F) par jour et par personne. Compter autour de 12,20 € (80 F). Au pied de la vallée des Merveilles, une auberge au doux nom et à l'atmosphère familiale où l'on déguste sans façons des spécialités locales.

Randonnées pédestres

Voici quelques suggestions. D'abord, en voiture, remonter le vallon de la Minière par la D 91, jusqu'au *lac des Mesches,* dans un cirque sauvage, où se rejoignent deux torrents. Laisser la voiture.

➢ Prendre à gauche le sentier en lacet qui dépasse le *lac de la Minière* et suivre la direction « Val d'Enfer ». En 3 h, on arrive au ***refuge des Merveilles.***

➢ De là, de nombreuses excursions sont possibles : on peut monter au sommet du ***mont Bégo*** (2873 m) en 2 h, au ***Grand Capelet*** (2935 m) en 2 à 3 h ou à la ***cime du Diable*** (2686 m) en 2 h.

À voir. À faire

Au nord du refuge s'ouvre la vallée des Merveilles, encaissée entre les abrupts du mont Bégo et du rocher des Merveilles.

★ On y a relevé, sur 12 km, des dizaines de milliers de ***gravures préhistoriques*** (mais également dans le vallon de Fontanalbe). Elles ont été attribuées aux peuplades ligures de l'âge du bronze ou du début de l'âge du bronze ou du début de l'âge du fer (vers 1800 av. J.-C.). La plupart représentent des animaux à cornes, bœuf ou taureau, des charrues et faucilles attestant une origine pastorale et agricole. On peut voir aussi des figures humaines parmi lesquelles on a tenté d'identifier le sorcier, le Christ ou le chef de tribu. On pense en fait qu'un culte très ancien était pratiqué autour du mont Bégo, où des initiations avaient lieu.

Toutefois, le site est menacé. Par la bêtise et le vandalisme. En effet, certains touristes (peut-on encore leur donner ce nom?) sont allés jusqu'à briser les dalles où se trouvent les gravures pour les emporter en souvenir. Et au burin, s'il vous plaît! Devant la répétition de tels actes, les autorités communales et départementales ont décidé de protéger le patrimoine. C'est pourquoi certaines excursions ne peuvent pas se faire sans un accompagnateur officiel. L'original des plus précieuses gravures est transféré à Tende, dans un musée. On les remplace sur le site par des moulages en plâtre. Triste d'en arriver là, quand même. C'était notre quart d'heure d'indignation!

– À l'extrémité de la vallée, on franchit la *baisse de la Valmasque* pour descendre vers le *lac du Basto* (GR 52), puis le *lac Noir* et le *lac Vert* jusqu'au ***refuge de Valmasque,*** dans un paysage alpin idyllique.

Suivre alors le ***vallon de Valmasque*** jusqu'à la *vacherie de Valmasque* d'où un sentier à gauche monte vers la crête-frontière. On peut aussi continuer jusqu'au hameau de ***Castérino.***

– En voiture, de Saint-Dalmas, il est d'ailleurs possible d'aller jusqu'à Castérino.

De là, il faut aller à pied au *refuge de Fontanalbe* puis au ***lac Vert de Fontanalbe.***

TENDE

(06430) 1 890 hab.

Comme à Saorge (mais en moins vertigineux quand même), on est frappé par l'aspect architectural du village bâti en amphithéâtre au-dessus de la Roya. Les hautes maisons aux toits de lauzes qui semblent se superposer, suspendues entre ciel et terre, ont grand caractère. Tende n'est française, tout comme La Brigue, que depuis 1947.
Au Moyen Âge, la cité jouait un rôle primordial puisqu'elle commandait l'accès au Piémont. En 1691, les Français, dans leur lutte contre la maison de Savoie, détruisirent la forteresse du château des Lascaris dont il ne reste qu'un pan de mur qui domine le village et semble défier les lois de l'équilibre. Une des tours du château a été transformée en clocher au XIXe siècle (tour de l'Horloge), et dans l'enceinte de l'ancienne forteresse se niche un curieux cimetière en étages, unique, qui surplombe la ville.

Adresse utile

🛈 ***Office du tourisme :*** av. du 16-Septembre-1947. ☎ 04-93-04-73-71. Fax : 04-93-04-35-09. Hors saison, ouvert tous les jours sauf les dimanches, de 13 h 30 à 17 h 30; en saison, tous les jours de 9 h à 12 h et de 14 h à 18 h (17 h le dimanche).

Où dormir? Où manger?

Gîte d'étape

⌂ |●| ***Gîte d'étape Les Carlines :*** chemin Sainte-Catherine. ☎ 04-93-04-62-74. À 50 m de l'église de Tende. De mi-avril à fin septembre, ouvert en permanence; le reste de l'année, uniquement le week-end et pendant les vacances scolaires. Mieux vaut téléphoner. Demi-pension à 26,98 € (177 F).
Vieille maison de village au toit de lauzes. Apéritif maison offert à nos lecteurs sur présentation du *Guide du routard* de l'année.

Camping

⛺ ***Camping municipal :*** ☎ 04-93-04-76-08 ou ☎ 04-93-04-73-71 (office du tourisme). Fax : 04-93-04-74-54. Ouvert de juin à septembre. Très simple.

Prix moyens

|●| ***Auberge Tendasque :*** 65, av. du 16-Septembre-1947. ☎ 04-93-04-62-26. Au niveau de la place de la Mairie. De juin à octobre, ouvert tous les jours sauf le mardi; de novembre à mai, le midi seulement, plus le samedi soir. Menus à partir de 11,43 € (75 F). Une vieille maison aux murs jaunes couverts de plantes grimpantes avec une petite terrasse ombragée sur le devant. Cette auberge au décor rustique sert une bonne cuisine pleine de surprises goûteuses. L'accueil aimable, le service diligent ainsi que l'excellent rapport qualité-prix, en font une de nos très bonnes adresses dans la vallée. Café offert sur présentation du *GDR* de l'année.

Où boire un verre?

🍸 ***Bar du Colombier :*** place de l'Hôtel-de-Ville. Derrière la chapelle Saint-Michel. Une grille verte avec, derrière les murs, le boulodrome des habitués et quelques tables au calme. Un endroit où l'on peut boire et même apporter son pique-nique.

À voir

– ***Un conseil :*** éviter de vous engager en voiture dans les ruelles, elles ne sont pas conçues pour cela.
– Prenez le temps de flâner dans les vieilles ***ruelles*** bien trop étroites. Remarquez les toits qui débordent largement pour protéger des importantes chutes de neige en hiver, les balcons à étages qui donnent au village un caractère alpin, les linteaux de porte en schiste vert portant les armoiries des comtes Lascaris et de la maison de Savoie.

★ ***L'église :*** elle offre une belle façade Renaissance et un splendide portail sculpté. Sur les côtés, des colonnes sont posées sur des lions couchés, symboles de la force et de la puissance.

★ ***La place de la Mairie et la chapelle Saint-Michel :*** spacieuse et ombragée, un endroit agréable au centre de Tende. Un coup d'œil dans la chapelle Saint-Michel qui n'a pas grand intérêt sauf celui d'avoir un chœur fermé par une grande baie vitrée communiquant avec un jardin à l'arrière. Original pour un édifice religieux.

★ ***Musée des Merveilles :*** av. du 16-Septembre 1947. ☎ 04-93-04-32-50. Fax : 04-93-04-32-53. • www.museedesmerveilles.com • Du 2 mai au 15 octobre, ouvert tous les jours sauf le mardi, de 10 h à 18 h 30. Fermé à 17 h le reste de l'année. Entrée : 4,57 € (30 F). Entrée gratuite le premier dimanche de chaque mois. Remarquer l'architecture d'avant-garde du bâtiment et les douze colonnes rectangulaires de la façade. Ce musée, très bien fait, abrite des collections de pièces archéologiques (relevés et moulages essentiellement) provenant de recherches effectuées depuis 1967 par le professeur Henry de Lumley dans la vallée des Merveilles, un des plus grands sites de gravures rupestres au monde.

Randonnées pédestres

De nombreuses excursions à pied sont possibles à partir de Tende. Un exemple :
➢ ***Le vallon du Refrei :*** prendre la route du vallon du Refrei sur 4 km jusqu'aux granges de la Pré. De là partent plusieurs sentiers. Bonnes vacances et bonne route!

LA CÔTE DE NICE À MENTON

Fini les petites routes en lacet sur lesquelles on se croit seuls au monde, les villages perchés où l'on se réveille le regard perdu sur des monts fleuris ou enneigés. Retour sur Nice par une route qui prend vite de l'importance et de la circulation. Un bon conseil, laissez reposer votre voiture dans un garage, une fois arrivé à votre hôtel. C'est cher (même très cher) mais plus prudent. Et vous aurez besoin de la retrouver en pleine forme pour la suite de votre périple, sur la Riviera française, entre Nice et Menton.
Déjà au XVIIIe siècle, les premiers touristes, qui venaient en villégiature à Nice, n'avaient pas d'autre but que de se refaire une santé, à tous points de vue. Princes et grands-ducs russes, lords à monocle et ladies à aigrettes, aristocrates de tous bords transformèrent des villages au charme préservé en lieux de vie pas toujours discrets : villas extravagantes, palaces de rêve, palais superbes. Sur la Riviera française, la vie prenait un air de fête, sous le soleil ou sous la lune...
Que reste-t-il aujourd'hui de la Riviera? Avec le temps et le bon mot de Stephen Liegard, qui fera de cette bande de littoral comprise entre Nice et Menton « la Côte d'Azur », on a oublié un peu son nom. Mais sa magie demeure, entre deux blocs de béton que le temps aura en revanche du mal à effacer.

NICE (06000) 345900 hab.

Pour les plans de Nice, se reporter au cahier couleur.

Nice n'est pas un port comme Marseille, il n'y a pas de transit. C'est un bout du monde et le temps s'y est un peu arrêté.
Patrick Modiano.

UN PEU D'HISTOIRE

Les hommes s'installent à Nice il y a très, très longtemps. Il y a quelque 400000 ans en effet, au lieu-dit *Terra Amata,* ils inventent le feu... Plus près de nous, vers le IVe siècle av. J.-C., les Grecs de Marseille y établissent un comptoir qu'ils nomment *Nikaia* (victoire) – *Nike*, vous connaissez? Plus tard, les Romains fondent *Cemenelum* (Cimiez), sur une hauteur voisine, chef-lieu de la province des Alpes-Maritimes. C'est une importante agglomération avec son amphithéâtre, ses thermes et même son réseau de chauffage central à air chaud... comme quoi on n'a rien inventé! En l'an 300 on connaissait peu, en Occident, de capitales aussi civilisées.
1388 est une date capitale dans l'histoire de Nice. La ville et l'arrière-pays refusent de reconnaître le comte de Provence, Louis d'Anjou, et se donnent à la Savoie. *Amédée VII,* comte de Savoie, qui a profité des troubles qui divisent le pays, fait une entrée triomphale dans la ville. De provençale, Nice devient donc savoyarde et tisse des liens plus étroits avec l'Italie. Une province, le *comté de Nice,* est créée. À l'exception de quelques interruptions,

Nice appartiendra à la maison de Savoie (qui régnera sur la Sardaigne) jusqu'en 1860.
Pendant trois siècles, Nice est la principale place forte de la région.

Le développement de Nice

En 1748 débutent les travaux de creusement du port de Lympia qui sera à la base du développement commercial de Nice et, en 1750, on ouvre la place Garibaldi et on construit la première terrasse en bordure de mer. Bonaparte y séjourne deux fois. En 1794, il envisage même de se marier à la fille de son hôte qui habite au n° 6 de la rue... Bonaparte. Le traité de Paris en 1814, après la chute de l'Empire, rend Nice au royaume de Sardaigne (maison de Savoie).
Sous la restauration sarde, la concurrence du port de Gênes, rattaché au royaume de Piémont-Sardaigne, est très rude.
En revanche, les étrangers, des Anglais surtout, viennent de plus en plus nombreux séjourner à Nice. Un Britannique, le révérend *Lewis Way,* fait construire « lou camin deï Angles », première ébauche de la promenade des Anglais. Mais plus que les Anglais, qui viennent soigner leur tuberculose et y finissent en fait leurs jours (le climat n'étant peut-être pas l'idéal pour ce genre d'affection), ce sont surtout les Russes qui marquèrent Nice de leur présence. Des tsars, des artistes, des princes vrais ou faux, avant même l'arrivée des célèbres *blancs...*

Le rattachement à la France et la Belle Époque

Suite à la guerre d'Italie, le traité du 24 mars 1860 et le plébiscite des 15 et 16 avril consacrent la réunion du comté de Nice à la France. Grâce au développement du tourisme, la ville va connaître un essor spectaculaire. En 1890, environ 22000 personnes sont venues passer l'hiver à Nice ; en 1910, on en dénombre 150000.
Ces hôtes qui restent quelques mois attirent les placements de capitaux dans l'hôtellerie et l'immobilier. Ainsi la *Foncière Lyonnaise,* filiale du *Crédit Lyonnais,* est à l'origine du développement du quartier de Cimiez. La reine Victoria en sera l'hôte la plus célèbre, mais la famille impériale russe, la reine du Portugal et d'autres têtes couronnées ne dédaignent pas l'endroit. Le renom de Nice est exceptionnel et éclipse celui des villes de Cannes, Monaco, Menton qui se développeront surtout dans le courant du XXe siècle.
La croissance urbaine demande une importante main-d'œuvre ouvrière et les Italiens venus en grand nombre ne sont pas de trop. Ils peuplent des quartiers entiers tels que Riquier, la Madeleine, etc.
Peu à peu cependant, Nice perd son charme et ses coutumes provinciales, et devient moins fortunée. La promenade des Anglais prend son visage actuel dans les années 1930 : un front ininterrompu d'immeubles face à la mer. Un visage de ville contente d'elle, qui sut longtemps masquer ses états d'âme profonds.

Nice aujourd'hui

Reste aujourd'hui, après quelques décennies – les années « Médecin », pour reprendre le nom d'une famille et d'un maire difficiles à oublier ! – qui auront marqué les mentalités et laissé dans la tête des vieux Niçois des bouffées de nostalgie, à redécouvrir un peu mieux une ville attachante, autour de son port, de ses quartiers anciens, de son marché...
Nissa, la belle Méditerranéenne, qui ne s'offre qu'à qui saura lui plaire, mélangeant sans problèmes paillettes et authenticité, ombres et lumières, ordre et désordre, passé et futur... Nice, la cinquième ville de France mais la première dans le cœur des Français s'ils devaient, paraît-il, choisir celle où il

fait bon vivre, Nice, la ville des artistes, des écrivains, des musiciens et des jeunes : 25000 étudiants sur un peu plus de 340000 habitants (35 % de la population des Alpes-Maritimes vit à Nice).
Nice, où l'on voit la vie en vert et bleu, c'est aussi, pour rester dans les chiffres, 7500 m² de plage, 300 ha d'espaces verts, 150 bassins et fontaines, 2640 heures d'ensoleillement par an pour 800 mm de précipitations en 80 jours...
Nice où le soleil se glisse chaque jour sur les tables, entre le fenouil, l'ail et le romarin, pour relever une cuisine déjà riche en spécialités. Une cuisine qui est souvent proche de ses voisines provençales et italiennes, mais reste néanmoins bien spécifique à une ville qui s'enorgueillit de posséder même son vin!

À BOIRE ET À MANGER

Promenade des Anglais, grands hôtels, plages de galets... À deux pas de là, le vieux Nice bat encore au rythme des marchands des quatre saisons. Sur le cours Saleya, le marché aux fleurs, coloré et odorant, rappelle que Nice est la ville des œillets. C'est là aussi que tous les matins, sauf le lundi, les ménagères viennent chercher cébettes du pays, menthe, persil, coriandre, blettes, mesclun, huiles d'olive, fleurs de courgettes.
Ici tout se dit, se sait, se trame. Entre petits étals, trompe-l'œil et palais du XVIIe siècle, baie des Anges et colline du château, vivez la vie « en nissart ». Arrêtez-vous sur une terrasse pour goûter une vraie ***salade niçoise,*** expression politico-culinaire chère à une ville qui confond volontairement embrouilles et tambouille. Le plus populaire des mets ne comporte que des crudités, à l'exception des œufs durs, et se prépare sans vinaigre, en salant trois fois les tomates et en les arrosant d'un joli filet d'huile d'olive. Cette fameuse salade (quand elle est bien préparée) est l'élément de base du ***pan-bagnat,*** le « pain mouillé » qui n'était au départ qu'une salade arrangée sur un morceau de pain de campagne, pour pouvoir l'avaler sur le pouce.
Dans les ruelles, à côté de la cathédrale Sainte-Réparate, vous n'aurez aucun mal à faire authentique, en savourant une trilogie incontournable en ces lieux : ***pissaladière*** (tarte à l'oignon et au *pissala* – purée de petits anchois au sel – recouverte d'anchois et d'olives noires), ***socca*** (galette confectionnée avec de la farine de pois chiches, de l'eau et de l'huile d'olive et cuite au charbon de bois) et ***tourte de blettes.*** Sur le marché, les vendeurs de *socca* vous feront patienter jusqu'à l'arrivée du livreur avec son étrange véhicule à deux roues surmonté d'un coffre en zinc (pour garder au chaud les grandes plaques de *socca* sortant juste du four!)...
Si une grosse faim vous tenaille, vous trouverez certainement votre bonheur en terrasse ou dans l'un de nos restos préférés du vieux Nice proposant à la carte ***farcis, raviolis, estocaficada*** (ragoût tomaté à partir du fameux stockfisch, aiglefin boucané au soleil), ***tripes*** ou ***bagna cauda*** (la fondue niçoise). Et si l'on ne vous propose pas un ***vin de Bellet,*** allez le chercher vous-même sur les hauteurs de Nice! Ils sont encore une douzaine de viticulteurs s'efforçant de maintenir en activité un des plus anciens vignobles de France, puisque vieux de plus de 2000 ans. Au XIXe siècle, en pleine prospérité, il couvrait plus de 1000 ha. Plusieurs fléaux l'ont menacé de disparition, mais les vignerons se sont battus pour sa survie, obtenant une appellation d'ori-

gine contrôlée en 1941. L'unique AOC de France située sur le territoire d'une grande ville couvre encore 650 ha, mais seulement une cinquantaine est encore en exploitation. Les vignes poussent sur de petites terrasses (les restanques) à côté des oliviers et représentent souvent un complément pour les producteurs d'œillets.

L'ÉCOLE DE NICE

Pourquoi tant d'artistes à Nice? Difficile de répondre (oui, la lumière, d'accord!) sans tomber à côté. Les grands maîtres s'en sont entichés, toutes les tendances de l'art contemporain s'y illustrèrent.

L'école de Nice, baptisée aussi *nouveau réalisme,* est reconnue dans le monde entier, sans doute plus à l'étranger qu'en France. Elle rassemblait un grand nombre d'artistes comme Arman, César, Yves Klein, Martial Raysse, Daniel Spoerri, Mimmo Rotella, Jean Tinguely, Jacques Villeglé; ils seront rejoints par la suite par Niki de Saint-Phalle et l'« emballeur » Christo.

Né à la fin des années 1950, ce mouvement fut consacré par un manifeste signé par le critique Pierre Restany. Il fut officiellement dissous en 1970. Le principal initiateur de ce mouvement sera Yves Klein; il redéfinit la peinture comme une purification permanente : il exposera le vide, le ciel (avec ses célèbres monochromes bleus), et des peintures réalisées en utilisant le feu (à l'aide d'un lance-flammes). Situés dans le sillage de Marcel Duchamp (le pape de l'art contemporain), les *nouveaux réalistes* travaillaient surtout à partir de la réalité brute : affiches, détritus... Restany parlait de « poésie d'une civilisation urbaine ». Certains ont même rapproché ce mouvement du pop art américain, lui aussi fondé sur les signes extérieurs de notre civilisation. Mais peut-être que la meilleure définition est celle de Martial Raysse : « La théorie de l'école de Nice, c'est que la vie est plus belle que tout! »

À la fin des années 1960, un autre mouvement vit le jour également sous le soleil niçois, et à Montpellier : *support(s)-surface(s).* La réflexion de ses artistes se porte, elle, sur les composants du tableau comme la toile, l'envers de la toile, la texture... Ils adoptèrent donc tous des techniques volontairement rudimentaires. Les principaux membres de ce mouvement, dissous au début des années 1970, furent Claude Viallat, Louis Cane, Christian Jaccard, Daniel Dezeuze et Jean-Marie Pincemin. Proches des précédents, citons également BMPT (Buren, Mosset, Parmentier et Toroni), pour qui l'œuvre est réduite à sa plus simple expression : le support, la couleur et la composition.

On ne peut évoquer l'art local sans nommer Ben, célèbre pour ses happenings et ses tableaux-graffiti. Il s'est d'ailleurs installé sur l'une des collines de Nice, à Saint-Pancrace, après avoir vécu en Turquie, en Égypte et en Grèce. Enfin, n'oublions pas Bernar (sans « d ») Venet, un des plus grands sculpteurs contemporains, plus célèbre aux États-Unis que dans son propre pays. Ne manquez pas son *Arc à 115,5 °,* place Masséna.

LE CARNAVAL DE NICE

Au XIIIe siècle déjà, le carnaval de Nice était réputé, les comtes de Provence et de Savoie prenant part aux festivités niçoises. L'Église tenta de canaliser les débordements de la fête, mais en vain. Tout au plus put-elle interdire à ses bons abbés de danser ou de se déguiser.

En 1539, les syndics de la ville de Nice nommèrent des « abbés des fous » chargés d'organiser et de réglementer les fêtes du carnaval. Les bals de carnaval, sur quatre places bien définies, correspondaient à quatre classes sociales : noblesse, marchands, artisans-ouvriers et pêcheurs. Pour aller d'un bal à l'autre, il fallait être déguisé convenablement.

Au XVIIIe siècle, en raison de l'étroitesse de la vieille ville et de l'accroissement de la population, la rue fut délaissée au profit des salons privés. Il faut

attendre le Second Empire pour assister à de splendides batailles de confettis et de toutes sortes de projectiles. Mais c'est le comité des fêtes, créé en 1873, qui redonna au carnaval ses lettres de noblesse. En fait, la ville de Nice était surtout soucieuse de retenir la clientèle étrangère hibernante, inquiète depuis les événements de la Commune... C'est ainsi que se déroula, en 1873, le premier défilé de chars, accompagné de mascarades et cavalcades.
Carnaval eut quand même l'élégance de s'abstenir pendant la Grande Guerre et la Seconde Guerre mondiale.
Sa Majesté Carnaval trône chaque année (la 2e quinzaine de février : du 8 au 27) sous un dais, sur la place Masséna. Le soir du Mardi gras, on la brûle quai des États-Unis après tout un cérémonial.
– ***Renseignements et réservations :*** 5, promenade des Anglais. ☎ 04-92-14-48-00.

Adresses utiles

ℹ ***Comité régional du tourisme Riviera-Côte d'Azur :*** 55, promenade des Anglais, BP 602, 06011 Nice Cedex 1. ☎ 04-93-37-78-78. Fax : 04-93-86-01-06. Ouvert du lundi au vendredi de 8 h 30 à 12 h et de 14 h à 18 h. Importante documentation.
ℹ ***Office du tourisme et des congrès*** *(plan couleur I, D2)* ***:*** 1, esplanade Kennedy, BP 4079, 06302 Nice Cedex 4. Fax : 04-93-92-82-98. • www.nicetourism.com • Fermé au public. Renseignements uniquement par courrier.
ℹ Plusieurs ***bureaux d'accueil*** :
– à la *gare SNCF,* av. Thiers *(plan couleur I, B2).* ☎ 04-93-87-07-07. En été, ouvert tous les jours de 8 h à 20 h; hors saison, de 8 h à 19 h. Plan de la ville, réservations d'hôtels, documentation, etc. Beaucoup de monde...
– Également, 5, promenade des Anglais *(plan couleur I, B3).* ☎ 04-92-14-48-00. Hors saison, ouvert du lundi au samedi de 9 h à 18 h; en été, du lundi au samedi de 8 h à 20 h et le dimanche de 9 h à 19 h.
– *Nice-Ferber,* près de l'aéroport, sur la promenade des Anglais. ☎ 04-93-83-32-64.
– Autre point d'accueil à *l'aéroport* même, dans le terminal 1. ☎ 04-93-21-44-11. Ouvert tous les jours en été de 8 h à 22 h. Fermé le dimanche hors saison.
✉ ***Poste principale*** *(plan couleur I, B2)* ***:*** 23, av. Thiers. ☎ 04-93-82-65-00.
■ ***Gîtes de France :*** 57, promenade des Anglais (à côté du CRT). ☎ 04-92-15-21-30. Fax : 04-93-37-48-00. • www.gites-de-france.fr • Dans un immeuble mitoyen au CRT.
■ ***Consulat de Belgique :*** dans les bureaux du *Ruhl* (7e étage), 5, rue Gabriel-Fauré. ☎ 04-93-87-79-56. Comme quoi nous pensons à nos amis belges...
■ ***Centre régional d'information jeunesse*** *(plan couleur II, A1)* ***:*** 19, rue Gioffredo. ☎ 04-93-80-93-93. Ouvert du lundi au vendredi de 10 h à 19 h, le samedi de 10 h à 17 h. Petites annonces, infos sur les stages, etc.
■ ***Club alpin français :*** ☎ 04-93-62-59-99.

Transports

🚆 ***Gare SNCF*** *(plan couleur I, B2)* ***:*** av. Thiers. ☎ 08-92-35-35-35 (0,34 €/mn, soit 2,23 F). Nombreux trains (le *Métrazur*) desservant toutes les gares du littoral de Saint-Raphaël à Menton. La ligne Nice-Tende, avec plusieurs trains par jour, est super. Douches de 6 h à 19 h, en sous-sol.
🚌 ***Gare routière*** *(plan couleur I, C3)* ***:*** promenade du Paillon. ☎ 04-93-85-61-81. Près de la place Saint-

François du vieux Nice. Renseignements dans le hall de 8 h à 18 h 30. On prend les billets dans les bus. Consigne à bagages. De nombreux bus pour toutes les villes du littoral. Et certaines compagnies proposent des tarifs très avantageux.

■ ***Transports urbains de Nice (Sunbus) :*** informations abonnements, ☎ 04-93-13-53-13. Demandez leur plan et la liste des points de vente des tickets. Station centrale : 10, av. Félix-Faure. Quand on attend à un arrêt, on peut voir sur un écran où le bus se trouve au même moment. Ça aide à patienter, paraît-il. Possibilité d'acheter, place Masséna, un « *pass* touristique » valable 7 jours (16,77 €, soit 110 F), 5 jours (12,96 €, soit 85 F) ou une « carte 1 jour » (3,81 €, soit 25 F) vous permettant de prendre le bus autant de fois que vous le désirez.

✈ ***Aéroport Nice-Côte d'Azur :*** ☎ 04-93-21-30-30.

■ ***Taxis :*** ☎ 04-93-13-78-78.

■ ***Air France :*** renseignements et réservations, ☎ 0820-820-820. Minitel : 36-15 ou 36-16, code AF.

■ ***SNCM (Société nationale maritime Corse-Méditerranée) :*** quai du Commerce, BP 159, 06303 Nice Cedex 4. ☎ 04-93-13-66-66. Serveur vocal : ☎ 0836-679-500 (renseignements). Réservations pour les traversées Nice-Corse : ☎ 04-93-13-66-99.

■ ***Nicea Location Rent*** *(plan couleur I, B2,* ***1****)* ***:*** 12, rue de Belgique. ☎ 04-93-82-42-71. Derrière la gare, dans une rue parallèle. Ouvert tous les jours. Location de deux-roues.

Santé

■ ***Grande Pharmacie Élysée*** *(plan couleur I, C3,* ***2****)* ***:*** 45, av. Jean-Médecin. ☎ 04-93-88-20-66.

Météo

■ ***Météo :*** ☎ 08-92-68-02-06.

■ ***Météo montagne :*** ☎ 08-92-68-04-04.

■ ***Météo plaisance :*** ☎ 08-92-68-02-06.

Où dormir ?

Loin du centre

Très bon marché

⌂ ***Auberge de jeunesse*** *(hors plan couleur I par D3,* ***10****)* ***:*** route forestière du Mont-Alban. ☎ 04-93-89-23-64. Fax : 04-92-04-03-10. De la gare, pour éviter les 45 mn de marche, prendre le bus n° 17 jusqu'à l'arrêt « Sun Bus », puis le bus n° 14 jusqu'à l'auberge, située dans le parc du Mont-Boron. Ouvert toute l'année. Permanence de 7 h à 10 h et de 17 h à 23 h. 13 € (85 F) la nuit, petit déj' compris. Carte d'adhésion obligatoire. Depuis la colline, vue fantastique sur Nice, le port et la baie des Anges. On comprend pourquoi les routards du monde entier s'y bousculent ! Cuisine à disposition. Accueil sympa et bonne ambiance. Superbe balade à faire jusqu'au fort (30 mn) avec vue sur la rade de Villefranche-sur-Mer et Saint-Jean-Cap-Ferrat.

⌂ ***Relais international de la jeunesse Clairvallon*** *(hors plan couleur I par C1,* ***11****)* ***:*** 26, av. Scuderi, à Cimiez. ☎ 04-93-81-27-63. Fax : 04-93-53-35-88. Bus n° 15 de la gare, descendre à l'arrêt « Scuderi ». Ouvert toute l'année. Nuitée à 13,72 € (90 F) en chambre de 4, 6 ou 8, petit déj' et draps inclus. Menu à 9,15 € (60 F), servi midi et soir. Demi-pension à 22,87 € (150 F). Souvent de la place. Emplacement privilégié au milieu d'un superbe parc avec piscine, dans le quartier résidentiel de Cimiez, à proximité des arènes et des musées Matisse et Chagall. En été, repas dans le parc, sur la belle terrasse ombragée. Dépôt des bagages le matin, accueil (très sympa) à 17 h. Café offert à nos lecteurs sur présentation du *Guide du routard* de l'année.

■ ***Espace Magnan*** *(centre d'hébergement pour jeunes ; plan couleur I, A3,* ***12****) :* 31, rue Louis-de-Coppet. ☎ 04-93-86-28-75. Fax : 04-93-44-93-22. Près de Florida-Plage. Plusieurs bus du centre-ville. Prendre la direction « Aéroport » et descendre à Rosa-Bonheur. Ouvert aux individuels du 15 juin au 15 septembre. Autour de 7,62 € (50 F) la nuit, draps compris, en dortoir de 6. Bon accueil. Douches à disposition. On peut se restaurer à la cafétéria (petit déj', pizzas, etc.).

Près du centre

Bon marché à prix moyens

■ ***Hôtel Au Picardy*** *(plan couleur II, B1,* ***17****) :* 10, bd Jean-Jaurès. ☎ et fax : 04-93-85-75-51. Tout près de la gare routière, à l'entrée de la vieille ville. Chambres doubles à 31,86 € (209 F) avec douche et w. c. Le seul hôtel du vieux Nice, étonnant avec son balcon fleuri, sa cour intérieure et son ambiance pension de famille. Quelques chambres sur la rue avec double vitrage, sinon, la plupart donnent sur la cour intérieure, calme. Sur présentation du *Guide du routard* de l'année, le premier petit déj' est offert à nos lecteurs.

■ ***Hôtel du Petit Louvre*** *(plan couleur I, B2,* ***24****) :* 10, rue Emma-Tiranty. ☎ 04-93-80-15-54. Fax : 04-93-62-45-08. Fermé en novembre, décembre et janvier. 34,30 € (225 F) la chambre double avec douche, 38,87 € (255 F) avec douche et w.-c. À ce prix-là, il vaut mieux réserver. Près du centre Nice-Étoile, un établissement lui aussi réservé aux routards pas trop regardants. Un hôtel au charme quelque peu désuet, et aux murs couverts des essais picturaux du patron, qui s'amuse bien en peignant d'après dessins ou photos de journaux. Micro-ondes, frigo à disposition. Pour nos lecteurs, 10 % de remise sur le prix des chambres en période bleu SNCF (!) sur présentation du *Guide du routard* de l'année.

■ ***Hôtel de la Buffa*** *(plan couleur I, A3,* ***8****) :* 56, rue de la Buffa. ☎ 04-93-88-77-35. Fax : 04-93-88-83-39. • www.hotel-buffa.com • À l'angle Buffa-Gambetta. Chambres doubles de 45,73 à 76,25 € (300 à 500 F). Un amour de petit hôtel dans un coin de Nice où l'on n'aurait pas forcément idée d'aller séjourner, avec de petites chambres toutes simples et de petits prix tout simples eux aussi. Climatisation et calme garanti côté cour. Petit « office du tourisme » dans l'entrée. Accueil souriant et compétent. Petit déj' offert le premier jour à nos lecteurs sur présentation du *Guide du routard* de l'année.

Plus chic

■ ***Hôtel L'Oasis*** *(plan couleur I, B3,* ***19****) :* 23, rue Gounod. ☎ 04-93-88-12-29. Fax : 04-93-16-14-40. En plein centre, à mi-chemin de la gare et de la promenade des Anglais. Ouvert toute l'année. Chambres doubles à 80 € (525 F) avec douche et w.-c. ou bains. Parking payant. Un peu en retrait de la rue, *L'Oasis* est entouré d'un jardin ombragé et le calme est de la partie. Chambres confortables avec TV. On a particulièrement aimé les n°s 110, 124 et 210, plus vastes et donnant sur le jardin. Enfin, sachez que cette maison accueillit en son temps Tchekhov et un certain Vladimir Ilitch Oulianov... plus connu sous le nom de Lénine ! Non, rassurez-vous, ils n'ont pas dormi dans la même chambre, la maison est sérieuse ! Éviter par contre celles de l'annexe, plus douteuses et aux mêmes prix. Sur présentation du *GDR* de l'année, 10 % de réduction sur le prix des chambres sauf en juillet et août.

🏠 ***Hôtel Gounod*** *(plan couleur I, B3,* ***35****) :* 3, rue Gounod. ☎ 04-93-16-42-00. Fax : 04-93-88-23-84. Fermé du 20 novembre au 20 décembre. Doubles à 85 € (558 F) de novembre à mars, 120 € (787 F) d'avril à octobre. Grande maison de la Belle Époque, qui a gardé son aspect de vieux palace de la côte. On est immédiatement plongé dans un style vieille France assez agréable, mais l'accueil est un peu froid. Chambres plutôt chics, bien équipées et climatisées ; certaines sont dotées d'une terrasse. Piscine et parking à disposition dans l'hôtel d'à côté : le *Splendid.* De novembre à mars, 10 % de réduction sur le prix de la chambre sur présentation du *Guide du routard* de l'année et petit déj' offert toute l'année.

🏠 ***Hôtel Les Camélias*** *(plan couleur I, C2,* ***21****) :* 3, rue Spitalieri. ☎ 04-93-62-15-54. Fax : 04-93-80-42-96. Fermé en novembre. Chambres de 45,73 € (300 F) avec douche et w.-c. à 60,98 € (400 F) avec bains. Demi-pension de 33,54 à 41,16 € (220 à 270 F). Parking privé payant. Mme Vimont-Beuve tient cet établissement depuis plus de 50 ans, aidée à présent par son fils Jean-Claude. En plein cœur de Nice, avec son petit jardin aux plantes exotiques, cet hôtel est un havre de tranquillité où l'on se laisse bercer par le chant des oiseaux. Bar dans l'entrée. Salon TV et quelques livres sont à la disposition des insomniaques. Menu simple pour les habitués.

Près de la gare

Bon marché

🏠 ***Backpackers's Chez Patrick*** *(plan couleur I, B2,* ***13****) :* 32, rue Pertinax. ☎ 04-93-80-30-72. • chezpatrick@voila.fr • Très bien situé, dans le centre-ville. 13,71 € en dortoir (90 F). Chambre double à 30,49 € (200 F). Une des adresses les moins chères de Nice, pour les routards sac au dos qui ne veulent pas dormir sur le parvis de la gare toute proche ! Monter jusqu'au premier étage de l'immeuble. Confort sommaire et suffisant comme dans les *Youth Hostels* mais ensemble propre et bien tenu. Douches, possibilité de cuisiner, laverie à disposition, borne Internet et nombreux renseignements sur Nice et sur la Côte d'Azur.

Assez bon marché

🏠 ***La Belle Meunière*** *(plan couleur I, B2,* ***23****) :* 21, av. Durante. ☎ 04-93-88-66-15. Fermé en décembre et janvier. Chambres doubles à 46 € (302 F) avec douche et w.-c. ou bains, petit déj' compris. Si vous êtes 3 ou 4, réservez la grande chambre avec balcon à 70 € (459 F). À 100 m de la gare et, pourtant, on est accueilli par les senteurs de pins, de cyprès et de figuier. Pique-nique possible dans le jardin. Rendez-vous des routards du monde entier, on se croirait parfois dans une *guesthouse* du bout du monde ! Sur présentation du *GDR* de l'année, remise de 10 % sur le prix des chambres à partir de 3 nuits consécutives hors saison, en semaine.

🏠 ***Hôtel des Alizés*** *(plan couleur I, B2,* ***26****) :* 10, rue de Suisse. ☎ 04-93-88-85-08. Fax : 04-93-16-21-04. Au 2e étage. Chambres de 27,44 à 42,69 € (180 à 280 F). Un hôtel pour vrais routards, où l'on ne vient pas pour le confort ni pour le charme mais où l'on trouve une ambiance jeune et cosmopolite. Simple mais très correct. Une adresse à retenir, dans ce quartier en pleine évolution. Petit déj' gratuit pour les étudiants.

🏠 ***Hôtel Notre-Dame*** *(plan couleur I, B2,* ***9****) :* 22, rue de Russie. ☎ 04-93-88-70-44. Fax : 04-93-82-20-38.

Chambres sympas de 33,54 à 38,11 € (220 à 250 F). L'hôtel mérite d'être recommandé autant pour ses petits prix que pour son accueil. Entièrement rénové, dans une rue calme, il devrait plus que vous dépanner. Mais attention, on ne cite à cette adresse que l'hôtel, pas le resto situé au rez-de-chaussée. Café offert à nos lecteurs sur présentation du *GDR*.

Hôtel Clair Meublé *(plan couleur I, B2, **28**)* **:** 6, rue d'Italie. ☎ 04-93-87-87-61. Fax : 04-93-16-85-28. Chambres doubles de 27,44 à 36,59 € (180 à 240 F). 14 chambres simples, toutes rénovées. Douches, w.-c. et petite cuisine dans toutes les chambres. Ambiance pension pour jeunes. Réserver à l'avance pour l'été. Plutôt bon signe pour une maison qui ne paie pas de mine mais à l'intérieur surprenant. Pour les lecteurs du *GDR* qui arrivent à Nice par avion, on viendra, si vous le demandez lors de votre réservation, vous chercher gracieusement à l'aéroport. Et en plus, le café est offert. Plutôt sympa, non ?

Hôtel Amaryllis *(plan couleur I, B2, **29**)* **:** 5, rue Alsace-Lorraine. ☎ 04-93-88-20-24. Fax : 04-93-87-13-25. Compter 57,93 € (380 F) la double avec douche, w.-c. et TV. En entrant, on est partagé : est-on toujours à Nice ou déjà à Manhattan ? En effet, autant l'ambiance que le décor nous ont fait penser à quelques petits hôtels tout simples que l'on peut trouver à New York. Heureusement, les prix, eux, restent français. Quelques chambres sur une petite courette tranquille. Pour nos lecteurs, une remise de 10 % sur le prix de la chambre sur présentation du *Guide du routard* de l'année.

Plus chic

Hôtel Excelsior *(plan couleur I, B2, **31**)* **:** 19, av. Durante. ☎ 04-93-88-18-05. Fax : 04-93-88-38-69. • www.excelsiornice.com • Ouvert toute l'année. Chambres doubles de 64,03 à 86,90 € (420 à 570 F), petit déj' compris. Petit menu à 12,96 € (85 F) pour la demi-pension et menus à 19,06 et 28,20 € (125 et 185 F). Agréable hôtel du début du XXe siècle avec des balcons en fer forgé, des moulures en stuc... Mignon petit jardin très convoité avec palmiers, arbustes, fleurs, bassin et jet d'eau glougloutant. Chambres agréables, au mobilier rustique et de bon goût. Au restaurant, cuisine d'hôtel assez classique. Réfugié à Nice en 1940, l'humoriste Tristan Bernard s'y installa avec son épouse. Manque de chance, l'hôtel fut réquisitionné par... la Gestapo ! Rassurez-vous, Tristan Bernard échappa à la déportation grâce à l'intervention de Sacha Guitry. Remise de 10 % sur le prix des chambres sur présentation du *GDR* de l'année.

Hôtel Durante *(plan couleur I, B2, **32**)* **:** 16, av. Durante. ☎ 04-93-88-84-40. Fax : 04-93-87-77-76. De 68,60 à 73,18 € (450 à 480 F) la double avec douche et w.-c., et de 73,18 à 83,85 € (480 à 550 F) avec bains. Dans un quartier où l'on n'aurait pas forcément envie de passer des vacances, un hôtel calme, au fond d'une voie privée. Un jardin agréable, des chambres paisibles, fraîches derrière les vieux volets à l'italienne. On n'a vraiment plus envie de repartir. Places de parking gratuites en plus pour les premiers arrivants. 5 % de réduction sur le prix de la chambre accordée aux lecteurs sur présentation du *GDR*.

Près de la promenade des Anglais

Bon marché

Hôtel Danemark *(plan couleur I, A3, **15**)* **:** 3, av. des Baumettes. ☎ 04-93-44-12-04. Fax : 04-93-44-56-75. En plein centre de Nice, à deux pas de la promenade des Anglais. Chambres doubles de 27,44 à 35,06 € (180 à 230 F) avec douche et w.-c. ou bains. Belle maison ocre, calme, cachée derrière un pin et quelques jolis arbres. Certes, le quartier est totalement envahi par des immeubles résidentiels, mais les patrons sont tellement sympathiques qu'on a eu le béguin. Chambres simples, décorées avec goût et très propres.

Chic

■ ***Hôtel Locarno*** *(plan couleur I, A3,* ***36****) :* 4, av. des Baumettes. ☎ 04-93-96-28-00. Fax : 04-93-86-18-81. À quelques minutes à pied de la promenade des Anglais. Chambres doubles de 48,78 à 54,88 € (320 à 360 F) avec douche et w.-c. ou bains. Cet hôtel propose tout le confort moderne. Salons de repos et salle de billard. Chambres très confortables et récemment refaites. Certaines sont climatisées. Garage sur réservation. Rendez-vous des hommes d'affaires et des VRP en escale dans la région. Accueil et service chics et sympathiques. 10 % de remise sur le prix des chambres toute l'année hors Grand Prix sur présentation du *GDR* de l'année.

■ ***Hôtel de la Fontaine*** *(plan couleur I, B3,* ***18****) :* 49, rue de France. ☎ 04-93-88-30-38. Fax : 04-93-88-98-11. • www.hotel-fontaine.com • Chambres de 89,94 à 105,19 € (590 à 690 F) selon la saison. Petit déj'-buffet trois étoiles à 8,38 € (55 F). Une adresse adorable. Demandez plutôt à être sur la cour. Les chambres sont belles, propres et agréables. Le patio permet de prendre des petits déj' copieux au son délicat du glouglou de la fontaine. La maison est en plein centre de Nice, à deux pas de la mer et de la rue piétonne ; s'il n'y avait que cela, ce serait déjà suffisant. Mais il y a l'accueil et la gentillesse des patrons. Ils se mettent en quatre pour vous faire plaisir et rendre votre séjour agréable. Réduction de 10 % pour les routards sur présentation du *GDR* de l'année, sauf en juin, juillet et août.

Très chic

■ ***Hôtel Windsor*** *(plan couleur I, B3,* ***34****) :* 11, rue Dalpozzo. ☎ 04-93-88-59-35. Fax : 04-93-88-94-57. • www.hotelwindsornice.com • À l'angle de la rue Maréchal-Joffre. Pas de restauration le dimanche. Chambres doubles à 87 € (571 F) avec douche et w.-c., 120 € (787 F) avec bains. Carte autour de 25 € (164 F). Derrière une haute façade se cache un endroit merveilleux. Dès l'entrée, avec les meubles asiatiques, on pénètre dans un monde fantastique. Dans le jardin tropical, des bougainvillées, palmiers et bambous encadrent une petite piscine, où quelques créatures se prélassent en écoutant le chant des oiseaux : certains sont bien réels, d'autres ont été enregistrés par des créateurs de musique contemporaine. Car ici, c'est le domaine de l'art contemporain : chaque chambre est décorée par un artiste. Citons Présence Pantchounette, Peter Fend, Lawrence Wiener, Joël Ducorroy, Ben... Également sauna, hammam, salle de relaxation...

■ ***Hôtel Le Grimaldi*** *(plan couleur I, B3,* ***33****) :* 15, rue Grimaldi. ☎ 04-93-16-00-24. Fax : 04-93-87-00-24. • zedde@le-grimaldi.com • Chambre double (standard) à partir de 72 € (472 F). Très bien situé et accueillant. Un hôtel de charme à taille humaine, où les chambres (avec climatisation, frigo, salle de bains) sont décorées avec un sens du raffinement. Celles qui donnent sur la rue sont calmes. Plus on monte, plus elles sont lumineuses. Parking à côté.

Où manger ?

Sur le pouce

Dans le vieux Nice de nombreuses spécialités délicieuses et vraiment pas chères, à l'heure du marché, cours Saleya. Faites une pause casse-croûte (la fameuse *merenda*) « Chez Thérésa », une des figures locales. On doit souvent faire la queue pour avoir une part de *socca,* grosse crêpe à base de farine de pois chiches, ou de pissaladière, tarte à l'oignon garnie de filets d'anchois et d'olives (elle tient son nom du *pissala,* condiment à base d'anchois et de diverses épices, remplacé aujourd'hui par la saumure... tout fout le camp !). Sinon, offrez-vous votre premier vrai *pan-bagnat :* un de ces célèbres sandwichs aux anchois, tomates, olives, etc., que vous trouverez encore meilleur si vous le dévorez face à la mer. Et attendez la fin du marché pour le dessert : les fruits et légumes y sont vendus pour trois fois rien un peu avant midi. À cause de la chaleur, bien sûr !

Près de la gare

Bon marché

Restaurant Voyageur Nissart *(plan couleur I, B2, **52**) :* 19, rue Alsace-Lorraine. ☎ 04-93-82-19-60. Fermé le lundi, et courant août. Deux menus à 10,52 et 16,62 € (69 et 109 F) entourent le célèbre menu niçois à 13,57 € (89 F). Une curiosité, que l'on finira un jour par regretter, témoin d'un temps que les moins de vingt ans ne risquent surtout pas de connaître. Une occasion de découvrir une cuisine du pays simple et bien faite, servie copieusement par d'authentiques Niçois. Spécialités : osso buco, sanguins à l'huile, raviolis niçois, tarte aux courgettes, farcis, poivrons à la provençale et soupe au pistou. Chaque jour, des menus différents.

Dans le vieux Nice

La Table Alziari *(plan couleur II, B1, **45**) :* 4, rue François-Zanin. ☎ 04-93-80-34-03. Fermé les dimanche et lundi, la 3e semaine d'août, ainsi que du 20 janvier au 10 février. Compter environ 18 € (118 F) pour un repas complet (boisson comprise). Dans une ruelle en pente du vieux Nice. Une déco style « Côte d'Azur », des peintures sur des murs jaunes, quelques tables dehors. Sur chacune d'elles est posée la bouteille d'huile d'olive Alziari (la marque familiale est réputée pour sa qualité !). Carte courte écrite sur une ardoise mais tout est frais car André Alziari achète chaque matin ses produits au marché du cours Saleya. Son épouse Anne-Marie mijote une cuisine familiale, préparant à sa manière des plats aux saveurs régionales : petits farcis, beignets de fleurs de courgettes, sardines, poche de veau ou alouettes sans tête. Même si ce n'est pas une spécialité niçoise, excellent steak tartare.

Restaurant du Gesù *(plan couleur II, B1-2, **75**) :* 1, pl. de Jésus. ☎ 04-93-62-26-46. Fermé le dimanche, jour du Seigneur (normal !). Congés annuels en janvier. Compter entre 15,24 et 18,29 € (100 et 120 F) à la carte. Un restaurant tout à fait à l'image du vieux Nice : italo-niçois, de l'accueil à l'ambiance, en passant bien sûr par les spécialités maison. De très bonnes pizzas, des pâtes fraîches, tout le répertoire des classiques : farcis, beignets... Ici, tout le monde se tutoie, c'est parfois un peu la bousculade, mais franche rigolade assurée.

Café-restaurant de la Bourse

(plan couleur II, B1, ***53****) :* 15, pl. Saint-François. ☎ 04-93-62-38-39. À l'entrée de la rue Pairolière, dans le vieux Nice. Ouvert uniquement le midi. Fermé le lundi. Congés annuels la 2e quinzaine de janvier. Menu à 9,91 € (65 F). Une adresse qui ne paie pas de mine, et qui est aussi un bar fréquenté par des locaux, souvent rigolards. On y goûte une bonne cuisine maison, copieuse, que la Niçoise de patronne mitonne simplement. Service également sans façons, aimable. Une adresse d'habitués. Apéritif maison offert sur présentation du *GDR*.

🍽 ***Nissa La Bella*** *(plan couleur II, B2,* ***55****) :* 6, rue Sainte-Réparate. ☎ 04-93-62-10-20. En été, fermé le midi du mardi au vendredi ; hors saison, le mardi toute la journée et le vendredi midi. Congés annuels du 1er au 15 juin. Compter 19,82 € (130 F) à la carte, tout compris. Ici, vous allez trouver la cuisine provençale section niçoise dans toutes ses saveurs, ses senteurs. Une belle salle largement ouverte sur la rue avec des murs ocre. Autre salle, à l'arrière du restaurant, bien fraîche en été. Digestif maison offert aux lecteurs du *Guide du routard*.

🍽 ***La Cave*** *(plan couleur II, A1,* ***56****) :* rue Francis-Gallo. ☎ 04-93-62-48-46. Ouvert uniquement le soir. Fermé le lundi. Congés annuels de mi-janvier à mi-février. Menus de 22,87 à 28,20 € (150 à 185 F). Une fois pour toutes, ne cherchez pas une entrée dans le sous-sol. Ce petit resto du vieux Nice n'a qu'une terrasse et une petite salle bien visibles de la rue. Beaucoup de monde pour goûter une cuisine provençale fraîche et parfumée : picodon de courgettes au chèvre et basilic, feuilleté d'escargots et vinaigrette au fenouil, filet de rouget au beurre citronné à l'aneth. Et pour finir, un macaron glacé au coulis de miel. Apéritif maison offert à nos lecteurs sur présentation du *Guide du routard* de l'année.

🍽 ***L'Adresse*** *(plan couleur II, B1-2,* ***44****) :* 27, rue Benoît-Bunico. ☎ 04-93-80-15-66. Fermé le midi et le dimanche (sauf de temps en temps...). Autour de 18,29 € (120 F) à la carte. Une adresse qu'on se refile de bouche à oreille et qui devrait vous plaire, si – en bon routard – vous adorez la cuisine « des suds », puisqu'on voyage ici des côtes de la Grèce à celles de l'Espagne, de l'Afrique à l'Amérique du Sud en passant par la pointe de l'Italie. C'est malin, bien dans l'air du temps, comme la déco faite de bric et de broc, avec des lampes ô combien bricolées, des chaises et des tables dépareillées trouvées chez Emmaüs, des murs rouges et ocre à la niçoise. Simple et sympa.

🍽 ***L'Escalinada*** *(plan couleur II, B1,* ***57****) :* 22, rue Pairolière. ☎ 04-93-62-11-71. Ouvert tous les jours. Menu à 18,29 € (120 F). Ici, on sert depuis plus de 45 ans les spécialités niçoises : cochon de lait farci *(porchetta),* poche de veau farci, raviolis et gnocchi maison... On mange au pied des escaliers de la vieille ville, comme l'indique le nom de l'établissement. Apéritif maison offert, avec une part de pissaladière.

🍽 ***Acchiardo*** *(plan couleur II, B2,* ***59****) :* 38, rue Droite. ☎ 04-93-85-51-16. Fermé le samedi soir et le dimanche. Congés annuels en août. Le midi, plat du jour à 9,91 € (65 F). Compter 18,29 à 22,87 € (120 à 150 F) à la carte. N'accepte ni les chèques ni les cartes de paiement. Encore une adresse à recommander à ceux et celles qui veulent vivre au vrai cœur de Nice. Les toiles sont cirées, les réparties vont bon train, les tripes et la daube partent chaud devant. Excellents raviolis bolognaise, au pistou, au gorgonzola... Vin maison au tonneau.

🍽 ***Le 22 Septembre*** *(plan couleur II, B1-2,* ***60****) :* 3, rue Centrale. ☎ 04-93-80-87-90. Ouvert le soir uniquement. Fermé le dimanche midi et lundi. Menus à 11,89 et 14,64 € (78 et 96 F). « Un vingt-e-deux-septembre... » Rappelez-vous la chanson de Brassens ! Ici l'ambiance est assurée, car ce restaurant est très prisé par les étudiants de la ville. Dans cette petite salle agréable, on dégustera, entre autres, une salade de mesclun avec des beignets au camembert, ou du loup au basilic. Digestif maison offert à nos lecteurs sur présentation du *Guide du routard* de l'année.

Plus chic

🍽 ***La Merenda*** *(plan couleur II, A2,* ***62****) :* 4, rue de la Terrasse. Pas de téléphone. Fermé les samedi, dimanche et jours fériés. Congés annuels la 2e quinzaine de février et les 15 premiers jours d'août. Environ 22,87 € (150 F) à la carte. Chèques et cartes de paiement non acceptés. *Merenda,* c'est le « casse-croûte » en niçois, et ils sont nombreux à le savoir ici. À tel point que la minuscule salle (24 places en tout !) est constamment pleine à craquer, surtout depuis que les fourneaux sont sous la houlette d'un ancien du *Negresco.* Il faut donc passer avant pour réserver ! Avec un peu de chance, vous y dégusterez une cuisine niçoise authentique et superbement exécutée, selon le marché du jour : tripes à la niçoise, sardines farcies, saucisses aux haricots frais, daube provençale, stockfisch, pizza (cuite en tourtière), ratatouille, etc. Accueil un peu réservé.

🍽 ***Le Grand Café de Turin*** *(plan couleur II, B1,* ***65****) :* 5, pl. Garibaldi. ☎ 04-93-85-30-87. Service de 10 h à 22 h. Menu à 15,24 € (100 F). À la carte, compter entre 22,87 et 30,49 € (150 et 200 F). La maison refuse les chèques, mais accepte les cartes de paiement. Une institution niçoise spécialisée dans les fruits de mer. On y déguste des huîtres toute la journée (en été le soir seulement), fraîcheur garantie ! Si vous hésitez, prenez un panaché de fruits de mer comprenant huîtres, amandes de mer, crevettes, bulots, violets... et oursins en saison. À l'intérieur, les deux salles ne désemplissent pas, la terrasse non plus d'ailleurs.

Bien plus chic

🍽 ***Don Camillo*** *(plan couleur II, B2,* ***76****) :* 5, rue des Ponchettes. ☎ 04-93-85-67-95. Entre le cours Saleya et le front de mer. Fermé les dimanche et lundi midi. Formule déjeuner à 17,53 € (115 F) et menu du marché à 28,20 € (185 F). À la carte, compter 38,11 € (250 F). Pour les amoureux de la gastronomie, voilà une adresse calme et centrale. Après s'être fait un nom dans les hauteurs du pays niçois, Stéphane Viano a choisi de se rapprocher de ses confrères et de la clientèle d'affaires. Dans une grande et belle salle pimpante, aux couleurs fraîches, aux tables bien nappées, vous pourrez déguster une cuisine du marché comme il la conçoit, bonne et sans prétention : *borsotti* de mémé Emma, risotto aux primeurs, lapin façon *porchetta.* Une carte qui entend marier terroir campagnard et poissons du pays. Service professionnel et agréable. Apéritif maison offert à nos lecteurs sur présentation du *Guide du routard* de l'année.

🍽 ***L'Auberge des Arts*** *(plan couleur II, B1,* ***77****) :* 9, rue Pairolière. ☎ 04-93-85-63-53. Fermé le dimanche, et les lundi et mardi midi. Menu à 22,56 € (148 F) le midi ; autres menus de 29,88 à 52,59 € (196 à 345 F) servis jusqu'à 21 h. À quelques pas de la gare routière, un restaurant à l'ancienne, tenu par un patron pittoresque, qui a connu une seconde jeunesse avec l'arrivée d'un jeune chef formé à bonne école à Paris. Malgré les prix, on se rue sous les voûtes du XVIIe siècle de ce restaurant attachant, proposant une cuisine niçoise revisitée (carpaccio de langoustines et panisses, saint-pierre au four servi avec artichauts et fèvettes sautés à cru et une petite émulsion d'huile d'olive à la réglisse...). Le petit menu, avec une entrée et un plat à choisir dans le second, appelé en toute logique « Autour du comté de Nice », devrait vous enthousiasmer. Apéritif maison et repas pour un enfant de moins de 12 ans par couple, offert à nos lecteurs sur présentation du *Guide du routard* de l'année.

Près du centre

🍴 ***La Petite Marmite*** *(plan couleur I, A3, **46**)* **:** 1 *bis*, rue René-Sainson. ☎ 04-93-16-28-16. Derrière le *Negresco*. Fermé le samedi midi. Menus de 12,04 à 22,87 € (79 à 150 F). Une adresse excentrée conseillée par les habitués de l'*hôtel de la Buffa* tout proche, qui croisent souvent le patron de ce petit restaurant de spécialités égyptiennes en train de faire son marché tout à côté, ce qui est bon signe. Une adresse toute simple, pleine de saveurs et de souvenirs d'Égypte, la qualité, la fraîcheur étant dans l'assiette, à des prix tout petits. Apéritif maison offert aux lecteurs du *GDR*.

🍴 ***La Patouille*** *(plan couleur I, A3, **54**)* **:** 70, rue de France. ☎ 04-93-44-03-72. Ouvert du lundi au samedi, de 10 h à 14 h et de 18 h à 23 h. Plat du jour à 10,37 € (68 F). Compter environ 13 € (90 F) pour un repas. Dans une rue tranquille, parallèle à la promenade des Anglais. Les plats du jour sont écrits sur une ardoise à l'extérieur. Petite salle fréquentée par les habitués du quartier. On y sert une généreuse cuisine nissarde ainsi que (certains jours) l'aïoli avec des légumes frais et de la morue.

🍴 ***The Jungle Arts*** *(plan couleur I, C2, **47**)* **:** 6, rue Lépante. ☎ 04-93-92-00-18. Fermé le dimanche. Congés annuels en août. Tous les midis, formule autour d'un plat du jour à 10,65 € (70 F) ; le soir, menu à 16,75 € (110 F). Un lieu mode, qui réunit en fait toutes les cuisines du monde, toutes les envies de vivre de son tenancier, Hamid el-Filali, qui – en vingt ans de métier – a tâté du hamburger à cheval, du magret d'oie, du kangourou, de la cuisine africaine, etc. Décor de savane imaginaire. Banquette en fer collé et lustres pour le contraste, du jaune, de l'orange, de l'ocre et des peaux de bête encadrées, y'a pas à dire, ça déménage... Apéritif maison offert à nos lecteurs sur présentation du *Guide du routard* de l'année.

🍴 ***Le Lydo*** *(plan couleur I, D2, **67**)* **:** 44, bd Risso. ☎ 04-93-89-62-19. Fermé le dimanche. Congés annuels 3 semaines en août. Formule à 11,28 € (74 F) le midi, menus à 14,41 et 19,82 € (94,50 et 130 F). Planté sur une artère où l'on ne vient pas pour faire du tourisme, en lisière du vieux Nice. Si la vue n'est pas formidable, en revanche on y mange bien. Les gnocchis niçois aux cèpes ou le flan d'orties au beurre rouge fondent tout seuls. Le croustillant de saint-pierre aux pommes et le feuilleté de selle d'agneau au banon et au basilic permettent de découvrir une cuisine d'humeur provençale réalisée avec beaucoup de savoir-faire. Par contre, le service lui aussi a parfois ses humeurs, vous êtes prévenu. Et un digestif maison offert sur présentation du *GDR* de l'année, un !

🍴 ***Lou Mourelec*** *(plan couleur I, C2, **68**)* **:** 15, rue Biscarra. ☎ 04-93-80-80-11. Fermé le dimanche et le lundi soir. Congés annuels en août et en décembre. Plats du jour de 8,54 à 10,67 € (56 à 70 F) ; menus le soir à 19,82 et 27,44 € (130 et 180 F). En nissart, *lou mourelec* signifie le « bec fin ». Le cadre est simple en forme de bistrot niçois, à l'image de la cuisine qui décline tous les produits de Provence. Le midi, uniquement des plats du jour : vous pourrez trouver des raviolis à la daube, des sardines farcies à la brousse, des poulpes à la niçoise. Le soir, les assiettes mettent leurs tenues de fête avec une belle soupe de poisson de roche, du poulpe à la niçoise, des ravioles de foie gras au consommé de volailles. Apéritif maison offert à nos lecteurs sur présentation du *Guide du routard* de l'année.

🍴 ***Le Rive Droite*** *(plan couleur I, C3, **69**)* **:** 22, av. Saint-Jean-Baptiste. ☎ 04-93-62-16-72. Fermé le dimanche. Menu unique à 27,44 € (180 F). Si vous voulez manger typiquement niçois à Nice, vous pouvez vous rendre juste derrière le *musée d'Art moderne* dans ce beau restaurant au décor mignon et typique avec de grandes tables en bois. L'ambiance y est chaleureuse et la cuisine mérite vraiment le détour. Toutes les spécialités sont là :

beignets de fleurs de courgettes, *secca* d'Entrevaux au chèvre chaud, poivrons grillés au *pissala*, raviolis aux cèpes, rougets farcis, et une belle tarte aux figues flambée en dessert. Apéritif maison offert à nos lecteurs sur présentation du *Guide du routard* de l'année.

Un peu plus loin du centre

🍽 ***Restaurant de l'école hôtelière*** *(hors plan couleur I par A3,* ***71****) :* 163, bd René-Cassin. ☎ 04-93-72-77-79. À côté de l'aéroport, dans le quartier moderne de l'Arenas. En bus, prendre le n° 23 jusqu'au lycée hôtelier. Ouvert le midi du lundi au vendredi ; réservation obligatoire et nécessité d'arriver avant 12 h 30. Fermé le week-end et pendant les vacances scolaires. Menus de 9,91 à 20,28 € (65 à 135 F). À découvrir en allant visiter le musée des Arts asiatiques ou pour toute autre bonne raison, le rapport qualité-prix étant imbattable.

🍽 ***L'Olympic*** *(hors plan couleur I par B1,* ***48****) :* 1, av. Ernest-Lairolle. ☎ 04-93-52-41-61. Ouvert tous les jours de 8 h à minuit. Fermé le dimanche midi. Menus à 10,21 et 14,79 € (67 à 97 F). À la carte, compter entre 7,62 et 15,24 € (50 et 100 F). Un petit restaurant-snack de quartier en face de la rotonde du « stade du Ray », dans le quartier du parc Chambrun, d'où la présence sur les murs d'hommages marqués à l'équipe niçoise. Pour ceux qui passeraient par là, sportifs ou non, une ambiance vraiment conviviale, des pizzas, carpaccios et plats cuisinés au feu de bois (lasagnes le week-end). Apéritif maison offert à nos lecteurs sur présentation du *Guide du routard* de l'année.

🍽 ***L'Auberge de Théo*** *(hors plan couleur I par C1,* ***73****) :* 52, av. Cap-de-Croix. ☎ 04-93-81-26-19. Dans le quartier de Cimiez. Service jusqu'à 22 h 30. Fermé le lundi. Congés annuels du 20 août au 10 septembre. Menu à 18,29 € (120 F) le midi en semaine ; autres menus à 25,92 et 38,11 € (170 et 250 F). Sur les hauteurs de la ville, dans un charmant patio, c'est Florence en pays niçois et toute l'Italie dans les assiettes : pâtes fraîches aux gambas, poissons grillés à l'*aceto balsamico,* grillades au feu de bois... Digestif offert à nos lecteurs sur présentation du *Guide du routard* de l'année.

Autour du port

🍽 ***La Zucca Magica*** *(plan couleur I, D3,* ***49****) :* 4 *bis*, quai Papacino. ☎ 04-93-56-25-27. Fermé les dimanche et lundi. Menus à 13,72 € (90 F) le midi, 19,82 € (130 F) le soir. Un lieu pour les grands enfants prêts à vivre un conte de fées et qui n'en reviendront pas de pouvoir dîner à la table d'un ogre végétarien, cousin de Pavarotti. Pas d'enseigne, Marco Folicardi n'en a pas besoin. Lorsqu'il a quitté Rome avec sa compagne pour ouvrir ce drôle de resto rempli de « coureuses de jardin » (les fameuses « courges » magiques aux yeux des enfants d'Halloween !), tout le monde lui a prédit l'échec. Aujourd'hui, à chaque service, il refuse du monde. Pas de carte, on goûte ce qu'il veut, quand il le veut, en fonction du marché et des légumes qui mijotent dans les marmites. Dans la pénombre éclairée par de multiples bougies (venez le soir, la *Zucca* – la « Citrouille » – est encore plus magique !), vous devinez à peine ce qui vous arrive dans l'assiette : lasagnes odorantes, poivrons farcis *a la pasta, canelloni* à la roquette, tourtes de citrouille et gorgonzola, le tout servi copieusement... Petits prix, surtout, pour une cuisine végétarienne pleine de saveurs, à base de pâtes, de pois chiches, de lentilles, de haricots. Fellini aurait adoré. Café offert aux lecteurs du *GDR*.

🍽 ***Chez Pipo*** *(plan couleur I, D3,* ***72****) :* 13, rue Bavastro. ☎ 04-93-55-88-82. Ouvert du mardi au dimanche uniquement le soir, à partir de 17 h 30. Fermé le lundi. Congés annuels la 2e quinzaine de janvier et la 1re quinzaine de décembre. Compter toujours autour de 7,62 € (50 F). Derrière le port, la salle est un peu sombre. De l'extérieur, on devine de longues tables en bois sur lesquelles tout le monde se retrouve au coude à coude. Ici, la lutte des classes est abolie. Bourgeois et ouvriers se retrouvent à la même table pour célébrer la *socca* fraternellement. Spécialité niçoise s'il en est, les vieux du pays vous diront que c'est ici qu'on mange la meilleure de Nice, donc la meilleure du monde. Et pourtant, on n'est pas à Marseille ! C'est vrai qu'elle vaut le détour, comme la pissaladière et la tourte à la courgette ou celle aux blettes sucrée. Vous ne mangerez que cela ici. Le chef ne se disperse pas.

Le Sextant *(hors plan couleur I par D3,* ***74****)* **:** 60, bd Franck-Pilatte. ☎ 04-93-55-82-77. Pour s'y rendre, bus no 32, arrêt « La Réserve ». Ouvert tous les jours, le midi seulement. Fermé en janvier. Menu à 12,96 € (85 F) en semaine, 15,24 € (100 F) les dimanche et jours fériés. Il est difficile à Nice, voire très onéreux, de déjeuner en regardant la Grande Bleue. Ici, c'est possible dans ce petit restaurant en contrebas du boulevard. On a les pieds dans l'eau, enfin presque ! Menu avec entrées à volonté, plat du jour (spécialités niçoises), dessert, un pichet de vin.

Plus chic

Les Pêcheurs *(plan couleur I, D3,* ***63****)* **:** 18, quai des Docks. ☎ 04-93-89-59-61. Sur le vieux port, après le quai des Deux-Emmanuel. Fermé les mardi et mercredi soir de décembre à avril, les mercredi et jeudi midi de mai à octobre. Congés annuels en novembre et mi-décembre. Menu à 25,15 € (165 F). Très bien situé, à 10 m des voiliers blancs et face au rocher boisé du château magnifiquement éclairé le soir. Décor typique avec filets de pêche et casseroles en cuivre un peu partout. Salle climatisée. On y vient pour la bouillabaisse, vraiment délicieuse et fraîche. Sinon, nombreuses spécialités au menu : soupe de poisson de roche aux favouilles, bourride...

L'Âne Rouge *(plan couleur I, D3,* ***50****)* **:** 7, quai des Deux-Emmanuel. ☎ 04-93-89-49-63. Fermé le mercredi. Menus à 24,09 et 31,71 € (158 et 208 F), dégustation à 39,33 et 52,59 € (258 et 345 F). Une adresse qui a retrouvé une seconde jeunesse, face au port, sous la direction d'un chef ayant un don certain pour maîtriser la cuisine à base de poisson, depuis la lasagne de moruette relevée au gingembre jusqu'à la morue fraîche en écailles de pommes de terre. Non, on n'est pas dans un restaurant portugais, mais chez un grand de la cuisine niçoise, d'où un service en apparence coincé et une clientèle habillée (soit dit en passant pour qui aurait l'idée de venir là en short !). Pourquoi « L'Âne Rouge » ? Cherchez peut-être du côté de Pagnol et d'un certain personnage « têtu comme un âne rouge »...

Où déguster une glace ? Où boire un verre ? Où sortir ?

Wayne's *(plan couleur II, A2,* ***80****)* **:** 15, rue de la Préfecture. ☎ 04-93-13-46-99. À l'entrée du vieux Nice. Ouvert tous les jours, de 11 h à 1 h. Ici, ambiance garantie ! La bière coule à flots (de la brune pour les blondes !). Tous les soirs, un groupe joue une musique rock aux tendances *Pop*. À l'entrée, collection d'allumettes, au plafond, des casquettes. On peut même y manger des hamburgers et autres nourritures tex-mex. En bon Anglais, Wayne (il est né à Londres) ne se plaint que d'une chose : sa clientèle de jeunes fous (et de belles créatures, hmm !) est avant tout américaine !

🍸 ***Le Bar des Oiseaux*** *(plan couleur II, A2,* ***81****)* **:** 8, rue de l'Abbaye. ☎ 04-93-80-27-33. Ouvert de 12 h à 15 h et de 19 h à 0 h 30. Fermé les lundi soir, samedi midi et dimanche. Sandwichs et assiettes composées autour de 6,86 € (45 F). D'abord, il y a le lieu, extérieurement un petit bar sans prétention, et une fois entré, surprise ! Des perruches, des inséparables ou autres rossignols volent en liberté, quelques vieilles publicités sont accrochées aux murs. En fond sonore, de la musique, juste ce qu'il faut pour avoir une conversation sans s'époumoner. Dans un coin, une toute petite scène : Noëlle Perna, la patronne, qui ne se contente pas d'œuvrer dans la limonade, joue par période un one-woman-show sur la vie niçoise. Une pièce drôle et pertinente... on y apprend, entre autres, à manger le *pan-bagnat*. À ce rendez-vous des artistes locaux, on peut également déguster quelques apéritifs provençaux comme le rinquinquin à la pêche, la gentiane de Lure ou la farigoule (liqueur à base de thym !). Café offert aux lecteurs du *Guide du routard*.

🍸 🍦 ***Fenocchio*** *(plan couleur II, B1,* ***82****)* **:** 2, pl. Rossetti. ☎ 04-93-80-72-52. Ouvert tous les jours. Fermé de novembre à janvier. Pour tous ceux qui n'imaginent pas une journée sans glace ou sorbet... Ici, dans cette institution niçoise, on a l'embarras du choix avec plus de 70 parfums, de l'amande à la fleur de lait (!) jusqu'à la tomate-basilic en passant par les pruneaux, le marasquin, le gingembre ou le chewing-gum !

🍸 ♪ ***Iguane Café*** *(plan couleur I, D3,* ***83****)* **:** 5, quai Deux-Emmanuel. ☎ 04-93-56-83-83. Le long du port. Ouvert tous les jours de 22 h à 4 h. Le rendez-vous de tous les fêtards de la ville... On y danse toute la nuit au son des musiques du moment, mais aussi des rythmes exotiques (afro-cubain, brésilien, reggae...). Pour entrer, il suffit d'avoir le sourire et une bonne gueule, comme vous !

À voir

La vieille ville *(plan couleur II)*

Elle est délimitée par le Château, le boulevard Jean-Jaurès et le cours Saleya. Si, au début, les premiers habitants s'installèrent sur la colline du Château, dès la fin du XIIIe siècle la population descendit vers l'ouest. Au XVIe siècle, avec les travaux de fortification, plus personne n'habita la ville haute. Au XVIIIe siècle enfin, les rues Pré-aux-Oies (François-de-Paule) et la place Victor (Garibaldi) furent construites.

Il faut flâner dans le vieux Nice aux rues vivantes (près du boulevard Jean-Jaurès) ou presque désertes, labyrinthe hors du temps de passages et ruelles qui fleurent bon l'Italie. N'hésitez pas à y passer de longues heures, à remarquer les nombreuses plaques sur les façades, à pénétrer dans les sombres églises et surtout à parcourir les rues marchandes où les boudins en guirlande côtoient les tee-shirts accrochés, où les poulets qui tournent à la broche regardent les sacs à main suspendus dans la boutique voisine.

★ ***Le Château*** *(plan couleur II, B2)* **:** nom donné à une colline aménagée aujourd'hui en promenade. Au XIIe siècle, tout le sommet de ce belvédère était occupé par la ville et son château fort. En 1705, alors que la ville se donne à Louis XIV, il ne reste que les ruines d'un château qui a subi 41 jours de siège. Pourtant, le roi ordonne la destruction totale de la garnison – qui est anéantie.

Plusieurs accès possibles. Les paresseux disposant de quelques pièces de monnaie prendront l'ascenseur à l'extrémité du quai des États-Unis. Les sportifs grimperont par le sentier qui part de la pittoresque rue Rossetti, ou

emprunteront à partir de la rue Pairolière, près de la place Saint-François et de la rue Dufour, la montée Monica-Rondelluy. Les rêveurs monteront à partir de la rue Catherine-Ségurane. La pente est douce, vue superbe sur le vieux port et le mont Boron.
Le parc du château est ouvert tous les jours de 7 h à 19 h. Assez peu de monde. Les bruits de la ville s'atténuent progressivement parmi les chênes verts. On peut y voir en cherchant bien quelques pierres du château et de la cathédrale Sainte-Marie qui a subi le même sort. Sur l'emplacement de l'ancien donjon (altitude : 92 m), vue géniale sur la baie des Anges, la vieille ville au premier plan avec ses toits de tuiles et ses clochers, et au loin le cap d'Antibes.
Possibilité d'assister tous les jours à midi au « tirer de canon » de la terrasse inférieure du château. Vieille coutume écossaise introduite à Nice en 1862 par sir Thomas Coventry, un touriste britannique richissime qui détestait plus que tout déjeuner en retard. À partir de 1881, toutes les horloges de la ville se réglèrent sur ce « canon de midi », coutume connue à l'époque des seuls habitants du Cap et d'Édimbourg.

★ ***Le cimetière*** *(plan couleur II, B1)* **:** descendre d'abord vers la vieille ville, puis suivre l'allée François-Aragon. Essayer d'y aller un dimanche matin, quand sonnent les cloches de toutes les églises. Nombreuses tombes en marbre blanc qui se détachent sous le ciel bleu. Un endroit d'une grande sérénité. Vue magnifique sur les montagnes environnantes. Inauguré en 1783, il fut implanté ici pour des raisons de salubrité publique. Avant cette date, les Niçois enterraient leurs morts autour des églises, jusqu'à saturation. La municipalité prit donc la décision d'installer le cimetière sur le site de l'ancienne citadelle. Il y en a eu d'autres depuis à Cimiez, à Caucade...
Immédiatement devant vous en arrivant se dresse le monument dédié aux victimes de l'incendie du théâtre municipal qui se trouvait à l'emplacement de l'actuel opéra. Mais ce qui frappe surtout, c'est la débauche de monuments, de statues qui surplombent les tombes. On pense aux cimetières italiens, où la douleur s'exprime de mille et une façons souvent très ostentatoires. Le monument le plus important est celui dédié à la *famille François Grosso.* On le voit de très loin, même de la place Masséna. Le père, le chapeau à la main, y est sculpté avec sa femme et les têtes émouvantes de ses deux bambins.
À droite, en montant, vous verrez le tombeau-monument, gardé par deux lions, de *Robert Hudson,* premier baron Hamshead, comte de Lancaster : une femme voilée se prend le front dans la main d'un geste désespéré. Parmi les autres célébrités : la *famille Jellinek Mercedes.* Une plaque rappelle qu'en 1902 Émile Jellinek donna le prénom de sa fille Mercedes aux produits de la Daimler Motorengesellschaft. Non loin, on reste perplexe devant le monument de la *famille Gastaud* où une main essaie de soulever un couvercle du cercueil. Au milieu de cette petite terrasse surélevée, avec vue sur la baie de Nice, monument à la gloire de *Gambetta,* offert par la Ville. La petite chapelle du cimetière avec sa coupole de tuiles vernissées polychromes est adorable. *Gaston Leroux,* l'auteur du célèbre *Rouletabille,* repose près de la porte d'entrée.
Pour finir avec cet endroit pourtant si paisible et si beau, allez sur la tombe de *Garibaldi,* « le plus illustre Niçois » : c'est dans une petite allée à gauche, après le monument aux morts de l'incendie du théâtre.

★ À côté, le ***cimetière juif*** *(plan couleur II, B1)* **:** tombes anciennes.

★ ***La chapelle Saint-Martin-Saint-Augustin*** *(plan couleur II, B1)* **:** rue Sincaire. Presque au pied du château en redescendant vers la rue Catherine-Ségurane. Un des plus beaux monuments de style baroque de la région, où Luther aurait dit la messe en 1514. La plus ancienne paroisse de Nice.
Dans le chœur, grand retable représentant saint Augustin montant au ciel, *Pietà* de 1489, et un saint Antoine de 1530 de Louis Brea. À droite en

entrant, vous verrez un boulet de canon tiré par Aladin Barberousse, le 15 août 1543, tandis qu'à gauche vous pourrez lire la photocopie de l'acte de baptême de Garibaldi, daté de l'an 1807, jour 19 du mois de juillet.

★ ***La place Garibaldi*** *(plan couleur II, B1)* **:** elle fut construite dans la seconde moitié du XVIIIe siècle sur ordre du comte de Savoie. Par cette place circulaire, il voulait marquer le point de départ de la route menant à Turin. Dédiée successivement au comte, à la République, aux deux Napoléon, elle ne devint Garibaldi qu'en 1870. Et elle a toujours belle allure avec ses grandes maisons ocre à arcades. Au centre, statue de Garibaldi entourée de jets d'eau et de massifs de verdure, regardant vers l'Italie. Au sud-ouest de la place, *chapelle du Saint-Sépulcre* ou *des Pénitents-Bleus,* à la façade néo-classique et au clocher triangulaire.

★ ***Le port*** *(plan couleur I, D3)* **:** de la place Garibaldi, prendre la rue Cassini. Avec la *place de l'Île-de-Beauté* au milieu de laquelle se dresse l'*église Notre-Dame-du-Port,* les deux quais Emmanuel-II et Papacino constituent un très bel ensemble architectural ; c'est un agréable endroit pour se promener et admirer les façades ocre (début XIXe siècle). Pour une promenade en mer : *Trans-Côte-d'Azur.* ☎ 04-92-00-42-30. Ouvert de juillet à septembre. Balades aux îles de Lérins.

★ ***La place Saint-François*** *(plan couleur II, B1)* **:** de la rue Pairolière, très commerçante (autrefois rue des Chaudronniers, du niçois *pairou* : chaudron), on atteint cette adorable petite place avec ses arcades et ses murs jaunes où se tient chaque matin un pittoresque marché aux poissons. Belle façade restaurée du XVIIIe siècle de l'ancienne maison communale, aujourd'hui bourse du travail, de style baroque. De là, prendre la rue Droite, qui ne l'est pas vraiment, et qui était comme dans toutes les villes médiévales le chemin le plus court pour aller d'un rempart à l'autre. À l'angle de la rue Droite et de la place du Jésus, *boulangerie Espuno* (fermé les lundi, mardi et fin juin) : grande variété de pains (aux olives, au fenouil, au roquefort, à l'anis !), dont le pain spécial pour la bouillabaisse, très local.

★ ***Le palais Lascaris*** *(plan couleur II, B1)* **:** 15, rue Droite. ☎ 04-93-62-05-54. Ouvert de 10 h à 12 h et de 14 h à 18 h. Fermé le lundi et certains jours fériés. Visite guidée : 3,05 € (20 F). Entrée gratuite pour les visites libres. *Visite du vieux Nice baroque* (palais Lascaris, église du Gesù, cathédrale Sainte-Réparate) : tous les mardis et dimanches à 15 h. Rendez-vous au palais Lascaris. Tarif : 6,80 € (44,60 F).
Ce palais noble fut édifié en 1643 par Jean-Baptiste de Castellar et il resta dans la famille jusqu'à la Révolution. Il appartint ensuite à divers propriétaires dont une société qui n'hésita pas à le diviser en appartements. En 1922, la ville de Nice le racheta.
Construit dans le style des grands palais génois, le palais fut influencé par les traditions locales. Au rez-de-chaussée, à droite en entrant, *pharmacie* abritant une belle collection de vases et de chevrettes du XVIIIe siècle. Les boiseries, avec de nombreux tiroirs comme on aimerait en avoir chez soi, sont superbes.
Par un escalier monumental, orné de fresques du XVIIe et de niches du XVIIIe siècle, on accède au 2e étage dit *étage noble* ; salons d'apparat avec plafonds décorés, tapisseries flamandes. Boiseries du XVIIIe siècle. Dans l'antichambre, séparée de la chambre d'apparat par une cloison de bois ajourée, clavecin italien de 1578 sur lequel figurent des peintures très décoratives avec, pour thème, des patineurs.
Au 3e étage, vous découvrirez un véritable *musée des Arts et Traditions populaires.* Des petites pièces ont été aménagées pour montrer l'évolution de nombreuses activités traditionnelles, telle la préparation du pain, du beurre. Un intérieur domestique d'autrefois a été reconstitué, et tous les éléments qui en font partie sont référencés. Tout cela est présenté de façon très claire.

En sortant, à gauche de l'entrée à l'angle de la rue de la Loge, ne manquez pas le boulet incrusté dans le mur. Il fut tiré en 1545 par les Turcs, alliés de François Ier.

★ ***L'église Saint-Jacques*** *(plan couleur II, B2)* **:** après avoir traversé la rue Rossetti aux belles façades pastel, continuez à suivre la rue Droite. Sur la gauche, vous trouverez l'église Saint-Jacques, ancienne église des Jésuites, inspirée du Gesù de Rome. À l'intérieur, tout reflète l'éclat du baroque : chapiteaux sculptés, marbre polychrome des pilastres, etc. Une seule nef couverte de fresques représentant la vie de saint Jacques. Remarquez la chaire d'où dépasse un bras tenant un crucifix.

★ Retournez sur vos pas et descendez la fraîche rue Rossetti ; vous croiserez la *rue Benoît-Benico,* qui fut autrefois le ***ghetto de Nice.*** Se prolongeant jusqu'à la mer, la rue s'appelait *rue Giudaria* (traduisez « rue aux Juifs »). Une loi de 1430 ordonna qu'une rue sûre et close soit réservée aux juifs de la ville. Au coucher du soleil, chaque extrémité de la rue était fermée par des grilles. On n'avait pas prévu qu'il serait possible de s'en échapper grâce aux caves des immeubles. Au XVIIIe siècle, le roi de Sardaigne décréta que les juifs devaient porter l'étoile jaune. Cette disposition fut maintenue jusqu'à la Révolution !
En descendant toujours la rue Rossetti, vous arrivez à l'agréable *place Rossetti* et ses cafés. Sur la façade de la Gitane, à droite une plaque : « Ici Antonia, la marchande de journaux, et Jalliez, le normalien, héros de la «Douceur de la vie», commencèrent leurs amours sur cette place ». Il s'agit, vous l'avez reconnu, d'un extrait du tome 18 des *Hommes de bonne volonté* de Jules Romains, où celui-ci décrit admirablement le vieux Nice.

★ Quant à la ***cathédrale Sainte-Réparate*** *(plan couleur II, A-B1),* du XVIIe siècle, dont vous avez déjà aperçu le dôme caractéristique à lanterne qui brille de ses tuiles vernissées à bandes émeraude, elle offre une façade classique qui se caractérise par sa lourdeur et son manque de décors, flanquée d'un clocher ajouté au XVIIIe siècle. À l'intérieur, maître-autel, balustrade et chaire en marbre armoriés. Dans la 4e chapelle à gauche, belle statue en bois polychrome du XVIIe siècle de Notre-Dame de l'Assomption. Nombreuses reliques dont le squelette de saint Alexandre, qu'on invoque pour faire tomber la pluie. Dommage qu'un incendie y ait détruit de nombreuses œuvres d'art.

★ ***La chapelle Saint-Giaume*** *(plan couleur II, B2)* **:** on la nomme aussi *chapelle de l'Annonciation* mais les Niçois l'appellent *Sainte-Rita.* Cette sainte italienne, dont le prénom vient du latin *margarita* (perle), est l'objet d'un véritable culte de la part des Niçois. Dans la première chapelle à gauche, vous la découvrirez sous des brassées de fleurs, entourée de nombreux cierges allumés. L'intérieur est décoré à la mode des églises baroques d'Italie : profusion de stucs, de marbres et richesse des retables.

★ ***La rue de la Préfecture :*** elle est parallèle au cours Saleya. Au *no 23* logea et mourut, en 1840, *Paganini,* chez le comte de Cessole. Le musicien scandalisait ses voisins en imitant, avec son violon, les miaulements des chats. Le considérant comme possédé du diable, l'évêque de Sainte-Réparate lui refusa une sépulture chrétienne. On parla même de jeter sa dépouille dans le Paillon. Le comte de Cessole transporta le corps à Villefranche puis aux îles de Lérins. Deux ans plus tard, il fut autorisé à le transporter au cimetière de Gênes. Ensuite, nouveau transfert dans la propriété de Paganini, près de Parme, avant d'être définitivement enterré au nouveau cimetière de Parme en 1896.
Rue de la Préfecture toujours, au *no 22,* sculptures aux étages ; il faut monter bien sûr. Au *no 18,* maison de la famille Capello, fenêtres à colonnettes.

★ ***Le cours Saleya*** *(plan couleur II, A-B2)* **:** « Tous les chemins mènent à Rome ; dans le vieux Nice, ils mènent au cours Saleya » (Louis Nucera). On

aime beaucoup cette promenade élégante de l'Ancien Régime, bordée au sud d'une double rangée de maisons basses à un étage.
Il faut y aller pour son célèbre ***marché,*** très coloré, avec ses bâches aux larges rayures, mais aussi pour les boutiques, et les terrasses de cafés qui l'animent. Le lundi matin, marché à la brocante intéressant : vieux disques, livres, jouets de toutes sortes, argenterie 1930, etc. L'endroit a été bien restauré ; les sorties de parking sont dissimulées derrière de jolies peintures en trompe l'œil. Pour construire le marché il fallut, hélas, abattre en 1900 des ormes splendides.
Au fond de la place qui juxtapose le cours Saleya, grand palais de la *préfecture,* avec sa façade du XVIIIe siècle qui alterne colonnes doriques et corinthiennes. C'était l'ancienne résidence des gouverneurs du comté.
Mais c'est surtout la *chapelle de la Miséricorde* ou des *Pénitents-Noirs* qui retient l'attention : chef-d'œuvre du baroque, elle fut construite en 1736. Ouvert uniquement le dimanche pour la messe de 10 h 30. À l'intérieur (visite dans le cadre des circuits-conférences), on est surpris par la virtuosité architecturale et le luxe de l'endroit. L'association des stucs et des ors est parfaite. Dans la sacristie, *retable de la Vierge de Miséricorde* de Jean Miralhet (1420) et une autre *Vierge de Miséricorde* attribuée à Louis Brea et dans laquelle l'influence de la Renaissance italienne est très nette.

★ ***Le palais du Sénat :*** bel édifice de style génois agrandi au XVIIIe siècle, qui s'élève à l'extrémité du cours Saleya. À côté, *chapelle de la Trinité,* devenue *des Pénitents-Rouges.*

★ ***La rue Saint-François-de-Paule*** *(plan couleur II, A2)* ***:*** à l'autre extrémité du cours Saleya. Au *no 2, Bonaparte* installa ses quartiers en 1796. Au *no 8* habitèrent le frère de *Robespierre* et de nombreux conventionnels.

★ ***L'opéra*** *(plan couleur II, A2)* offre une façade typique de l'architecture Belle Époque, avec sa superbe marquise. Il se trouve à l'emplacement de l'ancien théâtre municipal qui avait brûlé en 1881. Il fut reconstruit sur le modèle du palais Garnier à Paris. Une institution qui connaît encore de beaux jours et surtout de grandes soirées, avec des artistes de prestige, mais où il est hélas difficile pour les amateurs de trouver des places.

★ En face, l'***église Saint-François-de-Paule,*** très sobre, presque austère, transition exemplaire entre le baroque et le néo-classicisme. À l'intérieur, dans la première chapelle à droite, la *Communion de saint Benoît,* attribuée à Van Loo qui était... niçois.

★ À côté de l'église, ***Auer,*** le célèbre fabricant niçois de fruits confits tout gorgés de soleil. La boutique très rétro, avec moulures, lustres, ne vous fera pas résister à l'envie d'y entrer. Hélas, l'ancien salon de thé n'existe plus. Il a été remplacé par un salon des fruits confits et par une chocolaterie. Possibilité de visiter les ateliers et de voir comment, selon les périodes, sont fabriqués fruits et chocolats. On y trouve même des fraises confites – ce qui est assez exceptionnel –, absolument inoubliables.

– Et puis n'oubliez pas d'acheter de l'huile d'olive au 14, rue Saint-François-de-Paule, chez ***Alziari*** (fermé le dimanche et le lundi). Elle est vendue dans des bidons d'aluminium avec de jolies étiquettes.

Le front de mer

★ ***La place Masséna*** *(plan couleur II, A1-2)* ***:*** c'est le centre de Nice. Superbe ensemble architectural avec ses immeubles sur arcades, aux façades rouge ligure, construit à partir de 1815. Belle fontaine dans la partie sud, décorée de bronzes qui représentent les planètes.
Grâce à la démolition de l'ancien casino municipal, remplacé par des jardins, avec jets d'eau, les perspectives sont très ouvertes et le *jardin Albert-Ier* se

prolonge par une large promenade bien aménagée. Au nord de la promenade s'ouvre l'*avenue Jean-Médecin,* très vivante, bordée de nombreux magasins.
À l'ouest, c'est la zone piétonne qui ressemble aux zones piétonnes de tant d'autres villes, les touristes en plus. L'énorme *arc* (de 115,5°) est signé Bernar Venet.

★ ***Le jardin Albert-Ier*** *(plan couleur I, B-C3)* **:** entre la place Masséna et la mer, au-dessus de l'embouchure du Paillon. Belles plantations de palmiers et d'arbres exotiques. Théâtre de verdure où ont lieu de nombreux concerts. Très bel éclairage la nuit, mettant en relief toutes les espèces de palmiers.

★ ***La promenade des Anglais*** *(plan couleur I, B-C3)* **:** c'est la célèbre façade de Nice qui part du jardin Albert-Ier et s'étire vers l'ouest sur plusieurs kilomètres. Depuis le XVIIe siècle, les Anglais ont appris à venir en masse à Nice pour passer la saison d'hiver. Mais ils ne résident pas dans le vieux Nice. Ils lui préfèrent le bord de mer. En 1822, le pasteur Lewis Way organise une collecte parmi la colonie britannique pour aménager une allée empierrée à la place du chemin de la plage. Bonne idée, car cela a donné du travail à de nombreux sans-emploi au cœur d'un hiver particulièrement rude. À force de reconstructions, de modifications... la promenade prend l'aspect qu'on lui connaît dans les années 1930. Malgré la circulation intense, cette longue avenue de bord de mer a fière allure. Les jeunes sur leurs rollers font bon ménage avec les moins jeunes qui s'y promènent doucement. La plage en contrebas est faite de galets qui ne découragent nullement les amateurs de bronzette.
Le long de la promenade, quelques beaux immeubles, dont le *palais de la Méditerranée,* casino inauguré en 1929, un des chefs-d'œuvre Art déco en France. Fermé en 1978, sa façade fut sauvée de la démolition au dernier moment par un classement aux Monuments historiques. Il y a des projets, des travaux, mais pour le moment on ne voit qu'une façade et un trou béant derrière.
Plus loin, le célèbre et splendide hôtel *Negresco,* très représentatif de l'architecture Belle Époque. Il fut construit en 1906 par Niermans pour le compte d'Henri Negresco. Ce dernier avait eu du nez pour imaginer les possibilités immenses de développement touristique de la promenade. Il n'en profita même pas, car la réquisition de l'hôtel pendant la Première Guerre mondiale pour en faire un centre de convalescence le ruina entièrement. Romain Gary y fut garçon d'étage en 1936. À noter : vous pouvez admirer le cadre somptueux de cet hôtel en allant boire un verre dans le hall ou le bar du rez-de-chaussée, pour un prix très raisonnable.
En continuant vers l'ouest, vous découvrirez quelques belles villas du début du XXe siècle miraculeusement épargnées, telle celle du n° 139, très style « nouille » (1910). À l'est, vous discernerez la *pointe de Rauba-Capeu* (« Chapeau-Vole » en nissart... car ça souffle, certains jours !). Jouez-y au « cadran solaire humain ». Vous vous placez dans le rond et votre ombre indique l'heure !

Cimiez

La visite des ruines romaines est décrite après celle du Musée archéologique (voir, plus loin, « Les musées »).

★ ***Le monastère*** *(plan couleur I, D1)* **:** au XVIe siècle, les franciscains s'installent à Cimiez dans l'ancien prieuré bénédictin, qu'ils restaurent et agrandissent.
Sur le parvis de l'église, colonne torse surmontée d'une croix tréflée, où est sculpté le séraphin qui apparut crucifié à saint François d'Assise.

La façade de l'église, de style dit troubadour (1850), est précédée d'un porche du XVIIe siècle. À l'intérieur, trois œuvres importantes de l'école niçoise : *Vierge de Pitié,* de Louis Brea, dans la 1re chapelle à droite ; *Crucifixion,* toujours de Louis Brea, où le fond doré a fait place à un paysage (3e chapelle à gauche) ; enfin, *Déposition,* attribuée à Antoine Brea.
Au fond, grand retable en bois sculpté baroque.
Au sud de l'église, les bâtiments conventuels sont émouvants de simplicité. Petit cloître et grand cloître dont les voûtes sont ornées d'étonnantes peintures ésotériques. Le grand cloître s'ouvre par une grille sur le jardin, en terrasses au-dessus du Paillon, planté de citronniers et de parterres fleuris. Jolie vue sur la vallée, l'ancienne abbaye de Saint-Pons, la colline du château et la mer.

★ Ne manquez pas non plus le ***cimetière de Cimiez.*** Sépultures de vieilles familles niçoises et d'artistes : *Roger Martin du Gard, Dufy, Matisse* (celui-ci est inhumé à l'extérieur de l'enceinte du cimetière, dans une oliveraie qui lui appartenait).

★ ***Cimiez*** aujourd'hui est devenu un vaste et luxueux quartier résidentiel, construit dans la deuxième partie du XIXe siècle. Le large *boulevard de Cimiez* (1881) en est l'axe principal. La *statue de la reine Victoria* devant l'ancien hôtel *Régina* nous rappelle que la souveraine y passa quelques hivers.
Matisse, lui, vécut vingt ans à Nice. Il séjourna d'abord à l'*hôtel Beau-Rivage* sur le bord de mer, qui lui rend hommage par un trompe-l'œil sur sa façade, dû à Fabio Rieti. Il s'installa ensuite aussi à l'hôtel *Régina,* où il mourut en 1954.
De nombreux palaces de Cimiez nous rappellent les fastes d'une autre époque : le *palace Régina* avec sa véranda, ses loggias, son bow-window du 3e étage, le *Winter Palace,* l'*Alhambra* et, tout en bas, l'immense *Majestic* et l'*Hermitage.* Les belles demeures ne sont pas en reste : *Il Paradiso,* transformé en conservatoire de musique, au milieu de beaux jardins, le *château de Valrose,* maintenant université de Nice, ou le *manoir de Belgrano.*
Aujourd'hui, de nombreux petits immeubles luxueux ont remplacé les villas ou envahi leurs parcs mais le quartier a préservé son côté très cossu.

Les musées

★ ***Le musée Matisse*** *(plan couleur I, C1) :* 164, av. des Arènes-de-Cimiez. ☎ 04-93-81-08-08. Bus n°s 15, 17, 20, 22 (arrêt « Arènes »). D'avril à septembre, ouvert de 10 h à 18 h ; d'octobre à mars, de 10 h à 17 h. Fermé le mardi. Entrée : 3,81 € (25 F) ; tarif réduit : 2,29 € (15 F) ; gratuit pour les moins de 18 ans et le 1er dimanche du mois.
Henri Matisse : « Voulez-vous que je vous dise ? Nice... pourquoi Nice ? Dans mon art, j'ai tenté de créer un milieu cristallin pour l'esprit : cette limpidité nécessaire, je l'ai trouvée en plusieurs lieux du monde, à New York, en Océanie, à Nice. »
Une belle demeure du XVIIe siècle, inspirée des villas génoises, abrite le musée Matisse. Derrière la façade avec le linteau des fenêtres peint en trompe l'œil, le musée a été constitué grâce aux donations d'Henri Matisse – qui s'était installé à Cimiez – puis de sa famille. Il a été rénové et agrandi.
C'est à la suite d'une bronchite que Matisse séjourne pour la première fois à Nice en 1917. Sur la Côte d'Azur, il fréquente Renoir aux Collettes (voir « Cagnes-sur-Mer »), puis Picasso avec lequel il se lie d'amitié.
Le musée rassemble des œuvres de toutes les périodes et de tous les registres de la carrière du peintre, retraçant son cheminement depuis les premiers tableaux de 1890 jusqu'aux gouaches découpées de la fin de sa vie (*La Vague, Fleurs et Fruits* et le célèbre *Nu IV*). Les salles sont organi-

sées de manière thématique : parmi l'immensité de la collection, deux salles sont consacrées à la décoration de la chapelle de Vence (60 études de 1948 à 1950), une aux célèbres papiers gouachés découpés du peintre, une autre aux études de *La Danse* de Meryon (1930-1932). Nombreux portraits de modèles et d'amis de Matisse (Aragon, entre autres) et photos signées (Brassaï, Henri Cartier-Bresson ou Pierre Boucher) de l'artiste à Nice et pendant ses nombreux voyages.
Le musée possède une importante collection de dessins. Tous les genres y sont représentés : paysages, portraits, nus, etc.
Côté peinture, ne manquez pas le *Portrait de Madame Matisse* de 1905, représentatif de la période fauve de l'artiste, ou la *Nature morte aux grenades* de 1947, chef-d'œuvre de la dernière période du peintre.
Beaucoup d'objets ayant appartenu à Matisse et dont on retrouve l'influence dans son œuvre, comme un fauteuil rayé, des guéridons, des céramiques chinoises et des étoffes marocaines, sont présentés dans les salles.
On a d'emblée affaire à un musée monographique : absence de fléchage et de gardien grincheux, tentante proximité des œuvres, dans une atmosphère méditerranéenne. À noter, le musée organise également des expositions temporaires et comprend une librairie (affiches, cartes postales et livres), un centre de documentation, un auditorium, un atelier pédagogique et un cabinet de dessins.

★ ***Le musée d'Art moderne et d'Art contemporain (MAMAC;** plan couleur I, C-D3) :* promenade des Arts. ☎ 04-93-62-61-62. • www.mamac-nice.org • Bus n°s 5 et 17 de la gare. Pour les voitures, parking payant. Ouvert de 10 h à 18 h. Fermé le mardi ainsi que les 25 décembre, 1er janvier, dimanche de Pâques et 1er mai. Entrée : 3,81 € (25 F). Entrée gratuite le 1er dimanche de chaque mois.
Dans les années 1980, de nombreuses villes de province se lancèrent dans la construction et l'exploitation de musées d'art contemporain. En général on est déçu, car ceux-ci offrent de piètres collections et manquent de réelle politique esthétique, cherchant surtout à copier Beaubourg. À Nice, au MAMAC, comme le surnomment les Niçois, on est loin de tout cela, car Nice est une ville-phare de l'art du XXe siècle. De l'*impressionnisme* à *Fluxus,* la liste des artistes ayant résidé ici est impressionnante : Matisse, Picasso, Chagall, Renoir, Klein, Raysse, Arman, Malaval, Ben...
Formé de quatre tours recouvertes de marbre de Carrare, reliées entre elles par des passerelles transparentes, le bâtiment est signé par l'architecte Yves Bayard. En plus des expositions temporaires (au 1er étage), le musée présente un aperçu didactique et complet de l'art contemporain, des avant-gardes européennnes et américaines des années 1960 à nos jours.
L'accent est mis sur le groupe des *Nouveaux Réalistes* avec les artistes : Arman, Yves Klein et Martial Raysse, qui forment la composante niçoise aux côtés de François Dufrêne, Raymond Hains, Mimmo Rotella et Niki de Saint Phalle, qui fera une donation exceptionnelle de plus de 160 œuvres courant 2002. Mais surtout ne loupez pas la fabuleuse salle Yves Klein et ses célèbres monochromes bleus (mais aussi jaune et or !). À noter le tableau de son mariage réalisé à quatre mains avec Christo en 1962, quelques mois avant sa mort.
Au 3e étage, le *pop art* est représenté en force avec Andy Warhol, Tom Wesselman, Roy Lichtenstein, Claes Oldenburg... Keith Haring est également accroché ainsi que le duo si *British*, Gilbert & George. Côté *Minimal* et *Color Field :* Frank Stella et Sol Lewitt. La *figuration libre,* elle aussi issue du Bassin méditerranéen, s'offre une salle avec Hervé Di Rosa, François Boisrond, Robert Combas et Jean-Charles Blais. *Support/surface,* un mouvement qui remet en cause les définitions classiques de la peinture à la fin des années 60, est aussi illustré avec les œuvres des artistes comme Marcel Alocco, Claude Viallat, Noël Dolla...

Enfin, plus ludique, ne loupez sous aucun prétexte la *Boutique de Ben,* un régal d'humour, une vision unique de l'art d'aujourd'hui. Ben (Benjamin Vautier de son nom) y a accumulé ses citations, des objets complètement délirants et le plus souvent détournés comme ce crucifix (mécanique !) intitulé : *C'est pas Jésus, c'est Ben qui fait l'avion pour se faire voir !*
Enfin, on termine la visite par les terrasses avec leurs vues imprenables sur la ville. On y trouve également le *Mur du feu* (il fonctionne tous les vendredis à 21 h 30) et le *Jardin d'Éden,* deux œuvres d'Yves Klein.
– Le MAMAC comprend également un *auditorium,* un *centre de documentation,* un *atelier d'art contemporain* pour les scolaires, ainsi qu'une *boutique.* Ce n'est pas celle de Ben, mais on y trouve des chaussettes signées par ce dernier, des montres de Di Rosa et de nombreux objets créés par les plus grands designers du moment.

★ ***Le musée du Message Biblique Marc-Chagall*** *(plan couleur I, C2)* **:** av. Docteur-Ménard, Cimiez. ☎ 04-93-53-87-20. Bus n° 15. De juillet à septembre, ouvert de 10 h à 18 h ; d'octobre à juin, de 10 h à 17 h. Fermé le mardi. Entrée : 5,49 € (36 F) ; tarif réduit : 3,96 € (26 F).
Un musée vraiment superbe, où l'on reste volontiers un bon moment. Le site d'abord est très agréable et reposant ! Parc planté d'oliviers, de cyprès et de chênes verts. L'architecture, ensuite, est réussie. Le musée a été spécialement conçu par l'architecte André Hermant pour recevoir les œuvres de Chagall (1887-1985).
Grâce aux décrochements muraux et aux grandes baies vitrées, la lumière joue avec les toiles très colorées et les met admirablement en valeur. On ne peut être insensible aux dix-sept tableaux monumentaux qui constituent le *Message biblique.* Douze toiles, très bien disposées, et pour cause, accrochées par Chagall lui-même, représentent l'histoire de la Création de l'homme et le Paradis terrestre, de Noé, d'Abraham, de Jacob et de Moïse. Dans une salle attenante, cinq autres toiles à dominante rouge illustrent le *Cantique des cantiques.* On comprend que la Bible fut pour le peintre « la plus grande source de poésie de tous les temps ». À voir aussi, la tapisserie du hall de l'entrée, des sculptures, gravures et lithographies, les vitraux de la salle de concert et la mosaïque extérieure.
Au total, c'est la plus importante collection permanente consacrée à Chagall. La plupart des œuvres ont d'ailleurs fait l'objet de donations de la part de l'artiste.
🍷 Pour terminer la visite, on peut boire un verre dans le parc (cafétéria ouverte d'avril à octobre). Boutique, librairie.

★ ***Le musée des Beaux-Arts*** *(plan couleur I, A3)* **:** 33, av. des Baumettes. ☎ 04-92-15-28-28. Bus n° 38 de Masséna. Ouvert de 10 h à 12 h et de 14 h à 18 h. Fermé le lundi. Entrée : 3,81 € (25 F).
Ce musée est installé dans l'ancienne et somptueuse villa construite à partir de 1878 par la princesse ukrainienne Kotschoubey. Ce témoignage de l'importante colonie russe à Nice est racheté et achevé par l'Américain Thompson, et devient musée de la ville en 1928. C'est un des derniers témoignages des fastes de la Belle Époque, sauvé de la démolition en 1973. En montant à l'étage, vous admirerez l'escalier d'honneur et la salle consacrée à Jules Chéret (1836-1932). Chéret est l'inventeur de l'affiche moderne ; il a été également décorateur – on lui doit notamment des décors à l'Hôtel de Ville de Paris, le théâtre du musée Grévin et de nombreux ouvrages dans la région. Au 1er étage, une salle est consacrée aux impressionnistes avec quelques Sisley : *Allée des peupliers, Rue de Louveciennes.* Sculptures et tableaux de Jean-Baptiste Carpeaux (1827-1875) et tableaux monumentaux de Carle et Amédée Van Loo (1705-1765). Académisme, impressionnisme, orientalisme, chaque mouvement-phare du XIXe siècle a ici droit de cité.
Depuis la fermeture du musée des Ponchettes, entièrement consacré à Raoul Dufy (1877-1953), peintre « influencé » notamment par Cézanne, le

fauvisme et le cubisme, on retrouve ici la totalité de ses toiles aux côtés d'œuvres de quelques-uns de ses amis comme Kees Van Dongen, Henri Lebasque ou Charles Camoin.

★ ***Le musée des Arts asiatiques*** *(hors plan couleur I par A3)* **:** 405, promenade des Anglais (quartier Arenas). ☎ 04-92-29-37-00. Fax : 04-92-29-37-01. • www.arts-asiatiques.com • ♿ Bus n°s 9, 10 et 23. Du 2 mai au 15 octobre, ouvert de 10 h à 18 h ; du 16 octobre au 30 avril, de 10 h à 17 h. Fermé le mardi, le 1er janvier, le 1er mai et le 25 décembre. Entrée : 5,34 € (35 F) pour les adultes, tarif réduit : 3,81 € (25 F) ; gratuit pour les moins de 14 ans et le 1er dimanche du mois.
Implanté dans un quartier aussi attirant a priori que La Défense à Paris, ce musée récent vous invite, d'entrée, à voyager loin dans le temps et l'espace, sur les ailes d'un « grand cygne blanc » posé sur son lac artificiel, à l'intérieur d'un parc floral de 7 ha. C'est au Japonais Kenzô Tange que l'on doit cette architecture pure et minimaliste qui a influencé la conception même du musée. Un musée construit autour de quatre points forts : le Japon, la Chine, le Cambodge et l'Inde, avec des œuvres bénéficiant, à l'origine, de prêts du musée Guimet, mais surtout issues d'une politique d'achat d'œuvres de grande qualité. Jouant sur la présentation plus que sur l'accumulation, ce lieu magique ne sépare plus les arts dits décoratifs des Beaux-arts, les collections anciennes servent de références historiques et esthétiques pour amener le contemporain, introduit sous la forme d'objets du quotidien.
Ici, il faut avancer selon ses envies de pièce en pièce, l'audioguide permettant cette évasion, ce voyage fantastique du disque Bi en jade de l'époque néolithique découvert en Chine du Sud au fauteuil en acier du designer Shiro Kuramata en passant par un Haniwa du VIe siècle, cheval en terre cuite du Japon... Une passerelle conduit au *pavillon du Thé,* présentant des grès remarquables, lieu d'éveil à une autre forme de culture qui accueille plusieurs fois par mois un maître de thé japonais pour des séances d'initiation qui refusent du monde. Boutique (textiles, artisanat, librairie, thé, encens...).

★ ***Le Musée international d'Art naïf Anatole-Jakovsky*** *(hors plan couleur I par A3)* **:** av. Val-Marie, château Sainte-Hélène. ☎ 04-93-71-78-33. Bus n° 9, 10 ou 12. Correspondance n° 34. Ouvert de 10 h à 12 h et de 14 h à 18 h. Fermé le mardi et certains jours fériés. Entrée : 3,81 € (25 F), tarif réduit : 2,29 € (15 F) ; gratuit pour les moins de 18 ans.
Le château Sainte-Hélène fut construit à la demande du fondateur du casino de Monte-Carlo en 1882. Le dernier occupant de cette belle demeure fut le parfumeur Coty.
Entouré d'un beau parc, ce musée fut créé grâce à la donation *Anatole Jakovsky,* critique d'art et défenseur de la peinture naïve. Il fut inauguré en 1982. Quelque 600 toiles (la moitié est exposée) retracent l'histoire de la peinture naïve du XVIIIe siècle à nos jours. Ce n'est en effet qu'au lendemain de la Révolution que cette expression artistique se développa. Les Croates, comme Ivan Lackovic, maîtres du genre, sont très bien représentés. Les Français (René Rimbert, André Bauchant), Suisses, Belges, Italiens, Américains (Gertrude O'Brady et son *Moulin de Sannois*) et les pays d'Amérique latine ne sont pas en reste. Certains tableaux ressemblent à ceux des peintres balinais exposés au Neka Museum à Ubud, en Indonésie, tels que *L'Île heureuse* de Narcisse Belle. On ne manquera pas de jeter un coup d'œil au tableau de Jean Klissak (1903-1983), *Congés payés,* une vision très critique des vacances. Un dépôt de 17 œuvres consenti par le *musée National d'Art Moderne* (*Centre Georges Pompidou* à Paris) enrichit encore cet ensemble.

★ ***Le musée de la Marine*** *(plan couleur II, B2)* **:** tour Bellanda, parc du château. ☎ 04-93-80-47-61. Ouvert de 10 h à 12 h et de 14 h à 19 h (17 h d'octobre à mai). Fermé les lundis et mardis.

Pour les passionnés de maquettes de bateaux et tout ce qui touche à la marine et à la navigation, y compris l'histoire maritime de Nice. Exposition dans la tour qu'occupa Berlioz en 1844 et où il composa l'ouverture du *Roi Lear.* Attention, le musée va être transféré au cours de l'année 2002 sur la Promenade des Anglais, Galerie de la Marine, quai des États-Unis.

★ ***Le musée de Paléontologie humaine de Terra Amata*** *(plan couleur I, D3)* **:** 25, bd Carnot. ☎ 04-93-55-59-93. Bus n°s 1, 2, 7, 9, 10 et 14 ; arrêt ligne Villefranche-Menton. En voiture, prendre la 1re rue à gauche (dans un tournant) en venant de Nice sur la Basse Corniche. Ouvert de 10 h à 12 h et de 14 h à 18 h. Fermé le lundi, le 1er mai, à Noël, le Jour de l'An et la 1re quinzaine de septembre. Entrée : 3,81 € (25 F).
Avec ses foyers aménagés, qui font partie des plus anciens actuellement connus dans le monde, le site de Terra Amata nous a laissé un grand nombre de témoignages de la vie des Homo erectus, qui s'arrêtèrent souvent ici, dans cette crique abritée au pied du mont Boron. Les fouilles ont été réalisées en 1966, alors qu'on allait construire un immeuble d'habitation. Le musée présente un moulage de sol d'habitat préhistorique, avec un foyer aménagé protégé des vents dominants par une murette de pierres et de galets. Sur le sol, quantité d'outils sur galets, d'ossements d'éléphants, de cerfs, etc., d'éclats de taille. Dans les vitrines, sont présentés tous les objets découverts au cours des fouilles.

★ ***Le Musée archéologique*** *(plan couleur I, C1)* **:** 160, av. des Arènes-de-Cimiez. ☎ 04-93-81-59-57. À côté du musée Matisse (entrée par le site, av. Monte-Croce). D'avril à septembre, ouvert du mardi au dimanche de 10 h à 12 h et de 14 h à 18 h ; d'octobre à mars, du mardi au dimanche de 10 h à 13 h et de 14 h à 17 h. Fermé le lundi et certains jours fériés, ainsi que trois semaines en novembre-décembre. Entrée : 3,81 € (25 F).
Vous y verrez les produits des fouilles réalisées à Cimiez et dans les environs. Tous les objets trouvés – céramiques, bijoux, monnaies, etc. – illustrent la vie des anciens habitants de Cemenelum, à l'époque romaine. Il faut ensuite se promener dans le site archéologique. À voir : les thermes du nord, avec piscine d'été en marbre, le frigidarium, salle de bains froids, les thermes de l'ouest, uniquement pour les femmes, et le baptistère. Quant aux *arènes* (où ont lieu des concerts du festival du jazz, en juillet), pas très grandes, elles pouvaient accueillir 5000 spectateurs. *Cemenelum* (Cimiez), capitale de la province des « Alpes-Maritimae », fut fondée en 14 av. J.-C. par l'empereur Auguste.

★ ***Le palais Masséna*** *(plan couleur I, B3)* **:** 65, rue de France. ☎ 04-93-88-11-34. La villa Masséna, construite vers 1900 sur le modèle des villas italiennes du Premier Empire, était destinée au petit-fils du maréchal Masséna, Victor. Le fils de ce dernier en fit don à la ville après la guerre de 1914-1918, à la condition que la villa soit transformée en un musée consacré à l'histoire locale : le musée fut inauguré en 1921. Le musée est aujourd'hui fermé pour transformation et restructuration ; la réouverture est prévue pour l'été 2004, avec une grande exposition.

À voir encore

★ ***La cathédrale orthodoxe russe*** *(plan couleur I, A2)* **:** av. Nicolas-II, débutant bd du Tzarewitch. ☎ 04-93-96-88-02. En été, visite de 9 h à 12 h et de 14 h 30 à 18 h ; hors saison, de 9 h 30 à 12 h et de 14 h 30 à 17 h. Entrée payante : 3,05 € (20 F), à partir de 12 ans. Office le samedi à 18 h en été et à 17 h hors saison, le dimanche à 10 h toute l'année. Tenue correcte de rigueur.
Un endroit assez inattendu, dans ce Nice moderne. Très reposant, très calme. Le prince Nicolas Alexandrovitch, héritier du trône de Russie, mourut en 1864 à Nice. Quarante ans plus tard, l'ancienne promise du prince fit

construire cette chapelle à l'endroit même du décès. Entre-temps, elle était devenue l'épouse du tsar Alexandre III. C'est la plus grande église russe dans le monde hors Russie. C'est vrai que l'édifice du XIXe siècle est imposant par ses dimensions et ses cinq magnifiques dômes. Elle reprend le plan de la basilique Saint-Basile de la place Rouge. À l'intérieur, en forme de croix grecque, fresques, boiseries d'une grande richesse et somptueuses icônes dont *Notre-Dame-de-Kazan,* à droite du chœur.

★ ***L'église Sainte-Jeanne-d'Arc*** *(plan couleur I, B1)* **:** à l'angle de l'avenue Saint-Lambert et de la rue Charles-Péguy. À voir pour son architecture des années 1930.

★ ***L'isba du parc de Valrose :*** 128, av. de Valrose. Tout au nord de Nice. Dans un paysage méditerranéen, où orangers et oliviers côtoient palmiers, eucalyptus et magnolias, une isba, tout ce qu'il y a de plus authentique. Elle fut démontée planche par planche dans l'un des grands domaines appartenant, près de Kiev, à une richissime famille, les Von Derwies, créateurs et propriétaires du mythique *Transsibérien.*
Le baron et illustre ingénieur des tsars avait acheté, en 1865, une dizaine d'hectares dans le quartier du vallon des Roses, sur la colline de Cimiez, pour construire l'imposant « château Valrose » qu'il habitera avec sa famille et face auquel il fera reconstruire cette isba bénéficiant d'une vue imprenable sur la baie des Anges. Les plus grands artistes lyriques du moment viendront animer des soirées mémorables en ces lieux avant que les revers de fortune, les guerres ne viennent à bout du rêve du baron.
Aujourd'hui, château et isba appartiennent à l'université, et on peut déjeuner pour une bouchée de pain dans ce lieu historique.

★ ***La maison de Ben :*** 103, route de Saint-Pancrace. Sur l'une des collines de Nice. Grande maison blanche où l'artiste, né à Naples de père suisse et de mère irlandaise, s'est installé après avoir parcouru pas mal de pays. Sa maison est évidemment un « prétexte à célébrer son ego ». Les objets les plus hétéroclites y ont droit de cité, comme une collection de bidets ! À l'entrée, une plaque : *Chez Malabar et Cunégonde.* Comprendre « Chez Ben Vautier et Madame » ! Ne se visite pas, hélas !

★ ***Acropolis*** *(plan couleur I, D2)* **:** esplanade Kennedy-et-de-Lattre-de-Tassigny. ☎ 04-93-92-83-00. Gigantesque palais des congrès ouvert en 1984. Les 54 000 m^{2} de surface utile peuvent recevoir 4 500 congressistes par jour. Doté de toutes les techniques les plus sophistiquées d'accueil et de communication (informatique et régie centrale reliée au réseau câblé de la ville), le palais abrite également un *auditorium* (dit Apollon), d'une excellente qualité acoustique, pouvant recevoir 2 500 spectateurs, et une *cinémathèque* (une carte permet de voir trois films). Très bons programmes. Dans cet espace se déroulent, outre les nombreux congrès, diverses manifestations et des expositions temporaires.
Et l'architecture dans tout ça ? Des pans immenses de béton et de verre fumé sur les côtés. Pas beaucoup de recul sur le boulevard Risso, mais on aime bien l'accumulation de guitares d'Arman, dite *Music Power,* à l'entrée.

★ ***La villa Arson :*** 20, rue Stephen-Liégeard. ☎ 04-92-07-73-73. Sur la colline de Cessole. Bus n° 4 ou 7 (arrêt « Fanny »), 20 (« Fontaine du Temple »), 1 ou 18 (« bd Gorbella »). De juillet à septembre, ouvert tous les jours de 14 h à 19 h ; à partir d'octobre, ouvert de 14 h à 18 h, fermé le mardi. Entrée gratuite.
Dans cette splendide demeure patricienne niçoise du XVIIe siècle – où Talleyrand vint se reposer après le congrès de Vienne – est installée *l'École nationale d'art décoratif.* C'est aussi un centre international pour l'enseignement de l'art contemporain, un lieu de recherche et de création. Il y a une quinzaine d'expositions par an, d'artistes en général très pointus. Culture en art contemporain souhaitée pour tenter de comprendre. Qu'importe, le lieu est magnifique ! Bibliothèque, cafétéria, librairie et même chambres d'hôte !

★ Les extraordinaires *maisons pâtisseries* comme le ***château du mont Boron,*** dit de « l'Anglais », construit en 1858 pour Robert Smith, colonel de l'armée des Indes. Son orientalisme est assez surprenant.

★ ***Le parc Phœnix :*** 405, promenade des Anglais. ☎ 04-93-18-03-33. 6,10 € (40 F) pour les adultes, 3,81 € (25 F) de 6 à 12 ans ; gratuit pour les moins de 6 ans. De la promenade des Anglais, prendre la direction de l'aéroport, ensuite à droite, vous verrez la grande serre, la suite du parcours est fléchée !
Ouvert en 1991, ce parc botanique regroupe plus de 2 000 espèces de végétaux. On visite cinq zones correspondant aux différentes périodes climatiques. De discrets haut-parleurs diffusent des chants d'oiseaux se rapportant à la latitude de la flore présentée. Quelques papillons volettent, des oiseaux également. La serre géante est la plus grande du monde, ne manquez surtout pas la grande pyramide renversée, qui présente, par-dessous, la végétation et la faune. Une invitation au voyage !

Fêtes et manifestations

– ***Festin des Cougourdons :*** en mai. Grande fête populaire avec danses niçoises en l'honneur de ces courges aux formes bizarres, qui servent à la décoration.
– ***Festival de Jazz :*** en juillet. Les plus grands noms s'y sont produits : Armstrong, Bechet, Miles Davis, Dizzy Gillespie, etc. Moins homogène qu'il y a quelques années (l'organisation a changé), il n'en reste pas moins l'un des meilleurs de France : pour environ 22,87 € (150 F), trois scènes permanentes de 18 h à minuit, et ce, pendant 8 jours !

Plongée sous-marine

La célèbre baie des Anges, les approches de la rade de Villefranche-sur-Mer, du cap Ferrat et de la baie de Beaulieu, offrent une bonne trentaine de sites abrités, où plongeurs débutants et confirmés découvriront une vie sous-marine assez remarquable...

Club de plongée

■ ***CIP Nice :*** 2, ruelle des Moulins. ☎ 04-93-55-59-50, ou 06-09-52-55-57 (mobile). • cip-nice@webstore.fr • Derrière les quais d'embarquement pour la Corse. Ouvert de mi-mars à mi-novembre. Fermé le dimanche. Ambiance sportive et studieuse dans ce centre (FFESSM et PADI) réputé pour l'excellence de ses instructeurs brevetés d'État. Ils vous conduisent sur les plus beaux spots du coin à bord du navire *René Madeleine* ; et encadrent baptêmes et formations jusqu'au monitorat, et brevets PADI. Équipement complet fourni. Plongée de nuit et initiation enfants à partir de 8 ans.

Nos meilleurs spots

La grotte à corail : pour tous niveaux. Vers 15-20 m, on se glisse sous une voûte constellée de corail rouge. La lampe torche s'impose alors pour allumer un véritable incendie... de couleurs. Spectacle magnifique, mais surveillez donc votre palmage d'athlète qui pourrait endommager les précieuses branches !

La pointe de la Cuisse : à quelques encablures du cap Ferrat. Pour tous niveaux. Vous explorez les failles et cachettes de cette falaise sous-marine, peuplée de murènes et langoustes (-20 m). Également pas mal de rascasses et mostelles ; et un petit tunnel amusant qu'empruntent seulement les plongeurs confirmés.

La vallée des Gorgones : sous le cap de Nice, tout proche du port (attention aux hélices des bateaux). Pour plongeurs confirmés (niveau II). Un joli canyon (20 à 30 m) entre deux roches couvertes de gorgones géantes écarlates, qui ondulent généreusement au gré de la houle. Accrochés à leurs larges rameaux, quelques œufs de roussettes, petits sacs translucides dans lesquels ont voit s'agiter un inoffensif bébé requin. Ainsi va la vie...

Le sec à Merlot : à l'est du cap Ferrat, cette plongée phare n'est accessible qu'aux confirmés (niveau II). Après une descente vertigineuse dans le bleu, braquez donc votre lampe-torche sur cette magnifique arête rocheuse (autour de 40 m). Une jungle de gorgones rouge s'enflamme aussitôt sans pour autant effrayer rascasses, murènes, sérioles et autres dentis louvoyant en nombre. Vraiment splendide, mais attention au courant, parfois violent.

➤ AUTOUR DE NICE : LES VILLAGES PERCHÉS

On quitte Nice par le boulevard Jean-Jaurès, le boulevard Risso et la route de Turin. À Pont-de-Peille, la D 21 remonte la rivière du Paillon. Après Saint-Thècle, la D 121, à droite, mène à Peillon.

★ PEILLON (06440)

Peut-être le plus beau village de la Côte d'Azur. On y parvient par une route étroite et sinueuse, entre les oliviers, les genêts et les pins. La vue sur le village, qui semble figé depuis des siècles tant la restauration est parfaite, est saisissante : le bourg est là, ramassé en rond entre ses hautes maisons-remparts sur une falaise à pic. L'endroit a attiré de nombreux artistes : Carné y tourna *Juliette ou la Clé des songes,* et Claude Brasseur aime y retrouver sa maison de famille. Mais c'est là que le bât blesse, hors saison, constitué de résidences secondaires sans commerces et sans enfants dans les ruelles, Peillon est un village mort, où seuls quelques touristes déambulent. Pour vous consoler, faites une excellente étape gastronomique, un des meilleurs hôtels de la Côte vous y attend (mais ce n'est pas donné...).

Comment y aller ?

➢ ***En train :*** ligne Nice-Sospel-Breil, descendre à l'arrêt Peillon-Sainte-Thècle. Petite marche d'environ 2 h pour se rendre au vieux village de Peille.

Où dormir ? Où manger ?

Bon marché

I●I *Auberge du Moulin :* ☎ 04-93-79-91-12. Dans la vallée, tout près du carrefour entre la D 21 et la D 121 qui monte au vieux village, un peu à l'écart. Fermé le samedi. Congés annuels en août. Menus à partir de 10,70 € (70 F). Une cuisine familiale, certes, mais digeste et plantureuse. La patronne, vive et accueillante, fera l'impossible pour vous satisfaire.

Très chic

⌂ |●| ***Auberge de la Madone :*** ☎ 04-93-79-91-17. Fax : 04-93-79-99-36. • www.chateauxhotels.com/madone • Fermé le mercredi. Congés annuels du 20 octobre au 20 décembre et du 7 au 31 janvier. Doubles de 106,71 à 146,34 € (de 700 à 960 F). Demi-pension de 91,47 à 134,16 € (600 à 880 F). Menus à partir de 25,91 € (170 F) le midi en semaine. Chambres confortables, entièrement refaites dans le style provençal, avec balcon et vue de rêve sur la vallée et Peillon. Terrasses joliment fleuries et agrémentées d'oliviers et de mimosas. Depuis plus de 50 ans, la famille Millo prépare une cuisine authentiquement provençale, d'une grande fraîcheur. Depuis trois générations, on vient déjeuner sur la terrasse, sous les oliviers. Une cuisine toute pleine de soleil, qui sait allier la tradition avec le petit grain de génie faisant exploser les saveurs sur les papilles. Café offert à nos lecteurs sur présentation du *Guide du routard* de l'année.

À voir. À faire

★ ***Le village :*** à l'entrée, belle *fontaine* datant de 1800. Ensuite, partez à la découverte de ce village si bien préservé, qui a su éviter la bimbeloterie à touristes et le pseudo-artisanat. C'est un bonheur que de flâner dans ses ruelles en pente, ses escaliers, d'admirer les façades austères des maisons restaurées, les passages voûtés et les arcades qui enjambent les rues ; au sommet, l'église a remplacé le château sur une petite place charmante !

★ ***La chapelle des Pénitents-Blancs :*** ouverte (et donc fresques visibles depuis une grille tous les jours) mais se visite uniquement sur réservation pour les groupes à la mairie. ☎ 04-93-79-91-04. Construite vers 1495 et restaurée au XVIIe siècle. Elle abrite de superbes fresques attribuées à Jean Canavesio, qui racontent la Passion du Christ avec émotion et plein de détails, pour peu qu'on ait l'œil aguerri.

➢ Pour les randonneurs, un ***sentier,*** qui suit le tracé d'une ancienne voie romaine, relie Peillon à Peille en 2 h.

★ *PEILLE* *(06440)*

Un bien beau village perché dans un site âpre et sauvage, dominé par une paroi rocheuse et les ruines d'un château féodal, parmi les oliviers, palmiers et cyprès accrochés aux pentes des collines. Un endroit vraiment séduisant, un peu oublié des touristes. On ne s'en plaindra pas, car le village reste bien vivant et gentiment accueillant. Ses petites vieilles alignées sur un banc vous saluent gentiment, ses habitants vous incitent à découvrir une particularité d'une ruelle ou à emprunter un passage oublié. Mais c'est la nuit que le village acquiert un charme vraiment magique : un éclairage savant, concocté par les experts des Monuments historiques, vous y retient longtemps. Une bonne raison de loger dans son hôtel, dont le patron vous fera découvrir que Léo Ferré, poète et compositeur, aimait tellement Peille qu'il lui consacra une chanson. Il faut enfin savoir que Peille possède son propre dialecte, le parler *Pelhasc,* proche du niçois et auquel un érudit, Pierre Gauberti, a consacré un *Dictionnaire encyclopédique de la langue de Peille.*

Un peu d'histoire

Peille fut créé par un peuple ligure, montagnards habitués aux rudes travaux et d'une frugalité exemplaire. La bourgade a longtemps connu puissance et renommée. Ainsi, la côte et le port de Monaco étaient vraisemblablement l'ouverture maritime de Peille, qui tenait la dragée haute à Nice ! De nombreuses communes de la région (Blausasc, La Turbie...) sont nées par détachement de Peille. Le village de Peillon lui-même est né d'une scission, les habitants se querellant à propos de leur rattachement à tel ou tel seigneur. Peille connut donc des jours agités. Au Moyen Âge, c'était une commune libre administrée par des conseils élus, chef-lieu de bailliage. Refusant de payer des taxes à l'évêque de Nice, les habitants furent excommuniés par deux fois ! Peille ne paie pas, devait ruminer le percepteur des impôts... On vous rassure, cela ne les a pas empêchés de vivre.

Comment y aller ?

➢ ***De Nice en bus :*** 4 départs quotidiens (par La Turbie) tous les jours sauf les dimanche et jours fériés (passage). Compter une heure.
➢ ***De Monaco en bus :*** plusieurs départs quotidiens avec un changement à La Turbie.
➢ ***De Nice en train :*** par la ligne Nice-Sospel-Breil. Arrêt à la gare de Peille.
➢ ***De Nice par l'autoroute :*** prendre la direction Monte-Carlo. Sortir à La Turbie.

Information utile

🛈 ***Mairie :*** ☎ 04-93-91-71-71. • peille.com-une.com • mairie.peille@smtm06.fr •

Où dormir ? Où manger ?

Prix moyens

🏠 🍽 ***Auberge de Peille Belvédère Hôtel-Restaurant :*** 3, pl. Jean-Miol. ☎ 04-93-79-90-45. À l'entrée du village. Fermé le lundi. Congés annuels du 1er novembre au 29 décembre. Chambre double avec lavabo à 33,54 € (220 F) et 39,63 € (260 F) avec sanitaires. Menus à partir de 16 € (105 F). Dans un bâtiment chargé d'histoire, qui abrita l'école puis la mairie. Le restaurant est tenu par un tout jeune chef prometteur (qui n'officie pas tous les jours aux fourneaux, fin d'études oblige) et l'hôtel par son père, qui se mettra en 4 pour vous satisfaire. 5 chambres seulement, entièrement rénovées fin 2001, avec un panorama sur le village ou la montagne, jusqu'à la baie des Anges de Nice ou l'Estérel. Salle de resto très accueillante (dans ce qui fut la cour de récré !), baie vitrée plongeant sur la vallée et ambiance musicale New Age. À côté, petit salon où l'on peut feuilleter livres et revues mis à la disposition des clients. Digestif maison à nos lecteurs sur présentation du *Guide du routard* de l'année.

À voir

★ ***Le vieux village :*** belles maisons gothiques, aux linteaux sculptés, ruelles en cascade, passages voûtés ; la maison à l'angle de la place Mont-Agel était le siège du consulat des comtes de Provence. De la place à arcades, décorée d'une jolie fontaine gothique, passez sous l'arcade de droite et montez, par la *ruelle Lascaris* puis la *rue Mary-Gorden,* à la plate-forme où se trouve le monument aux morts. Vous découvrirez alors une vue superbe sur les oliveraies et les jardins étagés de Peille, avec au loin une échappée sur Nice. Belle église Sainte-Marie, qui conserve une superbe nef romane du XIIe siècle.

★ ***Le musée du Terroir :*** dans une belle petite maison. En été, visite les mercredi, samedi et dimanche de 14 h à 18 h ; hors saison, les samedi et dimanche. Entrée gratuite. L'artisanat, les objets de la vie quotidienne du XIXe siècle, les traditions et la langue particulière du village.

Fêtes

– ***Fête de la Pomme Fleurie :*** le 1er dimanche de janvier. Fête inspirée d'une coutume ancestrale autour d'une variété d'orange (eh oui !).
– ***Fête du blé et de la lavande :*** le 1er week-end d'août. La lavande est distillée sur la place du village et le blé est lavé, battu et séché selon la tradition.
– ***15 août :*** procession de l'église Sainte à l'église Saint-Roch.
– ***Fête des Baguettes :*** le 1er dimanche de septembre, les « jeunes filles » offrent une baguette de sourcier décorée à leur galant. La fête commémore un événement du Moyen Âge : la ville manquait d'eau, on fit appel aux dons d'un sourcier, berger de son état ; il accepta à condition d'avoir la fille du seigneur... Ce qui lui fut promis.

Randonnées pédestres

➢ ***Le mont Baudon :*** au nord-est, que l'on atteint en 2 h. Montez par le collet Saint-Bernard, le long d'une pinède. Au sommet, jolie vue.
➢ ***Peillon :*** par une ancienne voie romaine, aujourd'hui chemin muletier.
➢ ***Le col de la Madone :*** 1 h.

★ *L'ESCARÈNE* *(06440)*

Ancien relais routier sur la route de Nice à Turin, au confluent des torrents du Braus et du Lucéram qui forment le Paillon de l'Escarène. Du pont, vue pittoresque sur le vieux village. S'il est moins perché que les autres, la halte vous permettra néanmoins de découvrir la grande *église Saint-Pierre-aux-Liens,* à la jolie façade baroque, forme un ensemble monumental assez exceptionnel de beauté. À l'intérieur, beau décor dans le goût baroque italien, ainsi qu'un orgue (1791) dû aux frères Grindo, facteurs d'orgues niçois très réputés. Dans la chapelle centrale, Vierge de l'Assomption du XVIIIe siècle en bois sculpté polychrome. Belle place ombragée de platanes.

★ *LUCÉRAM* *(06440)*

C'est le type même du village perché et fortifié de l'arrière-pays niçois, avec ses hautes maisons accrochées au rocher, comme empilées les unes sur les autres. Le paysage est d'ailleurs beaucoup plus rocailleux qu'à Peillon. C'est également un bon point de départ d'excursions. C'est surtout, pour ceux et celles qui ne voudraient pas revenir sur la Riviera, un moyen de rejoindre, émotions à la clé, l'arrière-pays mentonnais (voir en fin de guide) ou la vallée de la Roya par le col de Turini et Sospel.

Comment y aller?

➢ ***De Nice :*** bus à la gare routière. Du lundi au samedi, départs à 9 h 30, 12 h 40, 15 h 45 (sauf le samedi et vacances scolaires), 17 h 15 et 18 h 30.

Adresses utiles

🛈 ***Office du tourisme de Luceram :*** place A.-Barralis. ☎ 04-93-79-46-50. • www.luceram.com • Situé dans la rue principale, entre la poste et la mairie. Ouvert de 14 h à 18 h. Documentation, livres et vente de produits régionaux (miel, huile d'olive). Accueil très aimable et efficace d'une dame charmante, qui est aussi maire-adjointe de la commune.

Où dormir? Où manger?

Hôtel de l'Estable : place A.-Barralis. ☎ 04-93-91-65-35. Chambre double avec douche et w.-c. à 45,73 € (300 F). Vieil hôtel de village à la façade peinte, entre la poste et la mairie, en face du restaurant *Bocca Fina*. Chambes très ordinaires et propres. Fait aussi resto.

|●| ***Restaurant Bocca Fina :*** 4, pl. A.-Barralis. ☎ 04-93-79-51-54. Fermé le mercredi soir. Plats de 6,86 à 17,53 € (45 à 115 F). On passe par un bar puis on pénètre dans une grotte creusée dans la falaise. Cuisine simple et bien préparée : plats régionaux, pizzas au feu de bois, gibiers à l'automne. Bon accueil.

À voir

★ ***Vue sur le village :*** prendre la D 2566 vers Coaraze. Vue idéale sur l'éperon rocheux occupé par la ville, qui fait comprendre comment les maisons hautes faisaient office de remparts. Mieux encore (car le stationnement sur le bas-côté de la route est tout à fait impossible), du village, emprunter le sentier menant à la chapelle Bon Cœur, qui rejoint la départementale au niveau du point de vue.

★ ***Le vieux village :*** il possède toutes les caractéristiques d'une place fortifiée médiévale : belles maisons gothiques restaurées, fours à pain, ruelles tortueuses et étroites, dédale d'escaliers, arcades, etc. Pour gagner de la place, on n'hésitait pas à construire au-dessus de la rue de petits bâtiments reliant les maisons, appelés *pontis*.

★ ***L'église Sainte-Marguerite :*** ouvert de mardi à dimanche, de 10 h à 12 h et de 14 h à 18 h. Visites guidées tous les jours de la semaine sauf le lundi et le mardi (sur rendez-vous). Elle fut remaniée au XVIIIe siècle en style rococo italien, elle abrite bien des richesses derrière sa façade rose et blanche. Si elle est fermée, demander la clé à la cure qui jouxte l'église, à droite du porche. Elle possède un ensemble unique de retables de l'école niçoise des XVe et XVIe siècles : *retable de sainte Marguerite* de Brea en dix compartiments, *retable de saint Antoine* de Canavesio, sur glacis d'or travaillé au poinçon, *retables de saint Pierre et saint Paul*, *saint Bernard* et *saint Laurent*. D'autres retables ont été supprimés lors du rhabillage de l'église en rococo, entre 1763 et 1779 (les modes changent...). Ils sont visibles au musée de Nice.
Remarquez le confessionnal qui communique avec la chaire par une trappe... très pratique! Enfin, le trésor comprend une *statuette* en argent repoussé de 1500, *Sainte Marguerite au Dragon,* ainsi que de belles pièces

d'orfèvrerie. À voir aussi la *statue de sainte Rosalie.* Vous vous demandez peut-être pourquoi la patronne de Palerme s'est retrouvée là ? Tout simplement parce que son culte fut introduit au XVIIe siècle, lors de l'arrivée de la famille des Barralis qui quittait alors la Sicile.
De la place de l'Église, très pittoresque avec sa fontaine et son lavoir, jolie vue sur Lucéram, les collines de l'arrière-pays et la côte.

★ ***Le moulin à huile de la Ferme de Val del Prat :*** de Luceram, prendre la route de Nice puis, à 1,5 km, avant un grand pont qui enjambe la vallée, emprunter à droite une très jolie route et la suivre sur 4,5 km à travers un paysage de collines aux versants abrupts couverts d'oliviers. L'accès est indiqué. Isolée, sur un flanc de coteau en surplomb d'un paisible vallon, la ferme comporte une maison, une chapelle et une belle oliveraie au milieu de laquelle se dresse le vieux pressoir à huile. On le visite (sans rendez-vous) sous la conduite de la maîtresse de maison, une gentille dame qui produit de l'huile d'olive en famille. Le ramassage se fait en décembre à l'aide de gaules pneumatiques. L'huile d'olive est élaborée sans pesticide (bio !) dans un autre pressoir (plus moderne) aux normes européennes. La propriétaire ne veut pas d'Appellation d'Origine Contrôlée car cela augmenterait le prix de vente des bouteilles qu'elle vend sur place.

Fête

– ***Noël des Bergers :*** tous les ans, des bergers descendent de la montagne et entrent dans l'église avec leurs moutons. Le curé dit la messe, puis les bergers font « l'offerte » de fruits (figues sèches) et de pain.

★ *COARAZE* *(06390)*

Beau petit village médiéval perché dans un paysage d'oliviers et de cyprès : on se croirait un peu en Toscane. Construit en rond et posé sur une colline avec la montagne en toile de fond, il est réputé pour son ensoleillement supérieur à la moyenne locale. Il fait bon se promener, quand le soleil est trop fort, dans ses rues en escalier, ses passages voûtés, calmes et paisibles, décorés d'une jarre de fleurs, ses placettes ornées de fontaines. Du jardin en terrasses, au milieu des cyprès, vue sur la vallée et la cime de Rocca Seira. Le village remonte à 1108, en tout cas c'est ce qu'indique la première mention écrite concernant la ville de *Cauda Rasa.* Mais la création du village serait plus ancienne ; en effet, un poste ligure y aurait été installé avant d'être délogé par les Romains.
Par le curieux cimetière, face à la vallée, on monte à l'*église,* décorée dans le style baroque. Elle date du XIVe siècle, fut trois fois détruite et à chaque fois reconstruite. Au-dessus de l'autel, ne loupez pas une petite Vierge en marbre datant de 1600.
Dans les années 1950, plusieurs artistes s'installèrent dans le village, comme ***Jean Cocteau*** dont on peut admirer un cadran solaire sur la façade de la mairie. Mais aussi des artistes moins connus, qui eurent leur importance à l'époque. Citons Henri Goetz, Valentin Douckine ou Mona Christa.

Comment y aller ?

➢ ***De Nice :*** bus à 10 h 30 et 17 h 30 tous les jours sauf les dimanche et jours fériés.
➢ ***Retour de Coaraze :*** bus à 7 h 20 (*via* Contes) et 13 h 20 (direct).

Adresse utile

🅸 ***Office du tourisme :*** à l'entrée du village. ☎ 04-93-79-37-47. Ouvert tous les jours en été de 10 h à 12 h et de 15 h à 17 h ; en hiver, se renseigner par téléphone. Vous y trouverez les infos pour les gîtes ruraux et vacances chez l'habitant.

Où dormir ? Où manger ?

🏠 🍽 ***Auberge du Soleil :*** ☎ 04-93-79-08-11. Fax : 04-93-79-37-79. Fermé du 1er novembre au 15 février. Chambres doubles à partir de 59,46 € (390 F). Demi-pension à 59,46 € (390 F) obligatoire en juillet, août et jusqu'à mi-septembre. Menus à partir de 18 € (118 F). L'accès à l'auberge se fait à pied, mais on aide les voyageurs à garer leur voiture et à porter leurs bagages. La devise des hôteliers se résume en une phrase : « C'est notre cadre de vie que nous voulons partager avec vous ! » C'est réussi ! Une belle demeure du XIXe siècle, joliment restaurée, aux chambres agréables et refaites à neuf. Bon rapport qualité-prix vu l'endroit. Que l'on y dorme ou non, on peut déjeuner sur la terrasse bien exposée, face à un paysage idyllique. Spécialité : gibelotte de lapin. Piscine dans le jardin.

🏠 🍽 ***Hôtel-restaurant Le Relais de la Feuilleraie :*** 3037, route du Soleil, 06390 Coaraze. ☎ 04-93-79-39-90. Fax : 04-93-79-39-95. • www.relais-feuilleraie.com • À environ 2,5 km avant d'arriver à Coaraze, sur la droite, en montant de Contes. C'est indiqué. Chambre double à 54,88 € (360 F). Menus à partir de 14,48 € (95 F). Le patron, un homme jovial et plein d'humour, a vécu à Paris. Lassé de cette vie tumultueuse, il quitta la capitale pour s'installer en pleine nature. Son épouse règne en chef dans les cuisines, préparant de bons plats inventifs, fins et savoureux. La maison est récente (mi-chalet, mi-villa) et entourée d'un jardin ombragé. Les chambres mignonnes (avec douche et w.-c.) sont toutes de couleurs différentes. Certaines ont une terrasse. La vue est d'ailleurs très reposante. On aperçoit le village perché de Coaraze.

Fêtes et manifestations

– ***Fête de l'Olivier :*** le 15 août.
– ***Festin de la Sainte-Catherine :*** le 1er dimanche de septembre ou le dernier du mois d'août, c'est selon... Les habitants apportent chacun un plat (gâteaux, raviolis, etc.) qu'on se partage dans la bonne humeur.
– ***Fête de la Châtaigne :*** en octobre.

Randonnées pédestres

Balisage jaune et bleu, bien fléché. Le médecin du village et l'*association APACHES* (randonnées, entretien et balisage des sentiers) ont édité une brochure avec toutes les randonnées autour du village. On en dénombre environ 25. La brochure est en vente au syndicat d'initiative, à la mairie, à l'*Auberge du Soleil* et chez les commerçants au prix de 3,05 € (20 F).

➢ ***Le mont Férion*** (1 410 m), que l'on atteint en 2 h.

➢ ***L'Escarène :*** par la baisse de la Croix et Berre-les-Alpes, en 3 h.

➢ ***La cime de Rocca Seira*** (1 500 m) **:** prendre le sentier, à la sortie du village, qui monte vers le nord au *col Saint-Michel* (950 m), dominé par les ruines du *château de Rocca-Sparviera.* De là, on peut gravir la *cime de l'Autaret* (1 300 m) et la Rocca Seira en 2 h.

➢ ***Promenade*** à ne pas manquer : à 7 km au nord de Coaraze sur la D15, on arrive au pont qui enjambe le Paillon de Contes. En prenant le sentier qui la longe en amont, on parvient à une succession de cascatelles et de bassins à l'eau cristalline. Bain de pieds quasiment inévitable mais ATTENTION la baignade – la vraie – est dangereuse et de toute façon interdite. Avec ses frondaisons, ses voûtes de branchages percées par le soleil, l'endroit est fabuleux. Les habitants appellent ce coin *le paradis,* et les amoureux s'y retrouvent le dimanche... Autant dire que garer correctement sa voiture relève de l'exploit!

★ ***CONTES*** *(06390)*

Ce village n'est pas perché comme les autres. Et il est moins intéressant que Coaraze. Au pied du village, on traverse une zone industrielle tristoune, dominée par une cimenterie. Une curieuse légende court sur le village. En 1508, ayant subi un véritable assaut des chenilles, les habitants en appelèrent à l'évêque de Nice qui les fit traduire en jugement. Verdict : les petites bêtes furent sommées de s'exiler et on afficha la sentence. Le jour dit, les chenilles, en procession, émigrèrent toutes vers le quartier qui leur était désigné!
L'église, de la fin du XVIe siècle, en haut du village, abrite un *polyptyque de sainte Marie-Madeleine,* attribué à François Brea. Devant l'église, fontaine Renaissance à deux étages (1587). De la terrasse voisine, vue sur la vallée.

Comment y aller?

➢ ***De Nice :*** bus en semaine, environ toutes les heures jusqu'à 19 h 45. 40 mn de trajet. Les dimanche et jours fériés, horaires variables.
➢ ***Retour de Contes :*** en semaine, le 1er bus est à 6 h 15 et le dernier à 20 h 15.

Adresse utile

🛈 ***Syndicat d'initiative :*** place Albert-Ollivier. ☎ 04-93-79-13-99. Ouvert en été du lundi au vendredi de 14 h à 17 h.

Où dormir?

⛺ ***Camping de la ferme Riola :*** à Sclos-de-Contes. ☎ 04-93-79-03-02. Fermé de fin octobre à avril. Forfait journalier : 5,34 € (35 F). Piscine, terrain de volley. Dans un grand parc boisé. Douches à disposition. Fait également ***gîte*** à la semaine (toute l'année), pour 2, 4 ou 5 personnes : compter environ 152 à 365 € par semaine (998 à 2 395 F). Réservation conseillée. Vente de produits fermiers (volailles, huile d'olive, etc.).

★ ***CHÂTEAUNEUF-VILLE-VIEILLE*** *(06390)*

Il ne faut pas craindre les épingles à cheveux pour monter de Contes à ce village perché (mais sans grand caractère si on le compare à Coaraze ou Peille) sur une crête au milieu des oliviers et des vergers. Beau clocher en tuiles vernissées polychromes.

➢ 2 km plus loin, un sentier à gauche mène aux ruines du ***vieux village médiéval.*** Au Moyen Âge, afin de lutter contre les agressions de toutes sortes (déjà à cette époque), les habitants s'étaient réfugiés sur cette butte. Du sommet, belle vue sur l'arrière-pays niçois. Les derniers 200 m sont à faire à pied. Suivez bien le sentier, ça peut être dangereux ! ATTENTION, la route est ouverte les samedi, dimanche et jours fériés de mai à septembre de 9 h à 20 h et d'octobre à avril de 9 h à 18 h. Le mieux est de se renseigner au village de Contes. Si vous descendez par l'autre versant, vous pouvez rejoindre la D19 pour Nice, en passant par Tourrette-Levens.

Où manger ?

I●I ***Restaurant Chez Rose :*** à l'entrée du village, 06390 Châteauneuf-Ville-Vieille. ☎ 04-93-79-26-84. Fermé le mardi. Menus à partir de 18,29 € (120 F). Dans un virage, à l'entrée du village, en venant de Contes. Maison à la déco ordinaire mais où la cuisine traditionnelle nissarde peut faire des miracles dans l'assiette. Après avoir travaillé à Nice pour une grande table, Patrick Dalbera a repris l'auberge que sa grand-mère Rose dirigea de 1932 à 1978. Une belle histoire de famille pour un succès grandissant.

★ *LEVENS* *(06670)*

Cette petite ville n'est pas très haut perchée : rien de vertigineux ici, c'est un bon gros bourg qui se méfiait naguère de la plaine. À découvrir à pied à travers les vieilles ruelles, les passages voûtés et les porches anciens. Remarquer en passant la maison familiale de Masséna. Puis monter tout en haut du village pour découvrir une vue splendide sur le confluent de la Vésubie et du Var, et sur la crête du Férion.
Levens fut une seigneurie des Riquier au XIIIe siècle, puis des Grimaldi. En 1621, la population se rebelle contre le joug seigneurial et acquiert son indépendance. Le château est détruit et sur son emplacement on fixe une pierre, le *boutau*. Lors de la fête patronale, on se rend en farandole (le *brandi*) à cet endroit et chacun pose le pied sur le *boutau,* symbole de l'oppression détruite.

Adresse utile

ℹ ***Office du tourisme :*** ☎ 04-93-79-71-00. En été, ouvert le lundi tous les jours de 9 h à 12 h et de 14 h 30 à 18 h 30 ; le dimanche, de 10 h à 13 h ; hors saison, mêmes horaires mais fermé le dimanche.

Où dormir ? Où manger ?

⌂ I●I ***Le Mas Fleuri :*** 19, quartier des Grands-Prés. ☎ et fax : 04-93-79-70-35. À environ 2 km de Levens, à gauche, sur la D 19. 200 m environ après le carrefour avec la route de Saint-Martin-du-Var. Grand parking à côté. Fermé le mercredi, et du 1er octobre au 1er juin. Huit chambres à 33,54 € (220 F). Menus à partir de 16,01 € (105 F). Petite auberge située au bord d'une route ombragée par des platanes. Le jardin, la pelouse, les chambres vieillottes, simples mais propres, l'accueil très affable et la cuisine savoureuse du chef en font une adresse très recommandable.

⌂ I●I ***La Vigneraie :*** 82, route de Saint-Blaise. ☎ 04-93-79-70-46. À 1,5 km au sud-est. Restaurant ouvert le midi uniquement (sauf pour les résidents). Fermé de mi-octobre à fin janvier. Chambres confortables à partir de 27,44 € (180 F) avec douche ou bains et w.-c. Menus à partir de 16,77 € (110 F). Cuisine sans grande originalité mais honnête. Cadre provençal. Jardin reposant.

I●I ***Les Santons :*** 3, rue de l'Escalada. ☎ 04-93-79-72-47. Ouvert uniquement le midi (sauf le mercredi) et le samedi soir. Fermé du 7 janvier au 13 février, du 24 juin au 3 juillet et du 30 septembre au 9 octobre. Menus à partir de 16,77 € (110 F) sauf les dimanches et fêtes. À la carte, compter autour de 38,11 € (250 F). Cuisine traditionnelle de l'arrière-pays. Accueil souriant et service adroit. Apéritif maison offert à nos lecteurs sur présentation du *Guide du routard* de l'année.

I●I ***Le Malausséna :*** 9, pl. de la République. ☎ 04-93-79-70-04. Dans le village. Fermé le lundi hors saison. Congés annuels en novembre. Compter autour de 15 € (environ 100 F) pour un repas. Réputé dans la région : une cuisine très soignée à prix raisonnables style raviolis et escalope savoyarde.

Randonnée pédestre

➢ ***La chapelle*** (1 258 m) *:* on peut y parvenir des Grands-Prés (à 1 km) vers Tourrette en 2 h. Une superbe allée de cèdres conduit à cette jolie chapelle. Une belle balade à faire avant de reprendre la route et revenir sur Nice.

LA BASSE CORNICHE

★ *VILLEFRANCHE-SUR-MER* *(06230)*

Après avoir quitté la grande agglomération de Nice, comment ne pas apprécier le charme de Villefranche, situé dans un cadre unique : une rade spectaculaire, un petit port protégé, loin de la route, avec vue sur le cap Ferrat, si bien préservé... Les Niçois, qui le savent bien, n'hésitent pas le midi ou le soir à venir savourer quelques moments de calme. Et les amoureux des vieilles pierres ne se lassent pas de flâner dans le vieux Villefranche.

Un peu d'histoire

La ville fut fondée au XIIIe siècle par Charles II d'Anjou qui lui accorda la franchise de commerce. En 1388, Villefranche se donna à la Savoie, en même temps que Nice, et devint le port des comtes et ducs de Savoie.
Charles Quint, allié au duc de Savoie, vint à Villefranche pour y rencontrer François Ier. La galère impériale était reliée au quai par une passerelle en bois. Lorsque la sœur de Charles Quint et reine de France vint le voir, la passerelle craqua et tout le monde, Charles Quint, la reine, le duc de Savoie et les dames d'honneur, en fut quitte pour un bon bain... Peu de temps après, en 1543, c'est Barberousse, à la tête de la flotte turque, qui jeta l'ancre dans la rade de Villefranche. Cette alliance de François Ier avec les Turcs ne laissa pas que de bons souvenirs dans l'esprit des gens du coin.
En 1557, le duc de Savoie renforça Villefranche comme port et forteresse. Il bâtit la citadelle et creusa le port de la Darse. Est-ce de cette époque que date la devise de la ville : *Tocques y si gauses!* (« Touche si tu l'oses ! ») ? Mais après la construction du port de Nice, Villefranche était condamnée à décliner; on loua alors la rade à la flotte russe. Napoléon III, après le rattachement du comté à la France, fit de Villefranche le cinquième port militaire du pays. Avant que la France ne quitte l'OTAN, Villefranche était, depuis 1945, une base navale américaine.

Adresses et infos utiles

ℹ *Office du tourisme :* jardin François-Binon. ☎ 04-93-01-73-68. Fax : 04-93-76-63-65. • www.villefranche-sur-mer.com • Au bord de la Basse Corniche. En juillet et août, ouvert tous les jours de 9 h à 19 h; hors saison, du lundi au samedi de 9 h à 12 h et de 14 h à 18 h (18 h 30 en juin et septembre).

✉ *Poste :* av. Albert-Ier (Basse Corniche) et Sadi-Carnot.

– ***Services d'autobus*** du lundi au samedi tous les quarts d'heure et le dimanche toutes les 20 mn pour *Nice, Monte-Carlo* et *Menton,* au jardin François-Binon.

Où dormir ? Où manger ?

Le Provençal : 4, av. du Maréchal-Joffre. ☎ 04-93-76-53-53. Fax : 04-93-76-96-00. Restaurant fermé les vendredi et samedi midi. Fermé de novembre à Noël. Chambres doubles climatisées de 38,42 à 94,52 € (252 à 620 F). Menus à 18 et 20,12 € (118 et 132 F). Une jolie maison avec ses volets bleus à l'italienne et ses trois tours qui lui donnent un cachet particulier. On aime les chambres donnant sur le jardin et sur la mer aux 2e et 3e étages. Mais elles sont très prisées et donc réservées longtemps à l'avance. Aussi certaines chambres mériteraient-elles « un petit coup de jeunesse ». Adorable patio pour déjeuner ou dîner. Dos de saumon au pistou, morue à la niçoise, sardines farcies en saison... Sur présentation du *GDR* de l'année, 10 % de remise sur le prix des chambres hors juillet, août et septembre.

Restaurant Michel's : place Amélie-Pollonnais. ☎ 04-93-76-73-24. Fermé le mardi. Compter de 18,29 à 24,39 € (120 à 160 F) pour un repas. Vin au verre à 3,05 € (20 F). Un petit cru maison, les Béatines, à 14,94 € (98 F) la bouteille. C'est évidemment par un soir d'été que cette grande terrasse se goûtera avec le plus de délectation. Ici, pas de menu, mais une belle carte remplie de plats du jour autour de 13,72 € (90 F) préparés avec des produits de saison. L'endroit est à la mode et l'ambiance est plutôt décontractée. Cependant, la cuisine, largement axée sur la mer, vaut le détour : fricassée de calamars, escalope double de saumon à la chair de crabe, risotto aux scampis, tourtière au calvados et boule de cannelle. Service sympa et attentif. Apéritif ou digestif offert à nos lecteurs sur présentation du *Guide du routard* de l'année.

La Grignotière : 3, rue du Poilu. ☎ 04-93-76-79-83. Dans le vieux Villefranche. Ouvert tous les soirs à partir de 19 h. Fermé le mercredi soir et de mi-novembre à mi-décembre. Menus à 16,77 et 22,87 € (110 à 150 F). « Grignoter », peut-être, avec le petit menu, mais si vous prenez le menu provençal, ou mieux encore le grand menu pour les gourmets associés, vous risquez d'avoir du mal à faire la balade du port à la citadelle : soupe de poisson de roche, salade de pousses d'épinards au foie de volailles, ravioles, lasagnes, escargots, cuisses de canard, puis bocal de fromages à l'huile d'olive et dessert. Impressionnant, non ? Le tout dans une petite salle cossue dans les tons roses. Apéritif maison offert à nos lecteurs sur présentation du *Guide du routard* de l'année.

Plus chic

La Mère Germaine : quai Gustave-Courbet. ☎ 04-93-01-71-39. Sur le port. Ouvert tous les jours en saison. Menu à 32,01 € (210 F).

À la carte, compter de 46 à 61 € (environ 300 à 400 F). Idéalement située, avec une vue magnifique sur la rade de Villefranche, voici sans doute l'une des meilleures adresses entre Nice et Monaco. Belles salle et terrasse, tables élégantes, nombreux serveurs tirés à quatre épingles pour vous faire passer un bon moment. Produits de première fraîcheur, parfaitement préparés. Excellent poisson. Au menu, une petite mise en bouche, une tartine tiède de rougets en pissaladière, la palette de la mer au beurre de citron et un dessert au choix. À la carte, les prix s'envolent rapidement, à vous de voir. Café offert à nos lecteurs sur présentation du *Guide du routard* de l'année.

À voir

★ ***La vieille ville :*** partez du joli port de pêche, aux façades colorées, pour découvrir la *rue du Poilu,* l'artère principale, et l'étonnante *rue Obscure,* complètement voûtée, qui servait d'abri lors des bombardements. Flânez dans les vieilles ruelles et escaliers, sur les placettes d'où vous découvrirez toujours avec ravissement de superbes échappées sur la mer. L'église, fondée au XVe siècle et remaniée au XVIIIe siècle, abrite des retables du XVIIe siècle et un christ gisant très réaliste, en bois de figuier, réalisé par un galérien.

★ ***Le port :*** pour ses anciennes demeures italiennes rouge et ocre et ses cafés et restaurants d'où la vue sur la rade et la presqu'île du cap Ferrat est très belle.

★ ***La chapelle Cocteau*** *(chapelle Saint-Pierre)* ***:*** quai Courbet. À droite en allant vers le port. Ouvert théoriquement de 9 h 30 à 12 h et de 14 h à 18 h, plus tard selon les saisons et les disponibilités. Fermé le lundi. Renseignements sur les horaires exacts : ☎ 04-93-76-90-70. Droit d'entrée : 1,83 € (12 F).
Cocteau, qui résida à Villefranche entre les deux guerres, y écrivit *Orphée.* Il s'intéressa à la petite chapelle romane désaffectée qui s'élevait sur le port. Elle servait alors de remise pour les pêcheurs. Après six années de tractations, la chapelle fut rendue au culte et, en 1957, l'artiste la décora de fresques surprenantes et symboliques (le culte n'a maintenant lieu qu'une fois par an). Remarquez les candélabres en forme de visage humain, et surmontés de *fouanes,* fourches provençales servant à la pêche nocturne. Les fresques sont d'inspiration religieuse *(Vie de saint Pierre)* ou profane *(Hommage aux demoiselles de Villefranche).* Pour ceux qui l'ignoreraient, saint Pierre est le patron des pêcheurs. Ainsi, pour sa fête, début juillet, on brûle dans le port une barque décorée, avec jets de fleurs des habitants de Villefranche.

★ Promenade agréable ***du port jusqu'à la citadelle*** où l'on aperçoit quelques pêcheurs. Dommage que l'édifice implanté sur l'autre rive s'intègre si mal au paysage...

★ ***La citadelle :*** élevée par le duc de Savoie à la fin du XVIe siècle, elle fut épargnée lors des destructions ordonnées par Louis XIV. Elle est entourée d'énormes fossés creusés dans le roc, où l'on passe en voiture, ce qui est assez spectaculaire. À gauche, en entrant, épave d'un navire génois du XVIe siècle découverte en 1919 par un plongeur local. Un petit musée est consacré à cette épave et à son contenu. On a même retrouvé des amandes et noyaux de pêches (authentiquement du XVIe siècle, bien sûr). Vue superbe depuis le théâtre de verdure.
Bel *hôtel de ville* au cœur de la citadelle, de style hacienda. Il abrite au 1er étage quelques tableaux de Jean Cocteau. Le rez-de-chaussée est, quant à lui, destiné à accueillir des expositions temporaires.

Sinon, trois autres musées dont l'entrée est libre. Le *musée Volti* (fermé le dimanche matin, le mardi et en novembre) abrite des sculptures et sanguines sur le thème cher à l'artiste, le nu féminin. Très bien agencé. Le *musée Goetz-Boumeester* (fermé le dimanche, le mardi et en novembre) recèle quelques dessins de maîtres : Picasso, Picabia, Miró, Hartung... Enfin, la *collection Roux* présente de façon peu didactique des figurines en céramique représentant les *Très Riches Heures du duc de Berry,* et d'autres scènes du Moyen Âge et de la Renaissance.

★ *LE CAP FERRAT ET SAINT-JEAN-CAP-FERRAT* (06230)

Un des plus beaux endroits de la Côte, sans doute parce qu'il est protégé. Il n'y a pas de secret. Le béton n'a pas fait trop de ravages ici et la presqu'île, couverte d'une belle pinède où se cachent de luxueuses villas, est un havre de paix. Là encore, l'endroit est fréquenté par de nombreuses célébrités, de Jean-Paul Belmondo à Raymond Barre (pourquoi, vous espériez qui ?). Ils eurent des prédécesseurs illustres tels que Nietzsche, le roi des Belges Léopold II (longtemps propriétaire de la moitié du Cap), Otto Preminger, Somerset Maugham et Cocteau.

Comment y aller ?

➢ ***De Nice :*** une dizaine de bus par jour, du lundi au samedi. Certains desservent Beaulieu et font le tour du Cap.
➢ ***Retour de Saint-Jean :*** dernier départ à 19 h 35.

Adresse utile

🛈 ***Office du tourisme :*** 59, av. Denis-Séméria. ☎ 04-93-76-08-90. Fax : 04-93-76-16-67. Hors saison, ouvert du lundi au vendredi de 8 h 30 à 12 h et de 13 h à 17 h ; en été, tous les jours de 8 h 30 à 18 h.

Où dormir ? Où manger ?

Paradoxalement, dans cet endroit où l'on trouve les villas parmi les plus chères de la Côte d'Azur, il existe quelques hôtels agréables à des prix abordables.

🏠 🍽 ***La Bastide :*** 3, av. Albert-Ier. ☎ 04-93-76-06-78. Fax : 04-93-76-19-10. Fermé le lundi midi. Congés annuels du 6 novembre au 24 décembre. De 45,73 à 68,60 € (300 à 450 F) la chambre double avec douche et w.-c. Demi-pension exigée en été, de 47,26 à 53,36 € (310 à 350 F) par personne. Menus à 18,29 à 25,92 € (120 à 170 F). Accueil que certains trouveront trop Riviera (les hôteliers, sur la Côte, ont appris à masquer leur joie de recevoir des touristes depuis belle lurette !), mais des chambres aux prix bien honnêtes, certaines avec vue sur la mer. En tout cas, préférez celles à l'étage, la vue est plus belle sur toute la baie. Petit jardin. Également un restaurant qui sert une cuisine provençale traditionnelle préparée par la patronne. Idéal pour profiter de la terrasse un soir d'été.

🍽 ***La Goélette :*** sur le port. ☎ 04-93-76-14-38. Fermé le mardi. De mi-novembre à début janvier, ouvert uniquement le week-end. Réservation très recommandée. Menus à 15,09 et 25,76 € (99 et 169 F), menu enfants autour de 10,50 € (69 F). On y trouve du poisson (excellente sole grillée), quelques plats espagnols comme la *zarzuela,* la paella, et des spécialités provençales à l'image de l'aïoli, la bouillabaisse. C'est vrai que ça part un peu dans tous les sens, mais ça reste très correct et à un prix raisonnable. Il y a même des pizzas pour les incurables. Digestif offert sur présentation du *GDR* de l'année.

Plus chic

🏠 ***Le Clair Logis :*** 12, av. Centrale. ☎ 04-93-76-51-81. Fax : 04-93-76-51-82. À l'angle de l'allée des Brises. Au centre de la presqu'île. Fermé de novembre à mi-décembre et de mi-janvier à mi-mars. Réserver trois semaines à l'avance en été. Chambres doubles avec douche et w.-c. ou bains de 74,70 à 120,43 € (400 à 700 F), selon le confort et la saison. Un paradis de calme dans un grand jardin exotique. On comprend que le général de Gaulle soit venu se reposer en 1952 dans ce cadre agréable, planté dans un quartier résidentiel. 18 chambres avec balcon ou petite terrasse. Prix élevés, mais raisonnables pour la presqu'île (un repaire de milliardaires). Une bonne adresse, idéale pour un week-end en amoureux sur la Côte. 10 % de réduction accordée aux lecteurs du *GDR,* de janvier à mars et d'octobre à décembre inclus.

|●| ***Le Sloop :*** sur le nouveau port. ☎ 04-93-01-48-63. Fermé les mardi soir et mercredi hors saison, mardis midi et mercredis midi en été. Congés annuels du 15 novembre au 15 décembre. Menu unique à 24,39 € (160 F). Agréable terrasse face au port, bon accueil et cuisine raffinée. Très beau menu d'un excellent rapport qualité-prix. Tartare de saumon, daurade à la niçoise, loup rôti entier à la niçoise (au parfum de tomates, basilic et cebettes), gratin de pommes... Malgré un service parfois un peu long, c'est notre resto chic préféré dans toute la kyrielle que l'on trouve sur le port.

|●| ***Le Skipper :*** sur le port de plaisance. ☎ 04-93-76-01-00. Fermé le jeudi midi d'avril à octobre, le jeudi toute la journée hors saison. Menu à 14,94 € (98 F) ; autres menus à 24,24 et 35,83 € (159 et 235 F). Dans une ambiance de brasserie un peu chic, avec une terrasse face aux bateaux, un resto de poisson qui mérite de retenir votre attention. Spécialités d'anchois marinés et de poissons grillés à la broche. Une adresse que nous n'avons eu aucun mal à trouver, certes, mais comme on aurait vite tendance à déprimer par ici, vous aussi finirez par ne plus avoir envie de faire des kilomètres pour trouver l'oiseau rare, une fois arrivé à bon port.

À voir

★ ***La villa Ephrussi-de-Rothschild :*** sur les hauteurs de Saint-Jean, dans l'avenue du même nom. ☎ 04-93-01-45-90. Fax : 04-93-01-31-10. • www.villa-ephrussi.com • À l'entrée du cap. Ouvert tous les jours de 10 h à 18 h (19 h en juillet et en août) ; et de novembre à février, les week-ends et vacances scolaires de 10 h à 18 h, en semaine de 14 h à 18 h (salons et jardins uniquement). Fermé à Noël. Entrée : 8 € (52 F). On peut visiter et évoluer librement sans contrainte, ni guide excepté pour les collections au 1er étage, visite guidée uniquement. Pas de visites guidées hors saison.

Le musée est installé dans une maison de rêve, rose et blanche, naguère baptisée « Villa Île-de-France ». Entourée d'un parc somptueux de 7 ha partagé en sept jardins (florentin, espagnol, exotique, lapidaire...), elle occupe un site unique, d'où les vues en dégradé sur la mer sont splendides. La propriété fut léguée en 1934 par Mme Ephrussi, née Béatrice de Rothschild, à l'Académie des Beaux-Arts. Pour situer un peu le personnage, sachez que cette milliardaire excentrique ne voyageait pas sans sa volière de 50 perroquets, emmenant avec elle une manucure chargée de leur limer les griffes! Sa « villa » de Saint-Jean lui donna l'occasion de tromper son ennui quelque temps : les travaux durèrent sept ans. Lorsque le résultat ne lui plaisait pas, elle changeait d'architecte et faisait tout reconstruire. 40 architectes se succédèrent...

Ce pallazzino mi-vénitien, mi-mauresque, entouré de magnolias et de bougainvillées, a été spécialement conçu pour recevoir les collections de celle qui, bien avant Barbara Cartland (encore que!), s'habillait de rose des pieds à la tête. La baronne avait exigé que la maison ait des allures de paquebot en souvenir d'un voyage mémorable qu'elle effectua à bord du paquebot *Île-de-France.* Du patio, on voit en effet la mer de chaque côté et les jardins semblent y plonger. C'était l'époque où les Rothschild déléguaient dans toute l'Europe des experts chargés de leur rapporter des objets précieux. Le musée a conservé, selon le vœu de sa donatrice, le caractère d'une maison habitée.

On entre dans un patio couvert sur lequel s'ouvrent plusieurs salons abritant des œuvres d'art de diverses périodes : superbe mobilier Louis XV et Louis XVI (meubles de René Dubois et Riesener), tapisseries de Beauvais et d'Aubusson, plafond peint de Pellegrin, porcelaines de Sèvres et de Saxe, toiles de Boucher, Fragonard; salon d'Extrême-Orient (paravents chinois anciens en laque de Coromandel), tapis. Vraiment un ensemble unique.

La visite guidée (45 mn) vous fera découvrir l'étendue des collections de la baronne : porcelaines de Saxe, objets ramenés de voyages en Chine, etc.

Vous pourrez également vous promener dans le magnifique parc du musée qui rassemble tous les jardins du monde en un seul : jardin à la française avec reproduction du petit temple de l'Amour du Trianon, jardin espagnol, avec ses papyrus et ses grenadiers, jardin florentin et son éphèbe de marbre, jardins japonais, exotique et anglais, etc.

Un *salon de thé,* avec vue sur la mer bien sûr, accueille les visiteurs; des bancs dans les jardins permettent de se détendre, donnant à cette promenade un côté très convivial. L'été, animations culturelles, concerts et salle de projection.

Pour la petite histoire, la propriétaire des lieux n'y séjourna que trois ans. Béatrice de Rothschild préférait résider dans une de ses deux propriétés monégasques, ou encore dans la suite de l'*Hôtel de Paris* à Monte-Carlo, qu'elle louait à l'année.

★ ***Saint-Jean-Cap-Ferrat :*** cet ancien village de pêcheurs s'est converti en station balnéaire et hivernale bien agréable. Il reste quelques vieilles maisons autour du port et de la petite église. La salle des mariages de la mairie est décorée d'une peinture de Cocteau qui aimait beaucoup l'endroit et avait sur le sujet une vision assez originale.

Randonnées pédestres

➢ ***Le sentier de la pointe Saint-Hospice :*** il offre de belles vues sur Beaulieu, Èze, Monaco, puis il contourne la *pointe Saint-Hospice* et la *pointe du Colombier* avant de rejoindre l'avenue Jean-Mermoz. Les curieux essaieront de deviner derrière les jardins en bordure du sentier les somptueuses villas bien dissimulées.

➢ ***La promenade Maurice-Rouvier :*** elle permet de gagner Beaulieu à pied en longeant la mer.

➢ ***Le chemin des Contrebandiers :*** évidemment déconseillé lorsque la mer est mauvaise puisque, comme son nom le suggère, il longe le littoral. Départ depuis le phare, soit pour un parcours de 50 mn en direction de Villefranche (c'est-à-dire vers la droite) et la plage du Lido, soit, à gauche, en vous dirigeant vers le lieu-dit La Carrière pour y rejoindre alors le sentier qui contourne la pointe Saint-Hospice et passe par le port de Saint-Jean avant de retrouver la sente littorale de la plage du Lido, pour revenir vers le phare (durée : 4 h).

À voir encore

Promenez-vous au hasard des calmes avenues du cap, à pied ou en voiture ; vous remarquerez la longueur des haies bien taillées qui entourent les villas, dont certaines rivalisent d'architecture nouvelle. À côté des noms évocateurs de ces belles demeures, tels que Bella Vista, la Désirade, la Créole, Chante-Vent, sont accrochés de petits écriteaux « Chien méchant » ou des sigles de sociétés de surveillance. En passant à pied, on entend le bruit mou et rassurant des balles de tennis ou les plongeons dans les piscines. Certaines demeures sont de véritables palais avec colonnes, balustres, vasques (et entrée de service !), d'où les échappées sur la mer entre les pins font rêver...

★ *BEAULIEU-SUR-MER* *(06310)*

« Perle de la Côte d'Azur », c'est une station estivale et hivernale, dernier bastion Belle Époque – les palaces y sont nombreux –, très abritée par la ceinture de montagnes qui l'entoure. Avec Menton, Beaulieu détiendrait le record de la ville la plus chaude de France. Un quartier s'appelle d'ailleurs la Petite Afrique. L'origine du nom de la station viendrait d'une exclamation de Bonaparte qui, découvrant l'endroit, s'écria : « Qual bel luogo ! » (si sa mère avait été de la partie, elle aurait pu dire, là aussi : « Pourvou que ça doure ! »).
De nombreuses personnalités résidèrent à Beaulieu, à commencer par Gustave Eiffel qui, à 90 ans, vantait le climat de la station. Gordon Bennett, le directeur du *New York Herald Tribune,* aimait beaucoup Beaulieu et proposa d'y construire à ses frais un port de plaisance, ce qui lui fut refusé ! On attendit 1968 pour créer le port. La *baie des Fourmis,* bordée de palmiers et de jardins impeccablement entretenus, a un côté rétro charmant.

Adresse utile

i ***Office du tourisme :*** place Georges-Clemenceau. ☎ 04-93-01-02-21. Fax : 04-93-01-44-04. • www.ot-baulieu-sur-mer.fr • Hors saison, ouvert du lundi au samedi de 9 h à 12 h 15 et de 14 h à 18 h ; en saison, du lundi au samedi de 9 h à 12 h 30 et de 14 h à 19 h et le dimanche de 9 h 30 à 12 h 30.

Où dormir ? Où manger ?

☗ ***Hôtel Riviera :*** 6, rue Paul-Doumer. ☎ 04-93-01-04-92. Fax : 04-93-01-19-31. • www.hotel-riviera.fr • Fermé la 1e quinzaine de novembre et 15 jours en janvier. Chambres doubles de 28,20 à 45 € (185 à 295 F) selon le confort et la saison. Hôtel tranquille et propre, à la façade pimpante dans l'esprit méridional, situé dans le quartier du port. Bon rapport qualité-prix pour la Riviera, mais ne vous attendez quand même pas à un service 4 étoiles. Tarif dégressif pour les séjours.

☗ ***Hôtel Select :*** 1, pl. du Général-de-Gaulle. ☎ 04-93-01-05-42. Fax : 04-93-01-34-30. En plein centre. Fermé de mi-novembre à mi-décembre. Chambres doubles à 50 € (328 F) avec douche et w.-c ou bains. Un hôtel très *cosy,* gentil comme une pension de famille de sitcom. Le meilleur rapport qualité-prix de la ville, même si on peut trouver les chambres donnant sur la place légèrement bruyantes. Le patron est éminemment sympathique, compétent et amoureux de sa région. Possibilité de prendre son petit déj' en terrasse sur la place.

Le Havre Bleu : 29, bd du Maréchal-Joffre. ☎ 04-93-01-01-40. Fax : 04-93-01-29-92. • www.hotel-lehavrebleu.fr • Ouvert toute l'année. Chambres doubles de 45,73 à 51,83 € (300 à 340 F), avec douche et w.-c. ou bains. Certaines chambres ont une agréable terrasse ensoleillée. Déco simple et propre. Une maison de l'époque victorienne aux tonalités marines (blanche aux volets bleu Matisse) vient nous rappeler que la mer n'est pas loin, même si, des chambres qu'elle propose, on ne la voit pas. Ambiance familiale et tranquille. 10 % de remise sur le prix des chambres hors saison sur présentation du *GDR* de l'année.

Plus chic

Hôtel Comté de Nice : 25, bd Marinoni. ☎ 04-93-01-19-70. Fax : 04-93-01-23-09. En arrivant de Nice, ne pas descendre vers la mer mais aller tout droit en direction de la place du marché. À 5 mn de la plage et du port. De 63,30 à 93 € (415 à 610 F) la chambre double selon la saison; bons petits déj' à 7,60 € (50 F). Même prix pour le garage. Voilà un hôtel où l'on se sent immédiatement bien, tout d'abord grâce à l'accueil fort sympathique de la famille qui le dirige, mais aussi grâce aux chambres toutes bien équipées (climatisation, TV, téléphone, mini-coffre, bains et sèche-cheveux). La plupart donnent sur la mer. Sauna et fitness dans l'hôtel, et tout cela sans frime, mais avec une vraie gentillesse. Sur présentation du *Guide du routard* de l'année, 10 % sur le prix de la chambre pour nos lecteurs sauf en été, durant les fêtes et lors du Grand Prix de Monte-Carlo!

L'African Queen : port de plaisance. ☎ 04-93-01-10-85. Suggestions du jour entre 12,50 et 30,18 € (82 et 198 F); menu à 26,68 € (175 F) le dimanche, en hiver. Toute une institution! Un resto cocasse où, dans un décor tropical, des serveurs évoluent en short blanc et cravate. Ils vous serviront de copieuses salades et une cuisine simple qui ravira tous les palais par sa variété. On s'est régalé avec une daube de bœuf à la niçoise aux panisses. Mais au fait, pourquoi *L'African Queen* ? Parce que le patron était un fan du célèbre film avec Bogart et Hepburn, à tel point que l'addition est servie dans une cassette vidéo du film. Beaucoup d'habitués et parfois quelques célébrités... Apéritif maison et digestif offerts à nos lecteurs sur présentation du *Guide du routard* de l'année.

À voir. À faire

★ **_La villa Kerylos :_** ☎ 04-93-01-01-44 ou 61-70. Fax : 04-93-01-23-36. • www.villa-kerylos.com • Du 3 février au 3 novembre, ouvert de 10 h à 18 h; 19 h en juillet et août; du 14 novembre au 2 février, de 14 h à 18 h en semaine et de 10 h à 18 h les week-ends et périodes de vacances scolaires. Entrée : 7 € (46 F); enfants et étudiants : 5,50 € (36 F).
Séduit par le climat hellénique, l'archéologue Théodore Reinach fit construire, à la pointe de la baie des Fourmis, la villa Kerylos, reconstitution exacte d'une villa de la Grèce antique. *Kerylos* est le nom grec de l'alcyon, oiseau mythique considéré comme un heureux présage parce que, disait-on, la mer demeure calme quand l'alcyon fait son nid. La particularité de ce monument, vous l'aurez deviné, est d'être le seul monument historique grec du XXe siècle... Tous les détails ont été empruntés à des documents archéologiques. Cédée à l'Académie des inscriptions et belles-lettres, la villa est

devenue musée. Seuls les matériaux nobles ont été utilisés : la pierre, le marbre, le bois, l'ivoire et le bronze.
La villa renferme des mosaïques, des fresques et une collection d'objets du VIe au Ier siècle av. J.-C. Le parc reproduit le jardin idéal aux yeux d'un notable grec : fleurs méditerranéennes, lauriers-roses, oliviers et palmiers. Vue superbe sur le cap Ferrat, la baie des Fourmis et Cap-d'Ail. Gustave Eiffel, voisin de Théodore, y fut souvent invité. Possibilité de se restaurer sur la terrasse, face à la mer, du café Kerylos, mais sur réservation uniquement.

★ À l'entrée de la ville, sur la gauche, un bâtiment témoin de la Belle Époque : la ***Rotonde.*** Jadis salle de restaurant d'un grand hôtel ; ce dernier fut reconverti en hôpital pendant la Seconde Guerre mondiale, comme le signale la plaque commémorative. À présent, c'est la salle des congrès de la ville. Ne se visite pas.

➢ ***La promenade Maurice-Rouvier :*** elle permet, en longeant le rivage, de gagner Saint-Jean-Cap-Ferrat. Magnifiques points de vue. Balade à faire l'après-midi, c'est plus ombragé.

➢ ***Le sentier du plateau Saint-Michel :*** pour les bons mollets car ça grimpe... Prendre le sentier qui part du boulevard Édouard-VII, sous la Moyenne Corniche. Vous arriverez, au bout de vos efforts, à la table d'orientation du plateau Saint-Michel. Compter 1 h 30 aller et retour.

MONACO (PRINCIPAUTÉ DE) (98000) 34 000 hab.

Pour le plan de Monaco, se reporter au cahier couleur.

Y a-t-il un autre pays aussi petit (195 ha) qui soit autant médiatisé et connu dans le reste du monde ? Il faut dire que toutes les recettes du succès y sont réunies. Un rocher impressionnant sur lequel est juché ***Monaco,*** la vieille ville, impeccablement proprette, où des hordes de touristes viennent assister à la relève de la garde. Monaco, son palais d'opérette, son Musée océanographique, ses boutiques de souvenirs, ses princes et ses princesses qu'on ne présente plus...
Monte-Carlo ensuite, avec sa clientèle internationale, ses palaces Belle Époque, son célèbre casino et ses appartements hors de prix.
La principauté, c'est le rêve inaccessible, le conte de fées contemporain, le *soap opera* grandeur nature. Et c'est aussi, ne l'oublions pas, un superbe paradis fiscal au cœur de l'Europe. On aime ou on n'aime pas !

IMPRESSIONS DE VOYAGE

Le premier coup d'œil sur la principauté, serrée entre la montagne et la mer et hérissée de tours et de gratte-ciel, fait songer à une cité d'Asie comme Macao ou Hong Kong. Macao ? Peut-être à cause des jeux et des casinos. Hong Kong ? Sans doute pour les hautes tours agglutinées mais elles sont tout de même moins nombreuses, moins hautes et moins impressionnantes. À vrai dire, cette petite principauté s'apparenterait naturellement à l'Amérique latine et pencherait culturellement vers l'Amérique du nord. Est-ce à cause des origines américaines de feu la princesse Grace Kelly ? Il y a quelque chose de lisse et de prospère qui rappelle les États-Unis, notamment la Californie (sauf pour le manque d'espace !) : on y retrouve la propreté et l'organisation des rues, l'aisance, l'argent facile, le soleil et le ciel bleu. Mais

CARTE D'IDENTITÉ

- ***Superficie :*** moins de 2 km^2, soit exactement 195 ha, dont 31 gagnés sur la mer.
- ***Population :*** 34000 habitants. Environ 5000 personnes possèdent la nationalité monégasque avec le droit de vote. Les autres habitants ne sont que des résidents étrangers (peu fortunés à très fortunés). On compte près de 12000 Français (41 % de la population totale), 5000 Italiens et 1361 Britanniques.
- ***Capitale :*** Monaco. Les principaux quartiers sont Monte Carlo (le plus chic, le plus cher), La Condamine et Fontvieille (à l'ouest, gagné sur la mer).
- ***Nature du régime :*** monarchie héréditaire constitutionnelle. La Principauté de Monaco est un État souverain, membre à part entière de l'Organisation des Nations Unies.
- ***Chef de l'État :*** S.A.S. le Prince Rainier III. Le Prince héritier est son fils Albert.
- ***Langue :*** le français est la langue officielle. L'italien et l'anglais sont souvent parlés et compris. Il existe un dialecte monégasque (très imagé) qui n'est plus utilisé que par les anciens.
- ***Religions :*** le catholicisme est religion d'État. Les cultes anglican, baha'i, israélite et protestant sont représentés.
- ***Monnaie :*** le Franc Français. Des pièces monégasques, de même valeur que les pièces françaises, sont en circulation mais elles ne sont pas admises hors de la principauté.
- ***Prix moyen du m^2 à Monte Carlo :*** 15244,90 €, soit 100000 FF.

à Monte Carlo, le monde latin prévaut : les vieux palaces franco-italiens du XIXe siècle, entourés de bassins et de palmiers, évoquent une cité coloniale qui aurait redoré son blason en devenant un paradis fiscal pour milliardaires. À Monte Carlo, on se retrouve bel et bien dans un roman de SAS, ces romans de gare un peu graveleux. D'ailleurs ici, clin d'œil amusant, les princes s'appellent toujours S.A.S. (abréviation signifiant : Son Altesse Sérinissime). En haut du Rocher, sur la place du Palais, à l'heure de la relève de la garde, on se croirait plutôt dans un album de Tintin et Milou dont l'action (un peu surréaliste) se déroulerait dans une république bananière d'Amérique centrale !

UN PEU D'HISTOIRE

Un rocher abrupt facile à défendre, un petit port bien abrité dans une anse naturelle, il n'en fallait pas plus pour susciter des convoitises. Les Phéniciens occupaient l'endroit et y auraient élevé un temple à *Melkart,* dieu de Tyr, que les Grecs assimileront à Héraclès, qualifié ici de Mono-ikos (dieu unique).

Après avoir connu les invasions des Goths, des Lombards et des Sarrasins, Monaco appartint aux Génois. La ville était alors dominée par deux partis politiques : les *guelfes,* alliés au pape et au comte de Provence, et les *gibelins,* partisans de l'empereur germanique, de souche plus modeste. En 1297, un Grimaldi, guelfe génois, François « la Malice » s'empare par la ruse (il s'était déguisé en moine franciscain !) de la seigneurie de Monaco et, depuis, le nom et les armes des Grimaldi ont toujours été portés par les héritiers. Charles Ier Grimaldi acquiert aussi Menton en 1346 et Roquebrune en 1355. Être seigneur à Monaco ne fut pas toujours facile : ainsi, en 1505, Jean II fut tué par son frère Lucien, mais il y a quand même une justice : Lucien fut assassiné à son tour par son neveu. Banal, direz-vous, en ce temps-là ! Et puis, en 1604, Honoré Ier fut jeté à la mer par ses sujets.
En six siècles, Monaco va osciller entre Gênes, la Savoie, l'Espagne et la France.

Un département français sous la Révolution

En 1793, la République française annexe Monaco qui devient un simple département sous le nom de ***Fort Hercule***. La famille princière est arrêtée, ses biens sont saisis et dispersés. Le palais des Grimaldi est alors transformé en dépôt de mendicité. Il faudra attendre la fin de l'Empire, la chute de Napoléon Ier et le traité de Paris du 30 mai 1814 pour que les Grimaldi soient rétablis dans leurs droits.
En 1848, Menton et Roquebrune se déclarent villes libres sous la protection du roi de Sardaigne. Résultat : la principauté est réduite à Monaco. En 1861, après avoir résisté, Charles III Grimaldi abandonne à la France ses droits sur Menton et Roquebrune. Où trouver d'autres ressources ?

L'ère des jeux et des casinos

Finalement, le prince autorise l'ouverture d'une maison de jeu, bien modeste au demeurant, qui périclite. Il faut attendre l'arrivée de *François Blanc,* directeur avisé du casino de Bad Homburg, pour lancer Monaco, grâce à ses énormes capitaux. La ***Société des Bains de mer*** est créée en 1861, le PLM prolonge le chemin de fer jusqu'à Monaco ; on construit le splendide *Hôtel de Paris,* longtemps premier hôtel d'Europe. En 1872, le casino reçoit 160 000 visiteurs. François Blanc, lui, ne jouera pas une seule fois et mourra richissime... C'est à lui que l'on doit le proverbe : « Rouge manque, Noir passe, Blanc gagne. »
Quant au prince de Monaco, il avait fortement contribué à attirer des grosses fortunes en supprimant les impôts en 1869 (exonération des contributions foncières, personnelles et mobilières, et de l'impôt des patentes). Monaco devient un « paradis fiscal ». En 1918, un traité prévoit que la France doit rester garante de l'intégrité territoriale de la Principauté. En échange, Monaco s'engage à exercer ses droits de souveraineté en conformité avec les intérêts français.
Un coup dur allait être porté en 1933 : l'autorisation des jeux en France et en Italie... C'était la fin d'un monopole à l'origine de la fortune de la ville. Heureusement, des sociétés étrangères attirées par les privilèges fiscaux continuèrent d'affluer, trop nombreuses pour l'espace restreint de la principauté. Après la Seconde Guerre mondiale, les gratte-ciel s'élevèrent un peu partout pour accueillir tout le monde et l'on gagna du terrain sur la mer, la superficie de la principauté passant de 150 à 195 ha. Les critiques ont été nombreuses devant cet urbanisme vertical (pas toujours du meilleur goût). Du prince Rainier – à l'origine de cet urbanisme acharné – les méchantes langues dirent qu'il avait une brique dans le ventre. Mais n'avait-il pas d'ailleurs épousé la jolie fille d'un briquetier ?...

Le Maçon et le Prince

Une autre anecdote assure qu'à Monaco « il y a le Prince qui pèse tant de milliards et l'Empereur qui en pèse dix fois plus ». Qui est cet « empereur » mystérieux ? Descendant d'un maçon italien parti avec deux sous en poche, cet homme de l'ombre est aujourd'hui le promoteur immobilier le plus puissant de Monaco et de loin l'homme le plus riche de la Principauté : une très très grande fortune. Il possèderait à Monaco près de 6 000 appartements en location ! Son nom inscrit dans un logo coloré apparaît sur de nombreux murs de la ville. Dès qu'une grue se met en mouvement au-dessus d'un chantier : c'est son œuvre. Si une nouvelle tour se dresse dans le ciel : c'est encore lui... Il est omniprésent, omnipuissant et indispensable. Rainier III lui devrait même la vie, dit-on. Un jour que le Prince se noyait sur une plage, le petit-fils du maçon aurait volé à son secours et sauvé ainsi de l'étouffement. Depuis cette date, le sauveteur n'a pas été annobli mais, mieux que cela, le Prince magnanime lui a déroulé le plus beau des tapis rouges, lui donnant toute liberté pour accomplir son rêve de grand bâtisseur.

MONACO AUJOURD'HUI

On a tendance à associer Monaco aux amours de ses princes et princesses, à son rallye automobile ou encore à son équipe de football. Mais Monaco n'est pas seulement cela. Toutefois, n'y allez jamais au moment du Grand Prix, les rues sont fermées à la circulation et vous ne pourrez entrer dans la ville, sauf si vous payez (très, très cher) une place pour y assister.

Économie

Dans la principauté, où vivent 30 000 habitants (83 % d'étrangers), 37 000 salariés travaillent dans le secteur privé (produits manufacturés, transformation de biens alimentaires) et on compte quelque 2 000 fonctionnaires, policiers et membres de professions libérales. Il faut ajouter que chaque jour 25 000 frontaliers viennent travailler ici (Français et Italiens). Heureusement pour la principauté que de nombreuses et diverses activités participent à sa prospérité, car le casino, qui rapportait 95 % des recettes de l'État en 1890, n'en rapporte plus que 5,8 % ! Près de 55 % des recettes proviennent de la taxe sur le chiffre d'affaires des sociétés. La deuxième source de revenus de la principauté serait le domaine immobilier (près de 10 %) : revenus des immeubles et parkings publics.

Institutions

La monarchie héréditaire et constitutionnelle fonctionne avec un Conseil national, renouvelé tous les 5 ans, et un Conseil communal élu pour 4 ans. Seuls les quelque 5 000 Monégasques votent. Ils ne paient pas d'impôts et sont exemptés de service militaire. Monaco est d'ailleurs le pays des superlatifs. C'est le seul au monde où son chef d'État peut réunir facilement tous ses sujets autour de lui !
Mais si vous voulez envoyer une carte postale, le timbre sera monégasque. De même, pour téléphoner, il faudra vous fendre d'un code international (00-377) avec le tarif idoine (c'est-à-dire approprié).

LE TOURISME ROI

La principauté reçoit chaque année plusieurs millions de touristes, d'où un taux d'occupation des hôtels très élevé (70 %). Les premiers visiteurs sont les Italiens (23 %), puis les Américains (14 %) et les Français (14 %). Viennent ensuite les Anglais, les Allemands et les Suisses. Les Japonais (2,5 %) sont de plus en plus nombreux, grâce à la promotion effectuée par le

bureau du tourisme de Monaco implanté à Tokyo. Monaco est aussi un endroit privilégié pour le tourisme d'affaires et rivalise avec ses voisines, Nice et Cannes. Le nouveau palais des congrès, sous l'*Hôtel de Paris,* accueille une centaine de congrès par an.
Pour obtenir un tel résultat, la sécurité devient un objectif prioritaire et l'on dit que le palais de justice n'a que des affaires de divorce à se mettre sous la dent, la délinquance étant pratiquement inexistante ! Quand on voit le nombre de policiers dans les rues et le nombre de caméras de surveillance, on comprend qu'il vaut mieux ne pas avoir affaire au code pénal monégasque.

Fêtes et principaux événements

– ***Fête de Sainte-Dévote :*** le 27 janvier. Sainte-Dévote est la patronne protectrice de la principauté. Feu d'artifice le 26 janvier.
– ***Rallye Automobile Monte Carlo :*** en janvier. Routes de l'arrière-pays.
– ***Grand Prix Automobile de Monaco F1 :*** en mai. Se déroule entièrement dans la ville. Très spectaculaire.
– ***Fête-Dieu :*** le jeudi suivant le dimanche de la Trinité.
– ***Fête Nationale :*** le 19 novembre. C'est la fête du Prince. La veille au soir, grand feu d'artifice tiré dans la rade du port avec embrasement du Rocher.
– ***Immaculée Conception :*** le 8 décembre. Jour férié.

Se déplacer dans Monaco

La principauté comprend *Monaco-Ville* et son rocher, *Monte-Carlo,* le *quartier de la Condamine* qui relie les deux, et *Fontvieille,* à l'ouest.
– ***À pied :*** le meilleur moyen, le plus économique et celui qui permet de découvrir les détails cachés de la ville. La principauté est petite et elle se traverse rapidement. Sur le Rocher, nombreux escaliers roulants et ascenseurs : pour les partisans du moindre effort ! Un détail tout à fait remarquable : les Monégasques sont hyper respectueux de l'ordre : un piéton ne traversera jamais au rouge ; les véhicules vous laisseront toujours passer.
– ***En bus :*** le bus n° 1 dessert le casino au départ de Monaco-Ville ; le n° 2 conduit au Jardin exotique ; le n° 4 part de la gare de Monaco et dessert les plages. Il existe des tickets valables pour 4 ou 8 voyages, beaucoup plus économiques que ceux vendus à l'unité. Pour tous renseignements : ☎ 00-377-97-70-22-22.
– ***Voitures et parkings souterrains :*** en été, les bouchons commencent à l'entrée de la principauté, surtout si l'on vient de l'autoroute. Il est conseillé de se garer dans l'un des nombreux parkings souterrains de la principauté. Il y en a partout (une trentaine) et ils sont très bien organisés, sans être trop chers. Le stationnement d'une durée inférieure à 60 mn est gratuit. Au-delà, le tarif s'applique à compter de l'heure d'arrivée. En moyenne, compter moins de 3,05 € (20 F) pour un stationnement de moins de 1 h 30. Environ 6,10 € (40 F) pour 3 h, 8,38 € (55 F) pour une durée de 5 à 6 heures.

Adresses utiles

ℹ ***Office du tourisme de Monaco*** *(plan couleur B1)* **:** 2A, bd des Moulins, Monte-Carlo, 98030 Principauté de Monaco Cedex. ☎ 00-377-92-16-61-16. Ouvert du lundi au samedi de 9 h à 19 h et les dimanche et jours fériés de 10 h à 12 h. Mais aussi 6 petites annexes sur le port et en ville du 15 juin au 30 septembre, ouvertes tous les jours non-stop, de 9 h à 20 h. Office du tourisme aussi efficace et courtois qu'un *visitor center* aux États-Unis et aussi moderne que la réception d'une multinationale japonaise.

Office du tourisme de Beausoleil : 32, bd de la République. ☎ 04-93-78-01-55. En face de la place de la Mairie. Ouvert du lundi au vendredi de 9 h à 12 h et de 14 h à 18 h, le samedi de 9 h à 12 h. Parking souterrain Libération (gratuit pendant la 1re heure).

***Gare SNCF** (plan couleur A2) :* ☎ 08-92-35-35-35 (0,34 €/mn, soit 2,21 F). Nombreux trains TGV vers Nice ou Menton.

Où dormir ?

Voici quelques adresses, mais on vous conseille plutôt de dormir dans les environs, plus sympas et moins chers : Menton, Roquebrune, Cap-d'Ail...

À Monte-Carlo

Très bon marché

***Centre de la jeunesse Princesse-Stéphanie** (plan couleur A2, 10) :* 24, av. Prince-Pierre. ☎ 00-377-93-50-83-20. Fax : 00-377-93-25-29-82. • youthhostel.asso.mc • Descendre le boulevard Rainier-III, au niveau de l'embranchement avec la route de Nice, à gauche. Ouvert de 7 h à minuit (1 h le samedi). Fermé 15 jours en hiver. 15,24 € (100 F) la nuitée, petit déj' et draps compris (paiement seulement en espèces). Une maison ancienne aux murs roses, doublée en contrebas d'une annexe moderne qui ressemble à une grosse baraque de chantier public. En juillet-août, la vieille maison est ouverte, sinon le reste de l'année uniquement l'annexe. 8 chambres très propres de 4 places mais aucune ventilation. Être âgé de 16 à 26 ans (31 ans inclus pour les étudiants). Pièce d'identité obligatoire. En été, 5 nuits maximum. Réservation possible. Laverie et casier-consigne, joli jardin où pique-niquer.

À Monaco

Bon marché

***Hôtel Cosmopolite** (plan couleur A2, 11) :* 4, rue de la Turbie. ☎ 00-377-93-30-16-95. • hotel-cosmopolite@monte-carlo.mc • Chambres doubles de 38 à 51 € (249 à 335 F). Bien situé, entre le port et le Rocher, dans une rue ancienne et étroite, une des adresses les moins chères de Monaco. Un vieil immeuble restauré et très bien entretenu abritant des chambres modestes mais propres et très calmes (avec ou sans douche). La décoration sans prétention respire la simplicité et la netteté. Les chambres les moins chères ont la douche sur le palier et seulement un lavabo, mais c'est largement suffisant. Certaines donnent sur la rue et d'autres sur l'arrière. Nuits calmes assurées. Accueil souriant.

Prix moyens

***Hôtel de France** (plan couleur A2, 12) :* 6, rue de La Turbie. ☎ 00-377-93-30-24-64. Fax : 00-377-92-16-13-34. Près de la gare. Compter entre 76 et 91 € (environ 500 à 600 F) la chambre double avec douche et TV câblée. Parking payant à proximité. Plusieurs chambres entièrement rénovées dans un style moderne gentil (salle de bains genre cabine de bateau). 10 % de réduction en basse saison pour nos lecteurs sur présentation du *Guide du routard* de l'année.

🏨 ***Hôtel Helvetia*** *(plan couleur A2,* ***13****) :* 1 *bis,* rue Grimaldi. ☎ 00-377-93-30-21-71. Fax : 00-377-92-16-70-51. Chambre double de 45,73 à 76,22 € (300 à 500 F) selon la période et le confort. Hôtel en étage, un peu vieillot mais à deux pas du port et de la place d'Armes. 25 chambres, la plupart avec douche ou bains, très bien entretenues. Pour nos lecteurs, 10 % de réduction sur le prix de la chambre de novembre à avril (hors fêtes de fin d'année) sur présentation du *Guide du routard* de l'année.

À Beausoleil *(06240)*

Attention, ici vous n'êtes plus principautaire. Seuls les numéros pairs de la rue ne paient pas d'impôts. Les numéros impairs sont en France (et font la tête) !

🏨 ***Hôtel Villa Boeri*** *(plan couleur B1,* ***14****) :* 29, bd du Général-Leclerc. ☎ 04-93-78-38-10. Fax : 04-93-41-90-95. Ouvert toute l'année. Chambre double de 33 à 65 € (210 à 420 F). Un hôtel croquignolet à souhait avec les palmiers et les géraniums aux fenêtres, serré entre les immeubles de la périphérie de la principauté. Chambres doubles climatisées, très spacieuses, à la décoration sobre. Il est possible d'avoir un bout de vue sur la mer dans les chambres n° 201, 202, 301 et 302.

🏨 ***Hôtel Diana*** *(plan couleur B1,* ***15****) :* 17, bd du Général-Leclerc. ☎ 04-93-78-47-58. Fax : 04-93-41-88-94. • www.monte-carlo.mc/hotel-diana-beausoleil • À 500 m du casino. Chambre double à 46 € (302 F) avec douche et w.-c. sur le palier, 53,50 € (351 F) avec bains. Ici, rappelons-le, on est en France, alors que de l'autre côté de la rue, c'est Monte-Carlo ! Façade verte très Belle Époque qui tranche un peu sur le béton environnant ! Toutes les chambres sont climatisées. TV pour suivre les grands événements de la principauté. On y accède par un ascenseur brinquebalant à souhait. Bon accueil. 10 % de réduction sur le prix de la chambre pour 2 nuits minimum sur présentation du *GDR* de l'année.

Où dormir dans les environs ?

🏨 ***Relais International de la Jeunesse*** *:* Thalassa, bd de la Mer, 06320 Cap-d'Ail. ☎ 04-93-78-18-58. Fax : 04-93-53-35-88. Réservation possible au : ☎ 04-93-81-27-63. De la gare, prendre le tunnel piéton puis suivre le fléchage jusqu'à la mer. Ouvert de mai à octobre. 11,43 € (75 F) la nuit, petit déj' et draps compris en chambre de 6 à 11 lits. Demi-pension autour de 23 € (151 F). Situation exceptionnelle, quasiment les pieds dans l'eau pour cette belle maison bourgeoise, à côté de l'ancienne demeure de Greta Garbo. Ambiance « famille nombreuse ».

Où manger ?

Il n'y a pas que des établissements luxueux à Monaco ! Beaucoup de petits restos de la vieille ville proposent des menus abordables... Et il y a quelques lieux incontournables à voir même si l'on ne cherche pas à être vu.

Bon marché

🍽 ***Monte Carlo Bar*** *(plan couleur A3,* ***20****) :* 1, av. Prince-Pierre. ☎ 00-377-92-05-73-80. Très bien situé, au pied du Rocher et du Palais. Plat du jour autour de 9,15 € (60 F). Un bar-snack qui a le mérite d'être ouvert jour et nuit. Cuisine simple et économique : pâtes, salades, soupes, omelettes.

Bon marché à prix moyens

🍽 ***La Cigale** (plan couleur A2, **21**) :* 18, rue de Millo. ☎ 00-377-93-30-16-14. À 300 m du port. Fermé le dimanche. Congés annuels de mi-juillet à fin août. Menus à partir de 14,94 € (98 F). Cuisine des plus honnêtes pour ce bar-resto pas touristique pour un sou. Menus proposant pas mal de poisson grillé.

🍽 ***Tony** (plan couleur A3, **22**) :* 6, rue Comte-Félix-Gastaldi. ☎ 00-377-93-30-81-37. Fermé le samedi hors saison. Congés annuels du 1er novembre au 27 décembre. Menus à partir de 13,72 € (90 F). Très proche du palais et donnant sur deux rues du vieux Monaco. Une salle très bistrot de province. Le patron est un personnage un peu surprenant dans cette ville aseptisée. La cuisine est bonne et copieuse. Il y a même des moules-frites, une spécialité du coin, peut-être. Bons vins.

Prix moyens

🍽 ***Le Huit et Demi** (plan couleur A2, **23**) :* 4, rue Langlé, à Monaco. ☎ 00-377-93-50-97-02. Fermé les samedi midi et dimanche. Autour de 18,29 € (120 F) le repas. Dans une rue tranquille. Pêcheurs, cadres assureurs et visiteurs se retrouvent chez ce nostalgique des films de Fellini pour manger un plat du jour copieux, en terrasse. Bouteille d'huile d'olive (et pas n'importe quelle marque) posée sur la table : un très bon signe. Excellent rapport qualité-prix. Bon accueil, service aimable. Le café est offert à nos lecteurs sur présentation du *Guide du routard* de l'année.

🍽 ***Le Périgordin** (plan couleur B1, **24**) :* 5, rue des Oliviers, à Monte-Carlo. ☎ 00-377-93-30-06-02. Sert jusqu'à 22 h 30. Fermé le dimanche. Congés annuels du 15 au 25 août. Menu à 9,15 € (60 F) le midi en semaine; autres menus à partir de 15,24 € (100 F). Gérard Baigue, le patron, est un authentique Périgourdin : il aime tellement le canard qu'il en sert sous toutes les formes. Et c'est toujours un régal... On trouve aussi du beau poisson. Apéritif maison offert à nos lecteurs sur présentation du *Guide du routard* de l'année.

Plus chic

🍽 ***Café de Paris** (plan couleur B1, **25**) :* place du Casino, à Monte-Carlo. ☎ 00-377-92-16-20-20. Tout à côté du casino. Jusqu'à 2 h du matin. Compter autour de 38 € (environ 250 F) sans faire de folies. Une brasserie célébrissime où la Belle Époque se joue en cinémascope, souvent à guichets fermés. Mais ceux et celles qui viennent là ont toute la vie devant eux.

🍽 ***Polpetta** (plan couleur A1, **26**) :* 2, rue du Paradis, à Monte-Carlo. ☎ 00-377-93-50-67-84. Fermé le mardi toute la journée et le samedi midi. Congés annuels trois semaines en juin et trois autres en octobre. Menu à 22,87 € (150 F). À l'écart de l'agitation. Compter autour de 38 € (250 F) à la carte. « Italienissement » vôtre depuis deux décennies, avec ses délicieuses pâtes. Bons vins italiens à prix accessibles et atmosphère sympa. Digestif offert à nos lecteurs sur présentation du *Guide du routard* de l'année.

Où sortir ?

🍸 ***Stars'n'Bars-Sports Bar and Club*** *(plan couleur B2,* ***30****)* **:** 6, quai Antoine-Ier. ☎ 00-377-93-50-95-95. Sur le port, face à Monte-Carlo. Voilà un établissement à l'image de Monaco. Compter entre 18,29 et 22,87 € (120 à 150 F) avec les boissons. Certains vont détester, d'autres vont adorer (surtout les sportifs). C'est surtout pour le cadre hors du commun et démesurément « américain » que nous avons retenu l'endroit. Importante collection d'objets ayant appartenu à de grands sportifs (André Agassi, David Coulthard, Michael Schumacher, Ayrton Senna...) ; il y a même la Formule 1 de Thierry Boutsen, le bobsleigh olympique du prince Albert ! Bref, le *Stars* (comme disent les habitués) est une sorte de gigantesque musée (1 500 m²) qui peut se transformer en resto, en bar et boîte de nuit. Clientèle d'habitués avec de temps en temps quelques vedettes ; on y a vu, paraît-il, Stevie Wonder, Julian Lennon, Peter Gabriel, Magic Johnson... alors ouvrez l'œil !

🍸 ***Bar du Zebra Square*** *(hors-plan couleur par B1,* ***31****)* **:** Grimaldi Forum, av. Princesse Grace, à Monte Carlo. ☎ 00-377-99-99-25-50. • www.zebrasquare.com • Près du *Jardin Japonais*. Ascenseur jusqu'au 2e étage du Forum. C'est indiqué et facile à trouver. Un des endroits les plus branchés de Monaco qui commence par un bar et finit par une superbe terrasse extérieure avec vue sur la Méditerranée. Compter entre 7,62 et 15,24 € (50 et 100 F) pour une boisson au bar. Venir le soir pour boire un verre et admirer la décoration zébrée style « Tropical Club ».

À voir

La vieille ville

Monaco, capitale de la principauté, est construite sur un rocher de 300 m de large, s'avançant de 800 m sur la mer. Le site est, bien sûr, superbe.
Partir de la jolie *place d'Armes,* avec ses arcades et son marché coloré. Dehors, poissons, fleurs et fruits. À l'intérieur, pâtisseries, charcuteries, boucheries et une sorte de bar où l'on peut manger un sandwich. De la place d'Armes, on voit l'enceinte du château, bâti à la fin du XVIe siècle, à la pointe ouest du rocher.
La *rampe Major,* qui date de 1714, permet d'accéder à la place du Palais, après avoir franchi trois portes des XVIe et XVIIe siècles.
Évitez le Monte-Carlo Story à la sortie des parkings. Spectacle de 30 mn sur la vie des princes de Monaco. Lui préférer le musée de Cire (voir plus loin).

★ ***Le Musée océanographique*** *(plan couleur B3)* **:** av. Saint-Martin. ☎ 00-377-93-15-36-00. En bordure du rocher. Ouvert tous les jours (sauf au moment du Grand Prix !) d'avril à septembre, de 9 h à 19 h (de 9 h à 20 h en juillet et août), et de 10 h à 18 h, d'octobre à mars. Entrée : 10,67 € (70 F) ; demi-tarif pour les 6-18 ans et les étudiants. Compter au moins 3 h de visite.
Une visite à ne manquer sous aucun prétexte : le plus célèbre et sans doute le plus important musée du genre. Ceux qui n'aimaient pas les poissons en ressortent immanquablement ébahis, voire... amoureux ! Déjà, l'édifice lui-même a fière allure : ses 100 000 tonnes de pierres de taille de La Turbie dominent la mer du haut de 85 m... L'ensemble fut créé au début du XXe siècle par Albert Ier pour abriter les étonnantes collections récoltées au cours de ses expéditions à travers les mers du globe. Il fut dirigé de 1957 à 1988 par le commandant Cousteau, qu'il n'est pas nécessaire de présenter.
Il faut commencer en priorité par l'*aquarium* occupant le sous-sol. Des milliers de spécimens de la faune et de la flore aquatiques évoluent dans

90 bassins alimentés directement en eau de mer. Après l'accueil d'un banc de petits requins, on s'étonne devant le poisson-lime, bleu à taches orange, et le poisson-rasoir, en forme de lame, de l'aquarium E14. Puis on se pâme devant la bécasse à carreaux et le porte-enseigne en forme de faucille (E7) avant de s'extasier face aux poissons-roches, inimaginables et ô combien venimeux ! Suivent les poissons-papillons ou vaches (E5), ou encore la balance, avec sa coiffure punk. En N1, un arbalétrier vous fixe et suit votre regard, tandis qu'un baliste bleu montre ses dents orange ! Dans le bassin N3, de toutes les couleurs, la girelle oiseau, au long bec. Ne pas manquer non plus les poissons-scorpions, la licorne (G1) et l'abominable rascasse pustuleuse (S10). Amusant : le crabe honteux, dont les pattes disparaissent (S4) et l'esturgeon au long nez à moustaches (A3) ! Le plus étonnant est sans doute la plie. Essayez de la trouver, dans l'aquarium C13... Ce poisson plat, presque caméléon, se cache dans le sable avant de bondir sur sa proie ! Un sous-sol féerique où l'on resterait des heures. Le clou de cette visite est sans aucun doute le récif corallien, importé de Djibouti, que les chercheurs du musée ont réussi à acclimater en aquarium, créant ainsi un écosystème entièrement autonome. Une première dans l'histoire de l'aquariophilie. Sûr que ça va vous changer de votre poisson rouge !
Au rez-de-chaussée, le *musée,* où trône une baleine de 20 m de long. Autour, des fanons : on comprend enfin comment fonctionne cet étonnant filtre géant. Au mur, une horloge électronique nous apprend qu'un bébé baleine grossit d'un gramme par seconde.
Au 1er étage, un calamar géant accroché au plafond (13 m !), des manchots, des otaries et toutes sortes d'oiseaux des îles empaillés. À voir aussi, le bec d'un poisson qui mesurait 7 m et le squelette d'une daurade dévorée par des puces de mer ! On termine par la terrasse du 2e étage, d'où la vue est superbe.
On peut compléter la visite de l'endroit par un des documentaires sur la mer projetés en permanence dans la salle de conférences.

★ ***Les jardins Saint-Martin*** *(plan couleur B3)* **:** aménagés vers les années 1830, face à la mer, tournant le dos à la cathédrale, ils sont très reposants et constituent une halte agréable au milieu d'une étonnante végétation tropicale.

★ ***La place du Palais*** *(plan couleur A3)* **:** impeccablement propre et archibondée aux heures de pointe, c'est-à-dire avant la relève de la garde des carabiniers, à 11 h 55 précisément... Facile de les reconnaître, au milieu de la foule : ils sont vêtus de noir en hiver et de blanc en été ! De la place, vue superbe d'un côté sur le port, Monte-Carlo et l'Italie, de l'autre sous une promenade ombragée de pins, sur Fontvieille, la côte vers Cap-d'Ail. Des boulets et canons offerts par Louis XIV au prince de Monaco ornent la place. Face au palais, caserne des carabiniers, de style génois.

★ ***Le palais princier*** *(plan couleur A3)* **:** visite de juin à septembre de 9 h 30 à 18 h 30 et du 1er au 31 octobre de 10 h à 17 h. Accès libre mais le *musée des Souvenirs napoléoniens* (voir plus bas) est payant. Photos interdites. Peu de vestiges de la forteresse du XIIIe siècle, si ce n'est la tour de Serravale, isolée, et une partie de l'enceinte agrandie sous Vauban qui s'encastre dans le rocher.
Vous pénétrez dans une superbe *cour d'honneur,* pavée de galets blancs et de couleur, entourée de galeries à arcades. Puis un bel escalier conduit à la *galerie d'Hercule* ornée de fresques du XVIIe siècle. Vous verrez aussi la *salle du Trône,* où fut célébré le mariage civil du prince Rainier et de Grace Kelly, ainsi qu'une série de salons somptueux, décorés de tapis, meubles d'époque, tableaux de maître (Rigaud, Van Loo, Largillierre, etc.). Mais l'accès aux appartements privés est interdit, les fans de Stéphanie ou d'Albert seront déçus. La présence du prince dans le palais est indiquée par un étendard hissé sur la tour principale.

★ ***Le musée des Souvenirs napoléoniens et des Archives du palais*** *(plan couleur A3)* **:** de juin à septembre, ouvert tous les jours de 9 h 30 à 18 h 30 ; en octobre, de 10 h à 17 h ; et de décembre à mai, ouvert de 10 h 30 à 12 h 30 et de 14 h à 17 h (sauf le lundi). Fermé du 11 novembre au 16 décembre. Entrée : 3,05 € (20 F). Enfants de 8 à 14 ans : 1,52 € (10 F). Installé dans une aile du palais, ce musée fut créé par le prince Rainier. La famille Grimaldi est, paraît-il, apparentée aux Bonaparte. Vous y découvrirez beaucoup d'objets ayant appartenu à Napoléon, qui devait avoir une sacrée garde-robe avec tout ce qu'on retrouve à droite et à gauche. Au premier étage, évocation du passé de la principauté : charte d'indépendance de Monaco, signée du roi de France Louis XII, lettre de Louis XIV au prince Antoine Ier, décorations monégasques.

★ ***Le musée de Cire, historial des princes de Monaco*** *(plan couleur A-B3)* **:** 27, rue Basse. ☎ 00-377-93-30-39-05. Ouvert tous les jours de février à septembre, de 9 h 30 à 18 h ; d'octobre à janvier, de 10 h à 16 h. Entrée : 3,35 € (22 F). Dans des salles voûtées du XIVe siècle, 40 personnages en cire, grandeur nature, retracent l'histoire de la famille Grimaldi. On croit rêver...

★ ***Les vieilles rues :*** un peu trop pimpantes à notre goût, avec des façades souvent ravalées, sauf peut-être la *rue Basse,* relativement bien préservée. Et surtout, pléthore de boutiques. Cela donne parfois une impression de toc. À l'angle de la rue Émile de Loth et de la ruelle Sainte-Dévote, une plaque posée sur un mur de l'hôtel de ville évoque le souvenir du poète *Guillaume Apollinaire*. Il fit ses études de 1888 à 1896 au Collège Saint-Charles, qui était situé autrefois dans cet immeuble, devenu aujourd'hui la mairie de Monaco.

★ ***La cathédrale*** *(plan couleur B3)* **:** 4, rue Colonel-Bellando-de-Castro. Accès libre. De style néo-roman (elle date de la fin du XIXe siècle), en pierre blanche de La Turbie, elle n'a rien d'extraordinaire. Pour la construire, on a dû démolir l'ancienne église Saint-Nicolas, du XIIIe siècle. Il faut y entrer pour admirer le *retable de saint Nicolas,* un des chefs-d'œuvre de Louis Brea, très mal mis en valeur, à l'entrée gauche du déambulatoire, et la *Pietà du curé Teste,* au-dessus de la porte de la sacristie. La majorité des visiteurs venant pour voir la ***tombe de Grace Kelly***, on admire le chef-d'œuvre sans bousculade. Dans le déambulatoire se trouvent les tombeaux des princes ; sur celui de Grace, cette simple inscription : « Gratia Patricia Principis Rainier III. » Pas de gerbes mais d'émouvants petits bouquets offerts par les citoyens monégasques.

La Condamine

Le quartier de la Condamine s'étage en amphithéâtre au-dessus du port, sous la muraille rocheuse qui domine la principauté. Dommage quand même qu'on ait tant construit ici.

★ ***Le port,*** dont l'aménagement date de 1901, abrite de splendides yachts ; on a tous en mémoire l'arrivée de Grace Kelly en bateau pour la première fois à Monaco (mais si, rappelez-vous, les actualités à *La Dernière Séance*). À côté, piscine olympique. Sur le port, quelques snacks abordables.

★ ***L'église Sainte-Dévote*** *(plan couleur A2)* **:** d'après la tradition, sainte Dévote, après avoir été martyrisée en Corse vers 305, fut abandonnée dans une barque qui échoua à Monaco. Au XIe siècle, les reliques de la sainte furent dérobées, et emportées en bateau. Mais les malfrats furent rattrapés et leur embarcation fut brûlée. Depuis, chaque année, le soir du 26 janvier, on brûle une barque devant l'église ; le lendemain, les reliques de la sainte sont portées en procession jusqu'à la place du Palais.
L'église est bâtie sur l'emplacement d'une chapelle du XIe siècle ; à l'intérieur, autel en marbre du XVIIIe siècle.

Monte-Carlo

★ ***Le casino de Monte-Carlo*** *(plan couleur B1)* **:** on l'a décrit à l'époque comme « la cathédrale d'enfer qui dresse les deux cornes de ses tours mauresques sur cet éden de perversité »... Bon, faut quand même pas exagérer! Sans être aussi critique, on peut trouver sa décoration assez étonnante. Il se compose de plusieurs corps d'édifice, dont le plus ancien (datant de 1878), face à la mer, est dû à *Charles Garnier,* l'architecte de l'Opéra de Paris.
N'hésitez pas à entrer dans le hall central. Devant vous, le théâtre; sur la gauche, les salles de jeu. Même combat.
– *Visite du casino :* accès réglementé. Interdit aux moins de 21 ans. Pièce d'identité obligatoire. Durée de la visite : 30 à 40 mn. Informations au ☎ 00-377-92-16-20-00. • www.casino-montecarlo.com • Entrée payante : *salons européens* 7,62 € (50 F), *salons privés* 15,24 € (100 F). Ils ne gagnent sans doute pas assez d'argent! Regardez les plafonds, d'une richesse inouïe. Beaucoup de monde se presse devant les machines à sous, dans un vacarme étourdissant. Les enjeux sont pourtant bien modestes comparés à ceux des autres salles. Que de fortunes envolées... comme celle de la *Belle Otero,* favorite du Kaiser, qui perdit en une nuit ce qu'elle avait gagné au cours d'une tournée triomphale aux États-Unis.
De la terrasse du casino, vue splendide jusqu'à la pointe de Bordighera. En contrebas s'étend un vaste centre des congrès. Plus loin, à l'est du casino, se succèdent les plages artificielles, les piscines et palaces de Monte-Carlo.

★ ***L'opéra :*** à l'intérieur du Casino, il fait partie de la visite. Cet opéra fut construit par Charles Garnier dans un délai record de cinq mois. Il s'inspira des nouvelles conceptions scénographiques dictées par Wagner à Bayreuth. Ce qui en fit, pour l'époque, un théâtre un peu révolutionnaire : pas de balcon et un parterre rectangulaire. L'intérieur, tout petit, est charmant. On se croirait dans une bonbonnière de style Belle Époque. La grande curiosité est la loge princière, en baldaquin, qui se détache du fond au-dessus du vide. C'est dans ce bijou, inauguré par Sarah Bernhardt le 25 janvier 1879, que furent créées de nombreuses œuvres, comme *La Damnation de Faust* de Berlioz en 1893 et *L'Enfant et les Sortilèges* de Maurice Ravel en 1925. Les plus grandes voix du monde se sont produites ici, ainsi que la compagnie de ballets de Serge Diaghilev, célèbre chorégraphe exilé. Donnant en 1909 les premières représentations des *Ballets russes*, Diaghilev fera souffler durant 20 ans – après une interruption forcée pour cause de guerre ici et de révolution là-bas – le vent de l'avant-garde sur Monaco, où se succèdent d'exceptionnelles créations. À sa mort, en 1929, nombreux furent ceux qui rivalisèrent pour lui succéder. Le poète-musicien *Léo Ferré* (né à Monaco où son père travaillait à la *Société des Bains de Mer*) y dirigea même des concerts dans les années 60.
Conseil : essayez d'assister à un spectacle, mais n'oubliez pas qu'ici, on s'habille pour sortir, et que vous risquez d'être refoulé si vous arrivez en jean (location de tenues de soirée : *Ets Bourdin,* 5, rue Princesse-Caroline). Pas facile, il n'y a que 600 places et les représentations sont très courues. N'oubliez pas de vous lever lorsque la famille princière entre dans sa loge!

★ ***Le Jardin des Boulingrins et les terrasses du Casino :*** place du Casino, entre le *Casino* et le boulevard des Moulins. Accès libre. Il est agréable de flâner, en toute simplicité, dans les *jardins des Boulingrins* composés de magnifiques parterres de fleurs et agrémentés de pièces d'eau. Notez au passage les nombreux panneaux (très bien faits) constitués de photos historiques relatant la visite des stars du cinéma, du show business et des célébrités du monde, de passage à Monte-Carlo. Il n'en manque pas une! À l'opposé des *Boulingrins*, derrière le *Casino*, côté mer, une œuvre géométrique et multicolore de Vasarely orne la toiture du très moderne *Centre de Congrès Auditorium.*

★ ***L'Hôtel de Paris :*** remarquez sa superbe façade décorée de belles statues et d'une splendide marquise. Ce palace a reçu les hôtes les plus prestigieux, tels que *Sarah Bernhardt* qui tenta même de s'y suicider (cabotine !), le *grand-duc Michel de Russie* qui louait plusieurs étages et commandait soixante magnums de champagne par nuit, ou *Churchill,* venu avec sa perruche Toby qui s'envola, laissant le grand homme au bord du désespoir. Seule une fine champagne de 1810 le consola... Allez-y à l'heure du thé, pour admirer le spectacle.
Évidemment, la nostalgie n'est plus ce qu'elle était. Il n'y a plus grand-monde à avoir ici un domicile fixe à l'année. Il faut aujourd'hui 5000 personnes pour remplacer les 50 familles à domicile fixe d'autrefois... Peu de Français, en général, l'*Hôtel de Paris* n'ayant jamais attendu après pour remplir ses 269 chambres, ses 42 appartements, faire vivre ses 500 employés... Une des vedettes actuelles de ce prestigieux palace s'appelle Alain Ducasse, l'ex-étoile montante du restaurant *Louis XV* devenue l'étoile de la gastronomie à Monte-Carlo...

À Monte-Carlo *(vers la plage du Larvotto)*

★ ***Le Musée national*** *(hors plan couleur par B1)* **:** 17, av. Princesse-Grace. ☎ 00-377-93-30-91-26. Ouvert tous les jours de Pâques à septembre, de 10 h à 18 h 30 ; d'octobre à Pâques, de 10 h à 12 h 15 et de 14 h 30 à 18 h 30. Entrée : 4,57 € (30 F).
Le musée, installé depuis 1972 dans la villa Sauber, est une jolie demeure sur fond de roseraie, construite par Charles Garnier, qui abrite une exceptionnelle collection d'automates du XIXe siècle et de poupées, très bien présentée. Cette collection appartenait à Mme de Galéa, amie du prince Rainier. Également une crèche napolitaine du XVIIIe siècle, qui réunit 250 personnages.

★ ***Le Jardin japonais :*** av. Princesse-Grace. À côté du très moderne Grimaldi Forum. Ouvert toute l'année de 9 h au coucher du soleil. Entrée libre. Dépaysement assuré sur 7000 m². En fait, voilà un petit conservatoire naturel de la culture nippone. Conçu par l'architecte-paysagiste Yasuo Beppu, ce jardin a été béni par un grand prêtre Shintoïste. De nombreux éléments ont été entièrement confectionnés au Japon comme les barrières de bambou, la Maison de Thé, les lanternes en pierre, les tuiles et les portails en bois. Au centre, une superbe cascade *(Taki)* de 3 m de haut, on se croirait en pleine montagne. Une plage japonaise en galets varois a été reconstituée avec un petit pont cintré de couleur rouge, qui symbolise le bonheur. D'autres endroits où règne la sérénité, comme le *parcours initiatique de la cérémonie du thé.* Bref, aussi insolite que soit le site choisi (face à la Méditerranée, au pied des immeubles luxueux, le long d'un boulevard), ce jardin incite à la réflexion philosophique. On en sort zen.

À voir encore

Au Moneghetti

★ ***Le Jardin exotique*** *(hors plan couleur par A3)* **:** bd du Jardin Exotique, près de la Moyenne Corniche. ☎ 00-377-93-15-29-80. Pour y aller, bus nº 2 depuis le palais ou le centre-ville. Ouvert du 15 mai au 15 septembre, de 9 h à 19 h (18 h hors saison). Entrée payante : 6,25 € (41 F). Enfants et étudiants : 3,05 € (20 F). Tarif global permettant de visiter aussi les grottes de l'Observatoire et le musée d'Anthropologie préhistorique en saison. Superbe vue sur la principauté. En raison du micro-climat monégasque, méditerranéen avec des accents tropicaux, les plantes tropicales les plus fragiles ont pu être acclimatées sur cette pente de rochers exposée au soleil et bien abritée. Exceptionnelle collection de 7000 « succulentes », euphorbes, figuiers de Barbarie, etc. Et bien sûr des cactées, c'est-à-dire des cactus (en langage non scientifique) venus du Mexique ou d'Amérique latine.

★ ***Les grottes de l'Observatoire :*** elles s'ouvrent dans le jardin exotique, en contrebas. Attention : dernière visite à 18 h 10 en été. Durée : 40 mn. À 60 m sous terre, on effectue un circuit à travers une succession de salles ornées de stalactites et de stalagmites. Ce sont les seules grottes en Europe où plus vous descendez, plus la température monte.

★ ***Le musée d'Anthropologie préhistorique :*** mêmes horaires que le *Jardin exotique*. Il abrite des ossements d'hommes et d'animaux préhistoriques trouvés dans des grottes près de Menton. À la sortie, dans le jardin, une belle table d'orientation. Des dessins indiquent les bâtiments visibles. On apprend que Paris est à 900 km, Mexico à 9700 !

À Fontvieille *(à l'ouest de Monaco)*

Le quartier de Fontvieille a été construit de toutes pièces en empiétant sur la mer. C'est le plus grand agrandissement de territoire jamais réalisé à Monaco au XXe siècle. Le décor fait penser à un quartier prospère d'une ville neuve d'Amérique, la foule et la joyeuse pagaille en moins : tours de verre sous le soleil, végétation tropicale, immeubles luxueux face à la mer. La comparaison s'arrête là.

★ ***Jardin Animalier*** *(plan couleur A3)* **:** esplanade Rainier-III. ☎ 00-377-93-25-18-31. Ouvert de juin à septembre, de 9 h à 12 h et de 14 h à 18 h. Entrée : 3,05 € (20 F). Enfants de 8 à 14 ans : 1,52 € (10 F). Situé sur le flanc sud du Rocher de Grimaldi, surplombant le port moderne de Fontvieille, il abrite de nombreux spécimens d'animaux : panthère noire, hippopotame, tigre blanc, rhinocéros.

★ ***Exposition de Voitures anciennes de S.A.S. Le Prince de Monaco*** *(plan couleur A3,* ***40****)* **:** esplanade Rainier-III. ☎ 00-377-92-05-28-56. Ouvert tous les jours de 10 h à 18 h. Entrée : 4,57 € (30 F). Enfants de 8 à 14 ans : 2,29 € (15 F). Une centaine de voitures y sont présentées dont quelques modèles rares comme la *Bugatti* 1929, la *Rolls Royce* 1952 ou la *De Dion Bouton* 1903. Six vieux carrosses sont également exposés.

★ ***Stade Louis II*** *(plan couleur A3)* **:** 7, av. des Castelans. ☎ 00-377-92-05-40-11. Visites guidées les lundi, mardi, jeudi et vendredi, à 14 h 30 et 16 heures précises. Entrée : 3,81 € (25 F). Enfants de moins de 12 ans et personnes de plus de 65 ans : 1,91 € (12 F). Inauguré en 1985, il a la particularité architecturale d'abriter des bureaux dans les hauts murs de son enceinte ovale. Il peut recevoir 16000 spectateurs. Le stade abrite également une salle omnisports de 3000 places et une piscine olympique (fermée en août et le mercredi).

★ ***Musée des Timbres et des Monnaies*** *(plan couleur A3,* ***41****)* **:** esplanade Rainier-III. ☎ 00-377-93-15-41-50. Ouvert tous les jours de 10 h à 17 h (18 h en été). Entrée : 3,05 € (20 F). Abrite une collection de pièces philatéliques retraçant l'histoire postale de Monaco ainsi que des documents ayant servi à l'impression des timbres depuis Charles III en 1885 jusqu'à nos jours. Un coin est consacré à la numismatique : pièces de monnaie, billets de banque et médailles monégasques depuis 1640.

★ ***Musée naval*** *(plan couleur A3,* ***42****)* **:** esplanade Rainier-III. ☎ 00-377-92-05-28-48. Entrée : 3,81 € (25 F), demi-tarif pour les enfants. On peut y admirer près de 180 maquettes de navires célèbres, dont certaines provenant de la collection personnelle du Prince Rainier III. Parmi les pièces les plus remarquables : le paquebot *Normandie*, le *Titanic*, ou le *Nimitz* qui mesure 5 m de long. Sont présentées aussi des maquettes de navires d'exploration tels que le *Pourquoi Pas* du commandant Charcot et, bien sûr, la *Calypso* et l'*Alcyon* du commandant Cousteau, sans oublier l'*Antarctica* du docteur Jean-Louis Étienne.

À faire

Promenade en mer avec vision sous-marine *(plan couleur B2,* ***50****)* **:** bateau *Aquavision*, quai des États-Unis, Port d'Hercule. ☎ 00-377-92-16-15-15. Plusieurs départs quotidiens, d'avril à mi-octobre. Billet : 10,67 € (70 F). Enfants de 3 à 17 ans et étudiants : 7,62 € (50 F). Ce bateau futuriste de type catamaran est équipé de deux compartiments avec des baies vitrées qui permettent de découvrir les fonds sous-marins du littoral monégasque. La promenade dure environ 1 h.

➢ ***Survol hélicoptère :*** *Monacair*; ☎ 00-377-97-97-39-00. Fax : 00-377-97-97-39-09. Héliport de Monaco, avenue des Ligures. Cette compagnie très sérieuse propose aux lecteurs du *Routard*, sur présentation du guide, 4 vols différents. 10 mn au-dessus de la Principauté à partir de 38,11 € (250 F) par personne ; 15 mn au-dessus de la région à partir de 57,16 € (375 F) ; 20 mn au-dessus du bord de mer jusqu'à Villefranche-sur-mer, et dans l'arrière-pays jusqu'à Èze. Une superbe idée de découverte.

LA MOYENNE CORNICHE

La Moyenne Corniche (panneaux indicateurs devant Notre-Dame-du-Port à Nice), tracée à flanc de montagne, offre des vues superbes et permet surtout de visiter le splendide village d'Èze. La campagne sur fond d'azur, qu'ils disaient !

★ *ÈZE* *(06360)*

« Les ruines d'Èze, plantées sur un cône de rochers avec un pittoresque village en pain de sucre, arrêtent forcément le regard. C'est le plus beau point de vue de la route, le plus complet, le mieux composé. » Cette citation de George Sand décrit toujours à merveille ce remarquable nid d'aigle. C'est le village de France le plus haut perché au-dessus de la mer (427 m).
Le nom d'Èze viendrait d'Isis, la déesse égyptienne à laquelle les Phéniciens auraient dédié un temple. Son histoire remonte en fait à l'installation des Ligures plus à l'ouest, sur un oppidum. Et c'est au Moyen Âge que la population du village est venue se réfugier en haut du rocher, pour mieux se protéger. Au XIIe siècle, on construisit les remparts que Louis XIV, qui n'aimait pas qu'on lui cache le soleil, se fit un devoir de démanteler. Ceux qui s'inquiètent pour son intégrité, aujourd'hui, en la voyant livrée à des hordes venues de tous pays, devraient relire son histoire. Elle, qui défia les Ottomans comme les armées françaises, ferme seulement ses fenêtres quand débarquent les croisiéristes ayant laissé armes et bagages (intellectuels ou non), faisant halte en rade de Villefranche.
Èze étant un des villages les plus touristiques de France – mais à visiter absolument – nous vous conseillons simplement d'y aller tôt le matin. Vous nous bénirez ensuite, en redescendant à l'église !

Adresse utile

Office du tourisme : place du Général-de-Gaulle. ☎ 04-93-41-26-00. Fax : 04-93-41-04-80. • www.eze-riviera.com • À l'entrée du village sur le premier parking. En été, une permanence à Èze-bord de mer. ☎ 04-93-01-52-00. Visite guidée de la cité et du Jardin exotique tous les jours, à toute heure, sur demande.

Où dormir ?

Gîte

La Bergerie : au col d'Èze, 2607, av. des Diables-Bleus, pour être précis. ☎ 04-92-15-21-30. Un gîte unique en son genre, très nature, avec une vue fabuleuse sur le parc départemental. Difficile de penser qu'on pouvait trouver un lieu pareil à 5 mn de Monaco.

Camping

Les Romarins : Grande Corniche. ☎ 04-93-01-81-64. À partir d'Èze-Village, emprunter la D46 puis la Grande Corniche ou la D2564 sur la gauche ; c'est à 2 km environ. Ouvert de Pâques à fin septembre. Uniquement réservé aux tentes. Compter environ 16,31 € (107 F) pour une tente et 2 personnes. Une vue splendide sur la mer. Terrain en étages. Peu ombragé mais bien venté. Sanitaires neufs. Le seul dans toute la zone, qui plus est.

Bon marché à prix moyens

Hermitage du Col d'Èze : ☎ 04-93-41-00-68. Fax : 04-93-41-24-05. À 2,5 km d'Èze-Village par la D46 et la Grande Corniche. Fermé du 1er décembre au 31 janvier ; resto fermé les lundi, jeudi midi et vendredi midi, ainsi que du 15 octobre au 1er février. Chambres doubles de 25,92 à 47,26 € (170 à 310 F). Demi-pension à partir de 35,06 € (230 F) par jour et par personne. Menu à 15,24 € (100 F) en semaine. Une adresse en altitude, au calme, avec piscine. Des chambres, on a une vue splendide sur les Alpes du Sud. Côté restaurant, le chef est un passionné. Certains de ses produits viennent directement du potager. Café offert à nos lecteurs sur présentation du *Guide du routard* de l'année.

Hôtel du Golf (Gascogne Café) : pl. de la Colette, à Èze-Village. ☎ 04-93-41-18-50. Fax : 04-93-41-29-93. Ouvert toute l'année. Chambres doubles à partir de 35,06 € (230 F). Menus à partir de 13,72 € (90 F). Un petit hôtel en dépannage. Chambres très simples mais tout à fait correctes. Certaines avec terrasse, mais un peu bruyantes (toutes donnent sur la route). Fait aussi resto : service aimable et bonne petite cuisine locale.

Où manger ?

À Èze-Village

Le Nid d'Aigle : 1, rue du Château. ☎ 04-93-41-19-08. En haut du vieux village, à côté du jardin exotique. Fermé le mercredi. Congés annuels du 10 janvier au 10 février. Menus à partir de 21,34 € (140 F).

« Le domaine des plaisirs simples », telle est l'enseigne de ce restaurant au cadre très agréable : salle dominant les toits d'Èze, terrasses entourées de vignes et d'arbres, dont un mûrier vieux de plus de 300 ans, donnant une fraîcheur très appréciée. Une adresse charmante pour goûter une cuisine largement axée sur le terroir provençal : daurade au pistou, lapin à la provençale...

Plus chic

I●I ***Le Troubadour :*** 4, rue du Brec. ☎ 04-93-41-19-03. En montant dans le vieux village. Fermé le dimanche toute la journée et le lundi midi. Congés annuels du 24 novembre au 20 décembre, pendant les vacances de février et du 1er au 10 juillet. Menus à partir de 19 € (125 F). Une cuisine de beaux produits bien mariés. Cadre mi-luxueux, mi-rustique. N'accepte pas les chèques.

Très chic

I●I ***Château Eza :*** tout en haut du village. ☎ 04-93-41-12-24. Fermé les mardi et mercredi en hiver. Congés annuels de la Toussaint à Noël. Déjeuner autour de 40 € (262 F), vin et café compris. Non, vous ne rêvez pas, il s'agit bien de l'ancienne demeure du roi Guillaume de Suède, fastueux nid d'aigle richement meublé et fréquenté. Profitez de la terrasse, le midi, pour vous offrir un repas mémorable, le regard perdu devant un paysage magnifique. Au programme, carpaccio de thon, fricassée de lapin, *tiramisù* façon maison... Autre possibilité, plus courante : une salade de tomates-mozzarella en terrasse et un verre de vin ! Le service est plutôt décontracté pour ce genre de lieu.

À voir

★ ***Les vieilles rues :*** on pénètre dans le vieux village par une belle double porte fortifiée qui semble s'être lassée, aux grands jours, de décourager les hordes de touristes pourtant prévenus qu'ils vont devoir, ici, utiliser leurs pieds pour avancer. On découvre alors un entassement de maisons médiévales, très restaurées, véritable lacis de ruelles étroites, pentues et escarpées, parfois voûtées ou coupées d'escaliers. Beaucoup de fleurs et des jardinets égaient ces vieilles pierres. En montant, vous remarquerez l'homogénéité des toits de tuiles et l'architecture circulaire du village. Dommage toutefois que la plupart des visiteurs n'aient pas l'occasion de rester passer la soirée en ces lieux qui semblent n'attendre que leur départ pour se métamorphoser et retrouver leur quiétude. On s'attendrait presque à rencontrer, au lieu de l'ânesse montant les bagages des heureux possesseurs d'une chambre au château (*Eza* ou *La Chèvre d'Or*), un mulet revenant des champs en terrasses du vallon, chargé de figues, d'olives, de mandarines du pays... La nuit, les anciennes caves à moutons – qui ont été converties en boutiques d'artisanat ou de souvenirs (moutons d'hier, moutons de demain...) – retrouvent, comme les maisons transformées en luxueuses chambres d'hôtel, un air hors du temps.

★ ***L'église Notre-Dame-de-l'Assomption :*** reconstruite au XVIIIe siècle, elle présente une belle façade classique qui contraste avec la magnificence de la nef. Un bonheur pour les amateurs de baroque niçois. À l'intérieur, on a aimé la chaire d'où apparaît un bras tendu tenant un crucifix sur la droite. Une église curieusement détachée du village dont les maisons sont masquées à la vue par la roche. De l'autre côté de la place de l'Église, dans le cimetière avec vue sur la montagne, le comédien Francis Blanche repose depuis 1974. Appréciez l'épitaphe : « Laissez-moi dormir, j'étais fait pour ça ! » D'autres tombes sont creusées dans le rocher.

★ ***Les établissements Fragonard et Galimard :*** visite gratuite de l'usine sur la Moyenne Corniche (tous les jours de 8 h 30 à 18 h 30). ☎ 04-93-41-05-05. Pour *Galimard* : visite gratuite du musée et de la savonnerie, et vente à prix d'usine. Des visites qui fonctionnent bien, avec des guides donnant une explication des différents procédés de fabrication des parfums.

★ ***La chapelle des Pénitents-Blancs :*** elle abrite une *Crucifixion* de l'école de Brea et une *Adoration des Mages* de l'école italienne. Remarquez la *Madone des Forêts,* statue du XIVe siècle, ainsi appelée parce que l'enfant qu'elle porte tient une pomme de pin dans la main. Datée de 1306, la chapelle de la Sainte-Croix (c'est son vrai nom) serait le plus ancien édifice de la commune.

★ ***Le Jardin exotique :*** hors saison, ouvert de 9 h à 12 h et de 14 h à 18 h 30 ; en été, de 8 h 30 à 20 h. Entrée : 2,29 € (15 F). Belle collection de plantes grasses, agaves, aloès, euphorbes, cactus gigantesques... Mais il faut y aller surtout pour la vue des ruines du château. Le panorama sur la Riviera y est vertigineux et, s'il fait très beau, vous apercevrez la Corse.

★ ***Le sentier Frédéric-Nietzsche :*** il relie Èze-bord de mer (plus concrètement la plage) à Èze-Village, au milieu des oliviers et des pins. Il est ainsi dénommé car le philosophe y conçut la troisième partie d'*Ainsi parlait Zarathoustra.* Nietzsche lui-même écrit : « Cette partie fut composée pendant une montée des plus pénibles de la gare au merveilleux village maure d'Èze, bâti au milieu des rochers. » Compter 1 h de marche. Pour les paresseux ou ceux qui détestent méditer en marchant, navettes régulières entre Èze-Plage et Èze-Village de mi-mai à mi-septembre.

★ ***Observation des astres (Astrorama) :*** sur la crête de la Grande Corniche, dans la batterie des Feuilleries, vous pourrez observer le ciel à travers lunettes et télescopes. Informations au ☎ 04-93-85-85-58. Musée permanent. Soirées « ciel ouvert » à partir de 18 h 30, les mardi et vendredi d'octobre à avril ; de mai à septembre, tous les jours sauf le dimanche à partir de 17 h 30. En été, soirée « Spectacle aux Étoiles » tous les mardis et vendredis. Billet : 9,15 € (60 F). Tarif réduit : 6,10 € (40 F). Ambiance étonnante et lieu exceptionnel.

★ ***Le Parc départemental de la Revère :*** en continuant sur la Grande Corniche. Un lieu fabuleux pour prendre l'air et le grand, le bon. Sentier botanique pour découvrir les plantes du maquis méditerranéen (1 h) et la géologie du plateau (dollines, baou ou lapiaz). *Maison de la Nature* ouverte sur demande (☎ 04-93-41-24-36). Panorama à 360° sur la Méditerranée et l'arrière-pays jusqu'au parc du Mercantour. Quant au fort de la Revère, endormi sur son passé, il fut le théâtre en 1942 de deux des plus importantes évasions de la Seconde Guerre mondiale, une soixantaine de détenus britanniques s'étant fait la belle. Depuis le musée, départ de deux balades, outre le sentier botanique. L'une, à gauche, contourne le fort par le nord et revient au parking, ou se poursuit jusqu'à l'*Astrorama.* La seconde (à droite) conduit au massif de la Forna en 1 h 30, et offre des points de vue splendides.

★ À ***Èze-bord de mer***, plage de galets et de rochers. Un peu en retrait. Se garer le long de la route. Naturisme à vos risques et périls, des scènes dignes du Gendarme de Saint-Tropez s'étant encore déroulées là ces dernières années...

Fêtes

– ***Èze d'Antan :*** tous les ans, fin juillet. Un week-end féerique pendant lequel on active la « machine à remonter le temps ». Nombreux figurants en costume, animations, etc.
– ***Le Tremplin du Rire :*** tous les ans, début août. Festival humoristique.

LA GRANDE CORNICHE

La Grande Corniche suit en partie le tracé de l'ancienne *via Julia Augusta*. Les vues y sont spectaculaires.

★ *LA TURBIE* *(06320)*

La petite ville est célèbre pour son Trophée des Alpes, chef-d'œuvre de l'art romain. Mais elle offre aussi un panorama inoubliable sur la Riviera. C'est d'ailleurs de La Turbie que le duc de Savoie faisait surveiller Monaco. Dommage toutefois que même là-haut les maisonnettes poussent comme des champignons.

Comment y aller ?

➢ ***De Nice :*** bus du lundi au samedi à 10 h 45, 14 h 15, 17 h 30, 18 h 30. Compter 40 mn de trajet.
– ***Retour de La Turbie à Nice :*** à 7 h 10, 8 h, 13 h 20 et 17 h 20.
➢ ***De Monaco :*** bus du lundi au vendredi à 7 h 40, 10 h 30, 12 h 05, 17 h et 18 h 20, et le samedi à 7 h 40, 10 h 30 et 12 h 05.

Adresse utile

■ ***Mairie :*** ☎ 04-92-41-51-61.

Où dormir ? Où manger ?

☗ |●| ***Hôtel Le Césarée-restaurant Le Carpe Diem :*** 16, cours Albert-Ier. ☎ 04-93-41-16-08. Fax : 04-93-41-19-49. À 200 m du centre du village, près d'un grand parking public. Chambre double de 51,83 à 76,22 € (340 à 500 F). Menus à partir de 13,26 € (87 F) le midi. Cette vieille auberge rénovée possède des chambres tout confort (douche et w.-c., téléphone, TV) avec vue sur les collines. La plus chère dispose d'une vue sur la mer au loin. Accueil courtois et attentif. C'est aussi une jeune table qui mérite une escale car le chef ne sert que des plats « bio » à base de produits garantis « sains » et naturels. Même l'apéritif maison est classé « bio » !

☗ |●| ***Hôtel-restaurant Le Napoléon :*** 7, av. de la Victoire. ☎ 04-93-41-00-54. Fax : 04-93-41-28-93. ♿ Fermé le dimanche soir. Congés annuels du 20 novembre au 20 décembre. Chambres doubles de 60,98 à 68,60 € (400 à 450 F) avec salle de bains et w.-c. Au resto, plat du jour le midi à 9,91 € (65 F), sinon menus de 18,29 à 25,15 € (120 à 165 F). Cuisine très correcte. Il ne manque pas d'allure, ce *Napoléon*-là, avec sa façade rose fraîchement repeinte et ses volets verts. Irréprochablement propre, et chambres très confortables. Certaines donnent sur le jardin, d'autres ont une terrasse. Vue sur le Trophée du 2e étage. Digestif maison offert sur présentation du *GDR*.

À voir

★ ***La vieille ville :*** on y pénètre par la porte ouest et la rue Comte-de-Cessole, l'ancienne via Julia Augusta, qui monte vers le Trophée. Dans la pierre d'angle d'une tour sont gravés des vers de la *Divine Comédie* de

Dante qui évoquent le village. Promenez-vous dans les vieilles rues, passages, voûtes, ruelles étroites où le médiéval, le classique et le baroque se côtoient. Nombreuses maisons anciennes bien restaurées : remarquez, *rue Dominique-Durandy,* la maison à fenêtre géminée, et celle à l'angle de la *rue de l'Empereur-Auguste* et de la *rue Droite.* Il subsiste aussi des vestiges de l'enceinte médiévale.

★ ***Le Trophée des Alpes :*** on y accède (à pied) en traversant le vieux village. ☎ 04-93-41-20-84. Du 21 septembre à fin mars, ouvert de 10 h à 17 h, fermé le lundi ; du 1er avril au 20 juin, de 9 h 30 à 18 h ; du 21 juin au 20 septembre, de 9 h 30 à 19 h. Fermé le lundi hors saison. Tarif adulte : 3,96 € (26 F).
C'est le plus beau monument romain de la région. Il commémore la victoire d'Auguste sur les peuplades insoumises qui occupaient les Alpes à la mort de César, entravant les communications entre Rome et la Gaule. Le sénat décida d'élever un temple au plus haut point de la route créée pendant les opérations, lieu stratégique sur la voie Aurélienne. Achevé en l'an 5 av. J.-C., le Trophée est à l'origine du nom de la ville : *tropea Augusti* qui, par déformations successives, donnera Turbie.
Le monument fut utilisé comme forteresse et carrière de pierre et servit, entre autres, à l'édification de l'église Saint-Michel. Il fallut attendre l'aide généreuse d'un mécène américain du nom d'Edward Tuck pour le reconstruire (en effet, ce ne sont pas des ruines que l'on voit mais une reconstitution). Cependant, le Trophée, qui mesurait 50 m de hauteur, n'atteint plus que 35 m, et une grande partie a été laissée à l'état de ruine. On peut monter en haut du Trophée si le nombre de visiteurs est suffisant. Un *musée* retrace l'histoire du Trophée et renferme une maquette de l'édifice reconstitué.
Très beau jardin où l'on peut pique-niquer et rêvasser, à condition de ne pas dégrader le paysage.
Pour la petite histoire, sachez qu'on disait qu'au Moyen Âge le Trophée abritait un oracle que les maris venaient consulter de très loin pour en savoir plus sur la fidélité de leurs épouses (pendant ce temps-là, Dieu sait ce qu'elles pouvaient faire d'ailleurs...).

★ ***Les terrasses :*** prendre le petit sentier au fond du parc du Trophée. Immense panorama sur toute la Riviera, en particulier sur Monaco et les gratte-ciel de Monte-Carlo qu'on surplombe de 400 m.

★ ***L'église Saint-Michel :*** de la belle ouvrage du XVIIIe siècle, de forme ellipsoïdale. Riche décoration intérieure : autel fait de 17 marbres différents, 2 triptyques du XVIIe dans le chœur, table de communion en onyx et agate, crâne du martyr saint Vincent dans sa vitrine, une copie de Raphaël, *Saint Marc écrivant les Évangiles,* tableau attribué à Véronèse, toiles de Van Loo et d'un élève de Rembrandt.

★ *ROQUEBRUNE-CAP-MARTIN* (06190)

Le vieux village perché au-dessus de la Grande Corniche est dominé par une étonnante forteresse carolingienne, la seule à peu près intacte en France. Les vieilles rues du village, lourdes de passé, montent au château féodal. Elles constituent un bel ensemble bien restauré : hautes maisons, placettes tranquilles (quand elles ne sont pas la proie des touristes), jolies fontaines, passages sous voûtes, etc. Les inévitables boutiques de bimbeloterie les ont, hélas, envahies.
La *rue Moncollet,* taillée dans le rocher, est particulièrement étonnante avec ses longs passages voûtés et ses escaliers. Belles demeures médiévales aux fenêtres munies de barreaux. La *place des Deux-Frères* doit son nom aux deux blocs de rocher qui l'encadrent.

À Roquebrune, comme sur toute la Côte d'Azur, on vous renouvelle le conseil maison : allez-y tôt le matin, avant l'arrivée des groupes de touristes. Et revenez faire la sieste, c'est plus sage et vous serez en forme pour traîner tard dans les rues, plus animées, ou sur les plages, quand il n'y a plus que... des routards !

Adresse utile

i ***Office du tourisme :*** 218, av. Aristide-Briand. ☎ 04-93-35-62-87. Fax : 04-93-28-57-00. À côté de la place du Marché. Ouvert du lundi au samedi de 9 h à 12 h 30 et de 14 h à 18 h (18 h 30 en juin et septembre) et le dimanche matin; en juillet et août, tous les jours de 9 h à 13 h et de 15 h à 19 h, dimanche et jours fériés, 10 h à 13 h.

Où dormir? Où manger?

Les Deux Frères : pl. des Deux-Frères, au village. ☎ 04-93-28-99-00. Fax : 04-93-28-99-10. Posé à l'entrée du village, sur un belvédère qui domine tout le coin. Restaurant fermé les dimanche soir et lundi hors saison. Congés annuels de mi-novembre à mi-décembre. Chambres à 90,71 € (595 F). Menu à 20,58 € (135 F) le midi; autres menus jusqu'à 48,78 € (320 F). On goûte ici au bonheur de vivre. On oublie le temps qui passe et on se laisse aller à la rêverie. Il faut dire qu'installé face à la fenêtre des chambres n°s 1 et 2, quiconque prenant une plume peut devenir Hugo ou Chateaubriand. La vue est extraordinaire. Le jeune patron hollandais a entièrement rénové et redécoré la maison. Le résultat est plein de charme, à l'image de la salle de restaurant. Tout cela se fond bien avec une cuisine aux saveurs très travaillées grâce à des produits de grande qualité et une pointe d'imagination.

Les Tables du Berger : 4, av. Victor-Hugo, lieu-dit Carnoles. ☎ 04-93-57-40-60. Fermé les dimanches soir et lundis. Congés annuels de mi-juillet à mi-août. Menus rapides de 11,43 à 16,01 € (75 à 105 F) le midi en semaine; 4 autres menus de 23,63 à 44,97 € (155 à 295 F). La Provence n'est pas l'autre pays du fromage, loin s'en faut. À Roquebrune, on a remédié à cela en ouvrant un restaurant de spécialités fromagères, qui s'est quelque peu transformé avec le temps. Pour ceux qui ne sont pas fans de fromage, foie gras poêlé aux pommes ou bœuf de Chalosse aux morilles. Cadre romantique et très belle carte des vins (normal, le fromage est un support idéal). Digestif maison offert sur présentation du *GDR* de l'année.

La Roquebrunoise : 10-12, av. Raymond-Poincaré. ☎ et fax : 04-93-35-02-19. Au 1er étage d'une maison rose, à l'entrée du vieux village de Roquebrune, en face du parking. Fermé les lundi, mardi midi et jeudi midi sauf en juillet-août. Congés annuels de novembre à décembre inclus sauf pendant les fêtes de fin d'année. Menu à 18,29 € (120 F). Compter entre 22,87 et 30,49 € (150 à 200 F) à la carte. Ce restaurant mérite une halte prolongée. Un accueil chaleureux et familial. Une vue imprenable sur la mer et sur le vieux village, une vaste terrasse. Une carte variée et des prix abordables. Au menu, terrine aux raisins secs, fricassée de sole aux langoustines... *Limoncello* maison offert aux porteurs du *GDR* de l'année.

Très chic

Hôtel Diodato : pointe de Cabbé. ☎ 04-92-10-52-52. Fax : 04-92-10-52-53. Au pied du village médiéval, sur un promontoire rocheux dominant la mer. Chambres doubles de 55 à 190 € (361 à 1 246 F) selon le confort et la saison. Petit déj' à 9,15 € (60 F). Un établissement au charme certain, qui fut autrefois la villégiature d'une famille d'aristocrates russes comme il y en avait sur la Riviera. Pour un séjour de luxe au milieu d'une végétation elle-même luxuriante par nature ! Une trentaine de chambres tout confort (air climatisé, insonorisation...) et une piscine à débordement pour calmer les vôtres. Accès privé à la mer. Apéritif maison offert aux lecteurs du *GDR*.

À voir. À faire

★ ***Le château*** : ouvert de 10 h à 12 h 30 et de 14 h à 17 h (19 h 30 en été). Entrée : 3,05 € (20 F) ; demi-tarif pour les enfants et étudiants. L'endroit eut une histoire agitée : construit en 970 par le comte de Vintimille, le château est racheté (avec tout le village) par un Grimaldi au XIVe siècle, puis confisqué en 1793 avec la principauté de Monaco. Quelle étonnante période post-révolutionnaire : en 1808, cinq citoyens de Roquebrune rachètent le château aux enchères... pour une somme s'élevant à 490 F ! Vendu ensuite à un Anglais, il est rendu au village en 1926... À l'intérieur du donjon, au 1er étage, salle des cérémonies et, en contrebas, le magasin aux vivres creusé dans le roc. La prison du 2e étage ne servit qu'au temps des Grimaldi (vers 1400). Avant, le cachot se trouvait sous le donjon et ne faisait que 2 m^2 ! Au 3e étage, les appartements seigneuriaux : la salle d'armes où le seigneur recevait, la salle commune où il vivait, meublée très simplement, la cuisine avec sa hotte de cheminée en bois d'olivier et son four à pain. Du 4e étage, très belle vue sur les toits du village, avec, au premier plan, le cap Martin et Monaco.

★ ***L'église Sainte-Marguerite :*** ouvert de 15 h à 18 h. C'est une ancienne chapelle du XIIIe siècle, remaniée jusqu'au XVIIe siècle. À l'intérieur, deux tableaux intéressants : la *Crucifixion* et la *Déploration du Christ* dus à Marc-Antoine Otto (sur la droite), habitant de Roquebrune au XVIIe siècle. Dans l'aile gauche, copie du *Jugement Dernier* de Michel-Ange de la chapelle Sixtine. Réduit 54 fois.

★ ***La tombe de Le Corbusier :*** avant d'aller voir l'olivier millénaire, prendre sur la gauche l'escalier qui monte au cimetière. Très belle vue sur Cap-Martin de ce dernier. Dans l'allée H, sur la droite, se trouve la tombe qu'avait construite l'architecte et où il repose en compagnie de sa femme. Rappelons que Le Corbusier a longtemps vécu à Roquebrune et qu'il s'y est noyé au cours d'une baignade en mer en 1965.

★ ***L'olivier millénaire :*** chemin de Saint-Roch, 200 m après la sortie du village. Ce serait le plus vieux du monde. Sa circonférence atteint 10 m. Hanotaux, qui habitait Roquebrune, le fit admirer par ses invités : Clemenceau, Poincaré, Briand. Il affirmait que l'arbre devait avoir 4000 ans.

★ ***Le cap Martin :*** un site miraculeusement préservé, annexe de luxe de Menton, où les somptueuses propriétés disparaissent sous les pins, les oliviers centenaires et les mimosas. Des hôtes célèbres contribuèrent à la notoriété de l'endroit, à commencer par l'impératrice d'Autriche Élisabeth, dite *Sissi,* qui s'installa au *Grand Hôtel* de Roquebrune-Cap-Martin peu après sa construction. Il n'y avait alors aucune villa et le grand plaisir de l'impératrice consistait à gambader dans la campagne et à se perdre dans les sentiers muletiers. L'impératrice *Eugénie* l'imita et l'accompagna dans ses promenades. Le bon air dut lui réussir puisqu'elle vécut jusqu'à l'âge de 94 ans. Autres touristes célèbres : Churchill et Le Corbusier. La côte orientale du cap est longée par une belle route de corniche qui offre des points de vue superbes sur Menton et l'Italie. Plan des sentiers pédestres disponible à l'office du tourisme.

★ ***La promenade et le cabanon de Le Corbusier :*** un ancien chemin des douaniers, qui longe le bord de mer et vous fera découvrir un beau panel de végétation typiquement méditerranéenne. Le Corbusier y construisit un cabanon, à flanc de rocher, qui se voulait être un projet d'« unité de vacances » (le *Club Med* avant l'heure). Ses règles de construction sont extrêmement rigoureuses : une cabane au Canada de 3,66 m de côté, une pièce unique et un grand dépouillement du point de vue du mobilier, très fonctionnel. Il peut être visité le mardi à 10 h et le vendredi à 14 h 30 (16 h en juillet et août) ; rendez-vous à l'office du tourisme. ☎ 04-93-35-62-87. Visite accompagnée : 4,55 € (30 F).

Fêtes et manifestations

Roquebrune est célèbre pour ses cortèges traditionnels qui rythment chaque année la vie du village.
– ***Festival de Théâtre :*** tous les ans fin juin, sur le parvis du château.
– ***Festival de Danse :*** courant juillet, sur le parvis du château.
– ***Soirées musicales :*** sur le parvis du château en juillet et août.
– ***Procession des Limaces :*** le vendredi saint. Toutes les rues sont alors illuminées par des coquilles d'escargots remplies d'huile d'olive et transformées ainsi en lampes à huile. La procession existe, paraît-il, depuis l'an 1315.
– ***Procession de la Passion :*** tous les ans le 5 août. Une procession rassemblant plus d'une centaine d'acteurs et représentant les scènes de la Passion. Elle honore le vœu prononcé en 1467 alors qu'une épidémie de peste avait éclaté à Monaco et à Vintimille, gagnant vite toute la région. Le neuvième jour de prière, la peste arrêta ses ravages. Pour remercier le ciel, les habitants promirent de représenter chaque année les scènes de la Passion. La procession attire évidemment un grand nombre de touristes et de pèlerins.

MENTON (06500) 29300 hab.

Pour le plan de Menton, se reporter au cahier couleur.

Ici, on est au bout de la France et l'on se sent presque au bout du monde : un climat incroyable qui vous fait parfois déjeuner dehors en décembre, et des montagnes qui tombent dans la mer. La vieille ville et son cimetière, les places ombragées de platanes où le pastis est plus léger qu'ailleurs, le marché débordant de couleurs, tout cela a beaucoup de charme. Citronniers et mandariniers – surtout pendant la fête du Citron, en février – embaument une cité qui n'est pas moribonde pour autant ! Indifférente en apparence au temps qui passe, toute imprégnée des douceurs de l'Italie baroque et du passé des princes de Monaco, elle descend vers la mer comme une coulée de lave ocre. Certes, il y a belle lurette que les dandies à monocle et les grandes dames ont quitté les palaces – l'*Orient* ou le *Winter Palace,* l'*Impérial* et le *Riviera* – aujourd'hui divisés en appartements. Mais dans ses jardins extraordinaires, qui méritent à eux seuls une journée de visite, comme ceux de la villa Fontana Rosa, dernière passion de Blasco Ibáñez, ou dans ceux de la serre de la Madone, flotte encore un parfum d'autrefois. Pour ceux qui ne peuvent se passer des plages, bien sûr bondées en été et aux galets inconfortables, une seule solution : arriver tôt le matin (eh oui, on n'est pas là pour roupiller à l'hôtel jusqu'à midi !) avec un matelas de plage et des sandales en plastique pour faire couleur locale !

UN PEU D'HISTOIRE

« À Menton, il y a longtemps, on était Grimaldi. Pas assez longtemps pour qu'à Sainte-Agnès ou Castillon on ait oublié que, là-haut, on était plutôt duc de Savoie. La France ? Oui, naturellement, mais même Nice paraît déjà loin. » En 1346, Charles Grimaldi, seigneur de Monaco, achète la ville puis, dix ans plus tard, Roquebrune. Mais dès 1466 éclate la première révolte de Menton : la ville se donne au duc de Savoie. Deux ans plus tard, c'est le duc de Milan, Galeazzo Maria Sforza, qui s'en empare. Lambert Grimaldi reprend Menton en 1477. En 1524, le traité de Burgos place la seigneurie sous protectorat espagnol, Grimaldi ayant embrassé la cause de Charles Quint. Le traité de Péronne de 1641 voit Menton passer sous protectorat français, Honoré II Grimaldi a en effet tourné casaque ! Ces revirements d'alliance n'empêchent pas la ville de se développer, au contraire : de nouvelles rues sont percées, les hôtels particuliers des nobles familles locales (de Brea, Massa, de Monléon) édifiés. La belle église Saint-Michel est construite de 1640 à 1653. Avec la Révolution, l'ancienne principauté est rattachée en 1793 au département des Alpes-Maritimes ; on devine la suite : le traité de Paris (1814) rendra la ville aux Grimaldi. En 1848, Menton et son acolyte Roquebrune se proclament « villes libres »... sous la protection du gouvernement sarde. Après un vote massif en faveur de leur rattachement à la France en 1860, le prince Charles III de Monaco vend les deux villes à Napoléon III. La ville, connue pour son microclimat (17 °C de moyenne en janvier), devient un centre de séjour réputé et accueille les hôtes les plus prestigieux, entre autres Gustave V de Suède, la reine Astrid de Belgique, le roi de Wurtemberg, etc.

Adresses utiles

i ***Office du tourisme*** *(plan couleur A2)* ***:*** palais de l'Europe, 8, av. Boyer, BP 239, 06506 Menton Cedex. ☎ 04-92-41-76-50 ou 04-92-41-76-76. Fax : 04-92-41-76-78. • www.villedementon.com • Hors saison, ouvert du lundi au samedi de 8 h 30 à 12 h 30 et de 13 h 30 à 18 h ; en été, du lundi au samedi de 9 h à 19 h et le dimanche de 10 h à 12 h. Délivre un plan de la ville et une liste d'hôtels.

Gare routière *(plan couleur A1)* ***:*** av. de Sospel. ☎ 04-93-35-93-60. *Rapides Côte d'Azur :* ☎ 04-93-85-64-44. *Autocars Breuleux :* ☎ 04-93-35-73-51.

Gare SNCF *(plan couleur A1)* ***:*** proche de la gare routière. ☎ 08-92-35-35-35 (0,34 €, soit 2,21 F).

Cyber-café *(plan couleur A-B1)* ***:*** *café des arts Elsa*, 16, rue de la République.

Transports

Menton est relié à toutes les villes de la Côte par de nombreux trains et bus.

➢ ***De Nice :*** bus toutes les 20 mn. *Rapides Côte-d'Azur :* ☎ 04-93-21-30-83. Par ailleurs, la gare routière dessert le proche arrière-pays assez régulièrement.

➢ ***Pour Èze :*** bus en direction de Nice toutes les 15 mn, puis descendre à Monaco, devant le casino. De là, départ toutes les 2 h. Pas de service les dimanches et jours fériés.

➢ ***Pour Sospel :*** départs de la gare routière à 9 h 30 et 18 h ; les mardi, mercredi, jeudi et samedi, un départ supplémentaire à 14 h. De Sospel (place du marché), retour à 7 h et 16 h 30 ; les mardi, mercredi, jeudi et samedi, un retour supplémentaire à 13 h. Durée du trajet : 50 mn. Les bus de 18 h de Menton et 13 h de Sospel assurent la correspondance avec les trains desservant Breil, Saorge, Saint-Dalmas, Tende, etc.

➢ ***Pour Sainte-Agnès :*** tous les jours, 1 départ le matin et 2 l'après-midi. Dernier retour de Sainte-Agnès à 17 h 05.

➢ ***Pour Roquebrune-Cap-Martin :*** 4 bus quotidiens au départ de la gare routière. Pour Roquebrune-Village, prendre le bus *TUM* n° 3, pont de l'Union. Descendre à la station BP. 4 liaisons quotidiennes sauf les dimanche et jours fériés.

Où dormir ?

Campings

⛺ ***Camping municipal Saint-Michel*** *(plan couleur A1, **13**) :* plateau Saint-Michel. ☎ 04-93-35-81-23. Pour s'y rendre : minibus de la gare routière. En voiture, route des Ciappes et de Castellar de l'hôtel de ville de Menton (dans le centre). À pied, de la gare SNCF, suivre la route des Terres-Chaudes à gauche de l'avenue de la Gare, puis prendre les escaliers. Ouvert du 1er avril à mi-octobre. Pas de réservation, il faut arriver le matin. En saison, compter 10,67 € (70 F) pour une petite tente et 2 personnes. De là-haut, vue superbe. 130 emplacements. On dort sous les eucalyptus et les oliviers (peu d'ombre, mais ça sent très bon). Laverie à l'extérieur. Eau chaude, snack et alimentation sur place. Bonne ambiance au bar.

⛺ Si tout est complet, essayez les ***campings de Gorbio***, à quelques pas de Menton. Pas le grand luxe mais vous verrez l'Italie !

Très bon marché

🏠 ***Auberge de jeunesse*** *(plan couleur A1, **10**) :* plateau Saint-Michel. ☎ 04-93-35-93-14. Fax : 04-93-35-93-07. Pas de réservation par téléphone mais possible sur Internet • www.hostelbooking.com • Pour s'y rendre, route des Ciappes et de Castellar que l'on prend juste à côté de l'hôtel de ville (il est plus simple de suivre les panneaux du camping, c'est bien indiqué). Minibus de la gare routière. Ça grimpe pour y aller. Fermé de 12 h à 17 h. Congés annuels du 15 novembre au 1er février. Compter autour de 10,67 € (70 F) la nuit en dortoir de 8 lits avec petit déj' et douche (adhésion obligatoire : 15,24 €, soit 100 F pour les plus de 26 ans). Dîner à prix intéressant : 7,62 € (50 F) 80 lits. Il faut arriver le matin dans les premiers. Vue extra de là-haut.

Bon marché

🏠 ***Hôtel Beauregard*** *(hors plan couleur par A2, **14**) :* 10, rue Albert-Ier, angle avec la rue Morgan. ☎ 04-93-28-63-63. Fax : 04-93-28-63-79. À l'ouest du centre-ville et à 300 m de la gare SNCF. Chambre double à 32,77 € (215 F). Dans un jardin planté de palmiers, de citronniers et de bougainvillées, une maison centenaire ayant du charme et du caractère. Étonnante et discrète adresse, à l'écart de l'agitation, entourée d'un court de basket, d'une école, d'une salle des ventes et d'une chapelle évangéliste ! Jolies chambres rénovées et calmes, de bon confort (avec douche et w.-c.), donnant sur le jardin. Très bon accueil d'un homme jovial et ouvert. Notre coup de cœur à Menton dans cette catégorie.

🏠 ***Hôtel Parisien*** *(hors plan couleur par A2, **18**) :* 27, av. Cernuschi. ☎ 04-93-35-54-08. Fax : 04-93-35-21-53. Entre le cours du Centenaire et l'av. des Bruyères, à l'ouest de la ville. Chambres de 38,11 à 44,21 € (250 à 290 F). Petit hôtel (2 étages seulement) familial et bien tenu avec des chambres équipées de sanitaires ou de douche-w.-c. Celles donnant sur la rue sont plus lumineuses que celles de l'arrière (plus calmes mais sans vue). Fait aussi resto : cuisine familiale et simple, préparée avec soin. Un grand parking public à côté.

■ |●| ***Hôtel-restaurant de Belgique*** *(plan couleur A1, **17**)* **:** 1, av. de la Gare. ☎ 04-93-35-72-66. Fax : 04-93-41-44-77. ● hotel.de.belgique@wanadoo.fr ● Chambre double en demi-pension de 29,73 à 36,59 € (195 à 240 F) par personne et par jour. Menu à 10,67 € (70 F). Proche de la gare SNCF, un petit immeuble ordinaire abritant un restaurant et un hôtel économique où les chambres sont fort bien tenues (mais pas de vue particulière). L'accueil est à l'image du service, familial et spontané.

■ ***Hôtel de la Gare « Le Chouchou »*** *(plan couleur A1, **19**)* **:** place de la Gare. ☎ 04-93-57-69-87. Chambre double à 38,11 € (250 F). Modeste hôtel avec des chambres petites mais propres et claires (avec douche et w.-c.) donnant sur la place de la gare ou sur l'arrière (vue dégagée et soleil). Fait aussi café-brasserie.

Prix moyens

■ ***Chambres d'hôte chez Anna Bret*** *(plan couleur A1, **16**)* **:** « Le Victoria Palace », 14, av. Boyer. ☎ 04-93-28-42-49. Compter 381,10 € (2500 F) la semaine. Réserver à l'avance. En plein centre-ville, dans une grande bâtisse (des appartements aujourd'hui) qui hébergea naguère la Reine Victoria, des princes et des têtes couronnées. À droite du bâtiment, au premier étage, Madame Bret loue deux chambres (pour 2, 3 ou 4 personnes) de préférence à la semaine. Nuits calmes assurées en plein cœur de Menton dans une demeure historique. Petit déj' dehors ou dans la salle à manger.

■ ***Hôtel Paris-Rome*** *(hors plan couleur par B1, **9**)* **:** 79, porte de France. ☎ 04-93-35-73-45. Fax : 04-93-35-29-30. À 1 km à l'est du centre-ville. En face du port de plaisance de Garavan, au niveau d'un discret monument : la *Fontaine de la Frontière* où les voyageurs se désaltéraient naguère avant de passer en Italie. Chambre double de 44,21 à 74,70 € (290 à 490 F), selon le confort et la période. L'hôtel est une demeure cossue du début du XXe siècle avec des chambres impeccables (tout le confort et la climatisation) donnant à l'arrière sur une cour tranquille où se prennent les petits déj'. Petit parking public à côté et un autre payant (à l'hôtel).

Plus chic

■ ***Hôtel Chambord*** *(plan couleur A2, **11**)* **:** 6, av. Boyer. ☎ 04-93-35-94-19. Fax : 04-93-41-30-55. En plein centre, juste à côté du casino, sur la grande avenue de Menton. Chambre double de 83,85 à 99,09 € (550 à 650 F), petit déj' inclus, en fonction de la saison et de l'emplacement. Parking payant. Voilà une affaire de famille accueillante. Avec grand lit, vue sur l'arrière du bâtiment; avec deux lits, vue sur les jardins. Chambres très spacieuses et vraiment confortables avec salle de bains, w.-c. et TV, à deux pas de la mer. Petit déj' offert à nos lecteurs sur présentation du *Guide du routard* de l'année.

■ ***Hôtel Napoléon*** *(hors plan couleur par B1, **12**)* **:** 29, porte de France, dans la baie de Garavan. ☎ 04-93-35-89-50. Fax : 04-93-35-49-22. Fermé de mi-novembre à mi-décembre. Chambre double de 62,50 à 105,18 € (410 à 690 F) selon la saison et la vue (mer ou montagne). Grand bâtiment des années 1960-1970. Beaucoup de références à l'Empereur. Chambres spacieuses et confortables donnant pour la plupart sur la mer et possédant une terrasse. Service soigné et attentif. Plage privée, ouverte d'avril à octobre, avec petite restauration sympa.

■ ***Hôtel Prince de Galles*** *(hors plan couleur par A2, **15**)* **:** 4, av. du Général-de-Gaulle. ☎ 04-93-28-21-21. Fax : 04-93-35-92-91. Doubles de 55 à 90 € environ (autour de 361 à 590 F) selon le confort et la vue. Chambres insonorisées dont certaines disposant d'un balcon. Menus à partir de 16 € (105 F). Côté Roquebrune, situé en bord de mer, un hôtel de charme. Cadre chaleureux, bon accueil et confort assuré.

Où manger ?

Prix moyens

🍽 ***Fontana di Trevi*** *(plan couleur B2, **25**)* **:** 19, quai de Monléon. ☎ 04-93-28-31-84. Fermé les mercredi et dimanche soir. Formules à 8,38 ou 9,91 € (55 ou 65 F) à midi. Menus à partir de 13,72 € (90 F). Un lieu qui a l'air touristique, étant donné sa situation (à 100 m de la mer), mais en fait il n'a pas les défauts du resto dit « touristique ». Exemple : c'est signalé « spécialités italiennes », or ils servent plus de plats locaux que de plats italiens. L'accueil est souriant (des jeunes gens aimables), la carte variée et le rapport qualité-prix très correct. En plus, ailloli et couscous, une fois par semaine.

🍽 ***Le Chaudron*** *(plan couleur B1, **20**)* **:** 28, rue Saint-Michel. ☎ 04-93-35-90-25. Dans le centre. Fermé le mardi en été, le mardi soir et le mercredi le reste de l'année. Congés annuels la 1re quinzaine de juillet et du 28 octobre au 28 décembre. Plat du jour à 10 € (65,50 F) et menu à 19,81 € (130 F). Un petit restaurant familial servant une cuisine provençale de bon aloi, fraîche et agréable. Salle agréable et climatisée avec une terrasse dans la rue piétonne.

🍽 ***Le Pistou*** *(plan couleur B1, **22**)* **:** 9, quai Gordon-Bennett. ☎ 04-93-57-45-89. Sur le vieux port. Fermé le lundi. Menu à 13,41 € (88 F). Compter environ 26 € (170 F) à la carte. Ce restaurant défend gentiment le terroir. Très bien placé, il sert une bonne cuisine provençale à des prix corrects : fleurs de courgettes farcies ou en beignets, soupe au pistou, lapin à la provençale.

🍽 ***Ou Pastré*** *(plan couleur B1, **24**)* **:** 9, rue Trenca et 9, rue Saint-Michel. ☎ 04-93-57-29-58. Service à toute heure, et ouvert une partie de la nuit. Fermé le jeudi hors saison sauf pendant les vacances scolaires. Menus à partir de 14,48 € (95 F). Dans un décor rustique à dominante de bois, vous pourrez manger, c'est sûr, à n'importe quelle heure. Le four à pizza ne chôme pas : c'est la spécialité de la maison, comme les pâtes fraîches servies dans des poêlons. Apéritif offert à nos lecteurs sur présentation du *Guide du routard* de l'année.

Prix moyens à plus chic

🍽 ***Le Midi*** *(hors plan couleur par A1, **26**)* **:** 103, av. de Sospel. ☎ 04-93-57-55-96. À l'écart du centre, en direction de Sospel et de l'autoroute. Fermé les dimanche et mercredi soir, ainsi qu'en juillet. Menu à partir de 11,43 € (75 F) le midi en semaine. À la carte, compter autour de 30,50 € (200 F). Loin du tumulte, cette adresse insolite est tenue par des amoureux de la cuisine traditionnelle mentonnaise. Les produits et les plats sont frais : *pan d'anchoue braija, barba juan, picate* (médaillons de veau aux cèpes ou au citron). Apéritif de Menton, orange ou citron, offert sur présentation du *GDR* de l'année.

🍽 ***A Braïjade Meridiounale*** *(plan couleur B1, **21**)* **:** 66, rue Longue. ☎ 04-93-35-65-65. Fermé le mercredi. Ouvert midi et soir jusqu'à 22 h 30, ou 0 h 30 l'été. Fermé la 2e quinzaine de novembre (se renseigner pour les autres périodes). Vaste choix de menus à partir de 21,65 € (142 F) le midi uniquement et en semaine : autres menus de 24,09 à 40,40 € (158 à 265 F). Salle rustique aux murs en pierre apparente et derrière le comptoir, une jolie cheminée. Beaucoup de viandes marinées et grillées mais également quelques standards de la cuisine provençale comme l'aïoli niçois, les filets de rougets ou les farcis niçois aux senteurs de basilic. Digestif offert le soir sur présentation du *GDR* de l'année.

Où dormir ? Où manger dans les environs ?

Auberge Pierrot et Pierrette : place de l'Église, 06500 Monti. ☎ 04-93-35-79-76. À 5 km de Menton, route de Sospel. À l'entrée du village de Monti. Fermé le lundi. Congés annuels du 1er décembre au 15 janvier. Chambres de 54,88 à 62,50 € (de 360 à 410 F). Demi-pension obligatoire en été. Menus à partir de 22,87 € (150 F). Agréable et aéré, avec vue sur la mer au loin. Bons menus avec quelques plats savoureux : truite au bleu, bien sûr, succulent lapin au romarin, fricassée de poulet aux écrevisses... Jardin et piscine.

À Castillon *(à 12 km au nord de Menton)*

Auberge Chai Moi : route du col de Castillon, 06500 Castillon. ☎ 06-15-31-41-62 ou ☎ 04-93-04-17-60. À 1,5 km du village de Castillon, sur la gauche de la route du col de Castillon, en direction de Sospel. Fermé de mi-novembre à mi-mars. Ouvert sur réservation uniquement le samedi midi, le dimanche midi, les jours fériés, à condition d'être 10 personnes minimum. Le dimanche midi, comme il y a du monde, pas la peine de venir en groupe. Menu à 22,10 € (145 F). Accrochée à un versant de montagne en contrebas de la route, l'auberge n'est pas facile d'accès. En cas de problème, le patron attend parfois ses hôtes au bord du chemin. Tout est fait maison, selon des règles artisanales, « bio » et naturelles : apéritif, digestif, pain, et bien sûr la cuisine (faite au four à bois). Spécialités : les gnocchi aux blettes, la *socca*, le lapin farci aux herbes. Un festin succulent.

À voir dans la vieille ville

Pour l'apprécier avec suffisamment de recul, allez d'abord sur la jetée qui longe le vieux port. Soutenu par des arcades, le vieux Menton sur fond de montagne, dominé par les cyprès du cimetière, offre une belle unité architecturale. Prenez ensuite la *rue des Logettes,* à droite de la rue Saint-Michel, qui vous mènera sur la petite *place des Logettes,* très calme. Continuez par l'étroite *rue Longue* (sous le porche), ancienne rue principale de la vieille ville.

★ Par les rampes du Chanoine-Ortmans ou du Chanoine-Gouget (dans la rue Longue), vous arrivez sur le beau ***parvis Saint-Michel***; sur le sol, mosaïque de petits galets blancs et noirs aux armes des Grimaldi. Avec ses deux églises baroques, sa vue sur la mer, c'est un des plus ravissants décors à l'italienne que l'on puisse voir en France. C'est d'ailleurs ici qu'ont lieu les concerts du festival de Musique en août.

★ ***La basilique Saint-Michel-Archange*** *(plan couleur B1)* **:** ☎ 04-93-35-81-63. Ouvert de 10 h à 12 h et de 15 h à 17 h. Fermé le samedi matin. Elle offre une façade baroque, colorée, à deux étages, et deux clochers à terrasses.
À l'intérieur, décoration dans le goût italien, inspirée de l'église de l'Annunziata de Gênes. Retable d'*Antoine Manchello* (1565) dans le chœur, repré-

sentant saint Michel, saint Pierre et saint Jean Baptiste. Sur les voûtes, les fresques racontent la vie de saint Michel *(Saint Michel terrassant le démon).* Au fond du chœur, superbe buffet d'orgue du XVIIe siècle. De superbes tentures rouges en damas de Gênes, datant de 1757, recouvrent (mais très rarement !) toutes les colonnes de l'église et forment un baldaquin somptueux au-dessus de l'autel, transformant l'église en l'un des plus beaux lieux de culte de France ! On a vraiment eu le coup de cœur... et surtout la chance de pouvoir les admirer, car elles ne sortent que tous les cinq ans et pour de grandes occasions !

★ ***La chapelle de l'Immaculée-Conception ou des Pénitents-Blancs*** *(plan couleur B1),* au fond de la place, dresse sa belle façade Renaissance et ses guirlandes de fleurs en stuc ; voûtes ornées. Ouvert sous réserve que quelqu'un soit disponible à la basilique Saint-Michel pour vous ouvrir la porte ; visite de 15 h à 17 h. Trompe-l'œil sous la coupole de l'autel. Nombreuses lanternes servant aux processions.

★ Continuez à monter : *rue Mattoni* d'abord, avec ses passages couverts, *rue de la Côte* ensuite, plus raide, qui rattrape la *rue du Vieux-Château.* Une impression de calme et de fraîcheur se dégage de ces très vieilles maisons où sèche le linge.

★ Vous parviendrez ensuite au ***cimetière du vieux château*** de Menton, ouvert de 7 h à 18 h (20 h en été). Il est établi à l'emplacement de l'ancien château fort et comporte quatre terrasses, d'où vous découvrirez une vue magnifique : d'un côté, la France, de l'autre, l'Italie, les montagnes plongeant dans la mer d'un bleu éclatant. Les cyprès ajoutent à la sérénité de l'endroit. La lecture des inscriptions sur les tombes vous éclairera sur la vocation de Menton à la fin du XIXe siècle dernier : une cité où bon nombre de riches étrangers venaient chercher le soleil et souvent la guérison d'une tuberculose. On ne reculait pas devant les distances : ainsi cette tombe d'Evelyn, femme de William Rosamond de Toronto (Canada !), morte à l'âge de 19 ans. À côté, tombe de Veronica Christine, fille du général Genkin Jones, morte à 15 ans, et plus loin, après des inscriptions russes, Henri Taylor, de Dundee, qui mourut à Menton en 1888 à 25 ans. Vous vous trouvez à présent tout à la proue du cimetière, surplombant la vieille ville que domine le clocher de l'église Saint-Michel.

★ Redescendez *place Saint-Michel* par la rue des Écoles-Pie très escarpée, puis prenez la rue de Brea. Au bout se trouve l'*église des Pénitents-Noirs.* Continuer par la rue du Général-Gallieni. De l'ancienne enceinte fortifiée, il ne subsiste que la *porte Saint-Julien,* la *tour hexagonale* et la *porte Saint-Antoine.*

★ Vous retrouvez la *rue Saint-Michel,* rue commerçante de la ville, et ses orangers ; tout de suite à gauche, la charmante ***place aux Herbes*** avec ses terrasses de café, ses platanes et sa colonnade qui rythme des échappées sur la mer. Marché à la brocante tous les vendredis. À côté, le marché couvert, sa place et son marché aux fleurs. Ambiance assurée le matin. Goûtez *pichade* (tomate, oignons) et *barba juan* au *ban de la Tatoune,* célébrité locale qui en vendit sans faiblir ici de 1917 à 1970. À l'intérieur du marché, *Au baiser du mitron,* achetez une fougasse mentonnaise, à la fleur d'oranger, aux amandes ou à l'anis.

★ À signaler encore la *rue de Brea,* ouverte en 1618, plus bas que l'église Saint-Michel. Au *n° 3* logea l'inévitable Bonaparte en 1796. Il en aura visité des maisons ! Au *n° 2* naquit le futur général de Brea, fusillé en 1848 par les insurgés parisiens.

À voir encore

★ ***La promenade du Soleil*** *(plan couleur A-B2)* **:** elle s'étend en bordure de mer et mérite bien son nom. Les retraités la colonisent, passant leur journée à se réchauffer au soleil de banc en banc. Menton est la ville de France où la proportion de retraités est la plus élevée (quelque 30 % de la population) et en même temps celle où la jeunesse pointe de plus en plus son nez.

★ ***Le palais Carnolès :*** av. de la Madone. ☎ 04-93-35-49-71. Dans l'ouest de la ville. Ouvert de 10 h à 12 h et de 14 h à 18 h. Fermé le mardi. Entrée gratuite. Ce fut la résidence d'été (1715) d'Antoine Ier, prince de Monaco, avant de devenir casino puis propriété privée jusqu'en 1961. La demeure est entourée d'agréables jardins qui constituent la plus importante collection d'agrumes en Europe.
Aujourd'hui, le palais abrite à l'étage la collection Wakefield Mori, léguée en 1959. Primitifs niçois (*Vierge à l'Enfant* de Louis Brea), écoles européennes des XVIIe et XVIIIe siècles. Enfin, école de Paris (1920-1940) avec Derain, R. Dufy, etc. Au rez-de-chaussée, quelques tableaux modernes ou contemporains : Paul Delvaux, Gromaire, Tal Coat, dont certains premiers prix de la Biennale internationale d'Art de Menton (Desnoyers, Gleizes, etc.).

★ ***Les jardins Biovès*** *(plan couleur A1-2)* **:** palmiers, citronniers, fleurs et fontaines au centre de la ville ; belle perspective sur les montagnes environnantes. Monument du rattachement à la France. C'est ici que se déroule la fête du Citron. Elle commence avant le Mardi gras, pour s'achever le dimanche suivant. Une tradition qui remonte aux années 1930, Menton étant encore le premier producteur de citrons du continent. Un hôtelier (comme toujours, ce sont eux qui se remuent... déjà en 1895 ils avaient créé le Carnaval pour dérider les riches hivernants !) a l'idée d'organiser une expo de fleurs et d'agrumes dans les jardins de l'hôtel *Riviera*. Un succès tel que la fête va vite descendre dans la rue, les Mentonnaises – les plus jolies – prenant la tête des chariots d'arbustes plantés d'oranges et de citrons. Ces derniers seront vraiment à la fête en 1934. Deux ans après est lancée la première exposition d'agrumes et de fleurs dans les jardins Biovès. Depuis, c'est une telle réussite que vous n'avez pas intérêt à venir ici en voiture à pareille époque... Pendant cette fête, les jardins Biovès sont surmontés d'une passerelle d'où l'on peut voir les « Maisons et Jardins » d'agrumes (entrée payante).

★ ***Le palais de l'Europe et sa façade rétro*** *(plan couleur A1)* **:** av. Boyer. Siège actuel de l'office du tourisme, c'était autrefois le casino (1909). Cadre de nombreuses manifestations culturelles, il abrite une galerie d'art contemporain. Le reste en revanche date un peu.

★ ***L'hôtel de ville*** (1860) ***et la salle des mariages décorée par Jean Cocteau*** *(plan couleur B1)* **:** visite de 9 h à 12 h 30 et de 14 h à 17 h. Fermé les samedi, dimanche et jours fériés. Entrée : 1,52 € (10 F).
La salle des mariages a été décorée par Cocteau en 1957-1958. Assez croquignolette et intime. Au fond, le pêcheur et son œil poisson (comme à Villefranche) est coiffé de l'ancien bonnet des pêcheurs de Menton ; la fille face à lui porte également un chapeau typiquement mentonnais, la capeline. Sur les murs, histoire d'Orphée et noce de village. Ah oui ! on a oublié de vous dire : jadis, c'était un tripot ! Autre détail : contrairement à ce qu'ordonne le Code civil, il n'y a pas de Marianne sculptée dans la salle des mariages. *Les Deux Mariannes* de Cocteau la remplacent.

★ ***Le musée Jean-Cocteau*** *(plan couleur B1)* **:** bastion du Vieux-Port (XVIIe siècle). ☎ 04-93-57-72-30. Ouvert de 10 h à 12 h et de 14 h à 18 h. Fermé les mardi et jours fériés. Entrée : 3,05 € (20 F).
À l'extérieur, trois mosaïques de galets d'après des dessins de Cocteau. À

l'intérieur, le sol est recouvert d'une grande mosaïque, *La Salamandre,* exécutée en galets gris et blancs.
À l'étage, les *Innamorati* (variation sur les amoureux), pastels splendides inspirés par les amours des pêcheurs de Menton. Étonnante série des *Animaux fantastiques,* en céramique. Sur un chevalet, un portrait du « touche-à-tout de génie » par Picasso.

★ ***Le quai Napoléon-III :*** il protège le vieux port par une digue de 600 m. Vue superbe sur Menton et les montagnes.

★ ***Le Musée municipal de Préhistoire régionale*** *(plan couleur B1)* ***:*** rue Lorédan-Larchey. ☎ 04-93-35-84-64. Dans le centre-ville, non loin de la mairie. Ouvert de 10 h à 12 h et de 14 h à 18 h. Fermé le mardi. Entrée gratuite.
On y voit des reconstitutions de scènes, ossements, pierres tallées, mâchoires d'éléphants et surtout le squelette de l'*homme de Menton* (25000 ans av. J.-C. !), découvert dans l'une des grottes Grimaldi, actuellement en territoire italien (voir plus loin). Saisissant : son crâne est recouvert d'une multitude de coquillages et de dents de cerfs... Son bonnet décoré se serait incrusté sur les os avec le temps !
À voir également d'intéressants documentaires projetés dans une salle attenante. On appuie sur un bouton pour sélectionner et on s'assoit ; une bonne idée. Ne pas rater le film sur la vallée des Merveilles si vous comptez vous y rendre. Pour achever de renseigner les curieux, un personnel aimable, passionné et compétent.

★ ***Garavan :*** un quartier mythique. Tout près de la frontière, les collines de Menton y forment un arc face à la mer, à l'abri des vents du nord, où la température est la plus clémente de la Côte d'Azur. De nombreux étrangers, « poitrinaires » fortunés, s'y étaient installés à la fin du XIXe siècle et avaient construit de somptueuses villas au milieu des oliviers. Beaucoup sont laissées un peu à l'abandon, prêtant à la nostalgie...

Activités nautiques

Bateaux de la French Riviera : quai Napoléon-III, vieux port. ☎ 04-93-35-51-72. Tous les jours, de mi-avril à fin octobre. À partir de 10,67 € (70 F) pour un adulte selon les destinations ; 50 % de réduction pour les moins de 10 ans. Promenade très touristique mais agréable, qui permet de découvrir les rivages de Monaco, Saint-Jean-Cap-Ferrat et toute la Riviera française depuis la mer.

– ***Base nautique de Menton :*** ☎ 04-93-35-49-70. Toute l'année, locations, cours collectifs et particuliers, ski nautique, tractage de bouée. Garderie, en plus. Menton a une mer bien à elle, assagie, sous un ciel clément (216 jours sans nuage, qu'ils disaient), profitez-en !

Achats

Confitures Herbin : 2, rue du Vieux-Collège. ☎ 04-93-57-20-29. Une maison spécialisée depuis des lustres dans la fabrication de confitures artisanales, réputées au-delà de la ville ; ses propriétaires proposent, hormis les classiques confitures d'agrumes, des mélanges originaux ainsi que des confitures de légumes ! Visite de la fabrique tous les mercredis matin à 10 h 30.

– ***Le marché de Vintimille :*** tous les vendredis, c'est 2 km de bord de mer recouverts de marchandises. Beaucoup de faux (Vuitton, Chanel, Rolex, Lacoste, etc.). À présent, cela se passe « sous le manteau », mais on ne vous le conseille pas : vous seriez considéré comme receleur d'objets contrefaits et les sanctions sont tellement sévères que le jeu n'en vaut pas la chandelle.

Fêtes et manifestations

– ***Fête du Citron :*** à ne pas manquer si l'on aime... les citrons. Le thème change chaque année (des histoires de princes aux aventures de Lucky Luke, il y en a vraiment pour tous les goûts, de 7 à 77 ans !). De quoi animer la ville chaque année en février, autour du Mardi gras, et ce pendant quinze jours : corsos d'agrumes (oranges et citrons), expo d'orchidées et d'agrumes, etc. Pour l'occasion, des reconstitutions géantes de monuments et d'animaux (éléphants, chevaux, etc.), le tout en citrons. Menton importe alors près de 150 tonnes de citrons d'Espagne. Selon la légende, Ève, chassée du Paradis, un citron à la main, aurait décidé de le planter dans le plus bel endroit qu'elle trouverait sur terre ; ce fut Menton (c'eût été Oslo, on n'aurait pas vu grand-chose pousser...). Le hic, durant cette manifestation très fréquentée, c'est le stationnement. Les voitures sont emportées par dizaines à la fourrière chaque année.
– ***Journées méditerranéennes du jardin :*** les 8 et 9 septembre. Le slogan de la ville de Menton est « Ma ville est un jardin ». Pour nous le prouver, pendant plusieurs jours, la ville ouvre les jardins privés au public, en juin, mois traditionnellement consacré à cette nouvelle forme de culture populaire, et en septembre, lors des fameuses « Journées méditerranéennes ». Renseignements à l'office du tourisme.
– ***Fête des Bazaïs :*** en août. Tous les Mentonnais se retrouvent autour d'un chaudron rempli de soupe de haricots. Une fête qui tire ses origines du Moyen Âge.
– ***Festival de Musique :*** tout le mois d'août. Sur le parvis de la basilique Saint-Michel. Un rendez-vous réputé pour les mélomanes depuis maintenant cinquante ans.

Les jardins de Menton

ATTENTION, quelques-uns des lieux que nous vous indiquons, en dehors des portes ouvertes de juin et des Journées méditerranéennes du jardin en septembre, ne sont visibles que lors de visites guidées. Renseignements à la ***maison du Patrimoine,*** rue Ciapetta. ☎ 04-92-10-33-66. C'est là qu'il vous faudra aller chercher LE guide qui vous permettra, au travers d'une visite guidée mémorable, de mieux comprendre Menton et ses jardins.

★ ***Le jardin botanique exotique de Val Rahmeh :*** av. Saint-Jacques. ☎ 04-93-35-86-72. De mai à septembre, visite de 10 h à 12 h 30 et de 15 h à 18 h ; d'octobre à avril, de 10 h à 12 h 30 et de 14 h à 17 h.
Créé au début du XXe siècle par des Anglais passionnés de botanique, c'est depuis 1966 l'antenne méditerranéenne du Muséum national d'Histoire naturelle. Tonnelles, bassins à nénuphars et fontaines agrémentent ce jardin qui présente sur 1 ha un grand nombre de plantes exotiques (et comestibles : kiwis, avocatiers, bananiers...) rassemblées par thèmes. Il possède le seul exemplaire du *Sophora toromiro,* l'arbre mythique de l'île de Pâques, qui pousse ici en pleine terre. Superbe jardin, surtout avec la vue sur la baie de Garavan. Une belle allée de palmiers vous conduit à la villa.

★ ***Le jardin du Pian :*** juste à côté. Très agréable avec sa belle plantation d'oliviers centenaires (certains seraient même plus que millénaires !) qui évoque la Grèce antique. Certaines manifestations culturelles s'y déroulent en été.

★ ***La villa Fontana Rosa :*** av. Blasco-Ibáñez. Bus n° 3 ; arrêt « Blasco-Ibáñez ». Ici habita Vicente Blasco Ibáñez de 1922 à sa mort en 1928. Le romancier espagnol y écrivit *Mare Nostrum.* La résidence étant privée, on ne peut voir les célèbres mosaïques qui recouvrent aquarium, bassins et bancs qu'au cours d'une des journées du Patrimoine.

★ ***Le jardin des Colombières :*** route des Colombières, à Garavan. Créé par le peintre et romancier Ferdinand Bac entre 1918 et 1927, ce jardin – longtemps fermé pour cause de restauration – est composé comme un voyage autour de la Grande Bleue. Il est planté surtout de cyprès et d'oliviers, et propose une quinzaine d'arrêts auprès de « fabriques » offrant des vues superbes sur la vieille ville et sur la baie.

★ ***La serre de la Madone :*** 74, route de Gorbio. ☎ 04-93-28-29-17. Bus n° 7, arrêt « Mer-et-Monts ». Ouvert tous les jours à partir de 10 h ; visites guidées. À la différence du précédent, ce jardin dédaigne les vues sur mer pour mieux mettre en valeur des essences rares (même très rares) rapportées par son créateur, le major Lawrence Johnston, de ses nombreux voyages en Asie. Un beau modèle d'architecture paysagère avec ses bassins et ses fontaines qui créent une atmosphère hors du temps. Surtout un des plus beaux exemples d'acclimatation sur les bords de la Méditerranée de l'éclectisme et de l'intimité des jardins anglais du début du XXe siècle.

★ ***Le jardin de Maria Serena :*** promenade Reine-Astrid. Près de la frontière italienne. Propriété de la ville, donc à découvrir au cours d'une visite guidée, elle offre une vue superbe sur Menton, au milieu des plantes subtropicales et des palmiers. Ici, vous comprendrez mieux pourquoi la cité du citron, abritée des vents froids du nord grâce aux massifs rocheux qui l'entourent, bénéficie d'un microclimat idéal pour l'acclimatation des espèces tropicales. Pour finir, un tour de l'autre côté de la frontière est quasiment obligatoire, ne serait-ce qu'avec la visite du fabuleux jardin Hanbury.

À la frontière italienne

★ ***Les grottes Grimaldi :*** traverser le quartier de Garavan et longer la mer jusqu'à la douane ; c'est immédiatement après le poste-frontière, derrière un restaurant, sur la droite. Visite tous les jours sauf le lundi, de 9 h à 13 h et de 14 h 30 à 19 h 30. Entrée payante. Sous cette puissante arête en calcaire dolomitique vécurent nos ancêtres ! C'est dans l'une de ces grottes que les archéologues ont retrouvé l'*homme de Menton* (pour les Français) ou *homme de Grimaldi* (pour les Italiens !). On visite d'abord un petit *musée* (moins intéressant que celui de Menton, où l'on peut voir ledit squelette), puis un guide fait franchir la voie de chemin de fer jusqu'à la *grotte Caviglione,* très haute mais peu profonde. À 5 m des têtes (le sol était plus haut avant), une gravure rupestre représentant un cheval. Contrairement à ce que l'on pourrait croire, la noirceur de la roche n'est pas due au feu de nos ancêtres mais... aux vapeurs des trains ! Un peu plus loin, la *grotte de Florestano,* plus belle mais sans trace de vie.

➤ *DANS LES ENVIRONS DE MENTON*

★ *SAINTE-AGNÈS* *(06500)*

Prenez au nord la D 22, par l'avenue des Alliés. Le village, accroché au flanc d'un pic qui culmine à 780 m en surplomb de la Méditerranée, se confondant presque avec la falaise, occupe un site exceptionnel. C'est l'archétype du vieux village pittoresque, avec ses rues enchevêtrées et pavées, ses porches anciens, ses passages voûtés. Nombreuses boutiques d'artisanat en tout genre (tissage, bijoux fantaisie, etc.), pour qui aime. La rue Longue,

pavée de galets, conduit à un belvédère d'où l'on découvre une vue superbe sur la Riviera. Par beau temps, on aperçoit la Corse.
Les marcheurs pourront descendre au *collet de Saint-Sébastien,* où se trouve une chapelle. De là, des sentiers permettent de gagner Menton ou Gorbio.
Voir à la rubrique « Transports », au début de « Menton », ci-dessus, les services de cars.

Où manger ?

I●I *Le Logis Sarrasin :* ☎ 04-93-35-86-89. Fermé le lundi. Congés annuels du 19 octobre au 19 novembre. Menus à partir de 12,96 € (85 F). Auberge familiale d'un bon rapport qualité-prix. Les portions y sont copieuses. Cuisine simple de la patronne : tourte maison, colinot aux câpres, ou pintade aux champignons.

★ *GORBIO* *(06500)*

Après avoir longé les murs du palais Carnolès, prenez à droite la rue A.-Reglion et la D 23 qui remonte le torrent de Gorbio, bordée de somptueuses villas au milieu des oliviers. Gorbio, perché dans un site sauvage, est célèbre pour sa *procession aux Limaces* à la Fête-Dieu. Comme à Roquebrune, on remplit les coquilles d'escargots (*limassa* en provençal) avec de l'huile dans laquelle on trempe une mèche ; on dispose des milliers de coquilles lumineuses le long des rues, sur les rebords des fenêtres. Ces lumignons éclairent le parcours du Saint Sacrement parcourant la ville sous un dais. À Gorbio, cette procession, qui tire son origine de l'arrivée nocturne d'un pape dans le comté, prend un caractère particulier. Elle est le rendez-vous annuel des pénitents du Midi.
Les ruelles pavées de galets, reliées par des arcades, sont marquées par l'usure du temps. Remarquez l'orme de 1713, aux proportions impressionnantes, et la vieille fontaine à l'entrée du village.
➢ ***Promenades à pied :*** des sentiers conduisent à Roquebrune (en 1 h 30, de la place centrale) et à Sainte-Agnès, offrant de jolis points de vue.

Où manger ?

I●I *Restaurant Beau Séjour :* ☎ 04-93-41-46-15. Fermé le mercredi de septembre à juin et tous les soirs d'octobre à mai. Menus à partir de 19,51 € (128 F). Sur la place du village, une adresse où l'on peut se régaler avec une cuisine toute simple : daube aux raviolis, fleurs de courgettes en beignets, lapin sauté à la marjolaine, etc. Une vraie cuisine pleine de soleil et de goût.

★ *CASTELLAR* *(06500)*

Deux routes permettent de gagner Castellar depuis Menton : soit la D24 par la promenade du val de Menton, soit la route des Ciappes. Elles se rejoignent au lieu-dit La Pinède.
Le village perché est le point de départ de nombreuses promenades balisées par le GR 52. De la terrasse de l'*Hôtel des Alpes,* vue sur la côte. Des rues parallèles sont reliées entre elles par des passages voûtés. L'ancien *palais des Lascaris* est traversé par la rue de la République. Émouvante chapelle au cimetière, en contrebas.

➢ ***Randonnées :*** le *Restaud* (1 145 m), compter 1 h 45 d'ascension; le *Grammont* (1 380 m), en 3 h; les *ruines du vieux Castellar,* en 1 h.

Où dormir? Où manger?

Camping et table d'hôte

⛺ 🍽 ***Ferme Saint-Bernard :*** chez Daniel et Évelyne Bovis. ☎ 04-93-28-28-31. Une ferme accrochée dans la montagne, accessible seulement par une piste qui oblige le propriétaire à venir vous chercher en 4x4. Camping : 3,96 € (26 F). Repas à 12,96 et 19,82 € (85 et 130 F). Dépaysement total. Malgré l'austérité du terrain de camping (quelques caravanes disponibles), on y est reçu avec soin et attention. Chiens, chevaux, sangliers et canards y vivent en harmonie. Bonne table avec produits de la ferme. Apéritif maison offert à nos lecteurs sur présentation du *Guide du routard* de l'année.

Prix moyens

🏠 🍽 ***Hôtel des Alpes :*** 1, pl. Clemenceau. ☎ 04-93-35-82-83. Fax : 04-93-28-24-95. Fermé le vendredi. Congés annuels en novembre et décembre. Resto ouvert tous les jours en été. Chambres doubles à partir de 38,11 € (250 F) avec douche. Menus à partir de 13,72 € (90 F). Quelques petites chambres proprettes, certaines avec vue sur les montagnes. Très calme. Bonne cuisine du terroir : lapin aux herbes, et gibier en saison. Réduction de 10 % sur le prix de la chambre toute l'année à nos lecteurs sur présentation du *Guide du routard* de l'année.

🍽 ***Le Palais Lascaris :*** 58, rue de la République. ☎ 04-93-57-13-63. Fermé le dimanche soir. Service du soir jusqu'à 21 h 30. Menus à 13,72 et 18,29 € (90 et 120 F). Dans l'ancienne salle des Gardes du *Palais Lascaris.* On y perpétue avec finesse et dextérité la tradition culinaire ligure et provençale : assiette castellaroise, *barbajuans* façon ligure (à base de courge) et le veau « tonne ». Accueil aimable et souriant. Bon rapport qualité-prix.

INDEX GÉNÉRAL

– A –

– B –

– C –

– D –

– E –

– F –

– G –

– H –

– I-J –

– L –

– M –

– N –

– O –

– P –

– R –

– S –

– T –

– U-V –

OÙ TROUVER LES CARTES ET LES PLANS ?

les **Routards** *parlent aux* **Routards**

Faites-nous part de vos expériences, de vos découvertes, de vos tuyaux pour que d'autres routards ne tombent pas dans les mêmes erreurs. Indiquez-nous les renseignements périmés. Aidez-nous à remettre l'ouvrage à jour. Faites profiter les autres de vos adresses nouvelles, combines géniales... On adresse un exemplaire gratuit de la prochaine édition à ceux qui nous envoient les lettres les meilleures, pour la qualité et la pertinence des informations. Quelques conseils cependant :
– Envoyez-nous votre courrier le plus tôt possible afin que l'on puisse insérer vos tuyaux sur la prochaine édition.
– N'oubliez pas de préciser sur votre lettre l'ouvrage que vous désirez recevoir.
– Vérifiez que vos remarques concernent l'édition en cours et notez les pages du guide concernées par vos observations.
– Quand vous indiquez des hôtels ou des restaurants, pensez à signaler leur adresse précise et, pour les grandes villes, les moyens de transport pour y aller. Si vous le pouvez, joignez la carte de visite de l'hôtel ou du resto décrit.
– À la demande de nos lecteurs, nous indiquons désormais les prix. Merci de les rajouter.
– N'écrivez si possible que d'un côté de la lettre (et non recto verso).
– Bien sûr, on s'arrache moins les yeux sur les lettres dactylographiées ou correctement écrites !

Le Guide du routard : 5, rue de l'Arrivée,
92190 Meudon

E-mail : guide@routard.com
Internet : www.routard.com

Routard Assistance *2002*

Vous, les voyageurs indépendants, vous êtes déjà des milliers entièrement satisfaits de Routard Assistance, l'Assurance Voyage Intégrale sans franchise que nous avons négociée avec les meilleures compagnies, Assistance complète avec rapatriement médical illimité. Dépenses de santé, frais d'hôpital, pris en charge directement sans franchise jusqu'à 300 000 € (2 000 000 F) + caution + défense pénale + responsabilité civile + tous risques bagages et photos. Assurance personnelle accidents : 75 000 € (500 000 F). Très complet ! Le tarif à la semaine vous donne une grande souplesse. Chacun des *Guides du routard* pour l'étranger comprend, dans les dernières pages, un tableau des garanties et un bulletin d'inscription. Si votre départ est très proche, vous pouvez vous assurer par fax : 01-42-80-41-57, mais vous devez, dans ce cas, indiquer le numéro de votre carte bancaire. Pour en savoir plus : ☎ 01-44-63-51-00 ; ou, encore mieux, • www.routard.com •

Imprimé en France par Aubin n° L62985
Dépôt légal n° 19000-2/2002
Collection n° 13 - Édition n° 01
24/3537-8
I.S.B.N. 2.01.243537-8
I.S.S.N. 0768.2034